Cydymaith
Byd Amaeth

HUW JONES

Cyfrol 1 : abal – cywsio

Golygydd cyffredinol: Gwilym Edwards

Argraffiad cyntaf : Gŵyl Ddewi 1999

Rhif Llyfr Safonol Rhyngwladol :
0–86381–570–7

Dyluniadau : Gareth Maelor

Cynllun clawr : Smala, Caernarfon

Argraffwyd a chyhoeddwyd gan Wasg Carreg Gwalch,
12 Iard yr Orsaf, Llanrwst, Dyffryn Conwy LL26 OEH.
☎ *(01492) 642031*

Cydnabod

Carwn ddiolch i bawb y cefais eu cymorth a'u cymwynasau wrth gasglu'r geiriau, ayyb, ac wrth eu trin a'u trafod: i Mr Gareth Bevan a'i gydweithwyr diwyd yn Adran Geiriadur Prifysgol Cymru yn Aberystwyth, am eu hynawsedd a'u parodrwydd i gynorthwyo ar bob adeg; Amgueddfa Werin Cymru, Sain Ffagan, yn arbennig Mr Arwyn Lloyd Hughes, y Prif Archifydd, am 'agor eu trysorau' yno, yn eiriau a lluniau, at fy ngwasanaeth; i Mr Gwynn Llywelyn am wneud yn siŵr nad wy'n camarwain wrth ymdrin â heintiau ac afiechydon anifeiliaid; i'r Parch Gareth Maelor Jones am ei gymwynas yn paratoi rhai o'r lluniau; i Eiriadur Prifysgol Cymru am beth wmbredd o ddiffiniadau a dyfyniadau; i bawb arall, yn fyw ac yn farw, am ddyfyniadau o'u gwaith. Os digwydd fy mod heb dadogi unrhyw ddyfyniad, yn anfwriadol a thrwy amryfusedd y bu hynny. Carwn ddiolch hefyd i Myrddin ap Dafydd a'i staff yng Ngwasg Carreg Gwalch am eu hamynedd a'u cwrteisi, ac am gael y gyfrol drwy'r wasg yn wir ddeniadol oddi mewn ac oddi allan. Yn bennaf, diolch i Mr Gwilym Edwards, cynaelod o dîm Geiriadur Prifysgol Cymru yn y Llyfrgell Genedlaethol, am ei gymorth gwerthfawr fel golygydd cyffredinol ac wrth arolygu'r gwaith gosod. Bwrier y bai arnaf fi am bob camgymeriad ffeithiol ac ieithyddol.

I Megan
am 'ddedwydd lonydd le'
a phob cymorth yn ystod y tair blynedd
y bûm wrth y gwaith

Rhagair

Yn 1994 y daeth gwahoddiad oddi wrth Wasg Carreg Gwalch, Llanrwst i baratoi casgliad o eiriau, termau, ymadroddion, ayyb, amaethyddol. Roedd y diddordeb yma ers tro, a hwnnw wedi esgor ar ddarlith ar y defnydd ffigurol a wnawn o eiriau ac ymadroddion amaethyddol – cnoi cil, cau pen y mwdwl, ceffyl blaen, a'u tebyg. Ni chefais lawer o drafferth i dderbyn y gwahoddiad.

Fy nhasg oedd cael y gair, cael ei gyfystyron, ei genedl, ei luosog neu unigol – fel bo'r achos, cael enghraifft o'r gair ar waith ac unrhyw ddefnydd ffigurol ohono. Roedd dymuniad hefyd am i'r gwaith gyflwyno peth gwybodaeth. Ar fy ngwaethaf aeth yn beth mawr. Ni ddychmygais, ac ni ddychmygodd Myrddin ap Dafydd, ei fod yn faes mor eang a'r cynhaeaf yn debyg o fod mor fawr. Wedi'r cwbl, mae iaith 'crefft gyntaf dynolryw' mor hen, a chymaint o eiriau gwahanol am yr un peth, a chymaint o ffurfiau gwahanol i'r un geiriau o ranbarth i ranbarth yng Nghymru. Dyna pam y bydd y gwaith yn ymddangos yn bedair cyfrol. Dyma'r gyfrol gyntaf.

Ceisiais, gorau gallwn, fwrw fy rhwyd dros Gymru gyfan. Daliwyd nifer helaeth o eiriau, ymadroddion, ayyb, o'r gwahanol siroedd ac ardaloedd, geiriau llafar a geiriau llyfr. Er hynny mae'n ddiamau bod rhai geiriau wedi osgoi'r rhwyd. Gallaf ymgysuro fodd bynnag yn y ffaith mai anorffenedig yw pob gwaith ymchwil. Dyna, yn sicr, yw'r gwaith hwn. Er cymaint a sguboriwyd yma gwelir, mae'n siŵr, bod tipyn eto heb gyrraedd y sgubor. Bydd yn gyfle i rywun arall fynd ati i gribinio.

Bu newid syfrdanol mewn dulliau o amaethu yn ystod ail hanner yr ugeinfed ganrif. Nid y lleiaf o'r newidiadau fu machlud oes y ceffyl a gwawrio o oes y tractor gyda'i holl deulu o beiriannau ac offer fferm. Llwyr fecaneiddiwyd amaethyddiaeth, gan ddisodli llafur dyn a cheffyl. Daeth ffermio'n gyffredinol yn orchwyl gwyddonol a mecanyddol. Un canlyniad i hynny fu'r newid yn iaith a geirfa ffermwr. Wrth gorlannu'r geiriau ceisiais adlewyrchu'r newid hwnnw gan roi geiriau ffermio heddiw yn ogystal â geiriau ffermio ddoe, a chrisialu ystyr geirfa ddoe yr un pryd â hyrwyddo geirfa heddiw.

Fodd bynnag, mae'n amlwg mai'r Cymry a aned yn ystod hanner cyntaf yr ugeinfed ganrif fydd y rhai olaf i wybod ystyr llawer iawn o eiriau ac ymadroddion ffermio ddoe, ac i'w defnyddio'n ystyrlon. Eisoes mae llawer ohonyn nhw yn anarferedig ar lafar. Mewn llyfrau'n unig y ceir y rheini bellach. Diflannodd cyd-destun llawer ohonyn nhw – y ceffyl gwedd, yr harnais, y drol, yr aradr geffyl, y bladur, y cryman medi, yr arfod, yr ystod, y pren cynnull, yr ysgub, y mwdwl, ayyb. Erbyn hyn mae llawer o'r iaith hon yn ddieithr, hyd yn oed i feibion a merched ffermydd. Ac eto mae rhai o'r geiriau'n mynd i aros, yn enwedig yn eu hystyr ffigurol, a hynny heb fod fawr neb yn ymwybod â'u cynefin amaethyddol gwreiddiol. Fy ngobaith yw y bydd y gwaith hwn yn gymorth i gadw cof am y cynefin gwreiddiol hwnnw.

Nid geiriau'n unig yw geiriau. Maen nhw'n dystion i ffordd o fyw, i ddulliau o weithio, ac, yn wir, i holl ymwneud dyn â'i fyd. Meddai Ffransis Payne:

> Y mae iaith yn cadw cof ... ac nid cof am bethau'n unig, ond am ddulliau o fyw ac o weithio. Bydd dynion yn newid dulliau ac yn anghofio'r hen rai yn gymharol fuan. Ond ni bydd eu hiaith yn anghofio. Yng nghronfa fyth-gynyddol iaith fe erys geiriau ac ymadroddion yn dystion i'r hyn a gollwyd. (Ffransis Payne, *Cwysau* 1980, tud 7-8.)

Wrth gwrs, mae'r geiriau a'r ymadroddion ayyb, i'w cael mewn gwahanol eiriaduron, a hwnt ac yma mewn llenyddiaeth o bob math. Ond dyma'r tro cyntaf inni eu cael wedi eu hel i'r un gorlan. Diau bod peth mantais a rhinwedd yn hynny. Cefais fudd a phleser anghyffredin yn paratoi'r gwaith. Rwy'n gobeithio y bydd i'r darllenwyr brofi peth o'r un budd ac o'r un pleser.

Huw Jones

Byrfoddau

a.	ansoddair	Ffig.	ffigurol
adarg.	adargraffiad	Ffr.	Ffrangeg
Alm.	almanac		
amaeth.	amaethyddiaeeth, amaethyddol	Gogl.	Gogledd (Cymru)
amr.	amrywiad	gol.	golygydd, golygwyd gan
arall.	aralleiriad	Gorll.	Gorllewin (Cymru)
arg.	argraffiad	GPC	Geiriadur Prifysgol Cymru
ayyb	ac yn y blaen	gw.	gweler
		Gw.	gweler
bach.	bachigyn		
bardd.	barddoniaeth	HD.	Hen Destament
be.	berfenw	h.y.	hynny yw
bf.	berf		
Beibl.	beiblaidd	ll.	lluosog
Brych.	Brycheiniog	llsgr.	llawysgrif
		Maesd.	Maesyfed
Caerf.	Caerfyrddin	Mald.	Maldwyn
Caern.	Caernarfon	Meir.	Meirionnydd
Cered.	Ceredigion	Morg.	Morgannwg
cf.	cymharer	Myn.	Mynwy
Cyfr.	cyfrol		
Cymar.	cymariaethol	nod.	nodiadau
cmhr.	cymhariaeth	Nod. i AWC	Nodiadau i
			Amgueddfa Werin Cymru
De.	y De, Deheudir Cymru		
d.g.	dan y gair	O.C.	Oed Crist
diar.	dihareb		
Dinb.	Dinbych	Penf.	Penfro
diw.	diweddarwyd		
Dwyr.	Dwyrain	S.	Saesneg
dywed.	dywediad		
		TN.	Testament Newydd
e.e.	er enghraifft	traeth.	traethiad, traethawd
eb.	enw benywaidd	tros.	trosiad, trosiadol
ebg.	enw benywaidd neu wrywaidd		
eg.	enw gwrywaidd	un.	unigol
ep.	enw priod	un. bach.	unigol bachigol
etf.	enw torfol		
		ymad.	ymadrodd

abal *a.* Atebol, cefnog (mewn ystyr ariannol), da ei fyd, cyffyrddus ei amgylchiadau. Ar lafar yn Nyfed yn yr ystyr hwn.

1980 Picton Davies: *Atgofion Dyn Papur Newydd* 13, Pwy oedd yn dlawd a phwy oedd yn *abal.*

abediw *eg.* ll. *abediwiau.* Taliad gorfodol gynt i feistr tir neu arglwydd y faenor ar farwolaeth deiliad (tenant), drwy roi iddo'r bustach gorau neu ran arall o'r eiddo symudol. Ceir hefyd y ffurfiau *ebediw* ac *obediw* a *bediw.*

1200 LlDW 24, 21-2, Ef a dely *ebedyu* gwŷr e vaertref.

14g CHDd 75-6, *Ebediweu* i rei hynny yw y Arglwydd Dyvet decpunt.

abediwio *be.* Talu abediw.

15g AL, 2, 686, O mynn ef y tir gofynnet ef am ddafot yw dat gynt *abediwyau* y tir hwnnw.

Gw. ABEDIW.

Aberdeen Angus *ep.* Brid o wartheg duon, di-gorn, yn aeddfedu'n ifanc, o ddwyrain yr Alban. Nifer cyfyngedig o rai purlinachol sydd ar gael erbyn hyn. Defnyddir y tarw Angus gyda gwartheg godro, yn enwedig gyda heffrod, am eu bod yn gymharol fach, ac felly'r lloiau'n llai, a llai o drafferthion gyda bwrw llo. Mae eu carcas yn ffefryn mawr gan y cigyddion.

aberthu erthyl *be.* Yr arfer, pan erthylai buwch, dafad, ayyb, o losgi'r erthyl (yr epil marw) a rhoi rhyw gymaint o arian i'w ganlyn. Gelwid hyn yn *aberthu erthyl.* Does dim sicrwydd pa mor ddiweddar y digwyddai'r math hwn o beth.

1989 *Fferm a Thyddyn* 4, 9, Un o'r pethau glywais gan fy nhad oedd am yr arfer o *aberthu erthyl.* Os byddai buwch wedi 'thulu byddid yn llosgi'r erthyl a rhoi arian gydag o fel aberth. Roedd fy nhaid medda' fo wedi dod ar draws esgyrn ac arian wrth ail-wneud beudai rhyw oes. (Margaret P Hughes)

Gw. hefyd NOD BEUNO.

abo *eg.* Celain, corff marw, ysgerbwd, burgyn, ysglyfaeth (yn enwedig anifail ac aderyn). Ceir *abo blaidd,* sef anifail wedi ei ladd gan flaidd. Ar lafar yng Ngheredigion clywir yno 'yn drewi fel *abo*' ac 'yn oer fel *abo*'. GPC.

abomaswm *eb.* Pedwaredd stumog, neu bedwaredd adran stumog anifail cnoi cil (cilfil).

Gw. hefyd OMASWM, RETICWLWM, RWMEN.

acariasis *eg.* Afiechyd heintus ar groen anifail a achosir gan widdon (*acari*) neu baraseitiau'n tyllu'r croen, trogen, trogod.

acarid *eg.* ll. *acaridiau, acaridion.* Un o'r myrdd mân bryfetach neu'r arachnidau yn cynnwys y trogennau a'r gwiddon sy'n barasitiaid ac yn byw ar groen anifail, arfilod.

acaridleiddiad *eg.* ll. *acaridleiddiaid.* Cemegyn neu ddarpariaeth gemegol at ladd gwiddon, neu arachnidau parasitig, sy'n byw ar groen anifail, gwiddonleiddiad.

Gw. GWIDDONLEIDDIAD.

acer, acr *eb.* ll. *aceri*. Y mesur traddodiadol o dir cyn bod 'hectar' yng ngeirfa ffermwyr. Ar lafar yng Ngwynedd a Chlwyd. Ym Maldwyn, Brycheiniog a Cheredigion clywir *cyfer* neu *cyfair* ac *erw* ar draws y De. Amrywiai'r *acer* fel mesur gryn lawer o ranbarth i ranbarth yng Nghymru gynt. Seilid ei maint ar wialen Hywel Dda neu ar hyd hiriau (*hir + iau*) yr aradr. Rhyw ddeuddeg troedfedd gyfoes oedd hyd yr hiriau a ddefnyddid i ieuo pedwar ych ochr yn ochr wrth aredig. Heddiw mae'r mesur yn cyfateb i'r *acre* Seisnig, sef 4840 o lathenni sgwâr. Arferid hefyd synio am *acer* o dir fel yr hyn y gellid ei aredig mewn diwrnod â hirwedd o ychen (dau bâr o ychen a'r naill bâr o flaen y llall), neu'n ddiweddarach â gwedd o geffylau. Sonnir am *acer* o wair neu *acer* o ŷd, ayyb., yn ogystal ag am *acer* o dir. Mae'n elfen hefyd mewn enwau lleoedd megis *Acre*fair, Tal*acre*, *Acre*galed (Harlech).
Gw. CYFAIR, ERW.

acor gw. AGOR.

acsel gw. ACSTRE, ECHEL.

acsion *eb.* ll. *acsiynau*. Ocsiwn, sêl ffarm. Ar lafar yn sir Gaernarfon.

acstre, acstri, acstro *eb.* Echel neu werthyd, echel trol (cert), gwerthyd pŵer corddi, gwerthyd rhod ddŵr. Ar lafar ym Maldwyn.
Gw. ECS, ECSTRI, ECSTRO.

acstro *eg.* Cam tro, gwerthyd dro, offeryn i dorri tyllau mewn pren, a'r rheini'n gallu amrywio yn eu trawsfesur yn ôl maint yr ebill (*bit*). Ar lafar yng Ngwynedd a Gogledd Ceredigion.

achel gw. ACSTRE, ECHEL.

achles *egb.* ll. *achlesau*. Yn amaethyddol, gwrtaith, tail (dom). Ar lafar yn y De.
1966 D J Williams: ST 22, Na'r hen gel du o'r un gwerth ond troi porfa fras yn *achles* digon sych.

achlesiad *eg.* Gwrteithiad o dail (dom) neu heuad o wrtaith artiffisial.
'Rwy'n credu bod yn rhaid rhoi *achlesiad* da i dir tatws.'

achlesol
1. *a.* Gwrteithiol, â gwerth gwrteithiol, yn wrtaith da.
'Mae syniad yn bod nad yw tail gwartheg mor *achlesol* â thail ceffylau.'
2. *a.* Cysgodol, clyd, diddos, heb fod yn nannedd tywydd garw (am dir, tŷ fferm, ayyb).

achlesu *be.* Gwrteithio, teilo (am dir), chwalu tail neu hau gwrtaith anorganig dros wyneb y tir.
1740 Th Evans: DPO 159, Yr oedd bagad . . . yn *achlesu* eu tir â marl a thywod y môr.

achlin *eb.* ll. *achliniau, achlinoedd*. Llinach, tras (am anifeiliaid). Gair a fathwyd am *breeding-line*, yn ôl Llew Phillips.

1981 Ll Phillips: HAD 33, ... mae'n werth cofio mai mewn arddangosfa gan Goleg Prifysgol Cymru ar faes Llanelwedd, y gwelodd y gair hwn olau dydd gyntaf.

Yn ôl GPC, fodd bynnag, y mae'r gair i'w gael yn yr ystyr hwn yn 1854, ac fe'i ceir yn yr ystyr hwn hefyd yng ngeiriadur D. Silvan Evans yn 1858.

achrededig *a.* Yn glir neu'n lân o glwy, e.e. clwy erthylu (Brucellosis), ac wedi ei hachredu neu eu hardystio eu bod felly ar ôl y profion priodol. Gw. CYNLLUN ACHREDEDIG.

achryd gw. YSGRYD.

adain, aden *eb.* ll. *adenydd, adanedd, edyn, adeinydd, adeinedd, adeiniau.* Y rhan o gorff aderyn neu bryf a'i galluoga i hedfan, asgell, yr hyn a geir y ddwy ochr i gorff ehediaid.

Ffig. Moddion teithio pethau haniaethol ac anweledig, adenydd y gwynt, y wawr, dychymyg, ffydd, ayyb.

1620 Salm 104.3, yn gwneuthur y cymylau yn gerbyd iddo; ac yn rhodio ar *adenydd y gwynt.*

1620 Salm 139.9, Pe cymerwn *adenydd y wawr.*

adain afon *eb.* Ffos fechan groes y dylifa dŵr ohoni i nant neu afonig.

adain aradr *eb.* Ystyllen neu ystyllen bridd aradr, y rhan o'r aradr sydd ar ffurf aden ac yn troi'r gwys ar ôl i'r cwlltwr a'r swch ei thorri, *chwelydr* aradr.

1958 T J Jenkin: YPLL AWC Yr oedd *aden yr aradr* yn cydredeg ag aden y swch ...

1973 B T Hopkins: Nod. AWC Yr oedd yr ochr dde i'r swch wedi ei ledu allan i ateb i led y gwys. Yr enw ar y darn oedd wedi ei ledu allan oedd *aden.*

Gw. BOCH ASGELL, CHWELYDR, STYLLEN BRIDD.

adain bobi *eb.* Wrth bluo'r gwyddau a'r tyrcwn ar drothwy'r Nadolig, cedwid nifer o'r esgyll (adenydd) i lanhau dan y dodrefn ac unrhyw le arall na fedrai brws gyrraedd, ac yn fwy arbennig i frwsio o gwmpas y popty mawr, sy'n rheswm am yr enw *aden bobi* mewn rhai ardaloedd, e.e. Môn.

1962 T J Davies: G 9, Torrid honno i ffwrdd ddwrnod y pluo, a'u rhoi nhw i gyd yn y ffwrn i sychu ar ôl pobi, canys rhain fydde gan y menywod yn dwsto.

adain drws *eb.* Un rhan o ddôr neu o ddrws sy'n colynu neu'n plygu'n ddau yn ei ganol (yn fertigol), i gael un rhan i lapio am gornel y wal, megis drws stabal, rhan o ddrws deublyg. Pwrpas y math hwn o ddrws oedd ceisio arbed harnais y ceffylau rhag bachu yn y drws wrth dramwyo i mewn ac allan.

adain gŵydd *egb.*
1. Math neilltuol o gwlwm a wneid wrth rwymo ysgubau â rheffyn gwellt. Ar lafar yn sir Gaerfyrddin.
Gw. hefyd RHEFFYN CEGEN GŴYDD (sir Benfro).

2. ll. *edyn gwyddau.* Cwilsyn o adain gŵydd a ddefnyddid i ysgrifennu.
Hen Bennill: Onid rhyfedd, rhyfedd eilwaith,/Ydyw gweled gŵyr y gyfraith?/Maent yn ennill aur yn dyrrau/Gyda gweddol *edyn gwyddau.*

adain gwyntyll *eb.* Un o adenydd y peiriant nithio fel y'i ceid gynt yn y sgubor.
Gw. GWYNTYLL, NITHIO.

adain melin *eb.* Un o esgyll (hwyliau) melin wynt, y rhan o'r felin wynt sy'n dal y gwynt a'i drosi'n bŵer i droi'r felin, asgell melin wynt, hwyl melin wynt.

adain olwyn *eb.* ll. *edyn olwyn, adenydd olwyn.* Ffon olwyn, asgell olwyn, spôc neu spocsen olwyn, sbogen (Dyff.Aeron). Ar lafar ym Maldwyn.
1620 1 Bren 7.33, Gwaith yr olwynion hefyd oedd fel gwaith olwynion menn, eu hechelau, a'u bothau, a'u camegau, a'u *hadenydd.*
Gw. hefyd ASGELL.

adain ripar-beinder *eb.* Un o'r breichiau ar ffurf cribin a welid gynt ar y peiriannau lladd ŷd a elwid y *ripar* (S. *reaper*) a'r beinder. Gwaith yr edyn hyn oedd tynnu'r cnwd ŷd yn erbyn bar torri'r peiriant, ac ysgubo'r ŷd a dorrid oddi ar ei bwrdd yn seldremau i'w rhwymo.

adain sgrifennu Cwilsyn neu bluen i ysgrifennu.
Gw ADAIN GŴYDD².

adain swch Ochr swch aradr ar ffurf aden neu asgell, wedi ei ffurfio i fod yn ddilyniant naturiol i aden neu styllen bridd yr aradr. O fynd dan y gwys, y mae'n ei llacio ac yn ei rhyddhau ac yn hyrwyddo'r gwaith o droi'r gwys.
1958 T J Jenkin: YPLL AWC, Yr oedd aden yr aradr yn cydredeg ag *aden y swch.*

adar buarth *ell.* un. *aderyn buarth.* Yr adar dof cyffredin ar fferm, dofednod, ffowls, da pluog – ieir, hwyaid, gwyddau, tyrcwn (twrcïod); gw. dan yr enwau hyn.

adardail (*adar* + *tail*) *eg.* Baw adar, dom adar, tail adar a roir yn wrtaith i dir, giwano, giwana (Môn). Mewnforid llawer o hwn gynt o arfordiroedd gwledydd De America.
Gw. GIWANO.

adardom (*adar* + *dom*) gw. ADARDAIL, GIWANO.

adargach gw. ADARDAIL, GIWANO.

adarn *ell.* un. *aderyn.* Ffurf lafar ar adar ym Maldwyn.
Gw. GEM 129 (1981).

ad-ddail, addail *ell.* un. *ad-ddeilen.* Blagur, egin, planhigion yn ad-ddeilio, yn blaguro, yn egino.

addail gw. AD-DDAIL.

adeilad *eg.* ll. *adeiladau.* Yn amaethyddol, beudái, tai mas (y de), lloches anifeiliaid fferm, lle i gadw a phorthi anifeiliaid; hefyd, lle i gadw porthiant anifeiliaid ac offer fferm, – sgubor, sied, hoywal, beudy, stabal, cwt lloi, cwt moch, lwsbocs. Ar y cyfan codwyd adeiladau fferm yn ôl y

galw a'r newid mewn amgylchiadau o gyfnod i gyfnod.
Gw. dan enw pob un o'r adeiladau a nodwyd.
Gw. hefyd Eurwyn Wiliam, *Hen Adeiladau Fferm* (Cyfres Llyfrau Llafar Gwlad, Gwasg Carreg Gwalch, 1992).

adeilad gochel *eg.* ll. *adeiladau gochel.* Math o adeilad neu lwsbocs i gynnig lloches i wartheg yn y gaeaf; adeilad lle mae gwartheg yn rhydd i symud o gwmpas ynddo, beudái maes.
Roedd cynghorwyr amaeth diwedd y 18g a dechrau'r 19g yn annog cael y math hwn o adeilad er mwyn cael cyflenwad o dail i'r tir. O'r cyfnod hwnnw ymlaen, daeth yn arfer i gael yr adeiladau hyn oherwydd y tail a gasglai ynddyn nhw, gan nad oedd y pryd hynny, unrhyw wrtaith arall ar wahân i galch a marl.
1992 E. Wiliam: HAFf 25, Yr oedd rhai ardaloedd â *beudai maes* a roddai loches i wartheg dros y gaeaf gan gasglu eu tail mewn un man cyfleus yng nghanol y caeau, dull oedd yn arbennig o addas i ardaloedd mynyddig fel Eryri.

adeiladwaith pridd *eg.* Cyfansoddiad pridd i bwrpas tyfu cnydau, y cyfartaledd o'r elfennau cemegol angenrheidiol mewn pridd, cynnwys cemegol pridd.

aden, adenydd gw. ADAIN, ASGELL.

adennill tir *be.* Peri i dir gwyllt, tir wast neu dir diffaith gynhyrchu cnydau trwy ei ddiwyllio a'i wrteithio. Gwnaed llawer o hyn yn ystod yr Ail Ryfel (1939-45) ac ar ôl hynny, yn enwedig dan y polisi o wneud gwledydd Prydain yn fwy hunangynhaliol mewn bwyd a than y Cynllun Tir Ymylol. Adenillwyd miloedd lawer o aceri o dir uchel gyda'r cymorthdaliadau i ffermwyr at wneud hynny. Heddiw, fodd bynnag, ym mlynyddoedd y gorgynhyrchu amaeth, annog a swcro ffermwyr i adael y tir a adenillwyd i fynd yn ôl i'r gwyllt a wneir.

adfach
1. *eg.* Bach gwair, yr haearn pwrpasol at dynnu'r dringlen wair o fainc neu fagwyr y das ac i'w chario i'r bing, ayyb. Ar lafar yng Ngheredigion yn yr ystyr hwn.
2. *eg.* ll. *adfachau.* Llyngyr neu euod yn yr iau (afu), ar wartheg a defaid, ffliwc yr iau, braenedd yr afu, pwd, clwy'r iau, clefyd yr euod (Distoma). Gw. BRAENEDD YR IAU, FFLIWC, PWD.

adfaedd *eg.* ll. *adfaeddod.* Twrch neu faedd (mochyn gwryw) wedi ei sbaddu ar ôl iddo gyrraedd ei lawn dwf.

adfarch *eg.* ll. *adfeirch.* March bychan wedi ei sbaddu (cyweirio), gelding, geldin.

adfarchogi *be.* Ailesgyn ar gefn ceffyl, ailfowntio ceffyl.

adfarchwerth *eg.* Gwerth adfarch, sef march bychan wedi ei sbaddu. Gw. ADFARCH.

adfawn *eg.* Hen fawn, mawn yn weddill o'r flwyddyn cynt, *mwnws mawn, llythrod mawn.* Ar lafar yng Ngheredigion.
1990 Erwyd Howells: DOPG, *Adfawn* = mawn o gynhaeaf y flwyddyn flaenorol.

adflith *(ad + blith* [llaeth]*) eg.* Armel, yr ail laeth wrth odro buwch. 'Blaenion' yw'r llaeth cyntaf, 'tical' yw'r llaeth olaf. Yn y canol rhwng y ddau y mae'r *adflith* neu'r armel, yr ailodro (Ceredigion).
Gw. hefyd ARMEL.

adfraenar, adfranar *(ad + braenar).* Tir newydd ei aredig a'i lyfnu, yna ei adael yn segur dros gyfnod i bwrpas lladd y chwyn a chyfoethogi'r pridd.

adfuad *eg.* Llyngyr neu euod yn yr iau, mewn gwartheg a defaid, distoma.
13g *Leg Wall* 245, Teithi dafad yw blith ac oen i fod genthi; a'i gorfod hyd Galan Mai rhag yr *Auad.*

adfwl *(ad + bwl = tarw) eg.* ll. *adfwlau, adfwliaid.* Mewn rhai rhannau *adfwl* yw tarw llawn dwf wedi ei sbaddu, atarw *(ad + tarw),* bwla. Ar lafar ym Mhowys yn yr ystyr hwn. Mewn rhannau eraill, e.e. Môn, mae'n golygu 'dyniawed wedi ei adael yn rhy hir cyn torri arno ac wedi mynd yn dipyn o darw'. Gw. *Môn,* Mai 1954.
16-17g T Prys: *Bardd* 232, Udfa [o udo] debic i adfwl.
Ffig. Am berson gwirion. 'Yr hen *adfwl* gwirion' – ffwl o ddyn.
Gw. hefyd ATARW, BWLA.

adgor gw. ATGOR.

adladd *eg.* Aildyfiant o borfa ar ôl cael y cynhaeaf gwair, aethwellt, adwair. Sôn am ailgnwd i bwrpas silwair a wneir heddiw, ac nid am adladd. Ar y cyfan ceir *adlodd* yn ffurf yn y Gogledd; *adledd, adle, adleydd* yng Ngheredigion a Dyfed; *atledd* yng Nghwm Tawe, ac *adlydd* yng nghylch Llanelli.
1595 H Lewys: PA 109, Mewn porfa fraisg ac *adladd* meddalaidd.
1620 Amos 7.1, Ac wele, *adladd* wedi lladd gwair y brenin.

adle, adledd, adleydd, adlydd gw. ADLADD.

adlifo gw. DADLYNCU.

adlodd gw. ADLADD.

Adolygiad Amaethyddol Blynyddol *eg.* Adolygiad o'r diwydiant amaeth a sefydlwyd dan Ddeddf Amaeth 1947. Ffurf wreiddiol yr adolygiad oedd trafodaeth rhwng y Llywodraeth ac Undeb Cenedlaethol yr Amaethwyr, ac, yn ddiweddarach, ag Undeb Amaethwyr Cymru hefyd, i asesu cyflwr a statws y diwydiant cyn i'r llywodraeth bennu'r prisiau am nwyddau amaethyddol. Ceid Papur Gwyn yn cyflwyno casgliadau ffeithiol y trafodaethau, ynghyd â'r prisiau a benwyd. Wedi ymuno â'r Gymuned Ewropeaidd, ffeithiau ac ystadegau am gyflwr y diwydiant yn unig a geir yn y Papur Gwyn.

14

adwair gw. ADLADD.

adwern eb. Tir gwlyb, siglennog, corsiog, tonennog.
14g Dafydd ap Gwilym: Gwaith, Pen. 49, 65, Kod lwydwyllt coedwal adwern.

adwy eb. ll. adwyon, adwyau. Yn amaethyddol bwlch mewn clawdd neu wrych. Gall olygu bwlch na ddylai fod yno ac wedi ei dorri gan anifeiliaid yn torri drwodd. Neu, gall olygu bwlch swyddogol wedi ei wneud yn fwriadol i hwyluso tramwyo o un cae i'r llall, ayyb Ar y cyfan mae adwy a bwlch yn gyfystyr. Ym Môn ac Arfon sonnir am adwy lidiart, ac fe'i ceir yn air am y glwyden (symudol yn aml) a ddefnyddir i gau adwy. Weithiau mae'n elfen mewn enwau lleoedd megis Adwy Wynt (Rhuthun), Adwy'r Clawdd ac Adwy'r Nant (Wrecsam).
16-17g Edmwnd Prys, Llwm yw'r ŷd lle mae'r adwy.
1937 S Lewis: Buchedd Garmon, Deuwch ataf i'r adwy,/Sefwch gyda mi yn y bwlch.
1994 FfTh 13, 17, Hwylus borth sy'n gynhorthwy, – i bawb yw,/O bob oed i dramwy;/Ar ben clawdd hawdd derbyn clwy,/I droed gwell ydyw'r adwy. (Ioan Brothen)
Ffig. Gwendid, argyfwng, lle gwag. Mae Twm Jôs wedi gadael anferth o adwy ar ei ôl. Mi fethodd y llywydd fod yno, ond mi neidiodd y Cynghorydd i'r adwy.
Dywed. Na ddring gamfa o cheir adwy.

adwy bolion eb. ll. adwyau polion. Aelen i gau bwlch wedi ei gwneud o nifer o bolion a choed wedi eu gosod ar draws o un pen i'r adwy i'r llall.

adwy bwlgau (bwlgae) eb. ll. adwyon bwlgau. Adwy wedi ei chau â brigau drain wedi eu torri o wrych ac wedi eu plethu am nifer o bolion (yn dibynnu ar led yr adwy); polgau (polgae).
Gw. ADWY WRYSG, POLGAE.

adwy gerrig eb. ll. adwyon cerrig.
1. Bwlch a wneid o dro i dro mewn wal gerrig i fynd â'r peiriant lladd gwair, ayyb., drwyddo, ac yna ei gau yn weddol rwydd â'r un cerrig.
2. Darn o glawdd pridd wedi bolio a llithro ac wedi ei ail godi drwy ei wynebu â cherrig. Gwneid hyn lawer iawn lle ceir cloddiau pridd, megis Môn, Llŷn ac Eifionydd, Ceredigion a Phenfro. Gosodir cerrig ar ei gilydd a'u plethu i'w gilydd yn union fel gyda wal gerrig, ac yna rhawio pridd o'r ffos gyda bôn y clawdd yn llanw, gan ofalu bod yr wyneb cerrig ar hyn a hyn o osgo rhwng sawdl y clawdd a'i ben.
1992 T D Roberts: BBD 66, Roedd Robert Owen wedi leinio'r adwy, deunaw modfedd o osgo fel sydd i fod.

adwy wrysg eb. ll. adwyau gwrysg. Bwlch wedi ei gau â pholion ar eu pennau a brigau neu wiail wedi eu heilio rhyngddynt. Ar lafar yn Arfon.
Gw. ADWY BWLGAU.

adwydd (ad + gŵydd) Tir braenar, tir wedi ei droi a'i lyfnu a'i adael i segura heb gnwd am gyfnod.
Gw. BRAENAR.

adwyo be. Bylchu clawdd, gwneud adwy neu fwlch mewn clawdd, weithiau gan anifeiliaid yn torri drwodd, ond weithiau hefyd i hwyluso tramwyo o gae i gae, ayyb.

15

adwyog *a.* Bylchog, llawn bylchau neu adwyau.
1547 W Salesbury: OSP, *Adwyog* cae [clawdd] anhwsmon – mae cloddiau'r ffermwr sâl (anhwsmon) yn fylchog.
1620 Esec 26.10, Pan ddelo trwy dy byrth di, fel dyfod i ddinas *adwyog.* (Fel un yn dod i ddinas wedi ei *bylchu,* BCN)

adyddion gw. ATCHWANEGION.

addail *eg.* Gwellt y maes, gwelltglas, glaswellt, porfa, tyfiant. Yn y Beibl y mae'n ddelwedd o'r brau a'r darfodedig.
1621 Edmwnd Prys: Salm 39, Nid yw dyn ond fel hun, neu ail/I *addail* neu lifeiriant.

addod *eg.* ac *a.* Ŵy nyth, yr ŵy a adewir yn y nyth rhag digio'r iâr a'i gyrru i ddodwy yn rhywle arall.
Gw. ŴY ADDOD.

addurniadau *ell.* un. *addurn.* Yn amaethyddol y sêr a'r teclynnau pres at addurno ceffylau at achlysuron arbennig megis preimin, ymryson aredig, sioe amaethyddol, ayyb, ac yn arwyddion o falchder y certmyn. Yn wreiddiol, mae'n ymddangos bod ystyr cyfrin i bob un. Ceid rhai yn y ffurf o ddwylo, haul, olwynion ayyb, a chredid eu bod yn cadw'r drwg draw. Gwisgai ceffyl gwedd hyd at ugain o addurniadau pres.
1983 E Richards: YAW 14, Yn ychwanegol at borthi ceffylau, byddai hefyd *addurniadau* ar eu drecs, a byddai'r certmyn yn ymhyfrydlu mewn glanhau a seboni'r rhain iddynt ddisgleirio. Byddai seren bres ar dalcen y ceffyl, a byclau o'r un deunydd o dan y ddwy glust ar y ffrwyn. Ceid *addurniadau* heirdd o bres ar le amlwg ar bedair congl y strodur ac o boptu i'r dindres.
Gw. PRESI CEFFYLAU.

addurno'r llawr Cyffredin iawn gynt oedd addurno llawr cerrig y gegin, neu garreg yr aelwyd, lle'r oedd llawr pridd, drwy wneud patrymau â sialc, clai, dail llysiau gingron, carreg galch neu garreg las. Pwysig iawn oedd gwneud hyn at y Sul neu erbyn y dôi ffrindiau i roi tro. Ar y ffermydd mawr, roedd hwn yn un o oruchwylion wythnosol yr ail forwyn, stono'r llawr (*so to stone*), fflawro'r llawr (*so to flower*).

aeddfed *a.* Yn amaethyddol parod i'w ladd a'i gynaeafu (am wair, ŷd, ayyb), ffaeth, parod. Sonnir hefyd am anifail aeddfed, sef anifail llawn dwf neu lawn oed. Ceir hefyd y ffurfiau *addfed* (Môn), *aefed* (Maldwyn), *oifed, oifad, eifed* (y de).
1620 Joel 3.13, Rhowch i mewn y cryman, canys *aeddfed* y cynhaeaf.
1774 (arg 1949) H Jones: CYH 19, Megis ŷd pan fo'n llawn *aeddfed.*

aeddfededd gw. AEDDFEDRWYDD.

aeddfedffrwyth *eg.* Ffrwyth neu gnwd ffaeth a pharod.
1620 Deut 33.14, Hefyd â hyfrydwch cynnyrch yr haul, ac â hyfrydwch *aeddfedffrwyth* y lleuadau.

aeddfediad *eg.* Y broses o aeddfedu (am gnydau a ffrwythau).
1620 Jer 24.2, Fel ffigys yr *aeddfediad* cyntaf.

aeddfediant gw. AEDDFEDRWYDD.

aeddfedig *a*. Wedi aeddfedu, neu wedi ei aeddfedu.

aeddfedlon (*aeddfed* + *llawn*) *a*. Llawn dwf, cwbl barod, perffaith aeddfed.
1790 Twm o'r Nant: GG 3, Gan nad yw mor *aeddfed lawn*,/Ddigolliant ag a ddymunwn.

aeddfedoed *eg*. Aeddfedrwydd mab a merch ifanc yn gorfforol a meddyliol.

aeddfedol *a*. Yn aeddfedu, o fewn cyrraedd aeddfedrwydd.
16g Hop M 175, A ddyco ffrwyth *aeddfedol*.

aeddfedrwydd *eg*. Ffaethder, llawn dwf, y cyflwr o fod yn barod i'w gynaeafu (am gynnyrch y ddaear).
Ffig. Llawn dwf corff a meddwl (am fab a merch ifanc). Sonnir hefyd am *aeddfedrwydd* ffydd a chred a'r bywyd ysbrydol.
1988 BCN: Effes 4.13, Y nod yw dynoliaeth lawn dwf, a'r mesur yw'r *aeddfedrwydd* sy'n perthyn i gyflawnder Crist.

aeddfedu *be*. Tyfu'n aeddfed, dod yn barod i'w gynaeafu (am gnwd o wair) neu i'w fedi (cnwd o ŷd).
Ffig. Cynyddu neu lawn ddatblygu mewn rhyw gyfeiriad neu'i gilydd.
'Di-glem iawn oedd o fel pregethwr ar y dechra, ond mae o wedi *aeddfedu*'n enbyd erbyn hyn.'

aeddfedwch gw. AEDDFEDRWYDD.

aefed gw. AEDDFED.

ael
1. *eg*. ll. *aeloedd, aeliau*. Torllwyth o foch bach, perchyll cyntaf hwch. Yng Ngwynedd sonnir hefyd am '*ael* o gŵn', ac yn Llŷn am '*ael* o blant', yn enwedig plant ail lin neu o ail briodas.
1959 Ifor Williams: IDdA 21, Yn y gwanwyn lleddid mochyn, fel rheol hen hwch wedi magu lot o aelia, – *ael* yw'r gair am dorllwyth wrth gwrs.
1996 Evan D Hughes: *Tair Bro a Rownd y Byd* 21, Cadwai fy nhad ddwy hwch lwyddiannus iawn a esgorai ar *ael* o ddeg mochyn bach ar gyfartaledd ddwywaith y flwyddyn.
Gw. TORLLWYTH, TORRAID.

2. *egb*. Ochr bryn, ael y bryn, math o silff neu o ymestyniad ar graig neu fryn, sgafell.
'Mae Twm yn 'redig efo caterpilar reit ar *ael* y bryn acw.'

3. *eb*. Cymdogaeth, bro, gwlad, rhanbarth.
14g IGE 209, Nag ydoedd gael i'n *ael* ni,/Ddwfr mewn gogr o Ddyfi.

aelen *eb*. ll. *aelenni, aels*. Pren traws llidiart. Sonnir am *aelen* uchaf ac am *aelen* isaf giât. Clywir hefyd y ffurf *aelsen*.
1981 W H Roberts: AG 114, Cyn fawr o dro roedd o'n neidio giatiau – wrth daro'i law ar yr *aelen* uchaf felly.

aerwy *eb*. ll. *aerwyau, aerwyon*. Y gadwyn haearn, neu'r goler gadwyn a roir am wddf y fuwch i'w rhwymo wrth y gledren (buddel, post) yn y beudy. Cyn bod yr *aerwy* haearn yn gyffredin fe'i gwneid o bren, o wiail neu o frwyn plethedig.

1455-85 LGC 128, Ydd wyf yn ordeiniaw'r ddwy/Dŷ o wair a dau aerwy.
1547 W Salesbury: OSP *Aerwy, Kynn buwch*
Ffig. Rhoi *aerwy byr* ar eidion barus – rhoi cerydd a chosb am drachwant.
1824 Gwyliedydd: FfTh 1, 6, Gwelwyd un o'r gwartheg yn rhedeg hyd y buarth a'r *eurwy* yn llosgi am ei gwddf (aerwy bren).
Ffig. Diar. 'Na phryn *aerwy* cyn cael buwch' – gwneud y pethau pwysicaf gyntaf.
1928 G Roberts: AA 12, Ymysg yr offer a gysylltir â chadw gwartheg, rhaid nodi'r *aerwyon pren* i'w rhwymo wrth y buddelwydd.
1978 D Jones: SA 13, Tyrd dithau'r wennol yn ôl â'r heulwen/I laesu *aerwy* gaeafol Seren.

aerwy bren gw. AERWY.

aerwy corn *eg*. ll. *aerwyon corn*. Hual neu gloffrwym anifail. Dyfais i gadw buwch farus rhag crwydro. Rhwymid un pen i gortyn wrth ei chyrn a'r pen arall wrth ei thraed blaen, fel na allai neidio dros glawdd na thorri drwy wrych. Ar lafar ym Môn.

aerwy strodur *eg*. ll. *aerwyon strodur*. Cortyn i glymu neu fachu pynnau ar strodur ceffyl pwn neu bynfarch.
WVBD 127, Bachu'r cewyll ar gyrn y strodur hefo *aerwy*.
Gw. CEFFYL PWN, PYNFARCH.

aerwyo *be*. Rhwymo'r buchod wrth y gledren yn y beudy, rhoi'r aerwyon am yddfau'r gwartheg godro wedi iddynt gyrraedd i'w lle yn y beudy.
'Wyt ti wedi *aerwyo* Cochan?'

aethwellt *eg*. Ail dyfiant ar ôl cael y cynhaeaf gwair, ail gnwd (silwair), adladd, adwair.
Gw. ADLADD.

afiechydon diffygiant gw. CLEFYD DIFFYGIANT.

afiechydon rhestredig gw. CLEFYDAU RHESTREDIG.

aflawen
1. *a*. Milain, caled, cethin (am y tywydd). Ar lafar yng Ngwynedd.
'Ma' hi'n *aflawan* o oer' – yn filain o oer. 'Ma' gwynt y Dwyrain 'ma'n *aflawan*.'
2. *a*. Blêr, didrefn, anniben, llawn llanastr (am sgubor neu ambell i gartref). Ym Môn ac Arfon ceir y ffurf *aflawan*.
1933 H Evans: CE 145, Yn ôl yr hen arfer, pa mor daclus bynnag fyddai'r tŷ, fe gâi'r wraig ddywedyd: Wel mi ddaethoch ar ein pac ni a ninnau'n fwy *aflawen* nag arfer.

afon *eb*. ll. *afonydd*. Gair cyffredinol am hylif yn rhedeg, yn enwedig ffrwd o ddŵr. Ffrwd o ddŵr yn llifo i'r môr, i lyn ac o lyn, ac i afon arall. Weithiau cysylltir y gair â llaeth, gwaed, olew, ayyb. Sonnir am y llaeth yn colli'n un *afon*, y trwyn yn gwaedu fel *afon*, yr olew yn llifo'n *afon* o'r tanc, ayyb.
1938 T J Jenkin: AIHA AWC, Anfynych ar lafar y defnyddid 'nant' er bod y gair yn hollol adnabyddus; ar lafar gelwid pob nant yn *afon*. (sir Benfro).
Ffig. Mewn cysylltiad ag amser ac angau.
Sonnir am 'hen *afon amser*' ac am 'hen *afon angau*' (Delwedd Feiblaidd o groesi'r Iorddonen).
Gw. RHYDIO.

18

afrywiog *a.*

1. Llidiog ac annarogan (am geffyl), sonnir am geffyl *afrywiog*, anodd ei drin.

2. Garw, cwrs (am dir, tywydd, tymor, ayyb).
1696 CDD 185, Megis gaiaf oer *afrywiog*.
'Ma hi'n dywydd sobor o *afrywiog*.'

afu *eg.* Ar y cyfan, gair De Cymru am iau (y Gogledd), sef chwaren fwyaf corff dyn ac anifail, sy'n cynhyrchu'r bustl ac yn puro'r gwaed. Yn y Canolbarth ceir y ffurf *iafu*.
Gw. ADFACH, BRAENEDD YR IAU, FFLIWC.

afwyn *eb.* ll. *afwynau.* Yr awen neu'r rêns i arwain a chyfeirio ceffyl mewn gwaith, llinyn ffrwyn, moddion rheoli ceffyl.
1455-85 LGC 310, Yn ufudd yn ei *afwyn,*/Yn araf danaf i'm dwyn.
Gw. AWEN, GWASTRAWD AFWYN, RÊNS.

afflatocsin *eg.* Gwenwyn mewn cnau daear, a achosir gan y ffwng *Aspergillus flavus.* Mae'n peri lleihad yn y cynnyrch llaeth, yn arafu twf anifail, ac, weithiau, yn achosi'r clwy melyn ar foch.

agalen

1. *eb.* ll. *agalennau, agalenni.* Calen hogi, carreg hogi, hogalen, y garreg carborwndwm hir a ddefnyddir i hogi (miniogi, awchu) offer megis cryman, pladur,ayyb.
16g LIEG: Mos 158, 2a, ne yntte yn gyffelib i *agallenn* i'r gwŷr gwybodol dysgedig i hogi i kyllyll.
Gw. CALEN HOGI, HOGALEN.

2. Calen o halen, sebon, neu fenyn, torth halen (Môn), carreg halen (Meirionnydd), selen neu printen o fenyn, bar o sebon. Ceir y ffurf *calan* yng Ngwynedd.

agen

1. *eb.* ll. *agennau.* Hollt mewn craig.
'Mi gysgodais mewn *agen* yn y Graig Fawr.'

2. *eb.* ll. *agennau.* Clöer neu lawsed (lansed), sef agoriad hirgul fertigol (fel rheol) ym mur allanol sgubor neu dŷ gwair cerrig, i ollwng awyr i mewn. Ar lafar yn yr ystyr hwn ym Môn.
'Dôs i nôl y galan hogi, ma' hi ar sgafell *agen* wal gefn y sgubor.'

agolch *eg.* Bwyd moch, cymysgedd o bob math o weddillion a sborion y tŷ, yn cynnwys dŵr golch llestri, a roir yn fwyd i foch, swil. Ar lafar yn Nyfed.
1783 W: *Agolch* – slip – slop, swill.

agor cae *be.* Torri o gwmpas cae llafur (ŷd) â'r bladur cyn mynd â'r peiriant lladd ŷd i'r cae, rhag i'r peiriant sarnu'r cnwd rownd y cae, *torri rownd y cae* (Môn), *agor maes* (Ceredigion), *agor parc* (Ceredigion a Dyfed).
1989 P Williams: GYG 48, Cyn mynd allan â'r beindar i'r cae llafur roedd gwaith oriau i *agor y parc* â phladur.
1996 T J Davies: YOW 97, Y dasg gyntaf oedd *agor maes* neu yn ein geiriau ni, *agor rownd*.

19

agor cefn Bob yn gefn yr erddir cae. Mae i bob cefn ei ganol, ac yno, yn y canol, y dechreuir ei aredig. *Agor cefn* (grwn) yw troi'r cwysi cyntaf yng nghanol y cefn, *codi canol cefn* (Môn), *agor canol cefn, agor grwn.* Gw. CODI CANOL CEFN.

agor deise Chwalu styciau neu deisi ŷd ar y cae cyn dechrau eu cario fel bod unrhyw leithder wrth fôn y sgubau a thu mewn i'r styciau (stacanau) yn cael cyfle i sychu, *chwalu styciau* (Môn). Ar lafar yn sir Gaerfyrddin.

agor ffos Agor draen i sychu tir, agor rhigolau pwrpasol beth dyfnder o wyneb y tir i gymryd y dŵr oddi ar ei wyneb. Hefyd *agor ffos* neu rigol gyda bôn clawdd pridd wrth sgwrio a chymenu'r clawdd.

agor grwn gw. AGOR CEFN.

agor maes gw. AGOR CAE.

agor mochyn Wedi lladd mochyn, ei grafu a'i roi ar y cambren, fe'i hagorir i'w ddiberfeddu a glanhau ei du mewn.
'Dyna fo, wedi'i *agor*, mi ddof yma 'fory i'w dorri.'

agor rownd Ymadrodd llafar yng Ngheredigion am agor cae.
1996 T J Davies: YOW 97, Y dasg gyntaf oedd agor maes, neu yn ein geiriau ni, *agor rownd.* Gw. AGOR CAE.

agor rhesi Rhychu pridd â rhaw neu ag aradr ddwbl (mochyn) i bwrpas plannu tatws, swêds, a llysiau eraill, *agor rhychau.* Ar lafar yn y Gogledd.

agor rhychau gw. AGOR RHESI.

agored *a.* Rhydd, dirwystr (am y tywydd ac am y tymor), heb nemor ddim rhew ac eira.
'Ma' hi'n dywydd *agored* iawn. Rydan ni wedi cael gaea' '*gorad* ryfeddol.'

agoriad *eg.* Y weithred o godi canol cefn mewn cae âr, troi'r ddwy gwys gyntaf at ei gilydd wrth agor grwn, – cwysi, fel rheol sy'n llai na'r gweddill rhag bod ei ganol yn uwch na'r gweddill o'r cefn.
'Un taclus 'i *agoriad* ydi Sam.'

agrohinsoddeg *eb.* Astudiaeth o'r hinsawdd yn ei effeithiau ar amaethyddiaeth.

agronomeg *eb.* Y gangen o amaethyddiaeth sy'n ymwneud â hwsmonaeth tir ac â chynhyrchu cnydau, astudiaeth wyddonol o'r cyfryw.

agrostoleg *eb.* Astudiaeth o weiriau a phorfeydd, gwairoleg.

agstro gw. ACSTRO, ECSTRO.

anghydwedd, anghydweddog (*an-cyd-gwedd*) *a.* Y negyddol o *cydwedd* neu *cydweddog*, heb ei dorri i mewn, heb ei ddofi, heb ei ieuo, heb ei hyweddu (am ych gynt ac am geffyl yn ddiweddarach), heb ei ddal (Môn).

20

anghyfeb *a*. Heb gyfebu, heb gymryd, heb sefyll, gwag, heb gyw ynddi (am gaseg); heb lo ynddi (am fuwch); heb oen ynddi (am ddafad); heb foch ynddi (am hwch).

anghyfebrwydd *eg*. Y cyflwr o fod yn analluog i epilio (am anifail); neu i ddwyn ffrwyth (am blanhigion), annhoreithiog (am dir).

angorion *ell*. un. *angor*. Y pwysau (yn y ffurf o gerrig) a roid gynt mewn rhai ardaloedd y ddau ben i raff doi tas, i'w chadw yn ei lle. Wedi gorffen tas, teflid rhaffau traws drosti i'w diogelu rhag y gwynt. Yn hytrach na rhwymo pennau'r rhaffau yn ochr y das, byddai'n arfer gan rai rwymo carreg y ddau ben fel bod y rhaffau'n dal ar dynn wrth i'r das sadio a gostwng. Gelwid y cerrig hyn yn angorion. Yn Nyffryn Aeron, fodd bynnag, y mae'n air am y rhaffau i doi tas. GPC.

angwrteithiedig *(an + gwrtaith)*. Heb ei drin, heb ei ddiwyllio a'i wrteithio (am dir).

ail drannoeth *eg*. Mewn rhai rhannau o Gymru *ail drannoeth* a glywir am drennydd (trennydd), sef y diwrnod ar ôl yfory.

ail gnwd *eg*. Ail dyfiant neu ail doriad o wair o'r un cae yr un tymor i bwrpas porthiant anifeiliaid, yn enwedig silwair.

ail goedwigo *be*. Plannu coed lle'r oedd coed o'r blaen a'r rheini wedi eu torri.

ail hadu, ailhadu *be*. Hau had gwair i gael croen newydd ar gae. Weithiau gwneir hyn yn uniongyrchol ar ôl aredig y tir heb godi unrhyw gnwd arall. Dro arall gwneir hyn yng nghysgod cnwd o haidd, rêp, ayyb.
1981 Ll Phillips: HAD 41, Mewn cymhariaeth â heddiw ychydig iawn o wybodaeth oedd gan ffermwyr Cymru ym mlynyddoedd cynta'r ganrif, am gynnwys eu cymysgedd hadau ar gyfer *ailhadu* tir glas.

ail-iau *eb*. ll. *ailieuau, ailieuoedd*. Iau i gyplysu neu ieuo pedwar ych yn gyfochrog i bwrpas gwaith.
Gw. hefyd BERIAU, HIRIAU, IAU².

ail laeth *eg*. Y llaeth canol wrth odro buchod. Blaenion yw'r llaeth cyntaf, tical yw'r olaf, yna yr ail laeth rhwng y ddau, *adflith, armel*.
Gw. ADFLITH, ARMEL.

ailodro *be*. Mewn rhai rhannau o Gymru, mynd at fuwch i dical (tician, tincian) ar ôl ei godro, h.y. i wneud yn siŵr ei bod wedi ei godro'n lân (dan yr hen drefn o odro â'r dwylo), tincian, tician ar ôl cael yr ail laeth (armel).

ail ofyn *be*. Bod heb gyfebu (beichiogi) ac yn gofyn yr anifail gwryw eilwaith; ail wasodi (am fuwch); ail farchio, ail wynen (am gaseg); aillawdio (am hwch); ailridio, ail faharena (am ddafad).
Gw. CENHEDLU.

21

ail ronyn *eg.* ll. *ail ronynau, ailrawn.* Y gronyn (grawn) ŷd ail orau wrth ddyrnu a nithio llafur. Sonnid gynt am y *pen gronyn* (y gorau); yr *ail ronyn* (ail orau) a'r *tinion* neu'r gwehilion.

1928 G Roberts: AA 12, Gwir y gwelid ar rai ffermydd mawr beiriant nithio Thomas Windsor, Croesoswallt, yr hwn a dra ragorai ar yr hen wyntyll, neu'r ffan, gan ei fod yn rhannu'r ŷd yn ben gronyn, *ailronyn* a thinion.

Gw. GWEHILION, PENGRONYN, TINION.

ail wera *be.* Altro'u golwg, gwella'u golwg, graenio, mendio, am ŵyn a fu'n edrych yn dda ar un adeg ond wedi colli eu graen ryw gymaint. Ar lafar ym Môn.

1963 LlLlM 90, *Ailwera* = ŵyn yn *ailwera* yw'r rheini a fu'n well eu cyflwr.

Aitkenhead *ep.* Math o og (oged) i baratoi tir ar gyfer ei hadu heb ei aredig. Mae'n ymddangos mai defnydd cyfyngedig a wnaed o'r math hwn o offer, gan na fu'n llawer o lwyddiant.

1994 FfTh 13, 12, Dyma gyfnod ogau fel yr *Aitkenhead* a'r Pitchpole ar gyfer hadu tir heb ei aredig, ond a ddefnyddiwyd hefyd i baratoi gwely addas i'r hadau ar ôl aredig.

âl *eb.* ll. *alau, aloedd.* Epiliad anifail, yn enwedig buwch ar ddod â llo, ac, i raddau llai, caseg ar ddod â chyw. Sonnir am fuwch 'yn dod i'w *hâl*', buwch 'dros ei *hâl*', buwch 'ar ben ei *hâl*' (Ceredigion), buwch 'yn ei *hâl*', buwch 'bron *alu*', buwch *ar ben ei hamser* (Gogledd). Yn Nyfed cawn '*hâl* y fuwch'. Ar y cyfan gair y De yw *âl*.

Gw. hefyd AMOD.

alaf *eg.* ll. *alafau, alafoedd, alafon, elyf.* Gyrr o wartheg, cyfoeth mewn stoc neu mewn da byw. Arwain hynny i'r ailystyr cy*falaf*.

13g WM 133, 2-3, Amsathyr dynyon nac *alafoedd* nys gwelei.

albinedd *eg.* Diffyg neu absenoldeb llwyr y sylwedd sy'n cynhyrchu lliw yng nghroen, blew, a llygaid anifail, diffyg pigment.

albino *eg.* Anifail (a dyn) heb nemor ddim neu heb ddim o'r sylwedd sy'n cynhyrchu lliw yn y croen, y blew, a'r llygaid.

Gw. ALBINEDD.

Albion *ep.* Enw cwmni'n cynhyrchu peiriannau ac offer amaethyddol, megis peiriannau lladd gwair a lladd ŷd, yn cael eu tynnu gan geffyl yn wreiddiol, ond yn ddiweddarach gan dractor.

1990 FfTh 6, 28, Roedd Sam Jones, Fronalchen, Dolgellau yn berchen Fordson bach, aradr a hefyd *Albion* Binder gyda'r *cutter bar*, a'r *platform* ar yr ochr dde iddo, ychydig flynyddoedd cyn y rhyfel (1939-45).

alcalïaidd *a.* Yn cynnwys mwy o alcali nag o asid (am dir), tir melys, porfa felys, yn cynnwys cyfartaledd da o galch. Mesurir alcalinedd tir yn ôl y raddfa pH. Mae pH7 yn niwtral ond pH8 ac uwch yn alcalïaidd.

alcalinedd *eg.* Ansawdd alcalinaidd tir.

Gw. ALCALÏAIDD.

alch tân *eb.* ll. *eilch tân, alchoedd tân.* Gradell rwyllog yn y lle tân yn y cartrefi gynt i rostio cig.

1620 Ecs 27.4: A gwna iddo *alch* (BCN rhwyll) o bres.
1989 P Williams: GYG 38, Fe fu'n rhaid 'i goginio erbyn swper ar *alch* ar ben y tân cwlwm agored.

alch wartheg *egb.* ll. *eilch gwartheg.* Y rhwyllwaith o haearn cryf a roir ar draws ffordd (yn aml lôn at fferm) yn lle giât, *rhwyll, bualch, grid gwartheg.* Mantais yr *alch* yw arbed cau ac agor giât yn oes y car modur a'r tractor, tra ar yr un pryd yn atal anifeiliaid rhag crwydro.
1961 Joseff Wyn Jones: *Awen Meirion* 102, Nid oes bellach le i achwyn – ar y ffordd/Lle bo'r ffin yn dirwyn;/A'r gât a fu'n sail i'r gŵyn/Yn rheiliau dan yr olwyn (i'r alchwartheg).

alergedd *ebg.* Bod yn sensitif i sylwedd neu sylweddau arbennig a hynny'n achosi adwaith corfforol mewn anifail a dyn.

alergen *eg.* Sylwedd sy'n achosi adwaith corfforol (mewn rhai anifeiliaid a phobl).

alffalffa *eg.* Planhigyn neu weiryn o deulu'r *legume,* sy'n gwreiddio'n ddwfn ac a ddefnyddir fel porthiant gaeaf a phorfa, yn ogystal ag fel cnwd meithrin (cnwd cyhudd); *lucerne.*

'all gears' *a.* Yn oes y ceffyl, yn enwedig yng nghyd-destun prynu a gwerthu ceffylau, ymadrodd cyffredin oedd *working in all gears* neu *guaranteed in all gears.* Defnyddid yr ymadrodd gan y gwerthwr wrth roi cymeriad y ceffyl, pan yn gwerthu law yn llaw, a chan yr arwerthwr yn yr ocsiwn pan yn ei werthu dan y morthwyl. Os na ellid gwarantu'r disgrifiad hwn o geffyl, byddai'n rhaid ei werthu 'dan ei fai'. Ar lafar yn lled gyffredinol.
1989 D Jones: OHW 31, Yr oedd Dol hithau, er yn llawn bywyd, yn un y gellid yn deg ei galw'n *"guaranteed in all gears"*, chwedl arwerthwyr y cyfnod.

Almanac yr Amaethwr gw. CALENDR AMAETHWR.

Alpha Laval *ep.* Enw'r cwmni a gynhyrchai'r gwahanwyr (separetors) a ddefnyddid gynt i wahanu'r hufen oddi wrth weddill y llaeth (y sgim). Dyma hefyd yr enw a geid ar y peiriant. Oes gymharol fer fu i'r separetor – pymtheg i ugain mlynedd – cyn sefydlu'r Bwrdd Marchnata Llaeth yn 1933. Daeth gwerthu llaeth yn rhywbeth hollol gyffredinol dros nos ar ôl hynny. Tueddu i fod yn drafferthus yr oedd y separetor. Roedd ei wahanol rannau'n lleng a rhaid oedd ei dynnu oddi wrth ei gilydd i'w olchi o leiaf unwaith y dydd.
1989 D.Jones: OHW 104, Separetor *Alpha Laval* yn y llaethdy . . . a minnau yn fy ngwely yn y llofft fach uwchben . . . . Fe'm dihunid gan sŵn hymian uchel y peiriant hwnnw oddi tanaf.
1995 J Davies: CB 13, Ei swyddogaeth . . . oedd derbyn yr hufen a lifai'n ffrwd fach sidêt o grombil ddyrys yr *Alpha Laval* ...

alsen, aelsen *eb.* ll. *elsydd, alsenni.* Styllen neu bren hir i'w daro ar draws porth (adwy), aelen, rhwystr i'w dynnu a'i roi ar draws porth mewn cyferbyniad i lidiart (giât) yn crogi ar golynnau. Ar lafar ym Maldwyn.
1981 GEM 10 *Alsen* – Darn praff o goed i wneud 'railings' (Llygriad, mae'n debyg, o 'y ralsen'). Rhoi *alsen* ne ddwy ar draws y ffor.

alu *be.* Dywyddu, llydnu, clafychu i fwrw epil, yn enwedig am fuwch ar fwrw llo, er ei fod ar arfer am anifeiliaid eraill hefyd.
13g Pen 35, 6b, Ac *alu* o'r dauat ar deu oen.
14g M M 36, O'r pan *alho* buch hyt ym penn y pymthecvet dyd.

allaeafu *be.* Cadw a bwydo anifeiliaid allan drwy'r gaeaf, yn hytrach na'u rhoi dan do neu eu siedio.
Gw. MEWNAEAFU.

allfridio gw. ALLGROESI.

allgroesi *be.* Cymharu anifeiliaid o'r un brid ond o linach wahanol a heb fod o'r un gwaed fel sy'n digwydd yn achos mewnfridio.

allgyrchydd *eg.* ll. *allgyrchyddion.* Peiriant yn defnyddio grym allgyrchol ('centrifugal') i wahanu elfennau megis hufen oddi wrth weddill y llaeth. Hon oedd egwyddor y gwahanwr (separetor) gynt. Ceir hefyd *allfwriwr* am yr un peth.

allt *eb.* ll. *elltydd, aillt.*
1. Bryn, llethr, llechwedd, ochr, rhiw serth (Gogledd).
Dewi Havhesb: Mae holl ogoniant natur/Ar fron pob bryn ac *allt,*/A'r llyn [Tegid] fel drych o arian/I'r Aran drin ei gwallt.

2. Coed, llechwedd goediog, allt goed (y De). Ceir hefyd y ffurf *gallt,* yr 'g' wedi magu ar ddechrau'r gair fel gyda'r gair 'godidog' o 'odidog'.
1966 D J Williams: ST 79, Ac ambell fflach ar yr afon rhyngddo â'r *allt dderi* yr ochr draw i'r cwm.
1989 P Williams: GYG: ... y lloi a'r bustych a fyddai wedi dychwelyd o'r tir 'by-hold' erbyn hyn yn treulio'r gaeaf yn y caeau mwyaf cysgodol ger yr *allt.*

3. Ochr neu lechwedd llawn prysglwyn, drain a mieri.
1938 T J Jenkin: AIHA AWC Allt, – *need not consist of tall well-grown trees only. Also quite often used for a slope covered with brush-wood – hazel, etc.*

4. Rhiw, dringo, gorifyny, tyle (am ffordd). Magodd 'g' ar ddechrau'r gair ac yn aml ceir *gallt.* Ar lafar yng Ngwynedd, Clwyd a gogledd Maldwyn. *Rhiw* a glywir amlaf yn ne Maldwyn, Ceredigion, Dyfed, Brycheiniog, a *tyle* ym Morgannwg.

allwaith (*all* + *gwaith*) *eb.* Ail flwyddyn tan yr iau (am ych).
13g WML 72, Ny byd telediw [cyflawn] ych namyn o *allweith* hyt y whechet weith.

allwest (*all* fel yn *allan* + *gwest* [lle i aros dros nos]).
1. Gre neu stabal o feirch.
13g LlB 107, Teir rwyt brenhin ynt: y teulu, ac *allwest* y veirch, a'e preid wartheg.

2. Porfa, glaswellt. O'r ystyr hwn o borfa (bwyd) a thrwy ei gamgysylltu â *gwest* (gwledd) y daeth yn air am wledd.

allwestog *a.* Porfaog, gwelltog.
Cmhr. 'porfeydd gwelltog' (Salm 23)

amaeth *eg.* ll. *emeith, emyth, amaethiaid.*
1. Arddwr, llafurwr, hwsmon, un yn trin a diwyllio tir.

1200 LlDW 68, 26, A gwerth y troet deheu yr *amaeth.*
1300 WM 480, 11-12, *Amaeth* a amaetho y tir hwnnw.

2. Amaethyddiaeth, diwylliant tir, cynhyrchu cnydau a magu anifeiliaid. Sonnir am y Weinyddiaeth *Amaeth* ac am y Gweinidog *Amaeth.* Gw. AMAETHYDDIAETH.

amaeth aradr *eg.* ll. *emeith aradr, emyth aradr.* Un rhwng cyrn yr aradr, un yn aredig, arddwr.

amaethdir *eg.* ll. *amaethdiroedd.* Tir amaethadwy, tir y gellir ei droi a'i drin a thyfu cnydau ynddo, tir trinadwy.

amaethdy, amaethfa *eg.* ll. *amaethdai.* Tŷ fferm, y tŷ, fel rheol, lle mae'r amaethwr a'i deulu'n byw, ffermdy.

amaethedig *a.* Wedi ei drin a'i wrteithio (am dir).

amaethgar *a.* Hoff o amaethu, amaethyddol, yn byw i ffermio yn ogystal â ffermio i fyw.

amaethiad, amaethad, amaethiaeth, amaethiant, amaethyddiad gw. AMAETHYDDIAETH.

amaethu *be.* Ffermio, trin a gwrteithio tir, codi cynnyrch o'r tir megis cnydau, anifeiliaid, cig a llaeth.
1966 D Jones: *Cynhaeaf* (Cyfansoddiadau Prifwyl Aberafan), Tra bo dynoliaeth fe fydd *amaethu* / A chyw hen linach yn ei holynu.

amaethwaith *eg.* Gwaith fferm, gwaith amaethyddol, gwaith ar y tir.

amaethwr, amaethydd *eg.* Ffermwr.

amaethwraig *eb.* ll. *amaethwragedd.* Gwraig fferm, weithiau'n ffermio ei hun, amaethreg.

amaethyddiaeth *egb.* Gwyddor ffermio, trin, diwyllio a gwrteithio'r tir i dyfu cnydau a magu da byw. Yn ôl Deddf Amaethyddiaeth 1947, y mae amaethyddiaeth yn cynnwys garddwriaeth, tyfu ffrwythau, tyfu had, cynhyrchu llaeth, cadw a bridio da byw, defnyddio'r tir yn borfa anifeiliaid, tyfu llysiau, a thyfu coed lle mae hynny'n atodol i ffermio.
1832 S Roberts: TAA 8, *Amaethyddiaeth,* sef trin tir, ydyw mam y celfyddydau, ffynhonnell bennaf cynhaliaeth a chysuron cymdeithas.

amaethyddol *a.* Yn ymwneud ag amaethyddiaeth, ynglŷn â ffermio, yn perthyn i ffermwriaeth. Sonnir am yr Undebau *Amaethyddol,* y Polisi *Amaethyddol,* Gweithwyr *Amaethyddol,* ayyb.

amaethyddu gw. AMAETHU, FFERMIO.

amaethyddwr gw. AMAETHWR, FFERMWR.

ambor
1. *(am + pawr = porfa) eg.* Porfa, cynhaliaeth anifail, bwyd glas.

2. *eg.* Pryd ysgafn o fwyd, pryd rhwydd, didrafferth, ffwrdd-â-hi.
Gw. BWYD AMBOR.

amdir *eg.* ll. *amdiroedd.* Y tir o gwmpas, y tir cylchynol, tir cyfagos, ardal, bro, cymdogaeth.

American tumbler *eg.* Math o gribin wair heb olwynion, *twmbler* (Ceredigion), *heliwr* (Môn). Clywir hefyd *rhaca twmbler* a *llusgan* yn enwau arno.
1975 R Phillips: DAW 53, Gwaith llaw gyda rhaca fach a phigau oedd ei drafod (gwair) nes i'r *American Tumbler* ddod i'w hela ynghyd.
Gw. HELIWR GWAIR, TWMBLER.

amfwth diogelwch *eg.* ll. *amfythod diogelwch.* Fframwaith cryf, sef math o fwth caëedig ar dractor, i ddiogelu'r gyrrwr pe digwyddai i'r tractor ddymchwel. Gan fod i'r bwth ffenestri, drws a tho, y mae hefyd yn lleihau sŵn i'r gyrrwr ac felly'n diogelu ei glyw yn ogystal â'i gorff. Mae'n ofynnol cael yr *amfwth* dan gyfraith gwlad yn enwedig lle mae gweision cyflog.

amgae *(am + cae) eg.* ll. *amgaeau.* Clawdd, gwrych, sietin o gwmpas darn o dir. Ystyr wreiddiol *cae* oedd clawdd, sef y caead ar y cae. Daliwn i sôn am ambell i gae â 'chaead' da arno, neu ambell i fferm â 'chaead' da, h.y. terfynau da, cloddiau terfyn da. Yn Nameg y Winllan gan Eseia cawn y gair *cae* yn yr ystyr hwn o glawdd, – 'Tynnaf ymaith ei *chae* fel y porer hi'. (Tynnaf ymaith ei *chlawdd'* BCN). Yn ddiweddarach y daeth *cae* i olygu'r darn tir y caewyd o'i gwmpas.
1753 L Owen: ADdE 38, *Amgae* neu Balis o rwŷd-waith.

amgarn *(am + carn) eg.* ll. *amgarnau.*
1. Crystyn allanol carn unrhyw anifail pedwarcarnol, rhan galed y carn mewn cyferbyniad i'r rhan feddal – y bywyn – tu mewn i'r carn.

2. Y cylch haearn a roir am garn pren ambell i offeryn gwaith, megis carn y cryman, rhag iddo hollti yn ei waith, *ffurel, amgorn* (Môn), *amgar* (Meirionnydd). Fe'i gwelir hefyd y ddau ben i bombren (tinbren, cambren) â dolen yn rhan ohono i fachu tresi'r ceffyl; ar fôn coes pladur i helpu cadw'r llafn yn ei le, ac ar flaen ffon gerdded, ac am gorn pren aradr y mae blaen y fraich (hegl) wedi ei roi ynddo.
1630 Llst 47, 417, A phon ac *amgarn* a phig.
Gw. SOCED CORN.

amgorn gw. AMGARN[2].

amgueddfa hen beiriannau amaethyddol *eb.* ll. *amgueddfeydd, ayyb.* Y math o amgueddfa a sefydlwyd mewn sawl lle yn ystod wythdegau'r 20g i gadw ac arddangos hen beiriannau amaethyddol, megis y drol, y dyrnwr mawr, yr aradr geffyl, y ripar, yr heliwr (twmbler), y gribin (o sawl math) ac, yn wir, rhai o'r tractorau cynnar.

amgylchedd *egb.* ll. *amgylcheddau.* Yr amgylchfyd, y byd naturiol sy'n gartref a chynefin nid yn unig i ddyn, ond hefyd i'r amrywiol rywogaethau o anifeiliaid, adar a phlanhigion dof a gwyllt. Un o ddwys broblemau dyn ar ddiwedd yr 20g yw'r llygru cynyddol ar yr amgylchedd gan nwyon gwenwynig megis carbon diocsid o gerbydau, awyrennau, a simneiau pwerdai a diwydiant. Hefyd, mewn canlyniad i orddefnyddio plaleiddiad, chwynleiddiad, pryfleiddiad, ayyb., i bwrpas dwysffermio, collwyd eisoes nifer o rywogaethau o adar a phlanhigion gwyllt a cheir nifer o rai eraill mewn perygl o ddiflannu am byth. Sylweddolir, fodd bynnag, mai'r ffermwr, wedi'r cwbl, yw pennaf gwarchodwr y cefn gwlad, a chydnabyddir hynny'n ddiweddar, drwy gynnig iddo rai cymorthdaliadau amgylcheddol eu hamcan.

amgylcheddol Yn ymwneud â'r amgylchedd, yn perthyn i'r amgylchedd.

amgylchfyd gw. AMGYLCHEDD.

amgymwysedig *a.* Wedi cyfarfod â gofynion ac amodau cymorthdal arbennig (am fuches neu ddiadell).
1981 Ll Phillips: HAD 33, Oherwydd bod y prentis yn dod yn gymwys yn ei grefft yn rhinwedd ei allu ei hun, tra bod buches neu ddiadell yn dod yn gymwys ar gyfer grant oherwydd yr amodau sy'n ymwneud â'r naill a'r llall, felly prentis *ymgymwysedig* am 'qualified apprentice', ond buches neu ddiadell *amgymwysedig* am 'qualified herd' neu 'flock'.

amhuro *be.* Ychwanegu dŵr at laeth (S. *adulterate*).

amlbwrpas *a.* Disgrifiad diweddar (20g) o'r hyn a ddefnyddir i fwy nag un diben, e.e. sied i gadw offer a pheiriannau yn ogystal ag anifeiliaid.

amler *eg.* March rhygyngog sy'n symud yn rhwydd ac esmwyth drwy godi'r ddau droed un ochr bob yn ail â'r ddau droed yr ochr arall, awmler.
1455-85 LGC 96, Milwr Gwent ar *amler* gwyn.
1480-1525 TA 423, *Amler* yw mal yr ewig.

amlgwys gw. ARADR AMLGWYS.

amod *egb.* ll. *amodau.* Amser anifail (yn enwedig buwch, caseg, hwch) i fwrw epil, âl.
18g Welsh Ballads 151, 7, Ond tra bythwi'n perchen hychod,/Mi 'drycha'n well am gofio i *hammod.*

amogor *eg.*
1. Bwyd anifeiliaid, porthiant anifeiliaid (gwair, silwair, ayyb), ebran, esborth, ffodr, gogor. Ceir hefyd y ffurf *ymogor.*
Gw. EBRAN, GOGOR, PORTHIANT.
2. Tŷ, annedd, anhedd-dŷ, preswylfod.
1632 Diar, Gwae'r hen a gollo'i '*mogor*'.

amonia *eg.* Nwy di-liw, sef cyfuniad o nitrogen a hydrogen, yn arogleuo'n gryf ac mewn gwahanol ffurfiau, megis sylffad amonia, ond hefyd yn storfa o nitrogen i blanhigion. Fe'i ceir hefyd wedi ei doddi

27

mewn dŵr, a'i ddefnyddio mewn meddyginiaethau. Gwneir defnydd ohono hefyd mewn cyfansoddion i wneud gwrtaith artiffisial.

amryswch gw. ARADR AMLGWYS, TAGARADR,

amser *eg*. ll. *amseroedd*. Amser arbennig i wneud pethau ar fferm, y tymor addas, priodol at wneud goruchwylion fferm. Digwydd mewn nifer o gyfuniadau amaethyddol:
amser âl – amser bwrw llo (buwch), amser lloia.
amser cneifio gw. CNEIFIO. DIWRNOD CNEIFIO.
amser codi tatws gw. CODI TATWS, TYNNU TATWS.
amser cynhaea – adeg cynhaeaf gwair a chynhaeaf ŷd.
Gw. CYNHAEAF.
amser dal – amser rhoi'r harnes ar y wedd a'i bachu wrth yr aradr, ayyb, ar gychwyn daliad o waith, amser dala (Dyfed).
Gw. DAL.
amser dyrnu gw. DIWRNOD DYRNU, DYRNU.
amser godro gw. GODRO.
amser gollwng – amser dadfachu'r wedd ar ddiwedd daliad.
amser hau – tymor hau ŷd.
Gw. CALENDR AMAETHWR, TRIDIAU DERYN DU.
amser lloia – amser alu, amser llydnu, amser bwrw llo (buwch)
amser noswyl gw. CADW NOSWYL, NOSWYLIO.
amser plannu tatws – amser gosod tatws.
Gw. GOSOD.
amser wyna – tymor bwrw ŵyn, amser llydnu (defaid).

amwenith *eg*. Gwenith cymysg, amyd, siprys.
1470 GO Gwaith 33, 19, Rhif y graean mân neu *amwenith* dôl.

amwisg epil *egb*. Y brych neu'r garw a fwrir gan anifail benyw pan yn bwrw epil, yr amwisg denau sydd am yr epil yn y groth, gwisgen, placenta.
Gw. BRYCH, GARW, GWARED.

amws *eg*. ll. *emys*.
1. March, stalwyn, cadfarch.
1200 LlDW 29, 16-18, Tri pheth ny eill tayauc (taeog) eu gwerthu heb kanyatad yr Arglwydd, *amws* a mêl a moch.

2. Ceffyl gwedd, ceffyl trwm.
1300 LLB 53, *Amws* (dextarius) yn pori allan.
Gw. EMYS.

amyd *eg*. Cymysgedd o wahanol fathau o ŷd, grawn cymysg o wenith, haidd, a rhyg, *siprys* (Ceredigion). Mewn rhai rhannau mae'n golygu bara gwenith neu fara haidd mewn cyferbyniad i fara ceirch neu ryg, e.e. Arfon.
Gw. WVBD 11.

an-âr, anar *a*. Heb ei aredig, heb ei arddu (am rimyn neu lain o dir),

28

weithiau'n ddamweiniol mewn amryfusedd, ac weithiau drwy esgeulustod neu ddilynwch, *balc, malc*. Gw. BALC.

anarloes, anarlloes *a*. Heb ei drin, heb ei glirio a'i ddiwyllio (am dir), heb ei arloesi, gwyllt.
16g (1763) W. Salesbury: LlM 34, Y rhyw cyntaf a dyf mewn gwlyble mewn lle *anarloes*.

Ancona *ep*. Brid ysgafn o ieir duon a blaenau'r plu yn wynion, melyn eu coesau a sengl eu crib. Yn dodwy wyau gwynion.

Andalsian *ep*. Brid ysgafn o ieir gleision a'r plu'n tywyllu at eu blaenau, crib sengl, coesau lliw llechfaen, ac yn dodwy wyau gwynion. Fe'u gelwid ar un adeg yn 'Blue Spanish'.

andirwn *gw*. BRIGWN, GOBED.

andywydd *eg*. Tywydd anffafriol i bwrpas arbennig megis y cynhaeaf gwair a'r cynhaeaf ŷd. Ar lafar ym Môn. Gw. *Y Genhinen*, Cyf 33 (1935).
1981 W H Roberts: AG 52, Os troai hi'n *andywydd*, yna gwair ffilbeli, tywyll, pygddu, diwerth a geid.

aneirfuwch *eb*. ll. *aneirfuchod*. Anner, buwch ifanc heb gyfloi, heffer heb fwrw llo, annair, treisiad. Ar lafar yn Nyfed.
1620 Es 7.21, A bydd yn y dydd hwnnw i ŵr fagu *anneir-fuwch* a dwy ddafad.
1620 1 Sam 16.2, Cymer *anner-fuwch* gyda thi a dywed, Deuthum i aberthu i'r Arglwydd.
1981 Ll Phillips: HAD 31, Pan ddaeth galwad am derm Cymraeg cyfatebol i'r Saesneg 'Cow-heffer' . . . gwyddai ef [T.J. Jenkin] am yr anner-fuwch y cymhellwyd Samuel . . . i fynd â hi i'w haberthu.

anemia *eg*. Diffyg corffilyn (corffilod) coch yn y gwaed, e.e. mewn moch bach pan fo diffyg haearn yn llaeth y fam. Mae'n peri i anifail fod yn ddiraen ei gyflwr, ac yn gallu achosi marwolaeth, *anaemia*.

anesthetig *eg*. ll. *anesthetigion*. Sylwedd cemegol sy'n peri colli'r synnwyr o deimlad, yn arbennig y teimlad o boen corfforol, dros dro. Fe'i defnyddir gan filfeddygon gyda thriniaethau llawfeddygol ar anifeiliaid. Ceir tri math: anesthetig cyffredinol ar yr holl gorff sy'n peri anymwybyddiaeth lwyr; anesthetig lleol (rhewi rhan fach o'r corff); anesthetig rhanbarthol (rhewi rhan fwy o'r corff).

anfeisgors *(an + bais* [bas] *+ cors) eb*. ll. *anfeisgorsydd*. Cors ddofn, ddiwaelod.
1650 CC 144,: Ysgafn i rhed *anfeisgors*/Os gwêl gi isgil y gors.

anfiniog *a*. Di-fin, di-awch, pŵl (am gryman, pladur, cyllell wair, ayyb).

anffrwythlon *a*.Anghynhyrchiol, heb fod yn cnydio, diffaith, diffrwyth (am dir), heb fod yn epilio (am anifail).

anffrwythlonedd *eg*. Anallu i ffrwythloni neu i ddwyn ffrwyth (am dir); anallu i genhedlu (am anifail). Fel rheol, dioddef o ddiffyg maeth, a'r unig ateb yw gwrteithio. Gall anffrwythlonedd mewn anifail fod yn ganlyniad afiechyd, megis erthyliad cyhyrddiadol ar wartheg, neu'n ganlyniad diffyg mwynau, neu anghydbwysedd mwynau yn y porthiant.

anhudd, enhuddo *be.* Gorchuddio, pentyrru ar (yn enwedig tân), rhoi mawn neu lo mân neu farwor ar y tân i'w gadw dros nos. Gwneid hyn yn gyson gynt yn enwedig yn yr ardaloedd mynyddig, mawnog, *'nuddo* tân.
1200 LlDW 36, 25-26, O'r pan *annuder* etân eny dadanudher.
1551 W Salesbury KLl 11b (Rhuf 12.20), Ti a *anhuddi* farwor tanllyd am ei ben.
1620 1 Bren 1.1, Er iddynt ei *enhuddo* ef mewn dillad, eto ni chynhesai ef.
Ffig. Lliniaru, lleddfu, tawelu. Hefyd rhoi yn y bedd, claddu.
'Rwy'n cofio'n dda ei bod yn eira mawr diwrnod *anhuddo* corff yr hen ewyrth.'

anhwsmanu, anhwsmana, anhwsmona *be.* Ffermio'n sâl, didrefn, gwastraffus, camdrefnu gwaith fferm, ffermio drwg, colledus, hwsmona drwg, diddarbodaeth.
Gw. ANHWSMON.

anhwsmon *(an + hwsmon* [ffermwr]) *eg. ll. anhwsmyn.* Hwsmon (ffermwr) gwael, diog, diddim, ffermwr di-glem, di-drefn, y gwrthgyferbyniol i hwsmon da a threfnus.
1547 W Salesbury: OSP, Adwyoc cae *anhwsmon.*
Ffig. Esgeuluswr neu gamddefnyddiwr dawn, talent, rhodd.
1655 WL: DP 13, Bum *anhwsmon* o'r dalent o ras a roddaist i mi.

anhwsmonaeth, anhwsmanaeth *eb.* Camffarmio, drwg ffarmio, ffermio sâl, colledus.
1561 B 6, 49, Y Pedwerydd yw na wnel ef *anhwsmonaeth*, na wasto mwy nac a vo raid yddaw ar dda gŵr arall.
Gw. ANHWSMON.

anhwsmonaidd *a.* Gwastraffus, afradus, di-drefn, colledus.
1730 Iago ap Dewi: YL 51, Neu fod yn *anhwsmonaidd* fel y mab afradlon.

anhwylus *a.*
1. Yn amaethyddol afrywiog ei dymer, anhydrin, anhywedd, afreolus (am geffyl anodd ei drin). Clywir 'hen geffyl *anhwylus*' ar lafar yng Ngwynedd am geffyl anhydrin ac afrywiog ei dymer.
2. Yn dioddef o waeledd neu glefyd (am anifail a dyn).
'Mae Derby'n *anhwylus* heddiw, gwell iddi gael llonydd.'

anhyar *(an + hy + âr) a.* Anodd ei droi a'i drin, anaddas i'w aredig (am dir gwydn, garw), anarddadwy.
1775 W, *Anhyar* = inarable.

anhydrin *a.* Afreolus, anhywaith, anystywallt, anodd ei drin (am anifail, yn enwedig ceffyl).
1988 BCN: Hos 4.16, Fel anner *anhydrin* (anhywaith, 1620) y mae Israel yn anodd ei thrin.

anhyfaeth *gw.* ANHYDRIN, ANHYWAITH.

anhymor *a.* Allan o dymor, heb fod yn ei amser arferol, annhymhorol (am anifail yn bwrw epil, am gnwd arbennig o gynnar, am ysbaid o dywydd tesog gefn gaeaf, ayyb).

30

anhywaith *a.* Cyndyn, styfnig, afreolus, anhydrin (am anifail anodd ei drin, yn enwedig ceffyl).
1620 Hos 4.16, Fel anner *anhywaith* yr anhyweithodd Israel.
Gw. ANHYDRIN.

anifail *eg.* ll. *anifeiliaid.* Mil, creadur direswm (gan amlaf mewn cyferbyniad i ddyn), ysgrubl. Yn amaethyddol yr anifeiliaid dof (ceffyl, buwch, dafad, mochyn, ci, cath) mewn cyferbyniad i'r anifeiliaid gwylltion, y stoc, y pennau, y da.
1346 LlA 5, Yn y trydydd dydd y gwnaeth ef yr *annyveileit.*
1620 Jer 32.43, Anghyfanedd yw hi heb ddyn ac *anifail.*
Ffig. Dyn yn ymddwyn yn wyllt a direswm.
1620 Salm 73.22, Mor ynfyd oeddwn . . . *anifail* oeddwn o'th flaen.
Gw. hefyd ENIFAIL

anifail afreolaidd *gw.* CARDYDWYN, CWLIN, MIHFIR-MIHAFAR

anifail anwes *eg.* Anifail megis cath a chi a gedwir oherwydd hoffter ohono ac o'i gwmni.

anifail asgwrn cefn *a.* ac *eg.* Anifail a chanddo asgwrn cefn mewn cyferbyniad i anifail sydd hebddo, megis y falwen, ayyb. Mae'r holl anifeiliaid dof a fegir ar fferm ag asgwrn cefn.

anifail baich *eg.* Anifail yn cario nwyddau a beichiau mewn cewyll neu fasgedi wedi eu clymu y ddwy ochr i'r strodur (cyfrwy), anifail pwn, sef ceffyl neu ful. Hwn oedd y dull cyffredin gynt o gario llwythi o rawn i'r felin i'w falu, cario tail i leoedd llechweddog ac anodd, ayyb.
Cf. 1920 Crwys: *Cerddi Crwys* 9 (Melin Trefin), Trodd y merlyn olaf adref,/Dan ei bwn o drothwy'r ddôr.

anifail direswm Anifail gwyllt, bwystfil, o'i gyferbynnu â dyn ac ag anifail dof, anifail disynnwyr.

anifail disynnwyr *gw.* ANIFAIL DIRESWM.

anifail gwaith *eg.* Anifail a ddofwyd ac a hyweddwyd i wneud gwaith, yn enwedig ych, ceffyl, mul, pynfil, ysgrubl, anifail pwn, pynior, llwythfil.
Gw. ANIFAIL BAICH, PYNFARCH.

anifail pwn *gw.* ANIFAIL BAICH, ANIFAIL GWAITH, PYNFARCH.

anifeiliaid cadw *ell.* un. *anifail cadw.* Anifeiliaid a ddetholir yn ofalus i'w cadw, yn bennaf i fagu rhai ifainc er mwyn diogelu niferoedd ac ansawdd buches a diadell.

anifeiliaid dofedig *ell.* un. *anifail dofedig.* Anifail wedi ei ddofi yn yr ystyr o'i arfer i fyw gyda phobl, ac wedi ei ddisgyblu a'i hyfforddi i weithio gyda phobl, – yr ych, y ceffyl, y fuwch, y ddafad, y mochyn, yr asyn, y ci a'r gath.

anifeiliaid y maes *ell.* Ymadrodd Beiblaidd am yr anifeiliaid

pedwarcarnol sy'n pori ac yn byw ar y borfa.
1620 Salm 8.7, Defaid ac ychain oll, ac *anifeiliaid y maes* hefyd.

anifeilaidd *a.*
1. Bwystfilaidd, creulon, ciaidd, barbaraidd (am ddyn).
1400 Haf 16.47, Ymwrthod ohonawch a phob rhyw ewyllys *aniveileidd.*

2. Yn perthyn i anifeiliad, ynglŷn ag anifeiliaid, yn ymwneud ag anifeiliaid, o natur anifail.
1630 R Vaughan: Y Dd 144, Creaduriaid *anifeilaidd* direswm.

anifeildra *eg.* Bwystfileiddiwch, anwareiddiwch, bwystfileidd-dra (wrth gyfeirio at ymddygiad rhai pobl).
1615 R Smyth: GB 57, Sertholdra ac *anifeildra* y dynion sy'n preswylio yno.

anifeileg *eb.* Astudiaeth o anifeiliaid, swoleg, gwyddor y bywyd anifeilaidd.

anifeileidd-dra gw. ANIFEILDRA.

anifeileiddio *be.*
1. Dangos nodweddion anifail neu fwystfil (am ddyn).
2. Stocio fferm ag anifeiliaid.

anifeileiddiwch gw. ANIFEILDRA.

anifeileiddrwydd gw. ANIFEILDRA.

anifeilig *a.*
1. Yn perthyn i anifail, ymwneud ag anifail, ynglŷn ag anifail.
2. Bwystfilaidd, anwaraidd.
1657 MLl ii 50, Yn gwisgo amdanat y cyflwr *anifeilig.*

anifeiliol *a.*
1. gw. ANIFEILAIDD.
2. Yn perthyn i anifail.
1678 Mos 149, 347, Tair rheolaeth y byd, sef Anifeiliawl, Cynhyrchiawl, a Metelawl.

anifeilyn *eg.* Anifail bach, creadur, creadur bach.
1615 R Smyth: GB 241, Pa degwch sy o fewn yr *anifeilyn* yma.

annad *et.* Had anis, sef y planhigyn gyda had persawrus a ddefnyddir i gyflasu bwydydd. Gynt, fe'i defnyddid yn un o'r elfennau mewn risêt porthi ceffylau gan y certmyn (wagneriaid).
Gw. RISÊT PORTHI CEFFYLAU.

anneche *a.* Trwsgl, afrosgo, trwstan, lletchwith, anghelfydd, di-lun, carbwl, anfedrus, anneheuig, y croes i 'deche'. Ar lafar ym Maldwyn.
Gw. DECHE.

anner, annair *eb.* ll. *aneiredd, aneiriaid.* Heffer, buwch ifanc heb gyfloi, treisiad (Dyfed), *aneiri, aneirydd* (Ceredigion), *aneri* (Caerfyrddin), *meinoles.*
Ffig. (Beiblaidd) yr hardd, y golygus.
1620 Jer. 46.20, Yr Aipht sydd *anner* brydferth.
Gw. ANEIRFUWCH, HEFFER, TREISIAD, a cf ENDERIG.

anner flith *eb.* Heffer wedi dod â llo ac yn llaetha (godro).

anner gyflo *eb.* Heffer yn drom o lo, treisiad gyfeb.

anner ifanc *eb.* Llo benyw, dyniawed benyw heb gyfloi.

annhiriog (*an* + *tir* + *iog*) *a.* Heb dir, heb fod yn berchen tir. Dyma'r ystyr yng Ngeiriadur W. Owen-Pughe 1793.

annisbadd (*an* + *disbadd*) *a.* Cyflawn, heb ei sbaddu, cyflawn march, sef stalwyn, march, cyflawn tarw.
Gw. CYFLAWN MARCH.

anniwyll *a.* Heb ei ddiwyllio, heb ei drin, heb ei wrteithio (am dir neu am fferm), tir anniwyll, fferm anniwyll, sef tir a fferm anwrtaith.

anniwylliant *eg.* Diffyg trin, diffyg diwyllio, diffyg gwrteithio (am dir), hwsmonaeth wael, diffyg ffermio.

annog *be.*
1. Gwaith y geilwad (cethreiniwr) gynt wrth symbylu'r ychen yn y cae âr, annog ychen, sef defnyddio'r cethrain (ffon flaenfain) i yrru gwedd o ychen mewn gwaith. Cerddai'r geilwad (anogwr) fwy neu lai wysg ei gefn o flaen yr ychen, gan eu galw drwy ganu tribanau, ayyb, a'u symbylu'r un pryd â chethr (y wialen alw).
Gw. CETHREINIWR, CETHRU, GEILWAD.
2. Cymell ci defaid, annos ci defaid yn ei waith, ei yrru, yn ôl y galw, i hel neu i rowndio'r defaid.

annos *be.* Cymell ci wrth yrru anifeiliaid, hysio ci, annog ci i nôl y defaid, i sodlu'r gwartheg, ayyb. Ceir hefyd y ffurf *hannos* gyda 'h' ymwthiol. Ar lafar ym Meirionnydd.
Gw. ANNOG², HYSIAN, HYSIO.

anrhaith *eb.* ll. *anrheithiau, anrheithiaid, anrheithi.* Anifeiliaid fferm, gyrroedd da byw.
13g HGC 150, Ag y rhoddes iddaw ... kantref Lleyn ag Eifyonydd ... ag eu gwerin, ag eu *anrheithiaid.*
14-15g IGE 275, Cynnull *anrhaith* dau cannyn,/Cyrchu'r da, carcharu'r dyn.

anrheithfarch *eg.* ll. *anrheithfeirch.* Hoff farch, yr anwylfarch, ffafrfarch, march a gafwyd yn ysbail (Y Cyfreithiau).
12-13g C 27.7, Tri *anrheith march* inis pridein.

antibiotig gw. GWRTHFIOTIG.

Antur Ŵyn Cymru *egb.* Sefydliad i hysbysebu a hyrwyddo gwerthiant cig oen Cymru, yn wyneb cystadleuaeth o sawl gwlad yn y Comisiwn Ewropeaidd a Seland Newydd. 'Antur' y ffermwyr eu hunain yw hon. Y syniad yw bod y ffermwyr yn talu hyn a hyn y ddafad (grôt, 4c, y pen oedd y tâl cychwynnol) tuag at waith yr 'Antur'.

anthracs *eg.* Haint hysbysadwy ar anifeiliaid a achosir gan y bacteriwm

33

Bacillus anthracis, clefyd y ddueg. Mae'n heintus, yn farwol (fel rheol) ac yn taro anifeiliaid gwyllt a dof, yn enwedig gwartheg a moch, ac weithiau, ceffylau a defaid. Nodweddir yr haint gan wres uchel, rhyddni, a marwolaeth o fewn 48 awr. Mae'n rheidrwydd cyfreithiol i hysbysu'r awdurdodau priodol o unrhyw achos o'r afiechyd ac i losgi'r carcas.

anwaered, anwared *eg.* Llethr, llechwedd, ochr, goriwaered, bron.
13g B 3,24, redyt karr kan *anuaret.*
14g R 1027, 15-16, pan retto dwfyr ar *anwaeret.*

anwedd *eg.*
1. Yn amaethyddol tawch, ager, stêm, tarth, – y math o ager a welir mewn gefail gof, pan fo'r gof yn oeri'r haearn mewn cafn dŵr, neu'r tawch a welid gynt mewn odyn wrth sychu a chrasu ŷd, neu'r ager a gyfyd oddi ar geffyl pan fo'n chwysu mewn gwaith.
1771 PDPh 39, Tynnwch ymaith y caead, a deliwch eich llygaid uwch ben yr *anwedd.*

2. Hynod, tra hyn neu'r llall, eithriadol.
'Ma' hi'n aeafol anwedd heddiw.'
1885 D Owen: RL 325, Bwyd cry *anwedd.*

anwrtaith *a.* Heb ei wrteithio, heb ei achlesu, heb ei ddiwyllio (am dir). Gw. ANNIWYLL.

anwrteithiedig, anwrteithiol *a.* Gw. ANWRTAITH.

ar y bach *Ymad.* Ymadrodd llafar am anifail (mochyn, oen, bustach) wedi ei ladd a'i hongian ar y cambren, ac wedi ei agor a'i ddiberfeddu, ar y cambren, ar y pin, yn garcas. Sonnir am bris anifeiliaid yn fyw neu *ar y bach.*
Gw. AR Y CAMBREN.

ar bâr *Ymad.* Yn barau, yn ddeuoedd (am ychen gwaith).
15g ID 43, Weithiau yn bydd wyth *ar bar*/eythyr y bod wyth ar bedwar' (i ofyn ychen).

ar ben cae gwair *Ymad.* Yn y cae gwair, yn y cae yn trin y gwair ac yn ei hel a'i gywain. Ar lafar yn sir Gaerfyrddin.
1959 D J Williamas: YCHO 34, Yr unig fan lle gallai Mari fod braidd yn beryglus weithiau, fyddai *ar ben cae gwair* neu ar ddiwrnod o rwymo ...

ar ben ei llo *Ymad.* Ar ben ei hamser i fwrw llo, ar ben ei hâl, ar ben ei hamod (am fuwch).
1993 FfTh 11, 47, Aeth heffer ddu, *ar ben ei llo* i lenwi'r bwlch.

ar y bwced *Ymad.* A fwydir â llaeth neu â llith o fwced yn hytrach na'i adael i sugno'i fam (am lo ifanc). Disgrifir llo felly fel *llo ar y bwced.*

ar y cambren *Ymad.* Ymadrodd llafar am fochyn, oen neu eidion wedi ei ladd, ei hongian a'i agor, ar y bach, ar y pin.
1928 G Roberts: AA 5, ... arferid ei grasu a'i falu (grawn ŷd) at besgi moch i'w gwerthu, y naill ai yn fyw neu *ar y cambren.*
Gw. hefyd AR Y BACH.

ar eu cyllyll *Ymad.* Ar eu hymyl, ar eu cîl (cel), am gerrig wedi eu gosod yn gopi ar ben wal gerrig, neu i wynebu clawdd pridd, yn hytrach na cherrig ar eu gorwedd.

'Rydw'i am gau'r adwy 'ma efo cerrig *ar eu cyllyll.*'

ar ei chil *Ymad.* Ymadrodd am das ŷd wedi mynd yn fychan neu'n gilcyn wrth ei dyrnu. Ar lafar ym Môn.

1981 W H Roberts: AG 63, A dyna ichi sbort fyddai hela'r llygod mawr fel yr âi'r das ŷd *ar ei chil*, ffyn a phicwyrch a chŵn a gwaeddi mawr.

Gw. CILCYN.

ar dân *Ymad.* Ffurf dafodieithol ar *ar daen*, sef wedi ei daenu neu ei chwalu (am wair ac ŷd). Ar lafar yng Ngheredigion.

1975 T J Davies: NBB 70, Wedi i'r gwair fod *ar dân* am sbel a'r haul yn cael amser i'w gwiro, rhoi'r poni yn y rhaca a dechrau ei grafu yn rhibynnau.

ar dasg *Ymad.* Ar gontract, ymadrodd am gymryd gwaith dros ei ben yn hytrach nag wrth yr awr, neu wrth y dydd, neu wrth y pen (am gneifio defaid, ayyb), gosod y gorchwyl o agor ffosydd ar dasg, cymhennu a sgwrio cloddiau ar dasg, gosod clwt neu gae o sweds i'w chwynnu neu eu teneuo ar dasg. Ar lafar yn bur gyffredinol. Gosodir gwaith ar dasg yn fwy heddiw nag erioed – cneifio, byrnu gwair, medi â'r dyrnwr medi, ayyb. – ond mae lle i ofni nad yw'r hen ymadrodd ar dasg mor arferedig ag y bu a bod 'ar gontract' yn ei brysur ddisodli.

ar ei draed *Ymad.*

1. Am wair neu ŷd heb ei ladd ac yn aml heb orwedd neu ei fflatio gan y tywydd.

'Mae hanner y cae yn dal *ar 'i draed*, heb ei dorri.'

'Mi fuom yn lwcus cael lladd y llafur tra oedd o *ar i draed*, cyn y storm 'na neithiwr.'

2. Am das wair, ŷd, ayyb, wedi gostwng i'w lle heb fygwth troi i'r naill ochr na'r llall, heb ddymchwel.

'Roeddwn i'n tasu'r ŷd neithiwr yng ngolau lleuad, ond mae'r *das ar i thraed* yn iawn.'

ar dro *Ymad.* Wedi ei droi (aredig), wedi cael tro.

1928 G Roberts: AA 16, Anfynych y gwelid cae *ar dro* am fwy na thair blynedd yn olynol.

ar ddisberod *Ymad.*

Gw. AR GRWYDR.

ar goel *Ymad.* Mewn ymddiriedaeth, heb gytundeb swyddogol (ynglŷn â benthyg arian neu eiddo neu brynu nwyddau); ar y ddealltwriaeth y caniateir cyfnod o amser cyn bod yn rhaid i'r prynwr dalu amdanynt (anifeiliaid).

Gw. SÊL GOEL.

ar y goler *Ymad.* Ymadrodd am geffyl mewn gwaith caled fel aredig a thrin y tir sy'n golygu tynnu'n ddibaid, ac felly'n pwyso *ar y goler* yn barhaus. Dyfais yw coler sy'n galluogi holl gorff y ceffyl i fod ar waith pan fo'n tynnu neu'n llusgo aradr, ayyb. Mae hyn yn wahanol i drolio (tynnu cert) lle mae ceffyl yn gallu ac yn gorfod pwyso ar y britsyn ar yn ail â phwyso *ar y goler*.

Ffig. Rhywun wrthi'n gweithio'n ddidor heb ymlacio. Rhaid iti ddysgu ymlacio tipyn, fedri di ddim dal ati i bwyso *ar y goler* o hyd. (Cmhr. 'â'i drwyn ar y maen'.)

ar grwydr *Ymad.* Ar gyfeiliorn, ar ddisberod, wedi mynd i grwydro, yn aml am anifail barus.
'Mae'r hen ddafad benddu 'na *ar grwydr* yn rh'wle heddiw eto.'

ar gut a hanner *Ymad.* Yr arfer o gadw anifeiliaid ar dir rhywun arall gan rannu'r elw, hanner bob un. Ar lafar ym Môn.
Gw. Y GENINEN Cyfr. 33 (1915).

ar gyfeiliorn gw. AR GRWYDR.

ar lab *Ymad.* Ymadrodd yn y Gogledd am *ar goel* neu *ar gredyd.* Gw. WVBD 334.
Gw. hefyd AR GOEL.

ar osod *Ymad.* I'w osod ar rent (am eiddo, yn aml mewn cyferbyniad i fod 'ar werth').
'*Ar osod* y mae Tŷ Mawr ac nid ar werth.'

ar y pin gw. AR Y BACH, AR Y CAMBREN.

âr *eg.* Tir wedi ei aredig, tir âr, tir tro, tir wedi ei droi. Ceir yma yr un *âr* ag yn 'aradr', 'aredig' ac 'arddio' (arddu).
14–15g IGE 134, Methu y mae y ddaear/Hyd nad oes nac ŷd nac *âr.*
1547 YLLH 13, Ardd yr *âr* kyntaf o'th dir er gwenith a rhyg.
1620 1 Sam 8.12, ... i aredig ei *âr* ef, ac i fedi ei gynhaeaf.
Dywed. 'Bras *âr*, bras ŷd', – tir da, cnwd toreithiog.

aradr *ebg.* ll. *erydr, ereidr.* Offeryn i aredig tir, gwŷdd (Môn ac Arfon), gynt o bren fel y mae'r gair *gwŷdd* (cangen o goeden) yn ein hatgoffa, ond bellach o ddur. Ceiriog a alwodd amaethyddiaeth yn 'grefft gyntaf dynolryw'. Gellir hefyd alw'r *aradr* yn offeryn pwysicaf y grefft honno.
O bren y gwneid erydr am ganrifoedd. Yn ddiweddarach gwneid y rhannau o'r aradr â mwyaf o draul arnyn nhw o haearn, megis y swch a'r styllen bridd. O ddechrau'r 19g y daeth yr erydr haearn yn gyffredin. Hyd y 19g bu gwneud erydr yn beth lleol iawn, gan y saer aradr a'r gof lleol, a chaed amrywiaeth mawr ohonyn nhw o un pen i Gymru i'r llall. Ond daeth cwmnïau mawr fel Ransome, Hornsby a Howard i fasgynhyrchu erydr a pheri llawer mwy o unffurfiaeth.
Bu'r aradr, fel offeryn, yn hollbwysig ym mywyd Cymru. Roedd y tyddynnwr fel y ffermwr mwy yn berchen aradr. Ar ddiwedd yr 16g ceir George Owen yn rhestru'r nifer o erydr a geid ar y pryd ym mhob plwyf yn sir Benfro. Trwy'r sir roedd 2222 o gartrefi a 1561 o erydr. Diau mai tebyg fyddai'r darlun dros Gymru gyfan.
1200 LlDW 111, 17-18, Ny dele nep kamryt amayath [amaeth] arnau oni huybyt geneuthur *aradar.'*
1943 I C Peate: DGC 109, Ymestyn ei hanes [aradr] yn ôl i'r gwareiddiadau cynharaf, ac ar feini Eifftaidd y cofnodwyd yr *aradr* gyntaf. Yng Ngorllewin Ewrop nid yw sychau *erydr* o Oes Gynnar yr Haearn a'r cyfnod Rhufeinig yn anghyffredin.
Ffig. (Yn yr ymad. 'rhoi llaw ar yr *aradr*') ymgymryd â thasg neu gyfrifoldeb sy'n hawlio rhoi'r holl feddwl ar waith.

1620 Luc 9.62, Nid oes neb a'r sydd yn rhoi ei law ar yr *aradr*, ac yn edrych ar y pethau sydd o'i ôl, yn gymwys i deyrnas Dduw.

Am ragor o wybodaeth gw. dan ADAIN, ARNODD, ASGELL, BONDID, CAMBREN, CARTHBREN, CASTIN, CEBYSTR, CEILIOG, CLUST, CORN, CWLLTWR, CYMRYD, CŶN, CYTAR, GWADN, GWARLLOST, HAEDDEL, HEGL, OLWYN GEFN, OLWYN GWYS (RHYCH), SGIMER, SWCH, TID, TINBREN. Gw. hefyd dan RHANNAU'R ARADR (llun) a *Yr Aradr Gymreig*, Ff Payne (1975) a *Ceffylau Dur*, E Scourfield (1996).

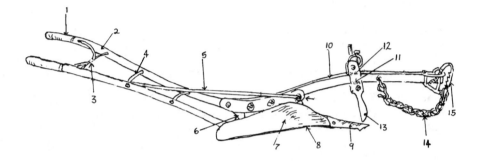

Rhannau'r Aradr

1. Corn
   Dwrn

2. Aiddel
   Braich
   Cadair
   Eiddol
   Fframin
   Haeddel
   Hegl
   Helel

3. Cam-ffon
   Ffon Ddwbl

4. Ffon ganol

5. Cysylltffon
   Ffon gyswllt
   Gwialen
   Gwialen gynnal
   Sadrwydd
   Sefydlydd

6. Cebystr ôl
   Cledde mawr
   Probwyll

7. Adain
   Aden
   Asgell
   Bochasgell
   Casten
   Castin
   Castin troi
   Chwelydr
   Hoelyd
   Scyfar
   Styllen bridd
   Brân

8. Castin tir
   Castin traul
   Clwt ochr
   Lansed
   Lanseid
   Ochr
   Plowplat

9. Blaen
   Swch
   Trwyn
   Trwyn dur

10. Arnadd
    Arnallt
    Arnod
    Arnodd
    Arnol
    Arnold
    Haearnodd
    Hafnodd
    Paladr

11. Cwlltwr
    Cyllell
    Y blêd

12. Llygad y cwlltwr
    Mortais y cwlltwr
    Soced y cwlltwr
    Twll y cwlltwr

13. Cyllell y cwlltwr
    Llafn y cwlltwr

14. Tres yr arnodd
    Tsiaen y fondid
    Tyniad

15. Ceiliog
    Clust
    Copstol
    Cymryd
    Gostyngwr
    Lledwr
    Teibo

aradr amlgwys Aradr yn troi dwy neu ragor o gwysi ar y tro, aradr â mwy nag un swch a mwy nag un styllen bridd. Ceid erydr dwygwys o ganol y 17g, ac, yn ôl GPC, ceir yr enw *aradr ddwygwys* yn 1800. Yn 1817 cafodd Edward Nicholas, Llanfihangel Feibion Afel, Gwent, hawl dyfais ar aradr chwe chŵys a dwy og fechan y tu ôl iddi. Ni fu llawer o fynd ar ei ddyfais, fodd bynnag. Bu'n rhaid disgwyl oes y tractor yn yr 20g cyn i'r *aradr amlgwys* ddod yn gyffredin.

aradr arsang Yr ystyr yn ansicr, ond o bosib bod yr *aradr arsang* yn debyg i'r aradr droed neu'r aradr Caschrom.
Gw. ARADR DROED.

aradr blaen Aradr hen ffasiwn heb olwynion, gwŷdd main (Môn). Ar lafar yn Nyffryn Clwyd. Ceir hefyd *aradr foel, aradr fain, aradr rydd, aradr sionc* yn enwau ar yr *aradr blaen.*
Gw. ARADR FAIN, ARADR RYDD, ARADR SIONC.

aradr bren Rhagflaenydd yr aradr haearn, yn cael ei gwneud o bren, fel mae'r enw *gwŷdd* (cangen o goeden) mewn rhannau o'r Gogledd yn ein hatgoffa. O dipyn i beth gwneid rhannau ohoni, megis y swch, y styllen bridd a'r glust, o haearn. Bu ar waith yn ddigon cyffredin hyd o leiaf ddiwedd y 19g.
1933 H Evans: CE 128, Bum i'n troi gyda'r *aradr* bren sydd erbyn hyn wedi llwyr ddiflannu. Huw Morus: 'Aradr Llangadwaladr', *Aradr* o wernen, a chebystr bonhadlen,/A gwadn o gollen a gollodd ei brig,/A chyrn eithin ceimion sydd gan y glân hwsmon,/Anhwylus, a hoelion o helyg.

aradr Caschrom Aradr bren gyntefig, hanner y ffordd rhwng y rhaw a'r aradr, ac iddi fraich hir a math o lafn neu swch â blaen fflat miniog, a lle i roi'r troed i wthio'i blaen i'r ddaear. Yna, o roi tro i'r llafn, mae'n troi'r dywarchen neu'r gŵys i un ochr. Gwelid hon ar waith yn ucheldiroedd yr Alban mor ddiweddar â phumdegau'r 20g.
Gw. ARADR DROED.

aradr deircwys gw. ARADR AMLGWYS.

aradr droed Aradr a weithid gan yr arddwr ei hun heb fod unrhyw anifail yn ei thynnu. At yn ôl yr âi'r arddwr gyda hon, fel gyda rhaw wrth balu, ond mai torri cwys yr oedd (yn un rhimyn) ac nid ar draws fel wrth balu.
1943 I C Peate: DGC 110, Yn rhan olaf Oes Gynnar yr Haearn gwelid yn Gladstonbury fath syml o *aradr droed*. Ar ynys Skye a'r Hebrides ceir math tebyg o hyd. Gelwir honno'n Caschrom, ac â hon y tyrr y tyddynwr ei gwys heb gymorth anifail. Ar yr ochr dde i'r goes gosodwyd peg y gallai'r arddwr bwyso arno â'i droed, ac y mae pig neu swch haearn o flaen yr aradr, sy'n bur debyg i sychau Oes Gynnar yr Haearn. Gwthir hon i'r ddaear trwy wasgu'r troed ar y peg. Wedyn tynnir coes yr aradr i lawr gan godi'r dywarchen felly a'i throi i'r naill ochr. Symud yr arddwr gam yn ei ôl, a'r un proses eto, ac felly trwy symud wysg ei gefn fe dyrr ei gwys. Gall wneud cymaint ddwywaith mewn un dydd â'r Caschrom ag a wnâi â'r rhaw gyffredin.
Gw. ARADR CASCHROM.

aradr ddisg Math o aradr gydag olwynion neu ddisgiau soserog o 20 i 32

38

modfedd o drawsfesur. Gosodwyd yr olwynion hyn yn unigol ac ar ongl arbennig (35°–45°) o'r cyfeiriad y teithir fel eu bod yn malu a throi'r tir i un ochr a bron iawn a'i wyneb i waered. Yn aml ceir dyfais ar yr olwynion i grafu ymaith y pridd a'r clai sy'n ymgasglu. Mae'n ffordd gyflym o droi tir yn enwedig tir garw, ond mae'r aradr â'r styllen bridd yn gwneud gwell gwaith. Ychydig ohonyn nhw a welir ar waith.

aradr ddwbl Aradr â dwy aden, un bob ochr, at agor rhesi (rhychau) tatws, erfin, ayyb, *gwŷdd dwbl* (Môn), *mochyn* (Dinbych a Meirionnydd), *double Tom*. (Dyfed). Fe'i defnyddir hefyd i gau rhesi tatws a chodi at y tatws (priddo).

aradr ddwygwys Aradr â dwy swch a dwy styllen bridd yr un ochr i'r aradr at droi dwy gwys ar y tro. Ceid rhai *erydr dwygwys* yn ystod canrif y ceffylau (canol y 19g hyd ganol yr 20g) a hyd yn oed yn oes yr ychen cyn hynny. Ond wedi i'r tractor ddisodli'r ceffyl y daeth yr *aradr ddwygwys*, deircwys, ac amlgwys yn gyffredin.
Gw. ARADR AMLGWYS.

aradr Edward Evans Aradr unffordd o waith Edward Evans, Glanbrogan, ger y Trallwng, sir Drefaldwyn a oedd yn addasiad o rai oedd yn bod eisoes, ac yn welliant. Sylweddolodd E. Evans mai mantais fawr ar dir llechweddog oedd cael aradr i droi'r cwysi i gyd ar i waered (gw. ARADR UNFFORDD). Barn Gwallter Mechain oedd fod aradr E E yn *'too complex for general use'*. Tueddai Ffransis Payne i gytuno.
Gw. Ff Payne: YAG 122.

aradr eira Dyfais gymharol ddiweddar ar ffurf aradr i'w gosod ar flaen tractor, lorri, ayyb, i glirio eira oddi ar y ffyrdd ac i gadw'r ffyrdd ar agor ar adeg o eira.

aradr fain Aradr geffyl ungwys ddi-olwynion, aradr blaen, aradr foel, gwŷdd main (Môn). Dibynnai'r aradr hon yn llwyr ar fedr a chryfder y person rhwng ei chyrn i gadw lled a dyfnder y gŵys. Hawliai lawer mwy o fedr na'r aradr olwynion a'i dilynodd. Mae *aradr rydd* ac *aradr sionc* (Caerfyrddin) yn enwau ar yr *aradr fain* hefyd.
1975 T J Davies: NBB 102, Mae *aradr fain* William y Go a fu'n enwog, bellach yn rhydu a diflannu.
Gw. ARADR OLWYN, GWŶDD MAIN.

aradr fantol Math o aradr unffordd â dwy aden, dwy swch, a dau arnodd ar wahân, un ar y dde a'r llall ar y chwith, ac yn defnyddio'r un olwynion, fel pan fo un hanner ar waith mae'r hanner arall yn glir o'r ddaear, aradr tipio, aradr *turn-over*.

aradr fynwes Nid aradr mo hon yn wir, ond haearn digroeni neu haearn didonni, aradr wthio i ddigroeni tir i bwrpas ei losgi a'i daenu'n wrtaith. Hefyd yr offeryn a ddefnyddir i ladd mawn, offeryn a wthid â'r fynwes.
Gw. DIGROENI, HAEARN GWTHIO.

aradrgaeth (*aradr* + *caeth*) Yn gaeth i'r tir, yn rhwym wrth yr aradr (am y taeog dan y drefn ffiwdal).

aradr gwŷdd gw. ARADR BREN.

aradr gynion Math o aradr drom gyda ffrâm gref a nifer o goesau ar ffurf y goes a'r troed dynol, y troed yn fath o swch y gellir ei hadnewyddu. Fe'i tynnir drwy'r ddaear mewn mwy o ddyfnder nag sy'n arferol gydag aradr gyffredin. Mae'r 'traed' yn rhwygo a rhyddhau'r isbridd heb fwrw dim ohono i'r wyneb. Gellir ei weithio'n hydrolig.

aradr gystadlu Aradr geffyl yr un ffurf ag erydr ceffylau cyffredin, ond yn hwy ac yn drymach, ac wedi ei gwneud i bwrpas ymrysonfeydd aredig.

aradr haearn Yr aradr o haearn i gyd a ddilynodd yr 'aradr bren' ac a ddatblygwyd o ddechrau'r 19g ymlaen.
1943 I C Peate: DGC 113, Yn y 19g y daeth yr *aradr haearn* i fod ... Dyfeisiwyd y ffram haearn gan Plenty o Newbury yn 1800: yn 1823 dyfeisiodd Ransome y swch 'chilled', ac erbyn 1825 yr oedd lle'r *aradr haearn* yn sicr.
1975 Ff Payne: YAG 126, Dywedir mai yn 1823 y daeth yr esiampl gyntaf i Sir Fôn. Ond hyd y gellir darganfod, tua 1830 yw dechrau cyfnod yr *aradr haearn* trwy Gymru yn gyffredinol.

aradr Howard Enw gwneuthuriad math o aradr geffyl a welid yn gyffredin yng Nghymru gynt, ac yn cystadlu â'r erydr Ransome.
1987 AIHA AWC, Ar rai ffermydd defnyddid yr *Howard*, tra ar eraill y Ransomes – hwnnw oedd fy ffefryn i er ei fod yn drymach na'r *Howard*. (E W Roberts, Pwllheli)

aradr Lumas Aradr newydd oedd yn addasiad o aradr Rotherham (gw. ARADR ROTHERHAM) ac a gyrhaeddodd Gymru oddeutu 1760. Mae'n ymddangos fod yr aradr hon ac un James Small (gw. ARADR SMALL) wedi dod yn bur boblogaidd yn siroedd Dinbych, Fflint a Threfaldwyn erbyn diwedd y 18g.

aradr meirch Aradr ungwys fel rheol a dynnid gan geffylau. Yng Nghymru, fel mewn gwledydd eraill, gan ychen y tynnid yr aradr yn gyffredinol. I ddibenion neilltuol (ac ysgafnach) y defnyddid y ceffyl ar y cyfan. Yn ôl Cyfraith Hywel Dda y mwyaf yr oedd y ceffyl gwaith i'w wneud oedd llusgo car ac og. Ystyrid yr ych yn gryfach anifail. Bu cyfnod diweddarach o gymysgu ychen a cheffylau mewn gwedd i aredig. Ond ar ddechrau'r 19g y gwawriodd canrif y ceffyl hyd nes ei ddisodli yntau gan y tractor ym mlynyddoedd canol yr 20g.

aradr Norfolk Aradr ysgafn ag asgell neu aden (styllen bridd) o haearn a swch o haearn bwrw, a ddatblygwyd yn Norfolk ddechrau'r 18g. Yn araf disodlodd hon yr hen aradr drom, a chreu awydd am aradr ysgafn y gellid aredig acer o dir â hi mewn diwrnod.
1975 Ff Payne: YAG 99, Ond pridd ysgafn hawdd ei drin, oedd pridd y sir honno (Norfolk) ac ni wnai ei haradr enwog mo'r tro ar glai gwlyb neu dir caregog rhanbarthau eraill o'r ynys. Felly parheid yn gyffredinol drwy'r wlad i ddefnyddio teipiau lleol gan geisio eu cymhwyso at y ddelfryd.

aradr olwyn Aradr olwyn a ddilynodd yr 'aradr fain' (gw. ARADR FAIN) sef yr aradr â dwy olwyn, un fawr yn y rhych i gadw lled y gŵys yn gyson, ac un lai ar y cefn (y tir heb ei droi) i gadw dyfnder y gŵys yn gyson. Hawliai'r *aradr olwyn* lawer llai o fedr ac o nerth ar ran yr arddwr na'r 'aradr fain' o'i blaen.

aradr Ransome Aradr geffyl haearn a ddatblygwyd gan J.E. Ransome yng nghanol y 19g gyda swch o haearn bwrw ac aden hir. Daeth yn boblogaidd iawn yng Nghymru, yn enwedig ar dir gwastad y llawr gwlad.

aradr Rotherham Aradr a ddyfeisiwyd oddeutu 1730 gan Disney Stanyforth a Joseph R. Foljambe yn Rotherham, swydd Efrog: aradr gymharol ysgafn a hwylus i'w thrafod, ond er hynny yn ddigon cryf i aredig tir trwm, garw, ac yn welliant yn sicr, ar yr hen erydr traddodiadol. O ystyried pob math o dir, roedd yr *aradr Rotherham* yn welliant ar yr un Norfolk hefyd.
Gw. Ff Payne: YAG 99-100.

aradr rych Aradr ddwbl, gwŷdd dwbl.
Gw. ARADR DDWBL.

aradr rydd Aradr ddiolwyn, aradr fain, aradr sionc.
1975 Ff Payne: YAG 68, I'r gwrthwyneb, dangoswyd uchod fod dau fath o aradr ar gael – rhai olwyn a *rhai rhydd*.
Gw. ARADR FAIN.

aradr rhychio Aradr i agor rhychau (rhesi), a'u cau, fel wrth blannu tatws, aradr ddwbl, gwŷdd dwbl, mochyn, *double-Tom*.
1958 T J Jenkin: YPLL AWC, Nid oedd *aradr rhychio* (double-Tom) yn Budloy yn fy nghof cynnar i a rhaid oedd defnyddio'r aradr gyffredin i agor y rhychiau ...
Gw. DOUBLE-TOM, GWŶDD DWBL, MOCHYN.

aradr Scots Aradr bren, Albanaidd ei chynllun, yn enwedig ei harnodd.
1938 T J Jenkin: AIHA AWC, Yr oedd yr *aradr bren* allan o waith cyn fy nghof i, ond yr oedd un yn fy nghartref, ond *Aradr Scotch* y galwai fy nhad honno.' (g.1885)
1975 Ff Payne: YAG 124, O swllt i ddau swllt oedd pris arnodd gyffredin; ond fe amrywiai prisiau'r 'Scotch beams' (sef arnoddau *erydr Scots*) yn fwy – o bedair ceiniog i dri swllt.

aradr sionc Aradr heb olwynion, gwŷdd main (Môn), aradr rydd, aradr fain. Ar lafar yn sir Gaerfyrddin
1959 D J Williams: YCHO 75, Yr oedd aredig dan yr hen oruchwyliaeth fel yr own i yn ei chofio hi, yn gampwir arbennig, – gyda'r hen *aradr sionc*, casten Pontseli, heb na whîl fach na dim i ofalu am led na dyfnder, dim ond llygaid gwyliadwrus yr arddwr, a'r teimlad byw hwnnw yng ngewynau ei freichiau i ofalu fod pob peth yn gweithio'n hwylus ac mewn trefn yn y gwys.
Gw. ARADR FAIN, ARADR OLWYNION, GWŶDD MAIN.

aradr Small Addasiad yr Albanwr, James Small o 'aradr Rotherham' (gw. ARADR ROTHERHAM) ar gyfer pob math o diroedd, hawdd ac anodd eu trin. Daeth yn boblogaidd yng ngogledd-ddwyrain Cymru erbyn diwedd y 18g. Fe'i gelwid yno yn 'aradr Scots' hefyd.

Gw. ARADR SCOTS
Gw. hefyd Ff Payne: YAG 100, 116.

aradr sofl Y math o aradr ac arni nifer o sychau neu lafnau fflat llydan at ddadwreiddio a malu sofl ar ôl cywain y llafur.

aradrswch (*aradr* + *swch*) *egb. ll. aradrsychau.* Cyllell o fath ar aradr wedi ei gosod yn bwrpasol uwchben blaen y swch i rwygo croen y tir wrth ei droi, *llafn aradr, cwlltwr aradr.*
15g Tudur Penllyn: Gwaith 76, lle roedd gadr sad *aradrswch.*

aradr swing Aradr heb olwynion, aradr fain, gwŷdd main (Môn), aradr blaen, aradr foel. Ar lafar yn sir Benfro.
1938 T J Jenkin: AIHA AWC, Y mae'n amheus gennyf a ddefnyddid y gair *swing* cyn i erydr olwynion ddod i'r cylch – defnyddid ef i wahaniaethu rhwng aradr heb ac aradr gydag olwynion, er bod y gwys a dorrid yr un ffurf.'
Gw. ARADR FAIN, ARADR SIONC, GWŶDD MAIN.

aradr *turn over* gw. ARADR FANTOL.

aradru *be.* Aredig, troi tir, arddio, trin tir, amaethu tir.

aradr un ceffyl Aradr ysgafn ar gyfer ei llusgo gan un ceffyl a welid yn gyffredin ar dyddynnod neu ffermydd bach gynt.
E. Grace Roberts: Nodyn i AWC: Roedd mwy nag un math o aradr. Mewn tyddyn lled fychan fe welid *aradr un ceffyl,* eto yn y ffermydd mawr byddai aradr dau geffyl.

aradr unffordd Aradr, fel yr *aradr fantol,* â dwy styllen bridd, dau arnodd, dwy swch a dau gwlltwr, ac yn troi'r cwysi i'r chwith ac i'r dde. Fe'i gelwir yn *aradr unffordd* am fod y cwysi i gyd yn wynebu'r un ffordd. Gellir newid y ddwy set o styllod pridd, ayyb., yn awtomatig oddi ar y tractor.

aradr wadd Offeryn ar ffurf aradr a ddefnyddir i dorri twneli crwn drwy'r tir, tebyg i lwybrau'r wadd (y twrch daear) i bwrpas sychu'r tir. Mae i'r *aradr wadd* gwlltwr miniog (gw. CWLLTWR).

aradrwr, aradwr, aradydd *eg. ll. aradrwyr, aradyddion.* Arddwr, un yn aredig tir, un wrth gyrn yr aradr, llafurwr, gwas fferm, un yn gyrru'r wedd.
12-13g C 44-5, Onit oedd *aradur* yn eredic tir.

aradr wthio gw. ARADR FYNWES.

aradwy *a.* Y gellir ei aredig a'i drin, trinadwy, arddadwy (am dir).
15g LH Dd 27, Megis y kaffo y perchen or trychant erw *aradwy.*

arag *eg.*
1. Yr un gair â *gwarag* yn ôl pob tebyg, sef pren neu wialen blygedig. Daeth yn air am iau, cebystr neu benffyst i glymu ceffylau a gwartheg.
2. Un yn ieuo ychen, ieuwr, cyplyswr.

arallgyfeirio *be.* Gair a fathwyd yn ddiweddar am y S. *diversification* mewn amaethyddiaeth, sef ymdrech ffermwyr i ychwanegu at eu hincwm drwy weithgareddau lled-amaethyddol ac anamaethyddol. Gorfodwyd y math hwn o weithgareddau ar ffermwr gan y cwotâu a'r cyfyngu ar swm yr hyn y gellir ei gynhyrchu – llaeth, cig, a grawn – mewn blynyddoedd o orgynhyrchu. Sefydlwyd y Cynllun Arallgyfeirio yn 1987. Dan y cynllun ceir cymorthdaliadau at bethau fel addasu'r tŷ a'r beudai at fedru manteisio ar y diwydiant ymwelwyr; tyfu coed; troi'r tir yn foddion adloniant oriau hamdden megis clwb golff; creu ffermydd brithyll, ayyb. Rhaid i'r ffermwr sy'n derbyn cymorthdal at arallgyfeirio dreulio hanner ei amser ar y fferm, ac ennill hanner ei incwm o ffermio.

aratgordd (*aradr* + *cordd* [mintai, torf]) *eb.* Gwedd aredig (ychen a cheffylau), pâr o ychen, pâr o geffylau.

arch (S. *arch*) *eb.* Bwa pladur, sef gwialen fwaog ar bladur, yn cyrraedd o'r bôn hyd ei dwrn isaf (yr isaf o'r ddau ddwrn ar goes y bladur i gydio ynddi mewn gwaith) at gadw'r ŷd yn daclus ac unfon pan fo'n syrthio wrth ei ladd. Ar lafar yn sir Forgannwg.

Ardal Amgylcheddol Sensitif Ardal o ddiddordeb amgylcheddol arbennig o ran ei thirwedd a'i bywyd gwyllt ac wedi ei dynodi felly dan reolaeth y Comisiwn Ewropeaidd. Caniateir peth gweithgarwch amaethyddol o'i mewn tra bo hwnnw'n gydweddol. Caiff y ffermwyr yn yr ardaloedd hyn sy'n ymrwymo i barchu'r amodau am gyfnod o bum mlynedd daliad blynyddol yn ôl hyn a hyn yr hectar.

Ardal Ardystiedig *eb.* ll. *Ardaloedd Ardystiedig.* Ardal lle mae polisi neu raglen o ddifodi haint ar waith, ac wedi ei chyhoeddi'n ardystiedig gyda'r haint dan reolaeth, yn enwedig mewn achosion o'r clwy erthylu (Brucellosis) a'r dicâu (Bovine Tuberculosis).

Ardal o Harddwch Naturiol Arbennig *eb.* Ardal wedi ei dynodi fel un o ansawdd dirluniol arbennig gan y Cyngor Cefn Gwlad, dan Ddeddf y Parciau Cenedlaethol a Mynediad i'r Cefn Gwlad 1949. Cyn paratoi na chaniatáu unrhyw ddatblygiad o fewn yr ardaloedd hyn, rhaid i'r awdurdodau lleol ymgynghori â'r Comisiwn Cefn Gwlad. Yn wahanol i'r Parciau Cenedlaethol, mae pwerau'r awdurdod lleol yn ymwneud â gwarchod yr harddwch naturiol, dileu popeth sy'n ddolur llygaid, cymorthdalu tuag at blannu coed, darparu mynediad i'r cefn gwlad a sicrhau gwasanaeth warden.

Ardal Heintiedig *eb.* ll. *Ardaloedd Heintiedig.* Rhan o wlad sy'n dioddef oddi wrth glefyd neu haint anifeiliaid, neu lle mae bacteria, firws, ayyb., ar gerdded, ac y cyfyngir ar symudiadau anifeiliaid a phobl, er mwyn hyrwyddo'r polisi o ddifodiant dan gyfraith gwlad. Digwydd hyn lle ceir achosion o'r clafr, y clwy traed a'r genau, ayyb. Gelwir yr ardal honno'n *Ardal Heintiedig.*

Ardal Llai Ffafredig *eb.* ll. *Ardaloedd Llai Ffafredig.* Rhannau o wlad a gydnabyddir fel rhai ag anfanteision economaidd a chymdeithasol i fyw ac i ennill bywoliaeth ynddyn nhw. Ar y cyfan yr ardaloedd mwyaf gwledig ac ucheldirol yw'r rhain, – ardaloedd sy'n gallu bridio, magu a chadw defaid a gwartheg, ond nid i'w defnyddio at bwrpas gwartheg llaeth nac i fagu defaid a gwartheg tewion, na chwaith i godi cnydau ond i bwrpas bwydo'r da byw. Cydnabyddiaeth dan bolisi amaethyddol y Comisiwn Ewropeaidd yw hon, ac fe ategir y gydnabyddiaeth gyda chymorth ariannol mewn amrywiol ffyrdd. Daw llawer iawn o diriogaeth Cymru o fewn amodau'r polisi hwn o gynorthwyo'r *Ardaloedd Llai Ffafredig.*

Ardal Waredu *eb.* ll. *Ardaloedd Gwaredu.* Ardal lle mae rhaglen ar waith i'w gwaredu o afiechyd anifeiliaid arbennig. Yn aml, mae'r fath raglen yn golygu difa anifeiliaid drwy orfodaeth dan y polisi o ddifodiant mewn amgylchiadau o'r fath.

ardir *(âr + tir) eg.* ll. *ardiroedd.* Tir âr, tir wedi ei aredig neu dir y gellir ei aredig, tir aradwy, ardd-dir, tir tro, tir coch.
Gw. ÂR, TIR TRO.

ardrin *(âr + trin) be.* Trin tir, troi a thrin a pharatoi tir ar gyfer codi cnwd ohono.

ardrinedd, ardriniad *(âr + trinedd, triniad) eb.* Triniad tir, gwrteithiad tir, diwylliad tir, y weithred o aredig a thrin tir.

ardrwsiad *(âr + trwsiad) eg.* Gwrteithiad, achlesiad, chwalu tail dros dir âr (S. *top-dressing*).
Gw. ACHLESIAD, GWRTEITHIAD.

ardystiad hadau *eg.* Dan reolau'r Comisiwn Ewropeaidd rhaid i bob had a werthir i ffermwr fod wedi ei ardystio, ei selio, a'i labelu. Rhaid nodi'r math o gnwd, safon purdeb, ei linachedd, pa mor lân ydyw o bla ac o afiechyd, a phresenoldeb unrhyw chwyn, ayyb. Wrth ardystio had fe'i graddolir yn ôl fel y mae'n ateb gofynion y rheolau.

ardystiedig *a.* Wedi ei ardystio a chael sicrwydd swyddogol ei fod yn glir o afiechyd a phla (am wartheg, defaid, llaeth, hadau, ayyb); sonnir am fuches *ardystiedig*, ayyb.
Gw. ARDYSTIO, BUCHES ARDYST.

ardystio *be.* Sicrhau iechyd anifeiliaid yn ôl trefn a gychwynnodd yn nhridegau'r 20g, – dyddiau pan leddid nifer mawr o bobl gan y dicâu. Ers deugain mlynedd bellach mae pob buches laeth e.e. yn *ardyst* (ardystiedig).
1955 Llwyd o'r Bryn: YP 100, Yna chwyddodd yr *ardystio* allan nes bod y sir [Meirionnydd] yn ei chrynswth bron wedi uno erbyn heddiw.
Gw. ARDYSTIEDIG.

ardd *eb.* ac *a.* Fel *eb*, ucheldir, bryn, tir uchel, tir lled fynyddig.

Fel *a*. Uchel, ar fryn, ar dir uchel. Fe'i ceir yn elfen mewn enwau lleoedd, Penn*ardd*, Tal-*ardd*, Y Benn*ardd*, *yr* Erdd*ig*, Tal*erddig*, ayyb.

ardd ŷd (yr) gw. CADLAS, GARDD WAIR, GARDD ŶD, YDLAN.

arddadwy gw. ARADWY.

ardd-dir *eg.*
1. Tir uchel, ucheldir.
Gw. ARDD.

2. Tir âr, tir wedi ei aredig.
Gw. ARDIR.

arddiad *eg.* ll. *arddiadau.* Y weithred o droi tir, triniad tir, amaethiad.
1588 Gen 45.6, Y rhai a fyddant heb *arddiad* na mediad (heb aredig na medi BCN).

arddid Ffurf lafar ar *arddu, arddio* (Dyfed).
Gw. ARDDIO.

arddio, arddu *be.* Troi tir, aredig tir ag aradr, trin tir.
1588 2 Sam 9.10, A thi a *erddi* y tir iddo ef.
1618 J Salisbury: EH 28, Nid yw arferol i'r tir ddwyn ŷd, nes cael yn gyntaf ei *arddu.*
Amr. Ceir hefyd amrywiadau llafar ar y gair: *arddid, arddo, arddyd.*
1991 G Angharad: ISB 8, Mynd i'r mwni i *arddid* y bydd ffermwyr Sir Benfro ac nid mynd i'r cae i aredig.
Ffig. Am ŵr yn methu ymdopi heb ei wraig. 'Nid hawdd yr *ardd* ŷch heb gymar' – rhaid wrth wedd i aredig.
Dywed. 'A *arddo* ar eira,/A lyfna ar law,/Ni fed y dyn hwnnw/Ond chwyn a baw.'

arddoriaeth gw. ARDDWRIAETH.

arddwr *eg.* ll. *arddwyr.* Un yn aredig neu'n troi tir ag aradr, un a ystyrid gynt yn grefftwr arbennig, a'i grefft yn un â chryn falchder ynglŷn â hi, yn enwedig pan erddid â gwedd o geffylau. Mwy fyth y grefft o aredig â'r aradr ddi-olwyn, yr aradr fain, pan ddibynnai lled a dyfnder y gŵys yn llwyr ar fedr yr *arddwr* i ddal yr aradr. Roedd i'r gŵys ddelfrydol gysondeb lled a dwfn o dalar i dalar, ac i'r gŵys union ei rhinwedd arbennig. Byddai'n llawer haws cael y gŵys ddelfrydol gyda'r aradr olwyn, – un olwyn yn y rhych i gadw'r lled ac olwyn lai ar y cefn i gadw'r dwfn. Diflannodd y caledwaith o ddal yr aradr wedi i'r aradr olwyn gyrraedd.
1620 Es 28.24, Ydyw yr *arddwr* yn aredig ar hyd y dydd i hau?
1774 H Jones: CYH, 39-40, Canys os yr *arddwr* a edrych o'i ôl neu o'i flaen, geill yr aradr yn fuan fynd am ormod neu rhy fach, neu redeg allan o'r ddaear i beri malciau.

arddwriaeth *egb.*
1. Crefft yr amaethwr, amaethyddiaeth, hwsmonaeth, ffermwriaeth.
Gw. AMAETHYDDIAETH.

2. Crefft yr arddwr (aradrwr), y grefft o aredig neu o droi tir ag aradr, yn enwedig yn oes y ceffyl a'r ŷch gwaith.
16g Gwyn 3, 175, I ganmol *arddwriaeth* ac i ddyfalu'r aradr.

arddydd gw. ARDDWR.

aredig *be.* Arddu neu droi tir ag aradr i bwrpas diwyllio tir a chodi cnydau. Yn gwysi ac yn gefnau (grynnau) yr erddir tir. Troir y cwysi a'u hwyneb i waered gymaint ag a ellir, fel bod y pridd gwyryfol yn dod i'r wyneb, a'r borfa (croen y tir) yn cael ei gladdu fel ag i droi'n wrtaith drwy waith y bacteria.

Yn draddodiadol gallai arddwr â gwedd o geffylau, aredig acer a chwarter rhwng saith y bore a saith yr hwyr, gyda lled y gŵys yn ddeng modfedd o led. Yn nhermau milltiroedd mae hynny'n ddeng milltir ar hugain.

Mae tair ffordd o aredig: 1) aredig unffordd ag aradr â dwy set o styllenod pridd, o un ochr i'r cae i'r llall; 2) aredig tir yn gefnau ac yn rhychau yn yr hen ddull traddodiadol; 3) aredig amgylch ogylch gan gychwyn y naill ai yn y canol neu o chwith i hynny.

Redig a *rhedig* yw'r ffurfiau amlaf yng Ngwynedd, *retig* yn ne Cymru. Ar draws Cymru o'r gogledd-ddwyrain i afon Aeron gan gynnwys Brycheiniog, *troi* yw'r gair amlaf. Yn Nyffryn Tywi a Dyffryn Cothi clywir *moelyd* am aredig, ac yn sir Benfro *arddyd* ac *arddu*.

Ffig. Hen Benillion 46, Yn y gro y bûm yn 'redig/Drwy chwys mawr a llafur 'styfnig/Ienctid oedd yr had a heuais,/Gofal ydyw'r cnwd a fedais.

1749-1842 T Lewis: LlEM 388, *Aredig* ar gefn oedd mor hardd.

1896 W J Davies 'Hanes Plwyf Llandysul' 24, Yn araf deg heb un gair dig,/wath nid ar redeg mae *redig.*

1980 Iorwerth Lloyd: *Cerddi Talfryn, Aredig,* blinder ydyw/Ond cario i helm, nid cur yw.

aredig cyfuchlinol (S. *contour ploughing*) *be.* Aredig ar draws llechwedd yn hytrach nag i lawr ac i fyny.

aredig gwndwn *be.* Troi tir â hen groen, aredig tir glas, aredig tyndir (tondir), aredig heudir, troi gwŷdd.

1989 P Williams: GYG 42, Ar ôl yr Hen Galan roedd yn bryd dechrau *aredig gwndwn* a sofl.
Gw. GWYNDWN, TYNDIR.

aredig sofl *be.* Troi'r tir lle bu cnwd o ŷd (cae sofl yw cae ŷd ar ôl medi a chywain y cnwd). Gynt troid y moch a'r gwyddau i'r tir sofl i *soflio,* sef pigo'r grawn a fyddai wedi dihidlo wrth fedi'r cnwd a'i gario. Yna byddid yn aredig y sofl ar gyfer cnwd gwahanol y tymor dilynol, megis cnwd o wreiddlysiau neu datws.

1989 P Williams, GYC 42, Ar ôl yr Hen Galan roedd yn bryd dechrau *aredig* gwndwn a *sofl.*

aredig tir glas gw. AREDIG GWNDWN.

aredig tyndir (tondir) gw. AREDIG GWNDWN.

aredig yn racs Ar lafar ym Môn am fath o aredig sy'n rhwyddhau'r gwaith o lyfnu ar ôl hynny. Ceir dywediad ym Môn: 'Aredig yn racs, llyfnu yn bowdwr'.

1954 J H Roberts: 'Môn' (mis Mai), Y mae *aredig racsiog* yn golygu bod llai o waith llyfnu.

aredd *(âr + edd) eg.*

1. Hwsmonaeth, amaethyddiaeth, arddwriaeth, y grefft o ffermio.

16-17g RAGR 308, I gynal dy *aredd,* ti a'th wraig weddedd.

2. Cyflwr yr âr neu'r pridd ar ôl ei drin. Gorau po fanaf y pridd i bwrpas hau, ayyb, (S. *tilth*), y dyfnder yr erddir neu y pelir pridd, ayyb, *aredd y tir*, *aredd y pridd*.

areddwas *eg.* ll. *areddweision*. Gwas caeth, gwas yn gaeth i'r tir neu'n gaeth i'r aradr (dan y drefn ffiwdal). Gw. ARADRGAETH.

aren bwdr *eg.* Afiechyd defaid, 'clwy'r aren bwdr' (gw. *Termau Amaethyddiaeth*, R.J. Edwards, 1991); 'pydredd arennol' (gw. *Termau Amaethyddiaeth a Milfeddygaeth*, Prifysgol Cymru 1994). (S. *pulpy kidney disease*.) Achosir yr afiechyd gan y bacteria *Clostridium Welchii* teip D.

aresg *(ar + hesg) ell.* ac *eff.* Brwyn, hesg.

arfa *(âr + fa [ma]) eb.* ll. *arfeydd*. Ymryson aredig, ras redig (Môn), cystadleuaeth aredig, clwb troi, preimin (Maldwyn a Cheredigion).
1975 Ff Payne: YAG 137, Mor ddiweddar ag 1890 fe ddywedir mai anhawdd fyddai dadgysylltu yr *arfa* (h.y. y premin) yn llwyr oddi wrth y dafarn.
Gw. CLWB TROI, PREIMIN², RAS AREDIG.

arfal *(ar + mâl) eg.*
1. Toll neu dâl am falu ŷd.
1688 TJ, *Arfal* = toll am falu.

2. Ŷd neu rawn i'w falu neu wedi ei falu, maliad o ŷd, maliad o flawd.
1774 W, *Arfal* = grist.

arfer gwlad *eg.* ll. *arferion gwlad*. Costwm gwlad, traddodiad gwlad. Yn y bywyd gwledig ac amaethyddol Gymreig byddai hyd yn ddiweddar (erys rhai o hyd) nifer o arferion neu gostwm gwlad i ffeirio diwrnod dyrnu, cyfnewid llafur diwrnod cneifio, cynorthwyo'i gilydd adeg y ddau gynhaeaf, talu dyled cynhaeaf, ayyb; y mawr yn helpu'r bach a'r bach yn helpu'r mawr.
1908 Myrddin Fardd: LLGSG 67, Fel rheol byddai gan bob ffermwr ei gae gwenith, ac ni byddai ei fedi yn orchest galed, gan y ceid y gof a'r crydd, y saer a'r teiliwr a'r melinydd yn helpu fel *costwm gwlad*.
Gw. DYLED CYNHAEAF.

arfil *(ar + mil) eg.* ll. *arfilod*. Creadur sy'n byw ar greadur arall neu ar gorn creadur arall, parasit.

arfod *(arf + od fel yn odi, bwrw, taflu) eb.* ll. *arfodau, arfodion*.
1. Trawiad erfyn. Yn amaethyddol yr hyn a dorrir o ŷd neu o wair ar un trawiad â'r bladur, maint gafael neu drawiad pladur wrth ladd ŷd neu wair. Ceid *arfodau* mwy a llai na'i gilydd, yn dibynnu ar faint y pladurwr, hyd a chryfder ei freichiau, cyflwr min y bladur a chyflwr y cnwd (ar ei draed neu wedi gorwedd). Ar lafar yn gyffredinol.
'Paid a chymryd *arfod* rhy fawr nes doi di'n gryfach' – cyngor nodweddiadol i was bach.
'Mi dorrais gornel y cae ŷd ar bymtheg *arfod*.'
1955 Llwyd o'r Bryn: YP 58, Byddai pob un gyda gwana o rhyw bump i chwe troedfedd, ac *arfod* o rhyw bum modfedd.'
Ffig. Cwmpas neu goflaid araith, pregeth, ayyb.

'Un cymen 'i *arfod* ydi'r hen barchedig yn ei bwlpud.' 'Mi gymrodd y stiwdent 'na ddoe *arfod* rhy fawr o lawer.'

2. Yr hyn a dorrir ar y tro ag un trawiad â'r fwyell neu â'r peiriant wrth gneifio, y gafael o wlân a gneifir ar y tro.
Ffig. Einioes, rhawd bywyd, hynt bywyd.
Englyn i J. Jones, Trawsfynydd, cneifiwr a gweithiwr cŵn defaid –
Yn dawel a di-elyn, – yn ŵyl iawn/Gyda'i law a'i erfyn,/y gwnai ei gamp ar gnu gwyn;/Daeth ei *arfod* i'w therfyn.

arfod pladur *eg.* Y rhan o lafn pladur, rhyw naw i ddeuddeng modfedd o'i flaen, lle mae'r straen mwyaf ar y llafn, y darn hwnnw sy'n taro'r ŷd gyntaf a thrymaf. Ar lafar ym Meirionnydd.
1926-7 B Cyfr. 3 199, Mae'r bladur yma yn torri'n sâl yn yr *arfod.*

arfog *etf.* Chwyn anolygus o deulu'r mwstard â dail garw danheddog. (S. *hedge-mustard*), bresych crych. Gw. GPC.
16g W Salesbury: LlM 127, val dail yr *arvoc* ne eruca; eto 195, ymohany a wnant val dail yr *arvog.*

arfwng (*ar* + *mwng*) *eg.* Mwng, blew hir fel ar war ceffyl, mwng ceffyl.
17g E Morris: Gwaith 240, Hir *arfwng* a mwng y march.

argae *eb.* ll. *argaeau, argaeoedd, argaeon.* Yn amaethyddol y math o rwystr o gerrig, tywyrch ayyb, a weithir ar draws nant neu afon i bwrpas cronni pwll dŵr at olchi defaid, troi rhod y felin, a rhod y sgubor, cored. Sonnir am 'godi *argae*' neu am 'goredu'.

arhosfa *eb.* ll. *arosfeydd, arhosfeydd.* Cynefin defaid mynydd, libart defaid ar y mynydd, tir mynyddig agored lle mae defaid yn 'rhosfeio' (arosfeio) neu'n cynefino. Ar lafar yn aml clywir y ffurf *rhosfa.* Gair y De ar y cyfan yw *arhosfa* yn cyfateb i *cynefin* yn y gogledd.
1945 Ifor Williams: ELL 32, Ar y Mynydd Du *rhosfa* defaid yw'r lle maent yn arfer aros, h.y. *arhosfa*: gelwir hynny yn 'rhosfeio' ... Yn y gogledd, 'cynefin' a 'cynefino' sydd ar arfer.
Gw. AROSFEIO, CYNEFIN, YMHINSODDI.

arian bath gwyrdd (y Bunt Werdd, y Ffranc gwyrdd, ayyb) *eg.* Caiff lefel prisiau amaethyddol y gwledydd o fewn i'r Gymuned Ewropeaidd eu cyflwyno mewn unedau arian bath Ewropeaidd (ECU). Trosir y rhain wedyn i arian bath y gwledydd unigol, gan ddefnyddio graddfeydd cyfnewid gwyrdd a bennir gan y Cyngor Gweinidogion. Gan fod arian bath gwlad yn gallu gwahaniaethu oddi wrth y graddfeydd gwyrdd, mae ystumio mewn masnachu'n bosibl. I gyfarfod â hyn cafwyd y 'taliadau cyfadferol' (MCA) i unioni unrhyw gamwri ac i ddiogelu lefel prisiau cyffredin y Polisi Amaethyddol.

arian dyodwf *ell.* ac *eg.* Ychwanegiad arian, y cynnydd ym mhris da byw o dymor i dymor nes cyrraedd eu llawn werth.
Gw. DYODWF.

arian greorion (*grëwr* = *gre* + *gŵr*) *eg.* ac *ell.* Arian a delid yn flynyddol gynt gan y tenantiaid i arglwydd y stâd tuag at gynnal ei heusor neu ei fugail anifeiliaid.
Gw. GRE, GRËWR.

48

arian gwastrodion *eg.* ac *ell.* Yr arian a delid yn flynyddol gan y tenantiaid i'r arglwydd tuag at gynnal ei stablwr (ostler, cyfrwywr, gwastrawd).
Gw. GWASTRAWD.

arian y feidr *eg.* ac *ell.* Arian a godid gynt am hawl i dramwyo neu ddefnyddio ffordd arbennig. Ar lafar yn sir Benfro.
1991 G Angharad: ISB 22, Ceir ambell eglurhad am derm lleol, megis *arian y feidr*, sef treth a delid ym mhlwyf Eglwyswrw, yn wreiddiol am yr hawl i dramwyo drwy dir yr arglwydd.'

arloesi, arlloesi, arlloes *be.* Glanhau a chlirio tir ar gyfer codi cnwd ohono, diwyllio tir, trin tir.
1620 Jos 17.18, A bydd y mynydd yn eiddo i ti, coediog yw, *arloesa* ef.
1620 Salm 80.9, *Arloisaist* o'i blaen, a pheraist i'w gwraidd wreiddio, a hi a lanwodd y tir.
Ffig. Paratoi'r ffordd i rywbeth neu dorri tir newydd. 'Daeth Merched y Wawr yn fudiad amlganghennog dros Gymru gyfan, ond merched y Parc ger y Bala a *arloesodd* y tir.'

arlwyngig *(arlwyn + cig) eg.* ll. *arlwyngigoedd.* Syrlwyn, cig y lwyn yn enwedig eidion. Lwyn anifail yw'r rhan o'r corff o boptu asgwrn y cefn, rhwng yr asennau a'r glun.

arlloesi, arlloes gw. ARLOESI.

arlludd tir *eg.* Ystyr *arlludd (ar + lludd)* yw rhwystr, ataliad. Cf. *lludd*ias. *Arlludd tir* yw rhwystr i feddiannu tir, neu ataliad ar berchnogaeth tir.
14g Leg Wall 305, Tri *arlludd tir*: Hawl yn nadleu, neu Dorr aradr, neu losgi tŷ ar y tir.

arllwys gw. TYWALLT.

armel *eg.* Yr ail laeth wrth odro, ail odro (Ceredigion), y llaeth tewach, melynach, ar ôl y blaenion (y llaeth cyntaf) ac o flaen y tical (y llaeth olaf), adflith; mewn rhai ardaloedd yr ail laeth ar ôl i'r fuwch fwrw llo, llaeth llo bach, llaeth torr. Yn sir Ddinbych yr hanner olaf o laeth y fuwch (gw. B Cyfr. 1, 290 [1921-23]). Ar lafar yng Ngwynedd a Phowys.
17g Huw Morus: EC 1.84, Blas mêl yw'r *armel* a rydd.
1963 LlLlM 26, Cadwch yr *armel* arwahan i'r blaenion er mwyn ei gael i'w gorddi.
1993 FfTh 12, 41, Y cŵn fyddai'n cael y blaenion, a byddem yn cadw'r *armel* at gorddi.
Gw. hefyd ADFLITH, AIL LAETH, BLAENION, TICAL.

armelu *be.* Godro'r ail laeth, ar ôl godro'r blaenion (y llaeth cyntaf) i'w gadw i gorddi dan yr hen drefn o gorddi'r llaeth a gwneud menyn.
Gw. ARMEL.

arnallt Ffurf lafar ar *arnodd* ym Meirionnydd.
Gw. ARNODD.

arnodd, arnawdd, arnadd *egb.*
1. Asgwrn cefn aradr, paladr y gwŷdd aredig, y rhan o'r aradr sy'n cysylltu cyrn yr aradr â'i blaen, y darn blaen o ffrâm aradr (gw. RHANNAU'R ARADR). Wrth yr *arnodd* y cysylltir y cwlltwr, ac, yn ddiweddarach, y gyllell (disg) a'r olwynion, ac yn wir holl rannau'r aradr yn uniongyrchol neu'n anuniongyrchol. O bren (pren gwernen) y gwneid yr *arnodd*, fel y rhan fwyaf o'r aradr, am ganrifoedd lawer. 'Saer aradr' y

gelwid y crefftwr a'i saernïai. Dewisai yntau bren yn ofalus at wneud y gwahanol rannau. Ceir hefyd y ffurfiau *arnallt* ac *arnold* yng ngogledd Meirionnydd, *harnodd, haearnodd* yn ne Ceredigion ac *arnol* yn Llŷn. Weithiau, mewn rhai mannau, clywir *arnodd* am fraich yr aradr yn ogystal â'r paladr, a cheir yr *arnodd* chwith a'r *arnodd* de am y breichiau.
17g Huw Morus EC1.302, *Arnodd* o wernen,/A chebystr banadlen.
14g IGE 89, Ni rydd farn eithr ar *arnawdd*. (I'r llafurwr)
1958 T J Jenkin: YPLL,AWC, Yr *arnodd* ydoedd cefn a chryfder yr aradr gyfan – llafn hir o haearn wedi ei weithio, ei dyllu a'i blygu yn y mannau a'r moddau gofynnol.

2. Asen clwyd neu giât, aelen, pren traws llidiart. Hefyd asennau'r drol (cert) – y coed cryfion dan gist (trwmbel) y drol sy'n dal ei gwaelod ac yn gryfder iddo.

arnoddgadr *(arnodd + cadr* [gwych, hardd]*) a.* Â phaladr neu arnodd hardd neu wych (am aradr)
14g IGE 90, Daliodd ef wedi dilyw/Aradr gwaisg *arnoddgadr* gwiw.

arnodd hir *eb. Arnodd* (paladr) aradr hwy na'r cyffredin, yn cyrraedd hyd at ganol yr iau sy'n ieuo'r ddau ych sy'n ei llusgo, neu lle bo hirwedd (hir-wedd, gwedd fain) yn ei thynnu.
Gw. GWEDD FAIN, HIR WEDD.

arnold Ffurf lafar ar *arnodd* yn Edeirnion.
Gw. ARNODD.

arolwg busnes *eg.* Arolwg a gychwynnwyd yn 1936 ac a gomisiynir yn flynyddol gan y Weinyddiaeth Amaethyddol, o ganolfannau rhanbarthol. Ceir un o'r rheini yng Nghymru. Yr amcan yw arolygu cyflwr economaidd amaethyddiaeth, nodi'r newidiadau o flwyddyn i flwyddyn, a chasglu gwybodaeth i bwrpas polisi, gwaith ymchwil a gwasanaeth cynghori. Cyhoeddir adroddiad blynyddol gan y Weinyddiaeth yn seiliedig ar yr arolwg ac a deitlir yn Incwm Fferm yng Nghymru. Fel rheol, paratoir hefyd adroddiad mwy lleol gan y canolfannau rhanbarthol.

arolygwyr afiechydon anifeiliaid *ell.* Arolygwyr a gyflogir gan awdurdodau lleol er 1974 gyda'r cyfrifoldeb am nifer o faterion yn ymwneud ag iechyd anifeiliaid: cynorthwyo'r Weinyddiaeth Amaeth yn ôl y galw, trwyddedu marchnadoedd da byw a'u gwarchod, cadw cyfrif o symudiadau anifeiliaid a chaniatáu trwyddedau symud anifeiliaid lle bo'n addas ac fel bo'r galw, atal afiechydon (e.e. y clafr) a gwylio'r defnydd a wneir o sborion bwydydd, ayyb. Gynt, rhan o gyfrifoldeb yr heddlu oedd y pethau hyn.

aros *be.* Gweini, gwasanaethu ar ffermydd a hynny'n cynnwys *aros* ar y lle i gysgu. Ar lafar yn Edeirnion ac Uwchaled.
1928 G Roberts: AA 20, Nid atebai imi roi rhestr o'r ffermydd yn yr un o'r dosbarthiadau [da, golew, sâl] er y gallwn wneud hynny'n hawdd ar dystiolaeth amryw oedd wedi bod yn *aros* yn y naill a'r llall.
'Yn Nhan-y-Graig oeddwn i'n *aros* y tymor hwnnw.'

arosfeio *be.* Pori a chadw defaid ar gynefin (arhosfa), cynefino defaid, plwyfo defaid, ymhinsoddi ar gynefin, sef rhan o fynydd-dir agored (am ddefaid). Ar lafar yn sir Forgannwg a sir Gaerfyrddin yn y ffurf *rhosfeio*.
1945 Ifor Williams: ELL 32, Ar y Mynydd Du rhosfa defaid yw'r lle maent yn arfer aros, h.y. *arhosfa*: gelwir hynny yn *rhosfeio*. Yn y gogledd, 'cynefin' a 'cynefino' sydd ar arfer.
Gw. ARHOSFA, CYNEFINO, GWERTH CYNEFINO, YMHINSODDI.

arthyli Ffurf lafar dafodieithol ar *erthylu* (Ceredigion).
Gw. ERTHYLU.

arwain *be.* Yn amaethyddol tywysu (tywyso) ceffyl (yn enwedig mewn gwaith), gafael ym mhen ceffyl i'w d'wsu yn hytrach na'i yrru o'r tu ôl gyda'r awenau. Ar lafar yng Ngheredigion a Chaerfyrddin.
1959 D J Williams: YCHO 198, Gwaith Jac, Penponpren, llefnyn o grwt hirgoes o'r deg i'r un ar ddeg oed . . . ydoedd *arwain* Bess, y poni las ddwyflwydd oed newydd ei thorri i mewn.
1989 D Jones: OHW 33, Yn y blynyddoedd hynny roedd i grwtyn gael ei ofyn i *arwain* y ceffyl pawl ar gynhaea gwair yn ddyrchafiad cymaint a fyddai iddo gael car heddiw.
Gw. TYWYS.

arwerthfa *eb.* ll. *arwerthfeydd.* Ocsiwn, marchnad, mart, lle i werthu a phrynu, yn enwedig anifeiliaid, dan y morthwyl neu'n gyhoeddus drwy arwerthwr.

arwerthu *be.* Yn amaethyddol gwerthu'n gyhoeddus mewn marchnad, yn enwedig gwerthu anifeiliaid, gwerthu mewn mart, gwerthu mewn sêl, (yn aml yn hytrach na gwerthu law yn llaw) gwerthu dan y morthwyl.
1567 TN Act 16.14, ... gwraig o'r enw Lydia, un a *erwerthai* burpur. (Un yn gwerthu porffor, BCN)

arwerthiant, arwerthiad gw. ARWERTHFA, ARWERTHU.

arwerthwr *eg.* ll. *arwerthwyr.* Un yn cadw a chynnal arwerthiant, un â thrwydded i werthu'n gyhoeddus, un yn gwerthu dan y morthwyl, ocsiwnïar, ocsiwnydd.

arwinol *a.* Ffurf lafar ar *gerwinol*, fel mae *arwin* yn ffurf ar *gerwin*, ac yn golygu oer iawn (am y tywydd neu'r tymheredd). Ar lafar ym Môn.
'Ma' hi'n *arwinol* o oer yn nannedd gwynt y dwyrain 'ma.'

arwisgo ceffyl *be.* Rhoi'r harnais priodol ar geffyl at waith, ei arwisgo â'r strodur, y gefndres, ayyb, fel bo'r gofyn: hefyd yn ychwanegol at ei harneisio, ei addurno at achlysuron arbennig (preimin, sioe amaethyddol, ayyb) ag addurniadau preṣ ac â rhubannau a snodenni lliw. Ystyrir arwisgo ceffyl, yn yr ystyr o'i addurno yn grefft arbennig – crefft mae llawer o falchder ynglŷn â hi.
1963 R J Williams: LlLlM 26, Mentrais ofyn iddo [hen ŵr] beth oedd ei alwedigaeth pan yn llencyn. A chyda chryn ymffrost yn ei lais cryglyd dywedodd "Hogyn yn gyrru'r wedd", – ac yn unionsyth cefais ddisgrifiad manẃl ganddo o'r gelfyddyd gain o *arwisgo ceffyl* yn null arferol y cyfnod y soniai amdano. Eglurodd imi'r ffordd i ddethol tlysau er creu cyfuniad deniadol, a sut i osod y sêr yn drefnus nes iddyn edrych fel wybren fechan, a gofalu am ddewis rubanau a snodenni o liwiau cyfaddas i'r mwng a'r gynffon, i ateb i liw blewyn y ceffyl.

arwynebedd *eg.*

1. Mesur wyneb tir, neu gae, neu fferm.
'Faint o *arwynebedd* ydi'r Fadog 'ma?'

2. Baster, diffyg dyfnder.

arwynebol *a.* Ar yr wyneb, diddyfnder (am ddaear, pridd, ayyb).
1763 G M Roberts: D Jones o Gaeo (1948) 17, Llwm yw'r tir, a noeth yw'r daren/*Arwynebol* fan anniben.
Ffig. Diddyfnder, am anerchiad, sylwadau, ymdriniaeth, beirniadaeth, ayyb. Hefyd dideimlad, artiffisial, ayyb.
1701 E Wynne: RBS 239, Nid ag ochenaid neu ddegryn yscafn *arwynebol*, ond â thristwch tostlym cystuddiol.
1796 Geirgrawn 6, eithr *arwynebol* ystyriaeth ohonynt sydd annigonol.

asen *eb.* ll. *asennau*.

1. Yn amaethyddol, y coed cryfion sy'n ffurfio ffrâm gwaelod y drol (cert) o dan y trwmbel (cist), asennau'r drol. Hefyd y coed dan gar llusg.

2. Prennau traws cryfion clwyd neu giât, y prennau sy'n rhoi cryfder i'r giât, aelen giât.

3. Trum, esgair; cefnen hir o fynydd.

asen car medi *eb.* Un o'r styllod ar fwrdd neu gar rhwyllog peiriant lladd ŷd; ar gar y ripar y disgynnai'r ŷd wrth ei ladd, a cheid esgyll yn dod rownd bob hyn a hyn gan sgubo'r ŷd oddiar y car yn seldremau unfon, i'w rhwymo â llaw yn ddiweddarach. Lle nad oedd ripar gosodid yn aml gar tebyg ar far peiriant lladd gwair, ond gyda'r gwahaniaeth mai llaw dyn gyda chribin fach a dynnai'r ŷd yn sypiau oddi ar y car. Ar lafar yn Rhyd-ddu, Gwynedd.

asen fras *eb.* Darn o gig mochyn newydd ei ladd yn cynnwys yr asennau ond ag ychydig o gig, asen frân (Môn), asen fraen (Maldwyn), asen frau (Dinbych), sbarib, cig briw, culasen, eisglwyd mochyn. Ar lafar yn y Gogledd.
Pennill Llofft Stabal (Môn), A Dic y gwas a ddwedodd,/Pe cawn i *asan frân*/Mi awn â hi i'r efail,/I'w rhostio o flaen y tân.

asen llafn pladur *ebg.* Asgwrn cefn llafn pladur, y rhimyn o haearn tewach na'r llafn ar hyd ei gefn ac yn ei gryfhau. Ar lafar yn sir Ddinbych a Meirionnydd.

asêt (S. *escheat*) *eg.* Siêd, trosglwyddiad tir i feddiant y brenin neu arglwydd y faenor ar farwolaeth deiliad tir di-etifedd (Yr Hen Gyfreithiau), fforffedu eiddo i arglwydd y faenor. Gelwid y math hwn o dir yn 'tir diffoddedig' neu 'tir diarddel'.

aseth *eb.* ll. *esyth*. Gwialen a ddefnyddid wrth doi â gwellt, ayyb, sbar. Polyn, eisen, gwialen yn enwedig i rwymo a sicrhau to gwellt, 'pleiden o gyll yn cryfhau'r bondo a chrib y to gwellt', WVBD 125.
1688 TJ, *Aseth* – A sharp-pointed lath to fasten thatch to houses.
1737 ML (Add) 54, *Esyth* – polion eiddil blaenllymion a arferir i gadarnhau Trum a Bargod to gwellt.

asethu Defnyddio aseth.
Gw. ASETH.

asgall, asgell gw. YSGALL.

asgell aderyn *eb.* ll. *esgyll aderyn.* Aden aderyn, ceir un y ddwy ochr i'w gorff, yr aelod sy'n galluogi aderyn i hedfan.
13g WM 49, 15-16, Ar llythyr a rwymwyt am vôn *eskyll* yr ederyn.
Gw. ADEN BOBI.

asgell aradr *eb.* ll. *esgyll aradr.* Aden aradr, styllen bridd aradr, y rhan o'r aradr sydd ar ffurf aden ac yn cwblhau'r gwaith o droi'r gwys wedi i'r cwlltwr a'r swch ei rhwygo.
Gw. ADEN, STYLLEN BRIDD.

asgell cart *eb.* ll. *esgyll cart.* Y crats rhwyllog uchel a osodid gynt o gwmpas trwmbel trol neu gist cart, at gario moch, defaid ac ŵyn, cratsys.

asgell corddwr *eb.* Yr asgell bren tu mewn i'r hen gorddwr mawr (y fuddai fawr sgwâr) i guro'r llaeth wrth ei gorddi. Byddai'r asgell yn cael ei throi naill ai â llaw neu â phŵer ci neu bŵer ceffyl.
1989 FfTh 3, 30, Y corddwr arall oedd yr un sgwâr mawr, a phŵar ceffyl yn troi *esgyll* o'i fewn.
Gw. BUDDAI FAWR.

asgell gwyntyll *eb.* ll. *esgyll gwyntyll.* Llafn y wyntyll a ddefnyddid gynt i nithio'r ŷd wrth ei ddyrnu, sef gwahanu'r grawn oddi wrth yr us.
Gw. GWYNTYLL, NITHIO.

asgell haidd *eb.* Tywysen o haidd, gronyn o haidd.

asgell melin *eb.* ll. *esgyll melin.* Un o hwyliau melin wynt, y rhan o'r felin sy'n dal y gwynt a'i drosi'n bŵer i droi'r felin, un o bedair asgell melin wynt.
Gw. MELIN WYNT.

asgell olwyn *eb.* ll. *esgyll olwyn.* Un o edyn olwyn, un o freichiau olwyn, sbocsen olwyn, yr hyn mewn olwyn sy'n cysylltu'r foth (bŵl) wrth y cant (y cylch pren neu haearn).
Gw. BOTH, CAMEGAU, CANT, OLWYN.

asgell ripar/beindar *eb.* Un o esgyll y peiriannau lladd ŷd a elwir yn *ripar* a *beindar,* – esgyll wrth droi sy'n plygu'r gwellt i gyfeiriad y gyllell, yn helpu'r cnwd a leddir i ddisgyn yn gymen ar gar (bwrdd) y peiriant, ac yn ei dynnu oddiar y car yn seldremau unfon bob hyn a hyn, hwyliau ripar, hwyliau beindar.
1981 W H Roberts: AG, 58-9, Yr oedd pladuro ŷd bron a darfod erbyn f'amser i, ac fe'i lleddid â *reaper.* Hen beiriant nobl oedd hwnnw, ac fe'm hatgoffai o long hwyliau gyda'i fwrdd a'i adenydd.
Gw. BEINDER, RIPAR.

asgell swch *eb.* Y rhan o swch aradr sydd ar ffurf aden ac yn ddilyniant naturiol i aden (styllen bridd) yr aradr, boch y swch. Ar lafar yn sir Ddinbych. Yn Llŷn a Môn defnyddir *aden* am yr un peth.
Gw. SWCH.

asgwrn y carn *eg.* Y rhan galed o garn troed anifail pedwarcarnol, mewn cyferbyniad yn aml i'r rhan feddal, sef y bywyn.
Gw. BYWYN, CARN[1].

asid llaeth *eg.* Yr asid y mae bacteria yn ei gynhyrchu mewn llaeth (llefrith) drwy beri i'r siwgwr sydd yn y llaeth droi a suro.

asidedd gwaed *eg.* Afiechyd sy'n taro buchod llaeth yn cael ei achosi gan getonau yn hel ac yn pentyrru. Cyll y fuwch ei harchwaeth at fwyd, ceir arogl aseton yn gryf ar ei hanadl, ei dŵr a'i llaeth, asetonemia.

asiad *eg.* ll. *asiadau.* Trwsiad, uniad neu asiad drwy weldio (am haearn), weldiad.
Gw. ASIO, WELDIO.

asio *be.* Uno, cysylltu, clymu ynghyd ddau neu fwy o bethau, yn enwedig haearn, sodro, weldio. *Asio* a ddefnyddir yn gynyddol mewn rhai cylchoedd am *weldio.*
Gw. TAAM 402 1994
Gw. hefyd WELDIO.

asol, asofl (*ad* + *sofl*) *egb.* ll. *asolau, asolydd.* Ffurf lafar ar *atsofl* yw *asol,* ac yn golygu braenar, sef tir âr a adawyd yn segur am gyfnod. Fe'i ceir yng Ngheredigion yn elfen mewn enwau lleoedd a chaeau: Pantr*asol* (Llannarth), Ffostr*asol* (Troed-yr-aur).

aspergilosis *eg.* Clefyd ffwngaidd ar gywion ieir a achosir gan fewnanadlu sporau *aspergillus* o wasarn llaith a llawn llwydni, neu o'r bwyd, gan beri i nodylau neu gnepynau dyfu yn yr ysgyfaint ac achosi trafferthion anadlu. Gall y clefyd effeithio ar wartheg hefyd ac achosi erthylu.

astell *eb.* ll. *estyll, astelloedd, astellau.*
1. Yn gyffredinol ystyllen, dellten, eisen, planc. Yn amaethyddol ystyllen yr aradr, y styllen bridd, yr *astell* bridd, aden y gwŷdd.
1966 D.J. Williams: ST 28, Am y pared ag ef y tro hwnnw heb ond rhyw *estyll* tyllog i'w gwahanu yr oedd creadur arall ...
2. Silff at unrhyw bwrpas, silff lyfrau = *astell* lyfrau. Lle i ddal llyfrau. Cmhr. *astell* pwlpud.

aswellt *eg.* Porfa, glaswellt, bwyd glas.
Gw. hefyd ALLWEST.

aswynwr (*aswyn* + *gŵr*) *eg.* ll. *aswynwyr* (*aswyn* yn fenthyciad o'r S.C. *assoyne, essoin.* Deiliad tir dros dro, tenant tir dros gyfnod byr (Y Cyfreithiau).

atafael (*at* + *gafael*) *eg*. ll. *atafeiliau, atafeilion*. Eiddo a feddiennir er mwyn gorfodi'r perchennog i dalu dyled neu i roi gwasanaeth, y weithred o ddwyn yr eiddo (Y Cyfreithiau). Sonnir am *atafael a gwerthiad*, sef cymryd gafael yn yr eiddo drwy ei werthu; *atafael adfer*, sef cytuno i roi'r mater i lys ac i ildio'r eiddo o fod y llys yn dyfarnu hynny; *atafael diadlam*, sef ildio neu fforffedu eiddo heb unrhyw hawl pellach arno.
1480-1520 TA 47, Hardd i'm gael *atafael* teg/Helm lân i hulio 'mloneg.
1588 (arg. 1959) 1 Esd 9.4, eu hanifeiliaid hwy a *atafaelid* i gyfraid y deml.

atafaelu *be*. Meddiannu eiddo drwy orfodi perchennog i dalu dyled neu i roi gwasanaeth, dwyn eiddo i dalu dyled ei berchennog.
1933 H Evans: CE 218, Penderfynodd nifer o ffermwyr Cwm Eithin beidio a thalu oni chaent ostyngiad [yn y degwm]. Canlyniad hynny oedd i'r 'Ecclestiastical Commissioners', Mai 18, 1887, anfon oddeutu ugain o feiliaid i *atafaelu* ar eiddo pedwar ar hugain o amaethwyr dewr Cwm Eithin a wrthodai dalu.
1955 Llwyd o'r Bryn: YP 90, Roedd Mwrog fel cadach coch i darw, ac *atafaelu* yn air hollol anwar i blentyn, ond cawsom grap toc mai cyflog y person oedd y 'Degwm'.

atalfa wynt *eb*. ll. *atalfeydd gwynt*. Nyrs neu lain o goed a blanwyd yn bwrpasol i ddarparu cysgod i dir, i anifeiliaid, ac i gnydau rhag rhyferthwy gwynt.

atarw *eg*. ll. *ateirw*. Tarw llawndwf wedi ei gyweirio, bwla, adfwl.
1564 RWM 2.876, Trada yw'r *atarw* Edwart.
Gw. ADFWL, BWLA.

atchwanegion *ell*. un. *atchwanegyn*. Y sylweddau a ychwanegir at fwydydd anifeiliaid (dwysfwydydd), yn ystod y broses o'u cynhyrchu, sydd heb fod yn brif ffynonellau moethynau, megis fitaminau, elfennau prin, mwynau a rhai gwrthfiotigau, adyddion.

ateg *eb*. ll. *ategion, ategau*. Bwtres, gwanas, cynhalbren, prop. Yr hyn sy'n cyfnerthu, yn cynnal neu ysburlathu adeilad, mur, tas, ayyb.
Ffig. Cynheiliad achos, cymdeithas, diwylliant, ayyb.
1588 Doeth Sol 6.24, *Attec* y bobl yw brenin call. (Brenin call yn ddiogelwch i'r werin. BCN)
'Mi gafodd Salem *ateg* ardderchog yn Bob Jôs.'

ategwaith, ategydd, ategiad gw. ATEG.

at eu pesgi *Ymad*. Gwartheg a moch a gedwir i'w pesgi (tewychu, pwyntio), (Llŷn) i gael cig eidion a chig moch.

at eu post *Ymad*. Ymadrodd yn cyfeirio at y gorchwyl anodd o aerwyo neu glymu heffrod wrth gledren (post) y beudy y tro cyntaf. Ar lafar yng Ngheredigion.
Ffig. Disgyblu rhywun ifanc. 'Mae'n hen bryd cael y bachgen hyna' na *at ei bost*.'

atgor *eg*.
1. Gwedd aredig, gwedd ac aradr gyda'i gilydd.
1639 RWM 1, 1112, *Atgor* – gwedd i aredic a'i perthnasseu.
2. Cwys, rhych neu lwybr yr aradr
16g WLL (Geir) *Atcor* – cwys

3. Darn o dir, erw, cyfair
Hen Bennill, Yr ochr hon i'r clochdy/mae'r *atgor* gorau yng Nghymru.

atgor, atgori *be.* Aredig, torri cwys, rhychu, cloddio.
1688 TJ, *Atcori* – cwyso.

atgynnyrch *eg.* Ail gnwd, ail dyfiant, adladd.
Gw. ADLADD.

atgynnyrch llystyfol *eg.* Ffrwyth tyfiant llysieuol sy'n ei atgynhyrchu neu yn ei atgenhedlu ei hun, gwair, meillion, ayyb.

at iws *Ymad.* Ymadrodd cyffredin yn golygu 'i bwrpas'. Sonnir am ladd mochyn *at iws* y teulu (sef at bwrpas y teulu); plannu clwt o datws *at iws* y tŷ; gwneud jam *at iws*, ayyb, h.y. gwneud rhywbeth o ddefnydd i'r tŷ a'r teulu ac nid i'w gwerthu.
1933 H Evans: CE 11, Fferm fechan oedd Tŷ Cerrig ar fin y ffordd dyrpeg . . . yn pesgi dau neu dri o foch, ac yn lladd un *at eu hiws*.

atsol, atsofl gw. ASOL, BRAENAR.

atwf (*ad* + *twf*) *eg.* Ail dyfiant, ail gnwd, blagur, addail.
1620 2 Bren 19.29, Y flwyddyn hon y bwytei yr hyn a dyfo ohono ei hun, ac yn yr ail flwyddyn yr *attwf*.
16g W Salesbury: LlM 224, A llawer o *attw* gwyrddion wrtho.

atyfu (*ad* + *tyfu*) *be.* Ail dyfu, ail flaguro, ail egino, ail gnydio, tyfu eilwaith.
Ffig. Ail dwf o unrhyw fath.
1671 C Edwards: FfDd 93, Mewn amser *attyfasant* [Y Brytaniaid] drachefn.

atyfiad gw. ATWF.

auad *eg.* Llyngyr neu euod, yn iau (afu) defaid a gwartheg, clefyd (clwy) yr iau, braenedd yr iau, 'distoma', ffliwc, llederw.
13g Leg Wall 245, Teithi dafad yw blith ac oen i fod genthi; a'i gorfod hyd Galan Mai rhag yr *auad*.
Gw. AFUAD, BRAENEDD YR IAU, EUOD, FFLIWC.

aur yr ŷd gw. HATRIS.

awch *eg.*
1. Min, llymder, miniogrwydd, awchlymder, yr hyn a roir ar erfyn megis cryman, pladur, cyllell wair, sy'n dibynnu ar fin (awch) i wneud eu gwaith yn effeithlon.
14g YCM 55, Kystal oedd y *awch* (cleddyf) ac un gyllell lem.
Ffig. Gloywi neu hogi medr neu ddawn, neu'r meddwl. 'Mae hwn yn ddyn ag *awch* da ar ei feddwl.'

2. Gafael llafn pladur neu gryman, sonnir am roi mwy o *awch* i'r llafn, sef mwy o afael neu o arfod i'r llafn.
'Mi fedrai llafn y bladur 'ma wneud ag ychydig mwy o *awch*, mi gaiff y gof ei ail osod.'

awchlif, awchliw (*awch*[2] + *llif*) *a.* Miniog iawn, awchlym iawn, â min llym.

16g Llst 6.94, Myn eiliau mwy yw nolur/no clwyf dyn gan *awchlif* dyr.
1606-23 Mos 133, 174-5, Pan vo rrydd rredyn/pan vo coch celyn/y daw gwŷr Llychlyn/ai bwiaill *awchliw*.

awchlymu *be*. Rhoi min, hogi (am erfyn), miniogi, awchu, awchlymu. Gw. AWCHU, HOGI.

awchu *be*. Hogi, blaenllymu, rhoi min, rhoi awch, rhoi craff, awchlymu (am arfau gwaith). Ar lafar ym Mro Morgannwg. Clywir hefyd y ffurf *awchi*.
Ffig. Awchlymu rhinweddau a phriodweddau.
1672 R Prichard: Gwaith 247, *Awcha'n* sêl, chwanega'n hawydd,/I'th addoli mewn gwir grefydd.
1738 G Jones: HOG 209, Modd i ddeffrói ac *awchu'r* serchiadau.
Gw. BLAENLLYMU, HOGI.

Awdurdod Grawn Cartref *ep*. Awdurdod a sefydlwyd dan Ddeddf Marchnata Grawn 1965, gyda'r amcan o hyrwyddo marchnad cynnyrch grawn yng ngwledydd Prydain. Yn 1972 cafodd y cyfrifoldeb o weithredu fel asiant i'r Bwrdd Ymyrraeth Cynnyrch Amaethyddol a sefydlwyd dan y Polisi Amaethyddol Cyffredin. Yr awdurdod hwn hefyd a rydd wybodaeth am brisiau ar ran y Weinyddiaeth Amaeth i'r Comisiwn Ewropeaidd. Caiff ei ariannu drwy lefi o hyn a hyn y dunnell fetrig ar y cynnyrch cartref, a thrwy gymorth gan y Trysorlys.

Awdurdod Wyau *ep*. Sefydlwyd dan Ddeddf Amaeth 1970 yn lle'r Bwrdd Marchnata Wyau. Mae iddo bum amcan: 1) cefnogi'r farchnad wyau drwy brynu a gwerthu fel y gwêl orau; 2) casglu gwybodaeth am y farchnad wyau a'i lledaenu; 3) hysbysebu wyau a hyrwyddo eu gwerthiant; 4) gwneud archwiliad i'r galw am wyau a chynnyrch wyau, marchnata wyau, storio wyau, dosbarthu a phrosesu wyau; 5) sicrhau ansawdd wyau a'u graddoli, ayyb.

awen, awyn *ebn*. ll. *awenau*. Afwyn, llinyn ffrwyn, yr hyn a ddefnyddir i reoli ac arwain ceffyl mewn gwaith, rêns (Môn).
1455-85 LGC 310, Yn ufudd yn ei *afwyn*/Yn araf danaf i'm dwyn.
16g (LLEG) Mos 158.59a, March y neb a gymerth ef erbyn *awen* y ffrwyn.
1966 D J Williams, ST 37, Y darn grôt gloyw a gawsai gan Williams, Pantycelyn wrth estyn *awenau* Dic i'w law ger yr horsblog o flaen y tŷ.
Ffig. Rheolaeth neu ddisgyblaeth foesol ayyb.
1661 E Lewis: Drex 309, Y mae'n gadael yr *awenau* yn llacc tros yr amser presennol.
'Mae'r bachgen 'na'n prysur fynd dros ben llestri, mae'n hen bryd i rywun roi plwc ar yr *awena*.'
Gw. AFWYN, RÊNS.

awendorch *a*. Awenau yn dorch ddryslyd, yr awenau wedi torchi neu ymblethu'n ddryslyd.
16g DGG^2 161, Mul *awendorch* mileindors.

awmler gw. AMLER.

awtorecordydd *eg*. ll. *awtorecordyddion*. Math o beiriant godro lle mae'r llaeth gan bob buwch yn ei thro yn mynd i ystên a honno ar fantol

57

(clorian), fel bo pwysau'r llaeth yn cael ei recordio.

awyn gw. AFWŶN, AWEN.

awyru *be.* Yn amaethyddol gollwng awyr (aer) i'r lle mae ei angen, peri bod awyr yn cyrraedd i adeilad megis beudy, stabal, tŷ gwair cerrig, gwyntyllu.
Gw. AGEN, CLOER.

awyrydd *eg.* ll. *awyryddion.* Moddion awyru, clöer, agen.
Gw. CLOER.

Aylesbury *ep.* Brid mawr o hwyiaid gwynion, a rhwng gwyn a phinc eu crwyn a'u pigau. Fe'u megir am eu cig yn arbennig.

Ayrshire *ep.* Brid o wartheg llaeth, yn wreiddiol o orllewin yr Alban. Bu lleihad syfrdanol yn y brid drwy wledydd Prydain, gan i'r brid Holstein-Friesians ei ddisodli i raddau helaeth.

bacas, bacsen, bagas *eb.* ll. *bacsiau.* Y tusw o flew hirion tu ôl i egwydydd ceffyl, neu'r tusw o blu ar goesau iâr, blew swrn ceffyl, rhawn egwyd ceffyl, *siwrls* (Dyfed), *gwarn.* Llwyd y Bacsiau oedd enw ceffyl Syr Rhys ap Thomas a wnaed yn farchog ar Faes Bosworth.
Ar lafar dros Gymru gyfan mewn rhyw ffurf. Yn Nyffryn Clwyd ceir *bacse* am sgidiau wedi gweld eu dyddiau gwell; yng Ngheredigion defnyddir *bacse* am fenyg heb fysedd (S. *mittens*); yn Llŷn mae'n air am ŷd wedi hedeg a'i wellt yn dra byr – 'hen *facsa* o ŷd'.
Gw. GPC a GWARN, SIWRLS.

bacio, bagio *be.* Symud at yn ôl wysg y cefn, mynd at yn ôl drach y cefn, gwrthgyferbyniol i fynd ymlaen, bagio'r drol, bagio'r ceffyl i'r siafftiau, bagio'r llwyth, bagio'r tractor, rifyrsio, *beco* (Cwm Gwaun). Bagio yw'r ffurf ym Môn.
'Bagia'r drol fymryn bach, ma' hi ar y mwya' 'mlaen.'
1985 W H Jones: HOGM 85, Trio wedyn, ond dal i *facio* heibio i'r siafftiau a fynnai'r hen ferlyn.

bacmon, bacman *eb.* Ffurf lafar, dafodieithol ar y S. *backband*, sef cefndres ceffyl, cefnrhaff, batsien. Ar lafar yn Nyffryn Tanat.
Gw. BATSIEN, CEFNDRES, CEFNRHAFF.

bacsad *eg.* Rhan o fôn llafn pladur, yn y ffurf o fachyn, sy'n mynd i dwll pwrpasol ym môn ei choes. Ar lafar ym Meirionnydd a Brycheiniog.
Gw. COLIANT, COLSANT.

bacsiau *ell.* Y tusw blew a dyf y tu ôl i egwydydd ceffyl; gwarn, bacsau.
Gw. BACAS.

bacsiau sachau *ell.* Cyn dyddiau'r welingtons a'r legins oel, gwneid llawer o ddefnydd o sachau gan weision ffermydd i'w cadw'u hunain yn sych ar dywydd gwlyb. Rhoid sach dros yr ysgwyddau a'i gau dan y dagell â phin-cau fawr neu â hoelen pedol ceffyl. Yna i rai dibenion rhoid sach yn farclod neu'n ffedog am y canol a'i rwymo tu ôl â dau ddarn o linyn a fyddai ynghlwm wrth ei ddwy gornel. Wedyn ceid *bacsiau sachau,* sef sachau yn eu plygiad wedi eu lapio am y coesau a'r pengliniau, a llinyn wedi ei chwipio amdanyn nhw i'w dal yn eu lle. Defnyddid y *bacsiau sachau* i agor ffosydd, i gau neu sgwrio clawdd, i deneuo neu chwynnu rwdins, maip ayyb, i gropian rhwng y rhesi wrth deneuo swêds, rhaid fyddai padio'r bacsiau â gwellt neu wair er mwyn arbed y trowsus melfared a'r cnawd rhag y cerrig a'r lympiau caled o bridd, yn ogystal a rhag y gwlith a'r gwlybaniaeth, *penliniwns* (Ceredigion).

1981 W H Roberts: AG 57, Rhwymo "*bacsiau sachau* am eich penliniau a'ch coesau", a chropian ar eich pedwar rhwng y rhesi a chwynnu a theneuo.

Gw. PENLINIWNS, SACH, TRI SYCHIAD SACH.

bacsiau sanau *ell.* Y sanau heb draed iddynt a wisgid yn aml gynt am y fferau a'r coesau yn y gaeaf, yn enwedig efo clocsiau. Daeth yn air am unrhyw hen hosan. Sonnir ym Môn ac Arfon am gadw arian mewn *bacsen,* neu am ddim llawer yn y *facsen* (yr hosan) neu 'dim *bacsen* beni'.

1987 B L ewis Jones: BILLE 7, Ceir bacsiau hefyd am yr hen sanau a wisgid am yr esgidiau ar rew. Yn "Hynodion Roberts Jones, Llanllyfni", mae'r awdur, Robert Roberts, wrth sôn am wisg yr oes o'r blaen, yn dweud y byddai'r gweision yn gwisgo "*bacsiau* pennau geist", a'r morynion "*facsiau* bwldog". Ym Meirion, y mae dyn sydd wedi gwisgo'n grand wedi "startsio'i *facsiau*", ac ym Môn dywedir am ŷd wedi brigo cyn llawn dyfu ei fod wedi "hedeg yn ei *facsiau*".

bacsiog *a.* Â phentwr o hirflew ar yr egwydydd (am geffyl) neu â phentwr o blu ar y coesau (am iâr).

1959 D J Williams: YChO 21, Norman oedd enw'r cel trymaf; . . . sgwat o geffyl coch, *bacsog,* a'i gynffon hir i lawr at ei arau.

bacsu *be.* Mynd nerth y traed (ei bacsu hi), cerdded yn ôl a blaen (yn aml yn droednoeth), troi yn yr unfan, tindroi, bustachu. Ar lafar yn y De.

bacteria *egll.* Organebau ungellog mân, mân na ellir eu gweld â'r llygaid ac a elwir yn aml yn *germau* (S. *germs*) neu *ficrobau.* Fe'u ceir wrth y miliynau mewn pridd, dŵr, awyr, ac mewn organebau byw o bob math. Mae rhai yn gyfrifol am afiechydon, e.e. bruselosis ar wartheg. Mae eraill yn anhebgorol i gadw ffrwythlonder tir ac at fadru mater organig. Y rhai pwysicaf yw'r rhai sy'n cyfrannu at 'sefydlogiad nitrogen' ac at 'gylchred nitrogen' mewn planhigion.

Gw. CYLCHRED NITROGEN, SEFYDLOGIAD NITROGEN.

bacwn, becn *eg.* Cig moch, – y cig a fwyteid yn gyson ac yn helaeth gynt ym mhob fferm a thyddyn a thwlc. Roedd cadw mochyn i'w besgi, ei ladd a'i halltu yn beth hollol gyffredinol. Gwneid hyn yn flynyddol ac yn aml. Cyn dyddiau'r oergell a'r rhewgell dyma'r unig ffordd o sicrhau 'llawndra' at adegau o rew ac eira yn ogystal ag 'at iws' o ddydd i ddydd. Gwelid darnau mawr o facwn ar fachau dan nenfwd y tŷ llaeth a'r briws. Clywir *bacwn twrch* yn Arfon am gig m och.

1958 I Jones: HAG 3, Fe fwyty hwn ei bwysau o *facwn* ar un pryd, os caiff gyfle. Dyna ystyr yr enw "Slumyn Bacwn".
Gw. HOB[3], LLADD MOCHYN, HANEROB.

bach *eg.* ll. *bachau.* Bach, bachyn. Darn o fetel neu o bren â chamedd neu blygiad pwrpasol yn ei flaen, yn amrywio o ran trwch a chryfder, at dynnu rhywbeth, at afael mewn rhywbeth neu at hongian rhywbeth, bachyn.
1620 Job 41.1, A dynni di y lefiathan allan â *bach?*
'Rho dy gap ar y *bach* 'na.'

bach aradr *eg.* ll. *bachau erydr.* Y bach sy'n cydio'r bompren fawr wrth yr aradr lle bo gwedd yn ei thynnu. Mae, er hynny, ansicrwydd am yr ystyr.
1975 Ff Payne: YAG 93, Yn ôl Lewis Morris o Fôn, yr un ydyw *"bach aradr"* â'r rhan a elwir "hinder sheat" yn Saesneg.

bach y brijin Y bachyn ar lorp (siafft) y drol (cart), llorp y car ceffyl, ayyb, i fachu tsiaen y brijin wrtho, i'r ceffyl fedru bonio (dal y drol yn ôl ar oriwaered) â'i gorff, bach y fondres.
Gw. BONIO, LLORP BRIJIN, PONT[2].

bach bugail *eb.* ll. *bachau bugail.* Ffon fugail, ffon gnwpa, ffon hir a bagal arni. Dyma'r ffon a ddefnyddir gan fugail i fugeilio defaid, yn enwedig i ddal dafad drwy fachu'r bagal am ei gwddf.
Ffig.
1672 R Prichard: Gwaith 526, Rhaid i'r Tad â *bach* o gariad/Dynnu dyn fel tynnu dafad.

bach cig
1. *eg.* ll. *bachau cig.* Y bach y crogir cig wrtho, yn enwedig cig moch wedi ei halltu. Ceid nifer o'r rhain uwchben y gegin fawr a'r tŷ llaeth ayyb ar ffermydd gynt. Cafodd llawer o'r rhain lonydd, hyd yn oed ar ôl newid a moderneiddio ceginau, fel rhan o gymeriad ac o hynafiaeth y tŷ.
Gw. HALLTO, HANEROB, HOB.

2. Bachau cig y lladd-dy. Sonnir am anifail wedi ei ladd fel 'anifail ar y bach', mae'n pwyso hyn a hyn yn fyw a hyn a hyn 'ar y bach', sef wedi ei ladd a'i hongian a'i ddiberfeddu.
Gw. AR Y BACH, AR Y CAMBREN.

bach crochan *eg.* ll. *bachau crochan.* Y bach a geid gynt uwchben y tân i ddal crochan, tegell ayyb. Fel rheol, byddai'n golynog, a gellid symud ei flaen o un ochr i'r llall yn ôl y galw er mwyn cadw'r uwd, neu'r lobscows yn y crochan a'r dŵr yn y tecell, i fudferwi.
1966 Llwyd o'r Bryn: D 247, Chwiliodd mam holl siopau'r Bala a Chorwen rywbryd am *fachau crochan* . . . ond yn ofer. Cafodd y ddau ganddo ef heb drafferth.
Dywed. 'Cam fel *bachau crochan'* – coesau dyn neu ddynes.

bach cynnull *eg.* ll. *bachau cynnull.* Y bach haearn â chamedd pwrpasol ynddo, a choes o bren, i gynnull ŷd yn seldremi i'w rhwymo yn ysgubau, *pric cynnull* (Môn), *bach gafra* (Dinbych). Gwneid y bachau hyn hefyd o ganghenau o goed â fforch yn eu bôn. Dyna'n ddiau y rheswm am yr enw *pric cynnull* (Môn).
1989 FfTh 4, 28, Pladur, ffust, a chryman stricio,/ a'r *bach cynnull,* a'r corn dosio.

bach gafra gw. BACH CYNNULL.

bach y garwden Y bach yn y bont ar lorpiau trol, car, ayyb, i fachu'r garwden wrtho, sef y gadwyn gref dros y strodur i gynnal llorpiau'r cerbyd.
Gw. CARWDEN, PONT[2], STRODUR.

bach giât *eg*. ll. *bachau giât*. Colyn giât, cetyn giât (neu ddrws neu ddôr), corddyn. Sonnir am dynnu'r giât neu'r ddôr oddi ar 'ei bachau', neu am roi'r giât yn ôl 'ar 'i bachau'.

bach gwair *eg*. ll. *bachau gwair*. Y bach o ddur blaenfain gweddol hir ei goes i gario gwair o'r das i'r bing neu i'r sied. Wedi torri tringlen o wair yn y 'fagwyr' neu yn 'yr afael' â'r gyllell wair, gwthid y *bach gwair* o'i chanol ar hytraws tuag allan, fel bod digon o'r bach yn y golwg i fedru gafael ynddo, i dynnu'r dringlen o'r fagwyr, a'i roi dros yr ysgwydd i fynd â'r dringlen i'r bing ayyb. Mae'n ymddangos bod '*bachau gwair*' gwahanol fodd bynnag mewn rhai rhannau o'r wlad – e.e. math o roden a chamedd pwrpasol ar ei blaen i ffurfio 'bach'. Wedi torri'r dringlen tynnid y dringlen o'r fagwyr drwy fachu'r bach yn ei chanol, bach tynnu gwair. Dichon bod y bach hwn ar waith i dynnu gwair o'r das lle nad oedd, a phryd nad oedd, cyllell wair.
1933 H Evans: CE 140-1, Fel arfer, roden o haearn gron flaenfain rhyw bedair troedfedd o hyd fyddai'r *bach gwair*, ond mae'n amlwg bod rhai gwahanol.

bach y mwnci *eg* Un o'r ddau fach mawr ar y ddau ddarn neu'r ddwy ysgaran o fwnci coler ceffyl, i fachu'r dyniad pan yn trolio, neu'r dres pan yn aredig, *clustiau'r mwnci* (Môn).

bach y nyth *eg*. Cyw iâr llai a gwanach na gweddill yr hatsied, tin y nyth. Hefyd y mochyn lleiaf ac eiddilaf mewn torllwyth, cwlin, sinach.
Ffig. Y 'cyw melyn olaf' mewn tyaid o blant.

bach tail *egb*. ll. *bachau tail*. Math o fforch deirpig bwrpasol i dynnu tail o'r drol yn dwlciau neu'n bentyrrau wrth deilo tir glas, rhesi tatws ayyb, *gaff, caff* (Môn). Ar lafar ym Maldwyn.
Gw. CAFF.

bach tecell gw. BACH CROCHAN.

bach y tyniad Y bach ym mlaen y bont ar lorpiau (breichiau) trol, car ceffyl, ayyb, i fachu'r *tyniad* wrtho, sef y darn tsiaen sy'n cyrraedd i fach y mwnci am y goler, ac yn galluogi'r ceffyl i ddefnyddio holl nerth ei gorff i bwrpas tynnu'r drol a'i llwyth.
Gw. COLER, MWNCI, PONT[2], TYNIAD.

bach y walbant *eg*. Y lle gwag ar ffurf bach rhwng pen y wal a'r to mewn stabal, beudy, ayyb (ac, yn wir, yn yr hen dai), ac yn lle hwylus i gadw pethau at bwrpas y certmon yn y stabal a'r cowmon yn y beudy, cilfach ben wal. Un ystyr i *bach* yw cilfach neu cilan neu cornel. Fe'i ceir mewn enwau lleoedd megis, y *Fach* Ddeiliog (Y Bala), y *Fach*wen, *Bach* y Saint (Cricieth).

Gw. WALBANT.

bachau *ell.* un. *bach.* Lluosog *bach* (gw.BACH) yn cael ei ddefnyddio yn lled gyffredinol am bawenau neu grafangau neu ddwylo. Clywir ymadroddion fel 'Cadw dy *fachau*' (dwylo) neu 'Paid â hel dy *fachau* ynddo'. Ceir hefyd '*bachau* bara' yn dwyn yr un ystyr (e.e. ym Môn).
'Mi gwelais o'n rhedeg allan â llond 'i *facha*' o siwgwr lwmp.'
'Bu'n rhaid imi ei rybuddio i gadw'i *facha*' iddo'i hun.'
Ffig. Crafangau angau, pryder, poen, ayyb.
1691 T. Williams:YB 201, *Bachau* ac ewinedd angau.

bachfar (*bach* + *bar*) *eg.* Y ffrâm haearn a osodir ar du ôl tractor (fel rheol) i fachu'r trinydd cnydau rhych (tatws, ayyb) at drin rhwng y rhesi (rhychau), bar bachu, bar cysylltu (TAM).

bachgen bore, bachan bore *Ymad.* Codwr cynnar, codwr bore.
Ffig. Rhywun siarp, peniog, clyfar, gweld ymhell. Ar lafar ym Maldwyn.
'Dydw'i ddim yn synnu iddo hel arian, mae'r hen Wil yn *fachgen bore*, weldi.'

bachiad *eg.* Gwaith, cyflogaeth. 'Cael *bachiad*' yw 'cael gwaith', cael rhywbeth i'w wneud. Sonnir am hwn a hwn 'wedi cael *bachiad*' – wedi cael gwaith.
1963 Hen Was: RC 26, Ro'n i'n falch o gael *bachiad* yn rhywla fel gwas bach mewn ffarm, yn enwedig ffarm lle roedd Wmffra'n was yno.
1979 W Owen: RRL 75, Roedd o'n sgut am waith a phan oedd o'n llafn châi ddim trafferth yn y byd i gael *bachiad*.
Ffig. 'Roedd yr hen Now o bawb wedi cael *bachiad* yn y ffair neithiwr, pisyn handi hefyd.'

bachlwyth *eg.* ll. *bachlwythi.* Baich dyn diog, cymryd gormod o gowlaid ar y tro a gwneud llanast, baich gwas diog. Ar lafar yng Ngheredigion. Gw. BAICH GWAS DIOG.

bachog
1. *a.* Un dygn, diwyd, diddiogi, ac awchus am waith, un da at ei fyw.
'Penteulu ardderchog ydi Tom, un *bachog* a da at 'i fyw.'

2. Un agos ato'i hun, hunanol, a aiff a thamaid o geg rhywun arall.
'Mi neidiodd Lisa i'r ciw o 'mlaen i a chymryd y darn gorau. Trystiwch chi hi. Un *fachog* felna fuo hi rioed.'

bachu *be.* Rhoi ceffyl yn sownd wrth yr aradr, yr og, y drol ayyb, ar gychwyn daliad, dal, bachu'r ceffyl, bachu'r wedd. Sonnid am 'amser *bachu*' yn gyfystyr ag 'amser dal'. Pan ddôi'r daliad i ben 'dad*fachu*' neu 'gollwng' a wneid. Mae'r amaethwr yn dal i *fachu*, ond bellach *bachu*'r tractor ac nid y wedd a wneir.
1985 W H Jones: HOGM 101, Roeddwn i'n *bachu*'r wedd wrth yr aradr yn y ffridd ucha' tu ôl i Goed y Cadno.
Ffig. Am gael cariad.
'Mae 'na stori fod Now wedi *bachu* yn y ffair neithiwr. Pisyn handi hefyd medda nhw.'

bachwr *eg.* Un â stic ynddo fel gweithiwr, un na chaiff drafferth i gael bachiad, i gael gwaith, un diwyd dygn. Ar lafar mewn rhannau o'r Gogledd.

bachyn
1. *eg.* Darn o bren â chamedd yn ffurf bachyn, a ddefnyddid wrth dorri ŷd â chryman i ddal yr ŷd ag un llaw i'w dorri â'r cryman â'r llaw arall. Ar lafar ym Morgannwg.

2. *eg.* Y darn ym môn llafn y bladur yn ffurf *bachyn* a âi i'w wely ar sawdl coes y bladur gyda thorch neu amgarn amdano a lletem i'w ddal yn ei le.
1958 T J Jenkin: YPLL AWC, Yr oedd gwely ar sawdl y goes i dderbyn *bachyn* y pladur (llafn) . . . Elai torch dros sawdl y goes a bachyn y bladur . . . i gydio'r bladur (llafn) a'r goes yn ddiysgog.
Gw. COLIANT, COLSANT.

bad yr ieir *eg.* Afiechyd adar, yn enwedig ieir, yn cael ei achosi gan feirws yn y gwaed a'r system nerfol sy'n peri gwres uchel, ac, yn aml, yn lladd, bad dofednod, pla mawr yr ieir (S. *avian influenza*).
Gw. CLEFYD NEWCASTLE.

baddag gw. BYDDAC.

baddugo *be.* Rhoi rhwymyn neu reffyn o wellt i glymu sgubau wrth ei gilydd wrth stycio neu sopynu cnwd ŷd. Ar lafar yng Ngheredigion (Pontgarreg).

bago *be.*
1970 Nod. J Williams-Davies: AWC, Torri ŷd drwy ei 'daro' â chryman mawr trwm, llaw-daro. (S. *baggin*) Ar lafar ym Mlaenau Morgannwg a Brycheiniog (Penderyn).

baeard, baeart *eg.* Ceffyl neu farch gwinau (browngoch), ceffyl rhuddgoch neu liw castan. Sonnir am 'gaseg winau' ac am 'geffyl gwinau' (S. *bayard*).
1455-85 LGC 341, Ni'm dawr o'r Vaenawr i'r Van,/O ryw *vaeart* rhy vuan.
1455-85 LGC 481, Troist wŷr yn gyrch, troist rai'n gall,/Ti a'th *vaeart* a'th fwyall.

baedd *eg.* ll. *baeddod, beidd.* Mochyn gwryw heb dorri arno, mochyn heb ei sbaddu, twrch (Dyfed), bâdd (Morgannwg). Sonnir am 'fynd a hwch at y *baedd'*.
1990 FfTh 6, 6, Gallasai'r fferm ble roedd *bâdd* sadlbac du yn byw bron a bod yn bendraw byd i fi, gan nad oedd gyda fi ddim amcan ble roedd hi.

baedd cenfaint *eg.* ll. *baeddod cenfaint.* Baedd a gedwir yn arbennig at fridio.

baeddgad (*baedd* + *cad*) *eb.* Cenfaint o foch, haid o foch.

baeddgig *eg.* ll. *baeddgigoedd.* Cig baedd, cig mochyn heb ei sbaddu, brawn.

baedd melin *eg.* ll. *baeddod melin.* Am resymau amlwg (digon o fwyd ayyb), cedwid baedd ym mhob melin a byddai ei wasanaeth yn rhad ac am ddim i gwsmeriaid.
1928 G Roberts: AA 10, Cedwid *baedd* yn ddieithriad ym mhob melin, ac yr oedd ei wasanaeth yn rhydd (rhad) i gwsmeriaid y felin.

baedda *be.* Gofyn baedd (am hwch), *llodig.* Ar lafar yn Edeirnion.

baeddredog, baeddredeg *a.* Yn gofyn baedd (am hwch), llodig, hwch lawd.

baeol *eg.* Piser, llestr, ystên, cunnog, bwced.
1300 LlB 96, Bayol gwyn mangylchawc, a *bayol* helycbren . . . keiniawc kyfreith a tal pob un o hynny.

baet, bait *eg.* Bwyd ysgafn, pryd ysgafn ganol bore, bwyd rhwng brecwast a chinio (1981 GEM 129). Hefyd bwyd yn y cae amser y cynhaeaf gwair ŷd ayyb. Mae iddo'r ystyr hwn ym Maldwyn a Cheredigion. 'Dowch i gael y *bait*'. Ym Maldwyn fe'i defnyddir hefyd am ginio ysgafn, sef *luncheon* (1981 GEM 11). Ceir hefyd y ffurf '*baetio* 'ffyle' am roi tamaid i'r wedd (1981 GEM 11) (S. *bate*).

bag *eg.* ll. *bagiau.* Yn amaethyddol, sach neu gwd i ddal gwahanol bethau, blawd, tatws, gwrtaith ayyb.
Gw. SACHAU.

bag blawd *eg.* ll. *bagiau blawd.* Yn aml y sach y ceid blawd anifeiliaid ynddo, bag nuts, bag teisfwyd ayyb; cyn bod y bagiau plastig, sach o lin neu o gywarch. Dyma'r math o fagiau (sachau) a ddefnyddiai'r gweision dros eu 'sgwyddau, am eu canol ac am eu coesau ar dywydd gwlyb.
Gw. BACSIAU, BARCLOD BRAS, TRI SYCHIAD SACH.

bag peilliad *eg.* ll. *bagiau peilliad.* Y bag y dôi'r peilliad, sef y blawd mân, can gwyn, i bobi bara, ynddo. Ar y ffermydd gwneid defnydd da a helaeth o *fagiau peilliad.* Fe'u golchid a'u hagor i wneud barclodau, gorchudd matres, lliain sychu dwylo ayyb.
1981 W H Roberts: AG 90, O'i blaen gwisgai farclod gwyn a wnaeth ei hun o *fag peilliad.*

bag giwana, giwano *eg.* ll. *bagiau giwana.* Y bagiau y gwerthid giwano, sef baw adar môr o Dde America (yn bennaf) ynddyn nhw. Defnyddid y rhain lawer iawn cynt, ar ôl eu hysgwyd a'u hagor, i wneud nithlenni dros y teisi gwair a'r teisi ŷd. Fe'u tynnid tu gwrthwyneb allan, eu hysgwyd yn dda, a'u cadw'n fwndeli yn crogi wrth drawstiau'r sgubor ar gyfer gwneud nithlenni.
Gw. GIWANO, NITHLEN, SACHAU.

bagad
1. *egb.* ll. *bagadau.* Diadell, praidd, gyr, haid, gre.
1567 Math 26.31, Tarawaf y bugail a deveit y *vagat* a wasgerir.
1588 Joel 1.18, Y *bagadau* defaid a anrheithiwyd. (Y diadellau defaid, 1620.)
17g Huw Morus: EC 1 258, Mae *bagad* o wenyn, a mêl ar eu hedyn.

2. Clwstwr, tusw, sypyn, bwndel.
1450-80 DE 2, Dy wyneb val od unos,/dy wrid val *bagad* o ros.
1567 Dat 14.15, Bwrw i mewn dy gryman llym, a chascla *vagadeu* gwinllan y ddayar.
18g Gron 12, *Bagad* gofalon bugail.

bagal *ebg.* ll. *baglau.* Y rhan ar dro neu'n sgwâr onglog ar ffon, *bagal* ffon, *bagal* ambarel; y darn croes ar goes rhaw neu fforch, bagal coes rhaw. Ceir hefyd 'ffyn *baglau*', y ffyn pwrpasol i'w rhoi dan y ceseiliau i alluogi person i gerdded pan fo wedi cael anaf i'w draed neu i'w goesau.

bagio *be.* Sathru a mathru cnwd gwair neu ŷd gan anifeiliaid cyn ei ladd, y canlyniad lle mae anifeiliaid yn torri drwodd i'r cnwd gwair neu ŷd a'i sarnu.
'Mi gawn drafferth i dorri'r cnwd ŷd 'na, wedi i'r defaid ei *fagio* cymaint.'
Gw. SARNU, SATHRU'R CNWD.

bagod *gw.* BAGAD.

baich gwas diog *Ymad.* ll. *beichiau gwas diog.* Cymryd gormod o gowlaid (o unrhyw beth) ar y tro a gwneud llanast wrth wneud hynny, un yn bwriadu arbed siwrnai arall wrth fynd â phentwr ar unwaith, ond yn colli peth o'r baich ar y ffordd ac felly'n arbed dim. Ar lafar ym Maldwyn yn y ffurf yma, ond ceir hefyd y ffurf *baich dyn diog.*

bajer *eg.* ll. *bajeriaid.* Dyn yn prynu a gwerthu cynnyrch fferm, dyn yn hel wyau, menyn, grawn ayyb. Ar lafar ym Maldwyn (Llanerfyl).
'Mi fydd Huws y bajer rownd 'fory.'
1981 GEM 129, *Bajer* – dyn yn hel ymenyn, wyau, ayyb.

bal *eg.* ac *a.* Gwyn, neu ag ysmotyn gwyn neu seren ar ei dalcen (am anifail, yn enwedig ceffyl). Ceir 'ceffyl *bal*' a 'chaseg *fal*'.
'Caed "Seren" yn enw ar aml i gaseg wedd a buwch, yn rhinwedd y *bal* ar ei thalcen.'

balc *eg.* ll. *balciau.* Rhimyn o ddaear heb ei aredig, trumen neu slangen heb ei throi, rhwyg neu fwlch yn y gŵys.
Ffig.
1986 D Jones: SS 70, Dim ond ef sy'n gwybod trafferth/Dyddiau oer y gwynt a'r glaw,/Gyda mynych siomedigaeth, –/*Balc* fan hyn a phlet fan draw.
Gw. hefyd MALC.

balcio *be.* Gadael balciau wrth aredig, rhipio tir wrth droi, aredig yn flêr a dilun.
Ffig. Gwastraffu cyfle, gollwng dros gof, esgeuluso.
Gw. BALC, MALC.

balciog *a.* Yn falciau i gyd, yn llawn balciau, yn flêr (am dir âr).
Ceir 'Cae *balcog*' yn enw ar fferm yn Swyddffynnon, Ceredigion.
Gw. BALC, BALCIO.

bali *eb.* Y streipen wen i lawr wyneb ceffyl o'i dalcen i'w drwyn. Ar lafar yng Ngheredigion a sir Gaerfyrddin.

balibon, belibon *egb.* Gair rhai ardaloedd am dordres ceffyl ac wedi ei gael o'r S. *belly-band.* Ar lafar ym Maldwyn.
Gw. CENGL, TORDRES.

Bamford Enw cwmni Prydeinig yn cynhyrchu offer a pheiriannau amaethyddol – peiriant lladd gwair, peiriannau trin gwair ayyb.

Bamlett *eg.* Mêc injan ladd gwair oedd mewn bri hyd ar ôl yr Ail Ryfel Byd (1939-45).
1991 FfTh 7, 31, Dyma hi'n mynd a chadw'r bladur a minnau i roi'r trelar paraffîn mewn lle addas a bachu wrth yr injan dorri gwair (*Bamlett* oedd ei gwneuthuriad) a mynd am y giât.

ban

1. *ebg. ll. bannau, baniau, bannoedd, bannedd.* Brig, copa, pen, esgair, y pwynt uchaf (am fynydd neu ucheldir).
1600 Cy 27 124, Mynydd, neu *fann* neu foel fawr uchel.
Digwydd mewn enwau lleoedd yn Ne Cymru, e.e. *Bannau* Brycheiniog, Tal y *Fan, Ban* Arthur.

2. Corn anifail, eidion, carw ayyb; *ban* eidion, osgl neu gangen o gorn carw, *ban* carw, anifail *bannog* yw un â chyrn.
Gw. BANNOG.

banar *eg.* Croesiad rhwng merlyn a cheffyl gwedd. Ar lafar yn sir Ddinbych.

banc *eg. ll. banciau.* Gair Dyfed a'r Canolbarth am godiad tir, bryn, ucheldir, ponc neu boncen (Gogledd). Digwydd mewn enwau fel *Banc* Sion Cwilt, Pen y *Banc*, ayyb.
1450-80 DN 45, I ofn a bair o vin y *bangk*/I Gaer Ryfain â'i gravank.
18g W Williams: P 260, A threfydd wedi eu codi ar *fanciau* naturiol.
Gw. hefyd BRYN, PONC, TWYN.

band *eg. ll. bandiau.* Rheffyn gwellt i glymu ysgub, rhwymyn ysgub, cortyn gwellt. Ar lafar yn sir Frycheiniog.

bando whîls *be.* Cylchu olwynion pren, yn enwedig olwynion trol (cart). Ar lafar yng Ngheredigion.
1958 I Jones: HAG 72, Peth diddorol . . . fyddai gweld y gof yn ffitio cylch haearn am gyrbau olwynion certi, neu, ar lafar gwlad, *'bando whîls'*.
Gw. CANTIO OLWYN, CYLCHU, CYRBAU.

bandyn, bandin *eg. ll. bandiau.* Ffurf fachigol ar band, sef cylch olwyn trol (cart), ayyb, y cylch haearn a roir am gant neu gamegau olwyn bren. Ar lafar yn sir Benfro.
Gw. BANDO WHÎLS, CYLCH, CYLCHIO.

bangor (*ban* [copa] + *côr* [plethiad]) *ebg. ll. bangorau, bengyr.* Plethwaith ar hyd pen gwrych mewn perth farw yn cryfhau ac yn clymu'r gweddill, gwaroden a rwymir ar hyd pen perth, gwrych plethedig.
16g RWM 1 1122, *Bangor* – plethwrysc dderi.
1794 W, *bangor* – wattling rods.
Ffig. Nawdd, amddiffyn, cadarnhad. Hefyd tir cysegredig neu fynachlog o fewn i'r gwrych neu'r ffens, megis Bangor yn Arfon. Gw. GPC.
Ar lafar ym Morgannwg yn yr ystyr gwialen, ffon neu swmbwl i yrru anifeiliaid.
'Mae Wil o Dyny berllan,/Yn gyrru iwc o ychan,/Â *bangor* hir, yn fawr ei frys,/Heb hidio chwys ei dalcen.'

bangori *be.* Plethu neu eilio gwiail ar hyd pen gwrych. Yn y De sonnir am fangori perth.
Gw. BANGOR.

bangorwaith *eg. ll. bangorweithiau.* Y math o blethu gwiail a wneid i gynnal mwd neu laid ym muriau adeiladau o fwd, neu i wneud palis neu bared rhwng dwy stafell, ayyb.

1992 E Wiliam: HAFF 19-20, Mae'n amlwg y codwyd sawl adeilad yn y gorffennol o ddefnyddiau byr-hoedlog megis tywyrch ac eithin, *bangorwaith*, brwyn a grug.

1992 E Wiliam: HAFF 40, O'r ddeunawfed ganrif ymlaen, disodlwyd *bangorwaith* gan frics.

banhwch *eg.* Mochyn, baedd, twrch.

13g T 48 18-20, Bum hwch, bum hwch . . . bum bann, bum *banhwch*.

bannog *a.* Corniog, â chyrn cyhyrog. Mae'n debyg mai dyma yw'r enw 'Bannock' yn yr Alban. Sonnir am 'ych *bannog*' a 'buwch *fannog*'.

Anhysb. 'Och finnau ddau *ych* fannawg.'

Gw. GWARTHEG HIRGORN, YCH BANNOG.

bantam *ep.* Brid bach, ysgafn o ieir, pluog eu coesau. Ieir dandi, iâr dandan (Môn). Dywedir eu bod wedi hannu o dref Bantam yn Java.

banw
1. *a.* ll. *beinw.* Benywaidd (am berson dynol ac anifail). Sonnir am 'lo *banw*', 'oen *banw*', 'cyw *banw*' neu y '*fanw* o'r ddau'. Digwydd yn yr enw personol My*fanwy.*

2. *egb.* ll. *beinw.* Mochyn, porchell, mochyn ifanc wedi ei ddiddyfnu. Fe'i gwelir mewn enwau afonydd fel A*manw*, *Banw*, *Beinw* ac Og*fanw* (Ogwen).

banwes *eb.* Benywaidd *banw*². Hwch ifanc, hwch fagu, hesbinwch, sbinwch, hwch ifanc heb erioed ddod â moch, parchelles (Dyffryn Aeron). Ar lafar yn Edeirnion.

bar
1. *eg.* ll. *barrau.* Pen, brig, copa, pigyn (am ucheldir a mynydd-dir). Fe'i ceir mewn enwau lleoedd fel Crug-y-*bar*, (Caerfyrddin), Nant y *Bar* (Morgannwg), Tom*bar*lwm (Mynwy) ac yn yr enw personol *Bar*wyn – *Ber*wyn.

2. *eg.* ll. *barrau, bariau.* Polyn hir (o bren fel rheol) i'w osod ar draws adwy neu borth i rwystro gwartheg a cheffylau fynd drwodd. Sonnir hefyd am fariau'r giât neu'r glwyd, sef trawsbrennau'r giât, ac am fariau'r grât, sef trawsfariau'r grât.

'Dos i daro'r *bar* ar draws y porth acw.'

1988 1 Sam 23.7, Y mae wedi cau amdano wrth fynd i ddinas ag iddi byrth a *barrau*.

3. *eg.* ll. *barrau.* Y gwrym croes neu un o'r gwrymiau croes ar draws taflod ceg ceffyl.

1750 LLM 36, Rhag y gysb, gollwng gwaed ar y trydydd *barr* yn y safn.

4. *eg.* ll. *bariau.* Torth o halen, calen o halen neu sebon ayyb, sef darn sgwâr hir neu hirsgwar (yn aml gynt).

1989 P Williams: GYG 31, Prynid *bar* o halen 14 pwys.

bar cysylltu *eg.* ll. *bariau cysylltu.* Y llorp dur cryf y tu blaen i offer amaethyddol neu o'r tu ôl i dractor i'w cysylltu â'i gilydd, drobar. (S. *drawbar*), bar llusgo. Gynt cysylltid yr offeryn a dynnid â llaw ond erbyn hyn ceir hefyd y cysylltydd awtomatig.

bar injan wair, bar torri *eg.* Y rhan o'r peiriant lladd gwair sy'n cynnwys

67

ac yn cynnal y gyllell gyda chyfres o fysedd blaenfain ar ei flaen ac a osodir yn llorweddog ar y ddaear i ladd gwair. Pan na fo mewn gwaith gellir ei godi'n fertigol. Ceid hefyd yr un math o far ar y ripar a'r beindar i ladd ŷd, a bellach ar y dynwr medi.

bar torri gw. BAR INJIAN WAIR.

bara
1. *eg.* Blawd wedi ei wlychu, rhoi burum ynddo, ei dylino a'i grasu'n dorthau. Prif gynhaliaeth dyn yn y Gorllewin.

T. Llew Jones, Rhodd bur y pridd yw *bara* – amheuthun/Gwell na'ch moethau tila,/Wedi rhysedd gor-wledda/Grawn y ddôl a geir yn dda.

Ffig. Cynhaliaeth, bywoliaeth – yn aml yn yr ymadrodd Beiblaidd 'ffon bara' (1620 Lef 26.26). Ceir *ennill ei fara* yn gyfystyr ag *ennill ei fywoliaeth.*

Hefyd cynhaliaeth ysbrydol yn enwedig yn y Beibl – *Bara'r bywyd, Y Bara o'r nef.*

Diar. 'Ffon y bywyd yw *bara*', 'Brenin y bwyd ydyw *bara*', 'Gorau'r *bara* po garwa'r gwellt', '*Bara* llygeidiog, caws dall' – rhinwedd torth dda yw codiad llawn, sy'n cynnwys llawer o dyllau gwag neu lygaid. Pechod yw i gosyn fod â thyllau. (Gw. O.J. Jones DCG 28 1977.)

2. *e. ll. torthau.*
'Faint o *fara* sydd ar ôl? Mi bryna'i dair neu bedair o *fara*.'

bara amyd Bara o flawd cymysg, gwenith a rhyg, bara brithlyd.
1928 G Roberts: AA 36, Gan mai tua chwart o wenith neu haidd oedd i gardod cyffredin (rhai'n cardota ŷd) bwrid y naill a'r llall i'r un cwd ac elent ag ef i'r felin i'w wneud yn flawd at *fara amyd.*
1928 G Roberts: AA 21, Bara cryf ac iach oedd y dorth haidd ac yn enwedig os byddai mwy neu lai o flawd gwenith wedi ei roi ynddi i wneud yr hyn a elwid yn *dorth amyd.*
Gw. AMYD, BARA SIPRYS.

bara barlys Bara haidd, bara tywyll o haidd (barlys) wedi ei falu.
1958 I Jones: HAG 51, Bwyteid cryn dipyn o *fara barlys* gan y tlodion bedwar ugain mlynedd yn ôl. Ar y gorau nid oedd mor flasus o'r hanner â bara gwenith eilradd.

bara betin, bara beting Bara wedi ei bobi yng nghanol twmpath o feting llosg, sef croen y tir wedi ei wthio neu ei fetingo, ac yna ei losgi i'w wasgaru dros wyneb y tir fel gwrtaith. Yn Nyfed, yn amlwg, arferid pobi bara yn y modd hwn a'i alw'n *fara betin.*
1962 Pict. Davies: ADPN 35, Amser llosgi betin oedd hi ar waun Morlogws yn ymyl y Plasau.
1962 Pict. Davies: ADPN 35, Taerai Anna nad oes cystal bara ar wyneb y ddaear â *bara betin.*
1961 Pict. Davies: ADPN 35: Wedi tylino dodai Anna y toes mewn ffwrn fach (math o grochan crwn), ei chludo i'r waun a'i chladdu mewn twmpath o fetin llosg. Ymhen ysbaid agor y gladdfa dân a mynd â'r ffwrn i'r tŷ a rhoi toes newydd ynddi.

bara brith Bara cyrains (cyrans, cwrens (Dyfed). Gwneid torth neu ddwy o *fara brith* gyda phob pobiad. Nid cyflawn y croeso i ffrindiau, cymdogion ayyb heb fara brith ar y bwrdd. Byddai gwarth a chywilydd ac embaras o fod heb fara brith pe digwyddai rhywun alw!

bara bwff Bara a wneid yn gyson, ac o fewn cof y rhai sy'n fyw, yn sir Fôn, ar Fawrth yr Ynyd, neu dydd Mawrth y grempog, gyda chrempog ac, yn aml, yn lle crempog. Fe'i gwneid o flawd haidd, blawd ceirch a pheilliad, gyda burum. Fe'i gwlychid â dŵr neu â llefrith, a'i gymysgu neu ei dylino. Wedi crasu byddai'n dewach na chrempog ac yn digonni'r bwytawr yn gynt.

1963 T M Owen: LlLlM 19, Gellir nodi hefyd enghreifftiau o fwydydd a oedd, y mae'n ymddangos, yn gyfyngedig i Fôn. Yr oedd *bara bwff* yn wahanol i grempog y tir mawr, a hwnnw, nid y grempog a fwyteid ar Ddydd Mawrth Ynyd.

id., 'Nid yw plant Môn yn myned allan y Calan i ymofyn calennig, ond y maent yn mynd o dŷ i dŷ ar Ddydd Mawrth Ynyd i hel '*bara bwff*.'

bara can Bara gwyn (can) o flawd gwenith mân neu o beilliad. Ar un adeg defnyddid 'can' ei hun i olygu bara gwyn.

1938 TJ Jenkin: AIHA AWC, *Cann* – yr oedd y gair wedi mynd allan ond yn enw'r bara – '*bara cann*' = bara gwyn, bara gwenith.

bara canrhyg Bara cymysg o wenith a rhyg a fwyteid yn helaeth, yn enwedig gan dlodion, hyd at ganol y 19g, bara amyd, bara siprys.
Gw. BARA AMYD.

bara cartre Bara wedi ei dylino a'i grasu gartref mewn cyferbyniad i fara pryn, neu fara siop ac yn yr un ystyr â brethyn cartre ayyb.
'Byddai *bara cartre'n* fwy durol na bara siop.'

bara ceirch Bara wedi ei grasu o flawd ceirch wedi ei falu'n fân (yr un blawd ag i wneud uwd), bara yn y ffurf o fisgedi tenau trionglog neu grwn. Pobid llawer o *fara ceirch* gynt. Byddai'n rhan amlwg o'r bwyd dyddiol ar ffermydd. Edrychid ar fwrdd heb *fara ceirch* arno yn fwrdd digroeso. Yn ddiweddarach datblygodd pobi *bara ceirch* yn fusnes masnachol. Bu Cwmni'r Aran Oats yn y Bala yn enwog am flynyddoedd.

1976 W J Thomas: FfCh 121, Cofiaf yn dda weld troliau'n cludo ceirch i Felin Llecheiddior i'w silio, sef i'w falu'n fân i gael blawd a *bara ceirch* a fyddai'n rhan bwysig o enllyn y gweithiwr tir.

bara clats, clatsh Bara heb godi'n iawn, bara toeslyd, trwm. Ar lafar yn y Gogledd a Cheredigion.

bara coch Bara brown, bara cymysg.
Gw. BARA CYMYSG.

bara cri haidd Bara ceirch ar ôl rhoi dyrnaid o flawd haidd yn y gymysgedd i'w wydnu.

bara cymysg *eg.* Bara sy'n gymysgedd o beilliaid a blawd haidd. Ar lafar ym Môn.
Gw. hefyd BARA TYWYLL.

bara cyrains gw. BARA BRITH.

bara dan badell Bara wedi ei grasu mewn popty mawr â phadell drosto, bara crynion mawr fel rheol, neu wedi ei grasu ar radell yn yr awyr agored â phadell (celtan) drosto fel yn y popty mawr.
Gw. CELTAN, GRADELL, POBI YN Y BAW, POPTY MAWR.

bara durol (duriol) *eg.* Yn para'n dda, yn mynd ymhell, bara parhaol, bara'n dal at asennau dyn. Cyffredin oedd y syniad fod bara a bobid gartre yn fwy *durol* (yn mynd ymhellach) na bara pryn. Ar lafar ym Môn.

bara ffres Bara newydd eu crasu, ac, yn aml, heb oeri'n iawn, bara anodd eu tafellu'n wastad gan eu bod yn mynd o flaen y gyllell fara neu'r twca.

bara gradell Bara wedi ei grasu ar radell, a hynny, yn aml gynt, gyda'r radell ar drybedd a thân dani yn yr awyr agored, bara wedi eu pobi yn y baw (Môn), bara planc (Dyfed).
Gw. BARA DAN BADELL, BARA PLANC, CELTAN.

bara gwaelod Torth o ddau dalp o does, y naill ar ben y llall, a bobid ar waelod y popty diwrnod pobi.

bara gwenith Bara can, bara gwyn o flawd gwenith mân, bara peilliad.
Gw. BARA CAN.
1926 YBH 22a, Yna y duc y wreic iddaw *bara peilleit.*

bara gwenith trwyddo Bara o flawd gwenith heb unrhyw adyddion neu ychwanegion.

bara gwyn Bara gwenith, bara peilliad, bara can.
Gw. BARA CAN, BARA GWENITH.

bara haidd Bara tywyll o flawd haidd.
Gw. BARA BARLYS.

bara henbob Bara hen, neu o hen bobiad o'i gyferbynnu â bara ffres.

bara lefain Bara wedi eu gwneud o does lle roedd talp o'r toes o'r pobiad cynt wedi ei ddefnyddio yn lle burym.
Gw. LEFAIN, LEFEN.

bara llaeth (enwyn) Bara wedi ei falu i bowlen neu ddisgl gan roi llaeth enwyn berwedig am ei ben ac ychwanegu halen neu siwgwr neu'r ddau yn ôl yr archwaeth. Byddai'n rhan gyson o raglen fwyd ffermydd mawr a bach, a phawb arall o ran hynny, gynt.
Hen bennill. Tebyg iawn wyf fi i'm brawd,/A thebyg fy mrawd i minna',/Un yn byw ar *fara llaeth/* A'r llall ar laeth a bara;/Bernwch chwitha, Gymry glân/Pa un o'r ddau yw'r gora.

bara llefrith (llaeth ffres) Bara wedi ei falu i bowlen, llefrith berwedig am ei ben gan ychwanegu siwgwr neu halen neu'r ddau yn ôl yr archwaeth.

bara lloffion Y bara a geid o loffa mewn caeau ŷd, ac wedi ei falu'n flawd yn y felin. Byddai lloffa yn beth cyffredin ymhlith y tlodion gynt. Wedi lloffa byddai cymdogion yn dyrnu'r lloffion. Yna eid a'r grawn i'r felin i'w falu.
1928 G Roberts: AA 37, Pobid a chresid y bara ganddynt hwy eu hunain, a golygfa fythgofiadwy oedd yr olwg foddhaus ar eu hwynebau oll wrth fwyta'r *bara lloffion.*
Gw. LLOFFA, LLOFFION.

bara mall Bara o flawd gwenith pan fyddai'r gwenith wedi ei ddifetha gan y tywydd, ac yn anodd ei grasu ag eithrio ychydig gyda chrystyn y dorth, bara llaith, trwm ac anfwytadwy iawn.

70

1928 G Roberts: AA 64, Nid wyf yn cofio ond ychydig am yr haf y flwyddyn honno (1860) heblaw ei fod fwy neu lai yn ddiweddar ac iddi rewi un noswaith yn enbyd . . . Cofiaf fod gyda'm tad a'r dynion yn dechrau ar y gwenith fore trannoeth y rhew a bod y tywys yn cydio'n ei gilydd hyd nes i'r haul doddi'r rhew. Sylwodd un o'r dynion wrth fy nhad y byddai'r bara o'r gwenith hwnnw yn *fall*. Nid oeddwn erioed wedi clywed sôn am *fara mall* o'r blaen . . .

bara menyn Bara wedi ei dafellu a menyn wedi ei daenu ar y tafelli, brechdan, brechdanau, bwyd sylfaenol mwyaf cyffredin pobl gwledydd y gorllewin.
Ffig. Bara beunyddiol, bywoliaeth. 'Yn Lerpwl y bûm i'n ennill fy *mara menyn*.'

bara penioel, peinioel gw. BARA GWENITH TRWYDDO.

bara peilliaid gw. BARA GWENITH.

bara planc Bara gradell, bara wedi ei grasu ar radell, ac, yn aml, heb furum. Ar lafar yn sir Benfro.
1989 P Williams: GYG 37, Chofia'i ddim ein bod yn cynnau'r ffwrn frics fwy nag unwaith yr wythnos, ond âi'r bara'n brin weithiau a dim burum ar gael. Bryd hynny rhoddid *planc* ar y tân cwlwm, ac âi mam ati i wneud tair neu bedair torth o *fara planc*.

bara plwmbryd (prwmlid) gw. BARA RADELL.

bara poeth Bara sunsur, neu fara newydd eu tynnu o'r popty.

bara pryn Bara a brynir mewn cyferbyniad i fara cartre, bara siop.
Gw. BARA CARTRE.

bara rhyg Bara tywyll, garw, wedi eu gwneud o flawd rhyg, nas cyfrifid yn fara da a bwytadwy iawn.
Hen Rigwm. Mae Gwen yn cario palmwydd gwyrdd/Yng nghanol myrdd o seintie;/A minnau yma'n cario grug/Ar *fara rhyg* y bore.

bara siprys Bara blawd gwenith a blawd rhyg yn gymysg, bara amyd, bara canrhyg.
Gw. AMYD, BARA AMYD, CANRHYG, SIPRYS.

bara smala Bara wedi ei grasu o wenith drwg, neu wenith mall, bara mall. Ar lafar yn Llanerfyl, Maldwyn.
1981 GEM 129.
Gw. BARA MALL.

bara surgeirch, surgerch, surgiach Bara o wenith neu haidd ac wedi ychwanegu ceirch a burum. Ar lafar ym Maldwyn.
1981 GEM 130, *Bara surgyrch* – bara o wenith a haidd yn gymysg.

bara sych Bara menyn plaen heb na jam na dim arall arno, dim ond sgribyn o fenyn. Ar lafar yn gyffredinol.
1992 DYFED Baeth 33, *Bara sych* a'r menyn wedi 'i dowlu arno fe o ben draw'r byd, a odd gida hi ddou wmed a dwy ford.

bara tatws Bara a ddyfeisiwyd mewn sefyllfa o angen ac o newyn mewn rhai rhannau o Gymru yn ystod blwyddyn 'yr ŷd cwta diben' ar ddechrau'r 19g.
1933 H Evans: CE 14-15, Bron gwefrio eisieu bwyd . . . heb ddim i gadw newyn marwol

draw . . . Angen yw tad dyfais onide? Llwyddwyd i wneud bara o gloron – yr adeg honno y daeth y ddyfais allan, yn gymysgedig ag ychydig o flawd gwenith. Y mae'n arferiad o wneud *bara tatws* mewn bri hyd heddiw (1894) fel tamaid blasus ac amheuthun i'r teulu, yn gystal ag i rywun dieithr pan alwo. (Yn dyfynu o *Robert Sion o'r Gilfach*, nofel Elis o'r Nant.)

bara tenau Bara ceirch, wedi eu crasu ar radell (sir Benfro), teisen siwgr (Caerfyrddin).

bara tido Bara hen ac wedi llwydo.

bara tŷ Bara cartre o flawd o ansawdd wael.

bara tylwyth Bara tŷ.
Gw. BARA TŶ.

bara tywyll Bara o gymysgedd o flawd gwenith a haidd, bara cymysg, cwrs.
Gw. hefyd BARA CYMYSG.

barbro *be.* Torri gwrych, tocio gwrych neu berth, gynt â chryman neu â bilwg ond bellach â pheiriant hefyd. Ceir peiriant llaw yn gweithio oddi ar drydan neu betrol. Ceir hefyd fwrdd neu far fel bwrdd neu far injan ladd gwair yn gweithio oddi ar dractor. Sonnir hefyd am *farbro* gwallt, a diau mai dyna gysylltiadau gwreiddiol y gair. (S. *barber* a hwnnw o Ladin *barba* – locsyn.)
'Mae'n hen bryd iti *farbro* 'chydig ar y gwallt 'na, rwyt ti fel Hwfa Môn.'

barclod *eg.* ll. *barclodiau.* Ffedog, arffedog, brat – yr hyn a rydd merch o'i blaen pan yn closio at waith rhag baeddu'r ffrog ayyb; yr hyn hefyd a roddai'r teiliwr, y crydd a'r gof o'u blaenau pan yn gweithio'u crefft. Gwneid y rhan fwyaf o farclodau'r meistresi a'r morynion ar y ffermydd gynt, o sachau blawd neu fagiau peilliad. Agorid y bagiau, eu golchi, hemio o'u cwmpas, a rhoi darn o ruban ar ddwy gornel i'w rwymo am y canol, a dyna *farclod.*
1981 W H Roberts: AG 90, O'i blaen gwisgai *farclod* gwyn a wnaeth ei hun o fag peilliad, ac enw'r ffyrm i'w weld yn wan trwy yr aml olchi arno.

barclod bras *eg.* ll. *barclodau bras.* Barclod wedi ei wneud o sach blawd, hwnnw wedi ei agor, ei olchi a'i hemio. Byddai llawer o wisgo ar y *barclod bras* ar y ffermydd gynt gan y feistres a'r forwyn a'r gwas bach, yn enwedig gyda goruchwylion y bore – godro, llaetho'r lloi, bwydo'r moch, golchi lloriau, corddi, pobi ayyb.
Disgrifid merch ddi-ddim, ofn baeddu ei dwylo na thorchi ei llawes at waith fel un oedd 'yn ormod o ledi i wisgo *barclod bras* a chlocsia'.
Gw. hefyd BAGIAU, FFEDOG FRAS, SACHAU.

barclod groen *eb.* Barclod o groen anifail, barclod lledr, y math o farclod a wisgai'r gof wrth bedoli ceffylau ayyb.

barclod pladur *egb.* Y lletem o bren – derw fel arfer – a yrrid o dan y torch neu'r amgarn wrth fôn coes y bladur i ddal colsant y llafn yn ei le. Ar lafar yn sir Gaernarfon (Cwm Pennant).
Gw. DELLTEN, GAING.

72

barcloth *egb.* ll. *barclothiau.* Amrywiad ar barclod ac yn cael ei arfer ym Meirionnydd am sach wlân fawr.
1994 FfTh 14, 32, A bagio'r gwlân yn y *farcloth* i gael hynny a fedrid i mewn iddo.

barclodiad *eg.* ll. *barclodeidiau.* Llond barclod, llond ffedog, yr hyn a ddeil barclod ar y tro, llond arffed, ffedogaid, ffedogiad. Digwydd mewn enwau carneddau yn gyffredinol, megis *Barclodiad* y Gawres (Môn), *Barclodiad* y Widdon.
1759 ML 2, 144, Gellir cyffelybu'r casgliad i *farclodiaid* o fanws (lludw).

barf *eg.* Tyfiant pigog ar flaen gronynnau haidd (barlys), gwenith, ayyb, y farf bigog, finiog ar dywysennau ŷd, col haidd, col gwenith. Ar lafar yng Ngheredigion.
1996 T.J. Davies: YOW 96, Rhaid oedd gadael i'r barlys aeddfedu'n llawn. *Barf* gydag e, ac os nad oedd e wedi aeddfedu ni ellid symud ei *farf.*
Gw. COL, COLA, COLY.

bargen
1. **bargain** *eb.* ll. *bargeinion, bargeiniau.* Yn amaethyddol y cytundeb a wneir wrth brynu a gwerthu (anifeiliaid), cytundeb ar bris, sonnir am 'daro *bargen'* ac am 'wneud *bargen'.*
'Rydan ni wedi *taro bargen* o'r diwedd'.
14-15g DGG 134, Beth a dâl anwadalu/wedi'r hen *fargen* a fu.

2. Yr hyn a brynir drwy fargeinio amdano, a'r pryniant yn fanteisiol i'r prynwr, y prynwr yr ochr glyta i'r clawdd yn y fargen, wedi cael *bargen.*
'Doedd gan y siopwr, Sais, ddim unrhyw syniad am *Cerdd Dafod,* J. Morris Jones, na dim syniad am i werth o. Mi prynais o am 50c, *bargen* fachgen!

bargen bôn clawdd (bol clawdd) *eb.* Taro bargen (am anifeiliaid ayyb) heb fod dangosiad ysgrifenedig. Diau mai cytuno ar bris yn y cae yw cefndir y dywediad, lle mae'r prynwr a'r gwerthwr yn 'taro bargen', y ddau yn taro llaw ei gilydd – gwerthu law yn llaw.

bargeinio *be.* Dadlau am bris, datsio am bris, crefft y mae ffermwyr yn tra rhagori ynddi! Ffordd o brynu a gwerthu anifeiliaid ar fuarth y fferm. Mae'r porthmon yn cynnig pris, pris isel wrth gwrs gan y gŵyr o'r gorau y bydd yn rhaid iddo godi. Yna'r ffermwr yn gofyn pris, pris uchel wrth gwrs, yntau'n gwybod yn iawn y bydd raid iddo fodlonni ar lai. O dipyn i beth y porthmon yn codi rhyw gymaint, a'r ffermwr, yntau, yn gostwng rhyw gymaint. Gwneud hynny ddwywaith neu dair, cyn bod y ddau yn cyrraedd rhyw fan canol ac yna'n taro bargen.
1989 P Williams: GYG 26-7, ...a chyfnod pryderus i ni'r plant ydoedd gwylio'r *bargeinio,* y 'deler' a'i law allan i nhad daro'r fargen, ac yntau'n gwrthod ac yn dweud ei fod yn cael ei sarhau gyda'r fath gynnig. Credem eu bod yn cweryla. Ai'r deler am iet y clos a chymeryd arno ei fod yn colli pob diddordeb yn y prynu, a nhad yn dod i'r tŷ a chymryd arno fod y cynnig yn rhy isel o lawer. Allan ag e am yr ail waith a'r deler yn dod yn ei ôl ato, yna ceid mwy o ddadlau cyn dod yn ddêl gan amlaf, a'r naill yn taro llaw y llall i selio'r fargen. Byddai'r dadlau wedyn ynglŷn â faint o 'lwc' ddylai nhad ei roi i'r deler – hyn a hyn y pen am y da a rhyw swm fel coron neu chweigain am nifer o ŵyn.

bargod *eg.* ll. *bargodau.* Yn amaethyddol godre to tas wair, tas ŷd ayyb, lle mae'r to yn estyn allan, a lle disgyn y dŵr oddi ar y to. Gwneid y das draddodiadol yn y fath fodd fel bod ei bargod fwy allan gryn dipyn na'i sawdl ac felly'n taflu'r dŵr oddi ar y to i'r llawr yn hytrach na'i fod yn rhedeg i lawr ochr y das.

1981 W H Roberts: AG 61, Byddai angen nifer mawr o raffau dwy gainc ar gyfer y teisi – ar y brig a'r *fargod* a'r dabal – heblaw'r rhaffau traws bob rhyw bymtheng modfedd.

bariad *eg.* Rhwystr o gerrig dros afon lle mae clawdd yn gorffen ar ei glan, rhag i anifeiliaid fynd drwy'r afon neu'r nant o un cae i'r llall. Yn ôl yr amgylchiadau, ceir tair neu bedair o gerrig hirion, y naill uwchben y llall, yn rhychwantu'r afon o un ochr i'r llall.

bariets *eg.* Giât neu glwyd symudol, giât tynnu a rhoi, mewn cyferbyniad i giât yn crogi ar golynau, hyrdlen. (S. *bargates*). Ar lafar yn Nyfed.

1938 T.J. Jenkin: AIHA, AWC, Yr oedd dau fath o *bariets*. 1) Lle yr oedd dau bost cryf, un bob ochr i'r bwlch, ac ynddynt naill ai hanner mortais bob hyn a hyn, neu hen bedolau ceffylau wedi eu blaenllymu. Gwthid polion digon hir drwy'r rhai hyn fel y gallent ambell dro gau adwy neu glawdd anwastad a fyddai y tu ôl i'r post. 2) Pleth oedd yr ail fath ar fariets. Gyrrid polion i'r ddaear a phlethid rhyngddynt. Disgwylid y byddai bwlch felly heb ei agor am gyfnod hir.

Gw. GDD 29 a BARIWNS.

baril

1. *eg.* ll. *bariliau.* Twb neu gasgen bwyd moch, hogsied.
Gw. CASGEN BWYD MOCH, HOGSIED.

2. *eg.* Canol anifail, crynswth anifail, bol anifail, *baril* ceffyl = bol ceffyl. Ar lafar yng Ngheredigion.

3. *eg.* Mesur sych, llestr mesur. Gynt, wrth y *baril* y gwerthid rhai pethau, a'r mesur yn amrywio yn ôl yr hyn a werthid. Wrth y *baril* y gwerthid 'cwlm' (cwlwm) sef tanwydd wedi ei wneud yn beleni allan o glai a glo mân, at ddyhuddo tân. Yn ddiweddarach wrth y pwys neu wrth y cant (112 pwys) y'i gwerthid.

bariwns *eg.* Math o giât neu glwyd wedi ei gwneud o gledrau i'w tharo ar draws porth (adwy) i'w gau, camfa, y math o glwyd yr eir drosti fel dros gamfa. Ar lafar yng Ngheredigion, Morgannwg a Chaerfyrddin.

1989 D Jones: OHW 35, Euthum draw gyda gwaelod yr allt dri lled cae bach – iet yn y bwlch cynta, *bariwns* yn yr ail – a dechrau agor y *bariwns* i'r Frest lle roedd yr ebol melyn.
Gw. hefyd BARIETS.

barlad, barlat *eg.* Ceiliog chwaden, gwryw hwyaden. Ceir hefyd y ffurf *marlat.*

1763 DT 163, Roedd gantho bedair dafad,/A *barlad* a dwy hwyad.

barlys *eg.* ac *etf.* un. *bach. barlysen.* Haidd, math o ŷd coliog (*Hordeum satirum*), un o'r tri phrif rawn a dyfir (gwenith, ceirch, haidd). Gynt fe'i defnyddid i wneud bara – bara haidd, bara tywyll, bara barlys. Ceir hefyd y ffurfiau *barli, barlish.* Ar lafar yn y De.

1992 DYFED Baeth 57, Roswch chi,' atebai Deio, *barlys* oedd ym mharc yr Offt, ceirch yn y Ca' Melin, a gwenith yn y ca' ichi'n sôn amdano fe.
Gw. HAIDD.

barlys (barli) cwnffon ceiliog *eg.*
Nod. J Williams-Davies: AWC, Math henffasiwn o haidd (Gogledd Cymru) Bangor.

barlys llydan *eg.*
Nod. J Williams-Davies: AWC, Math henffasiwn o haidd. Mwy na thebyg mai 'square-eared barley' y cyfeirir ato (Ceredigion).

barlys pen byr: *eg.*
Nod. J Williams-Davies: AWC, Math henffasiwn o haidd. Dim manylion pellach (Ceredigion).

barlys pen hir *eg.*
Nod. J Williams-Davies: AWC, Math henffasiwn o haidd, o bosibl haidd gwanwyn cyffredin – 'common long-eared spring barley (Ceredigion).

barrog *eg.* ll. *barogau.* Ysbardun, gotoyw, calcar, offeryn blaenfain a wisgid gynt ar sawdl esgid un yn marchogaeth ceffyl i *sbarduno'r* ceffyl yn ei flaen, symbylwr.

barrug *eg.* Rhew gwyn, crisialog ar y ddaear, llwydrew, arien, glasrew. Ar lafar yn y Gogledd.
Dywed. *Barrug* deirnos, *barrug* dair wythnos.
Gw. LLWYDREW.

barugo *be.* Llwydrewi, glasrewi. Clywir hefyd y ffurf gywasgedig 'brigo' (Môn).
1787 J. Roberts: C5, Rhewi etto neu *farigo.*
'Ma' hi wedi brigo'n wyn bore 'ma.'

barus *a.* Gwancus, rheibus, bolrwth, blysig, yn enwedig mewn perthynas â bwyd ac yn enwedig am anifail, dafad farus, dafad anodd ei chadw o fewn y terfynau, dafad ar ôl pob blewyn glas, ac yn dueddol o grwydro'n barhaus. Sonnir am 'rhyw Feirionan o ddafad *farus*' – dafad fynydd nad oes a'i ceidw o fewn terfynau wedi iddi ddod i'r llawr gwlad.
Diar. Corn byr i'r eidion *barus.*
Ffig. Person gwancus, trachwantus, un agos ato'i hun.
1605-10 Haf. 24. 574-5, Y rhai *barus* treilgar y mae yr proffwyd yn 'i cyryddu.

basged *eb.* ll. *basgedi.* Llestr wedi ei eilio (plethu) o wiail at gario nwyddau, basged wyau, basged fenyn, basged neges (bwyd). Fe'i ceir mewn rhai cyfuniadau amaethyddol.

basged fwyd Basged y cynosfwyd, y fasged a ddygai fwyd i'r cae amser y cynhaeaf a phawb yn falch o'i gweld.
1939 D J Williams: HW 15, "Dewch, ichi gael hoi fach, bobol bach," meddai mam wrth roi'r *fasged fwyd* i lawr dan gysgod y berth gerllaw, a minnau'n cario'r stên loyw tu ôl iddi.

basged hau Y llestr a ddefnyddiai'r ffermwr gynt i hau hadyd – ŷd, gwair, ayyb, â'i law neu â'i ddwy law. Byddai'r llestr o'i flaen a llinyn dros ei war o'r ddwy ochr iddo i'w gario fel bod y ddwy law yn rhydd i wasgaru'r had.
Gw. HAU.

basged pladur Cawell pladur, cadair pladur, y ddyfais ysgafn ar bladur

at hyrwyddo gosod yr ŷd a leddid yn gymen ac yn unfon yn ei wanaif.
1958 I Jones: HAG 69, ... sef ei dorri â phladur a chadair – math o *fasged* ysgafn o'r un ffurf
â'r llafn i dderbyn yr ŷd a dorrid, a'i osod i lawr yn fon-fon ac yn gryno.

basic slag Sgîl gynnyrch y diwydiant dur a ddefnyddid am flynyddoedd
fel gwrtaith i'r tir, ac, fel y giwano, yn rhagflaenydd y gwrtaith
celfyddydol. Gwrtaith a gafwyd drwy waith y Cymro, Sidney Gilchrist
Thomas, a hanai o Swyddffynnon, Ceredigion, yw'r slag basig. Deil ei
enw o hyd ar wrtaith yn rhai o wledydd Ewrop ac America –
Thomasmehl, Almaen; Thomasfosfat, Sweden; Scories Thomas, Ffrainc;
Escoria de Thomas, Brasil. Sut y medrodd Cymry ei alw'n ddim ond
basig slag?! Llwch haearn a fu'n enw arno mewn rhai ardaloedd.
1981 W H Roberts: AG 52, Hau giwano a *basig slag*. Wel am waith drewllyd, a'i hau i gyd
efo llaw.
1981 LlPh HAD 13, Bu Abel Jones, darlithydd mewn amaethyddiaeth yn Aberystwyth ar y
pryd . . . yn cydweithio gyda Stapledon ar ddarn o dir Hafod Uchtryd i geisio mesur
dylanwad *basig slag* ar y borfa arw ac, o bosibl, y cynnydd mewn pwysau cig oen i'r erw.

bastio *be.* Curo, fflatio, llorweddu (am ŷd neu wair) gan y tywydd, gwynt
a glaw, wedi gorwedd yn ddrwg mewn canlyniad i'r tywydd.
1993 FfTh 12, 4, Roedd gan John Armon Edwards, Tyn Twll, Llanarmon Dyffryn Ceiriog,
gae o geirch o dras y 'Scotch Potato' rhyw dro yn y 50au, a hwnnw wedi *bastio* (neu
orwedd) yn ddrwg.

bastir *eg.* ll. *bastiroedd.* Tir heb lawer o ddyfnder o bridd, daear fâs,
ddiddyfnder.
1620 Math 13.5, Peth arall a syrthiodd ar greigleoedd, lle ni chawsant *fawr ddaear.*
1759 BC 513, Fe wna'r llwybr garw'n llyfn,/A'r canol dyfn yn *fastir.*

bating
1. batin *egb.* ll. *batingau, batinod,* un bach. *batingen.* Tyweirch croen y tir
wedi ei geibio neu ei fatingo yna eu llosgi i'w chwalu'n lludw ac yn
wrtaith dros wyneb y ddaear. Sonnir am yr 'haearn *betin*' a'r gyllell *fetin.*
Ceir hefyd y ffurfiau *beting, bieting, betin* (Maldwyn) a'r lluosog *betingau,*
bietingau. Ceir fferm o'r enw 'Cefen *Betinge*' yn ardal Llangyfelach.
1981 GEM 12, Wyneb y tir wedi ei dorri ymaith â chyllell a'i sychu. Yr oedd torri *batin* yn
hen arferiad. Gelwid y gyllell yn 'haearn *betin*' neu 'gyllell *betin*', a gwthid hi dan y ddaear
drwy bwyso arni â'r frest.
Gw. BATINGO, DIDONNI.

2. *eb.* ll. *batingau,* un bach. *batingen.* Ysgub o wellt gwenith wedi ei
ddyrnu, swp o wellt wedi ei rwymo, gwellt at doi fel arfer. Ar lafar yn sir
Ddinbych.
1933 H Evans: CE 118, Yn yr odyn wellt nid oedd ond trawstiau yn groes ymgroes yn
gwneuthur llofft, a byddai raid mynd â thair neu bedair *batingen* o wellt i'w roddi trostynt.

3. Manus dan y dyrnwr, peiswyn.
1990 FfTh 5, 4, Eraill yn cario manus neu *bating,* neu cario gwellt rhydd i'w wneud yn das
neu ei roi mewn cowlas.

batingen, betingen *eb.* Unigol *bating*[2], sef torch, sypyn neu ysgub o wellt
wedi ei rwymo â thennyn – pen-bawd, neu ddwy ysgub wedi eu clymu'n
un.

Ffig. Merch wedi ei diwryfu neu wedi colli ei gwryfdod – *betingen* yw hi. (Gw. B Lewis Jones: BILLE 8, 1987.)

batingo

1. *be.* Didonni neu ddigroeni tir â haearn gwthio neu aradr frest, er mwyn ei losgi'n lludw a'i wasgaru'n wrtaith dros wyneb y tir, gwthio tir, ceibio tir, batio tir, betingo. Ceir hefyd y ffurfiau *betingo, bietingo, betingo* (Maldwyn).

1959 Nod. o Cellan i AWC, Yr oedd rhai yn galw y gwaith hyn, sef 'flows' a llosgi clyts yn *betingo*. Y mae cae gyda ni yn y blaenau yn cael ei alw yn Cae *Beting*.

Gw. hefyd BATIO, DIDONNI, DIGROENI, GWTHIO.

2. *be.* Sypio neu sypynu gwellt, gwneud swp neu sypiau neu sypynau o wellt – *batingo* gwellt diwrnod dyrnu i'w gario o safn y dyrnwr i'r das wellt. Ar lafar yn sir Ddinbych.

1944 T. Gwynn Jones: Brithgofion 40, Yna dynion i *fatingo* a rhwymo'r gwellt, taswr, a rhai i godi'r bating i'r das.

batio *be.* Blingo tir, digroeni tir, gwthio tir â haearn gwthio neu aradr frest.

Gw. BATINGO[1], DIDONNI, DIGROENI.

batog

1. *eb.* ll. *batogau.* Caib, hof, chwynnogl, picas (Ceredigion). Ar lafar yn Edeirnion.

1902 BB (1700-50) O M Edwards: 77, Rhaw a *batog*, caib a gwddi.

1759 BC 190, Mi bryna gaib a *batog*,/Yn lle'r cacennau pigog.

1963 Hen Was: RC 7-9, Rhowch chi goes *batog* neu gyrn arad yn fy nwylo i a mi wna i lanast ar betha, ond mae'r pin dur 'ma rywsut yn rhy fychan a llipa i law mor fawr, a bysadd mor anystwyth.

Gw. hefyd MATOG, PATWG.

2. *be.* Ceibio, hofio, chwynogli.

Gw. hefyd MATOGI.

batri

1. *eg.* ll. *batris, batriau.* Nifer o gelloedd i storio trydan wedi eu hamgau mewn blwch pwrpasol ac a ddefnyddir i danio peiriannau, tractor, car ayyb, ac, yn anamlach, i oleuo. Mae tanio cerbyd a rhoi goleuni yn tynnu allan o'r batri, ond trwy gyfrwng eiliadur fe'i ailwefrir hyd at y lefel angenrheidiol. Fel rheol mae'r peiriant ei hun, trwy gyfrwng y deinamo neu'r eiliadur yn ei ailwefrio ei hun yn ei waith.

2. Y system gymharol ddiweddar lle cedwir ieir mewn cewyll, un ymhob cawell, trwy gydol eu hoes ddodwy. Gelwir hon yn 'system *batri*' a'r ieir yn 'ieir *batri*', a'r wyau yn 'wyau *batri*'.

batshen gw. BATSIEN.

batsien, batshen *eb.* ll. *batsieni.* Cefndres, cefnrhaff, cefn-wden, bacman, – y rhan o'r harnes a roir dros gefn ceffyl gwedd i bwrpas aredig, llyfnu ayyb (S. *back-chain*). Ar lafar yng Ngheredigion.

'Cofia gau tordres y *fatsien*.'

Gw. CEFNDRES, CEFNRHAFF.

baw *eg.* Bryntni, llaid, mwd, tail, budreddi, ysbwriel, ysgarthion – rhywbeth nad oes prinder ohono ar bob fferm!
1975-6 B.6 323, Lle bo mwya'r gwledda, y bydd amla'r *bawe*.
Ffig.
14g WM 207 18-20, Truaned gennyf fod dynion cyn *fawed* a hyn yn gwarchod yr ynys hon. Dywed. 'Yn rhad fel *baw*' – costio dim.

baw ceffylau, gwartheg, moch, defaid *eg.* Tail, tom.

baw diafol Asiffeta – enw llafar grymus ar asiffeta, y ffisig (moddion, meddyginiaeth) a gaseid gan bawb, er bod gan lawer ffydd ynddo at rai anhwylderau megis 'y llyngyr'.

baw gefail Sbwriel a thail ceffylau yn gymysg yng ngefail y gof. Gyda chymaint o geffylau yn dod i'w pedoli, byddai cryn swm o dail ceffyl yn casglu mewn gefail yn oes y ceffyl gwedd.

bawd y drol *ebg.* ll. *bodiau'r drol*. Y pren estynedig y pedair cornel i drwmbel (cist) y drol (cert), estyniad o asennau gwaelod y drol yn ôl ac ymlaen, a phob un wedi ei naddu i siap y fawd ddynol, ac felly'n esbonio'r enw *bodiau'r drol*. Ar y ddwy fawd ôl y gorffwys caead (tinbren) y drol, ac ar y bodiau blaen heyrn y sleid, sef y rhan o'r ddyfais at godi a gostwng penblaen y trwmbel. *Limbwr* yw'r enw arnynt yn Nyfed, ond clywir *clocsiau*'n enw hefyd mewn rhai ardaloedd. Gw. LIMBWR.

bawdfedi *be.* Dwrnfedi, gafael mewn dyrnaid o'r ŷd ag un llaw, a'i dorri â chryman medi â'r llaw arall, yn enwedig pan fyddai'r gwellt yn fyr a'r cnwd yn denau.

bawlyd
1. *a.* Budr, brwnt, anghynes, aflan, tomlyd, bowlyd, (Dyfed).

2. *a.* Crintach, cybyddlyd, cribddeiliog.
1798 R. Davies: CG 85, A chan eich bod mor *fawlud* / A chrinllud yn eich rhodd.

beatws *e.ll.* Ffurf dafodieithol ar 'bitrwt' (S. *beetroot*). Ar lafar yn sir Gaerfyrddin.

bediw gw. EBEDIW.

begio tatws *be.* Ymadrodd llafar ym Môn am gardota tatws. Digwyddai hyn yn gyffredinol ym Môn. Byddai merched (fel rheol) yn mynd o gwmpas y wlad yn finteioedd, yn enwedig ar drothwy'r Nadolig i *fegio tatws*. Ceid hyn yn digwydd ym Môn mor ddiweddar a 30au'r 20g.
1992 T D Roberts: BBD 22, Drigain mlynedd yn ôl, mi fyddai gwragedd Llangefni'n mynd yn giang o amgylch ffermydd cyn y Nadolig, i *fegio tatws*.

begwn, bigwn *eg.* ll. *begynau, bigwns*. Crib mynydd, copa mynydd, ban, pen bryn amlwg, y math o gopa amlwg lle cynheuir coelcerthi ar achlysuron arbennig, neu fel arwydd neu rybudd o rywbeth arbennig. (S. *beacon*). Gelwir Bannau Brycheiniog yn *Begwns*.
1766 W. Williams: GDC 129, Hi saif pan cryno'r ddaiar,/Pan llosgo'r *Begwns* mawr.

beichfa (*beichio* + *fa*) *eb.* Brefiad buwch, bugunad. Ar lafar yn sir Gaerfyrddin.

1620 1 Sam 15.14, A dywedodd Samuel, beth ynte yw brefiad y defaid hyn . . . a *beichiad* y gwartheg yr hwn yr ydwyf yn ei glywed.

beichio

1. *be.* Rhuo, peuo, (am darw), neu cadw sŵn fel tarw.
'Welais i ddim *beichiwr* tebyg i'r tarw Hereford 'ma.'

2. *be.* Goṣod baich. Yn feichiau y cludid popeth ar ffermydd, yn enwedig y ffermydd bach mynyddig, yn yr hen ddyddiau – cynnud, mawn, tail, gwair ayyb. *Beichio* oedd yr enw ar yr arfer gynt o gario gwair yn *feichiau* ar eu cefnau o dir anhygyrch ac anodd, anodd hyd yn oed i fynd a char llusg yno.

1993 FfTh 12, 20, Mhen rhawg deallodd William ei bod hi'n arferiad ar rai o ffermydd y topia (bach 'ran amlaf) i gario gwair yn *feichiau* ar eu cefnau o ryw gorneli na allai trol fynd iddynt.'

beichiog *a.* Benyw anifail yn cario epil, buwch yn drom o lo, dafad yn drom o oen, ayyb. Dull arferol y Gymraeg yw sôn am gath dorrog, gast dorrog, hwch dorrog, buwch gyflo, dafad gyfoen, caseg gyfeb(r).
Gw. CENHEDLU.

beidr gw. MEIDR.

beili

1. **baeli** *eg.* ll. *beiliau.* Buarth fferm, iard, clos, ffald fferm, iard gefn, cowrt mawr (Môn). Ar lafar ym Morgannwg ac yn gyffredin mewn enwau lleoedd megis *Beili* Glas, Bryn *Beili*, Peny*beili*, ayyb. Ceir Y *Beilia* hefyd yn enw ar furiau castell Llantrisant, Morgannwg.

2. **beiliff, baeli** *eg.* ll. *beiliod, beiliau.* Hwsmon, goruwchwyliwr fferm, pen gwas, pentir, un yn cadw pentiriaeth, un yn goruchwylio a gweinyddu fferm ar ran rhywun arall, beili-heind.

1975 T J Davies: NBB 104, Mewn llawer lle byddai'n *feili* gwaith hefyd.
Ffig.
15g Tudur Penllyn 95, *Baili* buarth y gwartheg (am darw).

beili fera *eb.* Ydlan, cadlas, yr ardd ŷd, yr ardd wair. Lle caeëdig yw *beili* (gw. BEILI[1]) a thas o ŷd neu wair yw *bera*, ac felly ydlan ayyb.
J Williams-Davies: Nod. AWC, *Beili fera* – ydlan. O'r S. *bailey* – enclosure (Blaenau Gwent).

beili-heind *eg.* Hwsmon, pentir, un yn cadw pentiriaeth. Ar lafar yng Ngheredigion, Caerfyrddin a Morgannwg.
Gw. BEILI[2].

beilïo *be.* Amgau tir â wal, clawdd neu fur.
1795 LlrC 30 195, *beilio tir* – to enclose land.

beindar, beinder *ebg.* Peiriant yn lladd ŷd ac yn ei rwymo'n ysgubau yr un pryd, olynydd y ripar a rhagflaenydd y dyrnwr medi. Daeth i'w fri yn ystod yr Ail Ryfel Byd (1939-45) ac ar ôl hynny gyda dyfodiad y tractor yn beth cyffredin. Roedd rhai a dynnid gan geffylau cyn hynny yma ac acw o tua dechrau'r 20g, ond llafur caled i geffylau oedd tynnu'r *beindar.*

79

Byddai'n rhaid wrth dri cheffyl yn aml. Roedd cael peiriant i rwymo'r ŷd yn ysgubau wrth ei dorri, yn gryn dipyn o gaffaeliad ac o ryfeddod yn y cyfnod hwnnw.

1981 W H Roberts: AG 60, Dilynwyd y ripar gan y *beindar*, yr oedd honno'n rhwymo'r ysgubau efo cortyn, ac yr oedd hynny'n gaffaeliad garw.

1958 FfFfPh 54-5, Cymerodd flynyddoedd . . . i'r *'beindar'* . . . ddod yn gyffredin, a cheffylau a fu yn ei dynnu am amser hir ar ôl iddo ddyfod. Golygfa hardd oedd gweld tri cheffyl graenus yn tynnu'r peiriant yma.

1989 D Jones: OHW 177, Pa bryd yn hollol y gorffenwyd torri llafur â'r *beindar* a dod â'r dyrnwr medi yn ei le?

1990 FfTh 6-23, Roedd y *beindar* isod a oedd yn eiddo i fy nhaid, Edward Jones, y cyntaf a ddaeth i sir Ddinbych tua 1900.

beinder county *eg.*

Nod. J Williams-Davies: AWC, *Beinder County* – beinder o eiddo'r Cyngor Sir a logid i ffermwyr adeg y Rhyfel Byd Cyntaf (1914-18), pan ddaeth gorfodaeth arnynt i dyfu cyfran benodol o ŷd ar eu ffermydd (Dyffryn Tywi).

beiniardy gw. SGUBOR.

beinw gw. BANW.

beip *eb.* ll. *beipiau.* Casgen fawr, twb, hocsied neu faril i ddal golchion moch. Ar lafar ym Maldwyn.
Gw. GEM 12 1981.

beisgawn

1. *eg.* Y das o ysgubau ŷd yn y sgubor neu'r tŷ llafur, yn barod i'w dyrnu, rhan o dŷ-gwair neu sgubor yn cynnwys ŷd. Ceir hefyd y ffurfiau *gwisgon, gwishgawn* (Morgannwg); *wisgon, wishgon* (Ceredigion, Dyfed). Ym Meibl 1620 gwelir y ffurf 'ysgafn' (Job 5.26). Fe'i newidiwyd yn y BCN (1988) i ysgub.

1672 R. Prichard: Gwaith 164, Doro in gynhaiaf ffrwythlon,/Rhad o'r meusydd ac o'r *fisgawn.*

1753 TR, *Beisgawn* = a heap of corn, hay.

Gw. hefyd GWISGON, WISGON.

beisgawnu *be.* Gwneud tas (ŷd, gwair), pentyrru, tasu, teisio, mydylu. Clywir hefyd y ffurfiau *gwisgawnu* a *gwishgawnu* (Morgannwg).
Gw. GWISGAWNU, MYDYLU, TASU.

beitag gw. BEUTAG.

belan

1. *eb.* ll. *bêls, byrnau.* Byrnaid o wair neu o wellt, bwndel hirsgwar neu grwn o borthiant anifail, bwrn (byrnau), yr hyn a geir o felio porfa neu wellt â'r belar neu'r byrnwr, sef y dull, ar y cyfan, o gywain gwair a gwellt ers hanner canrif bellach, caseg wair (Parc, Y Bala). Braidd yn araf a fu'r ffermwyr o Gymry Cymraeg i fabwysiadu 'bwrn' (baich) am bêl (*bale*). Mae'n ymddangos bod y lluosog *byrnau* wedi cydio'n well.
Gw. BWRN, BYRNAU, BYRNU, CASEG WAIR.

2. *eb.* ll. *bêls.* Cnu gwlân, cnu dafad wedi ei lapio.

80

1994 FfTh 14 32, Ddim llawer yn ôl roeddwn ar fferm lle roedden nhw'n cneifio â pheiriant. Dim ond twrw, a neb yn lapio gwlân, h.y. hefo'r glân at allan a throi darn main yn rheffyn a'i rwymo'n *belan* dyn.

belar *eg.* Peiriant i fyrnu neu felio gwair a gwellt. Daeth yn gyffredin yn ystod yr Ail Ryfel Byd (1939-45). Cario gwair yn rhydd a wneid cyn hynny a'i dasu yn yr ardd wair neu'r ydlan, neu yn y tŷ gwair. Ei gario'n ysgubau a gâi'r ŷd. Wedi dyfodiad y dyrnwr medi sy'n dyrnu'r ŷd yn y cae, caiff y gwellt yntau ei felio'n y cae fel y gwair.
Gw. BYRNWR.

belau *eg.* ll. *balaod, balaon, balawon, baleod.* Creadur tebyg i'r wenci neu'r fronwen (Môn), ond yn fwy ac iddo groen neu bân esmwyth, trwchus, gwerthfawr, *bele, bela, bala.*
6g A. Gododdin, Pais Dinogat e vraith vraith, o grwyn *balaod* ban wreith.' (Siaced Dinogad, un fraith, a wnaed o groen balaod.)

Belgian Blue *ep.* Brid o wartheg a'i gynefin yng Ngwlad Belg, yr Iseldiroedd a Lwcsenburg, ac yno yn bwysig fel brid deuddiben (llaeth a biff). Defnyddir y tarw cryn lawer yng ngwledydd Prydain i gynhyrchu gwartheg biff oherwydd ansawdd dda y carcas. Ond ceir tipyn o broblemau bwrw lloi o'i ddefnyddio gyda gwartheg llaeth, yn enwedig y rhai purlinachol.

beliband, belibon *ebg.* Yr enw mewn rhai ardaloedd ar dordres ceffyl, sef y strap lledr a glymir dan fol (tor) y ceffyl i gadw'r strodur a'r gefndres yn eu lle pan fo'r rheini ar ei gefn. Ar lafar ym Maldwyn.
Gw. CENGL, TORDRES.

belio *be.* Byrnu, gwneud gwair (silwair) neu wellt yn fyrnau, defnyddio belar.
'Ma'r gwair yn ddigon parod i'w *felio*.'
Gw. BYRNIO.

belt *eg.* ll. *beltiau.* Llain ddidoriad o ledr neu ganfas cryf a roir am ddwy olwyn neu ddau bwli fel bod un yn troi'r llall, strap, e.e. *belt* yr injan ddyrnu, *belt* y tractor, ayyb. Ceir hefyd y ffurf *pelt* (Maldwyn).

Belted Galloway *ep.* Math o wartheg Galloway a nodweddir gan felt gwyn o amgylch y corff du. Daeth y brid yn wreiddiol o'r rhan fynyddig yn ne-orllewin yr Alban. Fe'u megir yn bennaf am eu cig.

belys *ell.* un. *belysen.* Gwellt gwenith wedi ei rwymo'n sypiau neu'n ysgubau at bwrpas toi, toën. Ar lafar ym Morgannwg.
1753 TR, *Belis* – cloig, piliwn gwenith, helm for thatching.
Nod. J Williams-Davies: AWC, Yn arferol ceid o saith i naw pwys o wellt mewn *belysen*. O'r S. *bale* (Bro Morgannwg).

belys brwyn *ell.* un. *belysen frwyn.* Sypiau neu sgubau o frwyn at doi, yn lle gwellt. Ar lafar yn sir Forgannwg.

ben *eb.* ll. *benni.* Ffurf ar *men,* sef cart, trol, certwyn, gwagen.
15g Pen 67 105, Ugain *ben* i gywain bwyd.

bencyn *eg.* ll. *bencydd, bencynau.* Bryncyn, banc bach.
1790 Twm o'r Nant: GG 72, Caiff llawer uchel *fencyn* /A'r cerrig bwnio'u coryn.
1958 I Jones: HAG 3, Yr oedd yn yr ardal gyfoeth o adar yng nghoedydd a chloddiau glannau'r afon a phennau'r *bencydd.*

bendro (y) gw. PENDRO.

bendori (y) *eb.* Y gadwyn gref sy'n cyrraedd o ysgwydd arnodd aradr geffyl hyd at ei chlust. Ar lafar yn sir Gaerfyrddin. Clywir hefyd *tres yr aradr* (Edeirnion) a *tsiaen yr aradr* (Ceredigion) yn enwau ar yr un gadwyn.

benwen Enw nodweddiadol ar fuwch, (yn cyfeirio at liw'r pen) yn union fel cochan, blacan, glaswen, brithan ayyb.
1966 D J Williams: ST 153, Canys yr oedd yr hen *Benwen,* unig fuwch Daniel, yn hesb ers rhai wythnosau.
Gw. ENWAU ANIFEILIAID.

benddu (y) Haint grawn gwenith, haidd a cheirch, yn enwedig ar wenith. Datblyga clwstwr o sbôr du ar y dywysen a hwnnw'n cael ei wasgaru i'r tywysennau iach, eraill. Yna yn lle grawn megir sbôr yn y tywysennau. Os heuir hadyd yn dioddef o'r *benddu,* mae'r had a'r ffwng yn egino gyda'i gilydd a'r ŷd ifanc yn cael ei heintio. Heddiw, ceir gwrthffyngau i wrthweithio'r *benddu* a chadw'r haint dan reolaeth.

benfelen (y) gw. LLYSIAU GINGRON, RHAGWRT.

bennaid *eg.* ll. *beneidiau.* Llwyth ben, llwyth men, llond ben.
Gw. hefyd BEN, CERTIAD, MENNAID.
13g WML 32, A phren hevyt o pop *benneit.*

benwent (y) gw. PENWENT.

benwig *(banw + ig) eb.* Hwch neu fochyn ifanc.
14g (RB) WM 503, 7-8, Ac yno y llas (lladdodd) banw a *bennwic.*
Gw. BANW².

bêr *eg.* ll. *berau, beri.* Cigwain neu wiell o bren neu haearn a wthir drwy ddarn o gig i'w ddal i rostio o flaen y tân. Offeryn cyffredin iawn gynt yn arbennig dan y simdde fawr. Coginid y cig drwy ei ddal â'r bêr o flaen y tân, neu drwy ei grogi ar fachyn pwrpasol uwchben y tân.
13g WM 255, 16-17, A dodi golwythau ar *vereu* kylch y tân.
1547 W Salisbury: OSP, Da gweddei'r *bêr* i'r golwyth.
1902 O M Edwards: BB (18g) 77, Cyllell, gwerthyd, *ber,* gwybede,/Crib mân a bras i gribo penne,/Pabwyr, gwêr i wneud canhwylle.
Gw. GOBED, BÊR.

bera *ebg.* ll. *beraon, berau.* Pentwr, tas, mwdwl (o wair neu ŷd), tas gron ar ffurf pyramid, tas ŷd o rhyw 50 o sgubau ar y cae. Dyma'r *bera* yn Ystaly*fera.* Rhag llifogydd fe wneid tas ar fath o lwyfan o goed neu o gerrig a elwid 'ystôl bera'. Troes *ystôl bera* yn Ystalyfera.
Gw. YSTÔL¹ = gwely tas neu osail tas.
Ar dro, defnyddir y gair hefyd am ysgub o ŷd – *bera* o ŷd. Ar lafar ym

Mrycheiniog.
Gw. GWELY TAS, HELM, SAIL RHIC.

berai *eg.* Dyfais i droi'r bêr wrth y tân neu uwchben y tân pan fo cig arno. (S. *turnspit*).

beraid *eg.* ll. *bereidiau.* Llond bêr, hynny a ddeil bêr ar y tro, cigweiniad.
13g BD 169, *Bereidieu o gic moch, coet ganthaw yn eu pobi.*

beran *eg.* Bêr bychan, cigwain bach, gwäell fach.

berd, berdin *eg.* Y brigau o ddrain, cyll, helyg, eithin, ayyb a ddefnyddir i gau mannau gwan neu fylchau mewn clawdd neu wrych (Môn ac Arfon), neu'r drain, ayyb, a osodir â'u blaenau at allan ar ben clawdd, gyda thywyrch ar eu bonau i'w cadw yn eu lle, i gadw defaid, ayyb, rhag torri drwodd (sir Ddinbych). Ceir y ffurfiau *berd, berdyn* a *berdin*.

berdio
1. *be.* Gosod brigau drain ar ben cloddiau, brigo cloddiau mynydd â brigau drain, cyll, helyg, eithin, i gadw'r defaid o fewn eu terfynau. Yn yr ardaloedd mynyddig mae *berdio* â chryn lawer o grefft ynglŷn â'r gorchwyl, pan blethir cyll neu helyg yn ferdin.
1985 Elfyn Scourfield: Medel 2, 8, Defnyddir cyll yn mesur pum neu chwe troedfedd mewn hyd. Yr enw lleol (Llansannan) ar y cyll marw yw *'Caewydd'* ac fel rheol *berdio* un ochr o glawdd a wneir i rwystro'r anifeiliaid rhag tramwyo. Weithiau defnyddir coed helyg yn ogystal â chyll, a mantais fawr hyn yw bod helyg yn debygol o wreiddio mewn clawdd o dan amodau ffafriol. Gosodir blaen canghennau i mewn i'r clawdd ac yna plygir y gweddill yn fwa gan wthio pen arall y gangen i mewn i ffurfio siâp pont fwaog. Dyblygir y patrwm am yn ail fwa ar hyd ei gilydd i gryfhau'r *caewydd.*
Gw. hefyd Ysgrif E. Scourfield yn 'Medel' 2, 1985.
Gw. CAEWYDD.

2. *be.* Cau mannau gwan neu fylchau mewn clawdd â brigau drain, eithin, ayyb. heb fod llawer o grefft ynglŷn â'r gorchwyl. Ar lafar ym Môn yn yr ystyr hwn.
1981 W H Roberts: AG 80, A weiren lefn, y math a ddefnyddir i gau bwlch neu *ferdio.*

3. *be.* Brigdorri gwrych, torri neu docio gwrych. Ar lafar ym Môn.

berdyn, berding gw. BERD, BERDIN.

berem *eg.* Ffurf lafar, dafodieithol ar burum. Ar lafar yng Ngheredigion, sir Benfro a sir Gaerfyrddin.

berfa *eb.* ll. *berfâu.* Gynt math ar gerbyd pedaironglog bach ag iddo bedwar troed a phedair braich, dwy ymhob pen, i ddau berson, un ymlaen a'r llall yn ôl i gario llwythi. Hon oedd y *'ferfa* freichiau'. Yna caed y *'ferfa* olwyn' neu'r *'ferfa* drol' ag iddi ddau droed yn ôl ac olwyn yn y blaen a dwy fraich yn ei thu ôl i'w rowlio, whilber, carthglwyd. Clywir *berwa* yn ffurf ym Maldwyn a *wilberfa* yn Llŷn, a *whilber* yn y De. Gw. WHILBER, WHILBERA.

berfa droell *eb.* berfa olwyn, berfa drol, whilber, wilberfa (Llŷn).

berfa drol *eb.* Berfa olwyn, berfa droell, whilber.

berfa ddwylo *eb.* Berfa freichiau, pedair braich, dwy ymhob pen i'w chario â'r dwylo.
Gw. BERFA.

berfa fawn Berfa ddwylo i gario mawn o'r fawnog i'r das fawn.
Gw. BERFA DDWYLO.

berfa freichiau gw. BERFA DDWYLO.

berfa hau *eb.* Y peiriant â fframwaith goed ysgafn tebyg i ferfa olwyn, dwy fraich o'r tu ôl i'w gwthio, ac olwyn ar y blaen. Hanner y ffordd rhwng y breichiau a'r olwyn ceir cafn rhyw deirllath o hyd ar draws y fframwaith i roi hadau mân ynddo i'w hau – hadau gwair, cêl, rep ayyb. Rhagflaenydd y troellwr (spinner), dril berfa (Uwchaled).
1993 FfTh 11.6, Rwyf wedi arfer llawer efo'r ffidil ac yr oedd hi'n well gennyf na gwthio y *ferfa hau.*

berfa hwch *eb.* Berfa ddwylo gul. Ar lafar yn ardaloedd mwyngloddio Ceredigion.

berfa lusg *eb.* Berfa'n cael ei llusgo fel car llusg.

berfa olwyn *eb.* Berfa gyffredin ag olwyn ar ei blaen mewn cyferbyniad i ferfa freichiau, whilber (y De).
Gw. BERFA, BERFA DDWYLO, BERFA FREICHIAU.

berfâid, berfâd *eg.* ll. *berfeidiau.* Llond berfa, llwyth berfa (whilber), hynny a ddeil berfa ar y tro.
'Dos a *berfâd* o dail stabal i'r ardd.'
Gw. WHILBERAD.

beriau (*ber* + *iau*) *eb.* ll. *berieuau.* Iau neu warrog fer ar gyfer ieuo dau ych ochr yn ochr, ac mewn cyferbyniad i'r hiriau (*hir* + *iau*) ar gyfer ieuo chwech.

Berkshire *ep.* Brid o fochyn cymharol fychan, lliw rhwd, trwyn a chynffon a thraed gwynion, clustiau pwyntiog, corff cryno a phen bychan.

berrwy, berrwyf *eb.* ll. *berwyau, berwyfau.* Hual, llyffethair, carchar anifail, troedog, gefyn.
Gw. HUAL, LLYFFETHAIR, TROEDOG.

berwa Ffurf lafar ar 'berfa'. Ar lafar ym Maldwyn.
Gw. BERFA, WHILBER.

berw'r dŵr *ep* a *eg.* Llysieuyn bwytadwy sy'n tyfu mewn dŵr cymharol lonydd megis gofer ffynnon, ayyb, ac a ddefnyddir at wneud salad, ayyb. O ran ei ffurf a'i ddail mae'n hynod debyg i gegid (S. *hemlock*), sydd hefyd yn tyfu mewn dŵr ond yn arbennig o wenwynig.

berwi lwtsh *be.* Ceir *lwtsh* yn air tafodieithol yn Nyfed am 'lith', sef bwyd soeglyd, gwlyb a roir i anifail, neu am unrhyw beth gwael a diwerth, megis manyd, us, ayyb.

1938 T.J Jenkin: AIHA AWC, *Berwi Lwtsh* – yn fynych, berwi llafur heb ei nithio (ambell dro, berwi us) er mwyn ei borthi i wartheg godro.

Gw. hefyd LWTSH.

berwyog (*berwy* + *og*) *a.* Mewn hual, mewn carchar, wedi ei lyfetheirio (am anifail).

beting, bieting gw. BATING.

betingo gw. BATINGO, DIDONNI, DIGROENI, PLOWO.

betingaib *eb.* ll. *betingeibiau.* Caib neu haearn gwthio neu aradr wthio i ddigroeni tir.

Gw. BATINGO, HAEARN GWTHIO.

betingwr, bietingwr *eg.* ll. *betingwyr.* Un sy'n didonni neu ddigroeni tir, un yn betingo, tywarchwr, didonnwr. Ar lafar yn y De.

beting llosg *eg.* Pentwr o feting (gw. BATING) yn llosgi i'w gael yn wrtaith, ond yn Nyfed a ddefnyddid hefyd i bobi bara yr un pryd.
Gw. BARA BETING.

betingfa *eb.* Tir (gweundir) wedi ei ddigroeni neu ei ddidonni â haearn gwthio neu ag aradr frest. Digwydd mewn enwau lleoedd megis *Betting*-va-issa a *Betting*-fa-ycha ym Mhenrhyn Gŵyr.

betys siwgwr *etf.* Gwraiddgnwd o'r teulu 'Beta', sydd hefyd yn cynnwys mangel, a dyfir am ei gynnwys uchel o 'sucrose'. Mae'r cynnwys o siwgwr yn gallu amrywio yn ôl y math a dyfir, y math o dir a'r math o dymor, ayyb, ond mae'r cyfartaledd oddeutu 16%. Fe'i tyfir yng ngwledydd Prydain, a hynny gan mwyaf yn East Anglia a'r East a'r West Midlands, dan amodau cwotâu y Comisiwn Ewropeaidd. Defnyddir y dail a gweddillion y pennau a'r pwlp, fel bwyd anifeiliaid (gwartheg a defaid) neu at wneud silwair.

beuder *ell.* (yr un *beu* ag yn 'beudy', ayyb.). Bugeiliaid, heusorion, gwarchodwyr anifeiliaid.

beudái *ell.* un. *beudy.* Lluosog beudy, sef adeilad i rwymo'r gwartheg godro (ar y cyfan), er hynny, fe'i defnyddir gan amlaf am adeiladau fferm yn eu crynswth – yr holl adeiladau y tu allan i'r tŷ fferm – y stabal, y beudy, y sgubor, cwt lloi, twlc, lwsbocs, hoewal drol, ayyb. Ar lafar ym Môn, Arfon, Llŷn ac Eifionydd. Clywir *bildins*, fodd bynnag, yn aml yn Arfon, Meirion a Dinbych. Yng Ngheredigion, Dyfed a Chaerfyrddin ac ardaloedd De Cymru ceir *tai mas.*

1620 Hab 3.17, Er nad oes eidion yn y *beudái.*

'Mae'r *beudái* ar dair ochr i'r buarth a'r tŷ ar yr ochr arall.'

beudy (*beu* + *tŷ*) *eg.* ll. *beudái*, *beudai*, *beudyau*. Adeilad y cedwir gwartheg ynddo, yn enwedig gwartheg godro. Ceir yr un 'beu' yn *beudy* ag yn *buarth*, *bugail*, *buches*, *buwch*. Yno, hyd yn ddiweddar, y rhwymid neu yr aerwyid y buchod godro wrth y fuddel (cledren) ym mlaen eu stôl, gyda'r preseb a'r rhesel o'u blaenau, a'r gwter neu'r llawr carthu o'u hôl. Yn Nyfed ceir y ffurfiau llafar *boidy*, *boide* a *bidy*. Clywir hefyd wahanol enwau ar y beudy o ranbarth i ranbarth: glowty (Morgannwg); côr (Clwyd a Meirionnydd); blaid (Maldwyn); tŷ gwartheg (Dyfed). Gw. AERWY, CÔR, GLOWTY.

Rhannau'r Beudy

1. Côr
   Cufygl (parlwr godro)
   Stôl

2. Llaesod
   Llaesodr

3. Ymyl y llaesod

4. Cwter
   Cwter garthu
   Llaesodren
   Llawr carthu
   Pislath
   Rhigol
   Sodren

5. Llwybr
   Pafin
   Palmant

6. Cefngor
   Palis y beudy
   Pared

7. Cyfwng
   Rhaniad (rhwng dwy stôl)
   Palis
   Pared

8. Buddel
   Buddelw
   Cledran
   Cledrog
   Postyn beudy

9. Aerwy
   Coler beudy
   Rhwymyn buwch
   Tsiaen côr

10. Minsiar
    Preseb

11. Bing
    Ffodrwm
    Ransh
    Wâc

12. Agen
    Cloer
    Lansed
    Sgrafell

Beulah *ep.* Brid o ddefaid wyneb-brych, du a gwyn, yn hannu o ucheldiroedd canolbarth Cymru.

beutac (*beu* + *tac?*) *eb.* Fferm y rhentir ei thir gan fferm arall. Yn GEM 88 nodir ar awdurdod Ifor Williams mai o'r S. *bytake* y cafwyd *beu-tac*, *beutac*. Byddai rhai am ddadlau, fodd bynnag, mai'r elfen '*beu*' sydd yma a *tac* fel yn 'defaid *tac*' a 'thir *tac*'. Ar lafar ym Maldwyn.

bîc, bîc Y sŵn a wneir yn gyffredin wrth alw moch at eu bwyd, ayyb. Ceir hefyd y ffurf 'Bi-ŵe, bi-ŵe, bi-ŵe'. Ar lafar yn sir Gaerfyrddin.

bicws mali gw. PICWS MALI.

bid *eb.* ll. *bidiau.* Gwrych wedi ei docio, sietin wedi ei farbro, perth wedi ei sgythru. Ar lafar yng Ngwent.
18g IMCY 62, A gwyddfid mewn *bid* yn bêr / A mandes a phob mwynder.

bidio *be.* Plygu gwrych, trin gwrych, tocio perth, bangori perth.
Gw. BANGORI, PLYGU GWRYCH.

bidiog *a.* Yn plygu neu'n trin gwrych.

bidy *eg.* Ffurf dafodieithol ar beudy.
Gw. BEUDY.

bieting gw. BATING, BETING, BETIN.

bîff
1. *eg.* Gwartheg tewion, gwartheg wedi eu pesgi am eu cig, sonnir am fagu *bîff*, y farchnad *bîff* (marchnad gwartheg tewion) ayyb.
'Tir da am *bîff* ydi'r caea' dros y ffordd acw.'
'Chydig iawn o *bîff* a fagwn ni yn yr Hafod acw.'

2. *eg.* Cig gwartheg wedi eu pesgi am eu cig, cig eidion.
16g WLB 96, Kymer fara haidd ac isgell *bîff* îr.

bîff ifanc *eg.* Cig eidion wedi ei besgi a'i ladd yn iau nag sy'n arferol, sef o gwmpas blwydd oed.

bîff Nefyn *etf.* Enw cellweirus yng Ngwynedd ar benwaig Nefyn.

bîg (y) *eb.* gw. CRYGWST.

bigws *eb.* Nyrs o goed cymysg, coedwig fechan sy'n gymysgedd o goed a mangoed. Ar lafar yn sir Gaerfyrddin.
1959 D J Williams, YCHO 18, Yn union gyferbyn a'r allt fechan hon, . . . yr oedd drysi Cwmdu fel y galwem ni y *bigws* o wern a mangoed gyda glan yr afon ...

bing *eg.* ll. *bingoedd.* Y lle neu'r llwybr gweddol gul (fel rheol), o flaen y buchod yn y beudy at gadw gwair ac unrhyw fwyd arall yn barod ac yn gyfleus i'w roi yn rhesel a phreseb y gwartheg, rhodfa am y cefngor â'r gwartheg yr estynnir bwyd (porthiant) i'r gwartheg ohoni, *ffodrwm* (Dinbych); *pasetsh* (Dyfed); *wâc* (Caerfyrddin); *ransh* (Blaenau Nedd a Thawe). Fel arfer, byddai drws yn arwain o'r gadlas i'r *bing* a'r das wair wedi ei chodi mor agos i'r drws hwnnw ag y gellid. Pan fyddai'r gwartheg i mewn dros y gaeaf gwaith dyddiol y porthwr (cowmon) oedd gofalu am ddigon o wair i'r *bing* i bara tan drannoeth, ac ar ddydd Sadwrn cael digon i'r *bing* i bara tan ddydd Llun.

1806 GABC 103, Yn y *bing* roedd cryn lanw,/O loffion ynghadw.

1985 W H Jones, HOGM 8, Un nos, pan oedd hi ar fin tywyllu, cefais orchymyn ganddo i estyn gwellt o ben y cowlas at ddrws y *bing* i fod yn hwylus i'w borthi.

Dywed. 'Rydw'i wedi cyrraedd gwaelod y *bing*' – mynd i waelod y boced, mynd heb arian.

bil *eg*. ll. *biliau*. Cyfanswm yr hyn y mae'n ofynnol ei dalu am nwyddau, gwaith, gwasanaeth, ayyb. Yn amaethyddol sonnir am fil ffarier, bil blawdiau, bil gwrtaith, ayyb.

bil, bil, bil Y sŵn a wneir i alw hwyaid. Ar lafar yn sir Gaerfyrddin.

1996 Cofio Leslie Richards 17, Ond hwyed – rhaid fydde galw *bil, bil, bil* arnyn nhw.

bilbren *eg*. ll. *bilbrennau*. Offeryn bychan i risglo coed. Torrid llawer o goed gynt, nid yn unig i gael y coed, ond i gael y rhisgl hefyd. Gwerthid y rhisgl i danerdai a'i defnyddiai yn y broses o wneud lledr.

1958 FfFfPh 60, Trwy gymorth bwyell fechan ac offeryn bach arall a alwent yn *bilbren* y byddent yn rhisglo.

bildin *eg*. ll. *bildins*. Ffurf lafar yn Gymraeg, ac mewn rhai rhannau o Gymru, ar y S. *buildings*. Fe'i defnyddir yn aml yn ei ffurf luosog yn Arfon, Meirion, Dinbych a Maldwyn am y 'beudái' ar fferm.

'Mi garwn i chwalu'r hen *fildins* 'ma i gyd a chodi sied amlbwrpas yn eu lle.

bileinllu, bileinlu (*bilain* + *llu* S. *villain*) *eg*. ac *etf*. Gair yr hen gyfreithiau am daeogion gwlad, y llu o ddeiliaid caeth i'r tir, gwerin gwlad. Ceir hefyd *mileinllu*.

Bilington *ep*. Enw direidus ym Môn am ysgub wedi ei rhwymo am ei brig, ar ôl hen grogwr.

bilwg *eg*. ll. *bilwgau*. Erfyn praff yn y ffurf o gyllell a chamedd pwrpasol yn ei lafn at dorri coed neu i docio a phlygu gwrych ayyb, gwddi, gwddyf, cryman cau, *bilwg* cau, cryman cam.

1902 O M Edwards: BB (18g) 76, Rhac a batog, caib a *gwddi*/Car, ystrodur, mynwr, mynci.

bisgawn gw. BEISGAWN.

biswail, biswel *eg*. Tail beudy, tom gwartheg, surdrwnc. Ceir traddodiad o wahaniaethu rhwng tail ceffyl a thail gwartheg. Am *ebodn* ceffyl y sonnir ac am *biswail* gwartheg. Ac wrth gwrs mae'r syniad yn bod bod y ceffyl yn lanach anifail a'i dail yn lanach na thail gwartheg. Heddiw defnyddir y gair hefyd am wastraff hylifol anifeiliaid a silwair a storir mewn tanciau neu lagŵn i'w ddefnyddio fel gwrtaith i dir, y naill ai drwy ei bibellu i'r caeau a'i chwistrellu neu drwy ei lwytho i danceri pwrpasol a'i wasgaru hyd y tir, *bisdom, bisweildom* (S. *slurry*). Y farn gyffredinol yw bod gwrteithio â *biswail* gwlyb yn effeithiolach nag â gwrtaith sych, yn magu llai o chwyn ac heb unrhyw niwed i'r cnydau. I reoli llygredd oddi wrth *biswail* beudy a silwair cafwyd rheolau newydd yn 1989. Rhaid i waliau'r cladd silwair fod yn ddwrglos (dal dŵr); daeth

cladd silwair yng nghanol cae yn anghyfreithlon; rhaid cael gwrthglawdd dwrglos o gwmpas tanciau *biswail*.
14g ChO 5 (Gol. I. Williams 1926), Ebodn meirch a *bisweil* gwarthec.
1977 EE *Barddas*, Bydd perchen y domen dail/Yn bwysig tra bo *biswail*.
Gw. CHWALWR BISWAIL, IDDYRRWR BISWAIL, SURDRWNC.

bisweilio *be*. Gollwng biswail, bwrw tom, tomi, teilo (am wartheg).

bisweiliog *a*. Tomlyd, bawaidd, budr.

biswelyn *egb*. ll. *biswelynau*. Baw neu dail buwch wedi sychu a chaledu ar y cae, gleuaden. Cesglid hwn lawer iawn gynt yn danwydd.
1547 W. Salisbury OSP, Lletaf fydd y *biswelyn* oy sathru.
Gw. GLEUAD.

bit, byt *eg*. ll. *bitiau:* Y rhan haearn o ffrwyn ceffyl a roir yn ei geg wrth ei harneisio ar gyfer gwaith. Cydir yr awenau wrth y naill ben a'r llall iddo, genfa. Rhan o'r gorchwyl o dorri ceffyl i mewn yw ei gael i '*gymryd y bit*' neu i '*gegu*' h.y. i arfer efo bit yn ei geg. Sonnir am geffyl hawdd ei drin fel ceffyl yn 'cymryd y *bit*' a cheffyl afreolus fel un yn 'gwrthod y *bit*'.
Ffig. Ambell i laslanc afreolus yn gwrthod ildio i ddisgyblaeth, un yn 'gwrthod y bit' yw hwnnw.
'Cyndyn i '*gymryd y bit*' ydi'r bachgen iengaf 'na rwy'n ofni.'
Gw. GENFA.

bitar *eg*. ll. *bitars*. Y strip rhychiog o ddur a welir ar ddrym y dyrnwr ag sy'n stripio'r grawn oddi ar y gwellt. Ceir nifer o'r rhain ar y drym.

bitchel *eg*. Erfyn neu offeryn pwrpasol mewn gefail i dyllu pedol a'i gwrthsoddi neu ei siamffro ar gyfer rhoi hoelion pennau mawr i'w dal dan garn y ceffyl. Ar lafar yn sir Frycheiniog.

bitolws *eg*. (Llad. *vitulus*). Llo gwryw, llo tarw, tarw.
15g RWM 1 424, *Bitolwss* yw tarw.
16g WLL (Geir.) 270, *Bittolws* – tarw.

bitrwd *ell* un. *bitrwden, bitrwten* (Dyfed). Betys, mangls. *Bitrwd* yw gair Môn am mangls (i anifeiliaid) a '*bitrwd* coch' am y rhai ar y bwrdd i'w bwyta.
1992 DYFED Baeth 35, Y bredych anwl, wedd hi'n cochi fel *bitrwten* bob tro y clywe hi i enw fe.

biw, buw, bu *eb*. ac *ell*. Buwch, gwartheg. (Cf. bu, buarth, bugail, buwch.)
Gw. BU, BUW, BUWYN.

bi-ŵc, bi-ŵc, bi-ŵc gw. BÎC, BÎC.

blacan *eb*. Enw cyffredin ar fuwch ddu.
'Buwch radlon braf ydi'r hen *flacan*.'
Ffig. Dyn neu ddynes bygddu a budr yr olwg.
'Roedd o'n ddu fel y blac' neu 'Roedd hi'n ddu fel blacan.'
Gw. ENWAU ANIFEILIAID.

blacio'r harnes *be*. Rhoi blacled neu bolish du i'r rhannau lledr o gêr ceffyl, blacledio'r gêr. Gwneid hyn mewn balchder gan y certmyn at achlysuron arbennig megis ras aredig (ymryson aredig) neu sioe amaethyddol, ayyb. 'Rhoi eli penelin i'r drecs' oedd disgrifiad certmyn (wagneriaid) Môn ac Arfon o'r gorchwyl.

Blackface *ep.* Un o nifer o ddefaid â wynebau duon, megis y Scotish Blackface a'r Suffolk.
Gw. SCOTISH BLACKFACE.

Blackstone Mêc peiriannau olew, neu injan oel, a ddaeth yn gyffredin yn y dauddegau a'r tridegau i droi offer sgubor megis yr injan falu gwair, y crysiar, yr injan falu rwdins, rhagflaenydd y peiriannau trydan, ac olynydd yr olwyn ddŵr a'r pŵer ceffyl.

blacs *ell.* Llwch neu huddugl o'r simdde yn enwedig pan geid mwg taro (mwg yn cael ei daro i lawr ac yn gyndyn o fynd i fyny'r simdde), ac yn disgyn ar y dillad a hyd y dodrefn.
'Mae 'ma *flacs* bob amser efo gwynt y dwyrain.'

blaen
1. *eg.* ll. *blaenau.* Tarddell, ffynhonell neu geinciau uchaf afon neu nant. Yn gyffredinol yn y De mewn enwau lleol lle mae blaen afon: *Blaen*afon, *Blaen*rheidiol, *Blaen* Rhondda, *Blaen*tywi.
13g WM 179 26-7, Kerdet dyffryn yr afon hyt y *blaen.*

2. *eg.* ll. *blaenau.* Gan amlaf yn y lluosog *blaenau* am y pendraw eithaf, y terfyn pellaf, eithafoedd ucheldir, blaenau gwlad. Fe'i ceir mewn enwau lleoedd megis *Blaenau* Morgannwg, *Blaenau* Gwent, *Blaenau* Ffestiniog, *Blaenau*'r Dyffrynoedd, *Blaenau*, ayyb.
1455-85 LGC 117, Drwy *vlaenau*'r Deau wlad, hyd Vro Ŵyr.
1620 1 Cron 4.39, A hwy a aethant i *flaenau* Gedor.

blaen aradr *eg.* ll. *blaenau aradr, blaenau erydr.* Swch aradr, y rhan o'r aradr ar flaen y wadn sy'n mynd dan y gwys wrth aredig, ac yn ei rhyddhau. Gellir ei dynnu'n rhydd i'w ailddurio, ei olymu (blaenu) neu ei adnewyddu, blaen y gwŷdd (Môn). Yng Ngheredigion sonnir am 'flaen y swch' ac am 'adain y swch'.

blaen y borfa *eg.* Y borfa îr, y borfa ffres, yn enwedig yn y gwanwyn a dechrau haf pan droir yr anifeiliaid allan ar ôl bod i fewn y gaeaf.

blaen cawod, blaen y gawod *eg.* Cwr y gawod, godre'r gawod ac heb wlychu llawer.
'Mi fûm yn andros o ffodus, dim ond *blaen y gawod* gefais i'.

blaen y lleuad (lloer) Lleuad newydd, ewin o leuad newydd, y lleuad yn dechrau cynyddu.

blaen y llafn (pladur)
Gw. ARFOD PLADUR.

blaen y llawr Blaen llawr y peiriant medi (ripar, beinder) lle ceir y gwahanwr (ceiliog) a'r olwyn i gynnal y llawr a hwyluso ei gerddediad. Hefyd blaen bar y peiriant lladd gwair.

blaen y pawl Y pren croes ar flaen polyn (pawl) peiriant lladd gwair a pheiriant medi, pan y'u tynnid gan geffylau, at glymu'r wedd. Mewn rhai ardaloedd fe'i gelwir yn *iau*, cambren y bowlen (Ceredigion).

blaen y slide Rhan flaen gwadn aradr sy'n cymryd y swch, blaen gwadn aradr, penlle (Ceredigion), cywair aradr. Ar lafar yn Sir Gaerfyrddin. Gw. PENLLE, SWCH.

blaen y swch Blaen eithaf, pigfain, swch aradr, mewn cyferbyniad i adain y swch, y rhan o'r swch y mae'n ofynnol ei aildymheru a'i olymu yn achlysurol, trwyn dur (Môn). Ar lafar yn sir Gaerfyrddin a Cheredigion. Gw. ADAIN SWCH.

blaenbost *eg.* ll. *blaenbyst, blaenbostiau.* Y cilbost (postyn giât) y cliciedir y giât wrtho, mewn cyferbyniad i'r 'bonbost' y pen arall y croga'r giât arno, y post y caeir y giât ato.

blaenbori *be.* Brigbori, blewyna (am anifail), pori ambell i flewyn yma a thraw, lloffa, pori lle mae'r borfa'n brin.
Ffig. Cael golwg fras ar lyfr, bras-browla mewn siop ail-law, ayyb.
'Mae'r llyfr acw ers dyddia', dim ond wedi *brigbori* ynddo ydw'i hyd yn hyn.'

blaenbwl *a.* Di-fin, di-awch, pŵl, wedi pylu'r min (am arfau ac offer).
'Ma'r cryman 'ma mor *flaenbwl* â'n nhrwyn i.'
Ffig. Person diddeall – 'mae o'n *flaenbwl* fel llo'.

blaenbylu *be.* Colli min, mynd yn bwl, yn ddi-fin. Am erfyn.

blaendardd *eg.* ll. *blaendarddion, blaendarddau.* Blagur, egin (o'r pridd) imp, blagur (o goed a phlanhigion). Yr arwydd gynt o dyfiant neu o fywyd yn tarddu.
'Mae'r gwenith wedi *blaendarddu'n* wastad iawn ar ôl y glaw'.
Ffig. Rhagolygon ac addewid am bethau gwell i ddilyn.
'Roedd pregeth y gweinidog newydd ddoe yn *flaendardd* addawol iawn yn fy meddwl i'.
1722 A Thomas: DR 2, Yr hwn yw tragwyddol *flaendardd* a ffynhonnell pob daioni.

blaendarddu *be.* Egino, blaguro, impio, tarddu.
1620 Gen 40.10, Yr ydoedd hi (y winwydden) megis yn *blaendarddu.*
Ffig. Addewid am bethau gwell neu fwy.
1620 Es 27.6, Israel a flodeua ac a *flaendardda.*

blaendarddedig, blaendarddiad, blaendarddiant, blaendarddol. Gw. BLAENDARDD.

blaendorri
1. *be.* Torri brig gwrych, brigo perth, tocio, trimio, barbro gwrych.
17g E. Morris: Gwaith 292, Blinderog oedd *blaendorri,*/Ei blodau a'i himpiau hi.

2. *be.* Torri'r gŵys gyntaf wrth aredig cefn neu gae, arloesi, dechrau agor âr, agor neu godi canol cefn.

Ffig. Agor neu ddechrau rhywbeth.
'Dim ond *blaendorri'r* maes a wnaeth yr athro neithiwr'.

blaendrwch *eg.* Un o'r geiriau a ddefnyddid gynt (ond o fewn cof digon sy'n fyw) wrth ladd ŷd neu lafur â phladur. Byddid weithiau yn gyrru'r llafn i'r cnwd (neu'n taro'r llafur) yn uwch na'i gilydd, yna'n cafnu'r arfod yn ei chanol drwy godi'r bladur at ddiwedd yr arfod. Gelwid y pen hwnnw i'r arfod yn *blaendrwch*, a bôn yr arfod yn 'bondrwch'. Ar lafar yn sir Benfro.

1958 TJ Jenkin: YPLL AWC, ... cael y bladur i mewn yn gymharol uchel, mynd yn isel yn y canol, a chodi drachefn wrth ddod allan gan adael y 'lled' wedi ei gafnu a chyda 'bondrwch' lle aeth y gader i mewn a '*blândrwch*' yn y pen arall.

blaendwf gw. BLAENDARDD.

blaenedd (y) Enw arall ar y Clwy Du neu'r Clwy Byr.
Gw. CLWY BYR, CLWY DU.

blaeneudir, blaendir *eg.* ll. *blaendiroedd.* Tir uchel, ucheldir, mynydd-dir, y tir draw, y tir pellaf, eithaf ucheldir, tir y blaenau.
14-15g IGE 192, Awn ar fud i'r *blaeneudir,*/Yna cadeiria coed ir.
Gw. hefyd BLAEN².

blaeneuig, blaeneuol *a.* Yn perthyn i'r blaenau, mynyddig, anghysbell, pell, pellafoedd gwlad.
1784 M. Williams: SI 56, Yn y mannau *blaeneuol* maent yn byw ar gwrsach lluniaeth.

blaeneuwr *eg.* ll. *blaeneuwyr.* Un o'r blaeneudir, un o'r blaenau, un yn byw yn y mynydd-dir, gŵr o'r bryniau.
1445-75 GGI 183, Yn ieuanc bûm *flaeneuwr.*

blaenffrwyth *eg.* ll. *blaenffrwythau.* Ffrwyth neu gynnyrch cyntaf y tir yn ei dymor, ffrwyth cyntaf llafur dyn, blaengnwd.
1774 H. Jones: CYH 17, Gwelir y gweirgloddiau, meusydd, gerddi a'i pherllannoedd, megis yn ymryson â'i gilydd, pa un a gaffo ddwyn yr anrheg gyntaf o'i *blaenffrwyth* i'w pherchenogion.
1988 Lef 23.10, Yr ydych i ddod ag ysgub o *flaenffrwyth* eich cynhaeaf at yr offeiriad. Ffig.
1988 Salm 105.36, A thrawodd bob cyntafanedig yn y wlad, *blaenffrwyth* eu holl nerth.

blaengan (*blaen + can = peilliad*) *eg.* Y peilliad cyntaf a'r gorau.

blaengnwd gw. BLAENFFRWYTH.

blaengrachen *eg.* Ffwng sy'n ymosod ar blanhigion ac yn achosi i smotiau duon ymddangos ar eu dail (S. *black spot*).

blaen gyllau gw. RHUMEN.

blaeniad, bleiniad *eg.* ll. *blaeniaid, bleiniaid.*
Tywysen o ŷd, blaenffrwyth, rhagflaenydd, ŷd yn cadeirio.

blaenig
1. *eg.* ll. *blaenigion.* Blagur, egin, blaendardd.

Gw. BLAENDARDD.

2. *a.* Ucheldirol, mynyddig, anghysbell.
Gw. BLAEN[2].

blaenio
1. **blaenu** *be.* Rhoi min ar erfyn, blaenllymu erfyn, rhoi blaen ar erfyn, miniogi.
16g Sion Brwynog: Gwaith 98, Blin orfedd *blaenio* arfau.
1760 ML 2 281, Edyn gwyddau wedi eu *blaenio.*

2. *be.* Godro'r llaeth cyntaf, godro'r blaenion. Ar lafar yng Ngwynedd.
Gw. BLAENION.

blaenion *eg.* Y llaeth cyntaf a'r llaeth teneuaf a'r salaf wrth odro, blaen-llaeth, cynflith, cynlaeth. Adflith neu armel yw'r ail laeth neu'r ail odro (Ceredigion), ac yna y tical. Gynt, fel rheol, rhoid y *blaenion* i'r lloi a chadw'r armel a'r tical i'w gorddi. Ceir hefyd y ffurf '*blaenion* llaeth', yr hanner cyntaf o laeth y fuwch (Dinbych). Ar lafar yn gyffredinol.
1994 FfTh 12, 41, Y cŵn fyddai'n cael y *blaenion,* a byddem yn cadw'r armel at gorddi.
1963 R J Williams: LlLlM 26, Fel rheol uwd blawd ceirch gyda digonedd o lefrith, a hwnnw'n llefrith drwyddo, y *blaen-llaeth* a'r armel wedi eu godro i'r un piser.

blaenion blawd *eg.* Y rhan frasaf a'r cyrsaf o flawd.
1620 Neh 10.37, A *blaenion* ein *toes* a'n hoffrymau.

blaen-llaeth gw. BLAENION.

blaenllym *a.* miniog, siarp, â min, â blaen, ag awch (am erfyn fel pladur, cryman ayyb).
14g RB 2.246, Gwneuthur bagyl hayarn yn *vlaenllym* iddaw.
Ffig. Rhywun brathog, gwawdlyd ei dafod.
'Un go *flaenllym* 'i dafod ydi C'radog'.

blaenllymu *be.* Hogi, miniogi, minio, awchlymu, rhoi min (am unrhyw offer neu erfyn sy'n dibynnu ar ei fin i wneud ei waith yn effeithlon).
1620 1 Sam 13.20, I *flaenllymu* bob ei swch, a'i gwlltwr, a'i fwyell, a'i gaib.
Ffig. Rhoi min ar y meddwl, neu ar fedr neu ddawn. Sonnir am hwn a hwn wedi cael *blaenllymu* ei feddwl.
Gw. AWCHLYMU, BLAENIO, HOGI.

blaenllymder, blaenllymedd, blaenllymrwydd gw. AWCH, BLAEN, MIN.

blaenwr Hwsmon, gwas mawr, y gwas, lle byddai nifer o weision, fyddai ar y blaen ym mhob gwaith a gorchwyl – ar y blaen yn pladuro gwair ac ŷd, ar y blaen yn teneuo swêds, ar y blaen yn mynd i'r tŷ am fwyd ac yn codi oddi wrth y bwrdd ayyb. Ar lafar yng Ngheredigion.
1958 FfFfPh 54, Clywais ddeud am wraig fferm . . . fod ganddi drigain o fedel yn torri llafur, ac i'r gwas mawr a oedd yn *flaenwr* dorri cwt ar ei fys.

blaenwydd (*blaen* + *gwŷdd*) *ell.* Canghennau neu frigau uchaf coeden.
14g. DGG 53, Nith ddeil swyddog na theulu/I'th ddydd, nithydd *blaenwŷdd* blu.

blagur *eg.* ll. *blaguroedd.* un. bach. *blaguryn.* Blaendardd, blaendwf, egin, imp.
1620 Job 14.7, Y mae gobaith o bren, er ei dorri . . . na phaid ei *flagur* a thyfu.
Ffig. 1620 Es 11.1, *Blaguryn* a dyf o'i wraidd ef.

blaguro *be.* Egino, blaendarddu, impio, (am gnwd neu blanhigion), torri allan.
1620 Marc 13.28, Pan fo ei gangen eisioes yn dyner a'r dail yn *torri allan* (a ei ddail yn tarddy [:- blaguraw] TN 1567).
Ffig. 1620 Salm 92.7, Pan flodeuo y rhai annuwiol fel y llysieuyn, a *blaguro* holl weithredwyr anwiredd.
Gw. BLAENDARDDU, EGINO.

blaguriad *eg.* ll. *blaguriadau.* Blaendarddiad, blaengnydiad, eginiad, impiad.

blagurog *a.* Yn llawn blagur, llawn blaendwf, addawol yr olwg.
Ffig. 1796 Geirgrawn 110, Ffyniannus, llawn addewid, addawol.
'Y mae'n bresennol yn *flagurog*' (ysgol).

blagurol, blagurus *a.* Yn taflu egin, yn egino, yn blaendarddu.

blaguryn gw. BLAGUR.

blaid *eg.* ll. *pleidiau.* Ffurf ar *plaid* yn golygu 'beudy' neu hefyd 'ochr' neu 'wal'. Sonnid gynt am '*blaid* y das', sef ochr y das. 'Pared' oedd un ystyr *plaid* a daeth yn air am bobl yr un ochr i'r pared, a dyna *blaid* wleidyddol. Ar lafar ym Maldwyn yn yr ystyr 'beudy'.
Gw. hefyd PLAID.

blas hen gadw, blas hir gadw gw. BLAS HIR HEL.

blas hir hel *Ymad.* Blas drwg ar fenyn pot, blas na fyddai'n dderbyniol mewn canlyniad i roi menyn ar ben menyn wrth hel potiad ohono. Cymerai amser i hel potiad o fenyn. Yr hyn a fyddai dros ben y galw yn yr haf, pan fyddai llawnder o fenyn, a roid yn y pot ar y tro. Ond byddai hynny yn gallu golygu sawl corddaid, ac weithiau wythnosau i lenwi'r pot. Mewn canlyniad ceid yn aml flas drwg ar y menyn, sef *blas hir hel*. Yng Ngheredigion ceir *blas hir gadw* a *blas hen gadw*.
1959 I. Williams: IDdA 42, Tri pheth sydd gas gennyf â chas cyflawn a hollol: Halen gwlyb, sebon na wnaiff ddim seboni, ac ymenyn â *blas hir hel* arno.
1976 G Griffiths: BHH 113, Gwneid poteidiau o fenyn yn yr haf pan fyddai'r buchod yn godro'n helaeth, er mwyn ei gael yn y gaeaf pan fyddai'r llaeth yn brin. Dyna pryd y byddai *blas hir hel* ar y menyn bach.
Ffig. Teitl cyfrol o Atgofion gan GG uchod – Blas Hir Hel Griffith Griffiths, 1976.
Gw. hefyd HIR HEL.

blast
1. *eg.* Chwydd ym mlaengyllau (rhumen) neu god fawr buwch a achosir gan nwy o feillion a lwsern yn hel ac yn methu dianc. Drwy iddo bwyso ar y diaffragm gall achosi marwolaeth drwy fygtod. 'Chwyddwynt y Boten Fawr' a geir yn enw gan TAM (1994) (S. *bloat*).
Gw. CLWY'R BOTEN, CHWYDD Y BOTEN.
2. *eg.* Clwy ar wlydd tatws, afiechyd ffwngaidd ar wrysg planhigion yn

enwedig tatws, malltod tatws, bleit. Ar lafar yn sir Benfro.

1958 TJ Jenkin: YPLL AWC, ... ac aent ymlaen (tatws) hyd adeg eu tynnu . . . er bod y *blast* (clwy) yn dod arnynt yn gynnar ac yn difa'r gwrysg yn llwyr cyn diwedd Gorffennaf.

blawd *eg*. ll. *blawdiau, blodiau, blodion*. Y rhan fwytadwy o unrhyw rawn wedi ei falu'n fân, can, fflŵr, peilliaid. Ar lafar yn y Gogledd. Ym Maldwyn a Cheredigion a Dyfed ceir *fflŵr*; ym Mrycheiniog a Morgannwg *can*. Er hynny clywir '*blawd* gwenith', '*blawd* haidd' (barlys), a '*blawd* ceirch' dros Gymru gyfan.

1200 LLDW 69 7, Pwn march o'r *blawt* goreu.
1620 Math 13.33, Cyffelyb yw teyrnas nefoedd i surdoes, yr hwn a gymerodd gwraig ac a'i cuddiodd mewn tri phecaid o *flawd* ...
Dywed. Ffig. 'Gwerthu *blawd*' – ffalsio, gwenieithio, seboni.
'Dal *blawd* wynab' – rhoi'r wedd orau ar bethau neu dderbyn rhywbeth anochel. Gw. WVBD 39.
'Digon o *flawd* yn y gist' – rhywun â digon yn ei ben, neu rhywun cefnog, cyfoethog.
'Mae Dic yn gwneud ei ddoethuriaeth. Fe'i gwna dan ganu. Mae ganddo *ddigon o flawd yn y gist.*'
'Mi werthodd y gwartheg ar golled. Ond does dim rhaid poeni, mae gan Sion ddigon o flawd yn y gist.'

blawd amyd *eg*. Blawd cymysg o wenith a haidd, blawd siprys, (Ceredigion a Dyfed).
Gw. BARA AMYD.

blawd barlys *eg*. Blawd haidd, blawd tywyll. Fe'i defnyddid yn helaeth gynt i borthi moch. I wneud bara nid oedd hanner mor flasus nac mor llwyddiannus â blawd gwenith. 'Blawd *barlish*' (Dyfed).

1981 W H Roberts: AG 66, 'Ac ym mhen y tatws rhoddi llaeth enwyn a *blawd haidd* yn gymysg â rhuddion iddo nes y byddai'n pwyso pymtheg i ddeunaw ugain' (mochyn).
1989 P Williams: GYG 22, Sachaid dau canpwys o *flawd barlys* i dewhau'r moch.
1958 I Jones: HAG 51, Ar y gorau nid oedd mor flasus o'r hanner â bara gwenith eilradd, ond ar ôl tymor gwael, byddai toes o *flawd barlys* yn pallu â chodi, a gwelid ffiniau cleiog trwy'r torthau.

blawd ceirch
1. Ceirch wedi ei falu'n fân ac a ddefnyddir i wneud bara ceirch, uwd, bara siprys ayyb. Blawd *circh* (Dyfed), blawd *cerch* (Dinbych a Meirion).

1933 H Evans: CE 119, Cedwid y *blawd ceirch* mewn cist dderw hynafol. Stwffid ef yn galed a chadwai am amser hir; ac aml y cedwid 'ham' neu ddwy yn ei ganol, y lle gorau posibl i gadw 'ham' wedi ei sychu.

2. *eg*. Blawd ceirch heb ei falu cyn faned ar gyfer anifeiliaid, sef ceirch wedi ei falu â'r eisin wedi ei ogrwn i ryw raddau er nad yn llwyr. Gweithreda eisin fel brasfwyd amheuthun yn y bwyd. Fe'i rhoir i anifeiliaid weithiau'n sych ac weithiau'n wlyb. Bu llawer o ddefnyddio arno hefyd fel uwd i'w gornio i anifail gwael a gwachul fel maethfwyd i ymadfer o afiechyd a gwendid.

blawd cig morfil Bwyd anifeiliaid â chynnwys uchel o brotin, wedi ei brosesu'n bennaf o gnawd morfilod, yn yr un ffordd ag y gwneir blawd o gig, mâl-fwyd morfil.

blawd cnau daear Blawd a geir o falu cnau daear yn fân, ac ar ôl tynnu'r

95

olew ohonynt. Tyf cnau daear mewn hinsawdd desog ac fe'u hadwaenir hefyd dan yr enwau *cnau mwnci* a *physgnau*. (*Arachis hypogaea*).

blawd coch bach Math o weddillion gwenith ar ôl ei falu, cymysgedd o'r rhan fannaf o'r eisin a'r rhan arwaf o'r blawd gwenith wedi ei wahanu oddi wrth y blawd mân neu'r peilliad yn y broses o'i falu yn y felin, eilion sil. Gynt fe'i defnyddid lawer iawn i besgi moch. Caiff pob gweddillion gwenith heddiw, ag eithrio rhuddion (bran), ei werthu fel braseilfwyd (*wheatings*) i'w roi mewn bwyd anifeiliaid.

blawd corn Blawd a geir o rawn India (Indrawn) yn cynnwys cyfran helaeth o starts, ag a ddefnyddir i goginio ac i dewychu saws, ayyb (S. *cornflower*).

blawd cŵn Blawd, yn unol â hen arfer, a gyfrennid gynt gan y deiliaid (tenantiaid) at fwydo a chynnal cŵn hela'r meistr tir o fewn i arglwyddiaeth Aberhonddu.
Gw. PEN (1635-411) 267, 69.

blawd gwenith Blawd grawn gwenith wedi ei falu'n llwch, blawd gwyn, can, peilliad, fflŵr.

blawd haidd gw. BLAWD BARLYS.

blawd llif Y llwch neu'r llifion a geir o lifio coed. Lle ceid llawer ohono, fel mewn melin goed, fe'i defnyddid yn wely dan anifeiliaid.
Gw. LLWCH LLIF.

blawd mân Peilliad, peillion, fflŵr (Ceredigion); blawd gwenith.

blawd masw Manyd wedi ei falu, blawd eilradd, blawd moch (Uwchaled).
1933 H Evans: CE 119, Deuai y mân flawd allan drwy un hopran a gelwid ef yn '*flawd masw*' neu '*flawd moch*'.

blawd moch Gynt, manyd wedi ei falu, blawd masw, blawd eilradd, heddiw, blawd cytbwys pwrpasol.

blawd peilliad gw. BLAWD GWENITH.

blawd sican gw. BWDRAN.

blawd siprys gw. BLAWD AMYD.

blawdio, blawdo *be.* Porthi anifeiliaid â blawd, ac, fel rheol, bwydo'n drwm â blawd i besgi (tewychu; pwyntio) anifail. Ar lafar yn bur gyffredinol.
'Mae'n amlwg fod yma *flawdio* trwm ar y moch'.

blawta, blawty gw. BLOTA, BLOTY.

blêd y cwlltwr gw. CYLLELL Y CWLLTWR.

blewgeirch *ell.* neu *etf.* Ceirch llwyd a choliog (*Avena strigosa*).
1989 FfTh 4, 35, Os wyf yn iawn yn tybio mai ceirch llwyd Ceredigion yw *blewgeirch* siroedd

96

mwy gogleddol . . . Gronyn bach oedd i'r ceirch llwyd, ac (fel rheol) at had yn unig y byddid yn ei ddyrnu: byddai Co-op, Pumsaint yn prynu had ceirch llwyd yng Ngheredigion am fod ffermwyr Dyffryn Tywi'n ei dyfu i'w dorri'n las'.
Nod. J Williams-Davies AWC, *Blewgeirch* – math o geirch llwyd coliog, perthynas agos i geirch gwyn, *Avena strigosa*, Welsh Grey Oats – Meirionnydd (Llanymawddwy) a Ceredigion'.

blew ceirch *ell.* Col ceirch llwyd. Ar lafar yn sir Ddinbych.
Gw. BLEWGEIRCH.

blew geifr Enw llafar gwlad ar gymylau.
Gw. LlG 53, 20 (1997).

blewyn *eg.* ll. *blewynnau, blew.* Gweiryn, gwelltyn.
'Mi fydd y gwair yn brin y gaea' nesa'. Rhaid inni hel pob *blewyn* fedrwn ni'.
'Does yma ddim *blewyn* o wair ar ôl 'leni'.

blewyn da *eg.* Ymadrodd cyffredin wrth ddisgrifio gwedd o geffylau'n edrych yn borthiannus a graenus, hefyd i raddau llai am wartheg, anifail â gwedd dda arno. Clywir hefyd y cyferbyniol, sef 'blewyn drwg' am anifail diraen yr olwg.
1992 T D Roberts: BBD 25, Roedd un ohonynt yn fuwch dda a choesa gwynion, ac o faint mwy na'r cyffredin a *blewyn da* arni bob amser'.
Gw. LLOND LLYGAD PORTHMON.

blewyn drwg gw. BLEWYN DA.

blewyn glas *eg.* Porfa, glaswellt, gwelltglas.
'Ma'r caea' 'ma mor llwm â'r lon bost – dim *blewyn glas* yn unlla.'
'Welais i rioed ddafad mor farus, ma' hi ar ôl pob *blewyn glas* ym mhobman.'
Hen bennill. '*Blewyn glas* ar afon Dyfi/A hudodd lawer buwch i foddi.'
1978 D Jones: SA 13, Haflo yn chwilio'n ddiflas/O glawdd i glawdd '*flewyn glas*'.

blewog *a.* Yn magu llwydni, yn mynd yn hen neu'n ddrwg (am gaws, menyn ayyb).

blewsych *a.* Yn sych gan flew llwydni.
1650-60 CRC 179, Dy fenyn anflassus yn *flewsych.*

blewynna *be.* Hel ambell flewyn neu welltyn hwnt ac yma, brigborri, pori lle mae'r borfa îr yn brin.
1789 M J Rhys: D 8, Eraill ohonynt a ddanfonir i gasglu glaswellt i'r anifeiliaid, yr hyn a wneir wrth ei *flewynna* ar hyd y meusydd.
Ffig. Ar lafar yng Ngwynedd am sefyllian neu ymdroi.

blified *be.* Rhedeg yn gyflym, cythru o gwmpas (am anifail), pystodi. Ar lafar yng Ngheredigion.
Gw. PYSTODI, RASIO.

blingo
1. *be.* Tynnu croen anifail ar ôl ei ladd i gael y croen a'r cig, blingo dafad, blingo gwningen ayyb.
1620 2 Cron 29.34, Ond yr oedd rhy fychan o offeiriaid, fel na allent *flingo* yr holl boeth-offrymau.
Ffig. Ysbeilio neu bluo'n ariannol ayyb, neu am bori cae yn llwm.

'Ma'r llywodraeth 'ma'n ein *blingo'n* lân'.
'Fuo'r defaid ddim tridia'n *blingo'r* cae dan tŷ 'ma'.
Dywed. 'Mawrth a ladd, Ebrill a *fling*'.
'Anodd *blingo* hwch â chyllell bren' – gwneud yr amhosibl, neu'r afraid.
'*Blingo* croen y ddafad farw' – yn prysur fynd heb ddim.
Cf. 'Gwisgo croen y ddafad farw' – gwisgo dillad ar ôl rhywun sydd wedi marw.

blith
1. *a*. ac *eg*. ll. *blithion*. Llaethog, yn llaetha, llawn llaeth (am fuchod ayyb) buwch *flith* – buwch laethog, buwch yn llaetha.
1620 Gen 32.15, Deg ar hugain o gamelod *blithion*.
1774 H. Jones: CYH 9, Rhy wellt i'r buchod *blithion* glân/Pur fuan mewn porfeydd.
1774 H. Jones: CYH 51, A manwl borthi y rhai *blithion*, fel y rhoddant laeth ac y magant eu rhai bychain.

2. *eg*. Llaeth, enllyn neu gynnyrch y llaethdy.
1774 H. Jones: CYH 10, Tywellt wlith i beri *blith*.
Ar un adeg ceid 'Degwm *Blith*', sef y degwm ar wartheg a defaid.

blithfwyd *eg*. ll. *blithfwydydd*. Bwyd llaeth, bwydydd amrywiol a wneir o laeth.

blithged *eb*. ll. *blithgedau*. Rhodd mewn llaeth neu mewn llaethfwyd.
1790 LLrC 30, 239, Tair llad neu Aberthged a roddir i Feirdd, *Blithged*, 'Peillied' a 'Melged'.

bliw *eg*. Lliw glas a roid gynt mewn dŵr i wynu'r dillad wrth olchi. Fe'i ceid yn y ffurf o bowdwr a rhoid dyrnaid ohono yn y dŵr golchi, neu'r dŵr rinsio (S. *blue*).
1980 J Davies: PM 56, Ac yna rhoid rins olaf i'r dillad gwynion i gyd yn y badell mewn dŵr a *bliw* ynddo neu, i roi ei enw'n llawn iddo, *bliw glas*.

bloar *eg*. ll. *bloerydd*. Math o gaead a osodir tu cefn i'r tân agored i wneud iddo dynnu'n well drwy leihau safn y simdde. Ar lafar ym Maldwyn.
1981 GEM 13, *Bloar* – peth a osodir tu cefn i'r tân i wneud ceg y simnai'n llai er mwyn iddi dynnu mwg yn well.

blociau *ell*. un. *blocyn*. Y calenni o fwyd cyfansawdd neu ddwysfwyd a roir i ddefaid i'w llyfu a'u daneddu pan fo'r borfa brin, a phan mae'r defaid yn drwm o ŵyn, iddynt gael y fitaminiau angenrheidiol.
1994 FfTh 13, 12, Daeth bwydo *blociau* ar y mynydd i arbed y caeau a'r ffriddoedd a oedd erbyn hyn wedi eu hadu o'r newydd.

blocyn *eg*. ll. *blociau*. Logyn o bren i hollti coed arno, ac i roi blaen ar byst ffensio, ayyb, arno.

blochda *eg*. Hufen, caws, caul, wyneb maidd.
1793 N Williams: HM 1, 37, Tair dram o *flochda* gwaddod-gwin (Cream of Tartar).

blodio, blawdio
1. *be*. Malu grawn gwenith, haidd, ceirch, yn fân, malu'n bowdr, malu'n beilliad, manu.

2. *be*. Bwydo anifeiliaid â blawd, ac, fel rheol, bwydo'n drwm â blawd i besgi.
'Ma hi'n hen bryd dechra' *blawdio'r* moch 'ma.'

3. *be.* Taenu blawd, ysgeintio â blawd.
Ffig. Yng Ngheredigion, clywir *blawdio* am wneud yn dda, neu am wneud strôc.
GPC. 'Rwyt ti wedi *blawdio* hi am weid stori'.

blodiwr *eg.* Un yn porthi anifeiliaid â blawd.
GPC, Mae'r llaeth yn profi bod y ffarmwr yn *flawdiwr*. (Penllyn)

blodwraig *eb.* ll. *blodwragedd.* Gwraig yn cardota blawd, gwraig yn blota (blawta), blotai.
Gw. BLOTA, BLOTAI.

Blonde (d'Aquitaine) *ep.* Gwartheg yn hannu o dde-orllewin Ffrainc, ond erbyn hyn yn frid cyffredin yng ngwledydd Prydain. Amrywia'r lliw o liw hufen i frown golau. Cafodd y brid yr enw o fod yn dda am loiau braf, yn tyfu'n dda ac yn gwneud gwartheg tewion da.

bloneg *eg.* Saim, braster, gwêr a geir mewn anifeiliaid ac adar, yn enwedig moch, ac yn aml, y braster sydd dros ben angen mewn anifail, gweren fol anifail. Wrth ladd anifail megis mochyn, neu ladd adar megis gwyddau, arferid cadw cryn lawer o'r bloneg at iro'r drol, iro stric y bladur, ayyb.
13g B 4, 5, Bendith yr huch bieu y *blonec.*
Ffig. Bol ymwthiol rhywun boliog.
'Rwyt ti wedi magu *bloneg* fachgen.'
'Byw ar ei arian neu ar ei gynhysgaeth.'
'Ma' Dic yn byw'n braf ar 'i *flonag.*'
'Dwn i ddim be ddaw o'n gwareiddiad ni, mae o'n byw ar 'i *floneg* moesol ers tro.'
Dywed. 'Iro hwch dew â *bloneg*' – rhoi i rywun y mae ganddo ddigon yn barod, neu wneud rhywbeth difudd.
Hen bennill. 'Cael *bloneg* moch Cydweli/A swnd o Landyfân,/A hogi'n amal, amal,/Mi dorra' i'n eitha glân.'

blonega *be.* Cardota bloneg, begera braster. Byddai'n arfer gynt i dlodion fynd o gwmpas i gardota bloneg, yn enwedig ar drothwy'r Nadolig ar ôl bod yn pluo a thrin y gwyddau, ayyb, ac ar adeg lladd mochyn. Cmhr. lloffa, blota, yta, ayyb. Ar lafar gynt. Gw. THSC (1894-5) 112.

blonegen *eb.* Trwch neu haenen o fraster ym mol anifail neu aderyn yn enwedig mochyn a gŵydd.
'Iro *blonegen*' – dywediad am wneud rhywbeth difudd ac ofer.

blonegog *a.* Tew, bras, gwerog (am berson yn fwy nag am anifail).
'Dyn tew, boliog, *blonegog* ydi'r esgob newydd.'

blonegu
1. *be.* Magu bloneg, tewychu, ymfrasáu (am anifeiliaid ac adar).

2. *be.* Iro, rhoi irad neu saim i dreuliau peiriant, neu i ddwy ran o offeryn sy'n rhwbio'n ei gilydd wrth symud neu wrth droi.
Gw. IRAID[1], IRO.

blorai, blawrai (*blawr* + *ai*) *eg.* Nitrogen. Ceir enghraifft o blorai am nitrogen yn 1847 yn ôl GPC.

bloraidd, blorig, blorol *a.* Nitrig, nitrus.

blors *eg.* ll. *blorsiaid.* Cornchwiglen, cwtiar.
1488-9 B 4, 305, Adar a elwid *blorsiaid* (mergos) neu gwtiaid yn ymlid pysgod.

blôt (S. *bloat*) gw. CLEFYD Y BOTEN.

blota (*blawd* + *ha*) *be.* Cardota blawd, casglu blawd, begera blawd o fferm i fferm. Gynt (ac mor ddiweddar a chanol y 19g) byddai merched tlawd yn mynd o gwmpas y wlad, yn ddwy ac yn dair, i gardota blawd, yn enwedig o flaen y Nadolig. Galwent yn y ffermydd ac yn y melinau, ac weithiau aent yn bur bell ac o'r cartref am ddwy noson neu dair.
1933 H Evans: CE 168, Clywais John Hughes . . . yn dywedyd y cofiai ei fam yn adrodd ei hanes, iddi hi yn 1817, pan oedd yn eneth pur ieuanc, a nifer arall o Fetws-y-coed fynd i Sir Fôn i gardota blawd.
15g Pen 54, 106, *Blota*, gwlana, gwera gwest.
Gw. hefyd GWLANA, LLOFFA.

blotai
1. *ebg.* ll. *bloteion.* Un yn cardota blawd, cardotwr neu gartodwraig blawd. Hefyd un yn prynu a gwerthu blawd.
14g DGG 41, *Blotai* neu gawsai goesir.
1776 W, *Blotai* – meal-beggar.

bloteiaeth *eb.* Casglu blawd, y weithred o gardota blawd, y traddodiad o flota neu fegera blawd.

bloteig *a.* Yn cardota blawd, wrthi'n casglu blawd.
14g R 1338. 1-2, Lle dine (gwelw, dihoen) dynawl *vlotteic.*

bloty, blowty, blawty *eg.* Adeilad i ogrwn neu i hidlo blawd. Fe'i ceir yn elfen mewn enwau lleoedd fel Cwm *Blowty*, Llanrhaeadr-ym-Mochnant a *Blowty* Aberdaron.

Blue-faced Leicester *ep.* Brid o ddefaid yn fwy o faint na'r cyffredin, gyda chroen tywyll yr ochr uchaf i'r pen a'r clustiau, trwyn Rhufeinig, clustiau sythion a gwlân clos. Mae'n frid sy'n epilio'n dda a gwneir cryn ddefnydd ohono i groesfridio.

Blue Grey *ep.* Gwartheg croesfrid a geir o gymharu tarw byrgorn gwyn â'r naill ai Galloway neu Aberdeen Angus.

blwyddiad *eg.* ll. *blwyddiaid.* Yn flwydd oed neu drosodd ond heb gyrraedd dwyflwydd (am anifeiliaid) dynewaid ifanc, ŵyn hen, hencen.
1450-1500 Bedo Aeddrem: Gwaith 206, Fal oen *blwydd* o flaen blaeddiau.
1620 Lef 23.18, Offrymwch gyda'r bara saith oen *blwyddiaid.*
Yn y De ceir y ffurf *blwyddi* – da *blwyddi*, lloi *blwyddi*, ayyb. Sonnir hefyd am 'dwf blwydd' (tyfiant blwyddyn).
Dywed. 'Ŵyn *blwyddiaid* yn rhedeg fel ffyliaid' – arwydd o law yn Nyffryn Conwy.
Gw. HENCEN.

blyngiad *be.* Perthyn, piau (am gysylltiadau teuluol ac am berchenogaeth eiddo o bob math) (S. *to belong*). Ar lafar ym Maldwyn.
'I bwy mae'r ddafad yma'n *blyngiad* tybed?'

bocs

1. *eg.* Y dyrnwr, y dyrnwr mawr, yr injan ddyrnu.
1990 FfTh 5, 38, Roedd gennym ni yn Bagillt yn ffarm Whelstone ... dracsion Marshall a *'Box'* Marshall.
1990 FfTh 5, 38, Roedd y ffordd yn ddrwg ar tracsion yn colli gafael ei thraed. Penderfynodd fy nhad ddadfachu'r *'Box'*.

2. *ebg.* Y dril hau gwrtaith artiffisial, y peiriant hau llwch neu giwano. Ar lafar yng Ngheredigion.
1992 FfTh 9, 10, Peiriant torri gwair a beinder,/Mashîn tynnu tato, sgyffler,/*Bocs* ciwano, mowlder, ysgol,/A gwraig dda â phoced weddol.

bocs carden *eg.* Bocs y cortyn, y blwch neu'r ddarpariaeth yn y ffurf o focs i ddal y llinyn ar y beinder.
J Williams-Davies: Nod. AWC, *Bocs carden* – cist i ddal corden clymu ysgubau ar feinder. Hefyd 'bocs cortyn'. Ar lafar yn ne Cymru.

bocs cart, bocscart *eg.* Cist cert, trwmbel trol, llwyfan men. Ar lafar yng Ngheredigion.
1973 B T Hopkins: Nod. AWC, *Bocs cart* oedd yr enw ar y rhan honno lle gosodid y nwyddau i'w cario.

bocs echel *eg.* Y bocs o bren am echel haearn trol. Dau ben yr echel lle try'r olwynion, yn unig sydd yn y golwg. Mae'r gweddill wedi ei focsio.

bocs tractor *eg.* Y car neu'r bocs metel i gario pethau, yn cael ei osod tu ôl i dractor ac y gellir ei godi a'i ostwng yn hydrolig, yn ôl y galw.

bocsar, bocser *ep.* Enw a roid yn bur gyffredin gynt ar geffyl gwedd, ac, fel y mwyafrif o enwau ceffylau, wedi dod o'r Saesneg. Mewn rhai ardaloedd fe'i ceid fynychaf yn enw ar geffyl blaen. Ar lafar yn yr ystyr hwnnw ym Maldwyn.
1981 GEM 13, Rhaid i ambell i ddyn gial bod yn *focsar*, ne weithith o ddim.
Gw. CEFFYL BLAEN, ENWAU ANIFEILIAID.

boch asgell *eb.* ll. *bochau esgyll*. Aden aradr, styllen bridd, y rhan o'r aradr sy'n troi'r gwys drosodd wrth aredig, castin, borden, scyfar, chwelydr.
Gw. CHWELYDR, STYLLEN BRIDD.

bochgern *eb.* Gair a ddefnyddir amlaf am ochr pen mochyn ar ôl ei ladd, ac yn gyfystyr â 'lletben' a 'nhorob ên'.

bochio *be.* Bolio, llithro allan (am glawdd neu lwyth neu das).
'Mae'r llwyth yn *bochio* ar y mwya' rochor draw.'
'Ma'r adwy 'na yn dechra' *bochio* eto.'

bodi *eg.* Talfyriad o 'Longbody', sef math o gambo heb fod yn fawr. Ar lafar yn sir Gaerfyrddin.
Gw. CAR HIR, GAMBO.

bodiau'r drol gw. BAWD Y DROL.

bodio *be.* Gosod hadau megis hadau bitrwd neu fangls â bys a bawd mesul un yn y pridd, diblo. Heddiw ceir y dril tra-chywir i wneud y gwaith.

101

'Hen waith ciaidd i'r bys a'r bawd ydi *bodio* hadau mangls.'
Gw. DIBLO.

bodo *eb.* Gair llafar gwerinol am 'modryb', *Bodo* Nel, *Bodo* Marged, ayyb. Ym Meirionnydd ceir y ffurf *Dodo*. Ar lafar ym Maldwyn.
1981 GEM 13, *Bodo* – modryb. Gair hen ffasiwn sy'n mynd o arferiad.

bodrag *eb.* Llaethwraig.
1954 J H Roberts: Môn, *Llaethwraig*, (o *hafod* + *gwraig*) = hafodwraig.
Gw. (Y) FODRAG.

boddi'r cynhaeaf *Ymad.* Dathlu cael y cynhaeaf i gyfarchwyl. Fel yr awgryma'r ferf 'boddi' byddid yn gwneud hynny mewn defod yn cynnwys yfed medd neu gwrw cartre ayyb, swper cynhaeaf, swper boddi'r cynhaeaf, y fedel sych. Yn aml hefyd golygai *boddi'r cynhaeaf* fynd i roi tro am berthnasau, ayyb, gan na ellid mynd cyn cael y cynhaeaf.
1908 Myrddin Fardd: LLGSG 68, Wedi cael y llwyth olaf o'r ŷd i'r gadlas y byddai y rhialtwch mawr . . . yn cymmeryd lle, y ddefod ddiota a elwid *Boddi'r Cynhaeaf.*
Gw. Y FEDEL SYCH.

boddi'r melinydd *Ymad.* Defnyddio gormod o ddŵr wrth dylino'r toes – ymadrodd ffigyrol y Gogledd am hynny. 'Melinydd' yn yr ymadrodd yn cynrychioli'r blawd gwenith a falwyd gan y melinydd. Ar lafar ym Meirion.

boelar
1. *eg.* ll. *boeleri.* Y boelar wrth ochr y tân ac yn rhan o'r grât a welid gynt mewn tai ffermydd a thyddynod, i boethi dŵr at wahanol ddibenion, golchi llestri, gwneud llith i'r lloi, ayyb. Rhaid fyddai cario dŵr iddo a'i dywallt drwy agoriad ar y pentan. Rhaid hefyd fyddai codi dŵr ohono â llestr os na ddigwyddai bod tap neu feis wrth ochr y tân. Bu'n was ardderchog i wraig a morwyn fferm. Yn Nyfed ceir y ffurf *bwyler.*

2. **boelar (y)** Y gair mewn rhai mannau (e.e. Llansannan) am yr injan stêm – yr injan i droi'r dyrnwr.
1988 FfTh 2, 16, ... rhaid oedd nôl y dyrnwr o'r lle agosaf, sef Pen Isa, a rhaid oedd i Pen Isa ddanfon y *Boelar.*

bofin *a.* Ansoddair o'r Lladin *bovinus* yn cyfeirio at wartheg, ac at unrhyw beth yn ymwneud â gwartheg, yn enwedig afiechydon gwartheg, e.e. cancr gwartheg (*bovine* leucosis); ticâu gwartheg (*bovine* tuberculosis) afiechyd ymennydd gwartheg (*bovine* spongiform encephalopathy – BSE).
Gw. ARDYSTIO, BSE, TICAU.

bogail
1. **bogel** *egb.* ll. *bogeiliau.* Yn gyffredinol y ceudod bychan crwn yng nghanol y bol a chnepyn yn ei ganol lle roedd llinyn y *bogail* yn cydio ar enedigaeth, botwm bol. Digon cyffredin yw clefyd y *bogail* ar anifeiliaid ifainc, yn enwedig lloi ac ŵyn newydd anedig. Fe'i achosir gan facteria yn cyrraedd y corff cyn i'r *bogail* gau a chaledu, ac fe'i nodweddir gan

gasgliad llidiog yn y *bogail* a chwydd yng nghymalau'r coesau.
1620 Esec 16.4, Ar ddydd dy eni ni thorrwyd llinyn dy *fogail.*

2. Yn amaethyddol both olwyn trol, *bogail* yr olwyn, canol olwyn, bŵl yr olwyn, bwth olwyn..
1677 C Edwards: FfDd 424, Y Foth – *bogail'* cart.
Gw. BOTH.

bogail ŵy *eg.* Lle cysylltir yr embryo â'r ŵy.

boichen *be.* Ffurf lafar yn sir Benfro am 'beichio', sef y sŵn a wna tarw, rhuo, peuo.
Gw. hefyd BUGLODDI[1], PEUO, RHUO.

boidy Ffurf lafar ar 'beudy' (Ceredigion).
Gw. BEUDY, GLOWTY.

bois y gambo *ell.* un. *boi'r gambo.* Bechgyn y wlad, meibion a gweision ffermydd, hogiau cefn gwlad. Ar lafar yng Ngheredigion.

bol *eg.* ll. *boliau.* Y ceudod neu ran fewnol y corff, ynghyd â'r croen allanol amdano, rhwng y ddwy fron a'r morddwydydd, ag sy'n cynnwys y cyllau (stumog) a'r ymysgaroedd mewn dyn ac anifail, cest.
1620 1 Cor 6.13, Y bwydydd i'r *bol,* a'r *bol* i'r bwydydd.
Yn estynedig am y stumog neu chwant bwyd.
'Bwyta lond dy *fol'.*
'Un garw am 'i *fol* ydi Elis'.
1620 Phil 3.19, Duw rhai yw eu *bol* ('chwant' BCN).
Yn estynedig hefyd am du mewn neu ganol unrhyw beth – '*bol* y ddaear', '*bol* yr injan', '*bol* y tegan'.
'Ma'n rhaid i'r crwt bach 'ma ga'l mynd i *fol* pob peth.'
Fe'i ceir mewn enwau lleoedd – Rhos-y-*bol,* Cors-y-*bol* (Môn), *Bol*gors, hen enw Belly-moor yn sir Henffordd.

bol buwch *eg.* Ymadrodd cymariaethol am dywyllwch dioleuni.
'Ma' hi'n dywyll fel *bol buwch'* – tywyll fel y fagddu.

bol clawdd *eg.* Ochr clawdd, yng nghysgod clawdd yn dyn.
'Fe ddaeth yn gawod ond mi gysgodais ym *mol y clawdd'.*
1996 T J Davies: YOW 73, Câi ceffyl Mr a Mrs Barren bori yn y cae, ac nid hel ei damaid ar *fol clawdd.*
'Bargen *bol clawdd'* – bargen yn y cae heb ddangosiad ysgrifenedig.
'Plentyn *bol clawdd'* – plentyn anghyfreithlon ac yn y dyddiau gynt yn blentyn israddol.
Gw. BARGEN.

bol tas *eg.* Canol y das.
'Dyro ddigon o lanw yn 'i *bol* hi.'

bol tractor *eg.* Ymadrodd a ddefnyddir yn gyffredin pan fo angen mynd i'r afael â'r tractor i'w archwilio a'i drwsio – mynd i fol y tractor (neu unrhyw beiriant arall).

bola *eg.* Nod J Williams-Davies: AWC, *Bola* – rhan o gadair pladur, cefn y saethau (Caerfyrddin).

boles *eb.* ll. *bolesi.* Ffurf lafar dalfyredig ar y gair *eboles.* Ar lafar ym Maldwyn.
Gw. EBOLES.

bolgen *be.* Rhuo, peuo, beichio (am darw).
1989 P Williams: GYG 23, Byddai'r hen darw du yn *'bolgen'* ei wrthwynebiad ac yn ein harswydo, a'n gwneud yn falch ei fod ynghlwm wrth y post.
Gw. BUGLODDI[1].

bolgywair *eg.* Ceuled, caul (S. *rennet*) a geid gynt o gyllau llo heb ei ddiddyfnu. Fe'i defnyddid i geulo llaeth i bwrpas gwneud caws. Ar lafar yng Ngwynedd yn y ffurfiau *bolgywar* a *bolgŵar.*

bolio *be.* Taflu allan, chwyddo. Pan fo'r llwyth gwair yn bochio neu'n taflu allan y mae'n *bolio,* felly hefyd y das wair a'r das ŷd, y clawdd pridd a'r wal gerrig.
'Dos reit ara', ma' dy lwyth di'n *bolio'n* go arw un ochor.'

bolion Ffurf gywasgedig ar ebolion, sef ceffylau ifanc heb eu torri i mewn. Ar lafar ym Maldwyn.
Gw. EBOL.

bolsan *eb.* ll. *bôls.* Yn amaethyddol y gair a ddefnyddid gan gertmyn neu wagneriaid am rolyn maint owns o faco, yn cynnwys cymysgedd o gyffuriau, a roid i lawr corn gwddf ceffyl ac yn cael yr effaith (honedig) o lanhau'r ymysgaroedd o bob afiechyd a diffyg traul, ac yn rhoi ysbryd a bywyd yn y ceffyl. Ar lafar ym Môn.
1966 I Gruffydd: TYS 24, "Digon o geirch neu beidio, os oeddych am gael câs iawn ar geffyl a sglein ar ei flewyn" meddai Huw Gaerwen, "wel, *bolsan* saith geiniog o siop Edwards y Drygist amdani".
Dywed. 'Mae noson o farrug yn well na *bolsan* i hen geffyl.'.Credid bod noson o farrug yn ystwytho cymalau hen geffyl.

bolwen *eb.* Enw cyffredin ar fuwch â bol gwyn.
Gw. ENWAU ANIFEILIAID.

bolyl *eg.*
1926-27 B Cyf. 3.200, Math ar gasgliad yng ngwegil ceffyl sy'n peri iddo syrthio wysg ei ochr. (Ar lafar ym Mhenllyn.)

bollt
1. *eb.* ll. *byllt.* un. bach. *bollten.* Llyffethair, hual, carchar (i anifail).
16g Pen 76, 79, Wrth gadwyn fer i'th gedwais/a gwrth *vollt* ai gav wrth vais.
Ffig. 1727 RE CDd 72, Yr wyt yn rhwym dy draed a'th ddwylo yn y *bŷllt* o'th bechodau.

2. *eg.* ll. *bolltau, byllt.* Teclyn i sicrhau neu i fario drws, bar drws, bollt y drws neu'r ddôr neu'r lidiart.
1672 R. Prichard, Gwaith 125, *Bollt* y nos i gau dy ddrysau.

bolltaid (*boll* + *aid* [gyda T ymwthiol fel yn dealltwriaeth]) *eg.* ll. *bollteidiau.* Sypyn, bwndel, seldrem (o ŷd).
1620 Jos 2.6, Ac a'u cuddiasai hwynt mewn *bolldeidiau* llin.

bolltid gw. bwylltid.

bolltio

1. *be.* Sicrhau drws, dôr neu glwyd â bollt, bario drws, bario dôr, cau bollt drws, ayyb.
1681 S Hughes: AC 18, Eithr cael ohoni y drws gwedi *folltio.*

2. *be.* Torri'n rhydd, dianc, rhedeg allan, rhedeg bant (am anifail, yn enwedig ceffyl).
1752 H Lloyd: H 6, Fe *follta* fel mellten trwy entrych y nef.

3. *be.* Nithio, gogrynu, gogrwn.

4. *be.* Hadu, dihidlo had neu rawn (am blanhigion).

bôn *eg.* Gwaelod unrhyw beth neu wraidd unrhyw beth – bôn braich, bôn clust, bôn cynffon, bôn clawdd, bôn yr ysgol, bôn y drol, bôn llafn y bladur, ayyb.
13 WM 49 15-16, A'r llythyr a rwymwyt am *von* escyll yr ederyn.
Ffig. Yn y gwraidd, yn y gwaelod 'Ma' Marged yn ferch iawn yn y *bôn'.*
Diar. 'Os na phlygi di i'r brig, rhaid iti blygu i'r *bôn'* – cyfeiriad yn ôl Ifor Williams at y wialen fedw a'r crogbren.
Dywed. 'O'r brig i'r bôn' – 'O'r bôn i'r brig' – o'r pen i'r traed.

bôn braich Ymadrodd a ddefnyddir yn aml yn ffigyrol am nerth braich neu gryfder braich.
'Rhaid cael cryn dipyn o *fôn braich* i symud y garreg 'na.
1985 LLG 8, Gwaith caled oedd llenwi a gwagio'r odyn (galch): siefl a *bôn braich* oedd hi y dyddiau hynny.

bôn clawdd Gwaelod y clawdd, cysgod y clawdd.
'Roedd hi'n arllwys y glaw. Mi fûm yn 'mochel ym *môn y clawdd* am hydoedd'.

bôn clust Gwaelod y glust, y rhan o'r glust y gafaelir ynddi i roi *bonclust!*

bôn cwlltwr gw. BRAICH Y CWLLTWR.

bôn y drol Rhan ôl llorpiau (siafftiau, breichiau) trol wedi ei llunio i gymryd rhan ôl neu ben ôl ceffyl. *Ceffyl bôn* yw'r ceffyl yn y siafftiau i ran helaeth o Gymru, ac yn aml mewn cyferbyniad i *geffyl blaen.*
Gw. CEFFYL BÔN.

bôn ysgol Rhan waelod ysgol, y ffon isaf ar yr ysgol.
'Rydw'i am fynd i ben yr ysgol os gwnei di sefyll wrth 'i *bôn.'*

bonbost *eg.* ll. *bonbyst, bonbostiau.* Y postyn giât y croga'r giât wrtho i'w chau a'i hagor, mewn cyferbyniad i'r *blaenbost* y cliciedir y giât wrtho. Ar lafar ym Mhenllyn.
Gw. hefyd BLAENBOST.

bonbren

1. **bombren** *eb.* ll. *bonbrenni.* Y darn pren gydag amgarn a dolen haearn yn ei ddau ben a roir tu ôl i geffyl i fachu'r tresi (tidiau) wrtho i bwrpas llusgo aradr, og, ayyb; cambren, pren crwca. Fel arfer y mae'n fwy ffyrf yn ei ganol lle bechir y fondid sy'n ei gyplysu wrth yr aradr, ayyb. Ceir *'bonbren* fach' a *'bonbren* fawr'. I bob ceffyl yn unigol y mae'r *'bonbren* fach' a rhan o'i phwrpas yw cadw'r tresi arwahân. Ar gyfer defnyddio

gwedd o geffylau y mae'r *'bonbren* fawr' sydd gyfled a'r ddau geffyl ochr yn ochr. Cydir canol bonbrenni bach y ddau geffyl wrth ddau ben y *'bonbren* fawr'. Arwahân i fod yn drefniant da i gael dau geffyl i dynnu'r un offeryn, y mae hefyd yn ffordd dda o rannu'r baich rhwng y ddau. Ar lafar ym Môn yn y ffurf *bonbran*.
Gw. hefyd BONDID, CAMBREN, SGILBREN, TINBREN, TRESI.

2. *eg.* Pren toi, pric toi, y math o brennau blaenfain a ddefnyddid i ddal y rhaffau ar dyn wrth doi tas. Gw. WVBD 49.

bonc, boncyn *ebg.* ll. *bonciau, ponciau.* Bryncyn, codiad tir (creigiog fel rheol), bron, gallt.
Gw. PONC, PONCEN.

bondid (*bôn* + *tid* [tres]) *eb.* ll. *bondidau.* Y gadwyn sy'n cydio'r aradr wrth y bonbren (tinbren), wrth aredig, cadwyn fôn gwŷdd, prif gadwyn yr aradr, bonsyg.
1926-7 B Cyfr. 3 198, *Bondid'* – y gadwyn fer o'r loig i'r dinbren.
1350-1450 IGE 90, Aml y canai ei emyn/Ymlid y *fondid* a fyn.
Ffig. – 'Ysgwyd y *Fondid'*.
'Prin *ysgwyd y fondid* mae Guto o hyd' (am rywun wedi bod yn wael iawn ac yn dal yn wachul).

bondrwch *eg.* Cydyn o ŷd heb ei dorri wrth ladd ŷd â phladur, gwrychyn. Ar lafar yn sir Benfro.
J Williams-Davies: Nod. AWC, *Blaendrwch* – gwrychyn wedi ei adael lle aeth pladur i mewn i'r ŷd wrth dorri.
Gw. BLAENDRWCH.

bonet *eg.* Llestr haearn â chefn iddo, i ffrio cig moch o flaen y tân. Ar lafar ym Maldwyn. GEM 14.

bonfon, bon-fon *a.* Yn drefnus, yn gymen, yn frig-frig, am ysgub o ŷd neu wellt neu frwyn, bonau'r gwellt yn wastad, gwanaf fonfon, ystod fonfon.
1969 D. Parry-Jones: Nod. i AWC, Defnyddid rhaca a chedwid yr ystod yn *fonfon* â'r droed wrth droi neu wthio y llafur ymlaen.
J Williams-Davies: Nod. AWC, *Bon-fon* – ystod wedi ei thorri â'r bonau'n rhedeg yn wastad (Dyfed).

bonffil *eg.* Enw llafar ym Môn ar geffyl neu gaseg hen ac wedi gweld eu dyddiau gwell.
1966 I Gruffydd: TYS 66, Siamroc oedd enw'r hen *bonffil* (chwedl pobl Môn am geffyl neu gaseg oedrannus.

bonffust *eg.* ll. *bonffustiau, bonffustion.* Troedffust, sef y rhan o'r ffust y gafaelid ynddi i ddyrnu, troed neu goes y ffust.
1933 H Evans: CE 214, Gwelaf mai *bonffust* a llafnffust a ddefnyddia ef. Ni wn pa un sydd gywir. 'Troedffust' a 'lemffust' a glywais i ar lafar gwlad yng Nghwm Eithin.
Gw. FFUST, LEMFFUST, TROEDFFUST.

boniad, boniau (*bon* + *iau*) *eg.* ll. *boniaid.* Yr ych olaf mewn gwedd, ych bôn.
Ffig. **15g** Glam. Bards 246, Dyn ar ôl a dynn yr iau,/A da *foniad* wyf finnau.

bonio *be.* Yr hyn a wna'r ceffyl bôn, gwaith y ceffyl yn y siafftiau lle bo gwedd fain. Golyga *bonio* dynnu'r drol a chyn bwysiced a hynny ei dal yn ôl hefyd, fel bo'r angen, ar y goriwaered. Sonnid gynt am ambell i geffyl fel un yn *bonio'n dda*, neu fel 'boniwr da'.

boniwr *eg.* ll. *bonwyr, boniwrs.* Hyd at ddechrau y 19g yr ych olaf mewn gwedd (gwedd fain – un o flaen y llall), ar ôl hynny y ceffyl bôn, y ceffyl siafftiau ag y mae'r cyfrifoldeb dwbl arno o dynnu'r drol a'i dal yn ôl fel bo'r angen.
Ffig. Am berson yn dwyn cyfrifoldeb mewn byd ac eglwys ac heb chwennych amlygrwydd.
'Tipyn o geffyl blaen ydi Bryn, ond ei frawd, Robin, *boniwr* da.'

bonllath *eg.* Sofl hir lle nad yw'r pladurwr neu'r peiriant wedi torri'n gwta ac yn lân. Ar lafar yng Ngheredigion.

bonsyg gw. BONDID.

bonyn tas *eg.* Tas wair neu ŷd o'i sawdl i'w bargod, y rhan o'r das cyn dechrau troi pen. Ar lafar yn sir Gaerfyrddin.
J Williams-Davies: Nod. AWC, *Bonyn tas* – ochr tas o'r llawr i'r bargod' (Caerfyrddin).

bontin *ebg.* Fel rheol, ffolen ceffyl, crwper, pen ôl ceffyl. Mewn rhai ardaloedd, fodd bynnag, defnyddir y gair am y dindres neu'r britsin hefyd, sef y rhan o'r harnes (strodur) sy'n mynd am ben ôl ceffyl.
1445-75 GGl 93, Nid cyfan achlân uwch ei lin, – a'i gorff/Nac arffed na *bontin*.
1771 W, *Bontin* – breech, buttock, rump.
Gw. BRITSIN, CRWPER, FFOLEN, TINDRES.

bord
1. *eb.* Bwrdd bwyd. Clywir 'dowch at y *ford*'; neu 'o gwmpas y *ford*'; 'ma'r bwyd ar y *ford*'. Yn Nyfed ceir 'rwm *ford*', sef yr ystafell â'r bwrdd mawr hir, a mainc o boptu iddo, i'r gweision fwyta.

2. *eg.* Y bwrdd neu'r llwyfan ar feinder i dderbyn yr ŷd wrth ei dorri. Ar lafar yn sir Gaerfyrddin.
J Williams-Davies: Nod. AWC, *Bord* – llwyfan o bren neu haearn ar feinder neu beiriant medi sydd yn derbyn yr ŷd a dorrwyd (Caerfyrddin).

Border Leicester *ep.* Brid o ddefaid, caled, epilgar a nodweddir gan wlân hir ond clos, gwyn eu wynebau a'u coesau, pen hir, moel gyda thrwyn fel pig eryr a chlustiau uchel. Defnyddir y brid yn helaeth i groesfridio, e.e. Hwrdd Border Leicester a Dafad Fynydd Gymreig.
1982 R J Evans: LlFf 24, Y ddafad fynydd Gymreig sydd yn mynd â hi, er bod amryw yn mynegi anesmwythyd ynglŷn â hi, ac yn tueddu i gadw croesiadau ohoni yn enwedig y croesiad â maharen Border Leicester.

boron *eg.* Elfen gemegol a geir mewn boracs ac asid borig ag sy'n gwbl hanfodol i gnydau, yn enwedig gwraidd-gnydau, ond fel elfen hybrin yn unig.

botel *eb.* Swpyn neu fwndel neu dusw o wair neu wellt.
'Pan ddaeth amser escor,/Fe aned mab Mair,/Mewn stabal ym Methlem,/Ar *fottel* o wair' (Anad.)

bots *ell.* Clefyd a achosir gan fath o gynrhon neu wyddon sy'n magu yn ymysgaroedd ceffyl, ac yn peri 'cnofa' neu glefyd y pryfed, gwyrn, gweryd. Pryfed mud, cynrhon mud (TAM).
1734 S Rhydderch: Alm 5, Rhag y *bots* neu 'bryfed' mewn ceffyl.
Gw. hefyd GWYRIN, GWYRING, GWYRN.

both *eb.* ll. *bothau.* Yn amaethyddol canol olwyn (olwyn bren fel arfer), bŵl olwyn, bwth olwyn (Ceredigion), bogel olwyn, y blocyn o bren crwn, trwchus (derw fel arfer) yng nghanol olwyn trol (cart) ayyb, a thwll drwy ei ganol wedi ei leinio â thraul haearn (bwsien, bowcen), i'r echel fynd drwyddo. Morteisir un pen i edyn yr olwyn iddo a'r pen arall i'r camegau sy'n ffurfio cant yr olwyn, bwlyn cart, bwlyn y whilen (Ceredigion). Ar y cyfan gair y gogledd yw *both* yn enwedig Môn ac Arfon. Clywir *bwlyn, bwl, bwth* a *bogel* mewn ardaloedd eraill.
14g YCM 29, Yn olwyn y venn y mae tri pheth; *both a* breichyeu a chylch.
1988 1 Bren 7.33, Yr oedd yr olwynion wedi eu gwneud fel olwyn cerbyd, eu hechelau, a'u camegau, a'u ffyn a'u *bothau.*
Ffig. Yn ansoddeiriol am rywun boldew.
'Dyn byr *bothog* ydi'r bancer newydd 'na.'

bothell *ebg.* ll. *bothellau, bothyll.* Clefyd anifeiliaid, yn enwedig gwartheg, sy'n achosi chwydd dan y tafod, llyffantafod, clwy'r llyffant, tafodwst. Ar lafar yng Ngheredigion yn y ffurf *y folleth.*
Gw. CLWY'R LLYFFANT, LLYFFANNWS, LLYFFANT MELYN, POTHELL, TAFOD PREN.

bowcen, y fowcen gw. BWSHIAN, BWSIAN.

Bovine Spongiform Encephalopathy *eg.* Afiechyd gwartheg sy'n peri cynddaredd neu wallgofrwydd *(mad cow disease)*, a'i achos, hyd yn hyn, yn anhysbys er gwaethaf llawer o ddyfalu ac o arbrofi. Ymddangosodd yr afiechyd gyntaf yng ngwledydd Prydain ar ffermydd llaeth yn Lloegr yn 1987. Erbyn Rhagfyr 1988 bu'n rhaid difa 1,677 o wartheg yn dioddef o'r afiechyd. Mae'r firws, mae'n ymddangos, yn perthyn i grwp o firwsiau sy'n adnabyddus ers 200 mlynedd. Un awgrym yw fod yr ysfa (S. *scrapie*), neu'r bendro ar ddefaid wedi ei drosglwyddo i wartheg rhywsut neu'i gilydd – drwy fwyd cyfansawdd yn ôl pob tebyg, bwyd sy'n aml yn cynnwys carcas, offal a phen defaid wedi eu prosesu. Bu'n achos llawer o bryder gan nad oes neb yn hollol sicr a yw'n drosglwyddadwy i fodau dynol ai peidio. Dan reolau'r Weinyddiaeth Amaeth mae'n anghyfreithlon i werthu gwartheg sy'n dioddef o'r afiechyd. Rhaid eu lladd a llosgi'r carcas. Deil ei achos yn ddirgelwch ac yn destun ymchwil dwys sy'n costio £6.3 miliwn. Fel rheol, wrth y llythrennau BSE y siaredir am yr afiechyd.

bow gw. GWRAGEN.

bowl, bowlen, powlen *eb.* ll. *bowliau, bowlennau.* Basn, cawg, llestr i fwyta ac i yfed ohono. Gwneid llawer o ddefnydd o *bowliau* ar y ffermydd gynt. Ohonyn nhw y bwyteid llymru, uwd, bara llaeth ayyb, ac yr yfid llaeth,

te ayyb, yn enwedig gan y gweision.
1760 ML 2 200, Llonaid *bowl* fawr o lymru a llaeth'.

bowlio
1. *be.* Rowlio, gwthio (e.e. am ferfa), bowlio'r ferfa, bowlio'r beic. Ar lafar ym Maldwyn.
2. *be.* Llorio, llyfu'r llawr, bwrw i'r llawr, rowlio ar lawr.
'Mi cyrhaeddais o â'r dwrn chwith 'ma nes oedd o'n *bowlio.*'

bowlt *eg.* ll. *bowltiau.* Bollt, bar, dyfais i folltio drws neu i sicrhau drws, dyfais i fario drws neu ddôr.
Gw. BOLLT².

bowser *eg.* Gair Saesneg a ddefnyddir am y tanc tanwydd ar drelar bach i gario cyflenwad o danwydd i'r tractor pan fo'n gweithio ymhell oddi wrth y tŷ, neu gan gontractwr pan fo hwnnw ymhell o gartre.
1992 FfTh 9, 33, A rhaid cofio fod yr arad a'r *bowser* (h.y. tanc diesel ar drailer bach) ...

brac *a.* Llac, ysgafn, hawdd ei drin (am dir), tir rhwydd, rhydd, mewn cyferbyniad i dir trwm, cleiog, caled.
Ffig. Un llac ei dafod neu ei thafod.
'Un go frac 'i thafod ydi Sera, fedr hi gadw dim.'
1963 LlLlM 113,Byddai dyn *brac* ei dafod lawn mor beryglus.

brachtan gw. BRECHDAN.

braen gw. BRÂN TROL, BRÂN MELIN.

braenar *eg.* ll. *braenarau.* Tir wedi ei aredig a'i lyfnu, yna ei adael yn segur heb hau na phlannu dim ynddo dros gyfnod er mwyn difa'r chwyn a rhoi cyfle i'r tir ei atgyfnerthu ei hun, branar (Maldwyn). Ceir sawl braenar yn dibynnu ar yr adeg o'r flwyddyn ac ar y driniaeth a gaiff yr âr.
1981 GEM 14, Branar – tir tro yn cael tipyn o "holiday".
Diar. 'Ni ddisgyn brain ar fraenar ond unwaith' – dim i'w gael.

braenar blwydd Âr wedi ei adael am flwyddyn heb ei hau.

braenar brith Wedi ei flingo neu ei ddigroeni'n rhannol ac wedi ei losgi'n rhannol.

braenar brwd Wedi ei drin â chalch poeth.

braenar calch gw. BRAENAR BRWD.

braenar deuar (*dau* + *âr*) Âr wedi ei droi ddwywaith.

braenar Ebrill Braenar gwanwyn.

braenar gaeaf Tir âr yn segur dros y gaeaf.

braenar golosg Tir wedi ei flingo a'i losgi.

braenar Gŵyl Fair Braenar gwanwyn.

braenar haf Âr yn segur dros yr haf, hafar (*haf* + *âr*).

braenar llosg a chalch Calch wedi ei ychwanegu at y tyweirch ar ôl digroeni tir.

braenar Mihangel Braenar Hydref.

braenar tail Braenar wedi ei deilo.

braenar tywod a gwymon Âr wedi ei drin a'i wrteithio â thywod a gwymon.

braenardir *gw.* BRAENAR.

braenardir rhannol *eg.* ll. *braendiroedd rhannol.* Tir a adewir yn segur am hanner yr haf rhwng cynaeafu un cnwd (gwair neu silwair gan amlaf) a hau y cnwd dilynol, ac yn y cyfamser wedi ei aredig i ddifa chwyn. Mae'r drefn yn debyg i drefn braenar cyffredin, dim ond mai am ran o'r flwyddyn y mae braenar rhannol. Fe'i gelwir hefyd yn 'fraenar haf' ac yn 'fraenar byr'.

braenaru
1. **branaru, brynaru** *be.* Troi a thrin tir ar gyfer codi cnwd ohono. Sonnir am 'fraenaru tir sofl', sef aredig tir sofl. Ym Mhenllyn golyga braenaru 'aredig teneuach na throi'. Sonnir am 'franearu' Glangaeaf, ond am 'droi' yn y Gwanwyn. Gw. B Cyfr. 3, 200, (1926-27). Ceir hefyd y ffurfiau *brynaru* (Môn) a *brwnari* (Dyfed).
1774 H Jones: CYH 39, Ni a wyddom fod y ddaear yn gofyn ei *brynaru* cyn y bo cymwys i dderbyn had.
1989 P Williams: GYG 42, Câi'r tir a oedd ar gyfer dail cawl (rape), mangels ac erfin neu swêds ei *frwnari* ar ôl cywain y llafur.
1987 E.W. Roberts (Pwllheli) Nod. i AWC, Yn gynnar ar ddiwedd y flwyddyn honno fe gai ei aredig. Hwnnw oedd y *braenaru* – torri cwys rhyw dair modfedd o ddyfn a rhyw wyth modfedd o led, er mwyn i'r gwys ddisgyn yn hollol ar ei hwyneb. Pwrpas hynny oedd lladd y chwyn ac unrhyw had chwyn.
Ffig. Arloesi neu baratoi'r ffordd.
1774 H Jones: CYH, Cofia fod dy galon oerddu,/Yn gynta'n gofyn ei *brynaru*,/ Cyn y tyfo ohoni un weithraid/Er daioni i dy enaid.
'Rydan ni'n cael ffordd osgoi o'r diwedd. Mae 'na *fraenaru*'r tir wedi bod ers blynyddoedd.'

2. *be.* Rhwygo, archolli (o'r syniad o rwygo daear ayyb).
Ffig. 17g Huw Morus: EC 2, Rhwygo teimladau.
'Fe wnaeth galar fron yn *fraenar.*'

braenariad gw. BRAENARU.

braenarwr, brynarwr *eg.* ll. *braenarwyr.* Un sy'n paratoi tir at ei hau a chodi cnwd ohono, arloeswr tir
Ffig. Arloeswr mewn unrhyw faes neu fudiad ayyb.
'Ifan ap Owen Edwards a sefydlodd yr Urdd ond ar lawer cyfri ei dad Owen Morgan Edwards oedd y *braenarwr.*'
Gw. BRAENARU.

braendail *eg.* Tir y gadewir i'r anifeiliaid ei deilo a'i wrteithio â'u tom

110

neu â'u tail, gwndwn, tyndir.
1200 LLDW 63 18-19, Brynar dwy vlynet y dylyir (y dylir) y eredyc, *brandeyl* geir evelly.

braenedd yr iau *eg.* Afiechyd yr afu, clwy'r iau (ar anifeiliaid), y pwd ar ddefaid a gwartheg, clefyd yr euod, ffliwc, llederw, clefyd a achosir gan lyngyrod parasitaidd yn ymsefydlu yn yr iau (afu). Gw. FFLIWC.

braenedd y traed *eg.* Afiechyd traed heintus ar ddefaid, yn effeithio ar garn y troed yn ogystal ag ar y bywyn (y rhan feddal) ac yn achosi cloffni. Cyll y ddafad ei graen yn fuan iawn pan fo'n dioddef o'r afiechyd. Fe'i hachosir gan 'Fusiformis' – rhywogaeth o facteria sy'n anghyffredin o heintus, lleithder (Uwchaled). 1990 FfTh 6, 20, Defnyddid y garreg las (copper sulphate) at *leithder*.

braenen Unigol bachigol brân. Gw. BRÂN.

brag, bregyn *eg.* ll. *bragau.* Grawn haidd wedi ei baratoi i'w ddarllaw (bacsu); diod, cwrw cartref a wneir drwy eplesu grawn haidd, bîr. Gynt gwneid llawer o'r math hwn o ddiod ar ffermydd a'i ddefnyddio i bwrpas gwahanol ddathliadau megis 'boddi'r cynhaeaf'. Pery'r arfer yn Nyfed.

bragor, bragawd *eg.* ll. *bragodau, bragawdydd.* Math o ddiod brag a wneid gynt drwy eplesu cwrw a mêl efo'i gilydd, ac, yn ddiweddarach, drwy eplesu siwgr a pherlysiau a chwrw (S. *bragget*). 14g DGG 100, Telais it wawd tafawd hoyw,/Telais im *fragod* duloyw.

bragu
1. *be.* Darllaw neu facsu haidd i wneud diod, sef cwrw cartref, gwneud brag, brago, bragio, bacsu (Dyfed). Parheir i wneud hyn o hyd yn sir Benfro, at y cynhaeaf ac at y gwyliau. Ffig. Cynllwynio neu ddyfeisio.
'Mi lwyddais i wneud y ficer yn ffŵl Ebrill, roedd y peth wedi bod yn *bragu* yn fy meddwl ers dyddia.'

2. *be.* Blaguro, egino, tarddu, torri allan o'r pridd (am ŷd, ayyb). Hefyd ŷd wedi gorwedd ac wedi egino ar dywydd gwlyb, mwll, brago. 1550 B 6, 49, Helic a dd'lir y kropo . . . dodi'r polon mywn tir gwlyb, a'y gado yno nes iddynt ddechray *bragy* ychydic.

bragwair *eg.* ll. *bragweiriau.* Gwair bras, cwrs, gwair rhos (*Gramina vivipara*). 14g DGG 74, *Bragwair* gweirgloddiau brigwydr.

braich *eb.* ll. *breichiau.* Ceir *braich*, yn enwedig y lluosog *breichiau* mewn nifer o gyfuniadau amaethyddol.

braich aradr Haeddel aradr geffyl, hegl aradr, corn aradr y gafaelir ynddo i ddal yr aradr wrth aredig, llyw aradr, pengamedd aradr. Gw. HEGLGAM, PENGAMEDD.

braich y beinder Asgell y beinder, y ddyfais ar feinder yn y ffurf o esgyll yn cylchdroi, ag sy'n plygu pen y gwelltyn yn bwrpasol pan fo'r gyllell yn cyfarfod ei fôn, er mwyn hyrwyddo'r torri, hwyliau beinder (Môn), adenydd y beinder.

braich y cwlltwr Coes y cwlltwr ar aradr geffyl, rhan uchaf y cwlltwr o'r llafn (cyllell) i fyny ag sy'n mynd i fortais bwrpasol ar yr arnodd. Yn y fortais fe'i codir a'i gostwng yn ôl y gofyn, bôn y cwlltwr. Gw. CYLLELL Y CWLLTWR.

braich y felin Asgell melin wynt, aden melin, hwyliau melin (Môn).

braich y ferfa Llorp y ferfa, siafftiau'r ferfa y gafaelir ynddynt i'w chodi a'i rowlio.

braich olwyn Aden olwyn, sbog olwyn.

braich trol Siafft neu lorp trol, un o lorpiau'r drol y rhoir ceffyl rhyngddynt a'i gyplu wrthynt, drwy gyfrwng harnes pwrpasol, i'w thynnu (ei llusgo).

braisg *a. ll. breisgion.* Praff, ffyrf, tew, trwchus, bras (am wair, porfa, gwellt, ayyb). Ar lafar ym Morgannwg yn y ffurf *brashg* – bran *brashg*. Ceir hefyd y llusosog *breisgion* am wehilion cywarch a llin, carth, rhynion.
1595 H Lewys: PA 109, Porfa *fraisg* ac adladd meddalaidd.
1620 Gen 41.5, Ac wele, saith o dywysenau yn tyfu ar un gorsen, o rai *breisgion* a da.

bran *eg.* Eisin gwenith, haidd a cheirch, a ddidolir oddi wrth y grawn ŷd wrth ei falu, rhuddion (Môn), cibau, rhuchion. Fe'i defnyddid yn helaeth gynt at borthi ceffylau yn ogystal ag fel rhan o fwyd gwartheg a moch.

brân *eb. ll. brain.* Aderyn gweddol ei faint, gloywddu ei blu, ei big (gan amlaf) a'i draed, ac yn enwog am ei grawc cras. Ceir pedwar math, neu bedair rhywogaeth o frain yng Nghymru: 'cigfrân' (brân burgyn neu ysglyfaeth); 'brân dyddyn' (Tyddyn, Tyfyn, Syddyn); 'ydfrân', brân gyffredin (*corvus corone*); a 'cogfran' (Jac-y-do). Does dim llawer o gyfeillgarwch rhwng y ffermwr a'r frân. Gall haid o frain wneud llanast ar gnydau ŷd ayyb. Hynny a greodd yr angen am y 'bwgan brain'.
1981 Ll Phillips: HAD 57, Cafodd pob un o'r rhain (rhywogaethau o *frain)* ei gondemnio a'i erlid yn ei dro, ond 'er gwaetha'r ffaith mai drygioni sydd amlycaf yn eu natur, mae rhyw fesur o ddaioni yn perthyn iddynt hefyd.
1620 Luc 12.24, Ystyriwch y *brain.*
1989 D Jones: OHW 201, Wyddost ti, roedd hen *frân* ar ben coeden ym Mryn Gwyn yn fy watsho i'n hou ac yn disgwyl 'i chyfle i godi'r had. Fe nilynodd i bob cam i Lwyn-coed, ac fe dda'th a'i ffrindie gyda hi, ac fe gododd y diawled hanner yr had, fel rown i'n 'i hou e. (Gw. BWGAN BRAIN).

brân aradr *eb.* Chwelydr neu styllen bridd neu aden yr aradr sy'n troi drosodd y gŵys wrth aredig, y castin (Môn). Ar lafar yn y De.

brân burgyn Brân yn byw yn sylweddol ar furgynod neu gelain anifeiliaid.

brân dyddyn Y frân furgyn gyffredin yn cael ei hystyried mewn haid yn arwydd o lwc dda ond nid felly ar ei phen ei hun.

Cân werin. 'Un frân ddu ddaw ag anlwc eto,/Doed i mi ond poen ac wylo'.
Ymad. *'Brân wen'* – rhywbeth prin neu'n cario newyddion.
'Ma' 'na hen *frân wen* wedi dweud wrtha'i'.
Ehediad brân neu 'fel yr hed brân', sef yn syth o un pwynt i'r llall. 'Rhyw filltir sydd yna, *"ehediad brân"* felly'. Cf. 'Llwybr tarw'.
Traed brain, blêr, yn llanast. 'Roedd hi'n *draed brain* yn y pwyllgor neithiwr'. Cf. 'Yn draed moch'.
'Du fel y *frân'* – rhywbeth cyn ddued ag y gall fod
'Rhwng y cŵn a'r *brain* '– ar chwâl, ar wasgar.
'Roedd ganddo gasgliad da o lyfrau ond mae nhw wedi mynd rhwng y *cŵn a'r brain'.*
Myn brain Ebychiad o synod. 'Wel, *myn brain,* pwy fydde'n meddwl'.
Dywed. *Bugeilio brain* – anturio'r amhosibl.
'Mae *brân* i bob *brân* sy'n crawcian.'
'Dwy *frân* ddu lwc dda i mi.'
'Gorwedd gyda'r ddafad, codi gyda'r *frân'* – gwely cynnar a chodi'n fore piau hi.
Gelwir pobl sawl lle yng Nghymru yn frain: *Brain* Harlech, Brynsiencyn mae'r *brain* sionca, Bryngwran mae'r *brain* gora', *Brain* Bryn Du, *Brain* Cwmystwyth.
1981 Ll Phillips: HAD 23, *Brain Cwmystwyth* oedd term difenwol ardaloedd eraill ar y brodorion am nad oedd wiw dweud dim yn fach am y lle a'i bobl yng nghlyw brodor gan fod pawb yn deyrngar i'r Cwm ac yn perthyn i'w gilydd rhywle o fewn y nawfed ach ...
Tywydd: Brain yn nythu'n uchel – haf sych.

brân lle tân *eg.* Y craen o flaen y tân neu uwchben y tân i ddal tecell, crochan, ayyb. Ar lafar yng Ngorllewin Clwyd.

brân melin *eg.* Y teclyn ar y llifddor sy'n rheoli ffrwd y felin, i gau ac agor y llifddor.

brân trol *eb.* Y ddyfais haearn fwaog dan ben blaen trwmbel neu gist y drol ag ynddo dyllau bob rhyw chwe modfedd, i godi neu ostwng pen blaen y drol yn ôl y galw, silffbren (Maldwyn). Sonnir am 'godi'r drol ar ei *brân'* pan fo angen dadlwytho tail, maip, cerrig ayyb. Yna, 'ei thynnu oddi ar ei *brân',* sef gostwng y pen blaen a gwthio'r sleid i'w ddal yn ei le. Ar lafar yng Ngwynedd. Ym Maldwyn ceir y ffurf *braen,* ac yn Nyfed *standard.* Ceir hefyd *cledde* (am *frân trol*) ym Maldwyn.
Ffig. 'Cap ar 'i frân' – cap stabal â'r styd wedi 'i agor nes bod tu blaen y cap wedi codi i fyny oddi wrth y pig, ac yn debyg iawn i drol ar ei brân. Ar lafar ym Môn.

brân wen Brân brin ac anaml. Defnyddir yr enw'n aml yn ffigyrol am bethau prin.

branar, brangal *eg.* Clefyd archwaeth ar wartheg yn peri iddynt fwyta pob math o bethau: dillad ar y lein, cerrig, pridd ayyb, ac a achosir yn ôl y dyfaliad cyffredin gan lysieuyn neilltuol (gwrlin neu gwyddlin). 'Ma' *branar* ar y gwartheg' – ar lafar yn y Gogledd.
1976 G Griffiths: BHH 44, Evan Jones ddangosodd i mi pa rai oedd 'helyg branar'. Anhwylder ar wartheg oedd branar. Wn i ddim yn iawn hyd heddiw beth oedd hanes yr helyg hynny. Ai hwynt-hwy oedd yn achosi'r anhwylder? Ai ynteu meddyginiaeth iddo oeddynt?
GPC. Mae'r franar wyllt arno fo' yng Nghlwyd, am berson a gwanc neu raib angau arno ac yn cnoi botymau, canhwyllau ayyb.

branar gw. BRAENAR.

brandail gw. BRAENDAIL.

branel *eg.* ll. *branelau, branelod.* Darn o bren yn cydio'r styllen bridd wrth y fraich dde ar yr hen aradr Gymreig. Ar lafar yn y De.

bras *a.* Bu amaethyddiaeth yn gynefin yr ansoddair bras yn ei wahanol arlliw ystyr – tew, pasgedig, o faint cymhedrol neu heb fod yn fân, ffrwythlon, toreithiog, moethus, danteithiol, cwrs neu arw. Gwêl y cyfuniadau canlynol:
anifail bras Anifail tew, pasgedig.
1567 Luc 15.23, Dygwch y llo *bras.*
asen frân gw. ASEN FRAS.
asen fras Darn o gig mochyn yn cynnwys asennau ond ag ychydig o gig. Ar lafar yn y Gogledd.
barclod bras Barclod wedi ei wneud o sach.
Gw. hefyd dan BARCLOD, FFEDOG FRAS.
blawd bras (breision) Eisin neu ruddion haidd, gwenith neu geirch.
brethyn bras Brethyn cartre, cwrs, heb ei nyddu'n fân ac yn ffein.
brws bras Brws, â'i ben o wiail main i sgubo'r beudy, stabal y buarth ayyb, brws beudy, brws stabal.
cig bras Cig gwerog, cig gwyn; cig â llawer o fraster.
daear fras Tir cnydiog, toreithiog, porfaog.
Diar. 'Bras âr, bras ŷd.'
ffedog fras gw. BARCLOD BRAS, FFEDOG.
glo bras Glo yn glapiau mewn cyferbyniad i lo mân.
gwair bras Gwair â'i welltyn yn gwrs o'i gyferbynnu â gwair mân, meddal.
porfa fras Porfa dda, helaeth.
1988 Salm 23.2, Gwna imi orwedd mewn *porfeydd breision.*
tatws bras Tatws bwyta mewn cyferbyniad i datws mân a gedwid yn fwyd moch.

brasáu *be.* Pesgi, tewychu, tewhau (am anifail).
Ffig. Dyn yn gwella'i fyd, byw'n fwy moethus.
'Mae hi wedi *brasáu* tipyn ar Twm Jôs ar ôl iddo fynd ati i werthu llaeth.'
Yn y Beibl *brasáu* a wna pobl faterol.
1620 Jer 50.11, Am i chwi *frasáu* fel anner mewn glaswellt.
1620 Diar 15.30,Ond braseïr hefyd mewn ystyr dda.
'A gair da a frasâ yr esgyrn.'

brasdyfu *be.* Tyfu'n fawr, gordyfu, tyfu'n rhonc, tyfu'n wyllt (am blanhigion a llysiau).

brasdyfiant, brasdyfol gw. BRASDYFU.

brasedig *a.* Wedi ei besgi, wedi ei dewhau (am anifail), pasgedig.

braseilfwyd *eg.* Gweddillion grawn gwenith, yn cynnwys dim mwy na 6% o ffeibr, ac a ddefnyddir fel bwyd anifeiliaid. Gynt arferai fod tri dosbarth o weddillion. Ag eithrio rhuddion (bran) braseilfwyd yw'r enw ar y cwbl bellach.

brasfalu *be.* Heb ei falu'n fân, rhwydd falu (am ŷd neu indrawn).
1771 PDPh 94, Barlys wedi ei *fras falu.*

brasgeirch *ellg.* Math bras o geirch neu'r grawn gorau ar ôl nithio neu silio (mewn cyferbyniad i'r manyd), pilcorn (De).
15g Huw Cae Llwyd: Gwaith 80, Cadw y meirch ar *frasgeirch* fry.
Gw. PILCORN.

brasgig *eg.* ll. *brasgigoedd.* Cig bras, cig gwyn, cig â llawer o frasder arno.
17g Llst 47 181, Braisgon (cryf) ynt ar 'i *brasgig.*

brasis *ell.* un. *brasin.* Addurniadau pres ar harnais ceffyl, tlysau ar gêr ceffyl, sêr.
1975 T J Davies: NBB 74, Cafwyd gwersi yng ngolau'r lamp baraffin, gwersi ar blethu cynffon ac ar gribo bacse ... a buwyd ar dro yn glanhau y *brasis.*
1975 T J Davies: NBB 101, Gwisgid y ceffyle â phopeth gorau a feddai'r ffermwr, pob *brasin* yn ddigon glân i chi weld eich llun ynddo.

brasnithio *be.* Nithio neu ogrwn ŷd yn esgeulus a diofal, nithio'n rhwydd a blêr.
Ffig. 1710 LLGG (4), Mae'n gymwynas *fras-nithio* y rhai mwyaf ymmaith, i wneud y rhai lleiaf yn amlwg (am frychau, ffaeleddau).

brassica *ell.* Yr enw llysieuol a ddefnyddir yn gyffredin ar deulu'r bresych o blanhigion, yn cynnwys bresychen wen, blodfresych caled (gaeaf), cêl, ysgewyll Brwsel, swêds a maip. Tarddodd *bresych* o *Brassica* yn sicr.

braster *eg.* Gwêr, gweren fol, bloneg, saim, iraid ag sy'n toddi'n olew mewn tymheredd uchel, ond yn solideiddio neu galedu mewn tymheredd isel.
1620 Gen 4.4, Abel yntau a dduǵ o flaenffrwyth ei ddefaid ef, ac o'u *braster* hwynt.
1620 Deut 32.14, Ymenyn gwartheg, a llaeth defaid ynghyd â *braster* ŵyn.
Ffig. Y gorau, neu'r rhan orau o unrhyw beth.
1620 Gen 45.18, Rhoddaf i chwi ddaioni gwlad yr Aifft, a chewch fwyta *braster* y wlad.
G H Humphrey: *Yr Eglwys a Goronwy Owen,* Diau *braster* dibristod, oer iddo/A roddaist yn gardod.

brasterog *a.* Tew, blonegog, pasgedig, pwyntiedig, mehinawr (am anifeiliaid), wedi eu tewychu neu eu pesgi (am anifeiliaid a borthwyd am eu cig), mochyn brasterog, bustach brasterog, ŵyn brasterog – anifeiliaid yn barod i'r lladd-dŷ.

brastir *eg.* ll. *brastiroedd.* Tir cnydiog, toreithiog, ffaeth, porfaog, gwastadedd ffrwythlon, llawr gwlad cnydiog, tir cyfoethog ei bridd.
17g Huw Morus: EC 1.53, Meusydd, mewn brestydd *brastir,*/A bair bod bara a bîr.
Diar. 'Bras âr, bras ŷd.'

brastyfiant gw. BRASDYFU.

brasus *ell.* Yr addurniadau pres at addurno harnais ceffylau, yn enwedig ar y ffrwyn, y mortingel a strapiau'r strodur.
1983 T D Roberts: BLIIF 36, Golygfa hardd oedd gweld troliau'n mynd ar hyd y stryd a'r ceffylau'n *frasus* i gyd.
Gw. ADDURNIADAU, BRASIS, MORTINGEL, STRODUR.

braswellt *eg.* Crawcwellt, y math o wellt neu wair garw, tal, sy'n tyfu'n sypynau neu duswau ar dir uchel, gwellt y bwla.
1800 W O Pughe: CP 29, Megis y difäer y *braswellt*, cedennau, brwyn, cyrs, . . . a phob ofer-dyfiad arall.
Gw. CRAWCWELLT.

brathu *be.* Cnoi, clwyfo, dolurio, rhoi'r dannedd mewn rhywbeth neu rhywun (am anifail yn enwedig ci, cath, llygoden a neidr), archolli, gwenwyno.
13g WM 56 33-4, *Brathu* bendigeidvran yny troet a gwenwynwaew.
14g RB 2 103, *Brathwyt* sulyen yn angheuawl.
Ffig. Pigiadau cydwybod, poen meddwl.
1346 LLA 43, Ae gytwybot yny *vrathu*.
1567 TN. Act 2.37, Yn ôl iddynt clywed hynn, y *brethit* wy yn ei calonae.

bre *eb.* ll. *breon, breoedd.* Yn ddaearyddol ac amaethyddol bryn, bryndir, bryncyn, bre-tir, talwrn. Digwydd mewn enwau lleoedd fel Pen-*bre*, Moel*fre*.
16g WLL Geir. 270, *Bre* – bryncyn.

brêc
1. *eg.* ll. *breciau.* Y ddyfais ar gerbyd neu beiriant i'w arafu, neu i arafu ei olwynion ac i'w atal rhag symud yn ôl nac ymlaen, yn ôl yr angen (S. *brake*).
Ffig. Am roi ataliad ar rywun.
'Ma' Harri wedi bod yn helpu 'i hun ar y mwya' i'r ceirch 'na, mae'n amsar imi roi *brêc* arno fo.'

2. *eg.* Math o gerbyd pedair olwyn i'w dynnu gan geffyl at gludo pobl ac yn foddion trafnidiaeth cyn dyddiau'r car modur a'r tacsi. Fe'i gwelid yn aml gan dafarndai i'w logi yn union fel y gwneir â thacsi heddiw.
1966 D J Williams: ST 20, Yr oedd *brêc* y Swan a'r hen gel du yn dra enwog hefyd.
1962 Pict. Davies: ADPN 12, Daeth beili a phlismyn i'r ardal mewn *brêc*.

breci
1. *eg.* Cwrw newydd, ffres, heb eplesu, trwyth brag, trwyth (S. *decoction*). 'Cwrw cyn rhoi'r burum ynddo' – GEM 14 1981.
16g WLB 5, A'i gymysgu â *breki* ceirch da.
Yng Ngwynedd ceir y gair ar lafar am rywun ar ei sbri – 'mae o ar 'i *freci*'.

2. Math o wrtaith a wneid gartref gynt i'w roi i dir tatws, wedi ei wneud o wair, had llin a blawd India wedi eu berwi gyda'i gilydd a'i daenu dros y tir tatws.
1992 FfTh 9, 39, Faint o bobl heddiw sy'n gwybod beth yw *breci*? – berwi gwair gyda had lin-seed ac India Meal, ac roedd y gymysgfa yma yn cael ei hau ar y tir tatws.

3. Llith neu drwyth i loiau wedi ei wneud o wair a dŵr berwedig. Ar lafar yng Ngheredigion a Dyfed.
1989 D Jones: OHW 107, Yno hefyd y dois i wybod ystyr y gair *breci* ... Arferai Da'cu ei roi i'r lloi i'w yfed ... Dodai ddyrnaid golew o wair, a gorau i gyd os byddai hwnnw wedi poethi yn y das ac wedi cochi tipyn, yn y bwced ac arllwys dŵr berw drosto. A'r trwyth hwnnw wedi iddo oeri oedd y breci.
Yng Ngheredigion ceir y dywediad 'te mor gryf â *breci*'. Ym Môn clywir 'te cry' fel dŵr gwair'. Yr un ddelwedd yn sicr.

brecwast *eg.* ll. *brecwestau.* Y pryd bwyd cyntaf bob dydd, ac ar y ffermydd byddai hwn yn bur fore, yn enwedig i'r gweision a'r morynion ac yn gynt yn yr haf na'r gaeaf mewn rhai rhannau o'r wlad. Un blaen, syml oedd bwydlen y brecwast – bara llaeth, uwd, llymru, sucan neu fwdran, bara a chaws. (Gw. y rhain dan eu henwau). I brydau eraill y ceid cig moch a wyau.

1958 I Jones: HAG 47, Codent am bump o'r gloch y bore yn yr haf ac am chwech yn y gaeaf. Caent *frecwast* am saith neu hanner awr wedi hynny.

1958 I Jones: HAG 48, Yn y gaeaf a'r gwanwyn cynnar pan fyddai'r da yn hesb, ceid bwdran, sef nodd blawd ceirch wedi ei wlychu a'i straenio ac wedi ei ferwi gydag ychwaneg o ddŵr. Bwydydd iachus ddigon, a blasus hefyd, oedd y cawl llaeth a'r bwdran ...

brech *eb.* ll. *brechau, brechod.* Afiechyd yn ymddangos yn y ffurf o frychau neu swigod (pothellau) ar groen anifail, megis y gafod.

brech dofednod Afiechyd firol ar ieir yn achosi dafadennau ar y crib, y dagell a rhannau eraill o'r pen.

brech y ddafad Afiechyd hynod o heintus ar ddefaid (*variola ovina*) yn achosi twymyn, diffyg archwaeth, anhawster anadlu, plorod crawnllyd ar y croen a cholli graen. Y mae'n glefyd hysbysadwy, a rhaid lladd pob dafad sy'n dioddef ohono.

brech y fuwch Haint ar fuwch a gymhwysir at gorff plentyn i atal y frech wen, cowpoc (S. *cow-pox*). Fe'i gelwir weithiau yn 'frech wen'.

brech y moch Clefyd heintus a hysbysadwy ar foch, yn cael ei achosi gan firws. Fe'i nodweddir gan dwymyn, diffyg archwaeth, rhyddni, allwysiad o'r llygaid, diffyg anadl a gwendid cyffredinol. Mewn moch ifainc gall fod yn farwol mewn ychydig ddyddiau. Mae'n bosibl i foch hŷn ei oroesi, fodd bynnag. Fe'i gelwir hefyd yn *colera moch* ac yn *teiffoid moch* (S. *swine fever*).

1771 PDPh 95, Rhag y *frech* ar foch.

brechdan *eb.* ll. *brechdanau.* Tafell gymharol denau o fara â menyn arni, (ac yn aml, rhywbeth arall hefyd megis, caws, jam, cig, ayyb) – brechdan jam, brechdan gig, ayyb. Ym Maldwyn ceir y ffurf *brachdan.*

1400 Haf 16 1, *Brechdan* o vara heidd ac emenyn.

1564 RWM 2 645, Nid o'i chanol y dechreuir *brechdan.*

1908 Myrddin Fardd: LLGSG 294, Ystyrid *brechdan* gorddi yn faeth gwych odiaeth.

1963 R J Williams: LlLlM 26, Ond os byddai ar neb chwant *brechdan,* byddai torth o fara gwenith neu haidd cartref ar y bwrdd gyda digonedd o ymenyn melyn maethlon. Dywed. '*Hen frechdan* o ddyn' – dyn gwan, llwfr, di-asgwrn-cefn. Ar lafar yn y Gogledd. '*Brechdan* i aros pryd' – cael cyfran o rywbeth i ddisgwyl cael y cyfan.

brechdan fawd Tafell o fara a menyn wedi ei daenu arni â bys, brechdan gorddi. Fel rheol taenid y menyn ar y dafell fara yn syth o'r fuddai, ac felly yr enw '*brechdan gorddi'.*

1908 Myrddin Fardd: LLGSG 294, Hen arfer o daenu menyn gyda'r fawd gan boba (modryb) gynt, yr hyn a ddiogelai drwch gwastad, sylweddol ar y frechdan honno; ac ar adeg corddi ceid hi yn helaeth felly fyth ...

brechdan driog Brechdan â thriog arni.

brechdan dripin Brechdan â saim cig moch arni.

brechdan ddwbl Tafell o fara ceirch ar frechdan neu rhwng dwy frechdan.

brechdan fetel gw. BRECHDAN DDWBL.

brechdan gaerog gw. BRECHDAN DDWBL.

brechdan gorddi Brechdan fawd, a'r menyn arni wedi ei daenu'n syth o'r fuddai a hynny â'r fawd.

brechdan jam Brechdan amheuthun yn enwedig lle roedd tlodi mawr. O sefyllfa felly y caed dywediadau megis 'hwn a hwn isio *jam* arni' (mwy nag sydd i fod) neu 'hwn a hwn isio *jam* y ddwy ochr' – llawer mwy na digon.

brechdan linsi gw. BRECHDAN DDWBL.

brechdan piogen gw. BRECHDAN DDWBL.

brechiad *eg*. ll. *brechiadau*. Y weithred o frechu neu bigo anifail â brechlyn fel bod ei gorff yn cynhyrchu gwrthgorffynau, ac yn y ffordd honno yn ei imiwneiddio rhag haint.

brechlyn *eg*. Yn wreiddiol darpariaeth feddyginiaethol wedi ei gwneud o fater lymffatig o anifail yn dioddef o 'frech y fuwch' (S. *cow-pox*). Defnyddir y gair bellach, fodd bynnag, am unrhyw ddarpariaeth o ficro-organau neu firws wedi ei ladd neu wedi ei wanychu, ar gyfer brechu anifeiliaid (neu fod dynol) gyda'r bwriad o gynhyrchu gwrthgorffynnau neu antibodïau yn erbyn y micro-organau. Amcan hyn yw rhoi imiwnedd rhag ymosodiad o'r un math o ficro-organau. Gw. BRECHU, BRECHIAD.

brechu *be*. Rhoi pigiad neu frechiad i anifail (neu fod dynol) o hedyn afiechyd a gafwyd o waed anifail arall yn dioddef o'r afiechyd hwnnw, gyda'r amcan o'i arbed rhag yr afiechyd, neu, o leiaf, rhag cael yr afiechyd yn drwm. Rhoi brechlyn yng nghorff anifail i beri i'r corff gynhyrchu gwrthgorffynnau, fel ag i roi i'r anifail imiwnedd rhag afiechyd arbennig. Gw. BRECHLYN.

brechu had *be*. Lle mae planhigion codlysol (ffa, pys, ayyb.) yn tyfu mewn pridd sydd heb y math priodol o facteria ag sy'n gwbl angenrheidiol i'r planhigion fyw ar eu gwreiddiau a chynhyrchu nitrogen, trinir yr hadyd weithiau â meithriniad o'r bacteria er mwyn rhoi cychwyn i'r planhigion. Gelwir hyn oll yn *brechu hadyd*.

bref *eb*. ll. *brefiadau*. Cri neu ddolef neu ddyhead anifail (dafad, buwch, oen, llo, gafr ayyb.).

1929 J T Job: *Caniadau Job* 'Ffarwel i Eryri', Ffarwel i Gwm Pen Llafar/A'i heddwch di-ystŵr,/Lle nad oes lef – ond ambell *fref*,/A Duw, a sŵn y dŵr.

Gw. GWERYRIAD.

brefu *be.* Anifail yn galw am ei epil, am ei rywogaeth neu am ei fwyd a'i ddiod, beichio, bugynad, breifiad (Dyfed).

1620 Salm 42.1, Fel y *brefa'r* hydd am yr afonydd dyfroedd.

Hen rigwm. 'Y fuwch yn y beudy yn *brefu* am y llo'.

Hwiangerdd. 'Mae'r ceiliog coch yn canu,/Mae'n bryd i minnau godi,/Mae'r bechgyn drwg yn mynd tua'r glo,/A'r fuwch a'r llo yn *brefu*.'

Gw. BEICHIO[1], BUGUNAD.

breichiau *ell.* un. *braich.* Yn amaethyddol gair am rannau o offer amaethyddol, megis siafftiau'r drol (breichiau'r drol); cyrn yr aradr (breichiau'r aradr); edyn olwynion trol (breichiau'r 'lwynion (Maldwyn); llorpiau'r ferfa (breichiau'r ferfa).

1922 E Tegla Davies: *Nedw* 20, Dyna ni'n gwthio *breichiau'r drol* rhwng styllod y llidiart.

Gw. BRAICH, HEGL, LLORP, SIAFFT.

breid (y) *eg.* Afiechyd mewn defaid a achosir gan feirws, ac a drosglwyddir gan drogod (*Ixodes ricinus*) ar borfeydd ucheldirol. Mae'r anifail yn cael twymyn wyllt, ysgytiadau nerfol a phenysgafndod neu dera'r borfa, pengamni (S. *louping ill*). Yn ôl BBGC Cyfr. 3, 200 (1921-27) mae *breid* yn afiechyd mochyn hefyd.

'*Breid* – mochyn yn pantio yn ei gefn ar wres. Rhwbir ei gefn â fflŵr brwmstan a saim: hefyd gwaedir ei glustiau'.

breifad Ffurf ar brefu (Ceredigion).
Gw. BREF, BREFU.

breinen un. bach. o'r lluosog *brain*. Un frân ond yn cynrychioli'r tylwyth.

'Un gyfrwys ydi'r hen *freinen*'.

'Ma'r *freinen* yn swnllyd iawn heddiw'.

breisgau

1. *be.* Pesgi, tewychu, tewhau, cryfhau.

14g MM 156, A *breisgáu* a wnar mynwgyl, ... a *breisgau* a wnar breichieu.

2. Amlhau, lluosogi, hilio, cenhedlu.

16g Gr Hiraethog: Gwaith 50, Os kair hwrdd i *freisghau'r* hil.

17g E Morris: Gwaith 221, Tarw i *freisgáu* lloeau llaeth,/Yr egin o'i rywogaeth.

brest *eb.* ll. *brestydd.* Llechwedd, llethr, neu ochr bryn, bron. Ar lafar yng Ngheredigion.

17g Huw Morus: EC 1.53, Meusydd mewn *brestydd* brastir.

1989 D Jones: OHW 106, Gwelais ef yn ddiweddarach yn lladd yr hen *frest* fach serth honno rhwng Parc y Neuadd a'r morfa â phladur. (Ar lafar yng Ngheredigion.)

brestio *be.* Tocio wyneb gwrych neu wynebu clawdd pridd o newydd â thyweirch, cau. Ar lafar ym Môn ac Arfon.
Gw. CAU.

bresych

1. **bresyg** *ell.* un. *bresychen, bresygen.* Cabaets, neu lysiau bwytadwy o rywogaeth y Brassica, sy'n magu calon neu ganol caled.

bresych pengrwn Cabaets (cabaits).

bresych cochion Cabaets coch.

bresych coesdew *etf.* Cnwd porthiant o deulu'r cabaits gyda choesyn chwyddedig yn ffurf rwden neu feipen, y tyf dail cyhyrog ohono. Fe'i tyfir gan mwyaf yn Nwyrain a De Ddwyrain Lloegr yn aml yn lle erfin.

2. *ell.* Llysiau sydd heb fod yn magu calon a rhai yn tyfu'n wyllt fel chwyn yng nghanol cnwd ŷd ayyb, efrau, llêr.
bresych y cŵn Chwyn sy'n tyfu mewn cnwd ŷd.
bresych deiliog Cêl.
bresych gwyllt Llysiau ar ffurf bresych.
bresych yr ŷd Rêp gwyllt. Ar lafar ym Morgannwg.
1620 2 Bren 4.39, Ac un a aeth allan i'r maes i gasglu *bresych.*

3. *eg.* Cawl, potes, broth. Sonnir am *'fresych ffa'*, *'bresych* pys melyn'.
14g BY 15 (Gen 25.34), Gwedy gwerthu y vreint ohonaw er ychydig o *fressych pys melyn.*
bresych yr ŷd gw. GWRYSGENNYDD, HATRIS.

bretir gw. BRE.

brethyn cartre *eg.* Defnydd neu ddeunydd dillad dynion a merched, gwrthbannau, cwiltiau ayyb, a nyddid gartref mewn ystyr gwbl lythrennol gynt.
1933 H Evans: CE 90, Yr oedd tŷ gwŷdd yn perthyn bron i bob ffarm ... Gallai'r gŵr neu un o'r meibion weu gyda'r gwŷdd, ac mewn ffermydd mawr cedwid gwŷdd, neu, i fod yn iawn, gwehydd, ar hyd y flwyddyn. Byddai'r gwrthbannau, defnydd dillad y meibion a'r merched yn cael eu gwneud gartre, felly priodol iawn yw'r enw *brethyn cartre.*

breuan *eb.* ll. *breuanau.* Melin law, neu felin fach a droïd â'r llaw gynt ag iddi ddau faen yn troi ar ei gilydd, i falu ŷd, sbeis ayyb. Ceid hefyd *'freuan* dinfoel', sef un lai a'i meini'n llai.
Diar. 'Ddim mwy na *breuan* dinfoel'.

breuan melin *eb.* Maen melin.

breuan fenyn *egb.* Talp o fenyn, pwys o fenyn ar ffurf maen melin law neu freuan, printen o fenyn.
14g WML 95, Ac or bydd *breuanau emenyn* y gwr a geiff un.
1707 AB 214, *Breuan* – a pound of butter.

breuandy, breuanfod, breuanfwth *eg.* ll. *breuandai.* Yr adeilad neu'r ystafell lle cedwid y *freuan* neu'r 'felin law', a lle'i defnyddid.
1688 T J, *Breuandy* – tŷ melin.

breuanllif *ebg.* Maen llifo, maen hogi.
1547 W Salisbury: Geir., Llifo – hogi ar vaen breuanllif.

breudir (*brau* + *tir*) *eg.* ll. *breudiroedd.* Tir brac, brau a hawdd ei drin, ac hefyd tir ffrwythlon, ffaeth, cnydiog.
1770 Hop M 233, Y cynnar wlaw tra thirion mewn *breudir* ffrwythlon bras.
1660 BC 387, A'r Joseph hwn a ddaeth cyn hir,/I rodio *breudir* Brydain.

bribys, bribis, briblins *ell.* un. *brib, bribysyn, bribsyn.* Gweddillion, rhithod, briwsion, crafion, criglod, e.e. tatws mân, tatws rhy fân i'w bwyta na'u plannu, dim ond i'w rhoi i'r moch. Ar lafar ym Môn yn y ffurf *briblins.*

'Mae nhw'n fân fel briblins'.
Ffig. Y peth lleiaf neu'r peth lleiaf ei werth.
'Wnaeth blwyddyn yn y carchar yr un *bribsyn* o wahaniaeth iddo.'
briblins gw. BRIBYS.
bribsyn gw. BRIBYS.

brid *eg*. ll. *bridiau*. Llinach neu dras anifail, aderyn, planhigyn, llysieuyn. Mae Defaid Llŷn yn frid arbennig, ac yn frid Cymreig. Sonnir am anifail 'rêl *brid*' (S. *pure breed*) sef purlinachol.
1979 R E Jones, Eisteddfod Powys, Gŵyr pob call na ddaw allan/Eryr o *frid* o ŵy'r frân.
Ffig. Person o dras dda.
Diar. 'Cyw o *frid* yn well na phrentis'.

bridfa *eb*. ll. *bridfeydd*. Sefydliad a'i bwrpas i wella ansawdd stoc, porfa, grawn, ayyb, bridfa anifeiliaid, bridfa blanhigion – y math o sefydliad ag a geir yn Aberystwyth a sefydlwyd yn 1919 drwy ysbrydoliaeth yr hyglod R.G. Stapleton.
1989 Handel Jones: BB 46, Y Fridfa bellach yn allweddol i wella cnydau sy'n hanfodol bwysig i ardaloedd da byw Cymru a Gorllewin Lloegr, ardaloedd lle mae dwy ran o dair o'r holl dir pori yng Nghymru a Lloegr. Yn ogystal y mae'r Fridfa'n cyflawni gwaith sydd o fudd i ffermwyr led-led y byd. Datblygodd fathau o farlys sy'n medru gwrthsefyll heintiau, ceirch sy'n fwy cynhyrchiol, a glaswellt sy'n medru gwrthsefyll tymheredd isel a sychder mawr.

bridiau dau ddiben *ell*. un. *brid dau ddiben*.
a) Bridiau o wartheg a gedwir am eu llaeth ac am eu cig;
b) Dofednod sy'n dda i ddodwy ac i'w bwyta;
c) Hychod a gedwir i'w croesi â baeddod er mwyn cael bacwn a phorc.

bridiau Down *ell*. un. *brid Down*. Bridiau o ddefaid byr eu gwlân a hwnnw o liw hufen, yn ddi-gyrn ac â choesau a wynebau duon. Perthyn i'r bridiau hyn y Suffolk, Oxford Down, South Down, Dorset Down a'r Hampshire Down.

bridiau gwartheg yn ôl eu prif ddiben *ell*. Yn aml dosberthir gwartheg yn ôl eu prif ddiben fel a ganlyn:
a) *gwartheg biff:* Aberdeen-Angus, Beef Shorthorn, Belted Galloway, Blonde d'Aquitaine, British Romagnola, Charlois, Chianina, Devon, Galloway, Gelbvieh, Hereford, Highland, Limousin, Maine-Anjou, Marchigiana, Murray Grey, Simmental, South Devon, Gwartheg Duon Cymreig.
b) *gwartheg llaeth:* Ayrshire, British Dane, Dairy Shorthorn, Friesian, Guernsey, Jersey, Kerry.
c) *gwartheg dau-ddiben* (cig a llaeth): Dexter, Meuse-Rhine Ljssel, Red Poll.

bridiau prin *ell*. un. *brid prin*. Am resymau arbennig, rhai masnachol yn bennaf, ceir bridiau o ddefaid, gwartheg a moch eisoes yn fridiau coll, a rhai eraill mewn dygn berygl o fynd i golli. Ers pum mlynedd ar hugain bu 'Ymddiriedolaeth y Bridiau Prin' yn ceisio troi'r fantol hon.
1989 Handel Jones: BB 82, Alderney, Suffolk Dun, Rudgwick, Bampton Nott, Roscommon, Enwau yw'r rhain ar fridiau o wartheg, moch a defaid, ond, ysywaeth, nid oes yr un

ohonynt ar ôl erbyn hyn ... Mae rhestr y bridiau colledig yn un faith, yr un fath â rhestr y *bridiau prin* sydd â'u dyfodol yn y fantol ar hyn o bryd.

bridio *be.* Magu neu ddatblygu anifeiliaid, cnydau a phlanhigion o frid ac o ansawdd arbennig, meithrin rhywogaethau sy'n rhagori mewn rhyw ffordd neu'i gilydd.
Gw. ALLGROESI, BRIDFA, CROESFRIDIO, MEWNFRIDIO.

bridio llinachol *be.* Bridio yr un grŵp o anifeiliaid o'r un linach dros nifer o genedlaethau, cymharu anifeiliaid sy'n perthyn i'w gilydd, ond nid yn rhy agos, e.e., cefndryd ac nid brodyr, ayyb. Pwrpas bridio llinachol yw ceisio parhau'r gymysgedd o enynnau sy'n gyfrifol am gynhyrchu math rhagorol o anifail.

bridiwr *eg.* ll. *bridwyr.* Un yn magu anifeiliaid, adar a phlanhigion, yn aml o ansawdd arbennig, bridiwr gwartheg, bridiwr moch ayyb.

brig
1. *eg.* ac *etf.* ll. *brigau, brigoedd, brigion.* Yn amaethyddol pen neu flaen llysiau yn enwedig ŷd, y clwster tywysennau ar ben y gwelltyn, brig y ceirch, yr haidd, y gwenith.
'Byr ydi'r gwelltyn ond mae 'na *frig* ardderchog'.
Sonnid am roi'r ysgubau'n *frig-frig* wrth stycio neu stacanu'r ŷd gynt.
Ffig. Ymenydd neu ben da.
'Un gwael a gwachyl yr olwg ydi Trefor, ond mae ganddo *frig* da' (pen da).

2. *eg.* Yr ysgub ŷd yn ei chyfanrwydd (Dyffryn Clwyd).
1990 FfTh 5, 4, Byddai llanciau cryfion yn cario y *brig*, ei godi i ben y dyrnwr, yna y gyrrwr neu ei gymar yn ei ffidio i'r dyrnwr wedi i rywun arall yn gyntaf dorri y llinyn oedd am yr ysgub.

3. *eg.* Y grawn yn y sachau wedi iddo fod drwy'r dyrnwr.
1991 FfTh 8, 23, Y drefn fwyaf arferol fyddai i hogia'r wedd gario'r *brig*, hogia'r gwartheg i gario'r gwellt, ffermwyr y gymdogaeth i godi'r ysgubau ...

brig y das *eg.* Pen y das, copa'r das (tas wair, ŷd ayyb). Sonnid am 'o'r bargod i'r *brig*', 'rhaff *frig*' ayyb.
1981 W H Roberts: AG 61, Byddai angen nifer mawr o raffau dwy gainc ar gyfer y teisi – ar y *brig* a'r fargod a'r dabal.
Ffig. Yn uchel, ar y top, ar y brig – mewn cystadleuaeth, neu arholiad.
'Roedd o ar y *brig* ym mhob pwnc.'
Ymad. 'O'r *brig* i'r bôn' – o'r pen i'r gwaelod, drwodd a thro.

brigau *ell.* un. *brigyn.* Canghennau o ddrain neu o eithin ayyb, a ddefnyddir i gau bylchau neu i gryfhau mannau gwan mewn gwrych, neu i wneud og ddrain i lyfnu tir glas.
Gw. BERDIO, OG DDRAIN.

brigbori (*brig* + pori) *be.* Blewynna, daneddu ambell welltyn yma ac acw, blaenbori.
Ffig. Cael golwg fras, neu gipolwg, ar lyfr newydd neu lythyr ayyb, neidio'n frysiog o un bennod i'r llall.
'Dydw'i dim ond wedi prin *frig bori* yn y nofel fuddugol hyd yn hyn'.

122

brigdocio (*brig* + *tocio*) *be.* Torri brig, tocio, tocio brig, ysgythru gwrych, perth ayyb.
Gw. BRIGLADD.

brigdorri gw. BRIGDOCIO, BRIGLADD.

brigdriniaeth *ebg.* Rhoi gwrtaith i gnwd fel bo'n tyfu yn hytrach nag i'r pridd wrth ei hau neu cyn ei hau, ffordd o fwydo cnwd â maethlynnau ar adegau gwahanol yn ôl yr angen (S. *top dressing*).

brigdyfiad *eg.* Blaendarddiad, eginiad, blaguriad.

brigdyfu *be.* Blaendyfu, blaguro, egino, blaendarddu.
Gw. BLAGURO, EGINO.

brigddyrnu

1. *be.* Dyrnu-grawn a'i yrru drwy'r gograu bras yn unig, dyrnu'n fras.

2. (*brig* + *dyrnu*) *be.* Dyrnu blaen yr ysgub yn unig. Ceid math o ddyrnwr y rhoid brig yr ysgub yn unig yn y drym. Safai'r ffidiwr o'r tu ôl i'r dyrnwr a gwthio brig yr ysgub yn unig i afael y drym. Wedi i'r brig gael ei stripio oddi ar yr ysgub, tynnid yr ysgub wellt allan a'i thaflu o'r neilltu i'w thasu.

brigiad

1. *eg.* Crib cefn anifail. Ar lafar yn y Gogledd. Sonnir am 'frigiad da arno' bustach, eidion ayyb – gwedd dda, raenus, borthiannus.

2. *ebg.* Ymwthiad craig i'r wyneb mewn cae. Hefyd yn yr un ystyr am ymwthiad gwythïen o lo i'r wyneb. Ar lafar yn y De.

brigio gw. BRIGO.

brigladd (*brig* + *lladd*) Tocio blaen neu deneuo brig gordyfiant coed neu wrych, barbro, brigdocio.
Gw. BRIGDOCIO.

brigo

1. *be.* Torri blaen neu frig (am wrych), ysgythru, tocio, brigo gwrych, brigo perth, brigdorri, brigdocio, barbro.

2. *be.* Cau bylchau neu fannau gwan mewn gwrych â brigau drain neu eithin, berdio, rhoi brigau drain neu eithin ar ben clawdd rhag i'r anifeiliaid fynd drwodd neu drosodd. Ar lafar yn Nyfed ac yn y Gogledd.

3. *be.* Magu brig, ffurfio brig, (am ŷd), cadeirio, mynd i hosan.
'Mae'r ceirch yn *brigo'n* dda.'
Gw. CADEIRIO, MYND I HOSAN.

4. *be.* Ymwthio i'r wyneb ar gae (am graig neu garreg fawr).
'Cymer ofal yn is i lawr yn fan'cw, mae 'na graig yn *brigo*, rhag ofn iti falu'r swch.'
Gw. BRIGIAD[2].

5. *be.* Ffurf lafar ar y gair *barugo.* Ar lafar yn y Gogledd, llwydrewi (y De),

glasrewi.
'Ma hi wedi *brigo'n* wyn neithiwr.'
6. *be.* Dechrau bwrw glaw, pigo bwrw, dechrau glawio. Ar lafar yn yr ystyr hwn yng ngogledd Ceredigion.
GPC (Atod.), Mae hi'n dechre *brigo* – to drizzle.

brigog
1. *a.* Â brig da, llawn brig, llawn tywysennau (am ŷd), wedi cadeirio'n dda, wedi brigo'n dda. Yn Edeirnion ceir *cribog* yn dwyn yr un ystyr.
Ffig. 1620 Salm 37.35, Rhywun llwyddiannus, llewyrchus ei amgylchiadau.
'Gwelais yr annuwiol . . . yn *frigog*, fel y lawryf gwyrdd.'
'Paid a phryderu am Ifan, ma'i sefyllfa fo'n ddigon *brigog* iti.'

2. *a.* Pigog, draeniog, coliog, blaenfain.
1480-1525 TA 12, Gwna bregeth o'th waith â gwayw onn *brigog.*

3. *a.* Corniog, bannog, â chyrn canghennog (am ychen).
1716 Llsg R. Morris 46, Yn wartheg glân *brigog* a synnod pedolog'
1720 D Thomas: HTS 9, A'r ychain *brigog* tecca yng Nghymru.'

brigwellt *ell.* un. *brigwelltyn.* Math o weiryn neu welltyn main blewog a blodau bychain arno.
brigwellt cribog Brigwellt a'i ben fel crib.
brigwellt y dŵr Yn tyfu mewn lle gwlyb.
brigwellt mawnog Yn tyfu mewn mawnogydd.
brigwellt tywarchaidd gw. BRIGWELLT MAWNOG.

brigwn *eg.* ll. *brigynau.* Un o'r ddau far metel i ddal coedyn sydd dipyn yn hir ag sy'n llosgi ar yr aelwyd a'i ben yn y tân, gobed, haearn y bêr. Gw. BÊR, GOBED.

brijin gw. BRITSYN, TINDRES.

briog *eb.* Tir uchel yn ôl pob tebyg. Digwydd mewn enwau lleoedd fel Y *Friog*, Meirion; Foel *Friog*, Corris; Dôl *Friog*, Nanmor.

brisged *egb.* Rhan flaen neu frest anifail sydd y nesaf at yr asennau (yn enwedig eidion), darn o gig o'r rhan honno o eidion'.

brist *eb.* Llechwedd, llethr, brest, tir yn llechweddu, bron (S. *breast*). Ar lafar yn sir Benfro.

britchman, brijmon *eg.* Ffurf lafar yng Ngheredigion ar '*britch band*', britsin, britsyn.
Gw. BRITSYN, TINDRES.

British White *ep.* Hen frid o wartheg gwynion a smotiau o liw sydd bellach yn brin iawn. Gwartheg digorn, coesfyr ac o faint canolig. Fel gwartheg sugno y'u defnyddir fwyaf i fagu gwartheg biff.

brits, britis, britsh Clos, math o drowsus yn llydan am y cluniau ond yn culhau am y penglin ac yn cael ei gau yn dynn â botymau yr ochr isaf i'r penglin, *britis* pelin (Ceredigion). Partneriaid angenrheidiol y clos penglin neu'r *brits* oedd *cetars* neu *getars* lledr yn cau am waelod y *brits* yr ochr isaf i'r penglin ac yna'n culhau i gau am ben yr esgidiau, 'clos a chetars' (Môn). Dyma'r math o ddiwyg a wisgai'r porthmyn fyddai'n prynu a gwerthu anifeiliaid. Ar achlysuron arbennig dyma hoff ddiwyg y certmyn hefyd.

1966 D J Williams: ST 20, Hoff gan bawb ydoedd Deio â'i goesau main a'i *fritis* a'i legins, ei wyneb hir a'i locsen lwyd.

britsyn *eg.* Y strap lledr cryf yn cyrraedd o'r strodur am bedrain (tu ôl) ceffyl, dan ei gynffon. Y *britsyn* oedd cyfrwng bonio ceffyl bôn neu geffyl siafftiau, h.y. â'r britsyn y gallai stagio a dal yn ôl y drol ar oriwaered, tindres (S. *breeching strap*). Ar lafar yn gyffredinol. Ym Môn ceir y ffurf *brijin*, ac ym Maldwyn *brijmon*.

1939 D J Williams: HW 78, Ar fannau serth fel y Rhiw Goch . . . gwyddai'r ffordd i frêco, drwy ddal yn dynn ar ei *fritsyn* ...

brith Deuliw, amryliw, cymysgliw, brych, ysmotiog. Yn amaethyddol sonnir am fuwch frith ac am lo brith, h.y. buwch neu lo coch a gwyn neu ddu a gwyn. Ceir y ffurfiau *breith* a *braith* hefyd.

1620 Sech 1.8, Ac o'i ôl ef feirch cochion, *brithion* a gwynion.
1620 Gen 37.3, Ac efe a wnaeth siaced *fraith* iddo ef.
1703 Elis Wynne: BC 14, Cloben o beunes *'fraith'* ucheldrem.
Ffig. Cymeriad amheus ei foes a'i fuchedd.
'Mae nhw'n dweud mai hen gymeriad go *frith* ydi o.'
'Bachan *brith*' – y De.
16g G Hiraethog: Gwaith 170, Da hadyd braisg nid ŷd *brith*.

brithan *eb.* Enw nodweddiadol ac aml ar fuwch deuliw neu amryliw, yn enwedig buwch las a gwyn, coch a gwyn neu ddu a gwyn.
'Godra di Glaswen mi odra inna' *Brithan*.'

brithdir *eg.* ll. *brithdiroedd*. Tir neu bridd o ansawdd ganolig neu gymysg, tir lledryw. Fe'i ceir mewn enwau lleoedd, *Brithdir*, Dolgellau; *Brithdir*, Llanfyllin.
1814 W Davies: GVADEW, Hen ddywed. '*Brithdir* i fuwch a chrasdir i ddafad.'

brithgig *eg.* ll. *brithgigoedd*. Cig a chryn dipyn o frasder ynddo, cig yn gymysgedd o gig coch a chig gwyn, yn enwedig am gig moch.
1812 Twm o'r Nant: PG 3, Chwi gewch *frithgig* sych o'ch blaenau.
1400 Haf 16 13, *Brithgic* yrwng cul a bras.

britho, brithio *be.* Dechrau torri neu gawsio (am laeth) yn troi'n fenyn wrth ei gorddi. Ar lafar yn y Gogledd a Cheredigion.
'Mae o'n *britho* o'r diwedd, diolch byth.'

brithyd gw. AMYD, SIPRYS.

briwellt (*briw* + *gwellt*) *ell.* un. *briwelltyn*. Gwellt mân neu ysborion gwellt.
1604-7 TW Pen 228, Priddgalch wedý demprio â *briwellt*.

briwio *be*. Gair Ceredigion a'r De am falu'n fân, *briwio* âr, *briwio* cig, *briwio* eithin ayyb.

1958 I Jones: HAG 46, Tynnid y maidd mor llwyr ag y gellid oddi wrth y sopen a phan fyddai honno'n ddigon sych cai fynd drwy'r colfranwr i'w *briwio'n* fân.

briwio eithin *be*. Malu eithin yn fwyd i anifeiliaid yn enwedig ceffylau.

1992 E Wiliam: HAFF 36, Ond yn ei thro daeth oes *briwio* eithin â'r 'chaff-cutter' i ben wrth i'r gweision brinhau ar y ffermydd.

Gw. EITHIN.

briwlan *be*. Smwcian bwrw, bwrw glaw mân. Ar lafar yng Ngheredigion.

briwlio, briwlian *be*. Rhostio cig neu datws o flaen tân agored ar alch (gridyll) neu ar farwor. Weithiau mae'n air am grasu bara neu wneud tôst. Ceir hefyd y ffurf *broelio*.

'Does dim yn well gen i na thatws wedi 'i *briwlio*.'

briws

1. *eg*. Cegin gefn neu gegin groes tŷ fferm, lle, yn amlach na pheidio, y byddai'r gweision yn bwyta. Yno yr oedd y bwrdd mawr hir a mainc o bobtu iddo i'r gweision eistedd. Fel rheol yn y 'gegin orau' y câi'r teulu eu bwyd, a'r gweision yn y *briws* yn narn croes y tŷ. Ar lafar yn yr ystyr hwn ym Môn ac Arfon.

1954 J H Roberts: Môn, *Briws* – Yma gynt y byddid yn bragu – S. *brew-house*.

2. *eg*. Y penty yn nhalcen y tŷ lle cedwid coed tân a mawn, a lle y ceid yn aml ferwedydd neu foelar i olchi, berwi bwyd moch, ayyb. Yno hefyd y pobid bara ar radell gyda thân coed. Weithiau gelwid y *briws* hwn yn 'gegin foch' am mai yma y berwid tatws a sborion i'r moch. Ar lafar yn yr ystyr hwn yn sir Ddinbych.

1992 E Wiliam: HAFF 13, Yr oedd yn rhaid berwi tatws a sborion eraill iddynt (moch) a gwneid hynny mewn adeilad pwrpasol, y 'gegin foch' neu'r *briws*.'

briwsio *be*. Malu'n fân, yn enwedig bwyd. Ar lafar yn Nyfed.

1989 P Williams: GYG 32, Roedd peth yn cael ei *friwsio* a'i ffurfio'n gacennau fflat a'i ffreio'.'

briwydd (*briw* + *gwŷdd*) *ell*. Mân frigau toredig neu brysgwydd sych, cringoed, tanwydd, cynnud, coed tân.

1620 Act 28.3, Ac wedi i Paul gynnull ynghyd lawer o *friw-wydd* a'u dodi ar y tân.
1620 1 Bren 17.10, Wele yno wraig weddw yn casglu *briw-wydd*.

bro

1. *eb*. ll. *broydd* (*brofydd*), *brofyddoedd*. Ardal, cymdogaeth, cynefin, milltir sgwâr. Bu ei *fro* ar bob adeg yn bwysig i'r gwladwr a'r amaethwr o Gymro, yn enwedig *bro* ei febyd. Estyniad o'i frogarwch yw ei wladgarwch.

Crwys: 'Caru Cymru', Ac nid oes a geisiwn,/Na dim a ddymunwn/Ond bwthyn bach tawel rhwng cyrrau fy *mro*/A beddrod i huno yn rhywle'n ei gro.

2. *egb*. Gwastadedd, dyffryndir, iseldir (yn enwedig mewn cyferbyniad i ucheldir). Mae'r ymadrodd '*bro* a bryniau' yn cyfleu'r cyferbyniad. Ceir yr un ystyr yn yr enw 'Bro Morgannwg' – iseldir Morgannwg (S. *Vale of Glamorgan*).

broc *a.* Brith, amryliw (am anifail), ceffyl *broc*, bustach *broc* sef coch a gwyn neu lwyd bob yn ail blewyn, gwineulwyd, coch a gwawr lwyd, yr un â lliw llaeth a chwrw. Ym Maldwyn glas yw *broc*, buwch *froc* – buwch las, ceffyl *broc* – ceffyl glas. Ceir hefyd y cyfuniadau '*broc* tywyll' a '*broc* golau'.
Ffig. Cymeriad brith, amheus, ysmala. Ar lafar yng Ngheredigion, 'bachan *broc*'. Hefyd sonnir am 'iaith *froc*' sef iaith fras.

brochgáu *be.* Ffurf dalfyredig ar *marchogáu*, sef teithio ar gefn ceffyl. Ar lafar yn Nyfed.
1992 DYFED Baeth 51, Wedi *brochgáu* ceffylau yn sefyll ar eu cefnau yn nhraed ei sanau ...

brodir
1. *eg.* ll. *brodiroedd*. Gwlad, ardal, gwastatir, dyffryndir, tir wedi ei ddiwyllio.
Gw. BRO².

2. *eb.* Gwlad enedigol, mamwlad, cynefin.
1756 Gron 15, Henffych well, Fôn, dirion dir,/Hyfrydwch pob rhyw *frodir*.

broelio gw BRIWLIAN, BRIWLIO.

broes
1. *eg.* ll. *broesau, brwys*. Gwialen bigfain o bren neu o haearn a ddefnyddid wrth nyddu i gymryd yr edafedd wrth ei dynnu oddi ar y werthyd, pric edafedd, broes gwlân. Ceir y ffurf ll. *broese* yng Ngheredigion.

2. *eg.* ll. *broesau, broese* (Ceredigion). Gwialen bigfain sy'n mynd drwy'r pabwyryn wrth wneud cannwyll frwyn, *broes* canhwyllau.

broga *eg.*
J Williams-Davies: Nod. AWC, *Broga* – bachyn haearn yn rhedeg o goes y bladur i ddal y gadair yn ei lle, (Caerfyrddin), post, bola.

brolio grut *be.* Defnyddio'r 'corn grut' i falu'r grut ar y waled ledr cyn ei roi ar y stric (Dyffryn Ardudwy).

bromwellt *ep. ac eg.* Gair geiriadur am deulu o wair tebyg i geirch, (*bromus*), heb lawer o werth fel porthiant, ac a ystyrir fel chwyn. Fe'i gwelir, fel rheol, ar dir âr neu fraenar.

bromwellt meddal *eg.* Un o'r rhywogaethau mwyaf cyffredin o fromwellt. Mae'n flew hirion drosto ac fe'i gwelir mewn porfa ymhobman (*bromus mollis*).

bron *eb.* ll. *bronnydd*. Ochr bryn ag ymchwydd iddi, llethr bryn. Sonnir am y peth a'r peth ar y fron, sef ar y llechwedd, ar ochr y bryn.
16g WLL: Bardd, Anodd iawn yw i ddynion/Droi ar frys y dŵr o'r *fron*.
1876 Dewi Havhesb: *Oriau'r Awen* 103, Mae holl ogoniant natur,/Ar *fron* pob bryn a gallt'.
Hen Bennill: Mae gen i drol a cheffyl/A merlyn newydd sbon,/A thair o wartheg blithion/Yn pori ar y *fron*.

brôn *eg.* Cig a geir o biclo a berwi pen mochyn; ac weithiau o ferwi traed eidion. Gynt, pan oedd 'lladd mochyn at iws' yn gyffredin, byddai mynd ar y brôn am ddyddiau lawer.

bronbwyth *eg.* ll. *bronbwythau.* Y strap lledr sy'n cau neu glymu'r mwnci am goler y ceffyl yn y gwaelod, bronbwyth mwnci. Ar lafar yng Ngheredigion, tugall y mwnci (Môn).

brongengl (*bron + cengl*) *eb.* ll. *brongenglau.* Cengl neu strap am ganol ceffyl i sicrhau'r cyfrwy, neu ddarn o arfogaeth i amddiffyn bron ceffyl (S. *breast-girth*).
14g YCM 93, A gwan o bob un y gilydd yn y dorres eu *kegleu*, ac eu *brongengleu.*

brongist *eb.* ll. *brongistiau.* Rhan ganol y corff rhwng y pen a'r abdomen neu'r bol. Mewn anifeiliaid y gofod ym mhen uchaf y corff ac uwchben y bol neu'r abdomen, ac yn cynnwys y diaffram, y galon a'r ysgyfaint ac wedi eu hamgylchu gan y gawell asennau (S. *thorax*).

bronnallt, broniallt (*bron + gallt*) *eb.* Ochr bryn graddol ei oriwaered, llethr graddol, allt, rhiw, bron o goed, coedfron.
14g GDG 76, Ffraethach yw hon mewn *bronnallt,*/Y nos, na'r eos o'r allt.

bronwydd *ell.* ac *e.b.* Coed yn tyfu ar lechwedd neu ar lethr, bron o goed, coedfron.

brot gw. SIAFF.

broth *eg.* Potes, cawl, trwyth cig a llysiau wedi eu cydferwi.
1696 CDD 64, Mi gwympais i'r dommen,/Mi yfais *froth* heidden.

browes gw. BRYWES.

bruselosis *eg.* Clefyd erthylu heintus ar fuchod, (gw. ERTHYLU), (*brucella abortus*) sy'n peri lleihad yn y cynnyrch llaeth, anffrwythlonder ac erthyliad. Mae'n bosibl i berson dynol ei ddal drwy laeth y fuwch.

brwchan, brychan *eg.* Llymru, sucan gwyn, math o botes tenau o flawd ceirch (a bara) a dŵr.
1650 CLLC 2.20, I wneuthur *brwchan* da ar i les.
1789 Twm o'r Nant: CTh 13, A hwylia'r forwyn i wneud *brwchan* Sir Fôn.
Yng Ngwynedd fe'i ceir yn yr ystyr o 'ewyn' neu 'ffroth'.

brwchen *eb.* Tarddiad dŵr allan o'r ddaear, byrlymiad dŵr, pympiad dŵr, ffynhoniad dŵr.

brwes, brwas, brwet gw. BRYWES.

brwg *eg.* Llwyn o goed, nyrs o goed.
18-19g IMCY 230 (Gol. G J Williams), Hardd pob dyffryn brynn a *brwg,*/O gynnes wlad Morgannwg.
Fe'i gwelir mewn enwau lleoedd fel *Brwg* St Iorys, *Brwg* Llan St Fred, *Brwg* y Dyffryn ayyb.
1800 Llr C 55 19, *Brwg, brwc* – coed, fforest, coedlwyn.

brwgaets *eg.* Tyfiant gwyllt, garw o fangoed, coediach, anialwch, prysglwyni. Y math o dyfiant o frigau a drain a dorrid i wneud gwely tas.
1992 E Wiliam: HAFF 28, Ac yr oedd lloriau'r llofftydd isel yn aml o *frwgaets* wedi ei osod ar bolion di-lun.

1992 FfTh 11, 23, Ni ellir ei gweld bron mewn *brwgaets* (carreg filltir) erbyn hyn ac mae amser a thywydd wedi gwneud eu hôl arni fel ar Felin Trefin.

brwlio, brwlian gw. BRIWLIO, BRIWLIAN.

brwmstan *eg.* Un o'r elfennau a ddefnyddid cryn lawer gynt mewn bwyd ceffylau. Fel arfer byddai 'fflwar *brwmstan'* (*flour of brimstone*) a chrêm tartar (*cream of tartar*) yn efeilliaid agos yn risêt porthi ceffylau, i gadw corff y ceffyl yn lân a rhag rhwymedd. Fe'i defnyddid hefyd mewn diod lemon ayyb, gan rieni i'w plant i glirio brech a phlorod a phennau-ddynod, drwy lanhau'r gwaed.

brws, brwsh, brwys *eg.* ll. *brwsys, brwsiau.* Offeryn i frwsio neu sgubo lloriau, i lanhau, i sgwrio, paentio ayyb.

brws blac-led Y math o frws a ddefnyddid yn gyffredinol iawn gynt at lanhau'r grât a'r lle tân, mewn tai ffermydd ac mewn cartrefi yn gyffredinol, pan na cheid ond gratiau haearn a chyn dyddiau'r gratiau teils, y 'Rayburn' ayyb. Defnyddid un brws i daenu'r blac-led a brws arall i roi sglein.

brws bras Y brws a'i ben o wiail main i sgubo'r beudy, y stabal, y buarth ayyb.

brws llawr Y brws at wasanaeth y tŷ i sgubo'r lloriau.

brws pil pabwyr *eg.* Brws a wneid gynt o bilion brwyn ar ôl gwneud canhwyllau – brws at frwsio'r pentanau, ayyb.

brws sgwrio Y brws i sgwrio'r lloriau yn y tŷ, ac i sgwrio'r bwrdd mawr y byddai'r gweision yn bwyta arno a'r meinciau yr eisteddai'r gweision arnynt wrth y bwrdd.

brws wheitwas Y brws a ddefnyddid yn flynyddol i weitwasio'r tŷ llaeth, tu mewn i'r beudy, ac, yn aml, y tŷ a'r beudai oddi allan.

brwsio

1. **brwso, brwyso** *be.* Ysgubo, glanhau â brws, defnyddio brws, brwyso.

2. **brwsho** *be.* Llyfnu tir ag oged, llyfnhau wyneb tir ag og. Ar lafar yn sir Benfro.

3. *be.* Brigo gwrych, brigdorri gwrych â chryman, tocio gwrych. Ar lafar ym Maldwyn. Gw. GEM 15.

brwydos *ell.* Ffurf dafodieithol ar 'marwydos', sef marwor neu gols ar ôl bod yn pobi. Ar lafar yng Ngorllewin Clwyd.

brwyliad *eg.* ll. *brwyliaid.* Ceiliog neu iâr ifanc a leddir pan fo'n rhyw ddeg neu ddeuddeg wythnos oed. Gair a fathwyd ym mhumdegau'r 20g am y gair Americanaidd *broiler* yw *brwyliad* ac a ddefnyddiwyd gyntaf mewn print gan W. Dyfri Jones mewn ysgrif yn *Gwyddor Gwlad*, Ebrill 1955. Pwysleisir yno nad oes gysylltiad rhwng *broiler* a *boiler* yn Saesneg, sef hen iâr wedi dod i ben ei hoes ddodwy ac nad yw'n dda i ddim ond i'w berwi.

brwylio, brwylian *be.* Gwneud rhywbeth yn ddi-lun, yn lletchwith, yn

129

flêr. Ar lafar yn Llŷn ac Eifionydd'.
1987 B Lewis Jones: BILLE 9, *Brwylio* palu oedd palu'n flêr a di-lun.

brwyn *ell.* un. bach. *brwynen.* Planhigion syth, hirfain, bywynnog eu coesau, sy'n tyfu mewn tir gwlyb neu gorsiog, ac ar lan afon ayyb, pabwyr. Fe'i defnyddid lawer iawn gynt i wneud canhwyllau, i eilio neu blethu basgedi (digwydd hyn o hyd), i orchuddio llawr pridd yn y tŷ, ac wrth gwrs, i doi tai, teisi gwair, ŷd ayyb.
1620 Job 8.11, A gyfyd *brwynen* heb wlybaniaeth?
1978 D Jones: SA 49, Epilgar elyn parod – diwydwaith/'Rhen dadau'n eu cyfnod,/Ond rhag gwynt a rhew ac od/Toiodd hon eu tyddynod.
R.J. Rowlands: *Llên y Llannau,* Yn gynnar y bu'n gweini – i'r hen nain/Rhoi'n wiw ei goleuni,/Mewn cyfnod pan oedd tlodi/A'i lwm wedd yn ei fflam hi.
Dywed. Ffig. a Chymariaethol: Person gwan di-asgwrn-cefn.
'Hen *frwynen'*, neu 'hen *frwynen* o ddyn'.
Person talsyth yn enwedig rhywun mewn oed.
'Mae o'n bedwar ugain ond yn heini a thalsyth fel *brwynen.'*
'Te *brwyn'* – te gwan (Cf. te gweddw [gwidw], te fel dŵr golchi llestri).
Y lleiaf o rywbeth neu'r lleiaf o falio am rywbeth.
'Dydw' i'n malio'r un *frwynen* ynddo fo.'
'Dim cysgod *brwynen'* – lle agored, moel, digysgod. Cf. dim cysgod 'cawnen'.
Diar. 'Brau yw einioes fel *brwynen.'*
Ceir mwy nag un math o frwyn:
brwynen flewog Brwynen a blew o fath yn tyfu arni.
brwynen flodeuog Brwynen â blodau pinc ac yn tyfu mewn dŵr.
brwynen garanod Brwynen dal yn tyfu mewn dŵr.

brwyn toi *ell.* Brwyn cymharol ddethol a dorrid i doi teisi gwair, gwellt, ŷd. Byddai'r töwr neu'r sawl a dynnai'r to, yn ysgwyd y brwyn wrth eu tynnu'n unfon fel bod pob rhyw weiriach a fyddai'n debyg o gymryd dŵr yn disgyn allan ohonyn nhw.
1981 W H Roberts: AG 60, Roedd gofyn cael gwelyau iawn iddynt (teisi) a gweithio rhaffau, ac ymorol am *frwyn toi.*
Gw. hefyd HEL TO, TOI, TYNNU TO.

brwynach, brwyniach *ell.* ac *eg.* Mân frwyn, pibfrwyn, corfrwyn, brwyn byr.

brwyna, brwyno *be.* Hel brwyn, lladd brwyn, casglu brwyn, cynnull brwyn at doi, at wneud canhwyllau ayyb, pabwyra.
Gw. BRWYN.

brwyndir *eg.* ll. *brwyndiroedd.* Tir gwlyb lle tyf brwyn, tir brwynog.

brwynen gw. BRWYN.

brwyniach gw. BRWYNACH.

brwynog *a.* Â llawer o frwyn (am dir), llawn brwyn, yn tyfu brwyn. Fe'i gwelir yn enw ar ffermydd a chaeau, megis *Brwynog,* Llanddeusant, Môn, Y *Frwynog* (cae).
12g MA^2 155b 1, Hawd ammaur i gwm *brwynawg.*
1976 G Griffiths: BHH 18, Lle yn mynnu mynd yn *frwynog* ydoedd, a thrafferth fawr fyddai cadw'r *brwyn* i lawr.

brwynos *eb.* ll. *brwynosydd.* Gwaun, neu'r math o dir gwlyb lle tyf brwyn neu bibfrwyn.

brwynswrn (*brwyn* + *swrn* [mwdwl]) Cefn neu glwt o frwyn, neu gocyn neu fwdwl o frwyn.
15g BB 123, O dan y *broynswrn* rackw yssyt ymhervedd y Plas.

brwys
1. *a.* ac *eg.* Toreithiog, cnydiog, hydwf, o dyfiant ffyrnig, tyfadwy, ir, bras. Gair gwneud o *brwysg* gan Iolo Morganwg.
1789 BDG 522, Percwe *brwys* mewn parc a bron.
2. *eg.* brws, brwsh.
Gw. BRWS.

brwyso *be.* Cnydio, ffrwythlonni, fynnu, ffaethu.
Gw. BRWYS[1].

brwysedd *eg.* Twf toreithiog, ffaethder, ffrwythlonder, irder.
Gw. BRWYS[1].

brwysg gw. BRWYS[1].

brwysio gw. BRWSIO.

brych
1. *eg.* ll. *brychod.* Y bilen, neu'r groenen neu'r amwisg a fwrir allan o groth buwch neu gaseg wedi iddi fwrw llo neu ebol, y garw, y gwared, placenta. Am 'fwrw *brych*' neu am 'daflu *brych*' y sonnir.
'Dyro bwceda'd o ddŵr i Cochan, dydy hi byth wedi bwrw'i *brych*.
Ffig. Yn ddifrïol am rywun llipa, di-ben.
'Yr hen '*frych gwirion' iddo fo.*'
'Hen frych o ddyn' – llipa, disynnwyr.
Dywed. 'Taflu'r llo a chadw'r *brych*' – dal gafael mewn peth diwerth ar draul peth gwerthfawrocach.
Gw. BWRW BRYCH, PLACENTA.

2. *a. b.* brech. Ysmotiog, amliwiog, brith, broc. Sonnir am 'filgi *brych*', 'ast *frech*', 'cath *frech*' ac weithiau am 'lo *brych*' a 'bustach *brych*'.
'Y garafan goch a'r milgi *brych*.'
Ffig.1966 D J Williams: ST 23, Cymeriad digon *brych* ydoedd Dan ym marn pobl orau Tregors.

bryn *eg.* ll. *bryniau.* Codiad tir, mynydd bychan, cefnen, ponc, allt bron. Ar lafar yn gyffredinol, er y clywir 'rhiw' a 'poncyn'. Ceir hefyd 'twyn' ym mlaenau'r Wysg.
1620 Math 5.14, Dinas a osodir ar *fryn* ni ellir ei chuddio.
1959 D J Williams: YCHO 19, Pobl oedd y rhain a fu'n ddyfal eu dwylo ac yn ddygn eu hymdrech hyd *fryniau* llethrog Blaen Cothi ...
Mae'n enw cyffredin neu'n elfen gyffredin mewn enwau, lleoedd, ffermydd ayyb; Y *Bryn, Bryn* Coch, *Bryn* Brith ayyb.
Dywed. 'Cesail *bryn*, gwaela talar' – cil haul a daear denau.
Ffig. 1929 W Williams: LLEM 461, – bryniau'r bererindod ar y ddaear.
'Rwy'n edrych dros y *bryniau* pell/Amdanat bob yr awr.'
Mewn cyferbyniad efeillir 'pant a *bryn*' a '*bryn* a dôl'.

131

brynar gw. BRAENAR.

bryncyn

1. *eg.* ll. *bryncynnau, bryncynnod.* Bryn bychan, twyn, crug, twmpath, tomen, tap. Ar lafar yn gyffredinol.

1700 E Lhuyd: Par 2, 67, *Bryn kyn* o gryn feint (Tomen y Bala).

1959 D J Williams: YCHO 15, Rhyw hanner milltir yn nes i lawr, eto, ar yr ochr chwith gwelid *bryncyn* a lysenwyd gan ryw ŵr ffraeth yn Ben Seion yn sefyll allan ar y fron serth.

2. *eg.* Bwlch neu doriad mewn cŵys, balc neu malc, cŵys flêr, ddi-lun, falciog.

bryncynnu *be.* Aredig yn flêr, balcio, malcio.

1770 W, Bryncynnu – to balk.

Gw. BALCIO, MALCIO.

bryncynnog *a.* Bryniog, twmpathog, trumiog (am ddaear neu am dirlun), neu anwastad, bylchog neu falciog am gŵys neu dir âr.

1793 P, *Bryncynawg* – full of tumps, uneven.

bryndir *eg.* ll. *bryndiroedd.* Ucheldir, blaeneudir, mynydd-dir.

1793 Dafydd Ionawr: CD 377, Wybrendwrf, braw i'r *bryndir,*/A dychryn i'r dyffryndir.

brynio, brynnu *be.* Gwneud yn bentyrrau, gwneud yn fydylau neu dwmpathau (am wair ayyb), *brynnu* gwair – mydylu gwair, gwneud yn fryniau.

bryniog, bryniol *a.* Anwastad, ponciog, trumiog, twmpathog, ac weithiau mynyddig, llawn bryniau (am dir neu dirlun). Fe'i ceir yn enw ar ffermydd megis *Bryniog,* Melin-y-coed, Llanrwst.

1567 LLGG (Sall) 36, Mynydd uchel (:- copoc, *brynioc*) yw val mynydd Bashan.

brynnu gw. BRYNIO.

brysglwyn *eg.* ll. *brysglwyni.* Llwyn o goed mân, tewlwyn, prysgwydd.

1620 Es 10.34, Ac efe a dyrr ymaith *frysglwyni* y coed â haiarn.

1988 Job 30.4, Casglant yr hocys a dail y *prysglwyn.*

Yn Arfon fe'i clywir yn air am ganghenau newydd sy'n tyfu o wrych wedi ei dorri neu ei blygu. WVBD 59.

brysglwynach *eg.* Manwydd, mangoed, prysgwydd, drysi.

bryweddu *be.* Darllaw, maesu, bragu, gwneud trwyth. (S. *to brew.*)

1771 W, *Briweddu* – to brew.

1790 M Williams: BM (II), *Briweddwch* ddiod gadarn at eich achos.

brywes *eg.* Bara neu fara ceirch wedi ei falu'n fân ac wedi ei fwydo mewn cawl neu botes neu mewn llaeth neu ddŵr poeth. Ceir hefyd y ffurfiau: *brwas, brwes, browes.*

1993 FfTh 12, 22, Dyma'r risait: bara yng ngwaelod powlen ac ychydig o fara ceirch ar ei wyneb, lwmp o saim yn ei lygaid a dŵr poeth am ei ben.

1981 GEM 15, Potes o fara a dŵr a halen, a lwmp o fenyn neu o ddoddion ynddo.

brywes menyn Malu bara i bowlen, ychwanegu lwmp o fenyn a thywallt dŵr berwedig am ei ben.

brwas ceirch Malu bara ceirch, mymryn o fraster (dripin) a thywallt dŵr berwedig arno.

brwes pig tecall Dŵr berwedig wedi ei dywallt am ben bara a thipyn o fraster a phupur.

brywes potes pen buwch *eg.*
1926-7 B Llyfr 3, 200, Rhoddid taten yng ngwaelod bowlen, yna bara ymyd a bara ceirch wedi ei grasu'n grimpyn bob yn ail; wedyn tywelltid y *brywes* am ben y cwbl, a bwyteid ef o'i gwr. Potes y gelwid ef hyd oni safai llwy ar ei phen ynddo.
Ffig. Dywed. 'Â'i bys (â'i fys) ym *mrywes* pawb' – dywediad am rywun busneslyd.
'Ma' Sian Lloyd â'i bys ym *mrywes* pawb.'

B.S.E. gw. BOVINE SPONGIFORM ENCEPHALOPATHY.

bu, buw, buyn Hwn yw'r *bu* yn y gair *buwch*. Golyga un fuwch, un eidion neu un pen o warteg. Ceir yr un *bu* ag sydd yn *buwch*, a than ddylanwad y gair buwch, hefyd yn *buarth, bugail, buach, bualch, buches.
13 WML 43, Yn y sarhaet y telir tri naw *mu* a thri naw ugeint ariant.
Gw. hefyd BIW.

buach *eg.* ll. *buachod.*
Un yn bugeilio gwartheg, heusor. (Gw. yr un *bu* yn *bu*ach ag yn *buwch.*)
Gw. hefyd COWMAN, HEUSOR, PORTHWR.

bualch (*bu* + *alch*) *eb.* ll. *bualchau.* Rhwyll wartheg, alch wartheg, grid gwartheg; y rhwyllwaith haearn a roir yn llorweddog ar draws ffordd yn lle giât, ag sy'n hwyluso tramwyad cerbydau, tractor ayyb, ac yn cadw'r anifeiliaid rhag mynd drwodd yr un pryd.
1994 FfTh 13.7, Yr un modd y mae'r mynydd y buom trwyddo'r diwrnod cynt wedi cael *rhwyll* (*bualch*, grid) ym mhob pen er hwylustod i gerbydau.
Gw. ALCH WARTHEG, RHWYLL.

buanfarch (*buan* + *march*) *eg.* ll. *buanfeirch.* Ceffyl cyflym, march sionc.
1620 Mich 1.13, Rhwym y cerbyd wrth y *buan-farch.*

buarth (*bu* + *garth*)
1. *egb.* ll. *buarthau.* Lle caeëdig i odro buchod, buches, neu gorlan i ddefaid neu foch, ffald.
13g B 4 10, Gwell *buarth* hesp nac un gwac.
1567 Ioan 10.16, Y mae i mi ddefait eraill, yr ei nid ynt or gorlan (:- ffold, *buarth*, cayor) hon.

2. *egb.* Iard fferm, clos, cadlas, cowrt mawr (Môn), beili fferm, lle caeëdig ac yn aml y beudai ar dair ochr iddo a'r tŷ fferm ar yr ochr arall. Cynefin yr ieir, yr hwyaid ayyb, yn ogystal â'r gwartheg. *Buarth* yw gair Arfon, Meirionnydd, Maldwyn a Chlwyd. Ym Mrycheiniog, Morgannwg a Gwent clywir *beili*; ym Môn ac Arfon *cowrt*; yng Nghlwyd *(r)hewl*; yng ngorllewin Penfro, *hiol, heol*; yn sir Benfro hefyd *ffald, ffalt* (Maldwyn); yn Nyfed, Caerfyrddin a Gorllewin Morgannwg; *clos*; yn Nwyrain Morgannwg a Gwent, *cwrt* ac ym Môn ac Arfon *iard*. Gw. dan yr enwau.
Meredydd Evans, 'Mw-mw, me-me, cwac-cwac,/Nyni ydyw triawd y *buarth'*. Un o ganeuon y Noson Lawen.

133

3. *eg.* Pownd neu warchae i gadw neu garcharu gwartheg barus neu wartheg crwydr, buarth gwarchae (Arfon).

buarth lloi gw. COTEL, GROFFT, LLAIN.

buarth rhyg *eg.*
1908 Myrddin Fardd: LLGSG 294, Cae neu ddarn o gae lle y tyfid rhyg, ac wedi hynny y troid gwartheg iddo i'w fathru dan eu traed.

buarthaid, buarthiad *eg.* ll. *buarthiadau, buartheidiau.* Llond buarth, corlannaid, ffaldiad, praidd.
1767 W Williams: CAA 79, Fel ci yn gyrru *buarthed* cryno o ddefaid.

buarthdai *e.ll.* un. *buarthdy.* Gair arall am feudái (tai mas). Ar lafar yng nghylch Dolgellau.
Gw. BEUDÁI.

buarthdail (*buarth* + *tail*) *eg.* Cae neu dir cauedig wedi ei deilo neu ei achlesu gan wartheg neu ddefaid yn pori arno, neu wedi ei wrteithio â thail o'r buarth.
14g Gwyn 3.312, Aruthr ei chwedl hocedlaes,/ A mul ger *buarthdail* maes.

buarthedig *a.* Wedi eu cau neu eu carcharu mewn buarth am amrywiol resymau, e.e. anifeiliaid barus (crwydr); anifeiliaid i'w porthi; buchod i'w godro yn y parlwr godro.

buarthwr *eg.* ll. *buarthwyr.* Un yn gofalu am y fuches neu am y buarth (gw. BUARTH[1]), bugail gwartheg yn y buarth, h.y. pan fônt i mewn neu wedi eu buarthu, porthwr, cowmon.
Ffig. **16g** Huw Arwystl: Gwaith 283, Porthor balch, *buarthwr* byd (y tarw).

buch gw. BUWCH.

buchaidd, buwchaidd *a.* Ynglŷn â buchod, yn perthyn i fuchod neu wartheg, yn nodweddu buwch neu fuchod.
Ffig. Person braidd yn araf, diddeall, digyffro.
'Fe'i rhybuddiais am y peryg, ond edrych yn *fuchaidd* arna'i wnaeth o.' cf. 'fel llo'.

buchan, buwchan *eb.* Buwch fechan, buwch heb fod yn fawr, buwch ifanc, anner. heffer.
18g Welsh Ballads 125.3, Ni bu gan Noah y gofia'n gu/Ond tarw a *buwchan* i ddechre'r cyfan.
'Aros di 'rhen *fuwchan* imi gael diferyn o laeth gen-ti.'

buches
1. *ebg.* Lle caeëdig i odro buchod, buarth godro, ffald i odro, beudy.
15g Dafydd Llwyd: Gwaith 49, Beichio a bloeddio heb les/A wna buwch yn ei *buches.'*

2. *eb.* ll. *buchesi, buchesau, buchesydd.* Nifer o fuchod godro, gyrr o fuchod, cyfanrif y buchod godro, y fuches odro. Hefyd y stoc ddefaid.
17g Huw Morus: EC 1.286, Mae ganddo blas a wnaeth ei hunan,/Draw a *buches* ar dir bychan.'
'Rydw'i awydd troi'r *fuches* i'r adlodd.'
Dywed. 'Cadw fwch gafr yn dy *fuches*' – y gred bod arogl bwch gafr yn help rhag erthylu.
Gw. BUCHES O DDEFAID.

buches achrededig *eb.* ll. *buchesi (buchesau) achrededig.* Buches, ar ôl profion gan filfeddyg, a gyhoeddir yn glir neu'n lân o glwy, e.e. clwy erthylu (brucellosis).
Gw. CYNLLUN ACHREDEDIG.

buches ardyst *eb.* ll. *buchesi (buchesydd) ardyst.* Y gwartheg godro a basiodd y profion iechyd i'w *hardystio* fel rhai sy'n lân neu'n glir o'r ticâu, ayyb, i bwrpas gwerthu llaeth (S. *attested herd*).
Gw. ARDYSTIEDIG, ARDYSTIO.

buches dros dro *eb.* ll. *buchesi dros dro.* Gwartheg godro neu fuchod a brynwyd i'w cadw dros eu cyfnod llaetha yn unig, yna eu gwerthu a chael rhai eraill dros eu cyfnod llaetha yn eu lle.

buches ddefaid *eb.* Corlan i odro'r defaid ar ôl diddyfnu'r ŵyn. Ar lafar yng Ngheredigion.

buches o ddefaid *eb.* ll. *buchesi o ddefaid.* Defnyddir y gair *buches* am ddiadell o ddefaid yn ogystal ag am y cyfanrif buchod, y ddiadell ddefaid.
1928 G Roberts: AA 9, Mae llawer o'r *buchesydd* mynyddig yn tra rhagori ar yr hyn oeddynt yn y cyfnod yr wy'n sôn amdano.
id, Ni chyfrifid yr un *fuches* o ddefaid yn gyflawn heb fod ynddi gyfartaledd o fyllt.
1985 W H Jones: HOGM 2, Tipyn yn geidwadol oedd fy nhaid fel ffarmwr a'm tad eisiau newid a chwlio'r defaid gan y credai fy nhad y byddai hyn o help i wella'r *fuches*.

buches fasnachol *eb.* ll. *buchesi, buchesydd masnachol.* Buches o wartheg a brisir am eu llaeth a'u cig ac nid am eu brid a'u llinach.

buchesa, buchesu *be.* Buarthu, llocio, rhoi mewn ffald (am anifeiliaid).
Gw. BUARTHU, BUCHES[1], CORLANNU.

bucheslon
1. **bucheslawn** (*buches* + *llawn*) *a.* Llond y fuches, llond y ffald neu'r gorlan.

2. **bucheslon** (*buches* + *llawn*) *a.* Â buches fawr, niferus, preiddfawr.

buchfrechiad gw. BUCHFRECHU.

buchfrechu (*buch* [buwch] + *brechu*) *be.* Cymhwyso brech y fuwch at blentyn neu at ddyn i atal y frech wen, rhoi'r cowpog (S. *cow-pox*). Gynt arferai'r frech wen fod yn haint marwol, ond darganfuwyd bod modd trosglwyddo brechlyn afiechyd sy'n effeithio ar bwrs buwch i fodau dynol a bron yn ddieithriad yn sicrhau imiwnedd rhag y frech wen.
Gw. BRECH Y FUWCH.

buchgig (*buch* [buwch] + *cig*) *eg.* ll. *buchgigoedd.* Cig eidion, bîff.

buchig (*buch* [buwch] + *ig*) *eg* Buwch ifanc, heffer, anner, buwch ifanc, buchan.

buchod bîff Buchod a heffrod a gedwir yn bennaf i fagu lloi bîff, mewn

cyferbyniad i fuchod godro.
Gw. hefyd LLUOSUGNO.

buchwellt *ell.* un. *buchwelltyn.* Meillion gwyllt, meillion gwyrgam, rhywogaeth wyllt o feillion. (S. *cow-grass.*)

budr *a.* Llawn chwyn (am dir neu gnwd).
'Welais i rioed mo'r clwt tatws mor *fudr* a 'leni.'

buddai *eb.* ll. *buddeiau, bydde* (Ceredigion). Corddwr (Môn ac Arfon), llestr pwrpasol i gorddi llaeth neu hufen yn fenyn drwy guro'r llaeth nes gwahanu'r elfennau olewaidd oddi wrth y rhai dyfrol. Amr. *budde* (Powys a Cheredigion). Pan sefydlwyd y Bwrdd Llaeth yn 1933, roedd dyddiau'r *fuddai* wedi eu rhifo, a buan y diflannodd er rhyddhad i lawer a fyddai'n gorfod ei throi.
1980 J Davies: PM 50, ... cyfnod a welodd y lori laeth yn disodli'r separetor a'r *fuddai* gorddi, ac a gynigiodd ymwared i lawer ffermwr yng nghyni a phrinder y tridegau.
17g Llsg R. Morris 72, Mae yma fail o enwyn glas / Ac arno mae blas y *fudde.*
Gw. CORDDI, CORDDWR, CWMAN.

buddai dro Y fuddai ben-dros-ben (S. *end over end*). Y fuddai ddiweddaraf, ac a gorddai'r hufen yn unig, cyn ei disodli gan yr arfer o werthu llaeth o ganol y tridegau (20 ganrif).

buddai fawr Yr hen fuddai fawr sgwâr a gwyntyll neu freichiau'n troi tu mewn iddi, y corddwr mawr (Môn).
1993 FfTh 12, 22, Cofiaf yn dda am y *fuddai fawr* bren o liw glas ac oddi mewn iddi rhywbeth tebyg i wyntyll yn cael ei throi gyda handlen o'r tu allan.
Hen bennill. 'Rhaid im fyned â'm piserau / I roi llymaid bach i'r lloeau, / Ac at y *fuddai fawr* i gorddi, / Nes bo modryb wedi codi.'

buddai gasgen Enw a roed ar y fuddai dro, neu ben-dros-ben, a ddisodlodd y 'fuddai fawr'. Pan ddaeth y gwahanydd (*separator*) dim ond yr hufen a gorddid ac mewn canlyniad roedd buddai lawer yn llai yn gwneud y tro i gorddi. Partner anochel y separetor oedd y *fuddai gasgen.*

buddai geffyl Y fuddai a oedd yn cael ei throi gan y pŵar ceffyl – y ddyfais oddi allan a droïd gan geffyl a gwerthyd ohono i'r tŷ llaeth i droi'r corddwr neu'r fuddai.
1955 Llwyd o'r Bryn: YP 111, Un o'r goruchwylion mwyaf melancolaidd oedd corddi efo ceffyl. Troi am awr mewn rhyw gylch chwe llath ar ei draws.
Gw. CORDDI, PŴAR, PŴER CEFFYL.

buddai gi Buddai a droïd gan gi yn cerdded yn ei unfan ar olwyn weddol ysgafn a lled lorweddog, a'r ci wrth gerdded yn ei unfan yn troi'r olwyn, a hithau yn ei thro, drwy gyfrwng gwerthlyd ac olwynion cocos, yn troi'r fuddai. Gwnaed i ffwrdd â'r defnydd hwn o gŵn ar dir creulondeb yng nghanol y 19 ganrif.

buddai gnoc, buddai gordd, buddai dwmp
1933 H Evans: CE 131, Nid oedd y fuddai gnoc ond tebyg i ddoli twb, ond yn ddyfnach ac

yn culhau at y top, lle roedd caead a thwll. Yna gordd, ei phen o gylch ac edyn a choes hir yn dyfod trwy'r twll yn y caead, a thynnid hwnnw i fyny ac i lawr – gwaith digon caled.
1938 T J Jenkin: AIHA AWC, Neu clywais ei galw yn fudde dwmp-damp. Yr oedd hon bron mynd allan yn llwyr yn fy nghof cyntaf (g. 1885).

buddai law Buddai a ddibynai ar y llaw ddynol i'w gyrru neu i'w throi mewn cyferbyniad i fuddai geffyl a buddai gi.

buddai siglo Buddai a siglid yn ôl ac ymlaen i ysgwyd y llaeth.
1933 H Evans: CE 133, Meddai bedair coes ryw dair troedfedd oddi wrth ei gilydd bob ffordd yn y gwaelod ... Bocs oedd y fuddai oddeutu dwy droedfedd o ddwfn ac o led, a thua tair i bedair troedfedd o hyd. Yr oedd y caead yn codi ar y top hanner hyd y fuddai, dwy resel yn rhannu'r fuddai'n dair rhan. Yr oedd ecstro (echel) bychan o bob tu ... a gosodid y fuddai i orffwys ar y ddwy ecstro ar dop y coesau ... Yr oedd dolen neu le i gydio â dwy law ar bob pen. Yna dechreuid siglo'r fuddai. Gallai un neu ddau wneud hyn.

buddai ystyllod gw. BUDDAI FAWR.

buddel, buddelw, buddelwydd *ebg.* ll. *buddelydd.* Cledren beudy, y postyn haearn wrth ben y fuwch yn y beudy i rwymo neu aerwyo'r fuwch. Mae'r aerwy ynghlwm wrth y fuddel trwy gyfrwng dolen fawr sy'n mynd i fyny ac i lawr y fuddel fel y bo'r fuwch yn codi neu'n gostwng ei phen. Ar lafar yn sir Ddinbych.
17g Huw Morus: EC 1.211, Gorwedd mewn cenel fel bustach wrth *fuddel.*
1547 W Salisbury: Geir.12, Vegys y gwelwch 'w' yn diwedd y geirieu hynn ... 'syberw' '*buddelw*' ... 'w' a dawdd ymaith ac velly dywedyt a unair ... 'syber', '*buddel*'.
1922 E Wiliam: HAFF 28, Defnyddid aerwyon a chlymau o wiail plethedig i gadw'r gwartheg yn eu lle wrth y *fuddel.*

buddelw, buddelwydd gw. BUDDEL.

buddyn *eg.* (Yr un *bu* ag yn *bu*wch, *bu*gail, *bu*arth). Buarth gwartheg, buches, lloches i wartheg, diogelfa gwartheg, amddiffynfa gwartheg, ac yn ei ystyr eang, dôl, cae dan tŷ.

buel, bual (Yr un *bu* ag yn *bu*wch, *bu*gail, *bu*arth) *eb.* Gyrr o wartheg, buches, gyrr o dda byw. Anodd yw meddwl am *fuel* fwy na'r un a gadwai Gwydion fab Don!
1801 MA 2.70, Gwydion fab Don a gedwis Wartheg Gosgordd Uch Conwy, ac yn y *fuel* honno ugain mil ac un.

buelu *be.* Bugeilio neu warchod buches, edrych ar ôl gwartheg, heusori. Dyna a wnai Llawfrodedd Farfawc.
1801 MA 2.70, Llawfrodedd Farfawc a *fuelis* wartheg. Nudd Hael fab Senyllt, ac yn y 'fuel' honno ugain mil ac un yn wartheg blithion.

buelydd *eg.* (Gw. eto y *bu* fel yn buwch ayyb) Bugail gwartheg, gofalwr am wartheg, porthwr gwartheg, heusor.

bufrechu gw. BUCHFRECHU.

bugail, bugel *eg.* ll. *bugeiliaid, bugelydd, bugeilydd* (lluosog newydd ym Meibl 1588 oedd *bugeiliaid*). Gynt, person yng ngofal anifeiliaid yn gyffredinol – gwartheg, defaid, moch ayyb, yn enwedig defaid, heusor. Rhaid oedd gwahaniaethu fodd bynnag a cheid 'bugail defaid', 'bugail

137

gwartheg', 'bugail moch', 'bugail geifr'. Yn ddiweddarach cyfyngwyd *bugail*, fwy neu lai, i un yn gofalu am ddefaid. Ar lafar yn gyffredinol.

1620 Luc 2.8, Roedd yn y wlad honno *fugeiliaid* yn aros yn y maes yn gwylied eu praidd liw nos.

1927 Eifion Wyn: CA, Caiff eraill wisg o sidan,/A'u beio pwy a faidd,/Ond gwell gan lanc o *fugail*/Gael diwyg fel ei braidd.

Ffig. Amddiffynwr gwerthoedd neu warchodwr eneidiau megis gweinidog, bugail eglwys.

18g Gron 12, Bagad gofalon *bugail*.

1620 Ioan 10.11, Y *Bugail* Da (1620 Heb 13.20), *Bugail* Mawr y defaid.

Diar. Cyfaill blaidd, *bugail* diog.

bugail beic *eg.* Enw diweddar ar y math o fugail sydd erbyn hyn yn bugeilio'i ddefaid ar feic modur tair olwyn, mewn cyferbyniad i'r 'bugail traed' traddodiadol. cf. Ffermwr Tractor.

bugeildy (bugail + *tŷ*) *eg.* ll. *bugeildai.* Lloches bugail defaid wrth ei waith, yn enwedig ar y mynydd-dir, bwth bugail, lluest bugail, llety bugail. Fe'i ceir yn enw lle yn sir Faesyfed, *Buguildy.*

bugeiles, bugeilies *eb.* ll. *bugeilesau.* Merch o fugail, merch neu fenyw sy'n bugeilio defaid.

1725 T Baddy: CS 2, Yr hon sy'n debyg i *Fugeiles* neu briodas-ferch Bugail.

Ffig. **15g** GDG 115, Yr haul – '*Bugeiles* wybr bwygilydd'.

bugeilfa

1. *eb.* ll. *bugeilfeydd.* Gyrr o wartheg, buches.

1728 T. Baddy: DDG 58, Diadellau o ddefaid a *Bugeilfa* o Dda a gwartheg.

2. *ebg.* Porfa, defeidiog, cynefin defaid, rhosfa defaid.

bugeilfwth gw. BUGEILDY.

bugeilffon (*bugail* + *ffon*) *eb.* ll. *bugeilffyn.* Ffon bugail, ffon hir, llawer hwy na ffon gyffredin, a bagal ar dro er mwyn medru dal dafad neu oen fel bo'r angen, drwy fachu'r bagal am y gwddf.

13g YBH 5a, A chymryt y *vugeilffon* gadarn yn y law a cherddet tu ar llys a wnaeth ef.

1620 Salm 23.4, Ei wialen a'i ffon a'm cysurant.

1771 J Rowlands: PGW 10, A thrwy gyfodi ei *fugeilffon*, fe barai iddynt fyned y ffordd y mynai.

Mewn ystyr estynedig am ffon esgob.

bugeilgi (*bugail* + *ci*) *eg.* ll. *bugeilgwn.* Ci defaid, ci bugail, ci i warchod, cynnull neu gorlannu defaid.

Gw. CI DEFAID.

bugeiliaeth, bugeilaeth *eb.* Cyfrifoldeb bugail defaid, gofal bugail am ei braidd, gwarchodaeth bugail.

Ffig. Am ofalaeth neu faes gweinidogaeth gweinidog yr efengyl, bugeilwriaeth, arolygiaeth.

1551 W Salisbury: KLL Ioan 10.16, Un *vugeilieth* [:- bagad, corddlan, cail] ac un bugail.

bugeilio, bugeila *be.* Gynt, gofalu am anifeiliaid yn gyffredinol, ond bellach gofalu am ddefaid ac ŵyn. Gw. BUGAIL. Bu newid mawr yn y dull o fugeilio defaid yn ystod hanner olaf yr 20 ganrif, yn enwedig amser ŵyna. Drwy reoli cyfnod y cyfebu llwyddwyd i reoli cyfnod y bwrw ŵyn hefyd. Cyffredin erbyn hyn yw rhoi defaid i mewn dros adeg ŵyna, a hynny mewn siediau wedi eu goleuo, a gall y bugail gadw llygaid ar y praidd o'i wely drwy gyfrwng camera a monitor.

1984 J Bryn Owen: *Defaid*, Cyn bo hir fe all moddion i reoli ŵyna gyrraedd y pwynt lle bydd hi'n bosibl trefnu i ŵyna diadell gyfan yn ystod un bore. Mae'r posibilrwydd hwn yn agor gorwelion nad ydym eto wedi eu llwyr amgyffred ac a all chwildroi *bugeilio* fel yr adwaenir ef heddiw.

Ffig. Bugeilio eglwys, gweinidogaethu.

1620 Act 20.28, Edrychwch ... ac am yr holl braidd y gosododd yr Ysbryd Glân chwi yn olygwyr i *fugeilio* eglwys Dduw.

Dywed. *'Bugeilio* brain' – ceisio gwneud y gwrthun a'r amhosibl.

bugeiliol, bugeilaidd *a.* Ynglŷn â bugail a'i waith, yn ymwneud â gwaith bugail, yn gweddu i fugail, gwarchodol.

1630 R Vaughan: YDd 101, Yno y rhydd Dafydd heibio ei wisg fugeilaidd.

Ffig. Yn ymwneud â gweinidog yr efengyl a'i waith.

'Rydw i'n ceisio gwneud rhywfaint o waith *bugeiliol* bob dydd.'

bugeiliwr, bugeilwr *eg.* ll. *bugeilwyr*.
Gw. BUGAIL.

bugeilwriaeth gw. BUGEILIAETH.

bugeilydd gw. BUGAIL.

bugloddi
1. **bugloddio, bigloddi** *be.* Rhuo, beichio, bugunad, brefu (yn enwedig am wartheg. Ar lafar yn sir Benfro a sir Gaerfyrddin, puo (Môn); rhuo (Gogledd); beichio (Maldwyn); bygynad, bwgwnad (Brycheiniog, Ceredigion); bygylad, bwgwlad (Dyffryn Llwchwr); bolgen (Penfro); boichen (Penfro, Caerfyrddin). Gw. dan y geiriau.

2. **buddgloddio** (*bu* [buwch] + *cloddio*) *be.* Tyrchu'r ddaear neu'r clawdd â'r cyrn neu â'r pen fel y gwna tarw, cornio'r ddaear, pendurio. Ar lafar ym Mawddwy am wartheg yn bylchu cloddiau â'u cyrn neu â'u pennau. Ceir y ffurf *byrgloddi* ym Maldwyn.

Ffig. **1455-85** LGC 479, Bedwyr o Dudur dadwys, / *Buglodda* glawdd Ofa ddwys.

bugunad gw. BUGLODDI[1].

buhyn gw. BU, BUYN.

buladd (*bu* [buwch] + *lladd*) *eg.* Cegid, cegid y dŵr, cegyr mawr, planhigion sy'n tyfu mewn dŵr ac yn wenwyn i wartheg (S. *hemlock*). Planhigyn gwenwynig y mae'n hawdd ei gamgymryd am ferw dŵr. Ceir y ddau yn cyd-dyfu'n aml.

bulwg
1. *eg.* Llêr, efrau, pabi coch yr ŷd, chwyn yn tyfu mewn cnwd o ŷd (*Chrysanthemum segetum*).

1620 Job 31.40, Tyfed ysgall yn lle gwenith a *bulwg* yn lle haidd.

2. *eg.* Ffurf ar 'bilwg'. Ar lafar yn sir Benfro.
Gw. BILWG.

bunt werdd (y) *eb.* Y gyfradd gyfnewid sterling benodedig a ddefnyddir i bwrpas taliadau amaethyddol mewn sterling rhwng Prydain ac aelodau eraill y Gymuned Ewropeaidd, arian cyfred tybiannol a ddefnyddir i bwrpas masnachu amaethyddol yn y Gymuned Ewropeaidd.

burgyn, burgin *eg.* ll. *burgynod.* Corff marw anifail, celain neu ysgerbwd anifail yn pydru. Amr.*burgun.* Ar lafar ym Maldwyn.
16g LLEG Mos.158, Megis *burgin* brwnt drewedig.
1588 Gen 15.11, Pan ddyscynne yr adar ar y *burgynod.*
1658 R Vaughan: PS 447, Na ymbortha fel y frân ar *furgyn.*
Dywed. Ffig. 'Hen *furgyn* o ddyn' – adyn, dihiryn, cnaf.
Gw. CORWG.

buria *eg.* ll. *buriau.* Celain anifail, burgyn anifail yn enwedig dafad wedi ei lladd allan o amser.
Ffig. Bywyd ffiaidd.
1701 E Wynne: RBS 83, Peth ... sy ffieiddiach gennym na *burieu* neu chwydfa.

burr *eb.* Nod J Williams-Davies i AWC, Burr – carreg hogi. Gair tafodieithol Saesneg cyffredin yn siroedd y gororau (Meirionnydd).

Burrel *eg.* Mêc o dracsion stêm a ddefnyddid hyd nes ei ddisodli gan y tractor yn ystod yr Ail Ryfel Byd a'r blynyddoedd i ddilyn. Ceid hefyd y Fowler a'r Marshall.

burum *eg.* Y ffurf yn y Gogledd sy'n cyfateb i *berem* yn y De am lefain neu eples a ddefnyddid gynt ym mhob cartref i beri i'r toes godi wrth bobi neu grasu bara, cyn dyddiau'r bara pryn.

burwy (*bu + rhwy*) *eg.* ll. *burwyau* (yr un *bu* ag yn *bu*wch). Hual buwch, llyffethair buwch, gefyn am goesau buwch giciog wrth ei godro, glindorch. Clymid un troed blaen wrth wddf y fuwch fel na fedrai godi'r troed ôl. cf. aerwy am wddf y fuwch.
16-17g. RWM 1.721, *Burwy:* cwlm am wddwf anifail ac am y troed blaen.
Gw. GLINDORCH.

burwyo *be.* Hualu, llyffetheirio neu efynnu buwch rhag iddi gicio wrth ei godro.
Gw. BURWY.

bustach *eg.* ll. *bustych, bustachiaid, bustachod, bustechi.* un. bach. *bustechyn.* Eidion, ych, dyniawed mawr, gwryw o'r gwartheg wedi ei sbaddu, llo tarw wedi ei gyweirio. Weithiau defnyddir y lluosog *bustych* am wartheg stôr yn cynnwys benyw a gwryw.
1620 Ecs 24.5, Ac a aberthasant *fustych* yn aberth hedd i'r Arglwydd.
1992 DYFED Baeth 60, On, on, gwedai Deio, roedd dynion yn dod â cheffyle a *bistechi*, a da lloi, a defed a moch o bob part ...
Dywed. 'Godro *bustach*' – peth dibwrpas, difudd – buwch wael, ddilaeth – 'Waeth imi fod yn godro *bustach* ddim'.
Ffig. Yn ddifriol a cheryddgar. 'Yr hen *fustach* gwirion' neu 'yr hen ben bustach' am rywun wedi gwneud rhywbeth ffôl ac annerbyniol. Ynfytyn, hurtyn, ffŵl. Ar lafar ym Morgannwg.

bustych teiriau *ell.* Enw llafar ar fustych tair oed.

1928 G Roberts: AA 11,Byddai ar y ffermydd mwyaf gyfartaledd mwy na hyn o wartheg dros ddwyflwydd a llai o rai blwydd, gan y byddai amryw o'r ffermydd hynny yn cadw'r rhai gwryw i ddod yn *fustych teiriau* cyn eu gwerthu.

bustachu *be*. Rhoes bustach y ferf drosiadol *bustachu*, sef ymegnïo'n ofer, bwnglera, wrthi'n llafurus ond yn ddifudd.
'Mae Llew wedi bod wrthi'n *bustachu* drwy'r dydd, ond dydi o ddim nes i'r lan.'

bustechi gw. BUSTACH.

bustechyn gw. BUSTACH.

butffel *eg*. Lle i droi anifeiliaid crwydr neu farus, pownd, corlan i garcharu anifeiliaid crwydr, ayyb. Ar lafar ym Maldwyn.
1981 GEM 15, *Butffel* – a *pinfold* or *pound*, lle i droi anifeiliaid crwydr iddo gynt.

buwch, buch *eb*. ll. *buchod, buwchod*. Ceir yma yr un *bu* ag yn 'buarth', '*bu*gail', ayyb, ac yn golygu un fuwch. Llythyren a dyfodd o flaen yr 'ch' yw 'w' yn buwch drwy grynder yr 'u'. *Buch* yw'r gair yn wreiddiol.
Anifail benyw o rywogaeth yr ych, yn enwedig o'r rhywogaeth ddof sy'n cynhyrchu llaeth. Defnyddir y gair, fodd bynnag, am fenyw eliffant, morlo, ayyb.
1200 LLDW 111, 1-2, Na meirch na kessyc na *buch*.
1988 1 Sam 6.7, Paratowch fen newydd a chymryd dwy *fuwch* fagu heb fod dan iau.
Dywed. 'Gwell pen *buwch* na chynffon tarw.' 'Y *fuwch* eidionog, y gaseg ebolesog.' 'O fuchod bychan y megir yr ychen gorau.' 'Gorau bechan, bechan buwch.'
'*Buwch* dda yn cicio'i llaeth' – ei phwrs yn fawr, ac yn llaes gan laeth, a'r fuwch yn tueddu i'w gicio â'i thraed ôl.
'Gorau un anifail, *buwch*' – talu am ei lle yn well na'r un anifail arall.
'Rhaid i bob *buwch* fod yn heffer unwaith.'
'Gorau bechan, bechan *buwch*' – buwch fach yn rhatach i'w chadw ac yn rhoi bron cymaint o laeth.
'Ni char hen *fvwch* ddynewad' – yr hen ddim yn hoff o'r ifanc.
'*Buwch* o ryw, ceffyl o gymysg' – buwch linachol, ceffyl croes.
Am ragor o wybodaeth gw. GWARTHEG a than enwau y gwahanol fridiau o wartheg megis GWARTHEG DUON, HEREFORD, ayyb.
Gw. hefyd HENFON.

buwch ar flaen ei godriad Buwch odro ar ei gorau.

buwch ar lawr Buwch yn methu codi ar ei thraed gan rhyw wendid neu'i gilydd neu oherwydd anaf, e.e. buwch yn dioddef o glefyd diffygiant neu ddiffyg ffosfferws.

buwch bron alu Buwch ar ddod a llo.
Gw. ÂL.

buwch dywydd (dowydd) Buwch yn dywyddu, buwch ar fin bwrw llo, buwch ag arwyddion bwrw llo, buwch bron alu.
Gw. DYWYDDU.

buwch fagu Buwch sugno, buwch â'i llo neu ei lloi yn ei sugno, buwch â llo wrth ei thraed.

buwch flith Buwch odro, buwch mewn llaeth.

1620 1 Sam 6.7, Cymerwch ddwy fuwch flith.
Gw. BUWCH ODRO.

buwch goeg Byswynog, buwch fyswynog, buwch wag, buwch heb lo ynddi, swynogen (Môn).

buwch gyflo Buwch drom o lo, buwch gyfeb.

buwch gynflith Buwch wedi bwrw ei llo cyntaf.

buwch hesb (hysb) Fel rheol, buwch nad yw'n rhoi llaeth am rhyw chwech wythnos cyn dod â llo.

buwch laethog Buwch yn godro'n dda.

buwch odro Buwch flith, buwch a gedwir am ei llaeth, ac yn aml mewn cyferbyniad i wartheg bîff, gwartheg hysbion megis dynewaid, bustych, ayyb.

buwch sugno Buwch a gedwir i fagu ei llo ei hun a rhai eraill, ac yna (yn aml) ei phesgi i'w gwerthu'n bîff, mewn cyferbyniad i fuwch odro a gedwir i gael ei llaeth i'w werthu.

buwch swynog gw. BYSWYNOG.

buwch wag gw. BYSWYNOG.

buwch wasod Buwch derfenydd, buwch yn gofyn tarw. Ar lafar ym Maldwyn, Ceredigion a Dyfed. Gw. CENHEDLU, GOFYN TARW, TERFENYDD.

buwch wen â thrwyn du
1969 D Parry-Jones: Nod. i AWC, Un o gas bethau ffermwyr Sir Gâr oedd buwch wen a thrwyn du.

buwch yn ei hâl Buwch ar ddod â llo, buwch yn d'wyddu neu'n alu, buwch ar ben ei hamser.

bwa'r arch *eg.* Yr enfys, bwa'r cyfamod (Beibl), bwa'r ach (Ceredigion). Ynglŷn â doethineb tywydd y clywir yr ymadrodd fynychaf.
'*Bwa'r ach* y bore,/Aml iawn gawode',/*Bwa'r ach* prydnawn,/Tywy teg a gawn.'

bwbach brain gw. BWGAN BRAIN.

bwc *eg.* Bwch, bwch gafr (S. *buck*).

bwced *eb.* ll. *bwcedi*. Llestr i gario dŵr, llaeth neu unrhyw hylif arall, pwced (Môn). Ar y ffermydd fel arfer ceid bwcedi i wahanol ddibenion ac nid gwiw oedd eu cymysgu – bwcedi cario dŵr, bwcedi godro, bwcedi llaetho'r lloeau, bwcedi bwyd moch. Ceir hefyd yr enwau 'piser godro', 'ystwc odro' a 'cunnog odro'.
Gw. CUNNOG, PISER, YSTWC.

bwcedaid, pwcedaid *eg.* ll. *bwcedeidiau*. Llond bwced, hynny a ddeil pwced. Ar lafar yn gyffredinol.

bwcedu *be.* Codi dŵr â bwced.
'Ar haf sych 'r wy'n gorfod *pwcedu'r* dŵr o'r ffynnon i'r cafnau.'

bwcl, bwcwl *eg.* ll. *byclau.* Yn amaethyddol gwäeg, cylch neu ddarn o fetel (pres fel arfer), ag iddo waell neu dafod pigfain ar golyn, i'w wthio drwy dwll mewn strap lledr ayyb, er mwyn ei gau neu ei sicrhau, e.e. tordres, cauad y mwnci, strap y ffrwyn ayyb. Byddai digon o'r byclau hyn ar hyd y lle ar un adeg a phawb yn ddigon dibris ohonyn nhw. Heddiw fe'i cesglir fel henebau.
1959 1 Mac 10.89 (SPCK), Ac efe a anfonodd iddo *fwcl* aur (clespyn aur, BCN).

bwclu, bwclo, byclu, byclo, byclio *be.* Cau byclau yn enwedig byclau harnais ceffyl, clymu â bwcl, sicrhau â bwcl – byclu'r ffrwyn, byclu'r mynci, bwclu'r dordres, ayyb, clashio.
16g Gr Hiraethog: Gwaith 51, *Bykliodd* ag ymdrwsiodd draw.
Ffig. Clymu mab a merch mewn priodas. Ar lafar yn sir Gaerfyrddin.

bwco
1. *be.* Cawsio, peidio troi'n fenyn wrth gorddi. Ar lafar yn Nyfed a Cheredigion.
2. *be.* Nogio, gwrthod symud ymlaen (am geffyl yn ei waith). Ar lafar yn Nyfed.
Gw. JIBIO, NOGIO.

bwch
1. *eg.* ll. *bychod, bychau.* Gwryw gafr, iwrch, carw; cwningen neu 'sgyfarnog gwryw, bwch gafr, bwch cwningen.
Ffig. Person sarrug, sorllyd.
'Welais i rioed gymaint o hen *surbwch* â dyn y Plas 'ma.'
Dywed. 'Cyn wyllted a *bwch* gafr ar d'ranau' – am ei fywyd.
'Mwy na *bwch* i odyn' – ofn yn peri cadw draw.
'Cadw bwch gafr yn y fuches' – credid bod arogl bwch gafr yn help rhag i'r buchod erthylu. Mae'n debyg mai'r gwir yw bod bwch yn help i gadw'r buchod rhag ymladd, ac yn y ffordd honno'n help i'w cadw rhag erthylu.

2. *eg.* ll. *bychod, bychau.* Stwc o ŷd, stacan o ŷd, sopyn (Ceredigion). Nifer o sgubau, weithiau ddeuddeg, weithiau naw, weithiau chwech, weithiau bedair wedi eu codi ar eu traed a'u gosod yn frig-frig i sychu, pan na ellir eu cywain ar unwaith, bwch o ŷd. Yn ddiddorol, defnyddir y gair 'gafr' hefyd am stwc o ŷd, a 'gafra' am gynnull yr ŷd yn ysgubau. Ar lafar mewn rhannau o'r Gogledd (e.e. Edeirnion) a Cheredigion. *Bychu* hefyd yw'r gair am godi'r sgubau (geifr) yn fychod.
Gw. BYCHU, GAFR.

bwchadanas *eg.* Gwryw carw, iwrch. Ar lafar yng Ngogledd Caerfyrddin.
1959 D J Williams: YCHO 30, A chanddo ef y prynhawn hwnnw 'r wy'n meddwl y clywais i'r tro cyntaf am y *bwchadanas* a ddiangasai liw nos o Barc Dinefwr ... a'i gael ei hun ben bore trannoeth yn bwrw'i flino'n dawel drwy orwedd gyda'r gwartheg ar ddôl Cwmcoedifor ...

bwdran *eg.* Math o lymru neu o rual tenau, sucan gwyn, brwchan, bwdram (Dyfed).

143

1760 ML 2 242, Sucan neu uwd y gelwir llymru yno, a succan brithdwym yw *bwdran* (neu succan gwyn Môn) yno.
1754 ML 1 320, Swpera ar *fwdran* llygadog.
1959 D J Williams: YCHO 39, Roedd dyddiau'r sucan llaeth a'r *bwdran* o flawd ceirch cartref bron darfod cyn cof gennyf fi (g. 1885).
TJ Jenkin: AIHA AWC, Nid wyf yn cofio'n hollol sut y gwneid y bwyd hwn, ond cofiaf y cedwid y 'blawd sican' yn wlych (*soaking*) mewn dŵr am gyfnod (nes ei suro?) ac yna hidlid ef, ac ni ferwid ond yr hyn a elai drwy'r hidil, a honno yn un fân iawn. Cofiaf bod eisin yn y blawd sican – eisin ceirch.
Gw. BRWCHAN, LLYMRU, MWDRAN, SUCAN.

bwgan brain *eg.* ll. *bwganod brain.* Dynwarediad credadwy (i frain) o berson dynol wedi ei wneud o goed a hen ddillad a hen het ayyb, gyda'r amcan o gadw'r brain draw o'r cnydau. Rhoes 'hen fwgan y brain' wasanaeth ardderchog i amaethwyr. Dylai ar bob cyfrif fod yn destun yr awdl yn y Brifwyl! Gyrrwyd y cwch i'r dŵr gan I.D. Hooson.
1980 J Davies: PM 67, Yn y gwanwyn byddai angen *bwgan brain,* hwyrach ddau, i warchod yr egin ŷd. Gwellt fyddai ei gorff boliog bob amser. Byddai hynny'n ei wneud yn ysgafn ac yn hawdd ei symud o fan i fan pan fyddai un gatrawd o frain wedi cynefino'n ormodol ag ef ac yn disgyn yn hy ar ei freichiau i'w watwar yn ei wyneb.
Ffig. Rhywun blêr, rhacsiog yr olwg. 'Roedd Huw fel *bwgan brain.'*

bwgsio *be.* Baeddu, sathru, difwyno, dwîno, stompio.
'Mae'r gwartheg godro 'ma wedi *bwgsio'n* lân yn y cae 'na o gwmpas y giât.'

bŵl
1. *eg.* ll. *bylau.* Math o rolbren mawr ac amgarn am ei ddau ben a roid dan du ôl y drol i gymryd y pwysau pe digwyddai stopio ar allt, neu ar orifyny.

2. *ebg.* ll. *bwlau.* bach. *bwlyn.* Both olwyn (yn enwedig olwyn bren), canol olwyn, bogail olwyn, bwlyn y whilen. Ar lafar yng Ngheredigion.
1725 D Lewis: GB 360, Gan nad yw anwastadrwydd y mynyddoedd a'r dyffrynnoedd, i faint y cyrff nefol, ond fel llwch ar wyneb *bŵl.*
Gw. BOTH.

bwla
1. **bwly** *eg.* ll. *bwlaod.* Tarw, adfwl, tarw llawn dwf ac wedi ei sbaddu.

2. *eb.* Stric pladur, hogbren, rhip pladur. Ar lafar yng Ngheredigion.
1995 J Williams-Davies: Nod AWC, *Bwla* – math o rhip sgwâr (Ceredigion).

bwlan, bylan *egb.* ll. *bwlanau, bwlanod.* Math o lestr gwellt neu gawell gwellt, cist wellt at ddal grawn ŷd, cod.
1902 O M Edwards: B.B. (1700-50) 76, Wrth hel mieri i wneyd *bwlanw.*
Ffig. Pwtyn byrdew o ddyn.
1769 Twm o'r Nant: TChB 28, Ond aeth ei fol e yn *fylan.*

bwlc
1. *eb.* Mainc weithio mewn gefail. Ar lafar yn sir Frycheiniog. Hefyd yn air am stôl neu stondin y tu allan i siop. Ar lafar yn y ffurf *bylce* yn sir Ddinbych.

2. *eg.* Pentwr o rywbeth, swm mawr, y crynswth o unrhyw beth, y mwyafswm o rywbeth.

1762 ML 2.523, Halltu rhain (ysgadan) mywn *bwlc* a wnawd.
'Mae'n rhatach i brynu dwysfwyd mewn *bylc*.'

bwlch

1. *eg.* ll. *bylchau.* Adwy, rhwyg, toriad, twll (mewn clawdd neu wrych), man gwan mewn clawdd lle mae'r anifeiliaid yn gallu mynd drwodd. Sonnir am gau bwlch, codi bwlch. Yn gyfystyr âg adwy gan amlaf.
1957 S Lewis: BG (Trydydd Argraffiad) 47-48, Deuwch ataf i'r *adwy*/Sefwch gyda mi yn y bwlch.
Ffig. Colled ar ôl rhywun, bwlch yn y gymdeithas ar ôl rhywun, argyfwng.
'Ma' William Hughes wedi gadael anferth o *fwlch* ar ei ôl.'
'Ryden ni'n ddiolchgar i'r Cynghorydd Jones am fod mor barod i neidio i'r *bwlch* ar y funud olaf.'
Dywed. 'Bwlch digon i geffyl a throl' – bwlch llydan. Mae'n debyg mai digon i ddyrnwr medi fyddai'r gymhariaeth heddiw!
Gw. ADWY.

2. *eg.* Agoriad neu dramwyfa swyddogol mewn mur neu glawdd, porth, adwy. Ar lafar yn yr ystyr hwn yng Ngheredigion.
1989 D Jones: OHW 35, Rhyw bedwar canllath, os hynny, oedd gennym o *fwlch* yr ysgol i ben y lôn ...
1989 D Jones: OHW 35, Iet yn y *bwlch* cynta, bariwns yn yr ail.
1989 D Jones: OHW, Eid a'r cerrig (cerrig tir gwair) i lenwi 'hogle' (rhigolau) yn y *bylchau.*
1992 DYFED Baeth 49, ... we Jams e Go'n digwidd paso Parcerangel, a mi silwodd ar e da wrth *fwlch* e Parc en breifiad ise'i godro.

3. *eg.* Tramwyfa neu agoriad rhwng dau fynydd, hafn, drws, fel y tystia enwau lleoedd. Ceir *Bwlch* Ardudwy, *Bwlch* y Groes, *Bwlch* yr Oernant, *Bwlch* yr Oerddrws, ayyb, cf. hefyd 'Drws y Nant', 'Drws y Coed'. Diau mai'r bwlch hwn yw'r ddelwedd yn '*bwlch* yr argyhoeddiad' yn y profiad crefyddol.

4. *eg.* Toriad, tolc neu nam mewn llafn pladur neu gyllell peiriant lladd gwair ac ŷd. mewn canlyniad i ddaro carreg, ayyb, durdor (Maldwyn).
Gw. DURDOR.

bwlch cerrig *eg.* Porth neu adwy wedi eu cau â cherrig sychion, i'w hagor a'u hail-gau fel bo'r angen, porth cerrig (Môn). Ar lafar yn sir Benfro.
1938 T J Jenkin: AIHA AWC, Ffordd arall o gau bwlch am gyfnod hir (cae yn cael ei gau i fewn at wair, etc.) oedd gwneud *bwlch cerrig*. Wal gerrig heb gymrwd oedd y *bwlch cerrig*, o ryw dair troedfedd o uchder. Ambell dro gosodid polyn (pren) ar draws y bwlch tua throedfedd uwchlaw y wal.

bwlch clust *eg.* ll. *bylchau clustiau.* Cyfeiriad at enwau nodau clust defaid, megis 'bwlch tri thoriad', 'bwlch blaen gwennol', 'bwlch clicied', 'bwlch plyg', ayyb.
Gw. NOD.

bwlch gwenyn *eg.* ll. *bylchau gwenyn.* Tyllau neu gytiau (cutiau) bychain mewn waliau i roi'r cychod gwenyn mewn diddosrwydd o'r tywydd, pan y'u gwneid o wellt neu o wiail.

bwlcho *be.* Term yn Nyfed am deneuo gwraiddlysiau megis swêds, mangls, ayyb.
Gw. CHWYNU, SINGLO, TENEUO.

bwldoser *eg.* Peiriant neu dractor pwerus a llafn neu raw ddur fawr ar ei flaen i symud rhwystrau, i wastaáu neu lefelu llawr daear ayyb. Yr enw arno mewn rhai ardaloedd yw 'tarw dur'.

1981 Ll Phillips: HAD 19, Ond bu'n rhaid llunio mynedfeydd newydd i'r mynydd a cherfio sawl pwt o ffordd hefyd, a hynny gyda chaib a rhaw yn bennaf gan nad oedd *bwldoser* na Jac-codi-baw yn bod.

bwlgae gw. POLGAE.

bwlwg gw. BULWG.

bwly gw. BWLA.

bwlyn
1. gw. BŴL[2].
2. (S. *bull* + *yn*) *eg.* Tarw bychan. Ar lafar yn y De.

bwlltid gw. BWYLLTID.

bwmbel *eg.* Bôn y goes, clun, asgwrn y bwmbel – yr asgwrn a dynnid o goes ôl mochyn wrth ei halltu. Gw. Erwyd Howells DOPG 6 1990.

bwmbwr *eg.* Mwgwd dros lygaid, darn o sach, ayyb, a rwymid gynt dros lygaid buwch, tarw neu geffyl rhag iddynt grwydro neu pan yn eu gyrru i'r farchnad, ayyb. Ar lafar yn y De.

1938 T J Jenkin: AÏHA AWC, Ar darw neu fuwch y gosodid *bwmbwr* fel na allai weld ei ffordd yn glir.

Ffig. **1790** T Jones: TOS 94, Dichell Satan oedd rhoi *bwmbwr* arnynt, fel y dilynent ef yn fwy hyderus.

Gw. MWGWD.

bwr (bwrdd) *eg.* ll. *byrddau*, *byrdde*. Yr ystyllenod pwrpasol a osodid ar ochrau a chaead (tinbren) y drol (cart) i'w dyfnhau i bwrpas rhai goruchwylion megis cario glo, cario maip, ayyb, ac i gario moch bach a defaid i'r farchnad, wasben (ll. *wasbwysi)* (Môn), styllenod.

bwrdd
1. *eg.* ll. *byrddau.* Y dodrefnyn i fwyta oddi arno. Ond i weision ffermydd gynt, mewn ystyr ffigyrol, y bwyd a geid ar y bwrdd. Un o gwestiynau gwas wrth gytuno i fynd i le oedd 'Sut fwrdd sy' no?', h.y. sut fwyd sydd yno?

'Rydw'i wedi cyflogi i fynd i Dŷ Mawr at y gaea'. Yn un peth ma' 'na well *bwrdd* nag yn fan'ma.'

bwrdd y gweision Fel rheol y bwrdd mawr â dwy fainc, un o boptu iddo, yng nghegin y gweision neu'r briws (Môn), lle'r arferai'r gweision fwyta, y bwrdd mawr, bwrdd y briws. Bwrdd a gedwid yn lân drwy ei sgwrio yn ôl yr angen oedd *bwrdd y gweision.* Ni welid arno oelcloth heb sôn am liain bwrdd.

bwrdd llechen Y math o fwrdd llechfaen a geid yn y tŷ llaeth, ac yn hawdd i'w gadw'n lân mewn stafell lle roedd glendid yn anhebgorol. Arno y gwelid y noe fenyn a'r gweddill o'r offer trin menyn, y dorth halen a'r separetor, ayyb.

146

bwrdd mawr (y) gw. BWRDD Y GWEISION.

2. *eg.* ll. *byrddau.* Corff o arbenigwyr ac o gynghorwyr a ddewisiwyd drwy etholiad neu enwebiad ag sydd yn gyfrifol am agwedd arbennig ar amaethyddiaeth: 'Y *Bwrdd* Llaeth', 'Y *Bwrdd* Gwlân', 'Y *Bwrdd* Cyflogau Amaethyddol' ayyb. Sefydlwyd y Byrddau hyn yng ngwledydd Prydain dan ddeddfau Marchnata 1931 a 1933, yn dilyn cyfnod o ddirwasgiad enbyd yn y diwydiant amaethyddol a hynny yn wyneb cystadleuaeth chwyrn gwledydd tramor. Yr amcan oedd rhoi cymaint o reolaeth ag a ellid i ffermwyr ar brisiau eu cynhyrchion. Ar ôl yr Ail Ryfel Byd (1939-45) ail sefydlwyd y Byrddau hyn, ac fe wnaed eu rôl yn glir yn Neddf Marchnata Amaethyddol 1958. Yn 1978 ail ddiffiniwyd rôl byrddau marchnata gan y Comisiwn Ewropeaidd.

Bwrdd Amaeth *eg.* Rhagflaenydd y Weinyddiaeth Amaeth. Bu'n Gymdeithas siartredig o 1793 i 1822 i wella hwsmonaeth a chynyddu cynnyrch amaethyddol. Câi ei ariannu gan y llywodraeth gan wneud arolygon lleol ar gyflwr amaethyddiaeth. Yn 1889 daeth yn adran statudol gan y Llywodraeth a'i wneud yn gyfrifol am amaethyddiaeth, yn dir ac anifeiliaid. Yn 1903 fe'i gwnaed yn gyfrifol am weinyddu deddfau pysgodfeydd. Yn 1919 trosglwyddwyd y cyfrifoldeb am goedwigaeth i Gomisiwn Coedwigaeth newydd ac ail sefydlwyd y *Bwrdd Amaeth* a'i enwi'n 'Weinyddiaeth Amaeth, Pysgodfeydd a Bwyd'.

Bwrdd (Byrddau) Cyflogau Amaethyddol Bwrdd sy'n penderfynu isafswm cyflog, oriau wythnos waith ac amodau gwaith gweision amaethyddol. Ar y Byrddau y mae cynrychiolaeth o Undebau Gweithwyr, Undebau Amaethyddol ac aelodau apwyntiedig a chadeirydd annibynnol. Mae i'r graddfeydd cyflog ac i'r amodau gwaith rym cyfreithiol. Gwaith yr aelodau annibynnol yw cyflafareddu pan fo angen, rhwng y meistr a'r gwas.

Bwrdd Datblygu'r Ardaloedd Gwledig Nifer o asiantau a sefydlwyd i gyfuno nifer o bolisïau a diddordebau cyhoeddus a geir yn yr ardaloedd gwledig e.e. 'Y Bwrdd Ucheldiroedd a'r Ynysoedd' yn yr Alban a 'Bwrdd Datblygu'r Cymru Wledig' yng Nghymru.

Bwrdd Marchnata Gwlân (y) Sefydlwyd yn 1950 i brynu, graddoli a marchnata'r gwlân a gynigir iddo gan gynhyrchwyr cofrestredig. Darpar y Bwrdd hefyd beth gwasanaeth technegol i'r cynhyrchwyr.

Bwrdd Hyfforddi Amaethyddol (y) Sefydlwyd dan Ddeddf Hyfforddiant 1966 i ddarparu hyfforddiant ar gyfer gweision ffermydd, ac yn cael ei ariannu drwy dreth neu lefi ar gyflogwyr amaethyddol. Erbyn hyn darpar y Bwrdd hyfforddiant i ffermwyr yn ogystal ag i'r gweision. Cynigir amrywiaeth o gyrsiau, gan ddefnyddio hwylustod colegau amaethyddol ynghyd â phrofiad ffermwyr i'r pwrpas.

Bwrdd Marchnata Llaeth (y) Sefydlwyd yn 1933 i brynu llaeth y ffermydd a'i gasglu'n ddyddiol mewn caniau neu siyrnau a'i gludo i ffatrïoedd llaeth a godwyd gan y Bwrdd. Bu'r Bwrdd Llaeth yn foddion ymwared i'r amaethwyr mewn dyddiau o dlodi a chaledi mawr. Y siec laeth fisol a chyson a gadwodd ben llawer o ffermwyr mawr a bach uwchlaw'r don.

1980 J Davies: PM, Sefydlu'r *Bwrdd Llaeth* yn 1933 a barodd fachlud oes y fuddai a'r separetor ar ffermydd, ond a ddaeth ag ymwared i ffermwyr yn nhlodi a chaledi y tridegau.

1982 R J Evans: LlFf 39, Fel y dywedais daeth ymwared gyda sefydlu y *Bwrdd Marchnata Llaeth*, a buan y gwelwyd y gansen laeth yn sefyll fel y gwyliwr ar y mur wrth giât y naill fferm ar ôl y llall.

1989 D Jones: OHW 245, Bron oddi ar sefydlu'r *Bwrdd Marchnata Llaeth* yn agos i hanner canrif yn ôl bellach, ac yn sicr oddi ar ddiwedd y rhyfel, prif gynhaliaeth ffermydd y bröydd hyn fu godro – cynhyrchu llaeth. Yn ôl tystiolaeth unfrydol bron yr hen do, ni wnaeth dim arall gymaint i wella byd ffermwyr.

Ar ddiwedd 1994 diddymwyd y *Bwrdd Marchnata Llaeth* yn ffafr trefn arall sydd, yn ôl yr honiad, yn rhoi mwy o ryddid i ddewis ei brynwr llaeth i'r ffermwr drwy ddwyn mwy o gystadleuaeth i'r farchnad laeth. Amser a ddengys prun ai cam neu cymwys a fu'r newid.

Bwrdd Marchnata Tatws (y) Bwrdd a sefydlwyd gyntaf yn 1934 i hyrwyddo'r farchnad datws yng ngwledydd Prydain. Fe'i rhoed o'r neilltu yn ystod yr Ail Ryfel Byd (1939-45). Ailsefydlwyd yn 1955 dan Ddeddf Marchnata Tatws, i weithio cynllun marchnata tatws, rheoli'r arwynebedd a blennir, a chefnogi cynllun prynu tatws. Caniateir i'r cynhyrchwyr arwynebedd arbennig ac yna gosod cwotâu ar gyfran o hwnnw. Gall y bwrdd brynu hyd at hanner miliwn o dunelli metrig o datws a ddaw ar y farchnad ar ôl 1af Gorffennaf, er mwyn cynnal y prisiau. Gwneir hyn drwy gytundebau a wnaed ymlaen llaw. Ariennir y Bwrdd gan £75 yr hectar o lefi, a chosbir y rhai sy'n mynd dros eu cwota.

Bwrdd Ymyrraeth Cynnyrch Amaethyddol Yr asiant sy'n gyfrifol am weinyddu trefn ymyrraeth y Comisiwn Ewropeaidd yng ngwledydd Prydain. Mae'n ymddiried ei gyfrifoldeb dros dyfu grawn i'r Awdurdod Grawn Cartre, ac am gig coch i'r Comisiwn Cig a Da Byw. Ei brif orchwyl yw gofalu am ad-daliadau allforio, a'r taliadau cyfadferol. Mae'n atebol i'r Llywodraeth ac i'r Comisiwn Ewropeaidd.

bwrdd y ripar *eg.* Llwyfan y peiriant medi, y ripar a'r beinder, y disgynnai'r ŷd arno wrth ei dorri. Hefyd y tacl a osodid ar beiriant lladd gwair i bwrpas torri ŷd.
Gw. hefyd BORD, CADAIR[6], CAR.

bwrdd dyrnu *eg.* Enw rhai ardaloedd ar y 'llawr dyrnu' lle dyrnid yr ŷd â'r ffust yn y sgubor. Ar lafar yng Ngogledd Meirionnydd.
Gw. LLAWR DYRNU.

bwrgetsh *eg.* Cae bychan yn ymyl y tŷ fferm, rhyw hanner acer o fesur, y troir y lloeiau, sydd yn mynd allan am y tro cyntaf, iddo. Ar lafar yn Nyfed. 'Y llain bach', 'y rhyddid' (Gogledd).

bwriad *eg.* Esgoriad anifail, y weithred o fwrw llo, oen, cyw.
1975 R Phillips: DAW 67, Collid sawl llo bach o'r ysgothi neu'r sgwrio gwyn a nifer o ŵyn

bach ar eu *bwriad* (50% yn aml).
Gw. BWRW[2].

bwriwr *eg.* Ar lafar ym Mhenllyn am ŷd yn ildio'n dda wrth ei ddyrnu. Un ystyr i *bwrw* yw ildio, cnydio.
GPC. Dyna *fwriwr* ydi'r ceirch newydd 'ma.

bwrn *eg.* ll. *byrnau.* Bwndel, pentwr, baich, pwn (yn enwedig o wair neu o wellt), bêlan. Y dull diweddar o gywain gwair a gwellt yw trwy ei fyrnu neu ei felio yn fyrnau hirsgwar, cymharol hylaw y gellir eu trafod â'r dwylo, neu yn fyrnau mawr, crwn yn pwyso oddeutu hanner tunnell yr un ag y mae'n rhaid wrth ddyfais ar flaen tractor i'w trin a'u trafod, cesyg gwair (Penllyn) ar ddelw *caseg eira* yn ôl pob tebyg. Mae lle i gredu bod y lluosog 'byrnau' wedi cartrefu'n llawer gwell am 'bales' na'r unigol 'bwrn' am 'bale', yn y Gymraeg.
1978 D Jones: SA 13, Dur cas bwledi'r cesair – yn curo/Ar do'r sied wair,/A'i *byrnau* hi'n dwys brinhau/O weld gwaelod y golau.

bwrw
1. *be.* Ildio, cnydio, yn enwedig cnydau grawn. Ar lafar yn Edeirnion, bwrw i lawr (Dyffryn Clwyd). Dyma'r math o derm a glywid diwrnod dyrnu – yr ŷd yn *bwrw'n* dda neu'n *bwrw'n* sâl, sef ildio'n dda neu'n sâl.
1990 FfTh 5, 5, Os byddai clofer yn *bwrw i lawr* yn dda, byddai'r tractor yn gorfod gweithio'n galetach i droi yr 'Huller' gan fod dwy ddrwm iddi.
Gw. ILDIO.

2. *be.* Esgor ar, geni, llydnu (am anifail) dod â llo – bwrw llo, dod ag oen – bwrw oen ayyb, moi.
1620 Job 39.1, A fedri di wylied yr amser y *bwrw* yr ewigod loi?
1982 R J Evans: LlFf 77, Maent yn *bwrw'u* hŵyn yn bur llwyddiannus – fe'u gwelais yn fwy trafferthus lawer gwaith.
Ymad. '*Bwrw* dau lo' – digwyddiad anlwcus.

bwrw'r bru gw. BWRW LLESTR.

bwrw brych *be.* Bwrw'r bilen neu'r amwisg o'i chroth gan fuwch wedi iddi fwrw llo.
Gw. BRYCH.

bwrw brychod (ll. *brych*) – hwch sy'n bwrw brychod ar ôl dod â moch.

bwrw dyled *Ymad.* Ymadrodd am ad-dalu cymwynas neu gymorth drwy gynorthwyo yn y cynhaeaf gwair, cynhaeaf ŷd, dyrnu ayyb, dyled cynhaeaf, cyfnewid dwylo, ffeirio, rhoi gwasanaeth neu gymorth am rywbeth sy'n ddyledus.
1989 D Jones: OHW 162, Ond deuai pawb i'w gywain (gwair) ac anfonai pob fferm o fewn cylch o ryw filltir rywun i'w chynrychioli, *i fwrw dyled*, gan y byddai angen yr un cymorth arni hithau maes o law.
Hen Bennill. 'Os bum i ysmala mi weithia'r cynhaea'/Pan ddelo'r haf nesaf mi dala'i chwi'n deg,/Rhof wythnos i lyfnu a deuddydd o fedi/A diwrnod o chwynnu'n ychwaneg.'
Gw. DYLED CYNHAEAF, TODDI DYLED.

bwrw ebol Dod â chyw (am gaseg).

bwrw glaw *be.* Glawio. Yn aml, rhagdybir y gair 'glaw' wrth ddefnyddio'r gair 'bwrw' – clywir 'ma' hi'n dechra' bwrw', 'roedd hi'n stido bwrw', 'mae hi wedi stopio bwrw'. Sonnir hefyd am 'fwrw eira', bwrw cenllysg, bwrw cesair, bwrw cesal (Gwent).
Dywed. 'Ma' hi'n *bwrw* fel o grwc' – arllwys y glaw. '*Bwrw* fel dannedd og.'

bwrw llawes gw. BWRW LLESTR.

bwrw llestr Bwrw'r groth neu'r bru ar ôl bwrw epil (am anifail benyw, yn enwedig buwch). Yn Gymraeg defnyddir 'llestr' am groth ynghyd â bru, cwd a llawes. Bwrw cwd (Dyffryn Aeron) bwrw'r fam (Edeyrnion). Ceir hefyd 'bwrw llestr y llo' a 'dymchweliad y llestr' yn enwau arno.

bwrw llo Dod â llo (am fuwch).
Gw. LLYDNU.

bwrw oen (ŵyn) Dod ag oen (am ddafad), oena, ŵyna.
1996 T J Davies: YOW 32, Ar un o'r beddau roedd dafad newydd *fwrw oen* ...
Gw. LLYDNU.

bwrw ebol, llo, oen *be.* Mewn rhai ardaloedd 'erthylu', sef dod ag ebol, llo, oen cyn ei amser priodol, yw'r ystyr a roir i *bwrw ebol, bwrw llo, bwrw oen*. Ar lafar yn yr ystyr hwn yn sir Benfro.
1938 T J Jenkin: AIHA AWC, Er y defnyddid y term 'bwrw ebol', 'bwrw llo', etc., am erthylu, bron yn ddieithriad, eto i gyd dywedid 'llo ar ei fwriad' am lo a enid yn ei amser arferol, h.y. llo ar ddydd ei eni.

bwrw plu Colli plu neu flew ar adeg arbennig o'r flwyddyn, sef dechrau haf, fel rheol (am ddofednod ac anifeiliaid). Sonnir am dymor colli plu, tymor colli blew.

bwrw ynghyd *Ymad.* Ymadrodd yn Nyfed am fydylu neu dasu ŷd neu lafur, yn y cae ar ôl ei rwymo'n sgubau.
1962 Pict. Davies ADPN 27, Y diwrnod y rhwymid yr ysgubau fe'u *bwrid ynghyd* tua hanner cant ar gyfer pob tas.

bwshan, bwsian *eb.* Y cylch haearn yr ochr i mewn i foth olwyn trol, er mwyn cadw coedyn y foth rhag gwisgo, y draul (Môn), traul yr olwyn, bowcen, y fawcen (Ceredigion).

bwt (ffwt) *eg.* Wrth farchnata lle byddid yn newid un nwydd am un arall, a bod gwahaniaeth ym mhris y ddau nwydd, telid y gwahaniaeth a gelwid hynny yn 'talu bwt' neu 'talu ffwt'. Ar lafar yn sir Frycheiniog.

bwtcyn *eb.* Hen bladur a'i llafn wedi mynd yn fain, fain, yn enwedig ei flaen. Ar lafar ym Môn.

bwtri, bwtri tywyll *eg.* Ystafell, ac fel rheol, yr oeraf yn y tŷ, at gadw bwydydd a diodydd, pantri, ystafell heb nemor ddim golau ynddi, a'i muriau'n silffoedd gan mwyaf. Yn aml, math o gwpwrdd mawr y gellir cerdded iddo.

bwth gw. BOGAIL, BOTH, BŴL.

bwyd *eg.* ll. *bwydydd.* Cynhaliaeth dyn ac anifail a phopeth byw, ymborth, lluniaeth, maeth (dyn), gogor, porthiant, ffoder (anifail), gwrtaith, achles (planhigion).

bwyd ambor *eg.* Pryd bwyd ysgafn gweddol ffwrdd-a-hi, pryd rhwydd, didrafferth, pryd heb gyllell a fforc, yn aml bwyd ar hambwrdd neu fwyd yn y cae. Yng Ngheredigion mae'n ymadrodd am y bwyd neu'r baned ddeg. Yn ôl Sylvan Evans daw 'ambor' o 'am-pawr', ac felly 'bwyd ambor' yw bwyd tra'n eistedd ar y borfa. Byddai rhai am ddadlau fodd bynnag, mai cywasgiad o 'bwyd hambwrdd' yw 'bwyd ambor'. Ar lafar dros ran helaeth o Gymru er yn amrywio peth o ran ystyr.

1958 FfFfPh 53, Ni welir heddiw fel yn yr amser gynt, wraig y ffermwr yn dod a'r *bwyd ambor* allan, ac yn taenu'r lliain gwyn ar y gwelltglas ...

Gw. AMBOR.

bwydydd anifeiliaid *ell.* un. *bwyd anifeiliaid.* Yr amrywiol fwydydd neu ogor i anifeiliaid fferm. Yn fras ceir pedwar math: 1) porfa neu wellt y maes; 2) gwraiddlysiau megis erfin, mangls, tatws; 3) bwyd sych megis gwair a gwellt; 4) dwysfwydydd neu fwydydd cyfansawdd.

bwyd o Brydain *ep.* Corff a sefydlwyd yn 1983 i hyrwyddo allforio bwydydd anifeiliaid o wledydd Prydain.

bwyd diwrnod cneifio, diwrnod dyrnu Dau achlysur arbennig gynt pan ddôi deuddeg i bymtheg o gymdogion i ffeirio neu gyfnewid llafur a'r gwragedd ar flaenau'u traed, ac am y gorau, yn darparu ar eu cyfer – digonedd o gig eidion, tatws, tatw rhost, pwdin plwm yn nofio mewn 'menyn toddi' (Môn) neu 'fenyn melys'. Gw. hefyd FFTH Rhif 9 21-2 1992.

bwyd garw *eg.* ll. *bwydydd garw.* Y bwydydd anifeiliaid neu'r porthiant mwyaf ffeibraidd, megis gwair, gwellt a silwair, sy'n cynnwys gryn dipyn o ffeibr anrheiliadwy, carthfwyd, brasfwyd, garwfwyd, porthiant sydd ag ychydig o brotîn ond llawer o ffeibr, ac yn bwysig i anifeiliaid cnoi cil gan ei fod yn symbylu cnoad cil da a normal.

bwyd y gweision *eg.* Yn aml gynt, mewn cyferbyniad i fwyd y teulu fyddai'n foethusach, bwyd plaen, syml, difoeth. Yn yr un modd sonnid am 'fwrdd y gweision' ac am 'gegin y gweision' ac am 'lofft y gweision'. Gw. BWRDD¹.

bwyd llond ceg *Ymad.* Porfa dda, porfa fras, digonedd o borfa.

'Mi drown ni'r buchod i'r Cae Canol, ma' na *fwyd lond ceg* iddyn nhw'n fan'no.'

bwyd moch *eg.* Gynt, unrhyw sbarion bwyd o'r tŷ ynghyd â thatws mân a manyd, ayyb, a ferwid mewn crochan yn y 'cwt boelar' (Môn), 'y briws' (Dinbych) neu'r 'gegin foch'.

1992 FfTh 11, 33, Byddai'r moch yn cael eu bwydo deirgwaith y dydd hefo blawd ceirch a bran wedi ei fwydo mewn dŵr neu laeth a gwastraff tatws a chrwyn. Byddai'r cwbl wedi eu berwi mewn crochan mawr yn y briws.

bwyd plaen *eg.* Yr ymadrodd fyddai'n gyffredin gynt am y bwydydd rheolaidd ond syml, plaen ac undonnog. Cymharol ddifaeth a diamrywiaeth oedd y bwyd traddodiadol ac arferol ar fferm a thyddyn – bwyd wedi ei wneud o'r pethau a gynhyrchid ar y ffermydd eu hunain – bara menyn, bara llaeth, bara ceirch, llymru, uwd, brywes, siot ayyb.

1993 FfTh 12, 37, Magwyd fi ar *fwyd plaen* megis bara ceirch, bara a menyn cartref, cig moch, uwd, siot llaeth enwyn, siot bosel a brywes, a lobsgows yn y gaeaf gan amlaf.

1908 Myrddin Fardd: LLGSG 68, Syml a chryf yn ddieithriad oedd eu hymborth (yr hen oes) – bara haidd, bara ceirch, llaeth, ymenyn, maidd yr afr, caws, cig, posel, uwd, brwes ...

bwyd pryn *eg.* ll. *bwydydd pryn.* Y bwydydd anifeiliaid cydbwys, neu'r dwysfwydydd a brynir, mewn cyferbyniad i'r bwyd a godir ar y fferm ei hun, bwyd siop, bwyd sachau.

1985 W H Jones: HOGM 90, Collwyd y llaeth enwyn ... ac fe aed i fagu lloi ar *fwyd prynu.*

bwydiar
1. **boediar** *eb.* Plât neu ddysgl ar y bwrdd i ddal bara ceirch, caws, ayyb. Ar lafar yn y Gogledd. (S. *voider*).

2. *eg.* Llestr â cheirch ynddo i hudo neu lithio ceffyl er mwyn medru ei ddal yn y cae.
Gw. LLITHIO.

bwydo *be.* Yn amaethyddol, fel rheol, rhoi bwyd i'r anifeiliaid a'r dofednod. Sonnir am fwydo'r moch, bwydo'r lloeau, bwydo'r ieir, ayyb.
'Y forwyn allan fyddai'n *bwydo'r* moch a'r ieir.'

bwydo'r dyrnwr *be.* Rhoi'r sgubau ŷd, ar ôl torri eu cortynau, y brig gyntaf, yn nrym y dyrnwr mawr, neu'r injan ddyrnu. Yn arferol perchennog y dyrnwr a'i bartner fyddai'n gwneud hynny bob yn ail. Ystyrid *bwydo'r dyrnwr* yn orchwyl a thipyn o grefft o'i gwmpas. Rhaid oedd bwydo'r ŷd yn wastad a chyson gyda'r brig gyntaf ac heb fod gormod ar unwaith fel bod y grawn yn cael ei stripio'n lân a llwyr.
Gw. hefyd FFIDIO.

bwydo glas *be.* Rhoi'r cnwd i'r anifeiliaid pan fo'n las ac heb aeddfedu.

bwydo rhaff *be.* Y gorchwyl o wneud rhaff wellt. Rhaid cael dau i wneud rhaff (tri i wneud rhaff ddwbl, rhaff draws). Byddai un (o'i eistedd fel rheol) yn bwydo'r rhaff â gwellt neu wair gwaun o sypyn unfon wrth ei ochr, tra byddai'r llall yn ei throi neu ei chordeddu â'r pren rhaffau. Ystyrid *bwydo rhaff* yn dipyn o grefft i'w chael yr un trwch ar ei hyd.
Gw. EILIO RHAFF, GWNEUD RHAFF.

bwyell *eb.* ll. *bwyeill, bwyelli, bwyellau.* Erfyn pendrwm miniog at dorri coed ac at naddu coed. Ceir bwyellau o wahanol faint at wahanol oruchwylion. Defnyddir rhai mawr i dorri neu gwympo coed a rhai llai i naddu, rhoi blaen ar bolion ffensio, ayyb. Ar lafar yn gyffredinol mewn ryw ffurf neu'i gilydd; 'wiallt' (Maldwyn); bŵell, bwêll (Dyfed), 'wyell', 'wyall' (Ceredigion), 'bwyallt', (Gogledd) gyda 't' ymwthiol fel yn 'wiallt' (Maldwyn). 'Hatsiad' (S. *hatchet*) yw'r enw yn Nyffryn Tanat. Clywir hefyd 'bwyellig' a 'llawfwyell'.

13g T 22, 20-1, Bum kyff bum raw, bum *bwell* yn llaw.
1567 Math 3.10, Yr awr hon hefyt y gosodwyt y *vwyall* ar wreiddyn y preniiae.

bwyall awchlydan Bwyall â phen llydan.

bwyall gynnud Bwyall at dorri neu gwympo coed tân, hatsiad.

bwylltid, bwlltid, bolltid (*bollt* + *tid*) *eg*. Dyfais seml, ond angenrheidiol, ar dres neu did, iddi fedru ei hunioni ei hun mewn gwaith, pan fo tro, neu berygl tro, ynddi, swifl, pendro, pendori, pwyll (Dyffryn Aeron), modrwy dro. Ar lafar yn y Gogledd. Ar lafar yn ardal Ffestiniog am declyn i ddal pellen o edafedd a ddefnyddid gan ferch wrth wau ac a fechid wrth linyn ei brat. Amr. BWLLTID, BOLLTID, PENDRO.

bwysel
1. **bwysiel, bwsel, bwsiel** *eg*. ll. *bwyselau, bwysielau*. Mesur sych yn cyfateb i bedwar pecaid neu wyth galwyn, winsyn (De Ceredigion a sir Benfro).
15g B 2.12, Y gossodwn iddaw o geirch beunoeth wheched rann y bwyssel.
Gw. PECAID, WINSIN.

2. **bwsiel** Y llestr sy'n dal bwysel ag a ddefnyddid i fesur grawn ceirch, haidd, gwenith.
1567 Math 5.15, A ddaw cannwyll i'w gosot dan vail [:- hob *vwisel*].

bwyselaid *eg*. ll. *bwyseleidiau*. Llond bwysel, hynny a ddeil bwysel ar y tro, bwysel yn llawn hyd yr ymyl.

bwyta brych *be*. Brych yn y cyswllt hwn yw'r bilen sy'n amwisg am epil pan y'i genir (llo, ebol, oen, mochyn bach), y garw, y gwared. Weithiau ceir hwch yn bwyta'r brychod gyda thuedd bellach wedyn i fwyta'r moch.
1975 R Phillips: DAW 62, Y merched fyddai'n porthi'r moch ac yn 'gwylad' yr hwch fagu amser esgor rhag iddi *fwyta'r brych* ac wedyn sglyfaethu'r moch bach.

bwytal (*bwyd* + *tâl*) *eg*. Taliad am lafur mewn pryd o fwyd, gweithio am ei fwyd, teyrnged mewn bwydydd.
14g WM 499 20-2, Dyvot a oruc (a wnaeth) gwyr iwerddon hyt att arthur a roddi *bwyttal* iddaw.

bwytcyn *eg*. ll. *bwytcynau*. Dagr flaenfain, neu erfyn bychan blaenfain a ddefnyddid i dorri tyllau mewn brethyn. Mae'n air ym Môn yn y ffurf *bwtcin* am hen bladur wedi gwisgo'i hoedl ac wedi mynd yn fain, fain.
'Fe wna'r *fwtcin* y tro'n iawn i dorri ysgall.

bwytgell *eb*. ll. *bwytgelloedd*. Bwtri, pantri, cwpwrdd bwyd.
1800 TY 219, Cadw agoriad eu *bwyd-gell*.

byclu *gw*. BWCLU.

bychod *ell*. Ysgubau ŷd wedi eu casglu a'u rhoi ar eu traed yn erbyn ei gilydd, stwciau, styciau (Môn), staciau (Ceredigion). Ar lafar yn Nyffryn Tanat.
Gw. hefyd BWCH[2], GAFR[2].

bychu

1. bychio *be.* Stycio neu stacanu ŷd, rhoi nifer o ysgubau ŷd ynghyd, ar eu traed ac yn frigfrig. Gwneud bwch. Gall bwch o sgubau amrywio o bedair i ddeuddeg ysgub, gafrio. Ar lafar yn y Gogledd.
Gw. hefyd BWCH², GAFR², GAFRIO², STYCIO.

2. *be.* Gwneud tas fechan o ŷd (tebyg o ran maint i fwdwl gwair) a brig yr ysgubau tuag at ganol y das, er mwyn helpu'r cnwd i sychu ar dymor drwg ei dywydd. Ar lafar ym Meirionnydd a sir Ddinbych.

byd *eg.* Helynt, trafferth, helbul.
'Rydan ni'n cael *byd* ofnadwy efo'r gwartheg 'ma'n pystodi i bobman.
'Fe gawson ni *fyd* i gael y gwartheg at y tŷ heb Pero.'

bydio *be.* Byw, bucheddu, gwneud yn dda, llwyddo.
1730 BC 502, A chalon anfodlongar brudd/I *fydio* sydd ofidus.
1763 DT 165, Ac felly'r hen felinydd/A *fydiai'n* ddigon dedwydd.
1933 H Evans: CE 69, Aeth i Birkenhead i dreio *bydio* ond daeth yn ôl i Gwm Eithin.

byddag, byddagl, baddag *eg.* ll. *byddagau, byddaglau, baddagau.* Magl, hoenyn, croglath, trap, cwlwm rhedeg, hang (Môn), tagell. Y math o fagl a ddefnyddid gynt i ddal cwningod ayyb. Fe'i gosodid ar lwybr gwningen, wedi ei agor yn gylch, ac yn sownd wrth beg yn y ddaear. Wrth redeg, âi pen a gwddf y wningen iddo a chan fod iddo gwlwm rhedeg caeai'n dynn am ei gwddf a'i thagu. Mae'n ddull anghyfreithlon bellach o ddal cwningod ayyb. Yn Nyffryn Tywi mae'n air potsiars am ddyfais i ddal samon, ac yn Nyfed clywir *byddag ysgub* am y cwlwm a roir ar ysgub wrth ei rhwymo.
Ffig. Person crintachlyd, agos-ato'i-hun, dyn nad oes dim i'w gael ganddo, gafael yn dynn am ben yr hosan – dyn *llawfyddag* – llaw yn gwrthod agor!

byddagad *ebg.* Rhaff wedi ei dyblu a'i dau ben wedi eu tynnu drwy'r plygiad (dolen) yn y pen arall (fel math o gwlwm rhedeg) fel ei bod yn rhedeg ac yn tynhau yn ôl y galw.

byddaglu *be.* Maglu, gosod magl neu fyddag, rhwydo, neu ddal cwningen ayyb mewn byddagl.
Ffig. Maglu person ayyb.
1552 Pen. 403.112, Na chael achos i *vyddaglu* morwyn vydyddiol.

bydde Ffurf lafar ar 'buddai' (Ceredigion).
Gw. BUDDAI.

Byddin Dir (Y Fyddin Dir) *eb.* Yr enw a roed ar y miloedd o ferched a weithiai ar y tir yn ystod y ddau ryfel byd (1914-18 a 1939-45). Gwirfoddolwyr oeddynt, a chydletyent gan amlaf mewn hostelau neu faracs mewn canolfannau. Caent eu bwyd a'u gwely a rhyw gymaint o gyflog. Trwy drefniant, ac yn ôl y galw, aent i'r ffermydd i weithio.

by-hold *eg.* Trefn un ffermwr o ddal neu rentio tir gan un arall, ac yn ychwanegol at ei dir ei hun.
1989 P Williams: GYG 20, ... ac âi nhad i weld a bwydo'r lloi a'r bustych a fyddai wedi dychwelyd o'r tir *by-hold* erbyn hyn ac yn treulio'r gaeaf yn y caeau mwyaf cysgodol ger yr allt.

bylchffordd *eb*. ll. *bylchffyrdd*. Ffordd drwy fwlch rhwng mynyddoedd. Gw. BWLCH³.

bylchog *a*. Adwyog, rhiciog, anghyfan, â bylchau (am glawdd, dannedd anifeiliaid ayyb).
'Ma'r clawdd terfyn 'ma wediu mynd yn bur *fylchog*.'
'Ma' hon yn hŷn nag wyt ti'n feddwl, edrych pa mor *fylchog* ydi 'i cheg hi.'
'Wnei di droi'r maen llifo imi, mae llafn y bladur 'ma wedi mynd dipyn yn *fylchog*.'
Gw. MANTACH.

bylchu *be*. Tolcio min y bladur, neu'r cryman, neu gyllell y peiriant lladd gwair, bylchu'r min, durdorri.
Gw. BWLCH⁴, DURDOR.

byrddau marchnata *ell*. Byrddau a sefydlwyd dan Ddeddfau Marchnata 1931 a 1933, mewn canlyniad i gyfnod o ddirwasgiad difrifol yn y diwydiant amaeth yn wyneb cystadleuaeth enbyd gwledydd tramor. Yr amcan oedd rhoi cymaint ag a ellid o reolaeth i ffermwyr ar brisiau eu cynnyrch. Ail sefydlwyd y Byrddau ar ôl yr Ail Ryfel Byd (1939-45) ac fe wnaed eu rôl yn glir yn Neddf Marchnata Amaethyddol 1958. Yn 1978 ail-ddiffiniwyd eu rôl gan y Comisiwn Ewropeaidd.
Gw. BWRDD MARCHNATA GWLÂN, BWRDD MARCHNATA LLAETH, BWRDD MARCHNATA TATWS.

byrdd-dir, bwrdd-dir *eg*. ll. *byrdd-diroedd*. Ucheldir gwastad, gwastadedd ar ucheldir (Ff. *plateau*) (S. *table-land*).

byrfwch *eg*. ll. *byrfychod*. Bwch gafr, bwch.
14g GDG 286, Mwy no phe rhaid mewn ffair haf/Barf a chyrn *byrfwch* arnaf'.

byrgloddi Ffurf ar 'bugloddi'. Ar lafar ym Maldwyn.
Gw. BUGLODDI.

byrgoed *etf*. ll. *byrgoedydd*. Manwydd, prysgwydd.
13g WM 420 28-30, Ympervedd y gwastatir yd oedd *byrgoed* pendew dyrys.

byrgorn *(byr + corn)* *ep*. Brid o wartheg a nodweddir gan eu cyrn byrion ac a ddatblygwyd drwy fewnfridio rheoledig gyda'r brid Durham. Daeth yn frid poblogaidd ar un adeg gan ymganghennu yn wartheg bîff byrgorn a gwartheg llaeth byrgorn, ond y naill na'r llall heb fod o bwysigrwydd heddiw.
1592 SD Rhys Inst 19-20, Ond gorau peth ddarfod i'r Duw mawr roddi *byrrgyrn* i'r fuwch ddifiawc (ffyrnig).
1928 G Roberts: AA 72 (troednodyn), Ar lannau'r afon Tees yn siroedd Durham a York y datblygwyd y rhywogaeth o wartheg a elwir y Short-horn, ac oddi yno y dygwyd y rhai cyntaf i Gymru. Fel "Durham" neu "Teeswater" yr adnabyddid y brid ar y dechrau.
1985 W H Jones: HOGM 90, Pan ddaeth gwerthu llaeth yn arferiad cyffredin ... buan iawn y gwelwyd dirywiad yn nifer y buchesi gwartheg *byrgorn*. Nid oeddynt yn ddigon llaethog i lenwi'r can llaeth.

byrgyll *(byr + cyll)* *ell*. Llwyn o goed cyll mân, cwta.

byriau *(byr + iau)* *egb*. b. *beriau*. Iau neu warrog fer mewn cyferbyniad i'r

iau hir (hiriau). Ar gyfer dau ych ochr yn ochr yr oedd y *feriau* ac yn mesur chwe troedfedd cyfoes. Roedd yr hiriau ar gyfer pedwar ych, ac yn mesur ar draws deuddeg troedfedd.
Ffig. **1620** 2 Cor 4.17, Gofid, cystudd byr. Ceir y syniad yn y geiriau 'Canys ein byr ysgafn gystudd ni'.

byrn Hen ffurf luosog 'bwrn'.
Gw. BWRN.

byrnaid *eg*. ll. *byrneidiau*. Bwndelaid, cowlaid, sypyn, baich, yr hyn a rwymwyd yn fwndel neu'n faich, gwair, gwellt, rhedyn ayyb.

byrnau Lluosog cyfoes 'bwrn'.
Gw. BWRN.

byrnio, bwrnio, byrnu, bwrnu *be*. Bwndelu, belio, pecynnu, rhwymo neu glymu'n fwndel, yn enwedig gwair a gwellt, clymu gwair a gwellt yn fyrnau tynn a chaled â byrnwr, sef y peiriant byrnu.
Gw. BWRN, BYRNWR.

byrnwr *eg*. Peiriant i fwndelu neu fyrnu gwair a gwellt yn fyrnau hirsgwâr neu grwn, belar. Daeth yn gyffredin yn ystod yr Ail Ryfel Byd (1939-45) ac yn union wedyn, gan ddileu'r angen am fydylu gwair, a'i fforchio'n rhydd i'r llwyth ac o'r llwyth i'r das.

byrnwr casglu *eg*. ll. *byrnwyr casglu*. Byrnwr sy'n codi ac yn casglu'r gwair neu'r gwellt wrth fynd ar hyd y rhenc, mewn cyferbyniad i'r 'byrnwr yn ei unfan' y byddai'n rhaid hel y gwair a'r gwellt ato a'i fforchio iddo, byrnwr â theclyn casglu.
Gw. TECLYN CASGLU.

byrnwr unfan *eg*. Peiriannau yn eu hunfan ar y cae oedd y rhai cyntaf. Rhaid fyddai hel y gwair a'r gwellt atyn nhw a'i fforchio i'w roi o fewn cyrraedd y peiriant. Datblygiad diweddarach oedd y byrnwr symudol a geir heddiw yn casglu ac yn rhwymo'r gwair a'r gwellt. Daeth y 'Jones Stationary Balers', Yr Wyddgrug, yn enwog.
1989 D Jones: OHW 169, Yn sgwâr ar ganol y cae bach safai'r lefiathan dwy dunnell, y *Jones, Stationary Baler*, yn baent ac yn foderneiddiwch drosto a Guto Dafis ei berchen ... yn ddeirecsiwns i gyd o'i gwmpas.

byrwlanog (*byr* + *gwlanog*) *a*. Byr a chwta a chlos eu gwlân am rai bridiau o ddefaid megis y bridiau 'Down', – 'Suffolk Down', 'Oxford Down', 'South Down', 'Dorset Down', a'r 'Hampshire Down'.

bys
1. *eg*. ll. *bysedd*. Un o fysedd (ffingers) bwrdd neu far peiriant lladd gwair neu beiriannau lladd ŷd. 'Chartrefodd bys a bysedd ddim fodd bynnag yn y cyswllt hwnnw. 'Ffinger' a 'ffingars' a ddywedir yn bur gyffredinol.
2. *eg*. ll. *bysedd*. Un o wialenau cadair pladur, sef y fframwaith ysgafn a osodid uwchben llafn y bladur wrth ladd ŷd, i fwrw'r gwaneifiau mor drefnus ac unfon ag y gellid.
Gw. CADAIR[3].

bysedd cochion gw. BYSEDD Y CŴN.

bysedd y cŵn *ell.* Chwyn cyffredin (*Digitalis purpurea*) ag sy'n wenwyn i anifeiliaid, bysedd cochion (Môn ac Arfon), byse'r cŵn, (Maldwyn, Ceredigion).

bystodi gw. PYSTODI.

byswellt (*bys* + *gwellt*) *eg.* Glaswellt neu wair lluosflwydd gyda dail fflat o liw glaswyrdd tywyll a phen a spigolion yn glwstwr ar un ochr i'r gwelltyn main, cryf, troed y ceiliog. Mae iddo'r enw llysieuol *Dactylis glomerata*. Gwair porfa toreithiog, yn gwreiddio'n ddwfn ac felly'n dal sychder yn dda.

byswynog gw. MYSWYNOG.

byt, bit *eg.* Y rhan haearn o'r ffrwyn sydd yng ngheg y ceffyl, sonnir am geffyl yn 'cymryd y *byt*' neu 'yn gwrthod y *byt*' (yn hawdd neu'n anodd eu trin) genfa.
Gw. GENFA.

bytheid *e.ll.* Cŵn hela.
Ffig. 'Roedden nhw fel *bytheid* o gwmpas y dyn truan.'

bytatws gw. TATWS.

byw *a.* ac *eg.* Yn gyffredinol ac fel ansoddair, yr hyn sydd â bywyd ynddo mewn cyferbyniad i'r hyn sy'n anfyw neu'n ddifywyd. Yn amaethyddol fel enw gwrywaidd. y defnyddir y gair fwyaf ac mewn ymadroddion megis 'torri at y *byw*' (y cnwd sydd heb ei ladd pan dorrid ŷd â phladur) a 'torri i'r *byw*' – (sef torri at y bywyn wrth drin traed anifail).
Gw. BYWYN, TORRI AT Y BYW.

byw y carn gw. BYWYN.

byw-esgorol *a.* Rhoi genedigaeth i epil byw (fifiparus) mewn cyferbyniad i ddodwy wyau (ofiparus).

byw miwn *Ymad.* Ymadrodd llafar am gysgu ar y lle (am weision a morynion), gweision a morynion yn cael eu bwyd a'u gwely fel rhan o'u cytundeb cyflogi. Ar lafar yn bur gyffredinol.
1989 P Williams: GYG 15, A gwaith y flwyddyn ddilynol ar ddewis a chytuno â gweision a morwynion priodol a ddôi i '*fyw i miwn*'.
Gw. hefyd AROS.

bywyn *eg.* ll. *bywynion, bywynau.* Y rhan fewnol feddal o unrhyw beth, calon neu graidd unrhyw beth. Yn amaethyddol y rhan fewnol, feddal o garn anifail, bywyn y carn, bywyn y troed, llyffant, mapgarn.
'Roedd Darbi'n gloff ac mi ffeindiais fod yna hoelen fodfedd wedi mynd at 'i phen i *fywyn* y troed blaen.
Sonnir hefyd am '*fywyn* afal' – rhan fewnol yr afal, ac am '*fywyn* y dorth', sef y rhan o'r dorth tu mewn i'r crystyn.

Ffig. Brifo teimladau'n ddwfn, 'brifo i'r byw' (bywyn).
'Mi brifodd fi i'r byw efo be dd'wedodd o.'
Gw. LLYFFANT².

bywyn gwenith *eg.* ll. *bywynion gwenith.* Canol hedyn gwenith, neu galon hedyn gwenith, sy'n cynnwys maethynau gwerthfawr.

byw ar oleuni dydd a dŵr Ymad. Bodoli ar ychydig o fwyd, heb fod yn cael digon o fwyd, neu o leiaf yn edrych felly, edrych yn ddrwg (am ddyn ac anifail). cf. bwyta gwellt i wely.
'Ma'r bustych yn edrych fel pe bydden nhw'n byw ar ddim ond '*goleuni dydd a dŵr*'.

ca *eg.* ll. *caeau* Ffurf dafodieithol ar 'cae'. Ar lafar ar draws y De.
Gw. CAE.

caban unnos *eg.* ll. *cabanau unnos.* Y math o dŷ a godid mewn noson o dyweirch ar gytir neu dir comin (fel rheol). Byddai'n rhaid i'r tŷ fod wedi ei gwblhau gyda tho arno a mwg yn dod drwy'r simdde cyn toriad gwawr, cyn y gallai'r sawl a'i cododd gael hawl perchenogaeth arno. Gwneid hyn lawer iawn gynt yn enwedig pan fyddai rhywun am briodi a lle'n byd i fynd ar ôl priodi. Wrth gwrs, gyda chymorth nifer o gyfeillion y llwyddid i wneud hyn. Fe'u gelwid hefyd yn 'dai tywyrch' mewn rhai mannau.
1933 H Evans: CE 68, Os ceid amser a digon o gymorth gwneid clawdd tywyrch o gwmpas darn o dir i wneud gardd, a byddai'r tŷ a'r ardd yn eiddo bythol i'r adeiladydd.
1933 H Evans: CE 68, Yr oedd nifer o *dai tywyrch* o gylch fy hen gartref. Bum mewn pedwar ohonynt pan oeddwn yn hogyn (g. 1854). Yr oedd teuluoedd yn byw ynddynt a bum yn chware lawer tro mewn dau ohonynt. Magwyd chwech o blant mewn un ohonynt.
1963 R J Williams: LlLlM 33, Credai'n hynafiaid os gallai dyn godi math o gaban rhwng cyfnos a gwawr, drannoeth deuai'r caban a'r tir a fyddai dano, yn eiddo cyfreithlon iddo ef a'i etifeddion, a *chabanau tywyrch* oeddynt bron bob un, wedi eu codi ar gytir.

cabinet soda *eg.* Ar y cyfan byddai gweision ffermydd gynt yn hoff o de cry' ('te fel dŵr gwair' [Môn], 'te fel breci' [Dyfed]), neu o leiaf yn chwennych cryfach te nag a geid yn arferol. Er mwyn eu twyllo, byddai ambell feistres yn rhoi pinsiad o *gabinet soda* yn y tebot er mwyn cael lliw te cry' ar ei gynnwys. Tipyn yn annaturiol fodd bynnag fyddai'r lliw, a'r blas yn tueddu i fradychu'r feistres. (S. *carbonate of soda*)
1963 Hen Was: RC 59, Sonia'i fawr am y *te ciabinet soda* fydda ni'n arfar gael ar ddiwadd pnawn yn yr ha. "Te iawn" chadal Lewis Puw "te i sefyll wrth y'ch sena chi, hogia", ac wrth y'n sena ni bydda fo hefyd, nes y byddan ni wedi i chwysu o allan hefo gwaith go galad gyda'r nos. Wyddwn i ddim am y *cabinet soda* 'radag honno, ryw hen was a ddeudodd wrtha'i ymhen blynyddoedd wedyn, mewn tŷ bwyta ym mhreimin Llanrwst; cael te du fel inc yno a rhyw flas od arno. "Ciabinet soda, ych" medda'r hen frawd oedd yn ista ar yr un bwrdd â fi; wedyn y deudodd o wrtha i.

cacwn *ell.* un. *cacynen.* Begegyr (S. *bumble bee*), gwenyn meirch.
Gw. GWENYN MEIRCH.

cachgi bwn gw. GWENYN MEIRCH

cad *eb.* Ysgyfarnog.
1823 (1848) Crwth Dyffryn Clettwr 124, Y *gâd* fwyn red i'r brwynach.

158

cadach coch *eg.* ll. *cadachau cochion.* Cyffredin yw'r syniad bod cadach coch yn fwgan i darw, ac yn ei gynddeiriogi. Disail hollol yw'r goel hon fodd bynnag gan fod tarw yn ddall i liwiau. Mae cadach o unrhyw liw, o'i gwhwfan, yn cynddeiriogi tarw. Deil Spaen i gynnal y myth am y cadach coch.
Ffig. Rhywbeth annerbyniol ac yn ennyn gwrthwynebiad.
'Mae'r capel fel *cadach coch i darw* i'r tipyn offeiriad newydd 'ma.'

cadach India *eg.* ll. *cadachau India.* Math o ffunen sgwar liwgar a wisgid gan ffermwyr (a'u gweision) am eu gyddfau gynt, crafat, sgarff.

cadach llawr *eg.* ll. *cadachau llawr.* Cadach (darn o sachlian yn aml neu o ryw ddefnydd arall) at olchi lloriau a phartner anochel y brws sgwrio, a ddefnyddid lawer iawn gynt (cyn dyddiau'r mop llawr) i olchi llawr y gegin, y briws, y tŷ llaeth, ayyb. Ar lafar ym Môn, Arfon, Llŷn, Meirionnydd a Maldwyn. 'Cerpyn neu carp llawr' a glywir yn siroedd Dinbych a'r Fflint, a 'chlwtyn neu glwt llawr' yn y De.

cadafarth, cadawarth *eg.* Cedw gwyllt neu fwstard gwyllt, bresych yr ŷd. Gwelir rhai caeau'n felyn gan flodau'r *cadafarth.* 'Hatrish' yw gair Sir Benfro amdano. 'Ceglogs' (Maldwyn). (S. *Kedlock*) (*Sinapsis arvensis*)
1991 G Angharad: CSB 11, *Hatrish* yw'r chwyn melyn, 'charlock', sydd yn bla yn y caeau llafur.

cadair
1. **cader** *eb.* ll. *cadeiriau, cadeirau,* Pwrs neu biw anifail benyw – buwch, dafad, caseg, cadair buwch = pwrs buwch. Ar lafar yn weddol gyffredinol.
1978 D Jones: SA 15, Yr amddifad ddafad ddof/A'i hing heb fynd yn angof,/A'i *chader* yn diferu/Gan faich y sugno na fu.

2. *eg.* Pen neu frig yr ŷd (ceirch, haidd, gwenith), y sypyn gronynnau ar ben y gwelltyn ŷd ac yn tyfu o un gronyn yn y pridd, yr ŷd yn 'tyfu'n *gadeiriau'*. Sonnir am yr ŷd yn cadeirio, yn stolo (Ceredigion).

3. Cawell pladur, ysgol pladur, sef y fframwaith bren ysgafn yn yr un ffurf â chamedd y llafn, ac wedi ei osod uwchben y llafn, i fwrw'r ŷd yn waneifiau mor gymen ac mor unfon ag y gellid wrth ei ladd. Yn y De, cyfeirir at y math hwn o bladur fel 'pladur â *chadair'* neu 'bladur â chawell'.
1969 D Parry-Jones: Nod. i AWC, Taro, h.y. torri'r llafur â phladur â *chadair.*
1975 R Phillips: DAW 52-3, Cofiaf am ddynion yn torri ŷd â phladur a *chadair* wrthi.
Gw. hefyd CAR PLADUR, CAR ŶD.

4. Cyrn aradr, cyrn y gwŷdd (Môn), y rhan o'r aradr rhwng yr ystyllen bridd a'r dyrnau, breichiau aradr, haeddelau, heglau. Ar lafar yn Llŷn yn yr ystyr hwn.
1975 Ff Payne: YAG 68, Fe'i cedwid (carthbren) fel rheol yng *nghadair* yr aradr.
1989 FfTh 3, 26, Y fo sydd wrth *gadair* yr aradr rychu, a minnau'n twysu.

5. Crud babi, cawell plentyn. Ar lafar yn Sir Benfro a Cheredigion.
1740 D Llwyd: YDD 124, Addolodd y gwŷr doethion ef yn ei *gadair.*

6. *eb.* Teclyn neu ddyfais yn y ffurf o fwrdd rhwyllog a osodid wrth far y peiriant lladd gwair i bwrpas torri ŷd, cyn dyddiau'r ripar a'r beinder. Byddai'r ŷd a dorrid yn casglu ar y *gadair*, yna bob hyn a hyn byddai'r sawl fyddai ar ben y peiriant yn ei dynnu oddi arno yn seldremi â chribin fach.

1975 R Phillips: DAW 53, Wedyn daeth y dydd i roi'r bladur heibio a gosod *cadair* ar y torrwr gwair fel y gallai dau geffyl dorri'r ŷd, yna dyn a rhaca pwrpasol yn ei law yn gosod yr ŷd yn bentyrrau trefnus ...

cadair-gerbyd *eg.* ll. *cadair-gerbydau.* Car neu gerbyd ysgafn dwy olwyn a llorpiau a dynnir gan ferlyn (merlen), i gario pobl, car a merlen.

cadas, cadis *eg.* ll. *cadasau.* Math o ddeunydd o wlân neu o sidan. (S. *caddice*) Ar lafar yn y ffurf *cadis, cadish* yng Ngheredigion a Dyfed am y rhubanau a ddefnyddir i addurno cynffon a mwng ceffyl i'w gwneud i edrych ar eu gorau.

1962 T J Davies: G 1, Byddai holl grefftwaith gwisgo ceffyl i'w ddangos wedi bod ar waith arnynt, y gloren wedi ei chodi fel bynnen gwallt merch, a *chadis* amryliw ymhleth ynddi.

1989 P Williams: GYG 21, Ei fwng, a'i gwt wedi'u gwau a'u clymu â *chadis* coch, gwyrdd, glas a melyn.

Gw. RHUBAN.

cadawarth. gw. CADAFARTH.

cadeiren *eb.* ll. *cadeirennau.* Blagur newydd yn tyfu o fôn coesyn cnydau megis gwair. Gwelir y cysylltiad â 'cadeirio', sef ymganghennu, neu dyfu blagur newydd yn agos i'r ddaear. Daw'r blagur newydd yn ei dro yn annibynnol a chynhyrchu ail flagur neu ail *gadeiren*, a'r rheini wedyn yn eu tro yn cynhyrchu trydydd *cadeiren.* Yn y diwedd ceir cnwd tew, clos o borfa neu o wair.

cadeirfaing *eb.* ll. *cadeirfeinciau.* Setl, sgiw (ysgiw), sgrin (ysgrin). Mainc eistedd ag iddi, fel rheol, freichiau a chefn uchel. Fe'i gwelid yn gyffredin gynt dan y simdde fawr mewn tai ffermydd ayyb.

cadeire, cadeiriau *ell.* un. *cader, cadair.* Ffurf dafodieithol ar *cadeiriau* ac yn golygu pladuriau, offer lladd neu dorri neu daro ŷd. Ar lafar yn Sir Benfro.

1958 T J Jenkin: YPLL AWC, Pan fyddai y ceirch yn dechrau troi ei liw yr oedd yn bryd cael y *cadeire* [cadeiriau] yn barod ar gyfer 'taro'.

cadeirio

1. *be.* Yn amaethyddol – brigo, magu pen, mynd i hosan (am ŷd); blaguro, hodi, ymganghennu (glaswellt, planhigion, coed), stolo (ar lafar ym Môn).

16g W Salisbury: LIM 101, Llwyn cangog goruchel yw yr saeds ac yn *cadeirio* yn wielyn llwydwynion.

2. *be.* Magu pwrs neu biw (am fuwch, dafad neu unrhyw anifail benyw). 'Mae Cochan yn cadeirio'n gyflym.'

cadeiriog *a.* Brigog, llawn brig, â phen da (am ŷd), canghennog, yn ymledu (am wair, planhigion).

cadfarch gw. AMWS, MARCH.

cadis gw. CADAS.

cadlas

1. **cadlais** *eb.* ll. *cadlasau, cadlasoedd, cadlesi, cadlesydd, cadleisiau*. Buarth, clos, beili, ffald, iard fferm.

1690 Ymofynion 2, Pa berllannau, gerddi a *chadleisie*, pa feusydd, caeu.

2. **cadles** *eb.* ll. *cadlasau, cadlesi, cadlesydd*. Ydlan, gardd ŷd, gardd wair, lle wedi ei amgau'n bwrpasol ar fferm i godi a chadw rhag yr anifeiliaid, y teisi ŷd, gwair a gwellt. Cadlas wair, cadlas ŷd, rica (Dyfed). Ar lafar yn y Gogledd. Gw WVBD 232. Byddai rhai'n dadlau mai lle i'r teisi gwair oedd y gadlas, ac mai'r ydlan yw'r lle i'r teisi ŷd. Ond gan mai yn yr un lle y codid y teisi ŷd a'r teisi gwair gan amlaf o lawer, daeth cadlas ac ydlan yn gyfystyr.

Diar. 'Adwaenir gwas wrth ei *gadlas'* – h.y. wrth swm y porthiant a heliwyd i'r gadlas.
Dywed. 'Eira, cnydau da, gwlyb, *cadlas* lawn.'

cadno

1. *eg.* ll. *cadnoaid, cadnoid, cedny, cadnawod, cadnawon*. Llwynog, madyn, madws, y gŵr coch, creadur pedwartroediog, trwynfain cynffonog, o deulu'r ci, coch ei flewyn, ac yn ddiarhebol ei gyfrwystra. Caiff ei erlid a'i hela am ei fod yn peri mwy o golledion i ffermwyr drwy ladd ŵyn, dofednod, ayyb, na'r un anifail arall, llwynog (Gogledd a Gogledd Ceredigion), cadno, canddo (ar draws y De).

Ffig. person cyfrwys, yn aml mewn ystyr anffafriol, a diwrnod tywyllodrus.
1620 Luc 13.32, Ewch a dywedwch i'r *cadnaw* hwnnw ...
'Tipyn o *gadno* ydi Ned ar y cyfan.'
Llwynog o dd'wrnod gafwyd ddọe, haul braf ben bore ond tywalltiad iawn at y pnawn.
Mae'n werth sylwi bod y cadno fel y twrch (mochyn) yn un o symbolau'r canu brud yn Gymraeg.
1906 E Wyn: TMM, *Cwm Pennant*, Cynefin y carlwm a'r *cadno*/ A hendref yr hebog a'i ryw.
1959 D J Williams: YChO 40-1, Ond o fethu neu anghofio eu cau i mewn y nos, weithiau, mor fynych y cipiwyd y rhain (hwyaid) oddi ar yr afon gan y *gŵr coch* ...
Gw. LLWYNOG, MADYN.

2. *eg.*
J Williams-Davies: Nod i AWC, *Cadno* – bwndel o wellt a ddefnyddid i agor helm (tas) heb ei gynaeafu'n dda er mwyn ei awyru.

cadw *be.* Ceir y gair *cadw* mewn amryw o gyfuniadau amaethyddol.

cadw buwch *Ymad.* Yr ymadrodd a ddefnyddid gynt am le bach – tyddyn bychan – ag ychydig o dir, lle'n *cadw buwch* neu lle i *gadw un fuwch*.

1966 I Gruffydd:TYS 57, Gan fy mod yn berchen llain o dir, fe ddeuthum maes o law i fedru *cadw buwch* a mochyn ac ychydig dda pluog.

cadw ceffyl *Ymad.* Byddai'n rhaid i le fod yn dipyn o faint i gyfiawnhau *cadw ceffyl*. Yn wahanol i'r fuwch oedd yn rhoi llaeth a menyn yn ddyddiol am ei bwyd, bach ac ysbeidiol oedd cyfraniad y ceffyl. Byddai ei gadw yn ddrud (mewn porfa a bwyd) a dibroffid mewn canlyniad. Sonnid am ambell i le fodd bynnag fel lle digon o faint i *gadw ceffyl*.

161

cadw defaid dan do *Ymad.* Ymadrodd newydd a diweddar am yr arfer cynyddol erbyn hyn o gadw a phorthi defaid i mewn neu dan do dros y gaeaf, yn enwedig dros gyfnod wyna.

1975 R Phillips: DAW 65, Does neb eto yn yr ardal (Llangwyryfon, Ceredigion) wedi mabwysiadu *cadw a phorthi defaid o dan do* dros y gaeaf.

cadw mochyn *Ymad.* Gynt, byddai ffermwyr mawr a bach a'r gweithwyr yn *cadw mochyn* i'w besgi a'i ladd at iws y tŷ. Cadwai llawer o'r gweithwyr ddau, un i'w ladd a'r llall i'w werthu i dalu'r rhent. 'Magu moch' a wneid i'w gwerthu (fel arfer) ond *cadw mochyn* i'w ladd a'i besgi. Gw. LLADD MOCHYN.

cadw gwas, cadw morwyn *Ymad.* Disgrifiad o rai ffermydd fel rhai digon o faint i *gadw gwas a morwyn* – ffermydd a digon o waith i gyfiawnhau cael gwas a morwyn, a'r *cadw* fel rheol yn golygu bwyd a gwely a chyflog.

1975 R Phillips: DAW 62, Oddeutu 1900 roedd y fferm yn ddigon mawr i *gadw dau was*, sef gwas ceffylau a cowman. Gw. GWAS, MORWYN.

cadw cae gwair *be.* Rhoi llonydd i gae i dyfu er mwyn cael cnwd o wair neu o silwair ohono, cadw gogor. Gwneir hyn yn gynnar dechrau haf. Fel arfer gwrteithir y tir a'i lyfnu wrth ei gadw'n wair. Gw. CAE CADW.

cadw'n gyfan *be.* Cadw anifail gwryw heb ei sbaddu i'w gael yn darw, march (stalwyn) neu hwrdd (maharen). cf. CYFLAWN FARCH. Ar lafar yng Ngheredigion.

1975 R Phillips: DAW 63, Roedd angen yr ysbaddwr ar bob anifail gwryw oni *chedwid ef yn gyfan* i fod yn darw neu farch.

cadw pentiriaeth *be.* Bod yng ngofal fferm ar ran y perchennog, goruchwylio fferm. 'Pentir' yw'r hen air Cymraeg am un yn cadw *pentiriaeth* neu'n goruchwylio fferm. Gw. PENTIR.

cadw record *be.* Cadw cyfrif o stoc a chynnyrch fferm (mewn anifeiliaid, cnydau, llaeth ayyb) ac o symudiadau anifeiliaid (wrth brynu a gwerthu). Erbyn hyn, mae'r *cadw record* hwn yn rheidrwydd cyfreithiol i bwrpas cymorthdaliadau ac i bwrpas delio'n effeithlon ag achos o haint ar anifeiliaid pan ddigwydd hynny drwy fedru olrhain symudiadau anifeiliaid oddi wrth y record a gedwir. Gw. AWTORECORDYDD, RECORD.

cadw'r rhic *be.* Gwaith un dyn yn yr ydlan amser cario gwair ac ŷd fyddai gwylio'n ofalus y das (y rhic) fel y tyfai rhag bod rhyw ran ohoni ormod i mewn neu ormod allan, a dweud pryd i droi pen (tynnu miwn), ayyb. Yn sir Gaerfyrddin un yn *cadw'r rhic* oedd y dyn hwnnw.

cadwraeth *egb.* ll. *cadwrieithau.* Gwarchodaeth, gwyliadwriaeth, arbedaeth, gofalaeth. Hen air, ond wedi magu ystyr ac arwyddocad technegol yn ystod hanner olaf yr 20g am warchod yr amgylchedd. Daeth pwnc llygru a difwyno'r amgylchedd yn bwnc llosg ac o'r pwys mwyaf. Canfuwyd bod nifer o rywogaethau o blanhigion, adar a chreaduriaid gwyllt eisoes y naill ai wedi diflannu'n llwyr neu ar fin diflannu. Caed ymdrechion i ddeffro cydwybod ynglŷn â difrifoldeb y sefyllfa a rhoed cynlluniau ar y gweill i'w chywiro. Clustnodwyd ardaloedd cadwraeth, ardaloedd amgylcheddol sensitif, rheolaeth tynnach ar ddatblygiadau yn y cefn gwlad a chynnig cymorthdaliadau i ffermwyr tuag at warchod natur a chynefin y bywyd gwyllt. Cydnabyddir lle a phwysigrwydd yr amaethwr fel ceidwad a gwarchodwr natur.

1981 Ll Phillips: HAD 36, Rhwng y bwldoser, y chwistrellyddion a'r crymanau hydrolig mae'n fyd cyfyng ar hen ddeiliaid clawdd a pherth a mân lwyni'r cwmpasoedd. Am hynny mae'n dda gweld nifer o gymdeithasau a chyrff cyhoeddus ac amaethyddol, sy'n wirioneddol yn ymwneud â'r tir a'i gynnyrch, o blaid rhyw ystyriaeth arbennig, i gadw cynefin byd natur ar ein tiroedd, a mynd ati hefyd i greu cynefin newydd.

Gw. CADWRIAETHOL, TIR CYMEN.

cadwriaethol *a.* Yn gwarchod, yn amddiffyn, yn gwylio (yn enw. am natur, y bywyd gwyllt ayyb). Fel 'cadwraeth', daeth yn air aml yn hanner olaf yr 20g. Sonnir am y 'problemau *cadwriaethol*', 'cynlluniau *cadwriaethol*', 'cymorthdaliadau *cadwriaethol*', 'trafodaethau *cadwriaethol*', ayyb.

Gw. CADWRAETH.

cadwrus *a.* Mewn cyflwr da, graenus, blonegog, llewyrchus, porthiannus (am anifeiliaid).

Ffig. dyn corffol, porthiannus.

1992 DYFED Baeth 44, Ymgasglodd amryw o ffermwyr *cadwrus* y fro gyda'r cyfnos i Maengwyn i ddadlau rhagolygon prynu a gwerthu drannoeth.

cadwyn, cadwen *eb.* ll. *cadwynau, cadwyni, cadwynawr.* Tsiaen, cyfres o ddolennau neu fodrwyau, fel arfer o fetel, wedi eu cysylltu'r naill drwy'r llall i ffurfio dilyniant byr neu hir yn ôl y galw. Yn amaeth. tres, tid, tyniad, carwden, aerwy, cadwyn simdde, ayyb. (gw. dan y geiriau yn unigol).

13g WM 146, Llew yn rwym wrth *gadwyn*.
1588 Can 1.10, Hawddgar yw dy ruddiau yn y tlysau a'th wddf yn y *cadwyni*.
Ffig. Cyfres o unrhyw bethau, neu bethau sydd wedi eu cydgysylltu â'i gilydd mewn dilyniant, e.e. *cadwyn* o englynion – cyfres o englynion lle mae gair yn llinell olaf un englyn yn cael ei ailadrodd yn llinell gyntaf yr englyn nesaf.
Dywed. 'Cyn ddued â'r *gadwyn*' – cadwyn yn y simdde i hongian crochan.

cadwyno *be.* Rhwymo, cysylltu â chadwyn, tido, bachu, llyffetheirio, carcharu. Yn amaeth. cysylltu'r wedd wrth yr aradr, yr og neu'r drol, bachu'r wedd, bachu tresi neu didau'r ceffyl. Hefyd am lyffetheirio anifail, hualu anifail.

Ffig. Mynd i fagl pethau haniaethol (Beiblaidd) neu am gydgysylltu llinellau barddoniaeth drwy ryw nodwedd lythrennol neu eiriol.
'Pan oeddwn i'n mynd i'w *gadwyno* wrth yr og, i ffwrdd a fo ar garlam am bendraw'r cae.'
1620 Salm 73.6, Am hynny y *cadwynodd* balchder hwynt.

cadwynog *a.* Rhwym wrth gadwyn, cysylltiedig, cypledig, cyplysedig.
1683 T Jones: ALM 29, A'r llew *cadwynog* llonydd.

cae

1. *eg.* ll. *caeau, caeoedd.* Yn wreiddiol, y clawdd neu'r gwrych o gwmpas darn o dir, neu o gwmpas fferm ac yn ffurfio ei therfynau, y 'caead' ar arwynebedd o dir. Sonnir am gae a 'chaead' da arno ac am fferm a 'chaead' da arni.

1620 Es 5.5, Tynnaf ymaith ei *chae* fel y porer hi (BCN Tynnaf ymaith ei 'chlawdd').
Diar. 'Adwyog *gae* anhwsmon' – clawdd bylchog yn cyhoeddi diogi'r ffermwr.
Gw. CAEAD[1], CLAWDD.

2. *eg.* ll. *caeau.* Darn o dir, mawr neu fach, wedi ei amgylchu â chlawdd, tir wedi ei amgau â chlawdd, gwrych (sietin), arwynebedd o dir a therfynau iddo, parc, maes.

13g WM 448 40-1, Aml iawn oedd y polyon yn y *cae.*
1981 J P Jones: DEG, Gŵyr y *cae* y daw'r gaeaf,/Cnwd a ddwg cyn diwedd haf.
Ffig. '*Cae sgwâr*', sef y gwely (Gogledd), cae hun, cae nos (De). Y cefndir yn ddiau yw'r cae yn ymyl y tŷ (cae dan tŷ), yn hwylus i droi anifeiliaid yno dros nos fel ag i fedru cadw llygaid arnyny nhw, ac yn cario'r syniad o le diddos, diogel.
'Ddim yn yr un *cae*' – ddim hanner cystal. 'Dydi'r gweinidog newydd *ddim yn yr un cae* a'r hen barchedig fel pregethwr.'
'Ddim yn pori'n yr un *cae*' – dau'n siarad â'i gilydd ond drwy gamglywed neu gamddeall, heb fod yn siarad am yr un peth.
'Wedi ei fagu mewn *cae*' – byth yn cau'r drws ar ei ôl.
Gw. CLAWDD, MAES, PARC.

cae âr Cae wedi ei aredig a'i drin.

cae bach gw. CROFFT, GROFFT, LLAIN.

cae cadw cae y troir yr anifeiliaid ohono i'w gadw'n gae gwair (silwair). Gw. CADW CAE GWAIR.

cae crin, cau crin *eg.* a *be.* *Cae* yn yr ystyr o *cau*, sef rhoi brigau crin ar ben clawdd lle nad oes wrych byw.

cae dan tŷ Y math o gae a geir ar y mwyafrif o ffermydd, sef cae cyfleus yn ymyl y tŷ i droi anifeiliaid iddo, yn enwedig pan fo'n bwysig cadw llygaid arnyn nhw megis buchod ar ddod â llo, defaid ar ddod ag ŵyn, ayyb.

cae gwair Cae wedi ei gadw'n wair.
Gw. CAE CADW.

cae heter Cae tair cornel, cae trionglog. Ar lafar yng Ngheredigion.

cae llafur Y cae ŷd. Mae *llafur* yn air am ŷd yn y cylchoedd amaeth. Sonnir am y 'cynhaeaf *llafur*' (cynhaeaf ŷd), 'lladd *llafur*' (lladd ŷd), 'cywain y *llafur*' ('cywain yr ŷd'). Mae hyn yn arbennig o wir am y De, yn enwedig am geirch, a hynny, mae'n debyg, am mai ceirch a dyfid fwyaf o lawer yng Nghymru hyd yr Ail Ryfel (1939-45).

cae moch Cae bach neu lain fach o dir didrin i droi'r moch rhag iddyn nhw dwrio a maeddu tir pori.

cae pellenig Y math o gae, yn aml ar fferm fynyddig, sydd ymhell oddi

wrth y tŷ fferm a'r beudái, yn y cyrion pellaf, yn cael ei droi'n anfynych iawn, a phan ddigwydd hynny mae'n cael ei adael yn fraenar am dymor hir.
Gw. PARC HWNT.

cae pori Cae porfa, cae a neilltuir i bori anifeiliaid, mewn cyferbyniad i 'gae cadw' neu 'gae gwair'.

cae sofl Cae ŷd (llafur) ar ôl cywain y cynhaeaf ohono, y cae â'r bonion ŷd, a chryn lawer o rawn wedi dihidlo wrth ladd y cnwd, ei rwymo, ei stycio a'i gario, dan yr hen drefn. Yno, yn aml, y troid y moch a'r gwyddau i soflio neu solffa.
Gw. SOFL, SOLFA, SOLFIO.

cae sweds, cae rwdins, cae maip Y cae y tyfid ynddo yn ei dro gnwd o erfin neu wreiddlysiau.
Dywed. 'Fel *cae rwdins*' (Môn) – am ffordd ddrwg, dyllog, a rhychog ei gwyneb.

cae tatws, cae tato Cae dan datws.
1989 Dic Jones: OHW 164, Roedd mwy o gydraddoldeb mewn *cae tato*. Wedi'r cyfan taten yw taten, boed y sawl sy'n ei chodi yn bymtheg oed neu yn drigain.

cae tyndir Cae â hen groen ac heb ei droi ers rhai blynyddoedd ond bellach yn cael ei aredig ar gyfer cylchdro cnydau a chael ei ailhadu.
E Grace Roberts (Llangefni): Nod. i AWC, Roedd gwŷdd main yn fy nghartref –, gwelais fy nhad yn aredig *cae tyndir* gyda'r un main un tro.
Gw. GWYNDWN, TIR TON, TONDIR, TYNDIR.

caead
1. **caeëd** *eg.* Terfynau cae neu fferm, y cloddiau sy'n amgau cae neu fferm. Ar lafar ym Môn. Sonnir yno am fferm 'a *chaead* da arni'.
1985 W H Jones: HOGM 99, Cawsom fferm hwylus iawn pan ddaethom i Blas-yn-Ddôl, er ei bod wedi ei gadael i fynd yn bur ddidrefn a'r *caead* rhwng y caeau yn bur ddrwg.
Eto 100, Nid oedd *caead* Watkin yn dda iawn, felly yn y gwanwyn tueddai hesbyrniaid Pengeulan i ddod trwodd i dir Plas-yn-Ddôl.

2. *eg.* ll. *caeadau.* Yr hyn a roir ar lestr o bob math i'w gau, clawr (y De) – gwerthyr, – *caead* y corddwr (buddai), *caead* y pot llaeth, *caead* y can llaeth, *caead* y piser, *caead* y gist, *caead* y sospan, *caead* y tecell a'r tebot, *caead* y drol (Môn) (tinbren y drol). Ceir hefyd y ffurf ' ceiad' (Dyfed).
Ffig. 'Rhoi *caead* ar ei biser' – rhoi taw ar rywun, cau ceg rhywun. 'Mi ddechreuodd gega ond mi rois i *gaead* ar 'i biser heb lol.' Diau bod cysylltiad â'r ddihareb 'mwya'i sŵn, piser gwag' – piser heb *gaead* yn fwy swnllyd, a rhoi *caead* arno yn ei dawelu.

caead y mwnci *eg.* ll. *caeadau mwnci.* Y strap lledr ar gyrn mwnci coler ceffyl i gau'r mwnci, sef tynnu'r ddwy ysgaran at ei gilydd a'u tynhau yn y rhigol pwrpasol o amgylch y mwnci, tugall y mwnci, gwarbwyth, clo'r mwnci. Ar lafar ym Môn.
Gw. MWNCI, TUGALL, YSGARAN.

caead trol gw. CAEAD², TINCART.

caeaid *eg.* ll. *caeëidiau.* Llond cae, cae llawn cnwd neu llawn gwartheg neu ddefaid.

'Mae Tyn y Bryn yn stocio'n drwm, edrych ar y *caeaid* defaid 'na.'
1994 FfTh 13, 18, Daeth dydd y rasus yng nghanol y cynhaeaf gwair, ar ddiwrnod hyfryd o haf a *chaeaid* o wair yn barod i'w gario.

caeadfa

1. *eb.* *ll.* *caeadfeydd.* Coedwig, coedlan, llwyn.

2. *eb.* Lle wedi ei amgau i bwrpas arbennig, caeadle.

caeadfaes (*caead* + *maes*) *eg.* *ll.* *caeadfeusydd.* Tir neu faes wedi ei amgau â gwrych neu berth.
1785-90 CBYP 16, Y ... gair Parc, sef *caeadfaes*, neu Glos mwy na Chae a Chlos cyffredin.

caeadle gw. CAEADFA.

caeadlwyn (*caead* + *llwyn*) *eg.* *ll.* *caeadlwyni.* Tewlwyn, dryslwyn, llwyn dyrys, prysglwyn, llawn mieri.
1450-1500 Bedo Aeddrem: Gwaith 199, Hydladd o fewn *caiadlwyn.*

cael *be.* Derbyn, meddiannu, dod i feddiant. Fe'i ceir mewn amryw o gyfeiriadau amaethyddol eu cyd-destun. '*Cael* tarw' (am fuwch), '*cael* stalwyn' (am gaseg), '*cael* baedd' (am hwch), '*cael* maharen' (am ddafad), '*cael* bachiad' (am gael gwaith, am gael lle), '*cael* y cynhaeaf' (*cael* y gwair neu *gael* yr ŷd i ddiddosrwydd), '*cael* cic' (gan anifail), ayyb.

caefaes *eg.* *ll.* *caefeysydd.* Cae, maes, darn o dir caeëdig, parc (Ceredigion).

caenen *eb.* Haenen, gorchudd, trwch (o eira, rhew), *caenen* o eira, *caenen* o rew, sef haen o eira neu o rew. Ar lafar yn gyffredinol yn yr ystyr hwn. Mewn rhai rhannau o'r wlad fodd bynnag mae'n air am ysbaid o dywydd caled, neu heth. Ar lafar yn yr ystyr hwn ym Maldwyn. Ar lafar hefyd yn Edeirnion.
1981 GEM 17, Ma' arna'i ofon bod hi'n dwad yn *gaenen* arnon ni.

caeor (*cae* + -*awr*) *eb.* *ll.* *caeorau.* Corlan, ffald, lloc, lle caeëdig i drin defaid.
1567 Ioan 10.16, A deveid ereill sydd gennyf yr ei nid ynt o'r gorlan [i'r ffold, buarth, *cayor*] hon.
Gw. CAIL, CORLAN, FFALD, LLOC.

caets, caits *eg.* *ll.* *caetsys, caitsiau.* Yn amaethyddol, lle amgaedig a phwrpasol i gadw anifeiliaid a chynnyrch fferm, *caets* lloi, *caets* erfin. Ar lafar yn yr ystyr hwn yn Nyfed.
1989 P Williams: GYG 19, Wedi gorffen tynnu (mangls) fe'u teflid i gart a'u cyrchu i'r '*caets* mangls' y tu ôl i'r beudy.
1989 P Williams: GYG 26, Eid allan drwy'r ydlan i iet y parc bach, lle roedd tuag ugain neu fwy o loi oedd newydd eu troi allan o'r *caets* yn disgwyl am gael eu llithio.

caeth *eg.* *ll.* *caethiaid, caethion, caith.* Deiliad yn rhwym i'r tir (dan y Gyfundrefn Gyfreithiol Gymreig) heb unrhyw freintiau a'i lafur yn orfodol a digyflog, bilain, caethwas, gwas digyflog y gellid ei brynu a'i werthu. (S. *bond-man*).

caeth-ddeiliad, caethddyn, caethes, caethfab gw. CAETH.

caethddeiliadaeth *eb.* Caethwasanaeth, taeogaeth, gwasanaeth gorfodol a digyflog.
Gw. CAETH.

caewr *eg.* ll. *caewyr.* Un sy'n cau bwlch, adwy, clawdd ayyb.
1620 Es 58.12, A thi a elwir yn *gauwr* adwy (BCN 1988, Fe'th elwir yn *gaewr* bylchau).
1789 Twm o'r Nant: TChB 17, A'r *caewr* perth a'r Porthwr.
Gw. CAU.

caewydd (*cae* + *gwŷdd*) *ell.* Manwydd, prysgwydd, coed neu ddrain, yn enwedig at atgyweirio gwrychoedd (GPC).
1460-90 ID 32, Ysgewyll, ysy *gaewydd* / ag yn y gwaith egin gwydd.
1985 E Scourfield: Medel 8, Yr enw lleol ar y cyll marw yw *Caewydd* ... Dyblygir y patrwm am yn ail fwa ar hyd ei gilydd i gryfhau'r *caewydd.*

cafall *eg.* Ceffyl, march. Digwydd fel enw priod ar gi ac ar farch. Dyma enw ci Arthur.
13g A 34.22, Oid girth oed euall ar gevin (cefn) e *gavall.*

cafn *eg.* ll. *cafnau.* Yn amaethyddol, twb neu gerwyn i ddal bwyd a diod i anifeiliaid wedi ei wneud o bren, o garreg neu o fetel; llestr hirgul (fel rheol) agored i ddal dŵr neu fwyd i anifail yn enwedig mochyn, *cafn* mochyn. Amr. *cafn* preseb (Meirionnydd), cafan (Maldwyn a Dyfed).
1620 Gen 30.38, Yn y *cafnau* dyfroedd lle y deuai'r praidd i yfed.
1543 B 8.299, Gadael y blawd wedi malu i sevyll yn y Kavyn.
1992 DYFED, Baeth 23, Clywir o ganlyniad cefen yn hytrach na cefn, a *cafan* yn hytrach na cafn.
Dywed. 'Curo yn y *cafn*' am un brawd yn llond i groen a'r llall yn sgilffyn tenau.
Ffig. 'Llyfu'r *cafnau*' –moch yn pesgi'n foddhaol a phersonau yn clirio'u platiau.

cafn buarth Y cafn ar fuarth fferm i ddal dŵr i anifeiliaid.

cafn dipio gw. CAFN TROCHDRWYTHO.

cafn dŵr Cafn mewn unrhyw fan ar fferm i ddal dŵr i'r anifeiliaid, ac yn aml iawn gynt wrth y ffynnon i godi dŵr iddo, yn enwedig mewn cyfnod o sychder.

cafn ebran Cafn bwyd anifail, preseb, mansier.

cafn melin gw. CAFN OLWYN DDŴR.

cafn mochyn Y cafn (yn aml) yn wal buarth cwt mochyn i roi bwyd i'r moch heb orfod mynd i'r buarth.

cafn olwyn ddŵr Y cafn sy'n rhedeg y dŵr o lyn y felin, o'r nant neu o'r afon, i droi rhod y felin drwy arllwys y dŵr i lwyau'r rhod, ffrwd y felin, ffrwd y fâl, pynfarch, pwant, ysgwd melin. Gw. dan yr enwau.

cafn stabal *eg.* Mansier, preseb, Ar lafar yng Ngorllewin Morgannwg yn yr ystyr hwn.
1996 FfTh 18.13, Yng *nghafn y stabal* fe oedd ffid o geirch a câc y da godro i Star (caseg) ...

cafn strodur Y rhigol haearn o un ochr i'r llall yng nghanol strodur i ddal y garwden a chaniatau iddi hifio ychydig yn ei gwaith. Ar lafar ym Môn.

1963 LlLlM 82, Cododd y gwas y llorp a'r groden mor ddi-dwrf ag y medrai dros *gafn y strodur.*

cafn traed Cafn cymharol fas i ddal dŵr a diheintiwr ynddo at gerdded defaid drwyddo i atal neu wrthweithio braenedd y traed.

cafn trochdrwytho Y cafn pwrpasol o goncrit neu fetel at drochdrwytho (dipio) defaid rhag y clafr neu gynrhon, cafn dipio. Gw. DIPIO.

cafnaid *eg.* ll. *cafneidiau.* Llond cafn, cymaint ag a ddeil cafn ar y tro.

cafnog *a.* Yn ffurf cafn, yn pantio, panylog, pantiog, am dir, carreg y drws, cae, tirlun, ayyb. (S. *concave*)

cafod gw. CAWOD.

cafodog gw CAWODOG.

caff
1. *eg.* ll. *caffiau.* Math o fforch deirpig, â chamedd sgwraonglog i'r pigau, i dynnu tail o'r drol wrth gario tail neu deilo, scaff. Gynt, cyn dyddiau'r peiriant chwalu tail, fe'i tynnid yn bentyrrau bob rhyw ddegllath dros wyneb y cae, yna ei chwalu â fforch dail. Y *caff* a ddefnyddid i dynnu'r tail o'r drol yn bentyrrau. Ar lafar yn y Gogledd. *Caff* tail (Edeirnion), fforch dail (Meirionnydd), crwc (Dyfed).
1928 G Roberts: AA 13, Dylid eto enwi yr haearn gwair, *caff tail,* dwy neu dair how faip, a dau neu dri o docars.
Gw. CRAMP, CRWC, GWARLOC.

2. *eg.* Tyfiant gwywedig, chwyn crin neu garthion wedi eu hel oddi ar wyneb cae âr. Ar lafar yn Nyfed.

caff mwsogl *egb.* Fforch deirpig neu gribin deirpig at gasglu mwswgl neu fwsogli. Ar lafar yn y Gogledd.
Gw. MWSOGLI.

caff tyweirch/tywyrch Fforch neu gribin at godi tywyrch o ffos neu i dynnu sgrwff neu hen dyfiant o afon, ayyb. Ar lafar yn y Gogledd.

caffiad *eg.* ll. *caffiadau.* Gafaeliad, fforchiad (o dail) yr hyn a dynnir ar y tro â'r caff.

caffio *be.* Defnyddio caff, fforchdeilo, tynnu tail o'r drol â'r caff. Mewn ystyr estynedig daeth yn air am grafangu. Sonnir am geffyl â bywyd ynddo ac yn codi ei draed ôl fel un yn '*caffio'r* awyr'.
Ffig. Crafangu am eiriau neu am rywbeth i'w ddweud.
'Roedd yr ymgeisydd seneddol 'na'n *caffio* neithiwr' – ar goll yn lân.

caffon *ell.* (benthyciad o'r Lladin *cabones*). Meirch, ceffylau.
13g T 57.3-4, gwaenecawr gollychynt rawn eu *kaffon.*

cagl, cagal *eg.* ll. *caglau.* un. bach. *caglyn, cagelyn.* Tail neu dom wedi glynu'n faw caled ar gynffon, pen ôl neu goesau ôl anifail, yn enwedig

168

defaid a geifr; cagal defaid, ffislin. Hefyd baw neu laid wedi glynu a chaledu ar odre trowsus. Ceir hefyd *cagle* (Maldwyn).
14g MM 40, Kymryt *Kagyl* geivyr.
16g Glam Bards 307, Golwg fel dau *gagelyn*.
1768 Twm o'r Nant: CTh 21, Yn ddiblau ac yn *gaglau*.
Ffig. budr (brwnt) ac anghynes.
'Hen *gaglen* flêr fuo Meri Wilias erioed.' Yn y De clywir '*caglach* o berson' yn yr un ystyr.
Gw. CAGLEN.

caglu, cagalu, caglo *be.* Baeddu, maesa, diblo, sgothi, yn enwedig pan fo anifail yn ei faeddu ei hun wrth deilo neu domi neu sgothi, a'r maeddol yn caledu'n *gaglau* ar ei gynffon a'i goesau ôl.
Dywed. 'Yn llau ac yn *gaglau* i gyd' – gwartheg sied pan droïr nhw allan ddechrau haf.

caglog *a.* Budr (brwnt), tomlyd, diblog, aflan.
'Mae rhyw hwrdd *caglog* ar gyfer pob hesben ffislog' – mae mab anniben ar gyfer pob merch anniben. Ar lafar yng Ngheredigion.

caglen *eb.* ll. *caglennod.*
Ffig. Dynes anghynes, flêr, slwt o ddynes.
'Hen *gaglen* flêr fuo Meri Wilias erioed.'

caib
1. *ebg.* ll. *ceibiau.* Erfyn ar ffurf pig neu bicas ond bod iddo (fel rheol) un pen llydan miniog, at dorri gwreiddiau coed, ayyb, a'r pen arall yn flaenfain i ryddhau pridd, cerrig, ayyb, matog. Mae'n drymach erfyn na hof neu chwynnogl.
1588 (1988) Es 2.4, Fel y drylliant eu cleddyfau yn *geibiau.*
1966 D J Williams: ST 40, A phoen yn fy nghefn wedi bod wrthi yn fy mhlyg drwy'r dydd uwchben y *gaib* yn y cae tato.

2. *eg.* Swch aradr, blaen y gwŷdd (Gogledd).
Sonnir am waith 'caib a rhaw' – gwaith mewn cyferbyniad i waith peiriant fel bwldoser neu Jac Codi Baw, ac mewn cyferbyniad i waith pensel a phapur. Hawdd gweld pam y galwyd y flwyddyn 1777 yn 'flwyddyn y tair *caib*', ond nid mor hawdd gweld pam bod dyn wedi ei dal hi'n ddrwg 'yn feddw *gaib*'. Ai am fod *caib* yn erfyn anodd iawn ei gael i sefyll, neu i'w osod yn ei sefyll? Rhaid ei roi i bwyso ar rywbeth i'w gael i sefyll!
1588 (a 1988) Es 2.4, Drylliant eu cleddyfau'n *geibiau* (yn *sychau* 1620).

caib big Caib bicys, pig, picas, caib ag iddi ddau ben pigfain.

caib ddeuben Caib ddeufin, caib â dau ben llydan fel pennau bwyell, mewn cyferbyniad i gaib ag un pen llydan a'r llall yn bigfain.

caib ddyrnwr Caib ag un pen yn llydan a'r llall yn bigfain a ddefnyddid i osod y dyrnwr a'r injan stêm yn lefel ac yn ddiogel ar gyfer dyrnu.

caib fetin Caib gyffredin ag un pen llydan at gloddio, torri a chodi gwreiddiau, ayyb, matog, caib feti (Ceredigion) (S. *beating-axe*).

caib garddwr Hof (how), chwynnogl.

caib groes Caib ag arni un pen llydan i'r ochr, at drin ochrau ffyrdd ayyb. Ar lafar yn y Gogledd.

cail *eb.* ll. *ceiliau.* Corlan, ffald, lloc, defeity. Weithiau hefyd am y ddiadell ddefaid yn y gorlan. Yr un *cail* yw hwn ag sydd yn elfen yn y gair 'bugail' (*bu + cail*).
1567 Ioan 10.16, A bydd un *kail* ac un bugail (un gorlan ac un bugail – Beibl 1620).
Gw. BU.

cainc
1. *eb.* ll. *ceinciau.* Yn amaethyddol *cainc* rhaff wellt neu wair, un o'r ddwy raff fain a eilir i wneud rhaff ddwbl neu raff ddwygainc, sef y math o raff a wneid i bwrpas toi tas.
1620 Preg 4.12, A rhaff *deircainc* ni thorrir ar frys.
Gw. RHAFF, RHAFF DRAWS.

2. *eb.* ll. *ceinciau.* Cangen neu frigyn neu fraich yn tyfu o foncyff coeden neu o gangen arall o'r goeden, brigyn, cwlwm neu clwm (Penfro, Caerfyrddin, Brycheiniog a Morgannwg), cangen (Ceredigion), collen (Ceredigion, Caerfyrddin). Ar lafar yn y Gogledd. Fe'i defnyddir hefyd am y rhan gnotiog o bren.
1981 GEM 17, *Cainc* – ôl y gangen mewn planc pren.

calaf *eb. ell.* ac *etf.* ll. *calafau, calafon, celyf,* un. bach. *calefyn, celefyn, calafen* ll. *calefynnau.* Corsennau, callod, gwellt, coesau, cecys, pob gwelltyn sy'n wag neu'n holwy o'i fewn, e.e. *calaf* siwgwr.
1688 TJ, *Calaf* – pob peth a fo'n holw o'i fewn megis cwil, cecysen, etc.

calafog *a.* Corsennog, callodog, â choesyn gwag neu holwy iddo, cecysog.

calafrwd, celefryd (*calaf + rhwd = baw*) *eg.* Gwellt budr, diwerth.

calan gw. CALEN HALEN, CALEN HOGI.

Calan Mai, Calan Gaeaf Dyma'r ddau galan a arferai fod yn holl bwysig i ffermwr a'i weision a'i forynion, a hynny hyd ar ôl yr Ail Ryfel Byd (1939-45), yn arbennig mewn rhai rhannau o Gymru. Yn y rhannau hynny tymor o chwe mis oedd tymor gwas a morwyn, sef o Galan Mai i Galan Gaeaf, ac o Galan Gaeaf i Galan Mai. Yr hen Galan Mai a'r hen Galan Gaeaf oedd y rheini fodd bynnag, sef y 13 o Fai a'r 13 o Dachwedd. Dyma ran o'r hen galendr Iwlaidd a ddynodai ddyddiadau arbennig yng ngwledydd Cred hyd at 1582 pan ddaeth y Calendr Gregoraidd, er na fabwysiadwyd mo hwnnw yn swyddogol yng ngwledydd Prydain hyd 1752. Pentymor gwas a morwyn felly, a dydd derbyn eu cyflog am y tymor cynt, oedd y 12 o Fai a'r 12 o Dachwedd. Cychwynai eu tymor newydd ar y 13 o Fai a'r 13 o Dachwedd. Ar lafar aeth Calan Mai yn 'C'lama' a 'Clamai' a Glan Gaeaf yn 'Glangaea', 'Glangua' (Gogledd) a 'Glingia' a 'Glingeia' yn y De.
Dywed. 'Gwanwyn braf, Calanmai oer.'
Gw. PENTYMOR, TYMOR.

calap *eg.* Carlamu, symud yn heini a hwyliog (am geffyl). Yn y Gogledd sonnir am 'fynd ar *galap*' ac am fath arbennig o'r dicâu fel 'y *galap* dicae'.

calcar gw. GOTOYW, SBARDYN.

calcyn, calc *eg.* ll. *calciau, calcynnau.* Y pigyn neu'r cydiad ar bedolau ôl ceffyl i roi gafael rhag iddo lithro yn enwedig ar riw neu ar rew. Gallai'r *calcyn* fod yn ddau ben y bedol wedi eu troi neu yn hoelion â phennau mawr. Ar lafar yn Nyfed a Cheredigion. Ceir, fodd bynnag, nifer o ffurfiau o un rhan o'r wlad i'r llall – ciwcyn (Gogledd Ceredigion), cewcan (Môn), cowcan, cowein, cawc. Gw. hefyd CLIP^2, DURIO^2.

calch *eg.* ll. *calchoedd.* Yn amaethyddol gynt, sylwedd alcalïaidd llosgol o gerrig gwynion brau a geir o losgi (slacio) calchfaen â dŵr, ac a ddefnyddid i wrteithio tir, calch brwd, calch poeth. O ychwanegu dŵr at galch ceir calsiwm hydrocsid ac o'i wasgaru dros wyneb y tir caiff yr effaith o felysu'r borfa. Dyna a wnai'n cyndadau am ganrifoedd. Calch oedd yr unig wrtaith cyn dechrau astudio'r pridd a'i wahanol elfennau. Bellach, ers trigain mlynedd a mwy daw calch wedi ei falu'n llwch mewn bagiau a gellir ei hau â dril.

1725 D Lewis: GB 264, Natur ein *calch* ni, sydd yn mynd yn dân gwyllt wrth fwrw dwfr iddo.

1908 Myrddin Fardd: LlGSG 57, *Calch* fyddai eu gwrtaith hwy, gan nad pa un bynnag ai marl, tywod, clai, sych ai gwlyb a fyddai y maes a wrteithid. Nid oeddynt un amser yn ceisio astudio elfennau diffygiol neu orddigonol y gweryd a'u dwyn i gyfartaledd priodol.

1975 R Phillips: DAW 20, Cyn canol y ganrif ddiwethaf (19g) y daeth *calch* yn fodd iachusol i wella cynnyrch y tir …

calch brwd, calch poeth *eg.* Y calch o'i losgi sy'n ymffurfio'n bowdwr lympiog, ac a ddefnyddir, yn arferol, ar ôl ei falu, i'w roi i dir i leihau surni ac i felysu'r borfa, ayyb, calsiwm oscid. Amrywia angen tir am galch yn ôl ei suredd a'i fath. Hawlia tir trwm fwy o galch na thir ysgafn. Defnyddir *calch brwd* hefyd i ddifa carcas anifail sydd wedi marw o afiechyd heintus.

Gw. HENBOETH, LLOSGI CALCH, SLACIO CALCH.

calch poeth gw. CALCH BRWD.

calcheiddiad *eg.* Gwaddod calsiwm yn ffurfio ac yn caledu.

calchfaen, calchgraig *egb.* ll. *calchfeini, calchgreigiau.* Carreg galch, calchen.

calchio, calchu *be.* Gwrteithio'r tir â chalch, cario a gwasgaru calch. Â chalch brwd y gwneid hyn hyd at drigain, fwy neu lai, o flynyddoedd yn ôl. Byddai cario calch o'r odyn agosaf yn rhan o raglen waith flynyddol amaethwr. Wedi ei ddadlwytho'n bentwr ar y cae fe'i cymysgid â phridd neu a thywyrch ayyb, fel y gellid ei wasgaru'n gysonach a thros arwynebedd mwy. Ystyrid bod calchu tir yn arwydd o ffermwr da.

1966 LLB D 263, Edrychai'r dunnell yn dwr bychan ar gae, ond fe chwyddai i'r cymaint arall yn fuan iawn, a llwyth neu ddau o dyweirch ffosydd i'w cymysgu ag ef … ystyrid y tomenydd calch hyd y caeau yn arwydd o ffermwr da.

1981 Ll Phillips: HAD 21, Roedd *calch brwd* yn gostus ac yn drafferthus i'w gywain o bell, gan nad oedd llwch y garreg galch wedi ei boblogeiddio yn y blynyddoedd cynnar.

1982 R J Evans: LlFf 64-5, Mae *cario calch* o Lysfaen yn stori ynddi ei hun. Mae'n amlwg fod hyn yn weithgaredd bwysig yn yr hen amser, cychwyn yn blygeiniol, teithio deuddeng milltir (â throl) i'r odyn galch ac yn ôl yn hwyr y noson honno. Dywed. 'Teilo i'r mab, *calchio* i'r ŵyr.'

calchog *a.* Yn cynnwys calch (am dir), tir calchog, tir â digon o galsiwm yn y ffurf o sialc neu garreg galch.

caledwch

1. (Y) *eg.* Gair rhai ardaloedd lladd mawn am dorlan y pwll mawn, rhwng y 'taendir' a'r 'geulan', lle safai'r torrwr mawn i dorri neu ladd y mawn. Ar lafar ym Meirionnydd.

Gw. CEULAN[2], LLADD MAWN, TAENDIR.

2. *eg.* Gwytnwch anifail, gallu anifail i ddal tywydd mawr a thymheredd isel, y gwytnwch y mae anifail yn ei fagu wrth fod allan dros y gaeaf. Ar lafar yng Ngheredigion.

1975 R Phillips: DAW 69, ... disgwylid iddynt hwy (merlod) hela'u bwyd oddi ar wyneb y ddaear, onibai fod y tywydd yn afresymol o galed ... . Nid oedd colled, ac nid oedd ofal am y rheini; dyna ystyr *caledwch* mewn anifail.

calen fenyn *ebg.* Printen neu seleii o fenyn, talp o fenyn ar ôl ei guro i gael pob diferyn o laeth ohono.

calen halen *eb.* ll. *calenni, calennau halen.* Bar o halen, torth halen. Yng ngogledd Môn clywir 'torth halen', yn ne Môn, Arfon, Dinbych a'r Fflint ceir *calen halen*, ym Maldwyn a Cheredigion clywir 'carreg halen' ac ar draws y De, 'bar halen'. Yn galenni neu'n dorthau y prynid halen gynt yn enwedig pan oedd halltu cig yn beth cyffredin.

calen hogi *eb.* ll. *calennau, calenni hogi.* Yr offeryn hirsgwar neu hirgrwn o garreg carabwndwm â charn pren at hogi cryman, pladur, y gyllell wair, ayyb, carreg hogi, agalen, hogalen, hogfaen, llymedrus. Dyma'r offeryn a ddisodlodd stric (hogbren) y bladur, gan arbed llawer o drafferth ag amser.

Gw. CARREG HOGI, HOGALEN, STRIC.

calen sebon *egb.* Lwmp o sebon, talp o sebon, bar sebon.

calendr amaethwr Bu gan yr amaethwr ei galendr arbennig ei hun. Cychwynai brif oruchwylion ei fferm ar yr un dyddiadau'n flynyddol (hyd y gellid) a'r rheini, fel arfer, ynghlwm wrth rhyw ffair neu ŵyl arbennig, neu wrth arwyddion natur. Cadwai'n glos at yr un calendr o flwyddyn i flwyddyn.

1962 T J Davies, G 6, Ffair Garon, unfed-ar-bymtheg o Fawrth, amser hau ceirch; Ffair Dalis, chweched o Fai, amser troi'r anifeiliaid i'r borfa; Ffair Rhos, wythfed-ar-hugain o Fedi, amser tynnu tatws, a Ffair Glangaea, amser clymu'r anifeiliaid.

Ond ceid rhai dyddiadau yn dilyn arwyddion natur yn fwy na ffeiriau a gwyliau: hau barlys (haidd) 'pan fo dail y fedwen fel clust llygoden' (Sir Ddinbych); neu fel bo'n cael 'tri gwlith Mai' (yr hen Fai) hyd yr wythfed neu'r nawfed o Fehefin. Wedyn – 'Pan weli'r ddraenen ddu yn wen,/Cod

dy gynfas dros dy ben', ond 'Os bydd y ddraenen ddu yn wych,/Hau dy âr os bydd yn sych'. Ac eto fyth – 'Os y ddraenen wen fydd wych,/Hau dy dir boed wlyb, boed sych' – yn hwyr glas. Troid y gwartheg allan pan welid ambell i blanhigyn fel y 'filfyw' neu'r 'benllwyd' wedi ymddangos, hynny yn brawf bod twf yn y daear. Heuid gwenith gaeaf pan fyddai 'dail yr onnen a'r olaf o'r mes wedi cwympo'; ffagbys a phys 'pan godai'r ehedydd i ganu', a phan 'fo'r petris yn cymaru'; ceirch 'pan ddechrau'r ydfran wneud ei nyth'; barlys 'pan glywir y gog gyntaf a'r ddraenen ddu yn ei blodau'; maip 'pan fo ysgawen yn blodeuo'.
Gw. hefyd TRIDIAU DERYN DU A DAU LYGAID EBRILL.

caletir *(caled + tir) eg.* Tir caled, garw, caregog, ac yn aml tir cleiog.

calf nuts *etf.* Bwyd cydbwys parod ar gyfer lloi yn y ffurf o belenni bychain, pelenni lloi. Ar lafar yn gyffredinol.
1989 P Williams: GYG 26, Pan fyddai llaeth sgim ar gael fe'i rhoid i'r lloi yn gymysg â bwyd lloi, sef *calf nuts* wedi eu rhoi'n wlych mewn dŵr berw.
Gw. TEISFWYD.

calon *eb.* Bywyd, twf, ffrwythlonder mewn tir o ganlyniad i wrteithio neu achlesu'n dda. Tir wedi ei fywiogi neu ei fywhau, tir â *chalon* dda ynddo neu ganddo.
'Rwy'n falch fy mod wedi cael teilo'r cae 'na ym mis Chwefror, mae 'na *galon* dda ynddo erbyn hyn.'

calpio *be.* Carlamu (am geffyl). Sonnir am 'fynd ar *galop*' yn gyfystyr â 'mynd ar garlam'. Ar lafar yn y Gogledd. Amr. calpiau.
Ffig. Person yn brasgamu'n frysiog.
'Roedd Ned yn *galpio* heibio gyna' – wedi cysgu'n hwyr allwn feddwl.'

calsiwm *eg.* Elfen gemegol fetalig sy'n bresennol yn naturiol mewn calch a sialc, ac yn hanfodol i fywyd biolegol. Mae'n un o brif gyfansoddion y dannedd a'r esgyrn, ac yn angenrheidiol i gyflwr y gwaed. Prif ffynnonellau calsiwm i ddyn yw llaeth, caws a wyau ynghyd â rhai llysiau. Mewn adar calsiwm sy'n sicrhau plisgyn ŵy cryf. Gall prinder ohono mewn gwartheg achosi clwy llaeth.
Gw. CLWY LLAETH, DIFFYG CALSIWM.

calsiwm borocluconate *eg.* Cemegyn a roir yn y ffurf o iddyriad (chwistrelliad) i fuchod yn dioddef o'r clwy llaeth, sy'n ganlyniad diffyg calsiwm.
Gw. CLWY LLAETH, CYLCHEDD CALSIWM, DIFFYG CALSIWM.

calyn *be.* Ffurf lafar dalfyredig ar 'canlyn' – *calyn* stalwyn, *calyn* y wedd. Ar lafar yn y Gogledd. Gw. CANLYN.

callod
1. **callodr** *ell.* un. *callodren, callodryn.* Calaf, corsennau, tyfiant, gwlydd, gwrysg. Yn Ne Ceredigion ceir y ffurf 'cerllig'.
16g WLB 41, Kymer ferwr y dail a'r *callodr.*
1672 R Prichard: Gwaith 368, Y ffacbys ar *callod*, ac ymborth nifeilod.

2. Codau ffa, pys, ayyb. Ym Môn clywir *'callod* ffa' ond *'codau* pys'. Mewn rhannau o Arfon defnyddir 'callod' am wlydd ffa.

callodi *be.* Magu codau, tyfu callod (am bys a ffa, ayyb.)
1795 J Thomas: AIC 350, A phan *gallodant* tor eu blaenau (ffa).

callor, callawr *egb.* ll. *callorau.* Pair, crochan, berwedydd. Gall y gair olygu crochan mawr neu hyd yn oed badell lawer llai.
1200 LLDW 29, 5-6, Try [tri] anhebkor gurda [gwrda] y telyn, ay [a'i] vreckan [cwrw] ay *callawr.*
1752 Gron 92, Cydfydd (cytûn) y fall â'i *gallawr.*

calloryn *e. un. bach.* Crochan bychan, sgelert, tecell.
1775 W, *calloryn* – a little kettle, skellet or skillet.

cam *a.* Gŵyr, annunion, ar dro, bwaog, ar oledd. Sonnid llawer gynt am gwysi a rhesi (rhychau) *cam* fel ag am gwysi a rhesi union. Byddai gwarth a chywilydd o gwmpas cwys gam a rhes gam.
Dywed. 'Cam fel coes ôl ci' – am gwys gam (cf. *cam* fel piso mochyn). Gw. hefyd CYRN BUWCH.
Gw. CWYS.

camâd (*camfa* + *ad*) *eb.* ll. *camadau.* Camfa, sticil, llamfforch, llamfa, cam-adwy. Ar lafar yng Ngwent a Morgannwg yn y ffurf 'camad' ac weithiau 'cymâd'.
Gw. CAMFA, STICIL.

cam-adwy *gw.* CAMÂD, CAMFA, STICIL.

camau llathed *ell.* Y camau a gerddir wrth fesur tir. Gwneir hyn i bwrpas marcio cefn (grwn) a thalar mewn cae âr, neu wrth deilo cae â throl yn yr hen ddull o dynnu'r tail o'r drol yn bentyrrau i'w chwalu â fforch – rhaid fyddai cael hyn a hyn o gamau rhwng pob pentwr. Arferid cyfrif pob cam yn llathen, ac felly'r enw *camau llathed.* Ar lafar yn sir Benfro.
1958 T J Jenkin: YPLL AWC, Tri chwarter erw oedd y tir hwn. Gallai pob ffarmwr a gweithiwr fesur yn lled gywir drwy gerdded *camau llathed,* a chan adael talar ar bob pen.

Cambar *ep.* Brid o ieir o ryw hunangysylltiedig (S. *auto-sex-linked*), brithion eu lliw, coesau melyn, crib sengal. Yn dodwy wyau gwynion.

cambrel *gw.* CAMBREN[2].

Camborough *ep.* Math croesryw o fochyn a ddeilliodd yn enetig ac yn bennaf o groesi Landrace a Large White.

cambren
1. *egb.* ll. *cambrenni, cambrennau.* Tinbren (Arfon), pombren (Môn), sgilbren (Clwyd), pren crwca (Dyfed). Pren oddeutu llathen o hyd, ei ganol yn lletach na'i bennau, amgorn haearn am y ddau ben ac yn cynnwys dolen i fachu tresi'r ceffyl wrtho pan yn tynnu aradr neu'n llusgo og. Mae hefyd yn cadw'r tresi rhag rhwbio yng nghoesau ôl y ceffyl. Lle bo gwedd o geffylau bechir cambren y naill a'r llall o'r ceffylau wrth ddeupen y 'cambren mawr (fawr)' neu'r 'fantol' a hwnnw (honno)

174

yn ei dro wedi ei fachu wrth flaen yr aradr neu'r og drwy gyfrwng y fondid. Ceir hefyd y ffurf camren (sir Benfro) a ciambren (Maldwyn).

1958 T J Jenkin: YPLL AWC, Rhaid cael *cambrenni* i gysylltu'r aradr â'r ceffyl.

Gw. BONBREN, PREN CRWCW, SGILBREN, TINBREN.

2. *eg*. ll. *cambrennau, cambrenni*. Y pren a roir o un troed i fochyn i'r llall i'w hongian a'i ben i lawr ar ôl ei ladd, *cambren* mochyn, *cambren* gig, cambran (Môn). Sonnir am fochyn 'ar y *cambren*'. Dynwarediad o'r S. '*on the hook*' yw 'ar y bach', a glywir gymaint heddiw. Amr. cambrel, camerel.

1981 W H Roberts: AG 67, Torrid lle i'r *cambren* rhwng y gewynnau ac esgyrn ei goesau ôl ac wrth hwnnw y crogid ef.

1981 Ll Phillips: HAD 53, 'Ar y *cambren*' oedd yr hen ymadrodd Cymraeg rhywiog, ac mae'n llawn bryd inni adfer y gair *cambren* ...

1989 P Williams: GYG 36, Wedi gorffen a thywallt bwcedaid o ddŵr oer drosto, rhoid *cambren* drwy'r gïau yn ei goesau ôl a'i godi â'r pwli i hongian wrth y trawst.

3. *eb*. Iau neu warrog i gario beichiau megis siwrnai o ddŵr, ayyb.

1604-7 TW: Pen 288, Amphicyrton, rhyw *gambrenn* or hwn sydd arverit dwyn beichieû

1981 W H Roberts: AG 11, Yr oedd gennyf *gambren* dros fy ngwegil i ddal y gadwyn oedd wrth y piseri.

cambren bach Cambren neu bompren un ceffyl.

cambren cyson Y cambren mawr sy'n rhannu'r baich yn gyson cydrhwng dau geffyl. Ar lafar yng Ngheredigion. Gw. CAMBREN MANTOL, SGILBREN FAWR.

cambren mantais Lle byddai un ceffyl yn llai ac yn amlwg yn wannach na'r llall gellid rhoi 'mantais' iddo trwy ad-drefnu'r fondid yng nghanol y 'cambren rhannu', a symud y cambrenni bach yn ôl y gofyn, fel bod y ceffyl cryfaf yn tynnu mwy o'r baich. Ar lafar yng Ngheredigion a Dyfed.

1958 T J Jenkin: YPLL AWC, Os byddai y ddau geffyl yn y wedd yn anghymarus mewn maint a chryfder byddai trefniant tua chanol y gamren rhannu yn ei gwneud yn *gamren montesh* (maintais) fel y gellid symud y camrenni bach ychydig y naill ochr neu'r llall.

1992 DYFED, Baeth 41, ...a chan mai hi oedd yn cario pen trwma'r *gambren*, wedd (oedd) perffaith hawl gida hi i gonstrowlo.

cambren mantol Ymadrodd rhannau o'r Gogledd am '*gambren* cyson', neu '*gambren* rhannu', sydd yn rhannu'r baich o dynnu mor gyson ag y gellir rhwng y ddau geffyl.

1981 Ll Phillips: HAD 50, Dyna paham, mae'n siwr, y gelwid y *cambren* hwn yn 'fantol' mewn rhai ardaloedd yn y Gogledd, gan ei fod fel braich 'mantol' neu 'glorian' neu 'dafol' yn cydbwyso'r llwyth rhwng y naill geffyl a'r llall.

Gw. CAMBREN RHANNU, SGILBREN FAWR.

cambren rhannu Y cambren mawr sy'n '*rhannu'r*' baich. Ar lafar yn Nyfed a Cheredigion.

1958 T J Jenkin: YPLL AWC, Cydid y ddwy gambren fach wrth y *gambren rhannu* ... yr oedd honno'n ddigon hir i gadw'r ddau geffyl yn gyfforddus oddi wrth ei gilydd at waith ...

1981 Ll Phillips: HAD 50, ... sef y *cambren rhannu* oedd yn unol a'i enw yn rhannu'r llwyth neu'n ei fantoli rhwng y ddau geffyl.

cambren ymryson/pryson Cambren mawr (S. *double-tree*). Ar lafar yng Ngheredigion a Chaerfyrddin. Gw. CAMBREN MANTOL, CAMBREN RHANNU, SGILBREN FAWR.

cambren y powlen *eg*. Lle byddai gwedd ddwbl o ychen (dau ochr yn ochr) yn tynnu trol (cart) byddai polyn (pawl) rhyngddynt ac yna'r iau ar ei flaen i'w bachu wrtho. Yr iau honno oedd y *cambren powlen*. Ar lafar yn y De.

Cambridge *eg*. Enw brîd newydd o ddefaid a ddatblygwyd gan yr Athro J Bryn Owen, Bangor. Defnyddiodd yr Athro ddefaid Llŷn, Llanwenog, Kerry, Radnor a Clun i'r pwrpas. Yn ôl yr hanes y mae'n frîd epilgar ac yn cyfarfod ag angen ymhlith y bridiau Prydeinig.

cam-dywydd *eg*. Tywydd anffafriol i ddibenion arbennig fel cynhaeaf gwair, ŷd, ayyb, tywydd drwg, andywydd (Môn), tywydd cyfatal (Penfro). Ar lafar yng Nghlwyd.
1982 R J Evans: LlFf 6, Dyna'r peth cyntaf fydd raid iti ei fwrw o'r neilltu ... y syniad Jo-Roi sydd gan lawer yn y dre am fywyd ar y tir. Mae'n gallu bod yn waith diflas ar *gam-dywydd*.

camedd y gar *eg*. Y tro yng ngar anifail, yn enwedig ceffyl, harn y goes. Ar lafar yn y Gogledd.

camedd y goes (pladur) *eg*. Y camder neu'r plygiad pwrpasol yng nghoes pladur i bwrpas ei handlo'n effeithlon a llwyddiannus.

camfa
1. **camdda** *eb*. ll. *camfeydd*, *camfŷdd*. Grisiau o gerrig neu o goed wedi eu gosod y ddwy ochr i glawdd neu ffens i'w gwneud yn bosibl i fynd dros y clawdd neu'r ffens; sticil, llamfa, camfforch, llamfforch, camad. Fe'i gwelir yn lled reolaidd lle mae llwybr cyhoeddus dros gaeau, ond yn aml hefyd er hwylustod i ffermwyr eu hunain. Amr. camdda (Môn, Arfon), camdde (Maldwyn), canfa (Ceredigion), camad, cymâd (Gwent).
Hen rigwm neu Hwiangerdd. 'Dacw mam yn dwad/Dros y *gamfa* wen,/Rhywbeth yn ei ffedog/A phiser ar ei phen.'
Gw. hefyd CAMÂD, LLAMFFORCH, STICIL.

2. *eb*. Clwyden o byst a phlethwaith o wiail neu o frigau drain neu eithin rhyngddyn nhw, i gau bwlch neu adwy mewn clawdd, gwrych ayyb. Canfa yw'r ffurf yn Nyfed.

camfa bren Camfa, fel rheol, wedi ei gwneud o goed cryfion i fynd dros ffens.

camfa ddwbl Camfa y mae ei grisiau y naill i'r dde a'r llall i'r chwith y ddwy ochr i glawdd yr eir trosto.

camfa gerrig Camfa wedi ei hadeiladu o gerrig mewn cyferbyniad i gamfa bren. Fe'i ceir i fynd dros wal gerrig fel rheol. Camfa dros ffens neu glawdd drain yw'r un bren yn arferol.

camfa grud Troed y crud, y darn bwaog o dan grud baban y rhoir y troed arno i'w siglo. Ar lafar yng Ngwynedd.

camfa dro Giât neu glwyd sy'n mynd rownd (S. *turnstile*).

camfaeth, camfaethiad *eg.* Cael rhy ychydig o fwyd, o borthiant neu o faethynnau, bod heb ddigon o borthiant (am anifeiliaid).

camffon (*cam* + *ffon*) *eb.* ll. *camffyn.* Un o'r ddwy ffon, â chamedd pwrpasol, o un fraich (hegl) i'r llall ar aradr geffyl rhyw droedfedd a hanner o'r cyrn; stai gam (Caerfyrddin), ffon ddwbl (Ceredigion a Môn). Ar lafar yn Edeirnion.

camfforch gw. CAMFA, LLAMOG[2], STICIL.

camlas (*cam* + *glas*) *eb.* ll. *camlasau, camlesi, camlesydd.* Yn amaethyddol torlan, ceulan, dôl ar lan afon, neu ym mhlygiad afon, neu lle mae afon yn dolennu. Hwn yw un ystyr i'r gair *camlas.* Ceir 'Y Gamlas' yn enw dôl ar lan yr afon Irfon ger y Garth, Powys.
1672 R Prichard: Gwaith 253, Y neidr fraith medd rhai a'i gwelas/Fwrw ei gwenwyn ar y *gamlas*/Cyn y hyfai (cyn yfo hi) ddŵr o'r afon.

camog
1. (*cam* + *og*) *ebg.* ll. *camegau, camogau, cemig.* Rhan o gant olwyn bren neu gylch pren allanol olwyn trol, ayyb, a gysylltir wrth foth yr olwyn drwy gyfrwng yr edyn neu'r ffyn, ffeli (Maldwyn), cwrbyn (Ceredigion). Fel rheol ceir chwech o gamogau yn ffurfio cant yr olwyn, wedi eu saernio â chamedd pwrpasol, fel bod y chwech o'u gosod dalcen wrth dalcen yn ffurfio cylch. Morteisir yr edyn iddyn nhw ac i foth (bogail) yr olwyn. Wedi eu gosod yn ei gilydd rhoi'r cylch haearn am y cant (cantell). Ceir hefyd y ffurfiau cameg, camegau, cwmyg, cemyc, camogie.
1988 1Bren 7.33, Yr oedd yr olwynion wedi eu gwneud fel olwyn cerbyd, a'u hechelau a'u *camegau*, a'u ffyn a'u bothau i gyd yn waith tawdd.
17g Huw Morus: EC 1.293, A'i fron yn galonog,/ A'i wddf fel *camog* (am geffyl).
17g Gron 74, Ac ael fel *camog* olwyn,/Hychaidd anfedrusaidd drwyn.

2. *eg.* Camedd bagl ffon bugail, bagl ffon bugail yn ffurf bach (bachyn).
16g LLEG MOS 158.473, baach (bach) ne *gamog* ffon heusor (bugail).

3. *eg.* Tagaradr, sef y chwyn sy'n ddigon gwydn eu gwraidd i dagu aradr wrth aredig (S. *rest-harrow, cammock*).

camogi *be.* Gwneud neu weithio camogau olwyn bren, eu morteisio ar gyfer yr edyn (sbogau) a'u gosod yn ei gilydd yn gant i'r olwyn, saernio camegau olwyn trol – rhan o'r grefft arbenigol o godi olwyn newydd.
1992 FfTh 9, 18, Y saer yn dwad yma i godi dwy olwyn newydd ar drol, *camogi* a sbocsi.

camren gw. CAMBREN.

camraw (*cam* + *rhaw*) *eb.* ll. *camrawiau.* Siefl, sef math o raw ag iddi ben mwy na rhaw (hâl) a gwahanol ei ffurf, at lwytho pridd, gro, tywod, ayyb.
1734 AAST (1931) 45, two shovels (or *Camrawie*) for 6½ pence a piece.

camwr *eb.* Pont bren (pombren) i groesi nant neu afon fechan, gwyddar. Ceir hefyd y ffurf 'cwmwr'.

1854 Gardd. Aberdâr 32, *Camwr* y gelwai'r hen bobl bontbren gul.
Gw. GWYDDAR, POMBREN[1].

can

1. *a.* Gwyn, gwyn gan, cannaid, gloyw, disglair. Ceir blawd *can*, dillad *can*, ayyb.
14g GDG 182, Gosgedd torth *gan* gyfan gu.

2. *eg.* Blawd gwenith, *can* gwenith, peilliaid, blawd gwyn.
1400 HAF 16.83, Gwna blastyr ohonaw a blawt haidd a thorr wyn ŵy a *chann* ... a dot wrthaw ar gadach.

Canadian Holstein gw. HOLSTEIN.

can llaeth *eg.* ll. *caniau llaeth.* Gynt, y piser llaeth a ddefnyddid i ddanfon llaeth o dŷ i dŷ gan y dyn llaeth. Byddai siyrn neu *gan llaeth* mawr yn y fflôt geffyl, ac o honno fe ddosberthid y llaeth mewn caniau llai o ddrws i ddrws. Ar lafar yn gyffredinol.
Yn ddiweddarach wedi sefydlu'r Bwrdd Marchnata Llaeth yn 1933 daeth y *caniau llaeth* deg galwyn i fri. Yn y rhain bellach y rhoid y llaeth i'w gasglu'n ddyddiol oddi ar y llwyfan llaeth wrth geg y ffordd at y fferm, y siyrn laeth, y gansen laeth (G. Dinbych).
1992 T D Roberts: BBD 23, Nid oedd sôn am botelu llaeth 'radeg honno, dim ond *cian llefrith* a mesurau mewn fflôt a merlyn.
Gw. hefyd CANSEN LAETH, SIYRN, STELING.

canddo gw. CADNO.

caniad *eg.* ll. *caneidiau.* Llond can, can llawn at yr ymyl, dau ganiad o laeth, ayyb.
'Rydan ni ar hyn o bryd yn danfon tri *chaniad* o laeth i'r ffordd bob dydd.'

canfa Ffurf lafar ar 'camfa'.
Gw. CAMFA.

canfas gaws *eb.* Y lliain main mwslinaidd a roir am gaws, tywel caws, cawslïan (S. *cheese-cloth*).

canhwyllarn (*cannwyll* + *harn* [haearn]) *eb.* ll. *canhwyllarnau.* Llestr haearn pwrpasol i ddal cannwyll wêr.

canhwyllbren (*cannwyll* + *pren*) *eb.* ll. *canhwyllbrennau.* Llestr pren pwrpasol i ddal cannwyll wêr. Erbyn hyn, fodd bynnag, defnyddir *canhwyllbren* am lestr dal cannwyll wêr o unrhyw ddefnydd – haearn, pres, a phlastig.

canlyn y bocs gw. CANLYN DYRNWR.

canlyn dyrnwr *Ymad.* Ymadrodd cyffredin gynt am y ddau ddyn (fel rheol) fyddai'n gyfrifol am y dyrnwr mawr (injan ddyrnu) a deithiai o fferm i fferm mewn dalgylch helaeth i ddyrnu'r llafur. Yn aml perchennog y peiriannau fyddai un o'r dynion a'i was cyflog y llall. Gwaith tymhorol oedd *canlyn dyrnwr*, rhyw ddeufis yn yr hydref a chyfnod llai ar y ffermydd mwyaf yn y gwanwyn. Ceid hefyd 'canlyn yr injan' a 'canlyn y bocs' yn ymadroddion cyfystyr â *canlyn dyrnwr*.

canlyn yr injian gw. CANLYN DYRNWR.

canlyn y rhaw *Ymad.* Wynebu cloddiau pridd, cau bylchau, sgwrio cloddiau, agor ffosydd, ayyb. Dyn yn *canlyn y rhaw* oedd y dyn a wnai waith felly, dyn caled (Môn), dyn rhydd (Llŷn). Ar lafar yn Eifionydd.
1976 W J Thomas: FFCH 123-4, Ac yr oedd gorchest ambell un a fyddai'n *canlyn y rhaw*, yn ôl llafar y cwmwd yn wynebu a chau bwlch mewn gwal bridd yn y gaeaf yn gelfyddyd gain debygwn i.

canlyn stalwyn (march) *Ymad.* Ymadrodd am waith y dyn a dywysai stalwyn o gwmpas y wlad yn ystod y tymor cyfebu; 'dyn dilyn march' yn y De, gofalwr march.
1979 W Owen: RRL 58, Pan ddarganfu, ar ôl chwe mis o brentisiaeth, nad oedd dyfodol iddo fel cigydd, fe aeth ati'n ddeheuig i *ganlyn stalwyn*.
1989 P Williams: GYG 21, Byddai'r *gofalwr* yntau yr un mor drwsiadus a'i geffyl, mewn britiys brethyn, legins ac esgidiau lledr brown, siaced a chap brethyn, crys cotwm golau a thei. Cariai chwip yn ei law i edrych yn fonheddig ... Roedd gofyn iddo fod yn osgeiddig i gyd-gerdded â'r march bywiog.

canlyn y wedd *Ymad.* Gwaith y certmyn neu'r wagneriaid ar ffermydd, bron yn llythrennol, lawer iawn o'r amser, oedd *canlyn y wedd*. Yn y cae âr y mae'r ymadrodd lawnaf ei ystyr lle cerddai'r certmon tu ôl i'w geffylau am wythnosau yn aredig, llyfnu, ayyb. Ar lafar yn y Gogledd.
1985 W H Jones: HOGM 65, Ar *ganlyn y wedd* yr oedd bryd Lewis er pan oedd yn ieuanc. Roedd bod yn wagner yn rhoi statws i hogyn gwlad.

canllawiau tir âr *ell.* Math o lwybrau a adewir mewn cnwd neu gae cnwd i hyrwyddo'r gwaith o roi plaleiddiaid, gwrteithiau, ayyb, wedi i'r cnwd egino a thyfu.

cann *a.* Gwyn, blawd gwyn, blawd gwenith, bara gwyn.
Gw. hefyd CAN, BLAWD GWENITH.

cannu *be.* Gogrwn, peillio neu ddidol yr eisin oddi wrth y blawd drwy ei ogrynu â gogr fân.

cannwyll frwyn *eb.* ll. *canhwyllau brwyn*. Y gannwyll a wneid o frwyn (pabwyr) cyn oes y gannwyll wêr. Byddai plisgio brwyn (pilio pabwyr) at wneud canhwyllau yn orchwyl cyson ar yr aelwydydd gynt.
1933 H Evans: CE 158, Er nad wyf yn cofio Noswaith Bilio pan ddeuai cymdogion at ei gilydd, er hynny, mi fum yn pilio pabwyr am ddarn o noswaith ugeiniau o weithiau ... Wedi cael cowlaid o babwyr, torri eu blaenau, dechrau eu pilio o'r bôn, a gadael un pilyn tua $^1/16$ o fodfedd i wneud asgwrn cefn i'r gannwyll, ei throchi mewn ychydig o wêr toddedig yn y badell ffrio, byddai'n barod yn fuan i'w goleuo. Gwneid llond dil ohonynt ar unwaith.
Dywed. 'Fel *cannwyll frwyn*' – rhywun main, tena, sgilffryn o ddyn.
Gw. GWNEUD CANHWYLLAU, PILNOS.

cannwyll wêr *eb.* ll. *canhwyllau gwêr*. Canhwyllau a wneid gynt o wêr, sef braster o'r creifion ar ôl lladd mochyn, ayyb, cannwyll wen (Maldwyn).
Gw. GWNEUD CANHWYLLAU.

cannys (*can* [blawd] + *ys* [fel yn barlys, siprys]) *eg.* Blawd gwyn, blawd can, peilliaid, fflŵr, blawd bara gwyn.

1672 R Prichard: Gwaith 368, A'n hegers mor foethus, yn teri [pwdu] ar farlish,/Ni phrofent ond *canish* hyachen [gan mwyaf].

Gw. BLAWD GWENITH, CAN, PEILLIAID.

canol cefn *eg.* ll. *canolau cefn, canol cefnau.* Y cwysi cyntaf a droir wrth aredig cefn (grŵn). Bob yn gefn yr erddir cae yn arferol. Mae i bob cefn ei ganol lle dechreuir ei aredig drwy droi dwy gwys (neu fwy) at ei gilydd. Mewn rhai rhannau o Gymru, e.e. Môn ac Arfon – gelwir hynny yn 'codi *canol cefn*'. Ceir hefyd 'agor cefn' ac 'agor grŵn' yn enwau ar yr un peth, gwrychyn.

Ffig. Cychwyn gwneud rhywbeth

Rydw'i wedi *codi canol cefn* cyfrol o atgofion.

Gw. AGOR CEFN, COP, GOB, GRŴN, GRWNIO.

canrhyg (*can* [blawd] + *rhyg*) *eg.* Blawd gwenith a blawd rhyg neu geirch yn gymysg. Yn y Gogledd clywir y ffurfiau 'canthrig' a 'canthreg'.

18-19g Jac Glan Gors: Gwaith 81, A'r lleill yn rhoi siwgwr coch,/Ac eraill fara *canrheg.*

1933 H Evans: CE 47, Ceid un gwpaned o de mewn ambell le os byddai'r wraig yn un garedig, ac un frechdan wen neu *ganthreg* i de dydd Sul.

cansen laeth *eb.* ll. *cansenni neu gansennau llaeth.* Siyrn laeth, can llaeth, y math o ganiau llaeth a ddefnyddid gan y Bwrdd Marchnata Llaeth i gasglu llaeth o'r ffermydd am oddeutu deugain mlynedd ar ôl ei sefydlu yn 1933. Ar lafar yng ngorllewin Dinbych.

1982 R J Evans: LlFf 39, Fel y dywedais, daeth ymwared gyda sefydlu y Bwrdd Marchnata Llaeth, a buan y gwelwyd y *gansen laeth* yn sefyll fel y gwyliwr ar y mur wrth giât y naill fferm ar ôl y llall.

cant

1. *eg.* ll. *cantau.* Cylch neu ymyl allanol olwyn, cantel neu gantell olwyn, cwrb olwyn, cantgoed olwyn, cylchgoed olwyn. Yn amaethyddol, ymyl allanol olwyn bren (olwyn trol) y rhoir cylch haearn amdano, ac yn cynnwys chwech (yn arferol) o gamegau wedi eu morteisio i'w gilydd ac i edyn (sbogau) yr olwyn. Ym Môn clywir *cant* am y ffurf soserog neu fogeiliog sydd i olwyn trol gyda'i chwrb yn bwrpasol fwy allan na'i chanol (both). Ym Maldwyn 'cantal olwyn' yw'r cylch haearn sydd am *gant* olwyn. Gw. GEM 18 (1981).

1620 Esec 1.18, A'u *cantau* oedd yn llawn llygaid.

1739 DG 50, Dy dî a echeli a *chant*/Diau droliau da dreuliant.

1933 H Evans: CE 87, Yr oedd olwyn neu *gant* y droell wedi ei wneud yn hollol ar lun olwyn cerbyd, ond ei fod yn ysgafn iawn.

Ffig. 1677 C Edwards: FfDd 237, Y mae'r *cant* cwmpasog yn troi, a'r foth, sef y ddaear, heb syflyd.

2. *eg.* ll. *cannoedd.* Pwysau a nifer. Er bod yr hen gant o bwysau yn 112 pwys, cant y'i gelwid, – cant o datws, cant o lo, ayyb – a cheid ugain o'r cannoedd hyn mewn tunnell (yr hen dunnell). Cyn dyddiau'r 'cilo' (kilo), wrth y cant (112 pwys) y gwerthid gwartheg tewion, ayyb, hefyd.

3. *ebg.* Ffens neu blethiad o wiail a osodid o gwmpas tŷ neu feudy, pared, plaid, clawdd amgylchynol. Hefyd yn air am y lle amgaeuedig.

13g WM 180, 35-7, *Cant* y neuadd a tebygei y vot yn vaen llywychedig gwerthfawr ae gilydd.

14g HMSS 2, 197, Nid oedd *gant* hagen yr neuadd namyn pyst a breichiau yn y chynnal.

4. *a.* Heglog, coesog (am anifail, yn enwedig buwch). Sonnid gynt 'yn uchel ei *chant'*, h.y. yn rhy heglog. Ar lafar ym Mhenllyn.

cantel, cantell gw. CANT[1].

cantell *eb.* Rhan ôl uchel a bwaog cyfrwy ceffyl.

canter, cantar *eg.* Llestr i ddal diod (S. *decanter*). Ar lafar ym Môn.

cantgoed olwyn gw. CANT[1].

cantio *be.*
1. Tipio llwyth o gerbyd, mowntio llwyth o drol neu o unrhyw gerbyd codi'r drol ar ei brân er mwyn hwyluso'r gwaith o'i dadlwytho. Ar lafar ym Môn.
Wnei di fynd efo'r drol i gario'r pentyrrau cerrig tir gwair acw, a'u *cantio* yn y porth rhwng y ddau gae.
2. Dymchwel cerbyd, troi'r drol, dymchwel llwyth, sef llwyth (gwair, ŷd) yn llithro oddi ar y drol, moelyd y llwyth. Ar lafar ym Môn.

cantio olwyn *be.* Cylchu neu gylchio olwyn bren (olwyn trol), rhoi cylch haearn am gant olwyn bren, i gadw'r camogau ynghyd a chadw'r pren rhag gwisgo mewn gwaith; bando whîl, canto whîls (Ceredigion). Ar lafar yn Nyffryn Tanat.
Gw. CYLCHIO.

canto whîls gw. CANTIO OLWYN, CYLCHIO.

canthreg gw. CANRHYG.

cantro *be.* Tuthio, lled garlamu (am geffyl) (S. *to canter*).

canu *be.* Gair a ddefnyddir ym Môn am gnwd o wair wedi cynaeafu'n dda ac yn suo ar y bicwarch neu'r gribin delyn wrth ei drin a'i hel.
1966 Robin Williams, *O Gwr y Lôn Goed* 63, … yr unig sŵn oedd cribin yn crafu trwy'r arfodion a'r gwair sych 'yn *canu*' (chwedl Glyn Pensarn wrthyf un tro) …

canu wrth odro *be.* Pan fyddid yn godro â llaw cyffredin iawn oedd canu wrth wneud hynny. Roedd y syniad yn bod y byddai'r buchod yn gollwng eu llaeth yn rhwyddach wrth i'r godrwr ganu neu chwibanu.
Hen Bennill. Merched sir Feirionnydd lân,/Y rhain a *gân* o'r gorau/Wrth y droell a *than y fuwch*,/Tiwniant yn uwch na'r tannau.

canwyl *eg.* Addurn ar dalcen ceffyl, ffryntal.
14g AL 2.888, *Kanuil* (frontale) I denarius.

canwyr *eg.* ll. *canwyrau, canwyrion*. Nod clust defaid, sef dau doriad sy'n cyfarfod â'i gilydd ym mlaen y glust yn ffurf y llythyren 'V'; gwennol (Gogledd), cnoead, cnwyad (Arfon), llysenfforch (Dyfed). Clywir hefyd y ffurfiau 'canwar', 'canwer' a 'canweiriau' yn y Gogledd. Dichon mai ffurf ar 'canwyriad' yw 'cnwyad' a 'cnoead' dan ddylanwad 'cnoi'.

canwyr dwbl *eg.* ll. *canwyrau dwbl.* Nod clust yn ffurf y llythyren 'W' – ffurf dwbl y llythyren 'V'.
Gw. CANWYR.

canwyro *be.* Nodi clust dafad â thoriad ar ffurf y llythyren 'V'.
Gw. CANWYR.

cap
1. *eg.* Enw rhai ardaloedd ar 'ffrwyn dywyll' neu 'ffrwyn ddall' – ffrwyn a mwgwd y ddwy ochr iddi, masg (Meirionnydd a Maldwyn).
Gw. FFRWYN DYWYLL, FFRWYN DDALL, MASG.

2. *eg.* Y cwrs o wellt a daenid dros ben y das ŷd i'w diddosi rhag y glaw, copsi. Ar lafar yn Nyfed.
Gw. COPSI.

cap nos *eg.* Cau pen y mwdwl, diddosi'r mwdwl gwair (neu ŷd). Ym Meirionnydd, sonnir am roi *cap nos* ar y mwdwl.

capiad *eg.* Hynny o ŷd a godid ar y tro wrth symud y wanaf lle byddai pladurwr yn 'torri at i mewn'. Â chryman y gwneid hynny fel rheol. Ar lafar yn Llŷn.
Nod J Williams-Davies: AWC, *Capiad* – yr ŷd a dynnid ymlaen â chryman wrth 'godi'.
Gw. CODI, TORRI AT I MEWN.

caplin *eg.* Ffurf dafodieithol ar 'cwplin' neu 'cwpling', ac a ddefnyddid gynt am y garrai a gydiai droedffust (carn, handl) y ffust wrth yr ielffust (gwialenffust). Ar lafar yn yr ystyr hwn yn Nyffryn Tanat.

caprwn, capwrn *eg.* ll. *capryniaid, caprynion.* Ceiliog wedi ei sbaddu neu ei gyweirio, capwllt, ceiliog disbaidd, ceiliog ysbaddedig, capwn.
1400 Haf 16.88, Rac clevyt o vywn. Kymryd *caprwn* a thorri y benn ae draet ae verwi drwy y bluf.
1740 Th Evans: DPO 32, Lladd at y wledd fawr honno ... dau can mil o wyddau a chaprynedd.

capwllt, capwlt, capwld, capwl gw. CAPRWN.

capwrn gw. CAPRWN.

capyldio *be.* Cyweirio ceiliog, torri ar geiliog, disbaddu ceiliog a'i wneud yn 'gaprwn'.
Gw. CAPRWN.

car
1. *eg.* Tacl neu fframwaith bren, i'w gosod ar beiriant lladd gwair i bwrpas lladd ŷd (*car ŷd*) cyn bod peiriant pwrpasol at ladd ŷd megis y riper yn gyffredin. Byddai'r ŷd fel y'i torrid yn disgyn ar y car, yna, bob hyn a hyn, byddai'r sawl fyddai ar y peiriant yn llithro'r ŷd oddi ar y car yn seldremi gyda chribin fach.
Gw. CAR PLADUR, BWRDD Y RIPER.

2. *eg.* ll. *ceir.* Cerbyd at gludo pobl a phethau, yn wreiddiol heb olwynion, ac felly car llusg neu yslêd, ond yn ddiweddarach ag olwynion yn cael ei dynnu gan ychen ac yna yn ddiweddarach gan geffylau. Mae *car* yn hen air yn Gymraeg. Ceir enghraifft ohono yn 1200.

1200 LLDW 33.13-14, a lloneyt e *kar* or dohodreven
1959 1 Esd. 5.55, *Ceir* i'r Sidoniaid ... i ddwyn cedrwydd o Libanus.
Ffig. 'Un â'i *gar* ar ei gefn' – un mewn tymer ddrwg.
'Un â'r *car* ar ei sodlau' – un y mae'n galed arno.
'Rhoi'r *car* o flaen y ceffyl' – yn lletchwith a thrwsgl yn dweud a gwneud pethau.
cf. 'rhoi'r *drol* o flaen y ceffyl' a 'rhoi'r aradr o flaen yr ychen' (Ffrangeg).

Gw. CAR CEFN, CAR CRWN, CAR CYNHAEAF, CAR A CHEFFYL, CAR DRAIN, CAR GWAIR, CAR HIR, CAR LLOG, CAR LLUSG, CAR MAWN, CAR MODUR, CAR OLWYNOG, CAR YCHEN.

3. *eg.* Basged, rac, ffram ayyb, i ddal pethau, yn bennaf o gwmpas y tŷ. Ceir nifer o gyfuniadau.

Gw. CAR BARA, CAR BARA CEIRCH, CAR CAWS, CAR CIG, CAR Y FUDDAI, CAR HIDLO, CAR HUDDYGL, CAR LLADD, CAR LLIFIO, CAR LLWYAU, CAR PARDDU, CAR ŶD.

car a cheffyl Car ysgafn i'w dynnu gan ferlen neu ferlyn at gario pobl, car crwn, trap.
1983 E Richards: YAW 15, Arwahan i'r drol byddai'r *car crwn* a ddefnyddid gan y teulu i fynd i'r farchnad ac i addoli ar y Sul ... eisteddai pedwar neu bump yn gyffyrddus ynddo ... Byddai stabl wrth bob capel yn y cyfnod hwnnw.
Gw. TRAP.

car bara Basged o fath i gadw bara o afael llygod ayyb, rac pren i ddal bara.

car bara ceirch Math o rac i ddal bara ceirch ar ôl ei grasu.

car caws Rac i ddal caws a'i gadw o afael llygod.

car cefn Math o gar llusg, neu slêd gyda breichiau neu lorpiau a'r pen ôl yn unig yn llusgo, ac oherwydd hynny'n haws i'w lusgo a'i droi'n ôl. Ar lafar yn Nyffryn Tanat.
1933 H Evans: CE 130, Y llall oedd y *car cefn*; gwneid ef gyda dau bren, yn debyg i hanner olwyn, y pennau eraill yn gwneud dwy fraich yn estyn ymlaen fel breichiau trol, a gwneud y talcenni a'r ochrau fel y llall (car llusg) ond yn lle ceffyl tresi defnyddid ceffyl bôn a strodur arno.
Gw. CAR LLUSG.

car cig Math o fasged i hongian cig i sychu dan nenfwd y gegin neu'r tŷ llaeth.
1989 FfTh 4, 9, Byddai *car cig* neu fachau yn crogi o nenfwd pob cegin ffarm y pryd hynny i sychu cig.

car crwn gw. CAR A CHEFFYL.

car cynhaeaf Cerbyd neu drol neu gart a ddefnyddid gynt i gario ŷd, car fflat, cymharol isel, dwy olwyn, polyn neu bostyn ym mhob cornel iddo, ac heb ochrau.

1995 FfTh 15, 35, aethpwyd â'r *car cynhaeaf* ar y daith gyntaf, y lorry ar yr ail ac ar y drydedd y beindar ar ei olwynion haearn ...

car drain gw. OG DDRAIN.

car gwair gw. CAR LLUSG, SLED.

car hidlo Ffram i ddal yr hidl ar ben y pot neu'r badell laeth wrth hidlo'r llaeth.

car hir Car pedair olwyn, wagen, cerbyd a ddefnyddir i gario gwair, ŷd, ayyb, mewn rhai rhannau o Gymru (S. *long body*).

car huddygl Math o lestr wrth geg y simdde i ddal huddygl rhag iddo syrthio i'r crochan, ayyb, uwchben y tân, car parddu.

car lladd Bwrdd gwag ei ganol ond pwrpasol i ladd defaid.

car llifio Stand neu ffram bren bwrpasol i ddal coed neu foncyffion yn llorweddog i bwrpas eu llifio, ceffyl llifio, hors lifio.

car llog Car ceffyl yn cael ei logi allan i gario pobl gan rai a gadwai'r fath gerbydau megis tafarnau neu westai, car trwydded.
1928 G Roberts: AA 3, Moddion arall o deithio oedd *cerbydau llog*, perthynol i'r prif westai. Yr oedd y rhai hyn bron oll wedi eu gwneud ... i gario pedwar, dau o bobtu a'u wynebau at ei gilydd.

car llusg *eg.* *ll.* *ceir llusg.* Car heb olwynion, car i'w lusgo, yslêd at gario cnydau (gwair a ŷd) o leoedd llechweddog ac anodd, ac at gario tail, ayyb, i leoedd llechweddog ac anodd; gweryg (Brycheiniog). Amrywiai'r car llusg yn ei ffurf o ranbarth i ranbarth. Ceid ar y naill law yr un a lusgai'n gyfangwbl ar hyd y ddaear gyda gosail neu wadn dan ei ganol ac a dynnid gan geffyl mewn tresi (Maldwyn a Meirionnydd). Ar y llaw arall ceid y car llusg â'r gosail dan ei du ôl a llorpiau yn y blaen i fachu'r ceffyl, gyda craits neu riplen ar ei du ôl ac un lai ymlaen ac yn union tu ôl i'r ceffyl, i gadw'r llwyth gwair neu ŷd yn ei le (Morgannwg). Gwneuthuriad syml oedd i'r ddau fath – dau bren cryf, hir, rhyw lathen a hanner oddi wrth ei gilydd, coed traws wedi eu morteisio o'r naill i'r llall, craits neu riplen yn y ddau ben, a goseiliau dan y ddwy ochr sef darn o bren a chamedd pwrpasol iddo i gadw gwaelod y car rhag gwisgo a'i wneud yn ysgafnach i'w dynnu. Ym Mrycheiniog ceir cerbyd tebyg o ran ei ffurf i'r olaf o'r ddau uchod a elwid yn 'car gwair'. Ond tebyg o ran ei ffurf i'r cyntaf oedd 'car gwair' Maldwyn a 'slêd' Meirionnydd.
1933 H Evans: CE 130, Yr oedd dau fath o gar i gario ŷd a gwair ... y naill oedd y *car llusg* a wneid o ddau bren ar hyd y gwaelod, un bob ochr, a raels ar eu traws, pedwar post, raels i wneud ochrau a thalcenni iddo, a bachu ceffyl tresi wrtho a'i lusgo.
1992 E Wiliam: HAFF 36, Gwneuthuriad ysgafn oedd i lawer o'r cerbydau hynny hyd at y 19g, ac yn arbennig felly yn y mynyddoedd lle 'roedd cerbydau heb olwynion megis y *car llusg* yn llawer mwy defnyddiol na wagen drom.
Gw. hefyd ysgrif V H Phillips yn Medel 3 (1986) 3 (cyfnodolyn AWC).
Gw. GOSAIL, GOSEILIO.

car llwyau Rac i ddal llwyau, rac yn crogi ar bared (fel rheol) i ddal llwyau pren (yn arferol) gyda thyllau ynddo i goesau'r llwyau fynd drwodd.

car mawn Cerbyd i gario mawn o'r fawnog at y tŷ, ac yn aml iawn, car llusg.

car modur Cerbyd â pheiriant mewn-danio i'w yrru, moddion teithio a ddaeth yn gyffredin yn ystod hanner cyntaf yr 20g.

car olwynog Cerbyd â dwy neu fwy o olwynion mewn cyferbyniad i'r car llusg neu'r slêd.

car parddu gw. CAR HUDDYGL.

car pladur eg. Cadair pladur, ysgol pladur, cawell pladur, y ddyfais dair neu bedair gwialen a osodid ar bladur, a'r rheini yn ffurf camedd y llafn ac uwch ei ben, i hyrwyddo bwrw'r ŷd wrth ei dorri yn waneifiau mor gymen ac mor unfon ag y gellid. Ar lafar yn sir Ddinbych
1993 FfTh 12, 31, Pan yn torri ŷd yn yr hen ddyddiau byddai ymlyniad o'r enw *car* yn cael ei osod ar fôn llafn y bladur i hyrwyddo gwaneifiau taclus, yn enwedig wrth dorri gwenith.
Gw. CADAIR PLADUR, CAWELL PLADUR.

car ychen Cerbyd a dynnid gan ychen a pholyn ar ei flaen i'w dynnu ac i ieuo'r ychen wrtho.

car ŷd Y teclyn neu'r ddyfais yn y ffurf o fwrdd rhwyllog a osodid wrth far peiriant lladd gwair i bwrpas lladd ŷd cyn dyddiau'r ripar a'r beinder, cadair.
Gw. CADAIR[6].

car y fuddai Stand y fuddai, y fframwaith bren i ddal a chynnal y fuddai fawr, y fuddai gasgen, ayyb. Ar lafar yn sir Benfro.

caraid eg. ll. careidiau. Llond car, llwyth car, hynny a ddeil car ar y tro – caraid o bobl, caraid o fawn, gwair, ŷd, ayyb.

caran, caren, ceryn eg. Anifail tenau, diraen, ceffyl di-gas ac yn edrych yn ddrwg. Ar lafar yn yr ystyr hwn yn sir Gaerfyrddin.

carbohydrad eg. ll. carbohydradau. Cyfuniadau organig o garbon, hydrogen ac ocsigen ac yn ffurfio'r prif elfennau mewn sawl math o fwyd. Fe'i ceir, yn fwyaf arbennig, mewn cellwlos, siwgwr a starts o blanhigion. Mae'n cyflenwi'r corff ag ynni, ac yn ffurfio'r gyfran helaethaf mewn bwydydd anifeiliaid. Fel mewn dŵr, mae'r ddwy elfen hydorgen ac ocsigen mewn carbohydrad yn ôl dau o'r naill ac un o'r llall.

carbon eg. Elfen gemegol a geir yn yr awyr, ac ym mhopeth arall bron, ac a ddefnyddir gan blanhigion gyda hydrogen ac ocsigen i gynhyrchu cellwlos, starts a siwgwr.

carbon deuocsid eg. Nwy di-liw sydd yn yr awyr neu'r amgylchedd yn naturiol. Fe'i cynhyrchir gan fater organig yn madru neu'n llosgi. Mewn anifeiliaid mae metabolaeth y corff yn peri i'r meinweoedd losgi carbon, yna fe'i anadlir allan gan yr ysgyfaint, fel gwastraff carbon deuocsid. Fe'i cymerir o'r awyr gan blanhigion dwy'r broses ffotosynthesis, ac fe'i toddir hefyd yn nŵr y môr. Mae'r cynnydd diweddar mewn carbon deuocsid yn yr awyr, fodd bynnag, yn enwedig oddi wrth losgi tanwydd ffosil, yn ychwanegu at yr 'effaith tŷ gwydr'. Defnyddir carbon deuocsid hefyd, mewn ffurf solad i gadw bwydydd yn oer.

carbon tetrachlorid *eg.* Hylif di-liw a wneir o'r elfennau carbon a chlorin, ac a ddefnyddir yn y ffurf o gapsiwl i ladd braenedd yr iau (afu) a llyngyr eraill mewn anifeiliaid. Yr Athro Montgomery o Adran Milfeddygaeth Coleg y Brifysgol, Bangor a ddarganfu'r feddyginiaeth ar ôl hir astudiaeth o'r afiechyd braenedd yr afu (S. *liver fluke*). Gw. hefyd CLWY'R AFU, FFLIWC.

carcas *eg.* ll. *carcasau.* Corff anifail wedi ei ladd ac ar y cambren yn y lladd-dy, wedi ei agor a'i ddiberfeddu, a'r pen a'r coesau wedi eu torri i ffwrdd, neu yn anamlach gorff anifail wedi marw o afiechyd ayyb, celain, ysgerbwd.

carchar
1. *eg.* ll. *carcharau, carcharoedd.* Yn amaethyddol, hual, gefyn, llyffethair, neu gloffrwym a roir ar anifeiliaid i'w cadw rhag mynd i grwydro neu dorri drwy wrych ayyb, rhwymyn, cadwyn, torch, ioc, llywethyr, garglwm, cyfyngiad. Fel rheol carchar o'r troed blaen i'r troed ôl a roid ar ddefaid, sef llyffethair; weithiau y ddau droed blaen, sef hual, ond gydag ambell un fwy barus na'i gilydd rhoid ffon neu wialen ar draws ei gwddf fel na fedrai wthio drwy wrych neu fwlch, sef carchar gwddf, iau dafad. Mae'r dulliau hyn o garcharu anfeiliaid i gyd yn anghyfreithlon ers blynyddoedd bellach. Gw. AERWY CORN, HUAL, LLYFFETHAIR.

2. *eg.* Y twll yn y garreg wrth fôn cilbost neu bostyn giât i dderbyn colyn y giât ac i gymryd cryn lawer o'i phwysau.

3. *eb.* Roden fain neu weiar dew o lafn y bladur i'w choes. Mae'n ateb dau ddiben; (a) cadw'r llafn yn ei le, (b) rhwystro gwair a gwellt gasglu yn y cydiad rhwng y llafn a'r goes, ffrwyn pladur. Ar lafar yn Llŷn. Gw. CLACWY, CLACWYDD, RHEFFYN, WORM.

carcharu *be.* Yn amaethyddol llyffetheirio neu hualu anifeiliaid i'w cadw rhag crwydro, yn enwedig defaid, atal, rhwystro, cyfyngu, gefynnu.

card *eg.* (gan amlaf yn y ffurf luosog) ll. *cardiau.* Offeryn yn y ffurf o grib neu frws caled i gribo neu gardio gwlân. Fe'i gelwir hefyd yn 'gythraul gwlân' neu'n 'gythraul melin' – hynny mae'n debyg oherwydd ei ddannedd.
1933 H Evans: CE 85, Dau ddarn o bren oedd y *cardiau,* a dannedd mân, mân ar un ochr iddynt. Rhoddid y gwlân rhyngddynt a thynnid y gnaill grib ar draws y llall.

cardail
1. (*car* + *tail*) *eg.* ll. *cardeli.* Car llusg neu slêd heb fod yn fawr ag ochrau

iddo at gario tail neu galch i leoedd serth neu lechweddog. Amr. 'cardel' (Powys).

2. *eg.* Y tail a ddygid ar gardail, tail cardail.

3. *eg.* Y tir y cariwyd tail â chardail iddo, tir cardail. Amr. 'cardel' (Powys).
1200 LLDW 63, *Kardeyl* pedeir blynet [blynedd] y dylyir y eredyc [aredig].

cardeilo (*car* + *teilo* [gwasgar tail]) *be.* Cario tail i dir llechweddog â chardail, sef car llusg pwrpasol at y gwaith, teilo tir serth â chardel (Maldwyn).
Gw. CARDAIL.

carden *eb.* ll. *cardenni, cardennau.* Rhenc neu res o wair yn y cae, sef gwaneifiau gwair wedi ei hel at ei gilydd yn rhenciau, yn gardenni. Ar lafar yn Nyfed.
1962 Pict Davies: ADPN 27, Y menywod fyddai'n crafu'r gwair yn *garden* o glawdd i glawdd.
1969 D Parry Jones: Nod i AWC, Gelwid y gwair a dowlid at ei gilydd yn *gardenni.* Efallai y byddai dwy neu dair *carden* yn cael eu gwneud 'run pryd.
Gw. CARFAN², RHENC, RHES².

cardennu *be.* Rhencio neu resu gwair yn y cae, hel y gwaneifiau gwair at ei gilydd yn rhenciau (rhesi, carfanau).
1962 Pict Davies: ADPN 46, Wedi dechrau ei *gardennu* sylwyd bod cymylau'n crynhoi draw ar foelydd Penfro.
Gw. CARDEN.

Cardigan cob gw. COB CYMREIG (Y).

Cardigan cocks (Cardi cocks) *ell.* Ar lafar ym Maldwyn.
J Williams-Davies: Nod i Awc, Tas fechan o 20 i 50 o ysgubau at gadw'r ŷd yn sych.
Gw. SOPYN.

Cardigan heap (Cardi heap) *eg.* Ar lafar yn sir Faesyfed am 'Cardigan cocks'.
Gw. CARDIGAN COCKS.

Cardigan rick (Cardi rick) *eb.* Ar lafar yn sir Frycheiniog am 'Cardigan cocks'.
Gw. CARDIGAN COCKS.

cardio *be.* Cribo neu drin gwlân â chard. Gall hyn fod â llaw neu â pheiriant. Mae'n rhan o'r broses o wneud gwlân yn edafedd. Gynt, gwneid hyn ym mhob cartref bron.
1933 H Evans: CE 85, Yn yr hen amser, nid oedd un math o beiriant i drin gwlân, i'w nyddu, a'i weu yn frethyn. Gwneid y cwbl â llaw. Y merched a'i triniai, yn gyntaf ei bigo, sef gwahanu'r gwlân garw oddi wrth y gwlân main, yna ei gribo neu ei *gardio* i'w wneud yn rholiau oddeutu deunaw modfedd o hyd a thua trwch bys.

cardiwr *eg.* ll. *cardwyr.* Person yn cribo neu'n cardio neu'n trin gwlân â'r card. Amr. cardydd.
Gw. CARD, CARDIO.

cardota *be.* Gynt byddai llawer o dlodion, merched lawer iawn, yn mynd o gwmpas y wlad i *gardota* ŷd, gwlân, cig, ayyb. Byddai rhai'n crwydro ymhell iawn i wneud hynny, yn rhannol rhag y cywilydd o gardota ymhlith cydnabod. Crwydrent yn finteioedd o gylch i gylch. Ceir tystiolaeth y gwneid hyn lawer iawn yn yr 17g a'r 18g, ac, yn wir, hyd hanner olaf y 19g. (gw. *Wild Wales*, George Borrow). Bu'n ffordd o ymgynnal i deuluoedd mewn cyfnodau o dlodi a chyni enbyd.

1992 T D Roberts: BBD 22, Drigain mlynedd yn ôl, mi fyddai gwragedd Llangefni'n mynd yn giang o amgylch ffermydd cyn y Nadolig i *fegio* tatws.

cardwn *eg.* ll. *cardws.* Rhuban lliw i glymu mwng a chynffon ceffyl. Ar lafar ym Maldwyn.

1981 GEM 119, *Cardwn* (lluosog cardws): Rhuban i'w roddi ar fwng a chynffon ceffyl.

cardydwyn, cardodwyn *eg.* b. *cardydwen, cardodwen.* Y mochyn lleiaf ac eiddilaf mewn torllwyth o foch, cwlin, y gwannaf o epil unrhyw anifail, – bach y nyth, tin y nyth, ceglyn (Dyffryn Aeron), y cyw melyn olaf. Ar lafar ym Maldwyn a'r De.

Ceir amrywiadau lu ar y gair *cardydwyn* o ranbarth i ranbarth: cydodwyn (Maldwyn), cededwyn, cydedwyn, cyrdedwyn (Ceredigion), crydydwyn (Penfro), cerdedwyn (Caerfyrddin), cardetwin, cydwedin (Morgannwg), gwaddodwyn (Llangeitho), cardennyn (Cwm Ystwyth), crebitwyn.

1931 Cer RC 175, Hwn yw'r *crydedyn* torwyn tost.

1975 T J Davies: NBB 20, I chi'n gwbod y *cededwyn* mochyn bach 'na.

Ffig. person bychan, eiddil, neu'r ferch fach annwyl ieuengaf – 'yr hen *garodwen* fach 'ma'.

Gw. CORBEDWYN, CRINC, CWLIN.

cardyn, cerdyn, carden *ebg.* ll. *cardiau.* Yn amaethyddol, cardyn gwobr anifail mewn sioe neu breimin; cardyn gwobr arddwr mewn ymryson aredig, ayyb. Fel rheol rhoir cardyn coch am y wobr gyntaf, cardyn gwyrdd am yr ail a gwyn am y drydedd wobr.

1966 D J Williams; ST 149, Mi fydd 'na nifer o geffylau da yn cael eu dangos ... fedrwch chi ddim dweud yn iawn wedyn prun o'r rhain a gaiff y *garden goch*. Mae llawer yn dibynnu ar y Joci.

cardydd gw. CARDIWR.

cardden *egb.* Lle wedi ei amgau, caer, caeadle. Rhydd W Owen Pughe 'le gwyllt' neu 'prysglwyn' yn ystyr. Yn B Cyfr. 1 (1921-23) 41, rhoir 'lle tyfai ysgall' yn ystyr.

14g DGG 69, Cerddais ar draws naw *cardden*/Ac ar hyd moel gaerau hen.

1794 P, *Cardden* – a wild place, a thicket, a brake.

care gw. CARRAI.

carlac *eg.* Crafwr tail, rhiglwr tail neu laid, yr offeryn pwrpasol at garthu cwter y beudy neu at riglo'r buarth ayyb. Ar lafar yn Llanbrynmair.

1981 GEM 119, CARLAC –rhaca i garthu beudy.

Gw. CORLAC².

carega, caregu *be.* Hel cerrig oddi ar dir gwair rhag i'r cerrig pan fyddid yn lladd y gwair ddifetha min, neu fylchu llafnau yr injan ladd gwair.

Cerddid y tir yn gefnau, yn ôl a blaen, yn fanwl a gofalus gyda phwced, a'i gwagio yn ôl yr angen i ferfa neu drol neu'n bentyrrau yma ac acw. Gwaith caled i'r cefn, gwaith dihoenllyd, a gwaith y caseïd ei wneud gan bawb yn ddiwahan. Erbyn hyn, ers rhai blynyddoedd bellach, rhoi roler neu rowl drom ar y tir gwair a wneir a gwasgu'r cerrig yn ôl i'r ddaear. Ar lafar mewn rhannau o'r Gogledd. Hel cerrig (Gwynedd), casglu cerrig (Dyfed), pigo cerrig (Dyfed).
Gw. CASGLU CERRIG, HEL CERRIG, PIGO CERRIG.

careidio *be.* Llwytho car, yn enwedig car llusg, gosod llwyth ar gar. Ar lafar ym Mhenllyn yn y ffurf 'creidio'.
1990 FfTh 5, 19, Llun o mami a minnau a Hywel yn *creidio'r* gwair yn y car llusg, a tada ym mhen yr hen geffyl, Sam.

careio *be.* Torri'n gareiau, rhannu'n gareiau, yn enwedig tir âr. Ym Morgannwg gynt, erddid lleiniau neu gefnau o rhyw wyth cŵys o led, gan adael rhyw wyth i ddeuddeg troedfedd o led rhwng y lleiniau. Gelwid yr arfer hwnnw yn *gareio*.
14g IGE 89, Crud rhwyg fanadl gwastadlaes/Cryw mwyn a ŵyr *creiaw* maes.

carets, caretsh *ell.* un. bach. *caretsen, caratsyn.* Moron, llysiau cochion. Clywir hefyd y ffurfiau 'caraints' a 'caraits' mewn rhannau o'r Gogledd. Ceir hefyd y ffurf unigol 'caretsyn' yng Ngheredigion.
1786 Twm o'r Nant: PCG 42, Mi a fwriais yma hylltod garw/O Gig a *Charets* wedi cymmysgu â chwrw.
Dywed. 'torri'n *gratsen*' – torri'n glec ac yn lân (am wydr, llestr, tegan, ayyb.).
Gw. hefyd GARAETS, GARETS.

carfan
1. *eb.* ll. *carfannau.* Y ffram goed a osodir ar drol i'w helaethu o ran ei hyd a'i lled i bwrpas cario gwair, ŷd, ayyb; trepl, triples (sir Benfro), treblffrâm (Dyfed), ffram y drol, ofergarfannau. At ymlaen, mae'n estyn dros grwmp y ceffyl sydd yn y siafftiau, ac at yn ôl y mae'n estyn tua'r un faint. Mae'n ei gwneud yn bosibl i roi llwyth llawer yn fwy ar y drol na fyddai'n bosibl hebddi. Ar lafar ym Môn.
Gw. hefyd OFERGARFANNAU, TRIPLES.

2. *eb.* Rhenc o wair, ystod o wair, tanfa o wair yn barod i'w roi yn ei gocyn neu i'w fydylu.
Ffig. Plaid neu glymblaid o bobl.
'Mae'r mwyafrif dros gael fferm melinau gwynt, ond mae *carfan* gref yn erbyn.'
'Ma' hi'n ddwy *garfan* acw gwaetha'r modd.'
15g Pen 67, 27, llu môn ac arvon yn un *garfan*.

3. *eb.* Un gainc o raff ddwbl, y rhaff fain (sengl) yr eilir dwy yn un i wneud rhaff ddwbl. Ar lafar ym Môn. Ceir yr un syniad yn *carfan* o wair, sef rhenc neu res o wair yr heliwyd dwy neu fwy o waneifiau at ei gilydd i'w gwneud.
Gw. CARFAN[2].

carfan og *ebg.* ll. *carfanau og.* Yr heyrn croesion ar hyd ac ar draws yr og sig-sag â'r dannedd. Ar lafar yn sir Ddinbych.

carfan ysgol *ebg.* ll. *carfanau ysgol.* Un o brennau ochr ysgol (ystol) y morteisir y ffyn iddyn nhw.
1780 W, *Carfan Ysgol* – pole of a ladder.

carfanu *be.* Rhencio gwair, ystodi gwair, hel y gwaneifiau gwair at ei gilydd yn rhenciau (rhesi, cardenni).

carfarch (*car* + *march*) *eg.* ll. *carfeirch.* Ceffyl siafft, ceffyl bôn, y ceffyl y mae pwysau'r llwyth arno (mewn cyferbyniad i geffyl blaen), a'r cyfrifoldeb nid yn unig o dynnu'r llwyth ond o'i fonio (ei ddal yn ôl) hefyd fel bo'r angen ar oriwaered.

carfil (*car* + *mil* [anifail]) *eg.* ll. *carfilod.* Anifail at weithio, anifail at dynnu aradr, og, trol, ayyb – ych gynt, ceffyl yn ddiweddarach – ceffyl gwedd, ceffyl gwaith. Yn Llŷn fe'i clywir yn y dywediad 'yr hen *garfil* main', sef sgilffyn tenau o ddyn.

cargywain (*car* + *cywain* [cario]) *be.* Cludo'n drafferthus mewn cerbyd gymysgedd o gelfi di-fudd a diwerth, yn enwedig wrth fudo, ayyb. Ar lafar yn Nyfed a sir Gaerfyrddin. Yno ceir y ffurf 'cargŵen'.
1966 D J Williams: ST 17, ... cha'i ddim dwy bunt ... am dy hen lo bach di ar farchnad Caerfyrddin ... wedi ei *gargywen* e ugain milltir o ffordd.

cario (o 'car') *be.* Yn amaethyddol, a chan amlaf mewn cyfuniadau, cludo pethau mewn car, cert, trol, trelar. Sonnir am *gario* gwair, *cario* ŷd, *cario* sweds, *cario* byrnau, *cario* porthiant, *cario* mawn, *cario* dŵr, ac ers blynyddoedd bellach *cario* anifeiliaid a wneir ac nid eu 'cerdded'.

cario brig *be.* Cludo'r grawn mewn sachau oddi wrth hoprenni neu binnau'r dyrnwr i'r llofft storws y diwrnod dyrnu gynt. Ar lafar yn sir Ddinbych.
1989 FfTh 2, 16, Welech chi mo'r cariwrs gwellt gan eu bod o'r golwg mewn llwch. Roedd pethau'n well ar y ddau oedd yn *cario'r brig.*
1991 FfTh 8, 23, y drefn arferol oedd i hogia'r wedd *gario'r brig* (diwrnod dyrnu).

cario dŵr Cyn i'r cyflenwad dŵr cyhoeddus gyrraedd y cefn gwlad yn ystod pumdegau a chwedegau'r 20g, os nad oedd pistyll yn gymharol hwylus, rhaid oedd cario dŵr o ffynnon, o bydew neu nant, i'r gwahanol ddibenion ar fferm.
Gw. IAU³, PISTYLL, PYDEW, STYLLEN DDŴR.

cario'r helem Cario'r ysgubau o'r ydlan i'r sgubor i'w dyrnu. Ar lafar yn Nyfed.

cario tail gw. TEILO.

cario ynghyd Casglu'r ysgubau ŷd yn barod i'w gwneud yn styciau neu'n deisiau yn y cae ŷd. Ar lafar yn yr ystyr hwn yng Nghwm Gwaun, Ceredigion a sir Gaerfyrddin.
1958 T J Jenkin: YPLL, AWC, Gwaith plant gan mwyaf oedd *cario ynghyd*, h.y. cario'r ysgubau at ei gilydd.
1975 R Phillips: DAW 52, Roeddynt yn helpu gyda rhwymo'r ŷd yn sgubau a'u *cario ynghyd.*

1989 P Williams: GYG 48, Hen waith ar y cynllwn oedd *cario ynghyd*, ... 'Roedd *cario ynghyd* i ddeisio'n saith gwaeth.

cariwrs *ell.* un. *cariwr.* Dynion a âi gynt i ganolfannau trefol gyda mulod neu drol a cheffyl i gario nwyddau i'r gwahanol bentrefi a'r cymunedau gwledig.
1928 G Roberts: AA 4, Yr oedd yno amryw o hen bobl yn cael eu bywoliaeth trwy eu cludo oddi yno i'r gwahanol bentrefi, rhai gyda mulod a rhai gyda throliau. Byddai amryw eraill yn mynd i'r glofeydd a enwais ac yn prynu glo bob yn llwyth a'i ail werthu yn fân symiau ... *Cariwrs* y gelwid y dosbarth blaenaf, a Jagers yr olaf.

carlam *eg.* ll. *carlamau.* Calap. Yn wreiddiol, fel yr awgryma'r gair, rhediad cyflym carw (*carw* + *llam*), ond yn ddiweddarach am anifeiliaid eraill hefyd yn enwedig ceffyl pan fo'i ddeudroed blaen yn cydsymud â'i ddeudroed ôl.
1620 Barn 5.22, Yna y drylliodd carnau y meirch gan *garlammau*, *carlammau* ei gryfion ef.
Ymad. 'Mynd ar *garlam*', 'mynd ar lawn *garlam*', 'mynd ar *garlam* wyllt', 'mynd ar *garlam* ulw'.

carlamu *be.* Mynd 'ar garlam' neu 'ar galop', mynd nerth y carnau (carw, ceffyl). Hefyd llamsachu, dychlamu, dangos ei garnau. Ym Maldwyn ceir y ffurf lafar 'clamu'.
Ffig. Person yn brasgamu'n wyllt – 'roedd o'n *carlamu* heibio a'i wynt yn 'i ddwrn'; neu galon yn cyflym guro – 'Mi dd'wedodd y doctor bod fy nghalon i'n *carlamu* ar y mwya'.

carlamus *a.* Gwyllt, brysiog, cyflym, llamsachus, rhabire (am geffyl).
Ffig. Rhywun byrbwyll a mentrus ei eiriau neu ei osodiadau. 'Ma'r Aelod Seneddol 'ma sy ganddo ni yn dweud pethau *carlamus* a byrbwyll iawn.' Yn Nyfed 'dyn *carlamus*' yw dyn rheglyd, cableddus ei iaith.

carleg *eg.* ll. *carlegoedd, carlegydd.* Pentwr, tomen, gwyddfa, camedd (o gerrig, ayyb), y math o le sy'n lloches i lwynogod, hefyd darn o dir gwyllt, sâl lle tyf anialwch o ddrain, mieri a rhedyn. Ar lafar ym Meirionnydd. Yn enw ar dŷ gerllaw'r Bontnewydd, Dolgellau ac yn Nanmor, Beddgelert, yn yr enw 'Y *Garleg* Du' (yngenir yn 'Garleg-tu' ond a lygrwyd yn 'Gardd–llygaid–y–dydd'.) Gw. GPC.

carlwm, carlwng *eg.* ll. *carlymod, carlymiaid.* Creadur ysglyfaethus, yn sugno gwaed ei ysglyfaeth, ac o deulu'r wenci (bronwen) ond yn fwy ei faint, ac yn byw mewn daearau yn y tir ac yn y cloddiau. Yn yr haf y mae'n goch ei flewyn ond yn y gaeaf yn wyn. Ceir hefyd y ffurfiau 'carlwng', 'carlwg'. (cf. y 'Trallwng' yn mynd yn 'Trallwm'.)
1300 LlB 113, Tri llydyn [llwdn] nyt oes werth kyvreith arnynt, knyw [cyw] hwch, a betheiat, a *charlwg*.
1926 E Wyn: TMM, Cynefin y *carlwm* a'r cadno (Cwm Pennant).

carn
1. *eg.* ll. *carnau.* Rhan galed o draed anifeiliaid pedwarcarnol, – ceffyl, buwch, dafad, mochyn – ac yn cyfateb i'r ewin ar fysedd troed person dynol, y rhan allanol, galed, o droed anifail sy'n amgau am y bywyn, sef y rhan feddal. Yn aml defnyddir 'ewin' am garn troed buwch, dafad a mochyn, pan sonnir am anifeiliaid yn hollti neu fforchi'r 'ewin'. Weithiau sonnir am grystyn y carn (Penllyn).

191

1621 E Prys: *Salmau Cân* (Salm 69.31), Moliannaf d'enw, Duw, ar gân,/Fal dyma f'amcan innau;/A hyn fydd gwell gan Dduw deyrn/Nag ŷch â chyrn a *charnau*.

1966 D J Williams: ST 60, Gwelai Ifan ei hun yn llofrudd ...; lladd y gaseg orau a fu ar *garnau* erioed.

Ffig. 'Dangos 'i *garnau*' – am fachgen ifanc wedi cael ei ryddid a mynd o'r cartre' am y tro cyntaf, a byw braidd yn afreolus, – fel ceffyl wedi bod i fewn drwy'r gaeaf a phan y'i gollyngir allan dechrau haf yn prancio, llamsachu a *dangos ei garnau*.

'Cymryd y *carnau*' – (hel y carnau), un wedi dianc o'r cartref, fel anifail crwydr.

'Nerth 'i *garnau*' –nerth 'i draed, ar ras.

1955 H Parri: CC a GR, Ewch adra *nerth ych carna*.

'Sownd yn 'i *garnau*' – person egwyddorol, dibynadwy.

2. *eg*. ll. *carnau, cyrn*. Y darn o'r offeryn y gafaelir ynddo i'w ddefnyddio, megis aradr, cryman, cyllell, twca, carn tro, ayyb, said, handlen, dwrn, menybr ac fel rheol wedi ei wneud o bren. Am 'goes' y bladur, y rhaw, y bicwarch, y brws, ayyb, y sonnir, ond am *garn* y cryman, y twca, ayyb.

13g WM 146.13, *Karnau* eu kyllyll o asgwrn morvil.

1620 Barn 3.22, A'r *carn* a aeth i mewn ar ol y llafn.

Ffig. 'Cymro i'r *carn*' – Cymro brwd, teyrngar i'w wlad.

1975 R E Jones: LLOIC 93, Pan drywanai cledd neu ddagr i'r *carn*, fe drywanai i'r eithaf posibl. Felly, e.e. *Cymro i'r carn* yw Cymro i'r eithaf.

3. *ebg*. Craig, bryn, mynydd, copa, carnedd.

13g WM 154, 13-15, Ac yn y cruc y mae *carn*, ac yn y garn y mae pryf.

1567 LLGG Salm 81.16, Ac â mêl o'r *garn* [clegr] y'th ddiwallaswn.

4. *eg*. Cruglwyth, pentwr, twr, twmpath, megis o goed tân, ayyb.

1958 FfFfPh 72, Yr oedd Dafydd wedi prynu *carn* o goed tân ar ocsiwn ac wedi eu rhoi'n daclus iawn ac ochr yr heol heb fod ymhell o'r tŷ.

Ffig. **1769-1811** W Williams: GP 589, Feiau mawrion *garn* aneiri.

carnaflawg, carnaflaw (*carn + gaflawg – gaflog*) *a.* Yn hollti'r ewin, yn fforchi'r ewin, fforchog (am droed anifail megis buwch, dafad a mochyn).

carn yr ebol *eg*. Chwynyn neu lysieuyn lluosflwydd (*Tussilago farfara*).

carnen *eb.* ll. *carnenni*. Tomen fechan o gerrig, crug, carnedd fechan.

carnesgyrnedd (*carn + esgyrnedd*). Gw. SEIBON.

carnewin (*carn + ewin*) *eg*. ll. *carnewinedd*. Blaen carn troed anifail neu grafanc anifail.

1703 E Wynne: BC 145, Weithian, ebr Lucifer, ac a gododd ei garneu cythreulig ar y *garwinedd*.

carngraff (*carn + craff = sicr*) *a.* Cadarn, sicr neu sownd yn ei garnau, cadarn ar ei draed (am geffyl).

carngrwn *a.* (b. *carngron*) Siapus ei garn, dinam ei garn (am geffyl).

carnio, carnu *be.* Rhoi carn neu said ar erfyn, carnu'r cryman, carnio'r aradr, h.y. rhoi darnau coed llyfn ac esmwyth i gydio ynddyn nhw ar y gyrn neu freichiau aradr geffyl.

carnlosgedd gw. CARNLOSGI.

carnlosgi *be.* Peri bod pedol eirias yn gwneud ei gwely drwy losgi'r carn i'w ffurf ei hun, pedol yn gwneud ei lle dan y carn.

carnllif *(carn + llif) eb.* ll. *carnllifau.* Rhathell neu rasp neu ffeil fras a ddefnyddir i rathellu carnau traed anifeiliaid yn enwedig ceffyl. Un o amrywiol offerynnau y gof. (S. *hoof rasp).*

carnog, carniog *a.* Yn meddu ar garn, â charn iddo (am anifail ac am erfyn).
1791 Dafydd Ddu: A 29, Da blithog laethog lwythau – da *carniog.*

carnol *a.* Yn meddu ar garnau, a nodweddir gan garnau, (am anifeiliaid â charnau), Gelwir yr anifeiliaid hyn yn 'anifeiliaid pedwar-*carnol',* – ceffyl, buwch, dafad, mochyn, gafr.
1620 Salm 69.31, A hyn fydd well gan yr Arglwydd nag ŷch neu fustach corniog, *carnol.*
1793 R Powell: ADV 10, Mae glaswellt mawr ar glawr gwlad/Croyw anneliad *carnolion*

carnu gw. CARNIO.

carnymorddiwes, carnymoddiwes *be.* ac *eg.* Troed ôl ceffyl rhygyngog neu ochrog (codi troed blaen a throed ôl yr un ochr yr un pryd) yn taro'r troed blaen wrth duthio neu garlamu, a'r anaf a achosir (S. *over-reach)* *(cam + goddiweddu).*
Ffig. Bai ar gwpled o englyn unodl (union neu grwca) neu o gywydd deuair lle y diwedda'r ddwy linell odledig yn ddiacen neu â gair lluosillafog.
Gw. GORCHAMU.

caroden gw. CARWDEN.

carotîn *eg.* Elfen neu fater sy'n rhoi lliw, yn toddi mewn braster, ac yn rhoi i laeth, menyn a moron eu lliw arbennig.

carpws *eg.* Glin coes flaen anifail, y rhan o'r goes flaen sy'n cynnwys yr esgyrn carpalaidd ac yn cyfateb i arddwn person dynol.

carrai
1. *eb.* ll. *careiau, careion, careiydd.* Yn gyffredinol stripyn cul o unrhyw beth yn enwedig lledr, carrai esgid, carrai côd, carrai ffrwyn ayyb. Yn amaethyddol awenau (rens) ceffyl, llinyn t'wysu ceffyl, carrai chwip, y rhain, gan amlaf, wedi eu gwneud o ledr.
Amr. care, ll. crïe (Maldwyn), cara, cria (Môn).
Dywed. 'hidio'r un *garrai'* – malio dim.
'Torri'n *greia'* – bygwth baeddu rhywun neu gael y gorau ar rywun mewn dadl.

2. *eb.* Llain hirgul o dir, llain fain (Môn), carrai o dir. Ar lafar yng Ngogledd Caerfyrddin.
1959 D J Williams: YCHO 18, ... nid yw'r tir ond *carrai* fain o brin ugain llath o led rhwng ffin Cwm Coedifor a ffin Cwm Du o bob ochr.

3. Nod clust dafad, sef toriad hirgul yn dechrau o flaen y glust, ond yn amrywio mewn ffurf:- *carrai* dau doriad (Gogledd); *carrai* slant – toriad ar dro (Gogledd); *carrai* slip – toriad ar dro; *carrai* step – toriad sgwâr o'r glust yn dechrau ym mlaen y glust; *carrai* un toriad (Gogledd).

carrai bleth Llinyn chwip dwy gainc.

carrai chwip (fflangell) Llinyn lledr y chwip.

carrai ên Y strap sy'n rhan o ffrwyn ceffyl ac yn cau am ei ên i sicrhau'r ffrwyn am ei ben.

carrai ffrwyn Yr awenau y gafael y certmon ynddynt i reoli'r ceffyl.

carrai ffust Y cwplws o ledr ystwyth oedd yn cysylltu dau ddarn neu ddau bastwn y ffust, sef y troedffust (y darn y gafaelid ynddo) a'r wialenffust (y darn oedd yn ffustio neu ddyrnu'r ŷd).
Gw. FFUST.

carrai mwnci *ebg.* Y strap lledr sy'n cau'r mwnci, h.y. yn tynnu dau ddarn y mwnci at ei gilydd uwchben y goler ar ôl ei roi am y goler, tugall y mwnci, caead y mwnci (Môn), clo'r mwnci, gwarbwyth.
Gw. CAEAD, GWARBWYTH, TUGALL.

carraid *eg.* ll. *careidiau.* Llwyth car, llond trol neu gert neu gar, troliad, certiad.
Ffig. Baich, gofal, cyfrifoldeb.
1693 RY 6, Rhai a ddywedant fod eu *carraid* yn fawr, gwraig, a llawer o blant i ofalu trostynt.

carreg *eb.* ll. *cerrig.* bach. *caregos, carigos.* Yn amaethyddol mewn cyfuniadau y clywir y gair *carreg*.

carreg aelwyd Y garreg neu fflagsen hirsgwar, fawr a geid ar yr aelwyd o flaen y tân, ac yn aml o flaen y simdde fawr, gynt, ac mewn cyferbyniad i'r llawr pridd dros weddill y gegin. Mewn ystyr estynedig daeth yn ymadrodd am aelwyd mewn ystyr deuluaidd.

carreg artsh gw. CARREG GLO.

carreg ateb gw. CARREG ATSAIN.

carreg atsain Rhywbeth sy'n ddigon cyffredin yn y cefn gwlad, sef y dynwarediad o sŵn llafar gan atseiniad tonau sain oddi ar wyneb creigiau, ayyb; carreg ateb, carreg lafar, carreg lefain, llech lafar.

carreg bentan Carreg gilbost, carreg pentan adwy.

carreg daflyd gw. CARREG SA' DRAW.

carreg derfyn Y math o garreg a osodid hwnt ac yma ar dir agored, di-glawdd, i nodi ffiniau neu derfynau i bwrpas hawliau perchenogaeth, neu i bwrpas nodi a cherdded terfynau plwyf, yr hyn a wneid yn gyfnodol.

carreg drwodd Carreg (cerrig) a osodir bob hyn a hyn wrth godi wal gerrig, yn enwedig wal gerrig sychion, i bwytho neu glymu dwy ochr y wal wrth ei gilydd, rhag i'r wal folio ac ymddatod.
Gw. PWYTH.

carreg drws Y garreg o flaen drws y tŷ (yr ochr allan) lle, yn aml, y ceir mat, neu gynt, sach yn ei blygiad, at sychu traed cyn mynd i'r tŷ. Gw. SACH.

carreg ddaear Carreg yn y ddaear pan yn aredig tir, yn rhwystr i'r aradr, ac weithiau'n 'faen tramgwydd' yn malu'r swch neu'r blaen, carreg ddala (y De).

carreg ddala gw. CARREG DDAEAR.

carreg ddiddos Y math o garreg a osodid gynt wrth fôn corn simdde tŷ at daflu'r dŵr glaw draw, i'w rwystro rhag mynd dan gerrig y to yn asiad y simdde a'r to.

carreg farch Llwyfan pwrpasol i gael ar gefn ceffyl oddi arni, gorsin. Gw. hefyd DISGYNFAEN, ESGYNFAEN, GORSIN², STANC CEFFYL.

carreg o flaen y whil Yn llythrennol, carreg rwystr, sef carreg a geid weithiau ar y ffordd, buarth, ayyb, yn rhwystr i olwyn y drol ac yn rhoi straen ychwanegol ar y ceffyl bôn (ceffyl siafft), carreg rwystr, maen tramgwydd. Ar lafar yng Ngheredigion.
Ffig. Ymadrodd difrïol am un yn fwy o rwystr nag o help gydag unrhyw waith neu orchwyl.
1981 Ll Phillips: HAD 55, .. eithr sarhad i'r eithaf ar ambell laslanc a oedd yn fwy o rwystr nag o help ym mhwys a gwres y dydd ar y fferm ydoedd ei gyffelybu i *garreg o flaen y whil*.

carreg fras gw. CARREG HOGI.

carreg fwsog Carreg y tyf mwsog arni. Gynt, rhisglid y mwsog oddi arni a'i ddefnyddio i lenwi'r gwagle rhwng cerrig to tŷ a cherrig ei furiau, i'w ddiddosi.
Gw. MWSOGL, MWSOGLU².

carreg gamu Carreg (cerrig) wedi ei gosod i fedru croesi nant neu afon yn droedsych, carreg lam, carreg sarn, llaered, rhyd.

carreg gesair Eira bras, cenllysg.

carreg glo Y garreg sy'n cwblhau ac yn cloi'r cerrig eraill mewn bwa cerrig uwchben drws, ayyb, carreg artsh, maen clo. Hefyd y garreg sy'n cloi'r copin neu'r cerrig copa ar ben wal gerrig.

carreg golyn Carreg â thwll pwrpasol ynddi wrth fôn cilbost giât i gymryd ei cholyn a'i phwysau i raddau helaeth, carchar.
Gw. hefyd CARCHAR².

carreg gopa Un o'r cerrig a osodir ar eu cil, neu ar eu cyllyll, i ffurfio copin neu gopa ar ben wal gerrig.

carreg grafu Carreg fawr, uchel wedi ei gosod yn bwrpasol ar ganol cae i'r anifeiliaid gael crafu ynddi pan boenir hwy gan gosi o unrhyw fath, maen rhwbio, maen crafu, carreg gosi, rhitbost.
Gw. MAEN CRAFU, RHITBOST.

carreg gynddaredd Llaethfaen wedi ei malu'n bowdr i'w gymysgu â llaeth a arferid ei roi gynt yn wrthwenwyn i'r gynddaredd ar gŵn (*hydrophobia*).

carreg gynffon buwch Carreg sy'n rhydd ac yn sownd, carreg mewn wal y gellir ei hysgwyd ond na ellir ei chael yn rhydd – carreg fel cynffon buwch.

carreg hogi Hogfaen, calen hogi, carreg fras, y dywodfaen a ddefnyddir i roi min neu awch ar offer megis y cryman a'r bladur, llymedrus. Gw. CALEN HOGI.

carreg lafar gw. CARREG ATSAIN.

carreg lam gw. CARREG GAMU, LLAMAU, LLAMOG[1].

carreg las
1. Llechfaen, llechen. Gelwir ardaloedd y chwareli yn y Gogledd yn 'ardaloedd y garreg las'.
1937 T J Jenkin: AIHA AWC, *Carreg Las* – slates usually. Nid oedd enwau ar gerrig yn gyffredin ond wrth eu lliw.

2. Yr enw Cymraeg traddodiadol a chynhenid ar *copper sulphate* a ddefnyddid lawer iawn gynt at fraenedd traed neu leithder, yn enwedig ar ddefaid. Neddid y carn at y bywyn a glanhau rhwng yr ewinedd cyn rhoi llwch neu eli carreg las ar y drwg, neu gerdded y defaid trwy ddŵr â charreg las ynddo.
1990 FfTh 6, 20, Defnyddid y *garreg las* (*copper sulphate*) at leithder (*foot-rot*).

carreg lefain gw. CARREG ATSAIN.

carreg lwyd Unrhyw garreg nad yw'n llechfaen neu garreg las.

carreg lwyd y rhych Carreg gymharol gron yn y ddaear y mae'n ofynnol ei hosgoi wrth aredig.
Gw. CARREG DDAEAR.

carreg nodi Carreg o glai brown-goch i farcio anifeiliaid. (S. *ruddle, red ochre*).
Gw. hefyd RHUDDELL.

carreg orchest Carreg fawr, lled gron (gan amlaf) a ddefnyddid gynt mewn ymrysonau codi pwysau, – ymrysonau y byddai llawer o orchest ynglŷn â nhw, ac yn digwydd yn gyson lle dôi nifer o ddynion at ei gilydd fel ar ddiwrnod dyrnu, cneifio, ayyb. Gw. LLG Medi 1992 ac Ebrill 1993.

carreg rhip Y garreg rud a felid yn fân gynt i'w roi ar stric neu rip y bladur i'w hogi, carreg rud (Môn). Ar lafar yng Ngheredigion.
1973 B T Hopkins: Nod. i AWC, Ceid y swnd o fath o garreg tua'r Mynydd Du. Fe'i torrid yn fân â morthwyl, yna byddai'n barod i'w roi ar y rhip.
Gw. GRUT, RHIP, STRIC.

carreg rwbio gw. CARREG GRAFU.

carreg rwystr gw. CARREG DDAEAR, CARREG LWYD Y RHYCH.

carreg sa' draw Carreg wedi ei gosod wrth gornel adeilad, neu wrth fôn pentan adwy, yn bwrpasol i gadw'r drol draw, neu i daflu'r drol draw pan fo'n rhy agos, carreg daflyd.

carreg sarn gw. CARREG GAMU.

carreg swnd Carreg hogi, hogalen, calen hogi, y galen hogi garabwndwm gyda charn pren at hogi cryman, pladur, ayyb, hogfaen, agalen. Gw. CALEN HOGI, CARREG HOGI.

carreg watwar gw. CARREG ATSAIN.

carreg pennau cŵn gw. CERRIG PENNAU DEFAID.

cerrig pennau defaid Ymadrodd i ddisgrifio cerrig cymharol ddi-siap, ond a ddefnyddir i godi waliau sychion, cerrig pennau cŵn (Môn).
Ffig. Person gwirion, ffol, diddeall. Sonnir am *hen ben dafad o fachgen*, neu ei fod *rêl pen dafad*. cf. pen bustach.

cerrig pin Gwyddel Cerrig hirion a osodir drwy wal gerrig a'u trwynau'n ymestyn allan y ddwy ochr i'r wal i rwystro defaid neidio i'w phen a throsti.

cerrig pin person Cerrig a osodir yn eu crynswth tu fewn i wal a'u trwynau at allan, ond â cherrig eraill yn amgau amdanynt, cerrig anodd eu tynnu o wal. cf. carreg gynffon buwch.

Sonnir hefyd am 'roi carreg' ar rywbeth, sef anghofio neu gladdu rhywbeth a fu'n achos cynnen. Mae'n elfen aml mewn enwau lleoedd, megis *Carreg* Cennen, *Carreg* Hwfa, *Carreg*lefn, *Carreg* y Big, Pen *Carreg*, *Carreg* Bedmon, ayyb.
Ffig. Rhywun calon galed – 'mae o fel *carreg* o galed a dideimlad'.
1620 Esec. 11.19, Tynnaf hefyd y *galon garreg* ymaith o'u cnawd hwynt.

cart, cert *ebg.* ll. *certi, ceirt.* Cerbyd cryf o bren â dwy olwyn ac yn tipio, i'w dynnu gan geffyl ac i gario llwythi trymion, certwain, trol, men. Fel rheol *cart* yw'r ffurf yn y De a *cert* ym Mhowys. Gw. y cyfuniadau a ganlyn.
1989 P Williams: GYG 30, Yn y cartws ger y tŷ y lleddid y moch, ac wedi tynnu'r *ceirt* allan, ac ysgubo'r llawr pridd caled, rhoid gwellt glân ar y llawr.
1995 J Davies: CB 16, I'r felin hon yr âi fy nhad ag ŷd y fferm i'w falu, mynd â sacheidiau ohono yn y *cart* a cheffyl.
Gw. CERTWAIN, MEN, TROL, TRWMBEL. Am enwau gwahanol rannau'r *cart* gw. dan TROL.

cart cist Trol â thrwmbel iddi, cert â chist iddi, mewn cyferbyniad i gambo sydd heb ochrau. *Cist* yw enw rhai ardaloedd ar focs neu drwmbel y drol neu'r cart. Ar lafar yn Nyfed a Cheredigion.
1969 D Parry-Jones: Nod i AWC, Yn olaf roedd ar bob ffarm *gart cist* – yn amlach na dim

gelwid hi *y gist*. Dyma'r cart a ddefnyddid amlaf ar fferm i goen popeth ond y llafur a'r gwair.
1992 FfTh 9, 10, Dau *gart cist* er maint y costau,/Ac un gambo fawr heb ochrau.

cart gwair Cerbyd pren at gario gwair, trol (Môn, Arfon, Dinbych, Fflint, D. Maldwyn) cart hir (Gorllewin Dinbych), car gwair (Meirionnydd), cart, cert (Maldwyn, Blaen Rheidiol, Cwm Gwaun), gambo (Ceredigion, Caerfyrddin, Brycheiniog, Morgannwg a Gwent), wagen (Maldwyn).

cart llaeth Y cart sy'n gwerthu llaeth o dŷ i dŷ, car a cheffyl neu fflôt a cheffyl gynt, bellach y 'fan laeth'.

cart llusg Car llusg, slêd, car a lusgir, y car â gwadnau ac nid olwynion
1969 D Parry-Jones: Nod i AWC, Gan fod bronnydd i lawer o'r caeau, roedd gennym hefyd *gart llusg* ...
Gw. CAR LLUSG.

cart springs Fflôt, trap, car ysgafn a ddefnyddid gynt, ac o fewn cof llawer sy'n fyw, i gario pobl yn ogystal â nwyddau. Yn y *cart springs* yr eid o gwmpas i werthu llaeth, menyn, wyau a chynnyrch llysieuol fferm. Ynddo hefyd yr eid i'r farchnad, i'r capel, ayyb.
1958 FfFfPh 69, Byddai fy nhad a'i dad yntau yn mynd a miloedd o wyau mewn *cert springs* i lawr mor bell â Merthyr un wythnos ac mor bell â Threfyclo yr wythnos ganlynol.

cart teilo Cerbyd pren yn tipio at gario tail, ayyb, ac a dynnid gan geffyl, trol, trwmbel, cart cist.
Gw. CART CIST, TROL.

cart ychen Y cerbyd a lusgid neu a dynnid gan ychen cyn i'r ceffyl ddod yn anifail gwaith cyffredin, gyda pholyn rhwng gwedd o ychen yn hytrach na siafftiau fel oedd i'r ceffyl.

cartaid, certaid, certiad *eg.* ll. *carteidiau, certeidiau.* Llond cart, llwyth cert, troliad.

cartar, carter *eg.* Un yn trin a thrafod ceffylau, un yn canlyn y wedd, certmon, wagner, un yn gweithio â cheffylau neu'n gweithio ceffylau.

carteilo gw. CARDEILO.

cartfarch (*cart + march*) *eg.* ll. *cartfeirch.* Ceffyl gwedd, ceffyl trwm, ceffyl bôn, ceffyl siafft, ceffyl sy'n tynnu cart neu drol.

cartio
1. **certio** *be.* Cario mewn cart, cludo mewn trol, trolio, gyrru trol (am gertmon neu wagner).
'Rydw'i wedi rhoi Wil i *gartio'r* mangls at y tŷ cyn iddi fynd yn rhy 'lyb.'
2. **carto** *be.* Gweithio â cheffylau neu weithio ceffylau, canlyn y wedd, certmona, wagnera.
Gw. CARTAR, CERTMON, WAGNER.

cartwr, cartiwr, certiwr, ciartar *eb.* ll. *certwyr, ciartars.* Gair rhai ardaloedd am un yn gyrru trol a cheffyl, certmon, waganer, cyffylwr.

1770 TG 4, 98, Ffermwr yn ganlyniawdr, a'i *gartwr* yn amddiffynydd.
1989 FfTh 4, 11, Roedd wedi deall fod y *ciartar* oedd yn ôl trefn pethau ar y blaen, yn rhyw frolio fel yr oedd yn baeddu y pladurwr diarth. Daeth hyn i'w glust a rhaid oedd dysgu gwers i'r *ciartar*.
1994 FfTh 13, 26, Byddai'r gweision yn enwedig y *ciartar* a'i geffylau yn falch o gysgod y cloddiau ar adegau.

cartws *eg.* Adeilad cymharol agored fel rheol, heb ddrws yn cau arno, i gadw'r certi neu'r troliau ac offer arall, hoywal, huwal. Ar lafar yn y De.
1966 D J Williams: ST 20, Troai o gwmpas y stablau a'r *cartws* fel ysbryd y dyddiau fu ...
1989 P Williams: GYG 30, Yn y *cartws* ger y tŷ y lleddid y moch, ac wedi tynnu'r *ceirt* allan ac ysgubo'r llawr pridd caled, rhoïd gwellt glân ar y llawr.
1991 G Angharad: CSB 12, Y *cartws* yw'r adeilad ar fferm lle cedwir yr offer.

carth *eg.* *ll.* *carthion, ceirth.* Cywarch, brethyn garw, ac weithiau breisgion neu wehilion cywarch neu lin.
14g HMSS 1, 123, Kanys o gywarch ac o *garth* y gwnathoedit ef.
14g IGE 45, Hebog merched Deheubarth,/Heb hwn, od gwn, aed yn *garth.*
1933 H Evans: CE 89, Trinid y llin yn bur debyg i'r gwlân, ond bod y driniaeth yn fwy garw ... gosodid nifer o ddannedd hirion tua naw modfedd o hyd. Gelwid hwy dannedd yr ellyll. Gafaelid mewn tusw o lin a thynnid ef ôl a blaen trwy'r dannedd hyd nes y deuai yn *garth* parod i'w nyddu.
Gw. CARTHEN.

carthbren
1. (*carthu* + *pren*) *egb.* *ll.* *carthbrenni, carthbrennau.* Math o raw (pâl) fechan â choes hir iddi a ddefnyddid yng nghyfnod yr aradr ychen a'r ceffyl i lanhau'r swch, y cwlltwr a'r styllen bridd, wrth aredig. Yn Nyffryn Aeron defnyddir y gair hefyd am ddarn o bren ar ffurf cyllell at lanhau rhofiau, rhawiau, esgidiau, ayyb.
1604-7 TW: Pen 228, *Carthbren* aratr, ar hwn y byddant y llavurwyr y ddaear yn carthu'r pridd oddywrth y swch ar gwadn ar penffestr wrth aredic.
1975 Ff Payne: YAG 67, Fe'i cedwid (carthbren) fel rheol yng nghadair yr aradr.
1975 Ff Payne: YAG 68, Pan fyddai un haeddel yn unig ar yr aradr, weithiau fe ddaliai'r aradrwr y *carthbren* yn ei law, ac weithiau fe daflai'r aradrwr yr offeryn at yr ychen i'w bywiogi.

2. *eg.* Math o grafwr neu riglwr pren at garthu beudy a stabl.
1978 Llen y Llannau 77, *Carthbren* – pren at garthu beudy neu stabl.

carthbwll (*carthu* + *pwll*) *eg.* *ll.* *carthbyllau.* Twll yn y ddaear wedi ei gloddio a'i weithio'n bwrpasol i ddal carthion gwlyb (biswail, ayyb) beudai, buarthau, silwair, ayyb. Bellach (nawdegau'r 20g) mae'n rheidrwydd cyfreithiol i gael y math hwn o garthbwll ar ffermydd rhag i ddŵr tail, sudd silwair, ayyb, lifo i ffosydd dŵr, nentydd ac afonydd.

carthdanc gw. CARTHBWLL.

carthen *eb.* *ll.* *carthenni, carthennau.* Hwyliau, nithlen, wedi eu gwneud o sachau wedi eu hagor a'u gwnio i'w gilydd i'w rhoi dros y das wair, neu'r das ŷd i ddisgwyl cael eu toi neu eu dyrnu. Byddai gwneud y carthenni hyn yn waith 'diwrnod glawog' pan na fedrid gwneud dim allan.
Gw. CARTH, NITHLEN.

carthen llawr dyrnu Nithlen a daenid ar y llawr dyrnu i ffustio'r ŷd arni. Hefyd y nithlen a ddefnyddid i nithio pan ddyrnid ar y llawr dyrnu. Gw. CARTHEN NITHIO.

carthen mantell Math o fantell i'w rhoi dros bob dillad arall.
1913 WVBD 243, Codi i *charthan* ac i ffwrdd a hi.
1672 R Prichard, Gwaith 461, Nawr gwae finne na bae *garthan,*/Neu hws ceffyl am fy nghefan.

carthen nithio Nithlen (*nithio* + *llen*), y garthen a ddefnyddid gynt i gynhyrchu gwynt (o'i hysgwyd) yn y llawr dyrnu yn y sgubor, i wahanu'r us oddi wrth y grawn pan yn dyrnu â'r ffust.
Gw. FFUST, LLAWR DYRNU, NITHIO.

carthen odyn Carthen i roi'r grawn arni i sychu neu grasu mewn odyn.
Gw. CRASU², ODYN.

carthfa gw. CARTHBWLL.

carthffosiaeth *eg.* Yn amaethyddol, darpariaeth, sy'n rheidrwydd cyfreithiol, i ddiogelu oferion a charthion beudai, buarth, ayyb.
Gw. CARTHBWLl.

carthglwyd (*carth* [tail] + *clwyd*) *eb.* ll *carthglwydi, carthglwydau.* Berfa ddwylo i gario tail i gaeau yn enwedig caeau ar lechweddau ac yn rhy serth i gerbyd. Ar ffurf elor y byddai'r *garthglwyd* gyda dwy fraich y ddau ben i'w chario Ceir hefyd y ffurfiau: carllwyd (Caerfyrddin), carclwyd (Ceredigion), carllwd (Morgannwg).
1770 P Williams, BS 1 Cor. 4, Ysgubion y byd ... neu certwyn deilo neu *garthglwyd* tref a phawb yn taflu eu bryntni arno.

carthle gw. CARTHBWLL, CARTHFFOSIAETH.

carthonu *be.* Glanhau tir âr. Casglu chwyn o dir wedi ei aredig cyn ei hau neu ei blannu. Ar lafar yn sir Gaerfyrddin.

carthu *be.* Glanhau neu wagio beudy, stabal, siediau, ayyb, o dail neu dom anifeiliaid, – carthu'r beudy, carthu'r stabal. Lle bo'r buchod i mewn tros y gaeaf ac wedi eu haerwyo (clymu), yn aml, gwneir hyn fwy nag unwaith y dydd. Yn gyfnodol y certhir siediau'r dynewaid a'r gwartheg stôr. Er bod y brws a'r siefl, y fforch a'r crafwr ar waith o hyd, ceir er hynny heddiw ddulliau llawer mwy dilafur o garthu – ceir y cludfelt yn cario'r tail i'r domen a'r fforch fecanyddol ar flaen y tractor.
1975 R Phillips: DAW 55, Gwaith beunyddiol ben bore yn y gaeaf oedd *carthu'r* beudy a'r stabl – berfa neu whilber mewn gwaith bob dydd.
Ffig. (Beiblaidd) – glanhau bywyd dyn.
1620 1 Cor 5.7, Am hynny, *certhwch* allan yr hen lefain, fel y byddoch does newydd.
1979 W Owen: RL 34, *Carthodd* ei wddf, poerodd i'r tân, ac ymlaen ag o.
Dywed. 'Mi dy *gartha'i* di allan' – am droi rhywun allan . Gw WVBD 243.

carthwr
1. **carthydd** *eg.* ll. *carthwyr, carthyddion.* Un yn carthu beudy, stabl, ayyb.
Gw. CARTHU.

2. *eg.* Gair a ddefnyddid gynt am geffyl trolio tail neu gario tail, tynfarch, ceffyl bôn, ceffyl siafftiau.
1200 LLDW 109, 16-17, *Karthwr* na march llyfnu ny henyw or Kefreyt.

carthu rhych *be.* Mynd â'r aradr, wrth orffen aredig cefn (grwn) mewn cae âr, ar hyd y rhych i godi'r pridd rhydd i'r naill ochr a'r llall, clirio rhych, glanhau rhych.
1980 Ff Payne: C 110, Tynnu'r cwysau at ei gilydd yn dawel nes dyfod y gwys olaf a chywreiniaf. *Carthu'r rhych.* Ac yna mwy o gynghorion nag a gaed drwy'r dydd; canys 'aredig dysgedig yw'.

carucate *eg.* Cymaint o dir ag y gellid ei aredig ag un aradr a gwedd o wyth o ychain mewn blwyddyn dan yr hen drefn ffiwdal. Amrywiai'r mesur o dir gryn lawer yn ôl ansawdd a natur y tir.
1990 FfTh 6, 37, Dengys bod yno ddarn o dir a elwid yn *carucate* – sef cymaint a allai un gwŷdd aredig mewn blwyddyn – wedi ei rentu allan rhwng dau ar bymtheg o denantiaid. (Ardal y Lôn Goed, Eifionydd).

carw *eg.* ll. *ceirw.* Anifail pedwartroed yn cnoi ei gil ag sy'n enwog am ei gyrn mawr canghennog; hydd, bwch danas, iwrch. Ar dir ystadau y gwelir ceirw bellach.
1620 1 Bren 4.23, Ugain o ychain porfadwy, a chant o ddefaid, heblaw *ceirw* ac iyrchod, a buail [ewigod] ac ednod [adar] breision.
Yn iach ymlid daear dwrch/Na chodi *iwrch* o goedfron,/Matsio ewig hi aeth yn foed/Pan dorrwyd coed Glyn Cynon. Anad.
1959 D J Williams: YCHO 32, Rhedfa ddamweiniol y *carw* olaf ar y bryniau hyn, yn ddiau, ers llawer o ganrifoedd.

carwden *(car + gwden) eb.* ll. *carwdenni.* Cadwyn neu dres haearn (yn wreiddiol gwialen ystwyth) a roir dros y strodur ar gefn ceffyl pan fo yn siafftiau'r drol i gynnal y siafftiau, cefndres trol. Lluniwyd y strodur fel bod ynddo gafn neu rigol o ddur i gymryd y garwden ac i'w chadw yn ei lle. Cyn dyddiau'r strodur diweddar, darn o bren ar ffurf bwa oedd y garwden. Ar lafar yn y Gogledd. Ceir hefyd y ffurfiau 'caroden' (Dinbych) a 'grwden' (Môn).
Ffig. Dyn tal afrosgo, hen labwst neu glimach o ddyn.
1450-80 DE 27, A hen *garwden* o grydd.

carwlam gw. CARLAM.

câs *eg.* Cyflwr, cywair (am anifail, yn enwedig ceffyl). 'Ceffyl a *châs* da' – â blewyn da, mewn cywair da, yn llond ei groen, porthiannus.
Ffig. Dyn neu ddynes lond eu crwyn.
'Ma'r hen Jôs wedi magu *cas* da.'

cas cadw *Ymad.* Y ffram a'r wedd allanol i ddyn ac anifail, y dyn neu'r anifail oddi allan.
1966 D J Williams: ST 57, Yn yr ymdrech edrychai mor llesg â'r gaseg druan, er bod y ddwy mewn *cas cadw* da.

caseg *eb.* ll. *cesig.* Y fenyw o rywogaeth y ceffyl, gwilff, gwil, gwilog, gweryren.
1200 LLDW 3, 1-2, Ni dyleyr dody na meyrch na *kessyc* na bucc en arader.
Ffig. *Caseg wen* – ffefryn, ffafrbeth, hoffbeth – 'O'm holl bregethau hon ydi fy nghaseg wen.'

13g B 4.6, *Cassec* cloff, cloff y hebawl. (Diar.)
Dywed. 'Yn ceisio'r blewyn glas y boddodd y *gaseg*.' 'Tynnu wyneb fel *caseg* frathu' –
rhywun yn brochi a gwgu. 'Gwae'r llygoden sy'n ceisio piso fel *caseg*' – rhywun am wneud
rhywbeth tu hwnt i'w allu. 'Ambell ruban yn help i werthu hen *gaseg*' – merch yn tynnu
mlaen mewn dyddiau ond am guddio hynny â dillad.

caseg â chyw Caseg yn magu ebol, caseg ag ebol neu gyw wrth ei thraed.

caseg dom Caseg wedd, caseg drol, caseg siafftiau, carthfarch. Ar lafar yn
y De.

caseg eira *eb.* ll. *cesig eira*. Pelen o eira ac o'i rowlio yn yr eira y mae'n tyfu
drwy i ragor a rhagor o eira lynu wrthi a hel amdani, caseg *ira*
(Maldwyn).

caseg fagu *eb.* ll. *cesig magu*. Caseg a gedwir i fridio yn ogystal â gweithio.

caseg fedi Y tusw ŷd olaf i'w dorri am y tymor (oes y cryman medi a'r
bladur) ag a ddygid i'w hongian dan y llofft yn y tŷ i ddarogan tywydd
sych i gael y llafur i ddiddosrwydd, plethen. Ar lafar yn Nyfed a
Cheredigion.
1958 I Jones: HAG 69, Yn oes y crymanau yr oedd mewn bri un arfer sydd wedi darfod yn
llwyr erbyn hyn, sef torri'r *gaseg fedi*. Pan fyddai'r fedel yn gorffen torri'r cae olaf am y
tymor, byddai'r 'gwas mawr' yn gwneud y tusw diwethaf cyn ei dorri'n bleth i sefyll i
fyny'n syth. Cawsai'r medelwyr gyfle o un i un ... gynnig i dorri'r gaseg trwy fwrw eu
crymanau yn rhydd ati. Byddai'r pellter yn bum llath fwy neu lai. Anfynych y llwyddai neb
i'w thorri'n llwyr ... Ond pan fyddai wedi ei llwyr ysigo ac yn gorwedd ar y llawr, torrai'r
gwas mawr hi yn y bôn a'i rhoi i'r ail was i'w chario adref.
Byddai morynion y fferm â bwcedi dŵr ganddynt yn barod i'w daflu ar y gaseg. Busnes y
cludwr oedd ei hamddiffyn rhag y dŵr a'i dwyn i'r tŷ yn sych, i'w hongian o dan y llofft.
Yn ôl yr hen goel byddai hynny'n sicrhau tywydd sych i gasglu'r ŷd i ddiddosrwydd.

caseg frwyn Ysgub o frwyn hirion i'w defnyddio fel slêd at sglefrio i lawr
llechwedd wedi ei orchuddio ag eira a rhew, slêd o frwyn, tobogan o
frwyn.

casg gyfeb Caseg a chyw ynddi, caseg drom o gyw, caseg ag ebol ynddi.

caseg pen medi (Bro Morgannwg) gw. CASEG FEDI.

caseg re/rewys – caseg yn marchio neu'n gofyn stalwyn, hefyd caseg
fagu.

caseg wair Enw ar fwrn neu felan o wair neu o wellt ar lun a delw yr
ymadrodd 'caseg eira'. Ar lafar yn ardal y Parc, y Bala.
Gw. BWRN.

caseg winau Caseg frown-olau ei lliw.
Hen rigwm. *Caseg winau*, coesau gwynion,/ Groenwen denau, garnau duon,/Garnau duon,
groenwen denau,/Coesau gwynion, *caseg winau*.
Hen bennill. Roedd gen i *gaseg winau*,/A honno'n walches denau,/Ei hochor drawodd wrth
das o wair/Nes torri tair o'i 'sennau.
1992 DYFED: Baeth 45, Llusgai'r hen *gaseg winau* y cerbyd yn fwy deallus nag arfer.

caseg wnnedd *eb.* ll. *cesig gwnnedd*. Ar lafar ym Maldwyn.
Gw. CASEG RE, CASEG WYNAD.

caseg wynad Caseg farchus, caseg yn gofyn stalwyn.
Gw. GWYNAD.

casgen bwyd moch *eb*. ll. *casgenni bwyd moch*. Hogsied neu dwb i ddal bwyd moch – bwyd yn gymysgedd o bob math o sbarion a sborion o'r tŷ, yn ogystal â thatws wedi eu berwi, baril bwyd moch.
Dywed. 'Fel casgen bwyd moch' – rhywun yn traflyncu amrywiaeth o fwydydd yr un pryd.
Gw. BARIL, HOGSIED.

casgis Ffurf lafar dafodieithol ar *casgenni*.

casglon *ell*. Yr hyn a gesglir o ŷd ar ôl cywain y cnwd, cribinion, crafion, lloffion. Ar lafar yn Nyfed a Chaerfyrddin.
Nod J Williams-Davies: AWC, *Casglon* – y gweddillion a gesglir oddi ar y cae wedi cario'r ŷd (Caerfyrddin).

casglu
1. (cwysi) *be*. Tyrru neu hel cwysi o gwmpas yr agoriad (canol cefn) wrth aredig cefn (grŵn) o dir âr. Ar lafar yn sir Ddinbych.

2. (ŷd) *be*. Yr ŷd yn syrthio'n daclus ac unfon wrth ei ladd (yn enwedig â'r cryman a'r bladur), yr ŷd yn casglu. Ar lafar yn sir Frycheiniog.

3. (gwaneifiau) *be*. Cynnull neu hel y gwaneifiau ŷd yn seldremi i'w rhwymo'n ysgubau. Ar lafar ym Maldwyn.

casglu cerrig *be*. Carega, hel cerrig tir gwair rhag iddynt niweidio llafnau cyllell y peiriant lladd gwair. Ar lafar yn Nyfed.
1962 Pict Davies: ADPN 28, Un gorchwyl oedd *casglu cerrig* ar wyneb y caeau gwair.
1989 P Williams: GYG 43, Gorchwyl blynyddol oedd *casglu cerrig* o'r cae gwair hadau, a oedd wedi ei droi mas y gwanwyn cynt, ac o'r caeau gwair gwndwn oedd wedi eu llyfnu. Âi tua phump o weithwyr i'r cae mewn cart a cheffyl, a byddai'r dynion yn *casglu'r cerrig* i fwcedi, a'r menywod i'w ffedogau ffetan, ac yn eu tywallt i'r gert.
Gw. CAREGA, HEL CERRIG, PIGO CERRIG.

casglu tywydd *Ymad*. Hel glaw (Môn), bygwth glawio, newid tywydd. Ar lafar ym Meirionnydd.

casglwr gwair gw. CRIBIN, HELIWR GWAIR, LLUSGAN, TWMBLER.

casglydd a byrnwr *eg*. Enw cynnar a fathwyd am *pick-up-baler*, cyn ei ddisodli gan y bathiad hapusach – byrnwr casglu.
Gw. BYRNWR CASGLU.

casnach *etf*. Cneifion, cnufiau gwlân, manflew.

casnad gw. CASNOD.

casnod
1. *etf*. ll. *casneidiau, casnaide*. Cnufiau gwlân, cudynnau gwlân.
1346 LLA 92, Dwy ysgubell o van adavedd neu van *gasnad*.

2. Llysnafedd ar wyneb dŵr (llonnydd), sleim, slafan (Môn).
Gw. SLAFAN.

3. Pren pwrpasol at wneud neu drwsio aradr (gwŷdd), dellten, aseth.

cast *eg.* ll. *castiau.* Tric, arferiad drwg, stranc (yn enwedig am geffyl)
'Ma' Prins wedi cael rhyw hen gast o godi'i ben, pan fydda i'n rhoi'r goler dros ei glustiau.'
Dywed. 'Anodd tynnu *cast* oddi ar hen geffyl' – rhywun yn methu rhoi heibio hen arferiad.

castell *eg.* ll. *cestyll, castelli, castellau, castelloedd.* Yn amaethyddol mesur o rawn yn cyfateb i oddeutu hanner bwysel. Hefyd mesur arbennig o dir.
1391-3 The extent of Chirkland (1933) 8, De frumento 1 gogr, dimidium and 1 *castell* ... and unum *castell* terrae.

casten, castin *egb.* Y rhan o'r aradr sy'n troi'r gwys drosodd wrth aredig, aden aradr, asgell (astell) aradr, styllen bridd. Ar lafar yn Nyfed a Cheredigion. Ceir hefyd y ffurf 'castyn', a 'castyn troi'.
1959 D J Williams: YCHO 29, A'i gwys fel edefyn o dalar i dalar, ac mor loyw-lyfn a *chasten* Bontseli ei aradr sionc.
1966 D J Williams: ST 55, Wrthi ei hun y tynnai, a than dywyniad haul cynnar Mai disgleiriai ei chorff hardd (caseg) fel *casten aradr.*
1989 D Jones: OHW 26, ... gwelem gawod o wylanod yn troi uwchben pen pella'r cae, a'r haul yn disgleirio ar ddau *gastin* aradr gyda'i gilydd fan draw a thractor felen yn araf symud tuag atom.

castin, castyn gw. CASTEN, STYLLEN BRIDD.

castr *eb.* bach. *cestryn.* Gwialen genhedlu neu gal tarw, stalwyn, ayyb. Benthyciad Lladin *castro* yn golygu 'ysbaddaf', 'cyweiriaf' (S. *castration*). Ar lafar fel 'castal' am wialen march yng Ngheredigion.

castyn troi gw. CASTEN, STYLLEN BRIDD.

cat, cetyn
1. **caten** *egb.* ll. *catiau, cetynnau.* Darn neu damaid neu hyd byr o rywbeth megis, cortyn, rhaff, haearn, amser, ffordd, ayyb.
'Estyn y *cat* llinyn 'na imi.'
1755 Gron 20, *Cettyn* yw'n hoes medd Catwg.
Ffig. Dyn byrdew, boliog.
1971 I Gruffydd: C 104, "Os nad ydan ni wedi cael digon o brofiad erbyn hyn, pryd y byddwn ni?" meddai rhyw *gatyn* o hogyn o Bentre Hebron.

2. *eg.* Bach giât, y bachyn sy'n hongian giât, neu y croga giât arno, yn y ffurf *cetyn* fel arfer. Ym Mawddwy clywir hefyd '*catiau* rhew' am bibonwy.

catberth (*cad* [cryf] + *perth*) *eb.* ll. *catberthi.* Dryslwyn trwchus, prysglwyn, lle llawn drysi a mieri.

catel, catal
1.*etf.* ac weithiau *eb.* ll. *cateloedd, catelau, catelion.* Y gwartheg, y da byw, y da corniog, y *catal.* Ar lafar yn sir Ddinbych a'r canolbarth. 'Mae acw gant o bennau o *gatel.*' Yn Llanfairfechan ceir lle o'r enw Pentre Catal, lle gynt y byddid yn pedoli gwartheg. Gw. WVBD 245.
1671 C Edwards: FfDd 138, Gan roddi iddo swydd y Fflint ac ugain mil o *gattel.*

2. Eiddo symudol, da symudol, taclau, offer, ayyb.
1700 Brog. (dalen rydd), Blin yw m'hel â *chatelion*,/Blinach yw byw lle ni bon.

catelus *a.* Yn meddu da byw yn helaeth, yn meddu eiddo, cefnog. Ar lafar yn y De.
'Ma' fe'n ffermwr *catelus* siwr o fod.'

caten gw. CAT.

Caterpiler *eg.* Enw neu farc masnachol math o dractor a yrrir gan felt neu tsiaen yn rhedeg yn ddidor am olwynion cocos y ddwy ochr iddo, ac yn cerdded ar y ddaear, yn lle olwynion, i roi gafael. O ran gyriant yn debyg i danc rhyfel. Bu'r peiriant hwn ar waith lawer iawn mewn ffermydd llechweddog, yn enwedig yn ystod yr Ail Ryfel Byd (1939-45) ac ar ôl hynny i bwrpas diwyllio'r tir ymylol, dan y polisi o wneud Prydain yn fwy hunangynhaliol mewn bwyd. Fe'i gelwir hefyd y 'Crafwr' a 'Cat' (talfyriad o *caterpiler*), ac yn Saesneg yn *crawler tractor*.
Gw. CRAFWR. Gw. hefyd FfTh Rhif 9, 33-6 (1992).

catsh lloi *eg.* Cornel wedi ei hamgau â chlwyd mewn cwt lloiau (tŷ lloi) ar gyfer llo bach, rhag iddo gael ei niweidio gan rai mwy.
1938 T J Jenkin: AIHA AWC, Defnyddid y gair 'lloc' ynglŷn â defaid allan yn yr agored pan fyddid wedi gwnaed amgae o glwydi i gasglu'r defaid iddo, ond ni ddefnyddid ef am le tebyg (ond llai) ar gyfer lloi yn y tŷ.

cathod Rhuthun gw. BRAIN, MOCH MÔN.

cethrein, cathren gw. CETHR, CETHREINIWR, CETHRU.

cau *be.* Yn amaethyddol cymenu cloddiau, wynebu clawdd pridd â thyweirch neu â cherrig, yn enwedig bylchau a mannau gwan, cloddio. Codid tyweirch yn flociau hirsgwar o'r ffos wrth odre'r clawdd a'u gosod ar ei gilydd fel brics. Yna codi pridd rhydd o'r ffos yn llanw tu ôl i'r tyweirch. Lle ceid cerrig, wynebir â cherrig ond gyda phridd yn llanw. 'Cau' oedd y term am hyn oll, a'i ystyr yn gwbl ddealladwy yn y cyddestun hwnnw. Clywir hefyd y ffurfiau 'ceu' (Maldwyn) a 'cou' (y De).
'Rhaid imi fynd ar ôl Twm Jôs i ddwad yma i *gau* tipyn.'
1996 FfTh 17, 15, Roedd bachgen yn gweithio yn Nant y Lladron â diddordeb mawr ganddo mewn *cau* a chloddio.
Gw. CLODDIO, DYN CALED.

cau adwy Cau bwlch, neu fan gwan mewn clawdd â thyweirch neu â cherrig.

cau brest Cau â drain rhwng gwifrau ffens.
1985 E Scourfield: Medel 2, 10, Dull gwahanol o gau ar wyneb clawdd moel drwy osod drain a chyll yn gymysg rhwng ffens a wifrau ... mewn gwirionedd yr hyn a wneir ydyw tywyllu ffens moel gan osod canghennau â'u blaen i mewn i'r ddaear. Rhydd hyn ychydig o gysgod yn ogystal i'r anifeiliaid, rhag y gwyntoedd cryfion, wrth lechu hyd ochr y clawdd.

cau pen Ymadrodd sy'n gyfystyr â 'throi pen', yng nghyd-destun gwneud tas wair neu ŷd neu wellt. O'r sawdl i'r bargod, byddai'r das wair ac ŷd draddodiadol – tas hirsgwar a thas gron – yn lledu, yna wedi

205

cyrraedd y bargod byddid yn 'cau pen' neu 'droi pen', sef culhau'r das o'r bargod i'r brig.

cau pen y mwdwl Diddosi'r cocyn neu'r mwdwl gwair (ac ŷd) yn y cae, gwneud y mwdwl mor gymen ac mor bengrwn ag y bo modd rhag iddo 'gymryd dŵr', rhoi cap ar y mwdwl (Meirionydd). Gw. *Llên y Llannau* 1978, 69.
Ffig. Dwyn araith, anerchiad, pregeth, ayyb, i ben.
'Does gan y gweinidog 'ma ddim syniad pryd na sut i *gau pen y mwdwl* wrth bregethu.'

caul *eg.* ll. *ceuliau, ceulion* (S. *rennet*). Cywair llaeth, cyweirdeb, blochda, llaeth wedi cawsio neu wedi ceulo. Yn Nyfed ceir y ffurf 'coil'. Gw. CEULO, CYWEIRDEB.

cawc, cawcyn gw. CALCYN.

cawell *eb.* ll. *cewyll, cawellau, cawelli.* Yn amaethyddol llestr neu fasged fawr o wiail (fel rheol) plethedig at ddal neu at gludo pethau. Ceir nifer o gyfuniadau.

cawell bwyso Dyfais rwyllog o fetel at bwyso anifail tew, yn enwedig eidion neu fochyn. Gyrrir anifail i mewn i'r gawell un pen, ac wedi ei bwyso ei ollwng allan y pen arall. Gwelir y gawell bwyso yn gyffredin iawn ar y ffermydd mwyaf ac ym mhob marchnadle.

cawell cefn Un o bâr o gewyll a osodid ar gefn anifail, un bob ochr, i gludo nwyddau. Defnyddid mulod, merlod a cheffylau pwn yn y modd hwn. Gw. CEFFYL PWN.

cawell fawn Basged fawr i ddal a chario mawn o'r das fawn i'r tŷ.

cawell frwyn Blwch neu lestr brwyn i ddal canhwyllau brwyn.

cawell gario gwair Math o fasged neu gawell rwyllog i gario gwair o fagwyr y das i'r siediau, y caeau, ayyb. Defnyddid cynfas (nithlen, llywionnen) hefyd i'r un pwrpas. Ar lafar yn Nyffryn Tanat a Meirionnydd.

cawell pladur Cadair neu ysgol pladur, sef y fframwaith o dair gwialen bwaog ar bladur, yn cyd-redeg â chamedd y llafn, ac uwch ei ben, i hyrwyddo bwrw'r ŷd, wrth ei ladd, yn waneifiau cymen, unfon. Gw. CADAIR³, CADAIR⁶.

cawell teilo Basged fawr i gario tail i dir serth, llechweddog. Gosodir pilyn pwn (cyfrwy heb warthaflau) ar anifail gyda chorn o bobtu iddo i fachu cewyll yn llawn tail.
1908 Myrddin Fardd: LLGSG 66, Syml iawn oedd eu celfi amaethyddol, buddai gnocio, ... gwŷdd pren, *cewyll i gario tail*, car llusg a rhawiau o goed i garthu'r beudái ...

cawell wyau Basged fawr o wiail â chaead arni i hel wyau o gwmpas ffermydd i'w gwerthu i gwsmeriaid ac yn y farchnad. Gwragedd yn aml a wnâi hyn. Byddai darpariaeth ar y gawell i fedru ei chario ar y cefn.

1959 Nod. o Gellan i AWC, Clywais am wraig, tua ardal Ffaldybrenin yn Sir Gâr, yn casglu wyau ac yn eu cario yn y *gawell* ar ei chefn.

cawg *eg.* ll. *cawgiau.* bach. *cawgyn, cawgen.* Llestr at ddal unrhyw hylif neu wlybwr, dysgl, basn, padell, crwsibl, cwpan, ffiol.
1620 Ioan 13.5, Wedi hynny efe a dywalltodd ddwfr i'r *cawg.*

cawgyn, cewgyn, cawgen. gw. CAWG.

cawl
1. *eg.* Saig wedi ei wneud o amrywiol lysiau, ac, fel rheol, o gig hefyd, wedi eu berwi mewn dŵr a'u sesno; potes, broth.
Ffig. 'mewn *cawl*' – mewn dryswch, mewn picil. '*Cawl* eildwym' – ail adrodd anerchiad, pregeth, ayyb. '*Cawl eildwym* gawson ni o'r pulpud heddiw.' 'Mae natur y cyw yn y *cawl*' – gadael blas. 'Edrych fel pe'n byw ar *gawl pen lletwad*' (Abergwesyn) – 'byw ar'leuni dydd a dŵr' (Môn).

2. Y llysiau a ddefnyddir i wneud cawl, bresych, cabaets, ayyb, llysiau coginio.
13g RC 33, 248, Anvon (Iago) yr ardd i gynnull *cawl* i wneuthur bressych.
14g MM 78, dot arnaw *deil y cawl.*

cawl Awst *eg.* Math o wledd yn Awst gynt pan ddôi bugeiliaid at ei gilydd i le canolog, penodedig, a dod â'u cyfran o fwyd i'w canlyn, i fwynhau orig yng nghwmni ei gilydd.
1908 Myrddin Fardd: LLGSG 295, Byddai hefyd wledd yn cael ei chynnal yn yr awyr agored, o'r hyn a elwid *Cawl Awst* pryd y dygai pob bugail ei gyfran i'r man cyfarfod.

cawl bras Â llawer o fraster ynddo.

cawl cennin Â chennin yn brif lysiau ynddo.

cawl cig Potes cig, cig yn elfen amlwg ynddo.

cawl coch (rhudd) Cawl llawn cig ond dim braster.
1620 Gen 25.30, Gad i mi atolwg yfed o'r *cawl coch* yma.

cawl cwta berw Broth wedi ei wneud yn frysiog.

cawl eildwym Wedi ei ail ferwi neu ei ail dwymo.
Ffig. Am unrhyw beth wedi ei ail ysgrifennu neu ei ail gyfansoddi – '*Cawl eildwym* gawson ni yn pulpud bore 'ma'.

cawl erfin Potes maip.

cawl gwenith Saig o wenith wedi ei ferwi a'i gyflasu â sbeis.

cawl haidd Saig o haidd wedi ei ferwi a'i gyflasu â sbeis.

cawl haslet *eg.*
1938 T J Jenkin: AIHA AWC, Cawl oedd hwn a wneid yn lled fuan ar ôl lladd mochyn, ac yn lle cig cyffredin defnyddid y traed, y clustiau, y gynffon, a rhyw fân ddarnau eraill, fel yr oedd bron yn gyfystyr â 'brawn', ond na ddernid y cig cyn ei ferwi, a berwid yr esgyrn, y croen a pha faint bynnag o gig ag a fyddai. Yr oedd yn gawl cryf iawn, a phan oerai, âi yn jelly fel y gwna 'brawn'.

cawl maip Potes maip, cawl erfin.

cawl llaeth Broth llefrith.

cawl pen lletwad Broth di-gig, mor ddi-gig â phen lletwad, sef ladl. Ar lafar yn y De.

cawl pys Potes pys.

cawl sgadan Cawl â phennog neu sgadan yn elfen amlwg ynddo.

cawl Sir Benfro Wedi ei wneud o amrywiol lysiau. Ar lafar yn Nyfed.

cawl winwns Â nionyn neu winwn yn elfen amlwg ynddo. Ar lafar yn y De.

cawn

1. *ell.* ac *etf.* bach. *conyn, cawnen.* ll. *conion, conynnau, conynnod, cawnenni.* Gwlydd, coesau, cyrs, corswellt, gweiryn cwrs ar ucheldir.

13g WM 463.28-31, Ar vlaen y kawn y cerddei, ac ... ni flygwys *conyn* dan ei draet.

2. Brwyn neu wellt at doi. Ar lafar yn y De.

1953 Crwys: *Cerddi Crwys* 42, Hen fonedd y bwthyn *to cawn.*

1966 D J Williams: ST 154, Bob tro y trawai ei lygaid ar dyllau rhwth y llygod mawr yn *nho cawn* yr hen dŷ byw a'r beudy yn un ag ef, dôi rhyw niwl tenau dros ei gydwybod.

3. Sofl, bonion, câns, conyn, cownen (Maldwyn). Cyfun. *Cawn coch* – cawn a'i ben wedi ei blygu. *Cawnen ddu* – gwellt neu hesg at wneud matiau. *Cawn pensidan* – gw. CAWN COCH. *Cawn pengrych* – Â'i ben yn ysgwyd ac yn ymdonni. *Cawn penwyn, cawnen benwen* – gwellt garw, cwrs. Ar lafar yn Nyfed.

Dywed. 'dim cysgod *cawnen*' – dim cysgod, moel, noeth.

1966 I Gruffydd: TYS 122, Lle ciaidd ydi'r hen lôn bost 'na. 'Tos 'na *ddim cysgod cawnen* oddi yma i Bentre Berw, boed hi dywydd y bo hi.

Diar. Gwell bod mewn cysgod *cawnen* na bod heb ddim.

4. *ebg.* Llestr gwiail neu wellt at gario ŷd, bwlan, lip.

1801 LLr C 24.187, A sych bob un ar ei ben ei hunan mewn cistiau derw neu *gawneni* gwellt gwenith yn gaeëdig.

cawna *be.* Hel neu gasglu cawn, sef brwyn at doi, ayyb, hel câns neu goesau, cecysa, pencawna.

cawnwair *eg.* ll. *cawnweiriau.* Rhygwellt.

cawnwellt (*cawn + gwellt*) *eg.* Gwellt neu dyfiant tebyg i gawn, brwynwellt, brwynwair.

1726 S Rhydderch: Alm 3, mewn mynydd-dir *cownwellt.,*

cawod

1. **cawad, cafod** *eb.* ll. *cawodydd, cawodau, cafodydd.* Tafliad neu fwriad byrhoedlog o law, eira neu eirlaw (cenllysg), ayyb, *cawod* o law, *cawod* o eira. Yn amaethyddol y *gawod* fyddai'n gymaint lles yn Ebrill a Mai, ond yn rhwystr yn y cynhaeaf gwair Mehefin a Gorffennaf. Bellach yn oes y silwair nid yw'n gwneud llawer o wahaniaeth.

1620 Salm 72.6, Efe a ddisgyn fel gwlaw ar gnu gwlân; fel *cawodydd* yn dyfrhâu y ddaear.

Ffig. Pentwr o lwch – 'fe ddaeth *cawod* o lwch o r'wle'. Ffrwd o ddagrau – 'Welais i rioed y fath *gafod* o ddagrau'. *Cawod* y fendith – gwlith trwm ar adeg o sychder. *Cawod* o adar.

208

1989 D Jones: OHW 26, gwelem *gawod o wylanod* yn troi uwchben pen pella'r cae …
Tywalltiad ysbrydol.
1929 LLEM 339, Tyred a'r *cawodydd* hyfryd/Sy'n cynyddu'r egin grawn;/*Cawod* hyfryd yn y bore/Ac un arall y prynhawn.
2. cafod *eb.* Malltod neu haint ar gnydau ac yn arferol yn y ffurf 'y gawod', rhwd, llwydni, haint ar rawn ŷd, coed a phlanhigion.

cawod groes *eb.* ll. *cawodydd croes.* Cawod hollol leol ac heb fod yn glawio'n gyffredinol, cawod yn gwlychu un ardal ond heb effeithio dim ar ardal arall. Ymadrodd llafar.

cawod wynt *eb.* Pwff cryf o wynt, hyrddwynt, cwthwn, chwa cryf o wynt.

y gawod fêl Sylwedd melys a geir ar ddail rhai planhigion.

y gawod goch Haint y rhwd ar gnwd ŷd (Brycheiniog).

y gawod lwyd Llwydni ar gnydau ac ar lysiau.

cawodi *be.* Bwrw cawodydd o law, eira, ayyb, glawio'n ysbeidiol. Ar lafar yng Ngheredigion a'r De.
1620 Ecs 9.23, A *chafododd* yr Arglwydd genllysg ar dir yr Aifft.

cawodog *a.* Ysbeidiau byrhoedlog o law, bwrw cawodydd, diwrnod *cawodog,* tywydd *cawodog.* Ar lafar yn gyffredinol. Amr. 'cafodog'.
'Diwrnod *cawodog* mae nhw'n ei addo heddiw.'

caws *eg.* bach. *cosyn,* ll. *cosynnau, cosynnod.* enllyn maethlon a wneir o geulfraen llaeth (llaeth wedi ceulo) wedi ei wasgu, neu o laeth wedi ceulo ac wedi ei wasgu i dynnu'r maidd ohono. Ceir caws caled a chaws meddal ac amrywiaeth o'r naill a'r llall. Ym mhlith y rhai caled y mae caws Caerffili, Caerloyw, Cheddar, Caer, Stilton, Wensleydale. Y caws meddal mwyaf cyffredin yw Camambert a Brie.
Defnyddir y gair *caws* hefyd am y ceulfraen ac am ddarn o'r enllyn a chrawen amdano.
1620 Job 10.10, Oni thywelltaist fi fel llaeth, a'm ceulo fel *caws.*
Dywed. '*Caws o fol ci*' – ceisio'r amhosibl neu'r anadferadwy. 'Waeth iti drio cael *caws o fol ci* mwy na thrio cael dy bres yn ôl o'r fan'na'.
Esboniad arall:
1989 FfTh 4, 14, Mae cŵn yn hoff iawn o *gaws* a dyna mae'n debyg sail y ddihareb; 'Anodd cael *caws* o fol ci'. Os ydych am gael ci yn gyfaill ichi y ffordd orau yw rhoi tamaid o *gaws* dan eich cesail a'i gadw yno am sbel. Rhowch y *caws* hwnnw i'r ci a bydd hynny yn gychwyn cyfeillgarwch oes'.
'Drwg yn y *caws*' – tramgwydd nad yw'n glir beth yw ei natur. Caws yn beth hawdd ei lygru. 'Bara llygeidiog, *caws* dall' – bara wedi codi a chrasu'n iawn ac yn llawn o fân dyllau, ond caws da heb yr un twll.
Diar. 'Anodd cael *cosyn* glân o gawsellt fudr.'
Hen Rigwm. 'Pe tasa'r Wyddfa fawr yn *gaws*/mi fasa'n haws cael *cosyn*.'
Gw. CAWSELLT, CAWSELLTU, CAWSIO, CAWSION, CAWSLESTR, CAWSLIAIN, CAWSLYST, CAWSTELL, CAWSWASG, CEULFRAN, CWRDEB, GWNEUD CAWS, MAIDD, SOPEN.

caws bras Wedi ei wneud o laeth drwodd. Ar lafar ym Maldwyn.

Caws Caer Caws melyn, caws caled.

Caws Caerffili Caws a wneid yn wreiddiol yng Nghaerffili ac o laeth drwodd, ac a werthid i'w fwyta o fewn ychydig ddyddiau i'w wneuthuriad. Mae'n ymddangos mai *Caws Cymru* y gelwid y caws i ddechrau ond iddo'n ddiweddarach gael ei alw'n Gaws Caerffili. Yn ddiweddarach fyth y daeth yn gaws Dwyrain Cymru a Gorllewin Lloegr. Saith-degau i naw-degau'r 19g oedd oes aur Caws Caerffili. Gw. ysgrif S Minwel Tibbot yn *Medel* 2, 1985.

caws cartref Y math o gaws y gwneid llawer iawn ohono gartref gynt.

caws ceulaid Caws o laeth wedi suro neu geulo.

caws cnap Caws sych

caws coch Caws melyngoch ei liw.

caws colfran (ceulfraen) gw. CAWS CEULAID.

caws ffarmwrs Caws cartre ac wedi ei wneud o sgim, caws sgim. Ar lafar ym Maldwyn.

caws gwyn Caws gwyn ei liw.
Gw. CAWS CAERFFILI.

Caws Llangernyw Caws a gynhyrchid mewn ffatri gaws a agorwyd yn Llangernyw, sir Ddinbych, ar ôl y Rhyfel Byd Cyntaf (1914-1918). Bu'n achlysur llawer o dynnu coes a rhigymu e.e. 'Mawr fu'r si a mawr fu'r sôn/Am y caws geir yn Sir Fôn,/Gallaf finnau dystio heddiw/Bydd sôn drwy'r byd am *gaws Llangernyw'*. Gw. FfTh 4, 39, 1989.

caws sgim Gw. CAWS FFARMWRS.

caws sur Caws o laeth enwyn.

cawsa *be.* Casglu caws, cardota caws, hel caws. Gwneid hyn lawer iawn gynt, yn enwedig gan ferched tlawd a rhai newydd briodi. Aent i ffermydd i *gawsa* neu i gardota caws, ac fe'u gelwid yn 'gwragedd *cawsa'*. cf. BLAWTA, GWLANA, LLOFFA, YTA.
16-17g Llywelyn Sion, Gwaith 597,. '*Cawsa*, yta, gwlana'n glir'.
1860 SCPA 17, 'And these ar called by us *Gwragedd Cowsa*, that is, cheese gatherers'.

cawsai *egb.* ll. *cawseion*. Gair am gardotwr caws ac am un yn gwneud caws.
14g GDG 316, Lle nid hysbys, dyrys dir,/Blotai neu *gawsai* goesir.

cawsellt (*caws* + *ell*) *eg.* ll. *cawselltydd, cawsellti, cawselltau*. Llestr neu fold y gwegir y ceulfraen ynddo i'w droi'n gaws, y llestr sy'n rhoi ffurf i'r cosyn. Amr. 'cawsyllt', 'cawstell', 'cowsellt' (Maldwyn). Ar lafar ym Morgannwg.
1800 W Owen Pughe: CP 87, Ni ddyly y *cawswellti* ... fod o fwy dyfnder na thair modfedd.

1902 B.B. (OME) 76, Bwrdd a meincie i eistedd wrtho/Ac ystolion i orffwyso,/Silff i roddi pethe arni,/*Cawsellt*, carcaws, a chryd llestri.
1933 H Evans: CE 100, Gwneuthurwyr tybiau menyn, y gunog odro, y *cawsellt*, etc. oedd y cwper.
Hen bennill. 'Anodd cael mae hynny'n eglur,/Gosyn glân o *gawsellt* fudr,/Anodd felly fod gan Megan/Blant yn lân a hithau'n aflan.'

cawselltu *be.* Gwasgu neu wthio'r ceulfraen i'r gawsellt.

cawselltaid, cawselltiad *eg.* ll. *cawsellteidiau.* Llond cawsellt neu gawslestr.

cawsio, cawsu *be.* Ceulo, troi'n gaws, torri'n geuled (am laeth).
1800 W Owen Pughe: CP 103, Ychydig bach o gywer, digon yn unig i beri *cawsio* a dim mwy.

cawsion, cawson (Dyfed) *ell.* Ceuled. llaeth wedi suro neu geulo.
1938 T J Jenkin: AIHA AWC, *Cawson* – curdlings. Ni ddefnyddid y gair ynglŷn â gwneud caws ond dyweder lle yr oedd buwch bron yn hesb a'r llaeth yn cawso yn ei thethau.

cawslestr *eg.* ll. *cawslestri.* Cawsellt, llestr i wasgu a moldio caws. Amr. 'cawslyst' (Cerredigion), 'cawsled' (Dyfed).
18g L Morris, LW 220, Silff i roddi pethe arni/*Cawslestr*, carcaws a chrud llestri.
Gw. GWNEUD CAWS.

cawsliain (*caws* + *lliain*) *eg.* ll. *cawslieiniau.* Y lliain y gwesgir y ceulfraen ynddo wrth wneud caws.
1800 W Owen Pughe: CP 87-8, Pedwar cornel y *cawslian* a droir drosto.

cawslyst, cawslist gw. CAWSLESTR.

caws llyffant *ell.* un. *cosyn llyffant.* Gair Môn am fadarch bwytadwy, myshrwm. Gwahaniaethir ym Môn drwy alw caws neu ffwngws anfwytadwy yn 'caws ceffyl' a 'caws neidr', a ffwngws bwytadwy yn *caws llyffant*.

cawson gw. CAWSION.

cawstell gw. CAWSELLT, CAWSLESTR.

cawsty (*caws* + *tŷ*) *eg.* ll. *cawstai, cawstyau.* Adeilad neu ystafell i wneud caws neu i gadw caws, hafoty, llaethdy, tŷ llaeth.

cawswasg (*caws* + *gwasg*) *eb.* ll. *cawsweisg, cawswasgau.* Gwasg neu wryf i wasgu allan y maidd o'r ceulfraen wrth wneud caws, peis.
Gw. PEIS.

cawswryf gw. CAWSWASG.

cawsyllt gw. CAWSELLT.

cawty (S. *cow* + *tŷ* neu lygriad o *glowty*) *eg.* ll. *cowtai.* Beudy, glowty, tŷ gwartheg.
Gw. BEUDY, GLOWTY.

cebystr

1. cebyst *eg.* ll. *cebystrau, cebystron.* Cortyn neu dennyn a chwlwm rhedeg arno i ddal a rhwymo gwartheg a cheffylau, penffrwyn, penffestr, penffyst. Ar lafar yn y De.

1200 LLDW 13, 13-16, cruyn [crwyn] y gweneutur [gwneuthur] *kebystreu.*
1996 *Cofio Leslie Richards* 17, Pan fydde 'nhad yn galw ceffyl fe fydde'n mynd i'r bwlch a *chebyst* dan 'i gesel a thipyn o fran neu indian corn mewn bocs Thorleys yn 'i law.

2. *eg.* Y rhan o'r aradr sy'n cysylltu'r wadn a'r styllen bridd wrth yr arnodd, ac, yn wir, yn cysylltu gwahanol rannau o'r aradr wrth ei gilydd, cleddau mawr (Ceredigion).

1928 G Roberts: AA 44, Derw, yn ddieithriad oedd defnydd yr arnodd (asgwrn cefn yr hen aradr geffyl) a'r breichiau, *cebystr* o haearn wedi ei ffitio mewn mortais ym môn yr arnodd a mortais i'r cwlltwr o fewn 15 modfedd i'r blaen.

Gw. hefyd CLEDDE[2], PROBWYLL.

3. *eb.* Rhaff grogi (anifail a dyn) – estyniad arwyddocaol i *cebystr* – y cortyn a'r cwlwm rhedeg.

1618 J Salisbury: EH 198, Anfynych y dianc lleidr rhag y *cebystr* a'r crocbren.

4. Melltith neu aflwydd (yn enwedig fel math o lw).

14g GDG 176, *Cebystr* ar gringae cybydd (mieri).

Dywed. '*cebystr* arno fe' – melltith y diafol fo arno. '*Cebyst* o beth' – melltith o beth. 'Beth *gebyst*, pam *gebyst*, pwy *gebyst*, lle *gebyst*' – beth ar y ddaear, pam goblyn, ayyb. 'Myn *cebyst*' – myn coblyn, myn diawch. 'Tynnu ei ben o *gebyst* – cael yn rhydd o bicil. 'Yn *gebyst* gwyllt' – o'i go lân, yn gandryll.

cêc *ell.* Bwyd anifeiliaid (yn enwedig gwartheg a defaid), cydbwys, parod, yn y ffurf o belenni bychain. Bwyd wedi ei gywasgu'n deisennau i'w wneud yn fwy cyfleus i'w storio a'i gludo, teisfwyd.

1989 P Williams: GYG 22, Lorïau oedd yn dod a '*cake*' tewhau'r bustych, gweryd 'cwdin' a chalch i'r ffarm.

Gw. TEISFWYD.

cêc cnau daear *etf.* Cêc neu flawd o'r cnau daear trofannol (*Arachis hypogea*) ac i'w cael yn eu ffurf dieisin neu ffurf eisinog. Fe'u defnyddir i fwydo gwartheg godro ac i besgi gwartheg yn ogystal â moch, dofednod a defaid.

Gw hefyd BLAWD CNAU DAEAR.

cêc cnewyllyn palmwydd *etf.* Cêc a geir o weddillion cnewyllyn ffrwyth y goeden balmwydd Affricanaidd (*Elacis guineensis*) ar ôl tynnu'r olew allan. Mae i'r cêc werth ffeibraidd uchel ond yn tueddu i fod yn anflasusaidd. Y mae'n dlotach mewn prodin na checau eraill ac yn araf i gymhathu â dŵr. Fe'i defnyddir weithiau i ddwysfwydo buwch cyn iddi loia.

Gw. TEISFWYD CRAIDD PALMWYDD.

cêc coconut *etf.* Dwysfwyd anifeiliaid yn gyfoethog mewn protin, yn cael ei ddefnyddio yn nogn bwyd gwartheg llaeth, ac i besgi gwartheg a moch. Mae'n cynhyrchu braster caletach na'r rhelyw o gynhyrchion had oel. Mae'n ymddangos nad yw mor hawdd ei gael ag y bu.

cêc cotwm gw. TEISFWYD COTWM.

cecys, cecs *ell.* un. *cecysyn, cecysen.* Cawn, cyrs, calafau, coesau, corsennau. Fe'u cesglid gynt i gynnau tân. Yn ddiarhebol am beth sych a chrin. Amr. 'ciecs' (Maldwyn). Sonnir am bethau 'cyn syched â'r *gecsen'*. Gelwir y corn gwddf yn *'gecas* wynt' ym Morgannwg.

ceden *eb. ll. cedenau, cedenod.* Gwair neu wellt neu frwyn sy'n tyfu'n sypiau neu sypynnau, myngwellt, braswellt, cyrs.
1758 ML 1, 265, Gronyn o hen ddyn a *cheden* o wallt llwyd ganddo.

cedor y wrach, cedowrach *eg.* (S. *burdock*) Un o'r chwyn y mae'n rhaid i amaethwr ymgodymu â hwynt.
Gw. CHWYN.

cedny, cendy *ell.* un. *cadno.* Ffurf luosog ar cadno. Yn aml ceir y 'd' a'r 'n' yn y canol yn newid lle a cheir *cendy.* Ar lafar yng Ngwent.

cedw gwyllt gw. MWSTARD GWYLLT.

cefn
1. *eg. ll. cefnau, cefnoedd, cefnydd.* Un o'r lleiniau y rhennir cae iddynt nhw wrth ei aredig, y tir rhwng dau rych mewn cae âr, grwn, trym. Ar lafar yn y Gogledd.
1620 Salm 65.9-10, Yr wyt yn paratoi ŷd iddynt ... gan ddyfrhau ei *chefnau.*
1749-1842 T Lewis: LLEM 388, Aredig ar *gefn* oedd mor hardd (Ystyr dwbl i *cefn*).
Mewn cyfuniadau cawn:
canol cefn – y cwysi cyntaf a droir at ei gilydd wrth gychwyn aredig cefn
Gw. AGOR CEFN, CODI CANOL CEFN.
cefn dwygwys, teircwys, pedair cwys – canol cefn o ddwy, tair, neu bedair cwys.

2. *egb.* un. ben. *cefnen.* Esgair mynydd neu fryn, trum. Sonnir am fynd dros y *gefnen,* sef dros dros ysgwydd bryn. Fe'i ceir mewn enwau lleoedd yn gyffredinol: *Cefn* Mawr, *Cefn*brith, *Cefn* Coed-y-Cymer, ayyb.
Ceir hefyd y ffurfiau 'cefen' (Maldwyn, Ceredigion, Caerfyrddin, Gorllewin Morgannwg), 'cewn' (Dyfed), 'cefan' (Dwyrain Morgannwg, Gwent).
13g WM 145, 25, *Kefyn* mynydd mawr.
14g GDG 107, A thrachefn dros y *cefnydd*/Ar hynt un helynt â hydd.

3. *eb.* Torlan pwll mawn y sefir arni i ladd mawn, torlan (Capel Curig) y cledwch (Meirionnydd) neu'r fainc.
Gw. CALEDWCH[1].

4. *eg.* Rhan o gadair pladur, y darn sy'n rhedeg yn gyfochrog â choes y bladur ac yn dal y bysedd, cefen.

cefn y bladur *eg.* Asen llafn y bladur, y trwch o haearn sydd ar hyd cefn y llafn ac yn rhoi cryfder iddo.

cefndeuddwr (*cefn* + *deuddwr*) *eg.* Y llecyn daearyddol lle ceir rhaniad y dŵr, y pwynt lle rhed y dŵr ohono i ddau gyfeiriad hollol wahanol, trum o dir uchel sy'n gwahanu dau ddalgylch dŵr.
Gw. RHANIAD Y DŴR.

cefndid coes pladur *eg.* Y camedd neu'r tro pwrpasol yng nghoes y bladur sy'n hyrwyddo a hwyluso'r defnydd a wneir ohoni. Gw. ENWAU RHANNAU'R BLADUR a'r LLUN dan PLADUR.

cefndir

1. (*cefn* + *tir*) *eg.* ll. *cefndiroedd.* Y tir neu'r wlad tu cefn, y tir tu cefn, y wlad tu cefn, cefn gwlad.

Ffig. Y rhan gefn o olygfa mewn darlun, yr hyn sy'n ffurfio setin i'r hyn sydd ym mlaen y darlun, neu'r hyn sy'n ffurfio setin i ddigwyddiad neu amgylchiad neu symudiad, ac i ryw raddau yn eu hegluro. Mae'n air cymharol ifanc yn yr ystyr estynedig a throsiadol yma. Cyhoeddwyd Y *Beibl a'i Gefndir,* G A Edwards ym 1922. O bosibl mai dyma'r defnydd cyntaf o'r gair *cefndir* yn ei ystyr drosiadol, mewn print. Rhoir 1919 yn flwyddyn wrtho, fodd bynnag, yn GPC.

2. Un llain o dir mewn cae âr, y grwn, y lled o dir rhwng dau rych. Gw. CEFN[1].

cefndres

1. (*cefn* + *tres*) *eb.* ll. *cefndresi.* Cefnrhaff, rhan o harnais ceffyl gwaith, sef y llain cymharol lydan o ledr a roir dros gefn y ceffyl i gadw'r tresi (tidiau) i fyny pan fo'n tynnu aradr, og, ayyb. Fe'i cedwir yn ei lle gan y dordres a glymir dan fol (tor) y ceffyl, 'cefnwden', 'cefnrhaff', 'ciefndres' (Maldwyn) 'cefndras' (Môn ac Arfon), 'batsien' (Ceredigion), 'bacmon', 'bacman' (Dyffryn Tanat).

1722 *Llyfr Festri Llanuwchllyn* (LLGC), Am ddwy *gefndres* hauarn ir Elawr feirch

2. *eb.* Y garwden, sef y gadwyn (gwialenod ystwyth gynt) a roir dros y strodur i ddal llorpiau'r drol i fyny pan fo ceffyl yn y llorpiau. Ar lafar ym Maldwyn yn yr ystyr hwn.

1981 GEM 19, *Ciefndres* – y gadwyn fydd yn mynd dros strodur ceffyl shafft, i ddal y siafft i fyny.

cefnen

1. *eb.* ll. *cefnennau.* Esgair, crib bryn neu fynydd. Sonnir am yr haul yn machlud dros y *gefnen,* neu am hwn a hwn yn byw dros y *gefnen.* Gw. CEFN[2].

2. *eb.* Llethr, llechwedd, ochr, bron (am fryn neu fynydd).

cefnfaes (*cefn* + *maes*) *eb.* ll. *cefnfeysydd.* Gwastatir uchel, mynydd-dir gweddol wastad, gwastadros.

14g DGG 69, Llawer '*cefnfaes*' gwlyb cefnhir,/A gerddais i, gorddwys hir.

cefngor (*cefn* + *cor* [pared]) *eg.* Yn amaethyddol y palis neu'r pared o ystyllenodd o flaen y buchod yn y beudy a rhwng stôl y fuwch a'r bing neu'r ffodrwm, ac yn ffurfio cefn i breseb y fuwch, cor, palis (Ceredigion). Ar lafar yn y gogledd.

1992 E Wiliam: HAFF 28, Yn sicr yr oedd yn gyffredin i'r *cefngor* rhwng y gwartheg a'r bing fod o ddefnydd mwy parhaol na choed.

cefnrhaff (*cefn* + *rhaff*) *eb.* ll. *cefnrhaffau.* Cefndres, cefnwden, batsien (Ceredigion), bacmon (Dyffryn Tanat). Ar lafar yng Ngheredigion a sir Benfro.

1958 FfFfPh 30, Aent ag ef (gwlân) i'r ffatri i'w wneud yn wlanen … Byddai'r gwlân garw yn cael ei ddefnyddio i wneud gwlanen fach gul tua chwe modfedd o led. Byddai fy nhad yn defnyddio hon at wneud *cefnrhaffau* i'r ceffylau erbyn y gwanwyn ... ac yn arbed bil i'r sadler.

cefnu *be.* Codi neu agor canol cefn mewn cae âr, sef troi'r Ddwy gwys gyntaf at ei gilydd.
Gw. AGOR GRWN, CEFN, CODI CANOL CEFN.

cefnwden (*cefn* + *gwden* = gwialen ystwyth) *eb.* cefndres, cefnrhaff. Enw sy'n awgrymu bod i'r gefndres ledr, ac i'r gefnrhaff, ragflaenydd o wiail, yn union fel y 'garwden'.
Gw. CEFNDRES, CEFNRHAFF.

ceffil, ceffile gw. CEFFYL, CEFFYLAU.

ceffyl *eg.* ll. *ceffylau.* Anifail pedwar carnol cryf a ddofwyd i'w farchogaeth ac at weithio ar fferm, ayyb. Disodlodd yr ychen i ddibenion amaethyddol fel aredig a llyfnu a thynnu trol, hyd nes ei ddisodli yntau gan y tractor, cel. Bu lle pwysig ac anrhydeddus i'r ceffyl mewn amaethyddiaeth am ganrif neu fwy, rhwng oes yr ychen ac oes y tractor. Ni allai'r ffermwr anwybyddu'r ffaith fod ei fywoliaeth yn dibynnu cymaint ar ei geffylau.

Peth cymharol ddiweddar yn y stori amaethyddol er hynny, yw gweld gwedd o geffylau'n aredig. Dan yr Hen Gyfraith ni ddylid defnyddio'r ceffyl i dynnu'r aradr. Ychen oedd i wneud hynny. Gallai ceffylau lusgo'r oged a chario'r cewyll tail, ond nid tynnu'r aradr. Mae'n debyg bod y ceffylau gynt yn llai ac yn wannach oherwydd ansawdd y bwyd a diffyg rheolaeth ar fridio ar diroedd agored, diglawdd. Hefyd, cyn dyfeisio'r goler galed ni ellid harneisio ceffyl yn foddhaol i wneud caledwaith fel aredig. Yn ystod rhan gyntaf y 19g y daeth y ceffyl gwedd i'w fri a disodli'r ychen erbyn canol y ganrif (ar y cyfan). Rhyw ganrif a fu oes y ceffyl gwedd cyn ei ddisodli yntau gan y tractor.

Yn 1904, 'roedd 94,552 o geffylau gwedd yng Nghymru, eu nifer wedi cynyddu 35,551 ers 1875. Ar ben hynny roedd 42,446 heb eu torri i mewn, a 23,267 o rai dan flwydd. Erbyn yr Ail Ryfel Byd (1939-45) 'roedd eu nifer wedi gostwng yn sylweddol ac erbyn 1950 roedd y ceffyl gwedd wedi ei ddiorseddu bron yn llwyr gan y tractor. Yn Nyfed ceir 'ceffil', 'ceffile'.

1933 H Evans: CE 128, Nis gwn pa mor bell yn ôl y dechreuwyd defnyddio'r *ceffyl* gan yr amaethwyr. Dengys yr enw Saesneg sydd bron ar bob ceffyl o'i gymharu ag enw Cymraeg prydferth y fuwch, nad yw'n hen iawn, a chofiaf ddigon o hen frodorion a fu'n aredig gyda'r ychen (g. 1854). Gw. ENWAU ANIFEILIAID.
1958 FfFfPh 57-8, Rhywle tua'r flwyddyn 1860 yr aeth fy nhad i'r Dolau ... a chlywais ef yn dweud lawer gwaith, fod gan y sawl oedd yn y Dolau o'i flaen ddau ych yn aredig ac yn cario'r dom, a chofiaf imi glywed dyn o'r enw Lewis Jac, yn dweud iddo fod yn was yn y Dolau ... ac iddo fod yn dilyn y ddau ych yma lawer gwaith. Ni pharhaodd oes y *ceffyl* ond prin ganrif ar feusydd y Dolau.
1975 R Phillips: DAW 59, Rhaid cyfaddef mai'r *ceffylau* oedd yn cael y gofal pennaf gan fwyafrif amaethwyr y plwyf yn nechrau'r ganrif hon (20g).
1975 T J Davies: NBB 101, Pan adewais i'r fferm yn 1938, da y cofiaf, dim ond un tractor a geid yn y gymdogaeth. Ceid pâr neu ddau o geffyle gwaith ar bob lle. Erbyn hyn ceir mwy

nag un tractor ar bron bob fferm, ac eithriad sy'n rhyfeddod yw gweld ceffyl.
Ffig. *ceffyl haearn* – beic (Môn)
ceffyl tân – yr injan dren, a'r offeryn haearn i gadw'r tân yn gymen (Maldwyn)
ceffyl uncarn – ffon law (Môn)
ar gefn 'i geffyl – mewn hwyl ddrwg. 'Gwylia dy hun, ma'e giaffar *ar gefn 'i geffyl* heddiw. '
ar gefn 'i geffyl – mewn hwyliau da. 'Mae'r hen Forgan *ar gefn 'i geffyl* ar ôl ennill y lecsiwn ddoe.'
ar gefn 'i geffyl gwyn – llawn direidi, drygionus.
hwi, ceffyl benthyg – gorfanteisio ar un parod ei gymwynas.
ceffyl gwyn (caseg wen) – hoff beth, yr hyn sydd fwyaf mewn ffafr. 'Y ddarlith yma ydi fy nghaseg wen i.'
ceffylau gwynion – tonnau ewynog y môr.
rhedeg dau geffyl – dal dwy swydd, cael dau gyflog. Cymh. 'godro dwy fuwch'.
Dywed. *cry fel ceffyl* – cryf iawn.
bwyta fel ceffyl – bwyta pentwr.
pesychu fel ceffyl – pesychu'n galed ac uchel.
rhoi'r drol o flaen y ceffyl – dweud neu wneud pethau o chwith, newid trefn arferol pethau, lletchwithdod dweud neu wneud.
cyn sobred a hen geffyl ar y glaw – y darlun yw ceffyl yng nghysgod y gwrych ar ddiwrnod glawog, ei grwper i'r tywydd, yn ben isel a thorcalonus yr olwg.
buwch o ryw, ceffyl o gymysg – buwch o linach, ceffyl wedi ei groesi.
ni wneir ceffyl o gyw mul
Hen Rigwm. 'Un troed gwyn, y *ceffyl* pryn,/Dau droed gwyn, y *ceffyl* pryn,/Tri throed gwyn, yn graff edrych arno,/Pedwar troed gwyn, dos ymaith hebddo.
Diar. 'Anodd dal hen *geffyl* â rhedyn.'
'Hen *geffyl* ni ddelir ag us' – ellir dim twyllo un â phrofiad.
'Anodd tynnu cast o hen *geffyl*' – rhywbeth wedi mynd yn ail natur.
'Gyrru *ceffyl* a gerddo' – manteisio ar gymwynaswr da.
'*March* da, ewyllys' – ewyllys yn mynd â dyn ymhell.
'Y *ceffyl* a bawr a bery' (Gogledd), 'y *cel* a bôr yw'r *cel* a bâr' (Dyfed).
'Amlwg llaid ar *geffyl* gwyn' – gwendid dyn da yn dduach.

ceffyl bacsiog Ceffyl â bacsiau mawr ac amlwg.

ceffyl bach Ebol, swclyn (Ceredigion), merchyn.

ceffyl bal Ceffyl a chlwt neu ysmotyn gwyn ar ei dalcen. Gw. BAL.

ceffyl blaen Y ceffyl sydd ar y blaen mewn gwedd fain (un o flaen y llall)
1959 D J Williams: YCHO 198, Roedd pen-go-waered oddi yno i'r ydlan bob cam, heb angen *ceffyl blaen*.
Ffig. Rhywun ar y blaen drwy chwennych, rhywun yn chwennych bod yn amlwg yn ei gymdeithas, ac yn anfodlon i gymryd yr ail le.
1939 D J Williams: HW 33, Y mae'n bosibl fod hyn yn gyfrifol hefyd am y ffaith mai *ceffylau siafft* a fegid yno i gyd – heb gymaint ag un *ceffyl blaen*.
1948 T Rowland Hughes: Cân neu Ddwy 25, Mi gwrddaf wybodusion llawer byd/Y prysur-bwysig, y *ceffylau blaen*,/A chlychau'u harnes heb un eiliad fud/Yn gyrru powld, fawreddog sŵn ar daen.

ceffyl bôn Ceffyl siafft, y ceffyl yn siafftiau'r drol, y ceffyl sy'n tynnu a bonio'r drol, mewn cyferbyniad i'r ceffyl blaen, menfarch. Gw. CEFFYL BLAEN.

ceffyl yn ei breim Ceffyl pedair oed ac yn codi'n bump. Ceffyl wedi sadio ac wedi ei brofi ei hun yn weithiwr ym mhob safle.
1962 T J Davies: G 7, Dau beth oedd yn angenrheidiol i geffyl da, ei fod yn quiet in all gears

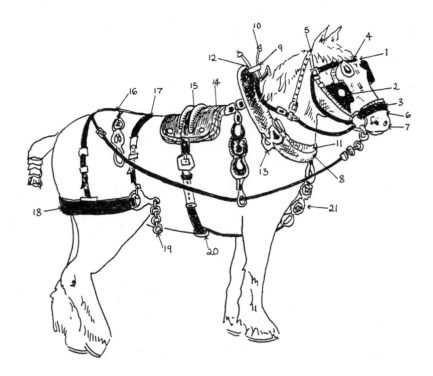

Ceffyl mewn harnais trol (efo strodur)

1. Cap
   Ffrwyn
   Masg

2. Clust y ffrwyn
   Masg y ffrwyn
   Mwgwd y ffrwyn

3. Strap y ffroen

4. Strap y talcen

5. Strap y gwegil

6. Strap yr ên

7. Byt (yn y geg)
   Genfa
   Snwffwl

8. Y Goler

9. Mwnci
   Mwnci haearn

10. Corn y mwnci
    Pigyn y mwnci

11. Tsiaen y mwnci
    Tugall y mwnci

12. Caead y mwnci
    Carrai'r mwnci
    Gwarbwyth
    Strap y mwnci
    Tugall

13. Bach y mwnci (at fachu'r dres)

14. Gobell
    Starn
    Strodur

15. Cafn y strodur
    Rhigol y strodur
    Rhych y strodur

16. Crwper
    Strap y crwper

17. Strap y lwyn

18. Britsyn
    Britsband
    Tindres

19. Daliad y dindres
    Tsiaen y britsyn
    Tsiaen y dindres

20. Beliband
    Belibon
    Cengl
    Tordres
    Torgain

21. Martingel

and harness … a hefyd oedran y ceffyl, codi'n bump oedd yr oed gore, y pryd hwnnw oedd *ceffyl yn ei breim.*

ceffyl brith Ceffyl o ddau liw yn enwedig du a gwyn.

ceffyl broc Ceffyl gwyn a gwinau ond y lliw gwinau yn amlwg.

ceffyl cart Ceffyl gwaith, ceffyl gwedd, ceffyl siafft, menfarch.

ceffyl cefn Y ceffyl sy'n cerdded y tir glas mewn gwedd wrth aredig ac mewn cyferbyniad i'r ceffyl rhych. Ar lafar yng Ngwynedd.
Gw GWELLTOR a RHYCHOR (am ychen gwaith).

ceffyl cwympin Ceffyl afrosgo, trwsgl ei gerddediad ac yn tueddu i faglu neu gwympo yn ei waith.

ceffyl cyfrwy Ceffyl i'w farchogaeth ac, fel rheol yn llai na cheffyl gwedd.

ceffyl dan llaw Ceffyl cefn, y ceffyl yn cerdded y tir glas wrth aredig, y ceffyl ar y chwith mewn gwedd (o safbwynt yr arddwr). Ar un adeg byddai'n arfer i arwain (tywysu) y ceffyl hwnnw a chyfeirid ato fel y *ceffyl dan llaw* neu'r *cel dan llaw.* Ar lafar yng Ngheredigion a Dyfed.
1958 T J Jenkin: YPLL AWC, Ni chyfeirid byth atynt fel y ceffyl ar y chwith a'r ceffyl ar y dde, ond fel *ceffyl-dan-llaw* a'r ceffyl rhych.

ceffyl dibris Nag, negyn, ceffyl bychan neu ferlyn yn enwedig i'w farchogaeth.

ceffyl disbaidd Ceffyl wedi ei sbaddu.

ceffyl drafft Ceffyl siafft.
Gw. DRAFFT, CEFFYL SIAFFT.

ceffyl ffogeth Ceffyl ysgafn i'w farchogaeth. Cywasgiad o marchogeth (marchogaeth) yn sicr yw *ffogeth.*

ceffyl gwaith Ceffyl gwedd, ceffyl trwm, ceffyl siafft, ceffyl wedi ei hyweddu a'i dorri i mewn at wneud gwaith ar fferm.

ceffyl gwedd Ceffyl gwaith.
Gw. CEFFYL GWAITH.

ceffyl gweili Ceffyl segur neu geffyl yn cerdded heb wneud dim, ceffyl heb drol a heb lwyth.
1750 ML 1, 168, A'r ceffylau yn *weili* hyd y meusydd.
1997 FfTh 19, 40, Fel rheol byddai dau geffyl …, un yn y shafftia a'r llall wrth dennyn y tu ôl i'r garafan. Gelwid hwn mewn ambell ardal yn *geffyl gweili.*

ceffyl harnes Ceffyl dau bwrpas, un i'w farchogaeth yn ogystal a'i weithio (S. *hackney*).

ceffyl lliw llaeth a chwrw Ceffyl brith. Ar lafar yn sir Gaerfyrddin.
1959 D J Williams: YChO 21, Roedd yno goben felen, ysgon, gyda ni, i redeg negeseuon fel *poni liw llaeth a chwrw* Nwncwl Dafydd 'r Esger.

ceffyl lliw rhech a rhwd Ceffyl broc.

ceffyl men Ceffyl ysgafnach na cheffyl gwedd, yn cael ei ddefnyddio weithiau i wneud gwaith ar y fferm, ond, ar y cyfan, yn tynnu'r fen neu'r fflôt laeth neu'r fen fara, ceffyl ysgafn (S. *vanner*), ceffyl rhwng dau waith (Môn).

ceffyl marchogaeth Ceffyl sy'n foddion teithio, ceffyl cyfrwy, ceffyl hur (S. *hack*).

ceffyl mownti Ceffyl sioe, ceffyl preimin. Ar lafar yn Llŷn ac Eifionydd. *Mounti* yw'r enw yno ar sioe Nefyn.

ceffyl pawl Ceffyl yn tynnu offeryn neu beiriant drwy gyfrwng polyn hir a phren croes yn y blaen yn y ffurf o iau ychen. Ar lafar yng Ngheredigion.
1989 D Jones: OHW 33, Roedd i grwtyn ifanc gael ei ofyn i arwain y *ceffyl pawl* ar gynhaea gwair yn ddyrchafiad cymaint ag a fyddai iddo gael gyrru car heddiw.

ceffyl pen Y canol o dri cheffyl mewn gwedd fain, rhwng y ceffyl bôn a'r ceffyl blaen. Gw. WVBD 249.

ceffyl pwn Ceffyl yn cario pynau (beichiau, llwythi) wedi eu clymu dros ei gefn, cyn bod 'car a cheffyl' a 'throl a cheffyl' yn bethau cyffredin, rwnsi, ceffyl cryf.

ceffyl rasio Ceffyl a farchogir mewn rasus ceffylau.

ceffyl rhwng dau waith gw. CEFFYL MEN.

ceffyl rhych Y ceffyl mewn gwedd ddwbl (ochr yn ochr) sy'n cerdded y rhych (y gwys) wrth aredig, mewn cyferbyniad i'r 'ceffyl cefn' sy'n cerdded y tir glas. Yn nyddiau'r ychen fe'u gelwid yn 'rhychor' a 'gwelltor'. Defnyddid yr ymadrodd *ceffyl rhych* fel cymeradwyaeth i geffyl wrth ei werthu. Camp y *ceffyl rhych* oedd cerdded mewn lle cul (yn y rhych) heb sathru'r gwys. Fe'i canmolid drwy ddweud 'mae hwn yn *geffyl rhych* o'r math gorau i chi' – ceffyl onest, rhadlon, dibynadwy. Ar lafar yn gyffredinol.

ceffyl siafft Ceffyl bôn, ceffyl trol, y ceffyl yn y siafftiau pan yn tynnu trol (cart), ceffyl bôn mewn gwedd fain (un o flaen y llall) ac mewn cyferbyniad i'r ceffyl blaen, menfarch.

ceffyl trwm Ceffyl gwedd, ceffyl gwaith, y ceffyl mwyaf a chryfaf mewn cyferbyniad i rai llai ac ysgafnach megis ceffyl men neu geffyl car.
1975 R Phillips: DAW 59, Ym mhlwy Llangwyryfon doedd neb yn cadw *ceffylau trymion* eithafol o 17-18 llaw (y Shires) ond yn hytrach rhai rhwydd ysgafn o'r 15.2 i'r 16 llaw.

ceffyl tuthio Ceffyl trotian, sef symud gyda throed blaen un ochr yn codi ar unwaith â throed ôl yr ochr arall.

ceffyl a throl (trol a cheffyl) Ymadrodd cyffredin yn y cylch amaethyddol gynt fel rhan o eirfa'r gymdogaeth dda, pan anfonai'r ffermwr mawr ei was a'i *geffyl a throl* i gario gwair, ayyb, y tyddynwr bach, neu roi benthyg *ceffyl a throl* i'r peth yma neu'r peth acw. Ceid hefyd y cymar ymadrodd *trol a cheffyl* yr un mor gyffredin. Yn y De clywir *ceffyl a chart*.

Dywed. 'Digon o le i *geffyl a throl'* – am fwlch mewn gwrych, twll mewn hosan, ceg ar agor, ayyb.
1981 GEM 13, Bwgan bol lol/Â thwll yn ei fol,/Digon o le/I *geffyl a throl*.

ceffyl ysgafn Ceffyl ar gyfer tynnu car, fflôt, ayyb, ceffyl y disgwylid iddo drotian, ceffyl rhwng ceffyl gwedd a merlyn.
Gw. CEFFYL MEN, CEFFYL RHWNG DAU WAITH.

Termau ceffylau yn ôl eu hoed a'u rhyw

Epil ifanc yn sugno, gwryw a benyw – *cyw, cyw caseg, ebol.* ll. *cywion cesyg, ebolion.*
Ceffyl gwryw hyd at dair oed, ac heb ei ddal neu heb ei dorri i mewn – *ebol.* ll. *ebolion.*
Benyw ceffyl hyd at dair oed, a heb ei thorri i mewn – *eboles.* ll. *ebolesau, ebolesod.*
Gwryw neu ebol yn dair oed neu'n hŷn a chan amlaf wedi ei dorri i mewn – *ceffyl.* ll. *ceffylau;* ceffyl gwedd, ceffyl gwaith, ceffyl harnais.
Benyw ceffyl yn dair oed neu'n hŷn, a chan amlaf wedi ei thorri i mewn – *caseg.* ll. *cesig;* caseg wedd, caseg waith.
Ceffyl gwryw, ac heb ei sbaddu ac mewn oed cyfebu cesig – *stalwyn, march.* ll. *stalwyni, meirch.*
Gwryw llawn faint heb fod dros bedwar dyrnfedd ar ddeg (pedair llaw ar ddeg) – *merlyn, poni, cobyn.*
Benyw llawn dwf heb fod dros bedwar dyrnfedd ar ddeg – *merlen, coben, poni.*

ceffylan, ceffylyn *eg.* Ceffyl bychan, crynfarch, cobyn, poni.

ceffyldy *eg.* ll. *ceffyldai.* Stabl, marchdy.

ceffyles *eb.* ll. *ceffylesau.* Caseg, merlen.

ceffylogaeth *bf.* (ar ddelw marchogaeth). Marchogaeth ceffyl, teithio ar gefn ceffyl. Ar lafar ym Mhowys yn y ffurfiau 'ffogeth' a 'ceffogaeth'.
Gw. GEM 39, a 132 (1981).

ceffylu *be.* Gosod ar gefn ceffyl, mynd ar gefn ceffyl.
Ffig. Gogoneddu rhywun, dyrchafu rhywun â geiriau canmolieithus, canmol rhywun i'r entrychion yn enwedig rhywun sy'n llyncu canmoliaeth. Ar lafar yn Llŷn.
'Mae o wrth i fodd yn cael ei *geffylu'n* gyhoeddus.'
Gw. CYMRYD I GEIRCH.

ceg
1. *eb.* ll. *cegau.* Mynedfa, agoriad. Yn amaethyddol sonnir am *geg* y sach (genau'r sach), *ceg* y traen, *ceg* yr afon, *ceg* y felin (hopran).
2. *eg.* Math o afiechyd ar dda pluog sy'n peri bod crawn a philen gornaidd yn magu ar eu tafodau, y gân, llindag.
16g W Salesbury: LLM 202, ...e ddiwaid pilinus y *gweryd y geg* yr ieir.

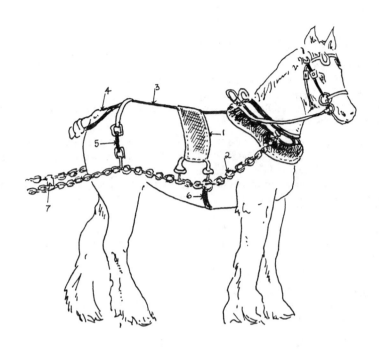

Ceffyl mewn harnais aradr ac og

1. Cefndres
   Cefnraff

2. Tîd
   Tres

3. Crwper

4. Cloren

5. Strap y lwyn

6. Beliband
   Tordres
   Torgain

7. Lledydd
   Spreder
   Stent
   Stretsier

cegid *etf.* un. *cegiden.* Planhigyn gwenwynig i ddyn ac anifail, ac yn hawdd ei gamgymryd am ferw dŵr, yn tyfu mewn ffrwd neu ofer ffynnon, *conium* neu *conium maculatum* – 'cegid y dŵr' (S. *hemlock*), cegr pum bys, cecs y dŵr. Lloiau neu ddynewaid sydd fwyaf tueddol o bori blagur ifanc *cegid* a chael eu gwenwyno. Credir bod gan ddefaid a geifr wrthedd iddo.

cegin *eb.* ll. *ceginau.* Yn amaethyddol, ac yn aml, y darn croes o'r tŷ fferm,

lle ceid tân yn gyson, lle ceid popty (ffwrn) i bobi, a lle byddai'r gweision yn bwyta.
1909 Y *Flodeugerdd Newydd* 101, Gorddu yw brig Iwerddon/Gan fwg *ceginau* o Fôn.

cegin fach Y gegin gefn lle golchid y llestri, ayyb.

cegin fawr Cegin fyw, yn narn croes y tŷ (yn aml) â llawr cerrig (yn arferol), tân yn wastad, popty wrth ochr y tân, a bwrdd mawr hir i'r gweision fwyta arno, y briws (Môn).
1966 D J Williams: ST 21, Yn lle'r *gegin fawr* a'i thrawstiau myglyd a'r fflagiau gleision, bras ar y llawr, ceid bellach far goreuraid.

cegin foch Yr ystafell neu'r adeilad ynghlwm wrth y tŷ fferm lle berwid bwyd moch, briws (Dyffryn Clwyd). Yma hefyd, yn aml, y cedwid mawn yn barod wrth law. Ar lafar yn Llŷn.
1993 FfTh 12, 22, Byddai'n rhaid trefnu i olchi, boed yn law neu'n hindda, a rhaid oedd ffaglu dan y foelar fawr yn y *gegin foch* â phoethwal ... Byddai bwyd i'r moch yn cael ei ferwi yn hon hefyd ar brydiau.

cegin gefn Mewn rhai ardaloedd y gegin fyw, sef y gegin goginio, bwyta, ayyb, ac mewn cyferbyniad yn aml i'r 'gegin orau' lle byddai'r teulu'n bwyta.
1980 J Davies: PM 23, Gweithwraig dawel ddi-lol, ddi-ymffrost – brenhines y *gegin gefn*.

cegin groes Y gegin fyw yn narn croes y tŷ, cegin fawr, cegin y gweision.
1992 E Wiliam: HAFF 8-9, Dengys y *ceginau croes* neu estyniadau i sawl ffermdy cynnar, nad oedd cegin fel y cyfryw yn y tai hyn yn wreiddiol.

cegin orau, y gegin orau *eb.* Fel rheol yr ystafell lle byddai'r teulu'n bwyta mewn cyferbyniad i'r gegin groes neu'r briws lle bwytâi'r gweision.

ceglas *a.* Ansoddair a ddefnyddir am y ceirch pan y'i torrir ychydig yn fwy aeddfed na lliw'r sguthan, torri'r ceirch yn geglas. Ar lafar yn sir Ddinbych.
Nod J Williams-Davies: AWC, *Ceglas* – lliw pan yr ystyrir ceirch yn barod i'w dorri. Arferid torri ceirch ychydig cyn iddo ddod i'w lawn aeddfedrwydd (Dinbych). Hefyd lliw'r ysguthan.

ceg lawn *eb.* Ymadrodd a ddefnyddir yng nghyd-destun dethol a didol defaid neu brynu a gwerthu defaid. Dafad geg-lawn – dafad ar ei gorau, wedi gorffen tyfu a heb ddechrau bylchu'r dannedd. Yn sir Benfro sonnir am ddafad 'danne' llawn'.
1994 FfTh 14, 32, Byddai ef yn edrych ar eu cegau, ac os oedd *ceg lawn* gan y ddafad, mae'n bur debyg y câi smotyn coch ar ei thalcen a chael ei gwerthu yn y sêl fogiaid..

cegleithedd *eg.* Afiechyd gwefusau ar ŵyn, gweflau dyfrllyd.

ceglyn
1. *eg.* bach. *cagl.* ll. *caglau.* un *cagl,* mymryn o faw neu dail ar gynffon anifail neu ar odrau trowsus, ayyb.
'Mae'r gwlân yn bur lân, dim ond ambell i *geglyn.*'
Ffig. Yn ddifrïol am hen genau neu gnaf o ddyn.
1768 Twm o'r Nant: CTH 16, Mor goeglyd oedd rhyw *geglyn.*

2. *eg.* Cwling, bach y nyth, cardydwyn, y mochyn lleiaf mewn torllwyth o foch. Ar lafar yn Nyffryn Aeron.
Gw CARDYDWYN, CWLING.

cegu *be.* Yn amaethyddol ceffyl yn dod i arfer â'r enfa neu'r byt yn ei geg, sef y rhan haearn o'r ffrwyn, wrth ei dorri i mewn i waith. Byddai cael ceffyl i gegu neu i gymryd y byt yn rhan o'r gorchwyl o'i hyweddu. Sonnir am geffyl yn *cegu'n dda* – cymryd y byt, cymryd y ffrwyn.
Gw. CYMRYD Y BYT.

cegyr *eg.* ac *etf.* Cegid, cecs (S. *hemlock*). Yng Ngheredigion clywir 'cegyrn' ac ym Morgannwg 'ceger' a 'cecer'. Ym Maldwyn ger Machynlleth ceir nant ac ardal o'r enw Abercegyr.
1455-85 LGC 25, Val berau cogau, val briwio *cegyr.*
1677 C Edwards: FfDd 423, Cegid, *cegir*, hemlock.
Gw. hefyd CEGID.

cengl
1. *eb.* ll. *cenglau, cinglau.* Tordres, sef gwregys lledr a glymir dan fol ceffyl i gadw'r strodur, y gefndres neu'r cyfrwy yn eu lle ar ei gefn. Hefyd y rhwymyn i ddal pynau yn eu lle ar gefn ceffyl pwn, styniad (Ll. *cingalium*). Ceir hefyd y ffurfiau 'cyngl', 'cingl', 'cingel', 'cengal;. Defnyddir *cengl* hefyd am y strap lledr cryf a roir yn gymharol lac dan fol ceffyl, o un siafft i'r llall, pan yn tynnu trol, rhag ofn i'r siafftiau godi pan fo'r llwyth yn drwm yn ôl, 'torgain' (Ceredigion), 'sgaen'. Ar lafar yn gyffredinol.
1771 PDPh 59, A rhyw frettyn (clwt) drosto wedi ei glymu â *chengl.*
Dywed. 'Llacio'r *gengl*' – ymlacio oddi wrth waith. '*Cenglyn* o ddyn' – sgilffyn main o ddyn. Ar lafar ym Môn.

2. *eg.* Ysgaing o edafedd wedi ei ddirwyn ar gengliadur (ystyllen ddirwyn).
1681 S Hughes: AC 22, Ar ôl iddo osod mewn trefn rhai drylliau o liain a *chengle* o edef.
1933 H Evans: CE 92, Gwneid sanau smart dros ben drwy roddi hanner y *cengel* yn y lliw, a chadw'r hanner arall yn wyn.

3. Cawell melin neu ddyfais mewn melin i yrru'r maen uchaf o'r ddau faen. Ar lafar gynt yn y De.

cengliad *eg.* Harneisiad, rhwymiad, gwregysiad (am geffyl), dirwyniad (am edafedd).

cengliadur *(cengl + iadur) eg.* ll. *cengliaduron.* Ystyllen bwrpasol i ddirwyn edafedd, neu silindr neu werthyd a droir i ddirwyn edafedd. Amr. 'cliniadur'.
1620 Mos 204, 22, Blin yw blingo *cengliadur.*
1902 B.B. (OME) 77, Siswrn, nodwydd, a gwniadur,/Troell a gardie a *chliniadur.*

cenglog
1. *a.* Â lled o wynni o gwmpas ei chanol (am fuwch), buwch genglog, – buwch a band gwyn naturiol am ei chanol.

2. a. Ei dordres neu ei wregys neu gengl wedi ei chau dan ei fol (am geffyl), ceffyl wedi ei genglu.

cenglu, cenglo
1. *be.* Cau'r gengl, gwregysu, harneisio (am geffyl).
1620 Jer 46.4, *Cenglwch* y meirch.
2. *be.* Dirwyn edafedd ar gengliadur.
Gw. CENGLIADUR.

ceiad Ffurf dafodieithol ar caead (clawr). Ar lafar yn Nyfed.
Gw. CAEAD².

ceiben *eb.* bach. *caib.* Caib fechan, hof.

ceibio
1. *be.* Defnyddio caib, turio neu gloddio â chaib, codi neu dynnu tatws (Dyfed).
1966 D J Williams: ST 40, A phoen yn fy nghefn wedi bod wrthi yn fy mhlyg drwy'r dydd *uwchben y gaib* yn y cae tato.
Ffig. Bustachu neu grafu am rywbeth i'w ddweud o flaen pobl – 'Y pregethwr bach 'na neithiwr, y creadur truan yn amlwg yn *ceibio* am rywbeth i'w ddweud.'

2. *be.* Ceffyl yn crafu'r llawr a'i draed blaen, yn enwedig pan fo'n afrywiog ei dymer, pystylad.

ceibio brith *be.* Digroeni tir rhwydd a blêr (y De).
Gw. DIGROENI.

ceibio rhychau *be.* Codi neu dynnu tatws drwy ddefnyddio caib. Ar lafar yng Ngheredigion a Dyfed.
1958 FfFfPh 56, Y dull cyntaf a gofiaf o dynnu tatw oedd *ceibio'r rhychiau* er mwyn cael gafael yn y tatw.
Dywed. '*Ceibio* cerdded' – cerdded ar flaenau'r traed. 'Nad elwyf byth i *geibio*' (ebychiad) – h.y. a'm gwaredo, gwared pawb, Duw a'm gwaredo. 'Dall*geibio*' – un yn bwnglera wrth siarad neu'n siarad ar ei gyfer.

ceibiwr *eg.* ll. *ceibwyr, ceibiwrs.* Un yn cloddio â chaib, digroenwr tir; labrwr, nafi, un yn codi tatws.
1701 E Wynne: RBS 177, Nid cymmedrol i *geibiwr* obeithio mynd mor ddyscedic â Selyf ddoeth.
Ffig. Un yn bustachu am rywbeth i'w ddweud wrth siarad yn gyhoeddus.

ceiliagwydd (*ceiliog + gŵydd*) *eg.* ll. *ceiliagwyddi.* Y gwryw o rywogaeth yr ŵydd. Ceir hefyd y ffurfiau 'ceiliacwydd', 'ceiliogwydd', 'ceiligwydd', 'c'lagwydd' (Gogledd), 'c'lacwydd' (De).
14g Haf 16, 84, Cymer *ceilackwydd* bras a thynn y vlonec ohonaw.
Ffig. Hen hurtyn penwan, llafar a chegog o ddyn.
Dywed. 'Danfon heibio'r *c'lagwydd*' – danfon ffrindiau heibio i berygl, ond hynny'n gyfle i hel rhagor o glecs rhwng dwy gymdoges. 'Fel dŵr ar gefn *c'lagwydd*' (chwaden hefyd) – methu cael rhywun i wrando neu i ddeall. 'Os deil hi *g'lagwydd* cyn y Nadolig, ddeil hi ddim chwaden wedyn' – caenen rew, y gaeaf yn erthylu. '*Ceiliagwydd* blwydd, gŵydd ganmlwydd' – os am haid o gywion gwyddau.

ceiliog, celiog *eg.* ll. *ceiliogod, ceiliogau.* Y gwryw o rywogaeth yr iâr ddof ac, yn aml, gwryw adar dof eraill megis ceiliagwydd (*ceiliog* + *gŵydd*), *ceiliog* chwaden, *ceiliog* twrci, *ceiliog* dandi. Pan ddefnyddir y gair *ceiliog* ar ei ben ei hun fodd bynnag, *ceiliog* iâr a olygir fel rheol. Mae'n ddiarhebol am ei fore ganu a'i rodres. Fe'i galwyd yn 'brenin balch y buarth'.

16g Pen 127, 255, *Keiliog* sydd edn dewr calonnoc.

17g Huw Morys:, Clywn lais nid gwaglais ond gwiwgloch – y bore/Beraidd iawn blygeingloch,/Awch o benglog chwiban gloch/*Mab iâr*, fawl claer fel cloch.

1774 H Jones: CYH 59, Cwyd i fyny hwsmon diog/Oni chlywi lais y *ceiliog*,/Yn dy alw o dy wely,/Ai 'mroi wnei di i gysgu?

Ffig. Dyn rhodresgar, bygythiol ei sŵn – 'fe aeth yn *geiliog* i gyd pan dd'wedais wrtho'. Merch benuchel heb lawer o wyleidd-dra – 'Ma' hi'n dipyn o *geilioges*'. Ar lafar ym Môn. Dywed. 'Weithiau'n iâr ac weithiau'n *geiliog*' – anwastad ac oriog o dymer. '*Ceiliog* ar ei domen ei hun' – dyn yn teimlo'i hun yn rhywun yn ei gylch ei hun. '*Ceiliogod*' y colegau' – myfyrwyr hunan-hyderus a chrach ddysgedig. 'Cam *ceiliog*' – hyd neu led bychan neu gul. Cf. troed. iâr.

1866 Telynog, Cwm llun y sarff, cwm llawn o so'g/Cwm culach na *cam ceiliog*. 'Na chadw byth o fewn dy dŷ/Na *cheiliog* gwyn na chath ddu.' 'Caniad y *ceiliog*' – ymadrodd Beiblaidd am ben bore, toriad y wawr (gw. Ioan 13.38 [1620]). 'Fel gwaed *ceiliog*' – am de cryf.

1958 I Jones: HAG 2, Pan fyddai mam yn paratoi te, dywedai Sian, "Cofiwch, Mari, rwy'n mofyn te o'r un lliw â *gwaed ceiliog*".

ceiliog aradr Pen blaen aradr neu flaen arnodd aradr ar ffurf crib ceiliog, clust aradr. Wrth y ceiliog y bechir y dinbren (ponpren) fawr i bwrpas gwedd o geffylau. Y ceiliog hefyd sy'n ei gwneud yn bosibl i gulhau a lledu'r gwys ac i fasáu a dyfnhau'r gwys, yn ôl yr angen.

1987 E W Roberts: AIHA AWC, ... gellid cychwyn ar y gwaith a chywiro unrhyw nam os byddai y gwŷdd am ogwyddo i'r naill ochr trwy symud y fondid ar y *ceiliog* ar y gwŷdd.

Gw. CLUST ARADR, CYMRYD, FFRWYN ARADR, TEIBO.

ceiliog gwn Clicied neu forthwyl dryll, tebyg o ran ei ffurf i ben ceiliog.

ceiliog ac iâr Enw ffigyrol, tafodieithol yng Ngheredigion ar ben yr haearn lladd mawn, *ceiliog* yw'r glust a iâr yw'r llafn.

1990 Trefor M Owen: TM 30, *Ceiliog* yw'r enw tafodieithol yn y Canolbarth ar y glust a ddisgrifir gan Abraham Rees, a *iâr* am y llafn mwy.

ceiliog peiriant lladd ŷd Y ddyfais ar flaen bwrdd neu far y ripar a'r beinder i godi neu ostwng y bar yn ôl yr angen.

ceiliog pistyll Dwsel neu feis neu dap i reoli'r dŵr a ddaw drwy bibell, ceiliog tap dŵr.

ceiliog rhedyn Ceiliog y gwair.
Gw. ROBIN SBONC.

ceinach gw. YSGYFARNOG.

ceinioca *be.* ac *eg.* Hawl gynt, drwy ganiatad Ustus Heddwch, i ŵr ifanc a gafodd golled drom megis colli buwch neu fochyn, i fynd o gwmpas i ofyn cymorth ariannol gan ei gymdogion. Ar gyfer y rhai hŷn a gai golled o'r fath byddai ardalwyr, yn aml, yn trefnu achlysur a elwid y 'Cwrw Bach', sef cael casgen o gwrw i gartref a gwahôdd y cymdogion yno. Gwerthid y cwrw am elw. Rhoïd yr elw i'r anffodus. Gw. CWRW BACH.

ceiniogog *a.* Brith gan gylchau bychain, ysmotiog, dwn, lloerennog (am geffyl).

16g Pen 86.139, March gylas *Kynhiogoc.*
16g Med H 30, Lliw y sydd yn wynn neu ddu, coch, glas, dwn neu *geiniogog.*
1928 G Roberts: AA 5, Y lliw mwyaf cyffredin o lawer oedd gwinau tywyll (ceffylau) er y ceid rhai yn winau golau; eraill yn leision, a rhai o bob un o'r tri lliw yn *geiniogog.*

ceirch *et.* un. *ceirchen, ceirchyn.* ll. dwbl *ceirchau.* Cnwd a dyfir yn bennaf am ei rawn yn fwyd anifeiliaid, er bod peth malu arno hefyd i bwrpas y bwrdd, e.e. bara ceirch, uwd, ayyb. Perthyn i deulu'r *Gramincae.* Ei enw llysieuol yw *Avena sativa.* Mae iddo werth uchel mewn ffeibrau. Hyd yr Ail Ryfel Byd (1939-45) ceirch oedd y cnwd ŷd a dyfid fwyaf o lawer yng Nghymru. Clywir hefyd y ffurfiau 'cerch' (Meirionnydd), 'circh' (Caerfyrddin) a 'cyrch'. Ceir sawl math. Gw. y cyfuniadau sy'n dilyn.

Ffig. '*Ceirch* cartre' – chwipiad i geffyl i'w annog yn ei flaen. 'Cymryd i *geirch*' – person wrth ei fodd yn cael ei ganmol. 'Yn cael *ceirch*' – cael anwes, cael moethau. '*Ceirch* iddi hi' – gafael ynddi'n egniol gyda gorchwyl. 'Ddim yn dal i *geirch*'.

Dywed. 'Mor onest â'r *geirchen*' – yn sicr o dyfu o'i hau. cf. 'Tynnu'r *geirchen* o dwll y pared'.

Hen Bennill. A heuo *geirch* yn Ionor/A gaiff aur a phres yn drysor,/Ond a heuo'i *geirch* ym Mai/A gaiff wneud ar lawer llai.

ceirch yr achos Y ceirch a gyfrennid gynt gan ffermwyr yn fwyd i geffylau pregethwyr ymneilltuol pan deithient i'w cyhoeddiadau mewn car a cheffyl. cf. 'baco'r achos' a 'chwrw'r achos'.

ceirch blewog Ceirch coliog, blewgeirch (*Avena strigosa*).

ceirch cloron gw. CEIRCH TATWS.

ceirch coliog gw. CEIRCH BLEWOG.

ceirch crib y ceiliog Ceirch tartaraidd, yn hen, ac yn perthyn i'r 18g (Black Tartarian Oats neu Black Supreme). Ar lafar yn y Gogledd ynghyd â'r enw 'Ceirch Cynffon Ceiliog'.

ceirch cwta gw. CEIRCH TATWS.

ceirch cynffon ceiliog Ceirch tartaraidd du.

GPC, *Ceirch Cynffon Ceiliog* – black tartarian oats.
1975 Ff Payne: C 109, Daethai dieithriaid â chydeidiau o geirch a sopenni o wair i'w gweddoedd. *Ceirch cynffon ceiliog* a cheirch glaw euraid, ...

ceirch cywasg Grawn ŷd, yn enwedig haidd a led falwyd yn y felin sgubor, sef ei ysigo rhwng dwy roler, cyn ei roi'n fwyd i anifeiliaid, ceirch ysig. Mae ysigo'r grawn yn y modd hwn yn helpu'r anifeiliaid cnoi cil (cilfilod) i'w dreulio. I bwrpas moch a dofednod fodd bynnag, rhaid ei falu'n fân neu yn flawd. Gw. MELIN GYWASGU.

ceirch du bach Hen fath o geirch a dyfid gryn lawer yng Nghymru gynt, yn enwedig yn y Canolbarth, ond wedi llwyr ddiflannu ers blynyddoedd bellach.

1981 Ll Phillips: HAD 37, Clywais ddywedyd gan hen ddwylo'r cyfnod, mai un o nodweddion y *ceirch du bach* , ac yn wir un o'i rinweddau, oedd ei fod yn hawdd i'w ddyrnu â'r ffust. Diau fod ei ffurf lyfndew yn ogystal â'i duedd gynhenid i ddihidlo'n rhwydd ar y plancyn dyrnu â rhan yn hyn i gyd. Ni all neb amau'r gosodiad bellach gan fod y ffust wedi'i hen osod ar y pared ... a dim dyrnaid o'r had i'w gael am bris yn y byd.

ceirch du naill ochr
Nod J Williams-Davies i AWC, Math hen ffasiwn o geirch (Dyfed). Hefyd 'ceirch un ochr'.

ceirch gaeaf Ceirch caled a heuir ddechrau gaeaf, i'w fedi'n gynnar yr haf dilynol. Cafwyd amrywiadau ar y *ceirch gaeaf* gan y Fridfa Blanhigion yn Aberystwyth: Peniarth, Pennal, Bulwark, Image, Lustre, Kynon, Solva.

ceirch y gog Ceirch diweddar a heuid gynt ar ôl clywed y gog (y gwcw).

ceirch gwanwyn Ceirch llai caled na cheirch gaeaf, a heuir yn y gwanwyn i'w fedi diwedd haf. Cafwyd pedwar amrywiad arno gan y Fridfa Blanhigion yn Aberystwyth: Rhiannon, Emrys, Morlan, Bontego.

ceirch gwyllt Efrau, chwyn, llêr *(Avena fatua)*. Perthyn i geirch diwylliedig ac ohono y datblygodd hwnnw, ond erbyn hyn fe'i ystyrir fel chwyn.

ceirch gwyn Math traddodiadol o geirch, ei rawn yn wyn, ac yn ôl y farn arferol yn well grawn na'r ceirch du.

ceirch hen ffasiwn Y ceirch cysefin, hen ŷd y wlad. Ar lafar yn Edeirnion.

1928 G Roberts: AA 17, Y mathau o geirch a heuid oedd yr hyn a elwid yn *geirch hen ffasiwn*, ceirch cwta, a cheirch du bach.

ceirch llwyd
1. Ceirch blewog, yn brin ac anaml iawn erbyn hyn *(Avena strigosa)*.

1975 R Phillips: DAW 22, Ond mae'r cyfan hyn wedi darfod er bod ychydig o had *ceirch llwyd* i'w gael mewn mannau yn y wlad o hyd.

2. Brid o geirch, a ddatblygwyd yn y Fridfa yn Aberystwyth, sydd yn groesiad o geirch o Portugal a'r *ceirch llwyd* Cymreig *(Avena brevis)*.

ceirch mân
Nod J Williams-Davies i AWC, Math hen ffasiwn o geirch. Mae'n bosibl mai enw arall ar flewgeirch yw hwn (Dyfed)

Gw. BLEWGEIRCH.

ceirch melyn Ceirch melyn euraidd ei liw. O bosibl ei fod yn enw Cymraeg ar 'Golden Grain' a 'Golden Finger'.

ceirch newydd Mathau diweddar o geirch a ddatblygwyd mewn bridfeydd fel y Fridfa yn Aberystwyth.

1981 Ll Phillips: HAD 37, Nid oedd y 'Victory' a'r 'Golden Grain' (y ddau o Sweden) wedi llwyr ennill eu plwy y blynyddoedd hynny (dechrau'r 20g), ac, wrth gwrs, nid oedd E T Jones a'i ddilynwyr ond megis dechrau â'r cyfresi croesiadau a'r detholiadau a roes inni S84, Maldwyn, 220, Dyfed, Milford, Manod, Mostyn a Pheniarth a Phendrwm.

ceirch Radnor Sprig Math o geirch yr honnir ei fod yn aeddfedu tua phythefnos yn gynt na'r rhelyw o fathau o geirch.

ceirch Scotch Potato gw. CEIRCH TATWS.

ceirch tatws Ceirch a gafodd ei enw am iddo gael ei ddatblygu o'r ychydig dywysennau a dyfai mewn cae tatws yng Ngogledd Orllewin Lloegr, hen geirchen ac yn brif geirchen mewn rhannau mawr o wledydd Prydain yn y 19g, ceirch cloron, ceirch cwta.

ceirch Teifi Ceirch blewog, coliog, blewgeirch.

ceirch un ochr gw. CEIRCH DU NAILL OCHR.

ceirch ysig gw. CEIRCH CYWASG.

ceircha, ceircho
1. *be.* Hel, casglu neu gardota ceirch. Byddai'n arfer gynt (hyd at ran olaf y 19g) i bersonau tlawd neu newydd briodi, merched yn bennaf, i fynd o gwmpas y ffermydd adeg y cynhaeaf ŷd, ac amser dyrnu i gardota ceirch. Gelwid hyn yn *ceircha*, ac yta. cf. 'blawta', 'lloffa', 'gwlana'.
1582 CM 530 10, Ac i'w thŷ hi y doeth y Coch ar ôl bod yn *ceyrcha* Tegengl.
Gw. YTA.

2. *be.* Bwydo neu borthi anifeiliaid â cheirch (neu â grawn arall megis haidd), yn enwedig ceffylau. Câi ceirch yr effaith o roi bywyd yn y ceffylau, ac yn hyrwyddo uchelgais y certmyn i gael blewyn da neu raen da ar y wedd. Roedd *ceircho* yn gyfystyr â phorthi (ceffyl) a *'cheircho da'* yn gyfystyr â phorthi da. Yn swyddogol, dogni neu hyn-a-hyn bob dydd a gâi'r certmon o geirch gan y giaffer. Ond byddai gan y llanciau eu ffordd eu hunain o gael rhagor. Cyffredin oedd cael copi o allwedd drws y llofft storws, neu dynnu cainc o lawr y llofft dan y crewyn ŷd i'w ddihidlo drwodd yn dawel i lestr neu sach.
Ffig. Bachgen bywiog, drygionus.
1959 D J Williams: YCHO 58, Cawn y gair o fod yn grwt bach eitha bywiog a drygionus, – y dryca'n yr ysgol, meddai rhai o'm cyfoedion yn yr ysgol. "Gormod o *g'irch* yndo fe" fydden nhw'n ddweud am geffyl pan oedd ceffyl i'w gael.

ceirchdir (*ceirch* + *tir*) *eg.* ll. *ceirchdiroedd.* Tir y tyfir ceirch ynddo, tir dan ŷd, tir llafur.

ceirchwellt (*ceirch* + *gwellt*) *eg.* Tyfiant gwyllt tebyg i geirch, ceirch gwyllt, llêr, efrau. Sonnir am *'geirchwellt hir'*, sef gwelltglas tal tebyg i geirch, a *'cheirchwellt melyn'*, sef glaswellt tebyg i geirch melyn. (*Avenula spp*).

ceirsio, cersio *be.* Dirwyn rhaff, lapio rhaff ar du ôl y drol amser cario'r gwair a'r ŷd, – y rhaff a roid dros y llwythi gwair a'r llwythi ŷd i sicrhau'r llwythi rhwng y cae a'r ardd wair neu'r ardd ŷd (ydlan), hel y rhaff at ei gilydd. Ar lafar yng Ngwynedd.

ceirw Llanfyllin Y math o enw llafar a roid ar bobl gwahanol ardaloedd gynt yn honni cynrychioli rhyw nodwedd arbennig yn y bobl hynny:

'moch Môn', 'geifr Arfon', 'lloeau Llŷn', 'morynion Meirionnydd', 'brain Harlech', 'brain Brynsiencyn', ayyb.
Gw. MOCH MÔN.

ceislen *eb.* Ffurflen i wneud cais am unrhyw beth, e.e. cais am drwydded car neu dractor, neu gais am un o'r cymorthdaliadau, ffurflen gais.

cêl, cel

1. **cêl** *eg.* Y llysiau o deulu'r bresych (*Brassica*) a dyfir yn ymborth anifeiliaid yn enwedig gwartheg godro. Gellir eu rhoi i'r anifeiliaid allan yn y cae neu eu rhoi mewn silwair. Ceir y '*cêl* milben' sydd a choesyn tew y tyf nifer o ganghenau deiliog ohono ac yn dal rhew yn dda o'i gymharu â '*chêl* mergoes' (dyma'r enw a rydd TAM am *marrow stem*). Ond ceir hefyd y '*cêl* milben cwta' sy'n cynhyrchu blagur newydd ymhell i'r gaeaf. Gelwir y '*cêl* milben' hefyd yn '*cêl* lluosben'. (TAM 1994) Mae gwerth porthiannol *cêl* yn eu dail yn hytrach nag yn eu gwreiddiau.
1989 D Jones: OHW 246, Prif gynhaliaeth y da cyrnig dros y gaeaf fyddai gwair, ynghyd ag ambell gae rep neu *gêl* a barhai at wyneb y flwyddyn.

2. **cel** *eg.* Enw anwes am geffyl yng Ngheredigion ac ar draws y De.
1959 D J Williams: YCHO 37, ...o lwyrfryd calon yn chwennych gadael yr ysgol tua'r stander ffor a bod gartre'n ffarmio yng nghwmni Jac yr hen *gel* bach lliw llygoden a'i hanner brawd, y 'Black Prince'.
1966 D J Williams: ST 20, Yr oedd brêc y Swan a'r hen *gel* du yn dra enwog hefyd.

3. **cel** *eg.* Cefn llafn y bladur, asgwrn cefn y llafn, asen y llafn, gwialen y llafn, y trwch o ddur ar hyd cefn llafn pladur yn rhoi cryfder i'r llafn.

celain *gw.* BURGYN, CORWG, SGERBWD.

celefrydd *gw.* CALAFRWD.

celfi *ell.* un. *celficyn, celfigyn, celfiyn.* Ceir hefyd y lluosog *celfiaiu* a *celfioedd.* Yr offer amaethyddol, y taclau, celfi ffarm. Sonnir am y '*celfi* gwanwyn', sef yr aradr, yr og, y dril hau, ayyb; '*celfi* cynhaeaf' – yr injan ladd gwair, y bladur (gynt), y gribin; y chwalwr gwair, y garfan, y picffyrch, ayyb; '*celfi* min' – pladur, cryman, ayyb.

celfi gwraig weddw *ell.* Offer wedi mynd yn ddiraen a difîn, heb ddyn i'w trwsio, a'u hogi a'u cadw mewn trim. Ar lafar yn y Gogledd.

celiog *gw.* CEILIOG.

cêl milben (lluosben) *etf.* Math o fresych â choesyn tew y tyf nifer o ganghennau deiliog ohono ac yn dal rhew yn dda o'i gymharu â'r cêl mergoes. Ceir hefyd y cêl *milben cwta* sy'n cynhyrchu blagur newydd ym mhell i'r gaeaf. Gelwir y cêl *milben* yn cêl *lluosben* hefyd. (TAM 1994). Gw. CÊL.

celrym (*cel* [ceffyl] + *grym*) *eg.* Gair cymharol ddiweddar am 'horsepower', ac yn cystadlu a 'marchrym' a 'marchnerth'. Hon oedd y ffordd am flynyddoedd o fesur nerth cerbyd â pheiriant petrol ayyb, yn ei yrru – hyn a hyn o *gelrym* neu 'farchrym'. Erbyn hyn aeth y rhain eto bron yn llwyr o'n geirfa yn ffafr hyn a hyn o cc. Cyfetyb *celrym* i 746 watt.

celtan *eb.* ll. *celtenni*. Y ddysgl haearn bwrw a roid wyneb yn isaf dros y toes a gresid ar y radell. Un o olion gorffennol cymharol agos, ac o fewn cof rhai sy'n fyw, pan bobid bara ar radell allan, neu 'bobi yn y baw' (Môn). Gw. BARA DAN BADELL, BARA GRADELL.

celwrn
1. *eg.* ll. *celyrnau, celyrni, celyrn*. Cunnog, stên, mit, bwced, twbyn, llestr i ddal unrhyw beth, dŵr, blawd, llaeth ayyb.
1588 Job 21.24, Ei *gelyrnau* ef sydd llawn llaeth.
1620 1 Bren 17.12, llonaid llaw o flawd mewn *celwrn* ac ychydig olew mewn ystên.
1732 RE 30, *Celwrni* lle y golchir dillad.
Ar lafar yn y Gogledd am dwb golchi – '*celwrn* golchi'. Sonia pobl Llŷn am 'roi iâr dan y *celwrn*' (iâr dan badell – gw. IÂR DAN BADELL).

2. *eg.* Mesur gwlyb o bedwar galwyn.
1801 LlrC 24, 231, Pedwar galwyn a wna un *celwrn*, pedwar *celwrn* a wna un grenn.

celyrnaid *eg.* ll. *celyrneidiau*. Llond celwrn (mesur gwlyb = pedwar galwyn).
1620 1 Bren 18.34, Llenwch bedwar *celyrnaid* o ddŵr.

celli *eb.* ll. *cellïau, cellïoedd*. Coedlan, coedwig fechan, gwigfa, llwyn o goed, bron o goed, bryn coediog. Fe'i ceir mewn enwau lleoedd fel y *Gelli* Gandryll, y *Gelli* Dywyll, Bryn *Celli* Ddu, *Gelli*oedd, ayyb.
14g RB 2, 175, Y mynydd hwnnw uchel oedd a *chelli* yn y penn.

celliwig *eb.* Yr un ystyr a 'celli'. Dyma enw llys Arthur yng Nghernyw ac fe'i ceir yn enw plasdy yn Llŷn.

cemegau hir barhaol *ell.* Cemegau sy'n dal i wneud eu gwaith am amser maith ar ôl eu chwistrellu fel llysleiddiaid, plaleiddiaid, ayyb.

cemp *eg.* Blew cwrs, bras neu arw mewn gwlân. Ceir ambell gnu a mwy o gemp na'i gilydd, yn fwy cwrs neu'n fwy bras na'i gilydd.
1955 Llwyd o'r Bryn: YP 109, Amos yw'r hawddaf. Nid oes sôn am ansawdd ei ddefaid – a oedd *cemp* yn y gwlân – y ffroen yn ddu – a lled pedwar bys rhwng deugorn yr hwrdd?

cen cerrig *eg.* Y math o fwsogl neu gen gwyn a dyf ar gerrig ag a ddefnyddid gynt yn y broses o lifo gwlanen, sannau, ayyb. Fe'i cesglid lawer iawn gan deuluoedd tlawd a'i werthu wrth y pwys pan oedd galw mawr amdano ac yntau'n nwydd cymharol brin. Amr. 'cien cerrig' (Maldwyn).
1933 H Evans: CE 94, Daeth *cen gwyn* sydd yn tyfu ar gerrig yn nwydd i fasnachu ynddo. ... yr oedd tri o blant y teulu ... yn ei gasglu bob dydd, sych a theg. Casglai y tri rhyngddynt oddeutu deunaw pwys, yr hyn oedd yn gryn gymorth i'r rhieni a'r plant allu byw.
1933 H Evans: CE 93, Bum yn hel *cen cerrig* lawer tro, ond nid i'w werthu.

cenfaint *ebg.* ll. *cenfeintiau, cenfeioedd*. Haid, llu, gyr, praidd, rhawd, parri, o anifeiliaid yn enwedig moch. Am haid o foch y defnyddir *cenfaint* fel arfer. Ceir 'gyr o wartheg', 'gre o geffylau', 'diadell' neu 'braidd o ddefaid', ond '*cenfaint* o foch'. Ceir hefyd y ffurf 'cenfain'. Fe'i defnyddir

hefyd am nifer o unrhyw beth.
1567 W Salesbury: LLGG Math 8, 30, Ac yr oedd ym pell o ywrthynt *genveint* o voch lawer yn pori.
1981 W H Roberts: AG 127, A golygfa fyddai'r *genfaint* yn rhochian a gwichian ei ffordd hyd y Lôn Las i iard y stesion i'w llwytho.
Ffig. **1865** M Davies: Cof. Ag 155, Daeth rhyw *genfaint* o benillion i'r cyssegr.
1909 E Morgan: CYM 48, Gadawsom y gweddill o'n cydweithwyr at drugaredd y *genfaint* arweinwyr.

cenhedlu (Termau cenhedlu o'r gofyn i'r geni yn ôl y rhywogaeth). Am ragor o wybodaeth gw. dan y gair a'r ymadrodd.
1. **buwch** Gofyn tarw, tarwi, tarwa, terfenydd, gwasod; rhoi tarw, cael tarw; wedi sefyll, heb sefyll, ail ofyn; cyflói, cyflo, trom o lo; alu, ar ei hâl, ar ei hamod, ar ben ei llo, ar ben ei hamser, dwddu, dolur llo, clwyfo, clafychu; bwrw llo, bwrw llo (erthylu), dod â llo.
2. **caseg** Marcha, marchio, marcho, yn wynen, rhewys, rhe, whynen, gofyn stalwyn, tyrra, cnichio, gwynad; cyfebu, yn gyfeb, yn gyfebol, yn drom o gyw (ebol); alu, dod â chyw, bwrw ebol, cael ebol, bwrw ebol (erthylu).
3. **dafad** Dod i'w sesn, maharena, ymorad, gofyn hwrdd, ymlid hwrdd, rhidio, rhydio; cymwyn, cyfoen, yn drom o oen; alu, dolur oen; wynio, wyna, bwrw oen, (bwrw oen – erthylu), dod ag oen, cael oen.
4. **hwch** Gofyn baedd, llawd, llawdio, llowtio, llodig; baedda; torrog, trom o foch; alu; dod â moch, mocha.
5. **gast** Cwna, hel cŵn, cyneica, cneica, cyneicio, yn gynhaig, yn boeth, yn dwym; trom o gŵn, dod â chŵn.

cêr *ebg.* bach. *ceryn*. Offer, celfi, taclau, cyfreidiau; harnais, treciau, trecs (drecs). Sonnir am gêr y ceffylau, sef harnais y ceffylau. Yng Ngwynedd clywir *cêr* yn gysytyr â 'cerpyn'. Yn amaethyddol yn y ffurf 'gêr' y defnyddir y gair fynychaf, gêr ceffyl, gêr blaen, ayyb.
'Mi dynnodd bob *ceryn* (pob cerpyn) oddi amdano.'
Gw. GÊR².

cerbydau amaethyddol *ell.* un. *cerbyd amaethyddol.*
Gweler dan yr enwau BERFA, BERFA DDWYLO, BERFA DROL, BERFA FREICHIAU, CAR, CAR A CHEFFYL, CAR CEFN, CAR CIST (CISHT), CARCLWYD, CAR CRWN, CARDEL, CAR HIR, CAR LLUSG, CAR MAWN, CAR YCHEN, CERT, CERTWAIN, FFLÔT, GAMBO, SLÊD, TRELAR, TROL, TRWMBEL, TWBCAR, TWMBREL, WAGANET. WAGEN, WHILBER, WHILCAR.

cerch gw. CEIRCH.

cerdded anifeiliaid *Ymad.* Dyma orchestwaith yr hen borthmyn gynt, dyddiau'r rheilffordd a'r loríau anifeiliaid – cerdded defaid, gwartheg, cerdded moch. Cerddid gwartheg o eithafion Gorllewin Cymru i bellafion De Ddwyrain Lloegr. 'Doedd dim arall amdani. Wedi sefydlu marchnadoedd yn nes adref, cerdded anifeiliaid a wneid i'r rheini wedyn, hyd nes cael y tren a'r loríau anifeiliaid ac i gynnydd mewn trafnidiaeth ar y ffyrdd ei gwneud yn gynyddol anodd, ac erbyn hyn yn amhosibl, gyrru anifeiliaid ar draed.

1955 Llwyd o'r Bryn: YP 54, Tynnwch y map allan. Dacw fo ar gwr tref Rhaeadr, yn cyfri rhai cannoedd o fyllt ben bore – fel y gog o lawen ac yn cychwyn ei *gerdded* igam-ogam. Cyrraedd Cemmaes y noson gyntaf. Oddi yno drannoeth i Lanuwchllyn. Y trydydd dydd i Bentrefoelas, Pedwerydd, Bryn Trillyn, Pumed i'r Rhuddlan (bron i gan milltir).

1958 FfFfPh 35, Ei gerdded (ebol) eto i Lanybydder (12 milltir). *Cerdded anifeiliaid* a wneid y pryd hwnnw bob amser, nid eu cario fel y gwneir heddiw.

1992 FfTh 10, 27, Dyma'r prisiau a gafodd Robert Jones, Abercin, Llanystumdwy ar Awst 28, 1827 wedi cychwyn hefo 1,057 o ddefaid o gae Tyddyn Sianel, Llanystumdwy, a'u *cerdded* yr holl ffordd i Pinner tu draw i Lundain a gwerthu 1,056.

cerdded y cae hir Cerdded y ffordd. Ar lafar yng Ngheredigion.

cerdded carreg Symud carreg ar ei cholyn neu ar ei thalcen, pan fo'n rhy drom i'w chodi a'i chario i'w lle, wrth godi clawdd.

cerdded y cefn Cerdded y tir glas wrth aredig, am y ceffyl ar y chwith o'r wedd.
Gw. CEFFYL CEFN, GWELLTOR.

cerdded ffeiriau Y ffermwr a welir ym mhob ffair a marchnad.

cerdded y gwys Y ceffyl gwedd sy'n cerdded yn y rhych wrth aredig.
Gw. CEFFYL RHYCH, RHYCHOR

cerdded y rhych gw. CERDDED Y GWYS.

cerdded stalwyn Mynd a stalwyn o gwmpas yn ei sesn, canlyn stalwyn.
Gw. CANLYN STALWYN, DYN CANLYN STALWYN.

cerdded y terfynau *be.* Gynt, byddai'n arfer i gerdded terfynau'r plwyfi a'r siroedd i bwrpas pennu'r trethi. Gwneid hynny bob hyn a hyn o flynyddoedd, ac, mewn rhai achosion, yn flynyddol.

1933 H Evans: CE 162, Nid wyf yn sicr pwy oedd yn gyfrifol am y gwaith (cerdded y terfynau). mae'n debyg mai'r 'overseer', a'i fod yn hen arferiad. Nid oedd yr 'ordnance maps' wedi eu cwblhau ... ac yr oedd yn rhaid bod yn sicr faint o dir oedd yn perthyn i bob plwyf, fel y gellid ei drethu. Cofiaf y fintai yn mynd o gwmpas – dau neu dri o hen bobl a dau neu dri o bobl ieuainc, felly y sicrheid y terfynau o oes i oes.

cerdded yn wag *be.* Symud neu fynd heb fod yn gwneud dim, gan amlaf, am resymau da, e.e. gorfod lladd ŷd un ffordd ac felly'n gorfod mynd yn ôl heb dorri ar ôl pob gwanaf, cerdded yn weili (Brycheiniog). Ar lafar ym Môn.
Gw. GWEILYDD, GWEILI.

cerdded yn weili gw. CERDDED YN WAG.

cern

1. *eg.* Asgwrn y foch, ochr y pen, lletben, bochgern (dyn ac anifail).
1620 1 Bren 22.24, Ond Sedecïah ... a darawodd Micheah dan ei *gern*.

2. *egb.* Llechwedd neu lethr noeth, ddigysgod, ochr.
1790 Twm o'r Nant: GG 144, Plas Pengwern mewn *cern* mîn coed.

cerrig gafael, cerrig gafaelion *ell.* Cerrig mawr ar yr wyneb neu'n brigo i'r wyneb (S. *boulders*), cerrig rhwystr, meini tramgwydd. Ar lafar yn y Gogledd. Gw WVBD 144.

cersio gw. CEIRSIO.

cert *eb.* ll. *certi, ceirt.* Trol, cart, cerbyd o goed dwy olwyn i'w dynnu gan geffyl ac i gario llwythi o wair, gwellt, ŷd, tail, ayyb, ar fferm, ac yn tipio fel arfer.

1907 Myrddin Fardd: GESG 10, Cert – tad y gair 'certwyn'. Mae hwn ar arfer mor fynych â'r gair trol.

1989 P Williams: GYG, Eid â'r *cert* i ochr draw y sgubor a rhedeg y tato allan i lywanen gydag un yn dal ym mhob pen iddi.

Gw. hefyd CART, CERTWAIN, TROL.

cert hir *eb.* ll. *certiau hir, certi hir, ceirt hir.* Cerbyd pedair olwyn o goed i'w dynnu gan geffyl, i gario ŷd ayyb, ar fferm, yn llawer hwy na throl neu gert, ond heb fod cyn ddyfned, wagen (S. *long-body*).

1990 FfTh 5, 22, ... daeth William yn y *gert hir* (long body) gyda Dic, y ceffyl gwedd yn ei thynnu. Rhyw hanner dyfnder cert gyffredin oedd y *gert hir* ond lawer yn hwy a pheth yn lletach, a'i holwynion ychydig yn llai. 'Roedd iddi hefyd tua throedfedd o fframwaith sefydlog o'i hamgylch yn ei gwneud yn gerbyd delfrydol i gario gwair neu ŷd oddi ar lechweddau serth.

certio gw. CARTIO, TROLIO.

certiwr *eg.* ll. *certwyr.* Un yn gyrru cart neu drol.

Gw. CARTIWR, CERTMON, WAGNER.

certmon, cartmon *eg.* ll. *certmyn* (S. *cartman*). Un sy'n gofalu am y ceffylau, ac yn gweithio â'r ceffylau ar fferm, wagner, cyffylwr. Ceid 'pen*certmon*', sef yr un, yn rhinwedd ei oed a'i brofiad, a fyddai'n canlyn y brif wedd neu'r pen-gwedd; 'ail *gertmon*', yn canlyn yr ail wedd; ac os byddai trydydd gwedd ceid 'trydydd *certmon*'. Ar lafar yn y Gogledd.

1976 G Griffiths: BHH 22, Trodd allan yn ddyn cyfrifol ar ffermydd yr ardal; golygaf wrth hynny iddo fod yn hwsmon ac yn *gertmon* ac yn borthwr.

1981 W H Roberts: AG 37, Pan oeddwn i'n un-ar-bymtheg oed yr oeddwn yn drydydd *certmon*.

1983 E Richards: YAW 13, Yn y ffermydd mawr byddai cymaint a thri *chertmon* yn cael eu graddio fel y cyntaf, ail a thrydydd. Fe geid tri *chertmon* yn y Mynachdy bob amser.

1987 T D Roberts: BLLIF 34, Robert Owen yn canlyn y ben-wedd yn Tre'r Ddôl, a Tom, Fron Wen yn *ail-gertmon*.

Dywed. 'Ofer prynu clo newydd rhag hen *gertmon*' – dyfeisgarwch hen *gertmon* i gael rhagor o geirch o'r llofft storws – anodd rhwystro hen leidr profiadol. 'Ni ddylai *certmon* weld y wedd' – yr amser iawn i hau yw Ebrill pan fo cymylau o lwch yn codi wrth lyfnu'r âr – y pridd yn ddigon sych. 'Rhaid troi'r drol unwaith i fod yn *gertmon*' – dyn yn dysgu'i wers.

certwain, certwen, certwyn, cartwen *eb.* ll. *certweiniau, certweni, certwyni, certweini.* Cert, cart, trol, wagen.

1677 C Edwards: FfDd 146, Fel ped fuasau *gertweini* wedi myned drosto.

Gw. CART, TROL, WAGEN.

certweiniwr, certwenwr, certwynwr *eg.* ll. *certweinwyr, certwenwyr, certwynwyr.* Un yn gyrru trol neu gert.
1595 H Lewys: PA 46, Fal y mae *certweiniwr* yn curo i feirch â chwip.
Gw. CARTWR, CERTMON.

certwyndy (*cert* + *tŷ*) *eg.* ll. *certwyndai.* Adeilad lled agored at gadw'r offer amaethyddol – y troliau (certi), ayyb, hoywal, huwal, cartws, cotiws.
Gw. CARTWS, HOYWAL.

cerwyn
1. *eg.* Cymysgedd mesuredig o flawdiau anifeiliaid yn cynnwys yr holl elfennau ar gyfer ymborth cydbwys. Sonnir am *gerwyn* gwlyb, sef y gymysgedd yn wlyb (S. *mash*).
2. *eg.* ll. *cerwynau.* bach. *cerwynen.* Llestr at ddal unrhyw hylif neu wlybwr, twb, baril, casgen, hogsied.
1801 LlrC 24, 76, dod ef mewn *cerwynen* lân.

cerwynaid *eg.* ll. *cerwyneidiau.* Llond cerwyn, cymaint ag a ddeil cerwyn ar y tro.
Gw. CERWYN².

cerwyn oeri *eg.* Y twb neu'r gasgen ddŵr yng ngefail y gof i oeri'r haearn ar ôl ei weithio a'i ffurfio'n ôl y gofyn.

ceryn 1. *eg.* ll. *cêr.* Unrhyw ran o harnais ceffyl – y ffrwyn, y goler, y gefndres, ayyb.
Ffig. 'Roeddwn i'n 'lyb at fy nghroen, bu'n rhaid imi dynnu a newid bob *ceryn.*'
Gw. CÊR.

cesail *eb.* ll. *ceseiliau.* Yn ddaearyddol ac amaethyddol, cilfach, congl, agen, cil haul, yn enwedig ar dir uchel.
'Mae'r eira'n dal i lingro yn y *ceseiliau.*'
1906 E Wyn: TMM *Cwm Pennant*, Yng *nghesail* y moelydd unig/Cwm tecaf y cymoedd yw.
Dywed. '*Cesail* bryn, gwaela talar.'

cesair, ceser *eg.* Eira bras caled, cenllysg, peledi bychain o eira. Ar lafar ar draws y De.
1620 Ecs 9.33, A'r taranau a'r *cesair* a beidiasant.

ceseiliau (*cesail* + *iau* = gwarrog) *eb.* Iau ystlys, y drydedd iau oddi wrth yr aradr.
1200 LLDW 59, 11-12, Mesur erw gyfreuthawl petwar troetvedd yn y verriau, wyth yn yr eyl yeu, deuddec yny *gessulyeu.*

cetel, cetal, cetl gw. CELTAN.

cetlan gw. CELTAN.

cetyn
1. *eg.* Gair ynglŷn â'r gorchwyl o lyfnu cae âr. 'Tro' oedd y gair am fynd a'r og dros yr un tir ddwywaith, h.y. yn ôl ac ymlaen dros yr un lled o dir, wrth lyfnu tir âr. Rhoi og dros led unwaith oedd *cetyn*, sef llyfnu'r un lled unwaith. Rhoi 'ocyn' a glywir yn y Gogledd. Byddai hynny'n aml ar

ôl gorffen trin er mwyn gwneud yn siwr. Ar lafar yn Nyfed.

1958 T J Jenkin: YPLL AWC, Dau 'dro' oedd yn ofynnol yn gyffredin, sef bod yr oged yn mynd dros y tir bedair gwaith, ond os na fyddai hynny'n edrych yn llawn ddigon, rhoddid *cetyn* arall iddo, sef mynd dros y tir i gyd unwaith eto.

Gw. OCYN.

2. *eg.* ll. *cetynau.* Bach neu golfach llidiart neu ddôr ar ffurf cetyn neu bibell smocio baco, a osodir yn y cilbost neu'r pentan adwy i grogi'r giat neu'r glwyd neu'r ddôr, *cetyn* llidiart, *cetyn* dôr, bach giât. Ar lafar ym Môn a Meirionnydd yn yr ystyr hwn.

cethr *eb.* ll. *cethri, cethrau.* Sbardun, swmbwl, y bigffon (ffon bigfain) a ddefnyddid gynt i yrru a sbardynu gwedd o ychain mewn gwaith gan y 'cethreor' neu'r 'cethreiniwr'. Hefyd am hoelen, pin pigyn.

1567 Ioan 10.25, Any [oni] welaf yn ei ddwylo ôl y *cethri* [hoelion].

1620 Num. 33.35, bydd y rhai a weddillwch ... yn *gethri* yn eich llygaid ac yn ddrain yn eich ystlysau.

Ffig. Pigiadau cydwybod. Sonnir am '*gethri* cydwybod'.

Gw. CETHREINIWR, GEILWAD.

cethrain, cethreinio gw. CETHRU.

cethreiniwr, cathreiniwr, catheiwr *eg.* ll. *cethreinwyr, cathreinwyr.* Symbylwr ychen gwaith (wrth aredig ayyb), geilwad ychen, gyrrwr ychen, anogwr ychen. Ar y blaen i'r ychen y cerddai'r *cethreiniwr* a hynny, fwy neu lai, wysg ei gefn, gyda chethr yn ei law i annog neu sbardynu'r wedd yn ei blaen. Canai hefyd wrth fynd (penillion telyn, tribanau, ayyb) gan gredu bod ychen yn symud yn well mewn ymateb i ganu (cf. canu wrth odro). Ceir awgrym gan Iolo Morganwg bod hyn yn digwydd yn helaethach yng Nghymru na thros y ffin yn Lloegr, ac o'u gwerthu i Loegr, y ceid trafferth yno i'w cael i symud heb y canu. Ceir amrywiaeth o ffurfiau ar y gair *cethreiniwr* – 'cethrenwr', 'cethrenydd', 'cethreinydd', 'cathrenydd', 'cethreor', 'cythreor', 'cethreuwr'.

1975 Ff Payne: YAG 146, Safle gyrrwr yr ychen fyddai o'u blaenau ac yn eu hwynebu.

1996 *Y Traeth.* Cyfr. 151, Rhif 638, 139, the Glocestershire farmers and dairymen, who are fond of the Glamorgan Cattle, often curse the Ploughboys and Milkmaids of Glamorgan, for oxen will, frequently, neither work, nor cows stand to be milked, without their accustomed music, and there is but little music in the Glocestershire Varmers.

Gw. CETHR, CETHRU, GEILWAD.

cethrenydd, cathrenydd gw. CETHREINIWR.

cethreor, cythreor, cethreuwr gw. CETHREINIWR.

cethrenu, cathrenu gw. CETHRU, CETHRAIN.

cethrol *eg.* Erfyn neu declyn gan y gof i dyllu haearn poeth, ebill, taradr.

1200 LLDW 102, Orth, a chammec a *kethraul.*

cethru, cathrain, cathren *be.* Symbylu neu sbardynnu gwedd o ychen yn ei blaen â chethr, sef y ffon bigfain a ddefnyddir i annog ychen yn eu blaen wrth aredig, galw ychen. Yn y De ceir y ffurf lafar 'cathren'.

1762-79 W Williams: P 555, Fe wna fachgennyn ag a fo yn *cathren* yr ychen i wybod mwy o'r

ysgrythurau na chwi.
Ymad./Ffig. *'cethru* ar' – argraffu neu ddylanwadu ar rywun.
Gw. CETHR, CETHREINIWR, GEILWAD.

ceu Ffurf lafar ar 'cau'.
Gw. CAU.

ceugwm (*cau* + *cwm*) *eg.* ll. *ceugymoedd.* Ceunant dwfn a chul a hir wedi
ei naddu a'i hafnu gan nant y mynydd.
18g E T Rhys: DA 154, Mi welwn fadyn [llwynog] bronwyn bras,/Dros *geuglwm* cras yn
croesi.

ceulad, ceuliad *egb.* ll. *ceuladau.* Y weithred neu'r broses o geulo neu o
droi'n gaul, tewychiad, tolcheniad, cawsiad (am laeth)
1800 W Owen Pughe: CP 83, Os coda yr hufen i yr wyneb cyn delo y *ceulad.*

ceulan
1. (*cau* + *glan*) *eb.* ll. *ceulannau, ceulennydd.* Glan afon, torlan, min afon,
ymyl, dibyn, diffwys. Sonnir am afon 'dros ei *cheulannau'.*
1567 Math 8.32, rhedec or genveint bendro-mwnwgl oddiar y *geulan* [diffwys, dibyn] i'r
môr.
1620 Es 8.7, Efe a esgyn ar ei holl afonydd, ac ar ei holl *geulannau.*
1966 D J Williams: ST 29, Wele olau sydyn ar yr afon o *geulan* i *geulan,* fel canol dydd o Fai.
Ffig. Agos i farw, ar lan afon angau. Clywir ymadroddion fel *'ceulan* angau' a *'ceulan* y
bedd'. 'Gwael iawn ydi Wmffra, ar y *geulan* rwy'n ofni.'
2. *eg.* ll. *ceulannau.* Y pwll mawn, y lle y torrir y mawn ohono. Ar y
'dorlan' neu'r 'caledwch' y sefir i dorri'r mawn, ond o'r *geulan* y'i codir.
Gw. PWLL MAWN.

ceuled
1. *eg.* bach. *ceuleden.* Cywair llaeth, cyweirdeb – sylwedd a wneid gynt
drwy sychu pilionen stumog llo a rhai creaduriaid eraill, ac yn cynnwys
math o eples sy'n cawsio neu geulo llaeth i bwrpas gwneud caws (S.
rennet).
1718 LLsg. R Morris 181, Rhowch i loned llwy o *geulad.*
Gw. GWNEUD CAWS.
2. *eg.* Yr hyn a geulir neu a geulwyd, caul.
1812 W Davies: RMB 42, Mewn pedair neu bump awr efe [corn] a dry'n *geuled.*

ceuledu *be.* Troi'n gaws, troi'n geuled neu'n gaul (am laeth).
Gw. CAUL, CEULED.

ceulen *eb.* Y lletem (S. *wedge*) tu mewn i'r amgarn wrth fôn coes pladur i
dynhau ac i ddal bôn y llafn yn ei le, gaing, cŷn.

ceulestr (*cau* + *llestr*) *eg.* ll. *ceulestri.* Llestr neu flwch at gadw te, coffi,
ayyb, canister te, canister coffi.

ceulfraen
1. **ceulfran, colfran** (*caul* + *braen*) *eg.* Llaeth wedi ceulo y gwasgwyd y
maidd ohono nes sychu o'r sopen ac yna ei halltu a'i friwio neu ei falu â
llaw, caws gwyn (S. *cheese-curds*).

236

1796 Geirgrawn 75, Eu lluniaeth yr haf ydyw llaeth, *colfran* [curds] ac ymenyn. Gw. CEULED.

2. *eg.* Caul, cywair llaeth, cywerideb. Ar lafar yng Ngheredigion a sir Gaerfyrddin.

ceulfraenu, colfranu *be.* Braenu neu friwio llaeth wedi ceulo er mwyn gwneud caws gwyn ohono. Ar lafar yn Nyfed.

ceulfraenwr, colfranwr *eg.* *ll.* *colfraenwyr*. Math o beiriant neu ddyfais a hopran uwch ei ben a rowler yn troi dano, at wneud ceulfraen.

1958 I Jones: HAG 46, Wedyn (wrth wneud caws) tynnid y maidd mor llwyr ag y gellid oddi wrth y sopen, a phan fyddai honno'n ddigon sych câi fynd drwy'r *colfranwr* i'w friwio'n fân.

Gw. CEULFRAEN, CEULFRANU.

ceulo *be.* Llaeth yn cawsio, llaeth yn troi, yn suro neu'n tewychu; hefyd llaeth yn cael eu *geulo*'n bwrpasol drwy roi ceuled ynddo, at wneud caws.

1620 Job 10.10, Oni thywelltaist fi fel llaeth, ac oni *cheulaist* fi fel caws.

Ffig. Yr awyr yn cymylu neu'n cymysgu am law. 'Rhaid inni afael ynddi, mae'r awyr yn dechra' *ceulo* 'rwy'n ofni.'

Gw. CEULED.

ceulor, ceulawr *eg.* Noe neu lestr pren bâs at gawsio neu geulo llaeth.

15g Pen 99, 24, A'r enwyn surllwyd mewn dwy gunnog fawr/Ai lyniaeth *keulawr* o laeth coliog.

ceunant (*cau* + *nant*) *eg.* *ll.* *ceunentydd*. Cwm cul a dwfn, hafn lle rhed nant wyllt raeadrog, ceugwm.

1575-6 B 6, 323, Pob llwybr mewn *ceunant*/I'r unffordd y rhedant.

Gw. hefyd CEUGWM.

cewcan *eg.* *ll.* *cewcanau*. Y bachyn neu'r cydiad ar du ôl pedol ceffyl, ac o dani, i gadw'r ceffyl rhag llithro. Ar lafar ym Môn. Yn Nyfed a Cheredigion ceir 'calcyn' neu 'calc' yn ffurfiau, ac yng Ngogledd Ceredigion 'ciwcyn'.

Gw. CALCYN, CLIP², COWCAN, DURIO.

cewn Ffurf dafodieithol ar 'cefn'. Ar lafar yn sir Benfro.

Gw. CEFN¹.

chaff cutter *eb.* Yr injan falu gwellt a gwair ac eithin a ymddangosodd tua chanol y 19g ac a droid â llaw am flynyddoedd. Disodlodd yr hen ddull caled, llafurus, o falu eithin â gordd eithin. Arferai'r *chaff cutter* fod ar waith yn ddyddiol, yn enwedig gan y certmyn. Roedd cael y gwair wedi ei falu yn ei gwneud yn bosibl i'r ceffylau fwyta'n helaethach yn ystod eu 'hawr ginio', ac yn y bore.

1989 P Williams: GYG 21, Yn y '*chaffroom*' rhwng y stabl a'r ydlan roedd peiriant a elwid yn *chaffcutter* yn cael ei yrru gan rôd ddŵr i falu gwellt ac eithin.

Gw. MALU EITHIN.

Charolais Enw ar frîd o wartheg a fridiwyd yng Nghanolbarth Ffrainc, ac a fewnforiwyd gyntaf i wledydd Prydain yn chwedegau'r 20g. Gwartheg mawr, cryfion, o liw gwyn neu liw hufen. Daeth y brîd yn boblogaidd oherwydd eu maint ac ansawdd y carcas ar ôl eu lladd.

Charollais Enw ar frîd o ddefaid Ffrengig, a fewnforiwyd ar raddfa fach i wledydd Prydain, mae iddynt wyneb coch nodweddiadol a'u hyrddod yn cael eu defnyddio yn lle Suffolk a Texel yn aml.

Checkmate *ep.* Gwasanaeth gan y Bwrdd Marchnata Llaeth dan 'Gwasanaeth Rheolaeth Fferm' sy'n cadw cyfrif o ffrwythlonder buches odro.

Chernobyl *ebg.* Enw'r orsaf niwcliar yn yr Iwcrain, lle bu damwain erchyll yn 1986 ac y syrthiodd cwmwl o ymbelydredd oddiyno ar Ogledd Cymru a Cumbria. Drwy'r borfa effeithiodd ar y defaid yn arbennig. Bu'n rhaid rhoi gwaharddiad ar werthu a lladd ŵyn mewn cannoedd o ffermydd. Erys y gwaharddiad mewn rhai ardaloedd o hyd (1999). Byddai lefel yr ymbelydredd yn y cig yn rhy uchel i'w fwyta gan bobl.

Chester White *ep.* Brîd o fochyn a hannoedd yn wreiddiol o Chester County, Pennsylvania ac a ddatblygwyd o groesiad o Yorkshire, Lincoln Curley Coat a Cumberland. Mae'r ddau frîd olaf wedi diflannu erbyn hyn. Mae'n fochyn mawr, gwyn ei liw ond gyda brychni glas, clustiau lled ddisgynedig ac yn enwog am ei gig coch a'i epilgaredd.

Chevalier *ep.* Rhywogaeth o haidd (barlys).
1928 G Roberts: AA 17, Ni chlywais ond am ddau fath o haidd, sef 'Haidd Hen Ffasiwn' a 'Haidd Garw' – ond yr oedd y math newydd a elwid *Chevalier* yn dechrau dod i arferiad.

Cheviot *ep.* Brîd caled, gwyn, byrwlân, digorn o ddefaid, moel eu coesau a'u wynebau, clustiau sythion ac yn wyliadwrus yr olwg. O ran maint yn ganolig, er bod y North Country Cheviot yn fwy na'r South Country Cheviot. Ar y Cheviot Hills y datblygodd y ddau fath. Mae eu gwlân o ansawdd da, yn ganolig ei hyd ac yn bur drwchus.

Chianina *ep.* Brîd o wartheg mawr, cryfion o Ogledd yr Eidal a ddefnyddid gynt yn ychen gwedd. Mae'n un o'r bridiau mwyaf o wartheg, o liw gwyn, gyda'r carnau a blaen y cyrn yn dduon. Bu'n anifail a fegid am ei gig yn ogystal ag am ei waith. Ychydig ar y cyfan a fewnforiwyd i wledydd Prydain.

chico, chico ('ch' fel y 'ch' yn Saesneg). Dull o alw ar yr ieir, y math o sŵn a wneir wrth alw'r ieir at eu bwyd, ayyb. 'Chico, dic' (Dyffryn Edeirnion).

churn laeth *eb.* ll. *churns llaeth.* Enw rhai ardaloedd ar y caniau llaeth deg galwyn a ddarperid gan y Bwrdd Llaeth wedi iddo ddechrau prynu llaeth y ffermydd ar ôl ei sefydlu yn 1933. Byddai ffermwr yn y dyddiau hynny yn danfon y llaeth yn y *churns* hyn a'u gosod ar lwyfan pwrpasol wrth fynedfa'r fferm i'w casglu gan y 'lorri laeth' yn ddyddiol gan adael yr un nifer o ganiau gwag, glân ar gyfer drannoeth, can llaeth, cansen

laeth, siyrn laeth.
1995 FfTh 15, 4, Fe roddid y llaeth mewn *churns* deg galwyn, ac fe gofiaf am un fferm fach gerllaw yn gyrru dwy alwyn o laeth i'r ffatri, a gyrrwr y lorri yn dweud y byddai'n well iddi (hen ferch) wneud dysgled o bwdin reis hefo'r llefrith.
Gw. CAN LLAETH, CANSEN LAETH, LORRI LAETH, SIYRN.

ci bugail gw. CI DEFAID.

ci bwtsiwr *eg.* Ymadrodd ffigurol am ddyn yn cymryd arno gysgu tra bod dau arall yn datgelu cyfrinachau. Ar lafar yng Ngheredigion.

ci corddi, ci ber *eg. ll. cŵn corddi, cwn ber.* Ci yn corddi neu droi'r corddwr (buddai) drwy gerdded yn ei unfan ar olwyn o goed lled ysgafn, a honno yn ei thro, drwy gyfrwng gwerthyd ac olwynion cocos. yn troi'r corddwr yn y tŷ llaeth. Mewn ffermydd mawr byddai dau gorddiad yr wythnos, yn enwedig yn yr haf pan fyddai'r buchod yn llaetha fwyaf, ac mewn achosion felly ceid dau gi ar yr olwyn yn cerdded ochr yn ochr.
1933 H Evans: CE 213, (Dyfynnu Iorwerth Peate) Os â Hugh Evans i ffermdy o'r enw Bwlch Tocyn, ger Blaenau Ffestiniog fe wêl fuddai gŵn yn dal i weithio; o leiaf fe'i gwelais yno yn nechrau gwanwyn 1930, a dau gi yn ei gweithio, ac yr oedd y cŵn yn falch o'u gwaith ac yn ymddangos yn hapus ddigon wth gorddi.
1976 G Griffiths: BHH 121, Olwyn gweddol fawr ar led-orwedd neu led-ogwydd a math o stepiau arni, a honno, yn ei thro, trwy gyfrwng gwerthyd ac olwynion cocos, yn troi'r fuddai i gorddi. Gosodid y ci ar ymyl allanol yr olwyn lle mae'r stepiau a rhoi hergwd iddi i gychwyn. Wedyn byddai'r ci yn cerdded yn ei unfan a dal ati i wneud hynny er mwyn cadw'r olwyn i droi nes gorffen corddi. Fel arfer, ci mawr a chryf oedd y *ci corddi*.

ci cwrso *eg. ll. cŵn cwrso.* Ci i rowndio defaid a gwartheg, ci hel defaid. Ar lafar yn y De.
Gw. CI HEL DEFAID.

ci defaid *eg. ll. cŵn defaid.* Gwas da ac anhebgor bugail a ffermwr defaid. Mae englyn Tom Richard yn crisialu ei werth a'i rinwedd.
1774 H Jones: CYH 57, Mor ufudd a ffyddlon yw y *ci* i'w feistr.
1953 F Wyn Jones: *Godre'r Berwyn* 12, Cymraeg pur oedd yr iaith rhwng y bugeiliaid a'r *cŵn defaid*, ac mi fyddwn yn hoff o glywed ambell fugail yn taflu ei lais pan fyddai'r ci ymhell oddi wrtho, ar y gorchymyn "Cer draw mhell" gan ddal yn hir ar y gair olaf. Y prif orchymynion eraill oedd "gorfadd", "sa'n ôl" a "sa draw"
1964 T Richards: *Y Ci Defaid ac Englynion Eraill* 39, Rhwydd gamwr hawdd ei gymell – i'r mynydd/A'r mannau anghysbell;/Hel a didol diadell/Yw camp hwn yn y cwm pell. Dywed. 'Mae'r ci yn adlewyrchu cymeriad ei feistr.'

ci dal defaid *eg. ll. cŵn dal defaid.* Ci a hyfforddwyd i ddal dafad neilltuol yn ôl y gofyn a hynny gerfydd ei gwar, ond heb ei niweidio.
1933 H Evans: CE 142, Y gwahaniaeth rhwng *ci dal* a chi hel defaid yw hyn, arfer y *ci dal* oedd rhedeg ar ôl y ddafad a ddangosid iddo, a'i dal gerfydd ei gwar, a hynny'n dyner heb adael ôl ei ddannnedd ar ei chroen … Adwaenai'r ci y nod gwlân cystal â'i feistr, ac nid oedd eisiau ond y gorchymyn 'dal hi' na byddai'n gafael yn ei gwar.

ci hel defaid *eg. ll. cŵn hel defaid.* Ci i rowndio defaid, ar y mynydd-dir agored fel rheol, a'u casglu ynghyd i'w golchi, eu cneifio, eu didoli, ayyb, ac ar y cyfan ci yn medru gwahaniaethu rhwng defaid un fferm a'r llall ar y mynydd-dir oddi wrth eu nod gwlân, ci cwrso.

1933 H Evans: CE 142, Y pryd hynny nid oedd y *ci hel* wedi dyfod i Gymru, dim ond y 'ci dal', fel y byddai'n rhaid i'r holl deulu droi allan i hel defaid.

ci lladd defaid *eg.* ll. *cŵn lladd defaid.* Ci (nid ci defaid fel rheol) wedi cael blas ar ladd defaid ac ŵyn, a chi, o'i ddal wrthi'n lladd, pwy bynnag a'i piau, y mae gan y ffermwr hawl i'w saethu yn y fan a'r lle. 'Ci erlid' yw'r enw mewn rhai ardaloedd.

1975 R Phillips: DAW 64, ... a rhag y cadno a'i debyg yn lladd, ynghyd ag ambell i gi tawel, heb unrhyw reswm digonol, yn mynd yn *gi lladd defaid.*
Dywed. a Diar. 'Cadw ci a chyfarth fy hun' – cadw gwas a gwneud y gwaith ei hun. 'Mor euog (neu mor ffals) â *chi lladd defaid.*'
Gw. ERLID.

ci trydan *eg.* Dyfais fecanyddol i hel y buchod o'r buarth i'r parlwr godro yn y ffurf o wifren â mesur o drydan yn llifo drwyddi ac a dynnir y tu ôl i'r gwartheg.

ciae moch *eg.* Ffurf lafar ar 'cae moch'. Ar lafar ym Maldwyn.
Gw. CAE MOCH.

ciambren *eb.* Ffurf lafar ar 'cambren'. Ar lafar ym Maldwyn.
Gw. CAMBREN.

ciarej *eg.* Ffurf lafar yng Nghymraeg Maldwyn am y S.*carriage* yn yr ystyr o faich neu bwn.

ciarej coed *eg.* Cerbyd neu gar hir i gario coed ar ôl eu cwympo. Ar lafar ym Maldwyn.

ciartar *eg.* Cermon, ceffylwr, wagner.
1994 LLG, Y *ciartar* fyddai'n edrych ar ôl y ceffylau – peiriannau holl bwysig y gwaith ar y tir.
Gw. CERTMON, WAGNER.

cib
1. *eg.* ll. *cibau.* Llestr, cawg, cwpan.

2. **cibyn** *eg.* Llestr mesur sych neu wlyb yn cyfateb i bedwar galwyn neu hanner bwsiel, yn aml â dwy glust iddo, cawg mesur. Ar lafar ym Môn. Amr. 'cibin'.

3. *eg.* Ymyl llestr, min llestr – cib y cawg, cib y cwpan, ayyb.
1567 Ioan 2.7, Yna eu·llanwasant wynt yd yr ymyl [: o'r *gib*] yn gyforiog.

4. *egb.* Coffr, blwch, cist. Ger Llandeilo ceir yr afon *Cib* a'r enwau lleoedd sydd ynghlwm wrthi – Blaen *Cib*, Cwm *Cib*, Tre *Gib*.
13g WM 474, 37-8, Agori *kib* (kib vaen) a oruc y wreic yn tal y pentan.

cibau *ell.* un. *cibyn.*
1. Eisin ŷd, plisg, grawn ceirch, haidd a gwenith, rhuddion
1620 Luc 15.16, Efe a chwenychai lenwi ei fol â'r *cibau* a fwytâi'r moch.
Gw. EISIN.

2. Plisgyn, croen (cnau, ŵy, ayyb) – *cibyn* cneuen, *cibyn* ŵy.
14g DB 85, Megis y bydd y *kibynn* (testa) ygkylch y gwynn (ŵy) ...

1677 C Edwards: FfDd 215, Cywion gorphenhaf ... daethant o'r *cibau* yn ddiweddar. Dywed. 'Paid a chyfri'r cywion yn y *cibau*.'

cibi (Y Gibi) gw. LLAID[2].

cibler *eb.* Melin falu fach, melin sgubor, crysiar. Ar lafar yn Edeirnion.

ciblo *be.* Malu grawn heb ei ogrynu, bras falu ŷd yn fwyd anifeiliaid. Ar lafar ym Maldwyn.
1981 GEM 19, *Ciblo* – bras falu ŷd.

cibwst gw. LLAID[2].

cibyn
1. gw. CIBAU[2].

2. *eg. ll. cibynnau.* Mesur sych yn cyfateb i bedwar chwart neu hanner bwsiel. Hefyd y llestr i ddal y cyfryw fesur, ac wedi ei eilio o wellt.
1730 L Morris: LW 41.4, *Cibyn* is ye vessel, made also of straw ... 4 cibyns heaped make an Hestoraïd.
Gw CIB[2].

cibynnaid, cibyniad *eg. ll. cibyneidiau.* Llond cibyn, sef mesur sych yn cyfateb i bedwar chwart neu hanner bwsiel, pecaid. Dyma sut y mesurid grawn. Ar lafar ym Môn.
1963 LlLlM 93, 4 chwart = 1 galwyn; 4 galwyn = 1 cibyn; 2 gibyn = 1 bwysel; 2 fwysel = 1 storad; 2 storad = 1 hobaid; 2 hobaid = 1 pegaid.

cicer, ciciwr *eg.* Peiriant troi ac ysgwyd gwair ar ôl ei ladd, ciciwr gwair, teder. Ar lafar yn Nyfed.
1992 FfTh 9, 31, Y peiriannau poblogaidd i droi'r glaswellt ar ôl ei ladd oedd y *cicer* (tedder) a'r 'side-rake', ac ambell un yn dal i ddefnyddio'r rhaca llaw.

cicio yn y tresi (tros y tresi) *Ymad.* Yr hyn a wnai ambell i geffyl afrywiog ei dymer pan na fyddai pethau wrth ei fodd neu pan y'i dychrynid a'i gynhyrfu gan rywbeth, ceffyl am ei ffordd ei hun ac yn gwrthod ufuddhau wrth ei waith.
1976 G Griffiths: BHH 30, Ymgodai a'i thraed blaen i fyny yn yr awyr a throi ar ei dau droed ôl, a doedd wybod yn y byd beth a ddigwyddai wedyn. Byddai ei thraed dros y cyplysau (tresi) a phob blerwch.
Ffig. Rhywun gwyllt yn gwrthod disgyblaeth.
1959 D J Williams: YCHO 239, A chymryd yn ganiataol y gallwn i rywdro godi galwad i rywle, fe fyddwn yn ddigon tebyg wedi *cicio dros y tresi* lawer tro.
1980 J Davies: PM 29, Byddwn yn *cicio yn y tresi*'n aml ac yn dyfeisio pob math o esgusion rhag mynd, ond mynd fyddai raid bob tro.

cidl *eg.* Cetl, sospan, crochan bychan. Ar lafar yng Ngheredigion, Dyfed a Morgannwg.
1938 T J Jenkin: AIHA AWC, Peth cymharol ddiweddar, gallwn feddwl, oedd y *cidl*, wedi dod i gymryd lle, mwy neu lai, y 'crochan cawl'.
1991 G Angharad: CSB 30, Ond nethe dim byd ond *cidl* y tro i Mari, trw'i bod hi'n ffeilu ca'l crochan.

cidys, cedys *ell. un. cidysen, cedysen.* Ffagodau neu sypiau o frysgwydd neu friwydd.

16g (LLEG) Mos 158 602a, Ynghysgod penill o *gidys* neu ffagode
1778 J Hughes: BB 299, Yn codi ystray fel *cidys* drain.

ciecs *ell.* un. *ciecsen.* Ffurf lafar dafodieithol ar 'ceclys', sef corsennau sychion a gesglid gynt at gynnau tân. Ar lafar ym Maldwyn.
Dywed. 'cyn syched â'r giecsen'.

ciefndres (*cefn* + *tres*) Ffurf dafodieithol ar 'cefndres'. Ar lafar ym Maldwyn.
Gw. CEFNDRES, CEFNRHAFF.

ciegid Ffurf lafar ar 'cegid'. Ar lafar ym Maldwyn.
Gw. CEGID.

cielfi *ell.* un. *celficyn.* Ffurf lafar dafodieithol ar 'celfi'. Ar lafar ym Maldwyn (GEM 19, 1998).
Gw. CELFI.

ciert *eb.* ll. *cierti.* Ffurf lafar dafodieithol ar 'cert'. Ar lafar ym Maldwyn.
Gw. CART, CERT, GEM 20 1981.

ciertws *eg.* Ffurf lafar dafodieithol ar 'certws', 'cartws'. Ar lafar ym Maldwyn.
Gw. CARTWS, GEM 20 1981, HOFEL, HUWAL, WANWS.

cifer *eb.* Cyfair, acer, erw (am dir). Ffurf dafodieithol ar cyfair, sef, yn wreiddiol, darn o dir ar *gyfer* tŷ neu dref, y tir *cyfer*byn..

cig *eg.* ll. *cigoedd, cigau.* Cnawd anifeiliaid ac adar a ddefnyddir yn fwyd.

cig berw Cig i'w ferwi mewn cyferbyniad i gig i'w rostio.

cig bras Cig brasterog, cig â llawer o fraster ynddo, cig gwyn, mehingig, cig mehinfawr.

cig coch Cig heb frastser mewn cyferbyniad i gig bras neu gig gwyn.

cig dafad Cig gwedder, cig mollt, mwtwn.

cig eidion Cig gwartheg tewion, biff.
1958 FfFfPh 28, Un peth a'm synnodd lawer gwaith oedd fod cig y fuwch ar ôl ei lladd, yn mynd bob amser wrth yr enw *cig eidion*.

cig gafr Cig yr enynwyd diddordeb newydd ynddo'n ddiweddar, yn arbennig y geifr sy'n rhoi'r gwlân 'Cashmere' – gwlân y mae pris da amdano, a phris da am y dillad a wneir ohono. Anogir ffermwyr tir uchel i gadw'r geifr hyn dan y drefn o arallgyfeirio mewn amaethyddiaeth, a chael incwm ychwanegol am eu cig yn ogystal ag am eu gwlân.

cig gwedder Cig dafad, yn aml cig dafad mewn dipyn o oed neu famog wedi gorffen magu (S. *mutton*).

cig gwyn
1. Cig bras, cig â llawer o fraster, mewn cyferbyniad i gig coch. Ar lafar yn y Gogledd. Yn y De 'cig bras' a glywir.

2. Cig sy'n wyn ar ôl ei goginio, gyda 'gwyn' yn cyfeirio at ei liw ac nid at ei fraster – e.e. cig iâr, cig twrci, cig llo.

cig Iddew Enw yn y Gogledd ar yr Asiffeta a roid i geffyl at gael graen a blewyn da arno.

cig llo Cig lloi ifainc, dan bymtheng wythnos oed fel rheol. Arferid eu dwysfagu mewn cyfyngleoedd a elwir yn system cratiau neu gewyll, a fyddai'n cyfyngu ar eu symudiadau ac mewn amgylchedd gymharol dywyll, a'u porthi â bwyd di-haearn, gan gredu fod y cig yn wynnach ei liw. Dan bwysau o gyfeiriad mudiadau gwarchod lles anifeiliaid, daeth y dull hwn o'u magu yn anghyfreithlon yng ngwledydd Prydain. Deil yn gyfreithlon yng ngwledydd y Cyfandir.

cig mân Y mân rannau a'r mân ddarnau o gig anifail, yn enwedig mochyn, ar ôl ei ladd, gan gynnwys yr iau, yr elwlod, ayyb. Ar lafar yn weddol gyffredinol.
1962 Pict. Davies: ADPN 39, Câi Dafy hefyd blannu rhych neu ddwy yng nghae tato Morlogws a chael tipyn o'r *cig mân* pan leddid mochyn.
1994 FfTh 13, 23, Y diwrnod wedyn byddai mam a'r forwyn yn berwi *darnau mân o gig* gan gynnwys y dafod, y galon, y 'kidneys' a'r bochau oddi ar y pen.

cig moch Bacwn, porc, ham.

cig oen Cig oen ychydig o fisoedd oed, oengig, lam. Sonnir am ysgwydd o gig oen, coes o gig oen ac am olwyth o gig oen.

cig oen Canterbury Yr enw masnachol ar gig oen a fewnforir yn helaeth o dalaith Canterbury yn Seland Newydd.

cig rhost Cig i'w rostio yn hytrach na'i ferwi.

cigfran (*cig* + *brân*) *eb*. ll. *cigfrain, cigfranod*. Aderyn ysglyfaethus cyffredin, mwy ei faint na'r frân, ei blu yn ddu a'i lais yn gras a garw. Mae'n ymborthi llawer ar gyrff marw ond hefyd yn lladd anifeiliaid bach a gwan.
13g WML 130-1, Tri edyn y dyly y brenhin eu gwerth py tu bynhac y llather, Eryr, a garan, a *chicvran*.
1632 J Davies: LlR 394, Fel y mae'r *gigfran* yn gyntaf yn tynnu llygad y ddafad truan.

cigwain (*cig* + *gwain*) *eb*. ll. *cigweiniau*. Bach neu waell at ddal cig, bêr, cigfach, fforch, fforc.
13g A 22, 19-21, O'r sawl yt gyrhaeddai dy dat ty (dy dad ti) â'i *gicwein* o wythwch [mochyn gwyllt], a llewyn [cath wyllt] a llwynein [llwynog].
1620 Ecs 27.3, Gwna hefyd iddi bedyll i dderbyn ei lludw, a'i rhawiau a'i chawgiau a'i *chigweiniau* a'i phedyll tân ...

cigwain dridaint *eb*. ll. *cigweiniau tridaint*. Cigwain â thri phigyn.
1620 1 Sam 2.13, Pan offrymai neb aberth, gwas yr offeiriad a ddeuai pan fyddai y cig yn berwi, â *chigwain dridaint* yn ei law.

cigysydd *eg*. Anifail, megis y gath a'r ci, sy'n byw ar gig anifeiliaid eraill (*carnivore*) mewn cyferbyniad i'r hollysydd (*omnivore*) sy'n bwyta llysiau a chig (e.e. mochyn), ac i'r llysysydd (*herbivore*) sy'n bwyta llysiau a phlanhigion (e.e. gwartheg a defaid).

cingio Ffurf lafar, dafodieithol ar 'cinio'. Ar lafar ym Maldwyn.

cingl, cingel gw. CENGL.

cil
1. *eg. ll. ciliau.* Yn gyffredin, cilfach, cysgod, lle o'r neilltu, cornel, cil haul (yng nghysgod haul); cil pentan – y gornel wrth y lle tân yn yr hen dai; cil dwrn – ernes, ewyllys da; cil drws – drws lled agored; cil lleuad – lleuad pan fo dros ei lawn.
Dywed. 'Gofyn yr haul i'r *cil* haul am fenthyg' – mae fferm cil haul yn well ar gyfartaledd drwy'r flwyddyn na fferm llygad haul.'

2. *eb.* Odyn galch, cylyn, – ciln mae'n debyg wedi colli'r 'n', cil calch. Ar lafar ym Maldwyn.
1981 GEM 20, '*Cil* ('i' fer) (ll. *cilie calch*): odyn galch, 'lime kiln'.

3. *eg.* Y bwyd y mae cilfil (anifail cnoi cil) yn ei alw'n ôl o'r blaengyllau (y stumog gyntaf) i'w ailgnoi. Gelwir y broses yn 'cnoi *cil*'.
Gw. CILFIL, CNOI CIL.

cil drws gw. CIL.

cil dwrn gw. CIL, ERNES, PEREJ.

cil haul gw. CIL.

cil lleuad gw. CIL.

cil pentan gw. CIL.

cilbost *eg. ll. cilbostiau, cilbyst.* Pentan adwy yn y ffurf o waith cerrig, carreg hir wedi ei gosod ar ei phen neu bost pren i hongian giât neu ddôr, cilbost giât, jomiau (Dyfed), ednydd. Ar lafar yn y Gogledd.
Gw. EDNYDD, JOMIAU, PENTAN ADWY.

cilcyn *eg. ll. cilcynau, cilcynod.* Gweddill neu fymryn o unrhyw beth. Yn amaethyddol, ac yn aml, *cilcyn* tas, sef y gweddill o'r das wair sydd ar ôl yn y gwanwyn ar ôl bod yn cario ohoni drwy'r gaeaf, neu'r das ŷd wedi mynd yn ddim bron diwrnod dyrnu. Hefyd am yr hyn sy'n weddill o dorth, caws, ayyb, ar y bwrdd. Yng Ngheredigion clywir y ffurf 'ciltyn'.
1959 JR: WAS 28, 50, ... disgwylid pobl y tai bach yno ..., rhoddid iddyn dalp o fenyn (menyn dyled), potel o laeth, a *chilcin* o gaws.
1966 T J Davies: YOW 59, ... fel y dynesai'r diwedd rhaid oedd ffurfio cadwyn o gwmpas y *ciltyn* oedd yn weddill ... (tas ŷd).
Dywed. 'Hir weiniwn (gwanwyn) wedi'r Pasg/A wna y das yn *gilcyn*.' Ar lafar ym Meirion.
'Gwynt taflu'r *cilcyn* tas' – gwynt mis Mawrth a'r das wedi mynd yn *gilcyn*.
Hen Bennill. 'Roedd yma gyneu *gilcyn*/Yn awr fe aeth yn grystyn'
Ffig. 1947 T H Parry-Williams: UOG 'Hon', Nid yw hon (Cymru) ar fap yn ddim byd/Ond *cilcyn* o ddaear mewn cilfach gefn.

ciler *ebg. ll. cileri, cilerau.* Llestr pren ar ffuf celwrn neu dwbyn bychan, bas, at drin menyn, noe fenyn. Ar lafar yn gyffredinol. Ym Morgannwg sonnir am y '*giler* lath'.

1980 J Davies: PM 52, Ei godi (menyn) eilwaith i'r *giler* a gwasgar haen o halen drosto. Gw. NOE.

cilfach *eb*. ll. *cilfachau, cilfachoedd, cilfechydd*. Lle i encilio iddo neu gysgodi ynddo, llecyn mewn cornel neu mewn cysgod, llecyn o'r neilltu.
1567 Gr Robert: GC 3, *Cilfach* heb haul yn towynnu unamser arni.
1620 Job 39.8, *Cilfachau* y mynyddoedd yw ei borfa ef (asyn).
1620 Act 27.39, Ond hwy a ganfuant *gilfach* a glan iddi.
1949 T H Parry-Williams: UOG, Nid yw hon ar fap (Cymru) yn ddim byd/Ond cilcyn o ddaear mewn *cilfach* gefn.

cilfainc (*cil* + *mainc*) *ebg*. ll. *cilfeinciau*. Y lle sgwar gwag o ben y das i'w sawdl a wneir wrth ei thorri â'r gyllell wair yn dringlenni wrth borthi'r anifeiliaid yn y gaeaf, magwyr y das (sir Ddinbych), gorfainc tas, mainc y das, cwt o wair (Dyfed), yr afael (Môn). Ar lafar ym Meirionnydd.

cilfil (*cil* + *mil* – anifail) *eg*. ll. *cilfilod*. Anifail sy'n cnoi cil, h.y. yn galw'n ôl y borfa neu'r porthiant o'i flaengyllau ac yn ei ail gnoi, y fuwch, y ddafad, yr afr. Gw. CIL³, CNOI CIL, RWMEN.

cilgnoi (*cil* + *cnoi*) *be*. Cnoi cil, galw'r borfa a borwyd yn ôl o'r stumog gyntaf (gan gilfil) a'i gnoi'n hamddenol cyn ei ail-lyncu.
Ffig. Adfyfyrio ar rywbeth a ddywedwyd mewn anerchiad, sgwrs, pregeth, ayyb. 'Rydw'i wedi *cilgnoi* llawer ar yr hyn a glywsom ni neithiwr.' 'Mi rois fy meddwl iddo – rhywbeth y bydd o'n *cilgnoi* arno y rhawg.'
1606 E James: Hom 1, 12, *Cilgnawn* hwy (gwersau) fal y gallom gael y sudd melys, y ffrwyth ysprydol … a'r diddanwch ohonynt.

cilo (**kilo**) *eg*. Talfyriad o'r gair *Kilogramme*, sef mesur pwysau Ffrengig yn cyfateb i fil gram neu 2.2046 pwys, ac a ddefnyddir yn gyffredinol yng Ngwledydd Prydain erbyn hyn. Wrth y *cilo* y gwerthir gwartheg tewion, ŵyn, grawn, gwlân, ayyb. Defnyddir *cilo* a *kilo* gan y Cymro wrth ysgrifennu'r gair.
1982 R J Evans: LlFf 31, Trwy groesi gwartheg Cymreig gyda tharw Charlois 'rydym yn osgoi'r broblem , gan fod y lloeau'n tyfu'n dda, ac nid oes fawr o wahaniaeth ym mhris y *cilo* rhwng y beinw a'r gwryw. At'i gilydd 'rydym yn cael gwell pris y *cilo* am y croesiad yma nag am unrhyw un arall.
1994 FfTh 14, 22, Ychydig flynyddoedd yn ôl newidiwyd y ffordd o farchnata unwaith eto pan ddaeth y da byw i gael eu gwerthu wrth y *kilo*.

ciltyn *gw*. CILCYN.

cilwobr (*cil* + *gwobr*) *eb*. ll. *cilwobrau, cilwobrwyon*. Gwobr riserf mewn preimin neu sioe amaethyddol, ayyb. (S. *reserve prize*).
1961 Ll Phillips: HAD 33, Ar faes Llanelwedd y gwelodd y gair hwn (achlinau) olau dydd gyntaf, megis ag y gwnaeth *cilwobr* am 'reserve prize' ar gerdyn gwobrau y Gymdeithas.

cilleth Ffurf dafodieithol ar 'cyllell'. Ar lafar yng ngwaelod Ceredigion a sir Gaerfyrddin. Gw. CYLLELL.

cimle, ceimle *eg*. ll. *cimleydd, cimleoedd*. Cytir (*cyd* + *tir*), comin, tir cyffredin, tir comin. Ceir *cim* ei hun mewn enwau lleoedd, yn enwedig lle mae tir comin, yn Arfon a Llyn: 'Y *Cim*', 'Pont y *Cim*', 'Efail y *Cim*', Pontllyfni; 'Y *Cim*', Carmel; 'Y *Cim*', Llanengan. Ym Mro Morgannwg ceir '*cimdda*' am ddarn o dir comin ger Llantrisant. Ceir '*Cimla*' ger Castellnedd a cher Llan-gan, a '*Cimle*' yn Aberdaron.

1789 Tredegar LLGC 72/83, Maent hwy yn gorthrymu eu deiliaid wrth gymmeryd eu *Cimleidd* (commons) oddi wrthynt … etto yn disgwyl yr un rhent am eu tiroedd a phan oedd y *Cimleidd* yn nwylaw y deiliaid.

cindrys, cyllindrys *a*. Heidio, gweu drwy'i gilydd. Ar lafar ym Maldwyn.

1981 GEM 119, Dywedir am haid o wenyn pan weler hwy yn ymweu trwy'i gilydd, neu ddiadell o ddefaid pan yrrir hwy i'r mynydd ar ôl eu cneifio eu bod yn *gyllindrys* (neu'n *gindrys*) efo'i gilydd.

cingroen

1. *eg*. Llysieuyn neu ffwng drewllyd tebyg i fadarch (cf. y S. *stinkhorn*), y gingron, y gingroen. Fe'i clywir yn aml yn yr ymadrodd cymariaethol 'drewi fel y *gingroen*'.

2. *eg*. Cynrhonyn sef pryf yn ei ffurf cynrhonaidd neu lyngyraidd. Ar lafar yn Eifionydd.

1997 LLG Haf 20, Byddaf yn aml hefyd yn aflonydd, ac yn flin, a'r ddau ohonynt fel y *gingròn*, neu yn gywirach y *gingroen*, sef 'maggot', pryf yn ei ffurf lyngyraidd.

cinio gw. CITIO, GINIO.

cintell *eb*. ll. *cintelli*. Ffurf dafodieithol ar 'gwyntell'. Ar lafar yn sir Gaerfyrddin.

1939 D J Williams: HW 52, Rwy'n tyfu'r wisgers hyn er mwyn fy nghrefft o wneud 'sgidiau, yn union fel y mae dy dad yn tyfu gwiail yn yr ardd er mwyn gwneud *cintelli*.
Gw. GWYNTELL.

cipar, ciper *eg*. ll. *ciperiaid*. Un yn gwarchod helwriaeth stâd, yn enwedig yr adar a'r pysgod.

cipyll

1. *eg*. ll. *cipyllau*. Lwmp o gig dafad, darn o fwtwn.

2. *eg*. Bonyn coeden, bôn pren, boncyff.

1725 SR, *Cipyll* – the body of a tree, a stock of a tree, stub.

cirio Ffurf dafodieithol ar *curio*.
Gw. CURIEDD, CURIO.

cis, cis, cis bach Sŵn nodweddiadol a wneir wrth alw ar y moch. 'Cis, gis bach' (Edeirnion), 'chwit, chwit' (Dyffryn Aeron), 'soch, soch, soch' (Môn).

cist *eb*. Fel rheol, bocs pren â chaead arno i ddal dillad, blawd, ayyb. Mewn cist y cadwai gwraig y tŷ y blawd ceirch rhag llygod a'r dillad gwely rhag y pryf dillad, ayyb. Ceir nifer o gyfuniadau.

cist coes y bladur Y twll a'r rhigol ym môn coes y bladur ar gyfer colsant neu fachyn y llafn. Rhoid blaen y colsant yn y gist a rhoi amgarn amdano i'w gadw yn ei le.
Gw. COLIANT, COLSANT.

cist y drol Trwmbel neu focs y drol. 'Cart cisht' neu 'y gist', yw enw Dyfed ar drol, 'llwyfan men', 'crewyn cert' (Morgannwg). Ar lafar yng Ngheredigion a Dyfed.

1989 D Jones: OHW 32, ... ac fe'i bwriwyd gan y G-force yn grwn allan o'r *gist* ... a'r olaf a welodd o'r cart oedd ei ddiflannu i lawr y rhipyn at y llyn.

1989 P Williams: GYG 19, ... tynnu'r crets a chodi'r *gist* ... a byddai un yn tynnu'r tato â rhaca fach hyd nes i'r *gist* wagio.

Gw. TRWMBEL.

cist dderw Y gist o bren derw caboledig yn addurno'r neuadd neu'r lobi yn ogystal a dal y dillad gwely.

cist ddillad Y gist y cedwid dillad ynddi, yn enwedig dillad gwely – otoman heddiw.

cist flawd
1. Cist y cadwai gwraig y tŷ ei blawd ceirch, ayyb, ynddi, rhag llygod.

1989 FfTh 4, 19, Byddai car cig neu fachau yn crogi o nenfwd pob cegin ffarm y pryd hynny i sychu'r cig, yna ei lapio mewn bag peilliaid a'i gladdu yn y *gîst blawd ceirch*.

2. Cist yn y sgubor ac yn y stabal i ddal blawdiau anifeiliaid.

E Grace Roberts, Nod i AWC, Yn yr ysgubor bydde yno beiriant at bwyso ŷd a tatws, a *cist fawr* at *gadw blawd* i borthi'r anifeiliaid.

Ffig. Yr ymadrodd 'Digon o flawd yn ei gist' – rhywun a digon yn ei ben neu rhywun a digon o fodd. 'Mi wnaiff ei radd dan ganu, mae'na *ddigon o flawd yn y gist*.' 'Dydi colli buwch yn ddim i Benrorsedd, mae yno *ddigon o flawd yn y gist*.'

cist y gwas Cist weini, y gist yn y llofft stabal yn perthyn i'r gwas ac y cadwai ynddi ei ddillad a'i eiddo personol, ac yn hwylus i eistedd arni, y coffor, y trwnc.

1963 I Gruffydd: GOB, Y llestri Willow Pattern rheini oedd gan mam yng ngwaelod ei *chist weini*, wedi eu tynnu allan.

cist weini gw. CIST Y GWAS.

citel gw. CETEL.

citio, cito *be.* Tynnu ŷd byr a thenau o'r gwraidd â'r llaw, yn enwedig ar flwyddyn sal ei chnwd, tycio, ginio ŷd, dwrnfedi (Dyfed), hoto (Rhydlewis). Ar lafar yng Ngheredigion a Dyfed.

1989 D Jones: OHW 280, ... a hwnnw mor fyr fel na ellid ei dorri â beindar na hyd yn oed bladur. Yn ôl Wncwl Wyn, bu'n rhaid ei *gitio*, sef ei dynnu o'r gwraidd bob yn ddyrnaid, deg erw ohono.

Gw. DWRNFEDI, GINIO.

cito gw. CITIO.

ciw *eg.* ll. *ciws.* Bach. *ciwsen.* Pedol a roid ar droed ych at deithio ymhell. Yr oedd mewn dwy ran neu ddau ddarn ar gyfer troed ych sydd yn fforchi'r ewin, ac felly'n wahanol i bedol ceffyl ac yn ysgafnach a theneuach (S. *cue*)

1989 FfTh 4, 35, Wrth gwrs yr oedd angen dau ohonynt (*ciws*) ar gyfer pob troed: a thybed a fyddid yn pedoli buwch? H.y. a fyddai buwch yn debyg o gerdded pellter fel y byddai bustach? Cwestiwn yw hyn?

ciwano, ciwana *eg.* Ffurf lafar yn Nyfed a Cheredigion ar giwano, giwana.

Gw. GIWANA, GIWANO.

clacwydd

1. **clagwydd** gw. CEILIAGWYDD.

2. **clacwy** *eg.* Y prennau a roid gynt ar fysedd cadair pladur i'w cadw'n eu lle a'u diogelu pan na fyddai'r gadair ar waith. Fel rheol ceid pedwar *clacwydd* ar gyfer pedwar bys y gadair. Ar lafar yn sir Benfro.

1937 T J Jenkin: AIHA AWC, *Clacwy* – i gadw'r bysedd yn eu lle pan fyddai'r gadair allan o waith.

cladd *ebg.* ll. *claddfeydd.* Lle pwrpasol yn y ffurf o dwll yn y ddaear at gadw tatws, erfin, ayyb, rhag rhew, cwtsh.

13g LLst 1, 62, par dody kerwyn … em mewn e *cladd* hynnu.

1980 J Davies: PM 36, … i loches taflod neu das wair, y *cladd* tatws neu'r cwtsh-dan-stâr.

Gw. CLADD TATWS.

cladd datws *ebg.* ll. *claddfeydd tatws.* Lle pwrpasol y tu allan (fel rheol) i gadw tatws rhag rhew, pentwr neu grewyn o datws mewn twll wedi ei gloddio i'r pwrpas, ac wedi ei orchuddio â gwellt a phridd, y gyrnen datws, cwtsh tatws (Ceredigion), cladd tato (Dyfed), claddfa datw (Môn), hog datws (Glyn Ceiriog). Yn yr un modd, ac am yr un rheswm ceir hefyd, cladd mangls, cladd moron, cladd erfin. Ar lafar yng Ngheredigion.

1910 Cymru (Gorff) 27, Cnwc a phant, dyna Iant,/Hen *gladd tato*, dyna Ianto.

1980 J Davies: PM 36, … i loches taflod neu das wair, y *cladd tatws* neu'r cwtsh-dan-stâr.

cladd silwair *ebg.* ll. *claddau, claddfeydd silwair.* Y twll neu'r pit mawr a gloddiwyd i bwrpas cadw a gwneud neu eplesu silwair, rhywbeth a ddaeth yn gyffredin a phoblogaidd ar ôl yr Ail Ryfel Byd (1939-45). Ar lafar yng Ngheredigion.

1989 D Jones: OHW 19, Gwelais hefyd â'm llygaid fy hun yng nghefn y beudy, pan aethom ati … i gloddio twll i wneud *cladd silwair,* – peth modern iawn debygem ni ar y pryd – olion cladd o gylch crwn o gerrig a ddefnyddiai fy nhaid i wneud silwair hanner canrif cyn hynny.

cladde *ebg.* ll. *claddeon.* Y trawst neu'r fantel uwchben y lle tân yn yr hen dai ac yn cynnal y mur uwch ei ben.

1753 TR, *Cladde* – the chimney beam, mantletree of a chimney.

1794 P, *Cladde* – chimney beam … chimney piece.

claddfa datws gw. CLADD TATWS.

claddu tatws *be.* Defnyddir y cyfuniad 'claddu tatws' am eu priddo neu eu claddu yn y rhesi (rhychau) wrth eu plannu, ac am eu cwtsio neu eu cymenu yn y gladd i'w cadw rhag y rhew.

'Os ewch chi i osod y tatws yn y rhesi mi ddof finna' a'r wedd a'r gwŷdd dwbl (mochyn) i'w *claddu.'*

clafr (y) *eg.* Clefyd crachennog ar y croen, yn enwedig ar ddefaid, cŵn a cheffylau, y crafu, yr ysfa, clefri. Gan amlaf clefyd defaid yw'r clafr a achosir gan euddon parasitig sy'n peri cosi angerddol, tyfiannau a doluriau ar y croen, colli gwlân a cholli graen gyda dihoenedd cynyddol. Mewn canlyniad i bolisi o ddifodiant sydd wedi golygu trwythdrochi gorfodol am flynyddoedd, ychydig iawn o'r clefyd sydd yng ngwledydd Prydain erbyn hyn. Mae'n glefyd hysbysadwy. Gair y Gogledd yw *clafr*. Yn y De ceir y ffurf 'clawr'.

1760 ML 2, 180, Caseg y meistres sydd a'r *clafr* arni.
1770 TG 2, 8, Meddyginiaeth anffaeledig i wella'r *clafr* (mange) ar gŵn.
1916 W Salisbury LLM (16g), rhag *clawr* neu grammene.

clafr llysiau a ffrwythau *eg.* Afiechyd ffwngaidd sy'n taro llysiau a ffrwythau yn enwedig tatws, afalau a gerllyg, *Streptomyces scabies* (tatws), *Venturia inequalis* (afalau).

clafr y meillion *eg.* Afiechyd ffwngaidd sy'n taro meillion a'r teulu hwnnw o blanhigion. Fe'i nodweddir ar y cychwyn gan smotiau brown ar y dail. Yn ddiweddarach gwywa'r planhigion a marw. Ceir ambell i fath o feillion sy'n fwy agored i'r afiechyd na'i gilydd, e.e. y meillion coch llydanddail. Tery'r meillion gwyn gwyllt yn llawer ysgafnach, (*Sclerotinia trifoliorum*).

clafr y siwrl *eg.* Afiechyd croen anifeiliaid blewog a gwlanog yn cael ei achosi gan euddon neu grafeuddon (*Sarcoptes scabiei*). Mae'r euddon yn tyllu croen yr anifail ac yn peri cosi (S. *itch, itchy leg, leg mange*)

clafr tatws *eg.* Malltod tatws, sef afiechyd ffwngaidd (*Phytophthora infestans*) sy'n lladd y gwlydd (gwrysg) ac yn pydru'r daten ei hun.

clafri mawr gw. LLYNMEIRCH.

clafrllyd, clawrllyd, clafwrllyd *a.* Cramennog, crachennog, clafrog, gwahanglwyfus.

16g NLW 5276 453a, dau geffyl *glavrllyd*.
1567 Math 8.2, ac e ddaeth ataw ddyn *clavrllyd*.

clafru, clafrio *be.* Yn clafychu o'r clafr, â'r clafr arno, cramennu, crachennu.

1485-1525 TA 121, Er *clafru* o'r clwyf ar rai,/Ni *chlafrodd* un o'ch lifrai.

clafychu *be.* Yn amaethyddol anifail yn dangos arwyddion bwrw epil, buwch yn dangos arwyddion bwrw llo, hwch yn dangos arwyddion dod â moch, ayyb, paratoi i esgor, dywyddu.
'Mae'r hen Gochan yn *clafychu* bore 'ma. Mi gawn lo bach cyn nos.'
Ffig. Yr hin yn gwanio'i golwg ac yn tebygu i law. 'Ma' hi'n *clafychu* am law yn ôl pob arwydd.'
Gw. DYWYDDU.

clacwy gw. CLACWYDD.

clafyri gw. CLAFR.

clagwydd gw. CEILIAGWYDD.

clai *eg.* Y rhan lynedig o gyfansoddiad pridd, y rhan leidiog a gludiog o bridd, marl, pridd trwm, caled ac, yn aml, yn dal dŵr ar wyneb tir. Tir cleiog yw tir trwm, caled, lympiog ac anodd ei falu a'i drin, mewn cyferbyniad i dir ysgafn, llac a brac.

clainie cefn, cleinie cefn *ell.* un. *clain cefn.* Asgwrn cefn mochyn ar ôl ei ladd (cf. gleinfil – *glain* + *mil* – am anifail asgwrn cefn). Ceir hefyd y ffurf 'clân cefn'. 'Llain cefn' a glywir yn sir Ddinbych.

clais
1. *eb.* Ffos heb fod yn ddofn gyda bôn clawdd, ayyb, traen, rhych, nant fechan. Ar lafar yn y De. Yno hefyd ceir 'clais clawdd' am y ffos gyda bôn clawdd, a'r ffurf 'claish'.
1753 TR, *Clais* – a little ditch or trench.

2. *eb.* ll. *cleisiau.* Yr ôl a adewir ar gnawd gan drawiad, ergyd neu godwm, ayyb, y croen yn troi'n ddu-las, gwrym ar y croen mewn canlyniad i ergyd chwip neu ffon, marciau ar y croen.
14g GDG 219, A'i phalfais yn *glais*, a'i glin.
'Mi chwipiodd y gaseg nes ei bod yn *gleisia*' drosti.'

3. Smotyn, lloeren neu geiniog ar geffyl. Ceffyl yn frith o gylchau bychain, ysmotiog, ceiniogog.
Gw. CEINIOGOG.

clais clawdd gw. CLAIS[1].

clais cysgod Yr ochr gysgodol.
1683 H Evans: CTF 7, Y llwyn bach *ynglais* [yn ymyl] cederwydd/Y gaiff gysgod ar y tywydd.

clais dŵr gw. CLAIS[1].

clais y dydd Toriad gwawr, glas y dydd, clais y wawr, y wawrddydd.
1547 W Salesbury, *Klais y dydd* – Break of day.
1567 W Salesbury Math 28.1, A'r dydd cyntaf o'r wythnos yn gwawrio …[dyddhau, *cleisio*]
Gw. CLEISIO[2].

clame Ffurf lafar ar C'lanmai – Calan Mai.
Gw. CALAN MAI.

clampio Ffurf lafar ar calpio ym Maldwyn.
Gw. GEM 125 (1981).

clamu *be.* Ffurf lafar ar 'carlamu'. Ar lafar ym Maldwyn.
1981 GEM 20, 'Roedd o'n *clamu* heibio.
Gw. CALAP, CARLAMU.

Clanmai, Clamnai gw. CALAN MAI.

clap
1. *egb.* ll. *clapiau, claps.* Bach. *clepyn.* Teclyn mewn melin flawd sy'n taro'r hopran ac yn peri iddi ysgwyd yn ôl ac ymlaen ac felly'n hyrwyddo gyrru'r grawn drwyddi, clap melin, clep melin.
14g IGE 60, A *chlap* megis hwch lipa (am felin).

1786 M Williams, BM 39, Fel *clap* wrth yr hopran a'i swrddan fawr sain.
Ffig. Ym Môn disgrifir un (merch fel rheol) sy'n clebran yn ddibaid fel *'clep* melin', neu fel *'clep* melin Strydom' (Llanbeulan) neu fel *'clep* melin gythral' (clap cythraul melin).
Gw. hefyd CYTHRAUL MELIN.

2. *eg.* Yr offeryn pren tri darn a ddefnyddid gynt gan blant i glapio, sef mynd rownd ffermydd i gardota wyau dydd Llun cyn y Pasg.
1981 W H Roberts: AG 26, *Clap* o waith cartref oedd gennym. Yr oedd tair tafod iddo, dwy fer – rhyw ddwy fodfedd wrth dair, a'r drydedd yn y canol ddigon o hyd i afael ynddi. Byddwn wrth fy modd gweld fy nhad yn rhoi gwifren lefn yn y tân i dorri tyllau drwy'r tafodau i gymryd y llinyn.
Gw. CLAPIO.

3. Gafael neu fŵl drws neu ddôr.
'Cod *glap* y drws 'na imi.'

clapiau, clapie
1. *ell.* un. *clepyn.* Modrwyau haearn tebyg i nyten sgriw yr arferid eu rhoi ar flaen cyrn gwartheg i'w cadw rhag cornio. Ar lafar ym Maldwyn.
Gw. GEM 20 1981.

2. *ell.* un. *clapyn, clepyn.* Lwmp neu dalp o bridd neu glai. Hefyd lwmp o fenyn. Ar lafar ym Môn.
'Rho un tro eto efo'r og i falu tipyn o'r *clapia'* na.'

claper
1. *ebg.* Rhan o'r offer a ddefnyddid i guro menyn wrth ei drin i wneud yn sicr fod pob diferyn o laeth neu o ddŵr wedi dod ohono i bwrpas ei gael i gadw'n ffres.
1980 J Davies: PM 52, Ei godi fesul talp ar y tro a'i guro'n ddi-drugaredd â chledr ei llaw ar y *claper* – curo, clapio, curo, i dynnu pob diferyn o ddŵr a llaeth enwyn ohono.

2. *eg.* Y ddyfais ar system olwyn ddŵr i ollwng y dŵr o'r cafn i gychwyn yr olwyn. Ar lafar yn Nyfed.
1989 P Williams: GYG 24, Âi gwifren drwy ffenestr y llaethdy i'r *claper* uwchlaw'r rhod, a hon oedd yn cael ei defnyddio i godi neu ostwng y *claper* yn ôl y gofyn er mwyn i'r rhod gychwyn troi, neu aros.

clap o fenyn *eg.* ll. *clapiau o fenyn.* Lwmp o fenyn, talp o fenyn, y menyn wedi ei dyrru yn *glap* neu'n un lwmp ar ôl corddi, *clap* o fenyn.
1993 FfTh 12, 22, Wedi i'r menyn gael ei hel at ei gilydd ychwanegid dŵr, ychydig ar y tro, nes y byddai wedi ei hel i gyd yn *glap* mawr.

clapio, clapo, clapian *be.* Yr arfer o fynd o gwmpas ffermydd, dydd Llun cyn y Pasg, i gardota wyau (am blant). Wrth y drysau byddid yn *clapio* (cadw sŵn) â'r clap. Pan ddoi gwraig y fferm neu'r forwyn i'r drws byddai'r clapwyr yn adrodd rhigwm pwrpasol: 'Clap, clap, gofyn wŷ/Bachgen bach ar y plwy'. Roedd *clapio* yn hen, hen arfer, yn enwedig ym Môn. Sonia William Morris (un o Forisiaid Môn) am y peth yn 1752. Cawn hefyd Syr John Rhys, pan yn athro ysgol yn Rhosybol yn achwyn fod yr "arfer gwirion" yn cadw'r plant o'r ysgol.
1979 W Owen: RRL 44, Hen arfer y gellid olrhain ei darddiad i Gymru Gatholig yr Oesoedd Canol oedd o. O leiaf, dyna a ddywedai'r sgŵl. A 'doedd dim angen mwy o gyfiawnhad dros ei gadw. A'r wŷ medda fo yn symbol o'r atgyfodiad ac o'r bywyd newydd yn torri allan o blisgyn yr hen.

clapiog *a.* Lympiog, talpiog, cnapiog, anwastad (am dir âr).
'Rhaid inni lyfnu chwanneg ar y cae 'na, mae'n dal yn rhy *glapiog* o lawer.'

clatshio *be.* Curo, taro. Sonnir am '*glatshio* dwylo', sef taro bargen, '*clatshio*'r llaeth' – corddi llaeth.
Dywed. 'Corddi, corddi, dwmp, dwmp,/*Clatshio* menyn glitsh-glatsh.'

claw *eg.* Ffurf lafar dalfyredig Ceredigion a Dyfed ar 'clawdd'.
Gw. CLAWDD.

clawci *eg.* Styllen o bren tenau pwrpasol a roid am fysedd cadair pladur, yn agos at eu blaenau, i'w cadw yn eu lle ac yn eu ffurf priodol yn ôl y gofyn e.e. dros nos wedi iddynt wlychu yn y gwlith y noson cynt. Ar lafar yn Nyfed. Diau mai ffurf ar clacwydd, clacwy yw *clawci*.
1958 T J Jenkin: YPLL AWC, Byddai'r *clawci* yn cadw'r bysedd yn eu ffurf briodol ac yn eu lle priodol wrth sychu.
Gw. CLACWY.

clawdd *eg.* ll. *cloddiau*. Yn wreiddiol y clawdd oedd y pridd a gloddid ac a deflid i'r wyneb wrth agor ffos neu ddwy ffos gyfochrog. Yn ddiweddarach daeth yn air am y clawdd bwriadol i ffurfio terfyn i ddarn o dir neu gae, ac yn ddiweddaracn fyth am wrych neu berth neu sietin, yn enwedig lle bo hwnnw'n tyfu ar ben orclawdd (clawdd pridd isel). Yng Ngheredigion a Dyfed ceir y ffurf 'claw'.
Yr angen am warchod cnydau rhag anifeiliiad, a chadw'r anifeiliaid o fewn terfynau a wnaeth y clawdd yn angenrhaid. Rhywbeth cymharol ddiweddar, ac yn perthyn i amaethu cymharol ddiweddar, yw'r patrwm o gloddiau sy'n nodweddu ein cefn gwlad. Dechrau'r 18g y gwawriodd oes y cloddiau. Hyd ar ôl yr Ail Ryfel Byd (1939-45) câi'r cloddiau eu parchu a'u cymenu'n gyson. Ar ôl y rhyfel chwalwyd llawer o gloddiau yn ffafr caeau mwy i bwrpas y peiriannau mawr megis y dyrnwr medi. Erbyn hyn, fodd bynnag, mae llawer yn edifar am hynny. Gwelwyd colli'r cloddiau fel cysgod i dir, cnwd ac anifail yn ogystal ag fel lloches i'r bywyd gwyllt yn greaduriaid a phlanhigion. Honnir bod chwarter holl gloddiau Cymru a Lloegr wedi eu chwalu rhwng 1946 a 1974. Heddiw rhaid cael caniatad cynllunio cyn chwalu unrhyw glawdd, ac erbyn hyn adferir yn gynyddol y parch at gloddiau a cheir cymorthdaliadau i bwrpas eu gwarchod.
1938 T J Jenkin: AIHA AWC, Gallai fod yn *glawdd* neu'n *glawdd cerrig*, ond bob amser golygai yn flaenaf y pentwr pridd neu bridd a cherrig, yn hytrach na'r hyn a dyfai arno.
1947 R Alun Roberts: HB 62, Rhyw ddau can mlynedd yn ôl yr oedd offeiriad craff o Sir Fôn yn cwyno yn erbyn amaethwyr am na chodent *gloddiau* a gwrychoedd parhaol o gylch y meusydd yn lle mynd i'r gost o godi *cloddiau* pridd o gylch pob maes ar ôl gorffen ei lafurio yn y gwanwyn.
1975 R Phillips: DAW 17-18, Dengys map y degwm (1844) fod yn y plwyf (Llangwyryfon, Ceredigion) ryw 750 o gaeau unigol wedi eu hamgau a bod yn agos i 150 o filltiroedd o *gloddiau* wedi eu codi cyn hynny, gan brofi fod holl weithgarwch y cloddio a'r adeiladau wedi ei orffen ... yn y 18g.
1981 GEM 21, *Clawdd* – nid wal gerrig ond *clawdd* pridd y bydd gwrych yn tyfu ar ei ben.

clawdd cam *eg.* ll. *cloddiau cam*. Yn aml, clawdd cysgod, h.y. wedi ei

252

godi'n fwriadol gam fel ei fod yn gysgod i anifeiliaid i fwy nag un cyfeiriad.

1958 T J Jenkin: YPLL AWC, Y bwriad wrth wneud y *cloddiau* gwreiddiol yn gam a throellog, oedd digon tebyg, cael cysgod i'r anifeiliaid yn rhywle o ba le bynnag y chwythai'r gwynt.

clawdd cerrig Clawdd wedi ei godi o gerrig, ac yn bur ddieithriad, clawdd a godwyd o gerrig sychion. Ceir milltiroedd lawer o'r cloddiau cerrig mewn rhai rhannau o Gymru. Mae'n ymddangos bod rhai o'r cloddiau cerrig hyn ar ein hucheldiroedd yn gannoedd o flynyddoedd oed. Myn rhai fod llawer yn perthyn i Oes y Cerrig, 3,000 o flynyddoedd CC, eraill i'r Oes Efydd a'r Oes Haearn, cyfnod y Rhufeiniaid, a rhai cyfnodau diweddarach. Yn ystod y 18g a'r 19g, fodd bynnag, y codwyd y rhan fwyaf.

1975 R Phillips: DAW 57, Roedd y trymwaith o godi cloddiau cerrig a chlots i amgau tir, ... wedi darfod ymhell cyn fy amser i, ond fe fu gweithgarwch eithriadol ynglŷn â'r ddau yn y 18g a rhan gyntaf y ganrif wedyn.

clawdd cysgod Clawdd wedi ei godi o gerrig ar diroedd mynyddig ac agored i gynnig cysgod i'r defaid ar dywydd mawr ac ar dywydd tesog. Hefyd unrhyw glawdd a fwriadwyd yn gysgod i anifail a chnwd a phorfa.

clawdd daear Enw rhai ardaloedd ar 'glawdd pridd', e.e. Dyffryn Tanat. Gw. CLAWDD PRIDD.

clawdd defaid gw. CLAWDD MYNYDD.

clawdd drain Clawdd o goed drain, gwrych, perth, sietin, yn aml yn tyfu ar orclawdd, sef clawdd pridd isel. Ar lafar yng Ngwynedd.

clawdd ffin gw. CLAWDD TERFYN.

clawdd moel Clawdd pridd, clawdd o dywyrch a phridd yn unig (heb wrych neu berth).

clawdd y mynydd Clawdd cerrig fel rheol, – y cerrig wedi eu codi yn y fan a'r lle – , y clawdd ar y ffin rhwng y ffridd a'r mynydd agored, yr hen ffin rhwng yr Hafod a'r Hendre, a rhwng y tir gwell a thir y mynydd.

1975 R Phillips: DAW 18, A *chlawdd y mynydd* yn fath ar ffin i gadw'r anifeiliaid uwchlaw iddo yn yr haf tra byddai'r cnydau'n tyfu ac aeddfedu ar feusydd llawer gwlad.

clawdd pridd Clawdd wedi ei godi o'r ddwy ffos sydd o bobtu iddo, drwy ddefnyddio'r tyweirch yn wyneb a phaliad o'r pridd odanynt yn llanw, clawdd daear (Dyffryn Tanat). Ar lafar ym Môn.

clawdd pridd a cherrig Clawdd wedi ei wynebu â cherrig ond â phridd yn llanw, neu glawdd â rhes neu ddwy o gerrig bob yn ail a thywyrch ar ei wyneb gyda'r bwriad o dwyllo anifeiliaid sy'n llai chwannog i geisio neidio clawdd cerrig na chlawdd pridd.

Ffig. Gwahaniaethau enwadol a phleidiol.

1963 I Gruffydd: GOB 59, Yr oedd clawdd uchel iawn rhwng capel ac eglwys y pryd hynny, a'r ffaith fod y plant yn torri bylchau ynddo yn codi gwrychyn y blaenoriaid.

Dywed. 'Tu clyta i'r clawdd' (tu teca i'r clawdd – Llŷn) – ochr y fantais mewn bargen.
1979 W Owen: RRl 23, ... yn arbennig y ddau alarch a'r iâr ddu a'r esgid law yn dangos mai hi a fu y *'tu clyta i'r clawdd'* ar ôl y bargeinio cyfrwys a fu rhyngddi â theulu Llanol a Thyn Rhos bryd hynny.
'Mynd i'r clawdd' (i'r wal) – mynd yn fethiant neu'n fethdalwr.
'Gweld dros y clawdd' – gweld ymhell, un â'i lygaid ar agor, gweld ymhellach na'i drwyn, un hengall.
'Am y clawdd â' – yr ochr arall (mewn dadl, ayyb).
1547 W Salisbury: OSP, Gwell *am y paret* â dedwydd nag am y tân â diriait (dyn drwg).
'Cloddiau o wair' – pentwr o wair, cnwd trwm o wair.
Diar. 'Câr dy gymydog ond cadw dy glawdd' – bod yn gymydog da ond edrych ar ôl y clawdd terfyn, yno mae aml i gynnen yn cychwyn.

clawdd terfyn *eg.* *ll.* *cloddiau terfyn*. Fel rheol, y clawdd rhwng un fferm a'r llall, clawdd ffin (Ceredigion) – y clawdd y mae'n hollbwysig ei gadw mewn cywair da os am hyrwyddo cymdogaeth dda. Fe'i ceir yn deitl cyfrol o storïau gan R Dewi Williams (1912).

clawr
1. *eg.* *ll.* *cloriau*. Caead, gwerchyr, gorchudd, caead llestr, caead y gist, caead y piser, caead y corddwr, caead y drol (Môn ac Arfon), ayyb. Ar lafar yng Ngheredigion a'r De. Yno clywir *clawr* y piser, *clawr* y fuddai ayyb
13g YBH 58a-b, A phedwarcant o ffioleu ac eu *cloryeu* arnynt.
1620 2 Sam 17.19, A'r wraig ... a ledodd *glawr* ar wyneb y pydew.
1966 D J Williams: ST 23, Y mae'n rhaid cael Saesneg i drin busnes bob amser, pe bai ond i werthu *clawr* sospan.
Gw. CAEAD.

2. *eg.* Ffurf dafodieithol ar 'clafr'.
Gw. CLAFR.

clawr bara *eg.* Clawr pobi, y badell a roid gynt dros y dorth wrth ei chrasu i hyrwyddo pobiad da. Ar lafar yng Ngheredigion.

Clayton and Shuttleworth *ep.* Cwmni cynhyrchu dyrnwr mawr gynt ac a ystyrid yn un o'r goreuon.
1992 FfTh 9, 17, Credaf mai Fowler oedd y tracsion a'r dyrnwr yn *Clayton and Shuttleworth*. Dyma'r dyrnwr gorau yn y wlad yr adeg honno, fel y clywais gan fy nhad.

cled *eg.* Baw gwartheg wedi sychu ar y caeau, gleuad (Môn). Ar lafar ym Meirionnydd.
Gw. GLEUAD.

cled-fed *a.* Disgrifiad o ddau yn lladd ŷd ochr–yn-ochr â'r cryman neu â'r bladur.
Nod J Williams-Davies: AWC, Dau fedelwr yn gweithio ochr-yn-ochr ar yr un grŵn (Ceredigion).

cledr, cledren
1. *eb.* *ll.* *cledrenni, cledrennau*. Y rheilen haearn neu'r postyn haearn wrth ben y fuwch yn y beudy yn angori'r aerwy ac yn caniatau i ddolen fawr yr aerwy godi a gostwng ar hyd-ddi yn ôl fel bo'r fuwch am godi neu ostwng ei phen, buddel, cledrog (Môn). Ceir hefyd y ffurf 'cledran'.

2. *eb.* ll. *cledrau, cledrenni.* Un o'r coed traws dan waelod y drol (cert), gwadnau'r drol, asennau'r drol, neu hefyd am drawstiau pared ayyb.

1588 1 Bren 6.9, Ac a fyrddiodd y tŷ â *chleder* ac ag ystyllod o gedrwydd.

3. *eb.* ll. *cledrenni, cledrau.* Rheilen ar draws adwy neu borth. Yn y De 'gwaroden', 'bar croes', 'rheilen', a'r ffurf luosog 'cledre'.

4. *eb.* ll. *cledrenni, cledrau.* Ais, clwyd, rhwyllwaith, dellt.

14g GDG 27, Myn Pedr, heb na *chledr* na chlwyd.

5. *eb.* Celpan, clustan, chwelpan, rhoi *cledr* llaw i rywun.

'Fe rois *gledren* galed iddo' – h.y. rhoi *cledr* llaw iddo.

cledro

1. *be.* Defnyddio gwialen neu ffon yn enwedig ar anifail, curo, ffustio, cystwyo, ergydio. Ar lafar yng Ngheredigion.

1958 FfFfPh 76, Wedi mynd i gornel y bont pallodd y ceffyl fynd gam ymhellach. Yr oedd y dyn yn *cledro'r* ceffyl a'r cwmni'n edrych drwy'r ffenestr gan chwerthin yn iach.

2. *be.* Byrddio, coedio, delltennu. Fel arfer, gosod coed cryf i gynnal coed eraill, megis ais neu asennau gwaelod trol, neu balis neu bared, cledru.

1631 AAST (1937) 51, Yn kledry tuy'r ychain.

cledrog

1. *ebg.* Gair sir Fôn am gledren aerwy wrth ben y fuwch yn y beudy, buddel.

1912 Y Genhinen 30, 112, Dos i'r beudy a rhoi'r aerwy wrth y *gledrog.*

Gw. CLEDR[1], CLEDREN.

2. *eg.* Offeryn a ddefnyddid gynt gan un yn cynnull ŷd yn ysgubau, pric cynnull, pren cynnull. Weithiau fe'i gwneid gartref gyda fforch cangen ysgafn o goeden ac weithiau o roden haearn wedi ei chamu'n bwrpasol a charn pren iddi. Y gof a wnai'r rhain.

1993 FfTh 12, 31, Ar waelod gwlad a'r ystodiau wedi eu torri allan byddai'r cynullwr yn cerdded wysg ei gefn wrth fôn yr ystod a chodai'r ŷd ar ei lin dde gyda'r *gledrog* neu'r pric cynnull ac efallai, hen gryman weithiau.

Gw. PREN CYNNULL, PRIC CYNNULL.

cledru gw. CLEDRO.

cledde

1. **cleddau** Gair rhai rhannau am frân trol, sef yr haearn bwaog dan ben blaen cist y drol a thyllau ynddo i fedru codi a gostwng y trwmbel (cist) yn ôl y galw i bwrpas dadlwytho, ayyb. Ar lafar ym Maldwyn.

Gw. BRÂN TROL.

2. **cleddyf** *eg.* ll. *cleddyfau.* Y rhan o'r aradr sy'n cysylltu'r wadn a'r styllen bridd wrth yr arnodd, ac yn cysylltu gwahanol rannau'r aradr wrth ei gilydd, cebystr aradr. Ceir y 'cleddau bach' yn enw ar yr un ôl a 'chleddau mawr' ar yr un blaen.

3. **cleddyf** *eg.* ll. *cleddyfau.* Y coed cryfion ar draws cefn dôr neu ddrws ag sy'n dal styllenod y drws wrth ei gilydd, ac yn rhoi cryfder iddo.

4. **cleddyf** ll. *cleddyfau.* Yr heyrn pwrpasol (2 fel rheol) at hongian dôr, yn cael eu bowltio i asennau'r ddôr a dolen yn eu pennau i fynd am y

cetynau (bachau giât, ayyb).

cleddyfau'r drol (cart) *ell.* Y coed cryfion dan waelod trwmbel trol, asennau'r drol, ais y drol, cledrau'r drol, gwadnau'r drol. Ar lafar ym Môn.
Gw. CLEDR[1].

cledde'r gôd *eb.* Ymadrodd tafodieithol am asen mochyn ar ôl ei ladd, asen goch. Ar lafar yn Edeirnion.
1928 G Roberts: AA 20, Caffai'r dynion priod ganaid o laeth yn fynych, darn o asen goch neu *gledde'r gôd* pan leddid mochyn.

clefri (clafri) mawr gw. LLYNMEIRCH.

clefryd (*calaf* + *rhwd*) *eg.* Gwellt budr, diwerth, ŷd wedi ei ddifetha gan falltod neu'r gafod (rhwd), ŷd drwg. Cawn y gair mewn enw fferm ger y Rhuddlan, Dyffryn Clwyd, – Gwernglefryd.
15g LHDd 110, Y neb a gaffo iawn o gwbyl am y ŷd llygredig gan berchenawg yr ysgrybyl: ni dyly na thâl na dala ysgrybyl ar *klefryd* hwnnw.
Gw. CALAFRWD.

clefyd *eg.* ll. *clefydau.* Unrhyw un o'r llu afiechydon neu heintiau sy'n gallu taro anifeiliaid y fferm. Ceir 'clefyd' a 'clwyf' yn gyfystyr, defnyddir y naill amlaf yn y De, a'r llall, ar y cyfan, yn y Gogledd.
1975 R Phillips: DAW 69, Ar brydiau … roedd *clefydau* a heintiau yn dwyn siâr o'r cynnyrch oddi ar ffermwr – heintiau nad oedd feddyginiaeth iddynt yr adeg honno. Gwnai'r clefyd du ladd y llo gorau; y dŵr coch ladd yr ŵyn stôr; y dŵr coch neu'r piso gwaed ddod i wartheg yn yr haf; y bendro, yr erthylu, neu glwy'r afu ar wartheg a defaid; caledwch ar fochyn a bustach; clefyd ebolion o fod yn esgeulus o'r bogail; y sgwrio neu ysgothi gwyn ar y lloi, a llawer mwy o afiechydon heintus …
Gw. hefyd dan CLWYF.

clefyd Aujeszky *eg.* Afiechyd moch yn arbennig, a achosir gan firws ac sydd yn afiechyd hysbysadwy. Fe'i disgrifiwyd gyntaf yn Hwngari yn 1902. Mae'n achosi gwres uchel, parlys, coma a marwolaeth mewn moch bach. Mae'n ei amlygu ei hun drwy erthyliad a llid yr ymennydd mewn moch hŷn. Gall y firws effeithio ar warheg a defaid hefyd, pryd yr achosa gosi angerddol yn y cefn, yr ochrau, ac yn aml yn y faneg, ac yn peri iddynt eu niweidio eu hunain yn ddrwg wrth grafu, yna mynd yn orweiddiog ac yn marw. Gwelir yr haint mewn cŵn a chathod hefyd, hwythau hefyd yn cael eu cosi'n angerddol ac yn marw.

clefyd cryndod yr ŵyn *eg.* Clefyd defaid a achosir gan firws. Gwelir tuedd i erthylu yn y defaid, neu fe enir yr ŵyn yn wanllyd a chyda chryndod cyhyrau, ac felly'r enw Cymraeg *clefyd cryndod yr ŵyn* (S. *Border Disease*).

clefyd cymalau Afiechyd anifeiliaid ifainc a achosir gan facteria sy'n cael i mewn i'r corff drwy'r bogail cyn iddo gau a chaledu. Fe'i nodweddir gan gasgliad llidiog yn y bogail a chan chwydd mewn rhai o'r cymalau, afiechyd y bogail, clwy'r bogail.

clefyd diffygiant Clefyd ar anifail neu blanhigyn a achosir gan ddifyg maethyn megis mwyn (mineral), protin neu fitaminiau arbennig, yn y bwyd, neu yn y gwrtaith (planhigion).

clefyd du gw. CLWY DU.

clefyd y ddueg gw. ANTHRACS.

clefyd yr eira gw. CLWY EFEILLIAID.

clefyd yr euod Braenedd yr iau neu'r afu ar ddefaid a gwartheg, ffliwc, clwy'r afu. Yn TAM (1994) ceir *'clefyd yr euod'* yn ogystal â 'braenedd yr afu' yn enw. Ac yn TA (1991) *'clefyd yr euod'* a geir gyntaf, yna 'ffliwc' a 'braenedd'.
Gw. BRAENEDD YR IAU, CLWY'R AFU, FFLIWC.

clefyd y gadair gw. MASTITIS.

clefyd y gwt gw. CLWY'R GYNFFON, PRY CYNFFON.

clefyd y gwiddon Clefyd y croen a achosir gan widdon a thorogod.

clefyd y gynffon gw. CLWY'R GYNFFON.

clefyd Johne Afiechyd bacteraidd heintus (*Mycobacterium paratuberculosis*) yn enwedig ar wartheg (weithiau ar ddefaid) a nodweddir gan lid gwyllt yn y coluddion, rhyddni dibaid, llesgedd, a cholli graen cyflym a churiedd amlwg. Fe'i gelwir hefyd yn 'glefyd y bustl' (TAM 1994).

clefyd Newcastle Afiechyd adar dof a gwyllt yn enwedig ieir, ac yn eithriadol o heintus. Fe'i nodweddir gan ddiffyg archwaeth, rhyddni, anhawster anadlu a phroblemau nerfol. Yn y mwyafrif o achosion y mae'n farwol, yn enwedig ar adar ifainc. Arferir trin yr afiechyd drwy frechiad. Ond drwy bolisi o ddifodiant a ddaeth i rym yn 1981, daeth gwledydd Prydain yn glir o'r afiechyd. Fe'i gelwir hefyd yn 'glefyd yr ieir', 'bad yr ieir' a 'haint dofednod'. Mae'n un o'r clefydau rhestredig.

clefyd Newforest Afiechyd llygaid heintus ar wartheg, yn cael ei achosi gan y bacteriwm *Morascella bovis*. Y llygaid afloyw (TAM 1994), offthalmia heintus.

clefyd penddu *eg.* Afiechyd tyrcwn neu dwrcïod a achosir gan protosoan, (*Histomonas meleagridis*) ac yn effeithio ar yr iau (afu) a'r colyddion. Fe'i nodweddir gan y plu'n colli eu graen, colli archwaeth at fwyd a rhyddni melyn. Mae'n afiechyd cyffredin, yn enwedig ar dwrcïod ifainc.

clefydau hysbysadwy *ell.* Clefydau anifeiliaid a dofednod y mae'n ofynnol hysbysu'r awdurdodau, sef yr heddlu, am unrhyw achos ohonynt. Hysbysir hefyd Swyddog Milfeddygol y Weinyddiaeth Amaeth a threfnir i'r anifeiliaid gael eu harchwilio. Dyma'r rhestr o'r afiechydon ar hyn o bryd y mae'n rhaid eu hysbysu:

Afiechydon anifeiliaid hysbysadwy
Salwch Affricanaidd ar geffyl
Clefyd y Ddueg (*Anthracs*)
Afiechyd Aujeszky
Haint gwartheg mewn cilfilod a moch
Dowrin mewn ceffylau, asynod, mulod a sebras
Lewcosis bofinaidd ensöotig
Lymffanwst ensöotig ar geffylau, asynod a mulod
Anemia ceffylau heintus
Enceffalomyelitis ceffylau
Clwy Traed a'r Genau ar gilfilod a moch
Pla'r ieir (Clefyd Newcastle) ar ddofednod
Y clafri mawr neu'r ffarsi ar geffylau, asynod a mulod
Clafr parasitaidd ar geffylau, asynod a mulod
Niwmonia'r ysgyfaint ar wartheg
Y Gynddaredd
Brech y defaid
Clafr defaid
Twymyn y ddafad
Clwy moch. Geri'r moch
Clefyd pothellog moch
Clefyd Teschen ar foch
Ticâu (gwartheg)
Afiechydon planhigion hysbysadwy
Chwilen Colorado
Clefyd dafadennog tatws
Clefyd gwywol hopys
Clefyd coch ar fefus
Malltod (rhai ffrwythau)
Brech yr eirin (Clefyd Sharka) (ffrwythau)

clefydau rhestredig *ell.* un. *clefyd rhestredig.* Yr afiechydon neu'r clefydau a restrwyd dan Ddeddf Anifeiliaid 1950 gyda rhai ohonynt yn hysbysadwy.

clegr, clegar, cleger *be.* ac *eg.* Gwneud sŵn (am adar), y gwyddau'n *clegar,* yr hwyaid yn *cleger,* ayyb. Sonnir am yr ieir yn *clegar* hefyd, er mai clwcian neu clochdar y mae iâr yn arferol. Hefyd y sŵn a wneir – *clegar* gwyddau, *clegar* hwyaid, trydar adar. Ceir hefyd y ffurfiau 'clegyr' a 'clegru'.
1716-18 Llsgr R Morris 207, I ffwrdd yr aen dan *glegar*/bob un yn lladd ei chymar.
Ffig. Baldorddi, mân siarad, hel straeon (clecs), chwedleua.
1786 Twm o'r Nant: PCG 11, Mynd i *glegar* y hen bengloge.
18g W Ballads 155b, 8, *Cleger* ai cege'n waeth na hen wydde.
'Taw â dy *glegar,* bendith y Tad iti.'

clegar glas Enw llafar ar y 'crëyr glas' neu'r garan. Ar lafar ym Maldwyn. Gw. CRËYR GLAS.

clegyr, clegr *eg*. ll. *clegyrau*. Creigiau, ponciau, lle creigiog, lle ponciog, lle carneddog, clogwyn. Digwydd yn aml mewn enwau lleoedd megis *'Clegyr* Mawr' a *'Clegyr* Gwynion', Gwalchmai, sir Fôn; *'Clegyrdy* Mawr' a *Clecyrdy* Bach', Llangefni; *'Clegyr'*, Llanfairynghornwy, sir Fôn; *'Clegyr* Fwyaf'*, Tŷ Ddewi. Yn Llanbrynmair ceir *clegyr* yn enw ar nant.
1567 Dat 6.15, ... ym plith creigie [:-*clegyr*] y mynyddeu.

clegyrog *eb*. ac *a*. Lle creigiog, carneddog, ponciog. Ffurfia enwau ffermydd yng Ngwynedd (o leiaf): yng Ngharreglefn, sir Fôn ceir *'Clegyrog* Blas' a *'Clegyrog* Ganol'; rhwng Penmorfa a Phentrefelin yn Eifionydd mae *'Clegyrog'*, a rhwng Pennal ac Aberdyfi, sir Feirionnydd y mae *'Glegyrog* Wen' a'r *'Glegyrog* Ddu'.

clenge *ebg*. Magwyr tas wair, y sgwâr gwag a adewir yn y das wrth dorri tringlenni ohoni, cilfainc tas (Meirionnydd), gorfainc neu magwyr tas (Dinbych), mainc tas.
Gw. CILFAINC, MAGWYR.

clehyren, clehyryn gw. CLÊR.

cleibridd (*clai* + *pridd*) *eg*. ll. *cleibriddoedd*. Pridd o natur gleiog, pridd a chryn lawer o glai ynddo, marl.
1800 W Owen Pughe: CP17, Cymmysgdail o galch a *chleibridd*.

cleibwll (*clai* + *pwll*) *eg*. ll. *cleibyllau*. Pwll clai, lle i gloddio clai.

cleidir (*clai* + *tir*) *eg*. ll. *cleidiroedd*. Daear neu dir cleiog, tir trwm, tir gwlyb, marl.
13g B 2.13, *Kleidir* a thir karregawc.
1620 1 Bren 7.46, Yng ngwastadedd Iorddonen y toddodd y brenin hwynt mewn *clei-dir*.

cleifer *eb*. Bwyell cigydd i ddarnio anifail ar ôl ei ladd ond a ddefnyddir hefyd am filwg i dorri coed neu docio gwrych, ayyb.
1799 LLW 10, Y filain gwaedlyd a gymmerth *gleifer* ac a holltodd ei phen.
1989 P Williams: GYG 15, ... gorchymynodd mishtir i dri o'r bechgyn hynaf fynd i'r allt â *chleifar* i dorri pystiau i gyweirio'r ffens.

cleifor gw. CLIOR.

cleigen *eb*. Gwellt wedi ei dynnu'n unfon a'i glymu'n ysgubau mawr ar gyfer toi tas, cloigen, cloig (De Cymru).

cleiog *a*. O ansawdd gleiog (am dir), trwm, caled, ac, yn aml, yn anodd ei drin (am dir âr).

cleior gw. CLIOR.

cleisio
1. *be*. Achosi clais, peri clais, rhan o'r cnawd yn du-lasu mewn canlyniad i ergyd, trawiad, fflangelliad, ayyb (am ddyn ac anifail, am ffrwythau a llysiau, ayyb).
16g WLB 43, Rhag briw ar Aelod llei bo chwydd a *chleisio*.
Gw. CLAIS[2].

2. *be.* Gwawrio, y dydd yn gwawrio, y dydd yn *cleisio.*
1567 Math 28.1, A'r dydd cyntaf o'r wythnos yn dechrau gwawrio .. [:-dyddhay, *cleisio*]
Gw. CLAIS Y DYDD.

3. *be.* Traenio neu ffosio tir gwlyb i bwrpas ei sychu.
1800 W Owen Pughe: CP 727, Y tir wedi ei lwyr sychu drwy *gleisio.*
Gw. CLAIS[1].

cleisio rhedyn *be.* Lladd rhedyn drwy ei ysigo neu ei gleisio â rowler rhedyn. Rowler â llafnau arni oedd hon yn cael ei thynnu gan geffyl ac yn ddiweddarach gan dractor. Y syniad oedd bod cleisio neu ysigo coesau'r rhedyn â'r llafnau ar y rowler yn ddull effeithiolach o reoli rhedyn na'i dorri â phladur. Daeth yn gymharol gyffredin wedi i drin tir mynyddig neu dir ymylol ddod yn rheidrwydd yn ystod yr Ail Ryfel Byd (1939-45) ac am gyfnod ar ôl hynny.

clem
1. *eb.* ll. *clemiau.* Darn o haearn yn ffurf blaen esgid a osodir dan flaen esgidiau gwaith neu esgidiau hoelion i'w cadw rhag i'r lledr wisgo.
1876 Y Traeth 31, 170, Mae treth am esgid newydd dwt/A threth am *glem* a threth ar glwt.

2. *eb.* ll. *clemiau.* Newyn, prinder bwyd, hirlwm (anifeiliaid).
'Mae hi wedi mynd yn *glem* ar y defaid.' Ar lafar yn y Gogledd a Cheredigion.
Gw. CLEMIO.

clemio *be.* Newynu, llwgu, starfio (am anifail a dyn). Ar lafar yn gyffredinol.
1975 T J Davies: NBB 76, Dwed wrth dy fam am fod â'r dŵr yn berwi am naw a gwed wrth dy dad am *glemio*'r mochyn 'na mewn pryd.
1975 T J Davies: NBB 124, Ac edlych llwydaidd iawn oedd yr ŵyn: fe'u *clemiwyd* yn gynnar am nad oedd fawr o ddim llaeth gan eu mamau.
Gw. CLEM, LLWGU.

clenc
1. clencen *eb.* ll. *clenciau, clenci.* Tringlen neu dafell o wair wedi ei thorri o'r das â'r gyllell wair, henc (Dyffryn Ceiriog), clincen (Ceredigion), plêt (Dyfed). Ar lafar ym Maldwyn o Ogledd Ceredigion.
Gw. TRENGLEN.

2. clenc *eb.* Y lwmp fflat o faw a ddaw'n rhydd oddi wrth esgidiau gwaith.
'Mae'r llawr 'ma yn *glenc* drosto.'

3. *eb.* Tafell o fara (a chaws yn aml), brechdan gaws. Ar lafar yn y Gogledd.

clensio, cleinsio *be.* Curo neu blygu blaen hoelen i'w chadw'n ei lle fel ag a wneir â hoelion pedol ceffyl, sicrhau hoelion, eu fflatio'n eu lle, blaen glymu hoelen.
1547 W Salesbury, *Cleinsio* pen hoyl.
1771 PDPh 55, Edrychwf ar fod yr hoelion wedi eu cloi neu eu *clinsio* hyd yr eithaf.
Ffig. Cadarnhau cytundeb neu fargen.
'Mi lwyddais i *glensio*'r fargen o'r diwedd.'
1963 I Gruffydd: GOB 85, Diwedd y gân fu cytuno am ddwybunt a chael chwe cheiniog o ernes i *glensio*'r fargen ...

cleor gw. CLIOR.

clep gw. CLAP[1].

clêr, clyr *ell*. ll. dwbl *clyrynod, clerynod*. un. *cleryn, cleren*. Yn amaethyddol cacwn y meirch neu Robin y gyrrwr. Y pryfed sy'n pigo neu golio gwartheg ym mhoethder haf a pheri iddynt bystodi, ac wedi cael yr enw 'Robin y gyrrwr' oherwydd hynny. Hefyd y pryfed llwyd brau fel gwyfynnod sy'n poeni ceffylau ayyb, yn yr haf drwy sugno gwaed, gwybed, crehyrennau, pryf llwyd.
13g WM 477 31-2, Mal dala *cleheren* ym, tostes yr hayarn gwenwynic.
1725 D Lewis: GB 168, Sugno gwaed megis *clêr* a gwybed.
1966 D J Williams: ST 28, Ar lygedyn twym o haf, a'r *clêr* llwydion yn ei boeni'n gas (ceffyl Williams, Pantycelyn).

cleren bryfedu *eb*. ll. *clêr pryfedu*. Y pryf sy'n dodwy wyau ar groen dafad ac yn datblygu'n gynrhon, cleren cynrhoni. Digwydd hyn fel arfer pan fo'r gwlân a'r croen yn fudr a phisweiliog, *Lucilia sericata*.
Gw. CYNRHON.

cleren ffroen *eb*. Pryf tebyg i wenynen o deulu'r pryf gweryd sy'n dodwy wyau yn ffroenau defaid, a'r cynrhon a ddaw o'r wyau yn dringo at yr ymenydd ac yn achosi'r bendro ac yn peri i'r defaid edrych yn wyllt ac ofnus. (*Oesterus ovis*, S. *Staggers*).

clero *be*. Gyrru clêr i ffwrdd â'u cynffonau (am wartheg ar dywydd tesog), gwrychennu, prancio, crychlamu, pystodi. Ar lafar yn y De.
Gw. PYSTODI.

clet *eb*. Hen gaseg wedi gweld ei dyddiau gwell, wedi dod i ben ei rhawd ac yn bur fethedig. Ar lafar yng Ngheredigion.

clewri gw. CLAFR, CLAFRI.

clicied *eb*. ll. *cliciadau*. Dyfais i gau ac agor drws neu lidiart o'r tu allan ac o'r tu mewn.
1906 Eifion Wyn *Aelwyd y Gesail*, TMM, Os oes yno *glicied*,/Nid oes yno glo.

cliniadur gw. CLENGIADUR.

clincen *eb*. Gair Gogledd Ceredigion am drenglen o wair.
Gw. TRENGLEN.

clior, cloer *ebg*. ll. *cliorau*. Yn gyffredinol, cist, coffr, bocs. Yn amaethyddol y bocs a chaead arno ar bolyn yr injan ladd gwair i gadw'r goriadau, y can oel, ayyb. Yn y llofft stabal y *clior* oedd y dror fach tu mewn i gist y gwas, lle cadwai ei arian, ei styden coler, ei bin tei, ayyb. Weithiau hefyd gelwid y drôr yn nhalcen y bwrdd mawr yn y gegin fyw yn *clior*. Ceir hefyd y ffurfiau 'cleifor', 'cleior', 'cleor', 'clifor', 'ceilor' a 'cloer'. Ar lafar ym Môn ac Arfon.
1757 ML 2, 57, Deg o gistiau neu vocsys, neu drynciau neu *gliorau*.

clip

1. *eg.* ll. *clipiau.* Allt fer, serth, rhiw, tynnu i fyny siarp a serth ond heb fod yn faith.

1996 FfTh 18, 5, Fe geid ambell fferm anhylaw iawn i fynd iddi, ... tynnu i fyny bob cam ... a *chlip* serth i'r hewl (buarth).

2. Ar lafar yn Nyfed am 'ar unwaith' neu 'ar frys' neu 'yn syth', neu'n 'ddioed'.

GPC, 'Dowch draw mewn *clip*.' Datblygiad ystyr mae'n debyg o serthedd siarp byr.

3. *eg.* ll. *clipiau.* Y darn ar sawdl pedol ceffyl sy'n rhoi gafael i droed y ceffyl rhag llithro.

Gw. CALCYN, CEWCAN.

clipio

1. *be.* Tocio, â siswrn neu â gwallaif, fwng a bacsiau ceffyl; hefyd cneifio cynffon dafad, oen neu fuwch, torri gwlân, blew neu fwng yn gwta. Ar lafar yn y Gogledd.

2. *be.* Gosod clip neu weithio cewcan (calcyn) ar sawdl pedol ceffyl i'w gadw rhag llithro. Ar lafar yn y Gogledd.
Gw. CLIP^3.

3. *be.* Cliciadu drws neu ddôr, clipio'r drws. Ar lafar yng Ngheredigion.

clo clap *eg.* Clo symudol gyda dolen i fynd am stwffwl (stapl) ar ddrws caead cist, ayyb, clo clwt (Môn), clo cramp, clo dibyn (S. *padlock*). Ar lafar ym Maldwyn.

clo clwt gw. CLO CLAP.

clo cramp gw. CLO CLAP.

clo egwyd Clo clap ar lyffethair neu hual ceffyl, clo march.

clo march gw. CLO EGWYD.

clo mwnci gw. CAEAD MWNCI, CARRAI MWNCI, TUGALL.

clo olwyn *eg.* ll. *cloau, cloeau, cloeon olwynion.* Teclyn sy'n peri i olwyn cerbyd lusgo yn hytrach na throi wrth fynd i lawr allt neu oriwaered, pan dynnir cerbydau, ayyb, gan geffyl, brêc; clocsen (Môn), clo olwyn, llyffethair olwyn, paten. Dyma oedd y dull o arafu trol, dyrnwr mawr, injan stêm, ayyb, a'u dal yn ôl, pan dynnid y rhain gan geffyl.

1888 Traethodydd 43, 215, Ym mha fan yn y goriwaered, y torrodd *y clo* neu'r llyffethair oddiar yr olwyn?
Gw. CLOCSEN.

clobar *eb.* ll. *clobarau, cloberi.* Gordd bren ag iddi goes hir i falu tyweirch neu i globio (colbio) lympiau caled o gleibridd mewn cae âr.

1981 W H Roberts: AG 58, Yr wyf yn cofio mynd i guro lympiau o glai gymaint â'm pen gyda *chlobar*, am na fedrai'r og mo'u malu.
Gw. CLAPIAU^2.

clobio, colbio *be.* Malu lympiau o bridd neu glai â chlobar. Ceir hefyd y ffurf ' colbio' – yr 'o' a'r 'l' wedi newid lle. Ar lafar yn y Gogledd. Gw. WVBD 266 (1913).

Ffig. Taro rhywun â'r dwrn, dyrnu neu ffustio rhywun.
'Cer o 'ngolwg i cyn imi dy *globio* (*golbio*) di.' Ar lafar yn y Gogledd.

cloc Ffurf ar 'clog'. Ar lafar yn sir Benfro. Gw. CLOG².

clocian gw. CLOCHDAR, CLWC³.

clocs, clocsiau *ell.* un. *clocsen*. Math o esgidiau ag iddyn nhw wadnau a sodlau o bren, ac wedi eu pedoli, gwadn â sawdl, â phedolau o ddur. Fe'u gwisgid yn gyffredin iawn gynt gan ifanc a hen. Byddai'r gweision a'r morynion mewn clocsiau wrth eu gwaith, y giaffer a'r feistres mewn clocsiau, a phlant yn mynd i'r ysgol mewn clocsiau, yn enwedig yn y gaeaf, gan y credid eu bod yn gynhesach, gyda'u gwadnau coed, nag esgidiau.

1967 G W Griffith: CBG 97, Pan oeddwn yn fachgen bron na ellir dweud bod *clocsiau* mor gyffredin yn ein rhanbarth (Gogledd Môn) ag oeddynt yn yr Is-Almaen.
1989 D Jones: OHW 15, *Clocs* oedd priod wisg y traed yr oes honno.
1989 P Williams: GYG 7, Sgidie bwtune gorau a wisgem i'r ysgol gyntaf, ond cyn hir roedd yn rhaid cael *clocs* uchel yn lasio, i gerdded drwy bob tywydd.
Hen Hwiangerdd. 'Mae gen i *glocsia*' newydd.,/A'r rheini'n *glocsia*' da,/Mi baran' drwy'r gaea'/A thipyn bach o'r ha'./Os ca'i *glocsia*' newydd/Mi baran dipyn hwy,/Saith a dima'r *glocsen*/A phymtheg am y ddwy.'

clocsio *be.* Cerdded mewn clocs; gwneud sŵn wrth gerdded mewn clocsiau – 'ei *chlocsio* hi am gartre'.

1963 Hen Was: RC 9, Rydw i'n cofio'n iawn amdani yn *clocsio* o gwmpas ar hen lechi mawr y tŷ llaeth dan hymian canu, a'i *chlocsia* fel 'tasa nhw'n cadw amser i'r diwn.

clocsen

1. **clocsen trol** (Môn) *eb.* ll. *clocsiau*. Gwadn haearn gref i'w rhoi dan olwyn cerbyd trwm, megis y dyrnwr mawr, yr injan stêm, y drol neu gert a llwyth arni, ayyb, i weithredu fel brec wrth fynd i lawr allt neu oriwaered ac i helpu'r ceffyl a fyddai yn y siafftiau i fonio'r cerbyd. Câ'i clocsen yr effaith o beri i olwyn neu olwynion y cerbyd lusgo yn hytrach na throi. Fel rheol, byddai dwy glocsen yn crogi wrth gadwyn dan du ôl y dyrnwr, ayyb, fel eu bod o fewn cyrraedd hwylus i'r ddwy olwyn ôl, llyffethair olwyn, paten, patan, clo olwyn, slipar. Ar lafar ym Môn ac Arfon.

1981 Ll Phillips: HAD 54, Peth pwysig iawn gyda chart a cheffyl ydoedd y teclyn i'w osod tu ôl i'r olwyn i ddal llwyth ar riw serth a rhoi egwyl i'r ceffylau.
1995 FfTh 15, 35, Ail gychwyn am Derwydd, a'r allt yn ein gwynebu ond ar i lawr y tro yma. Fy nhad yn galw arnaf 'Ty'd yma er mwyn iti gael gwybod sut i osod *clocsen* ar yr olwyn ôl a gosod cadwyn y clo drwy'r adenydd ...'
Gw. hefyd CLOG, CLO OLWYN.

2. *eb.* Maneg bren i wthio eithin i afael cyllyll y felin eithin neu'r injan falu eithin, dyrnolbren.
Gw. hefyd DYRNOLBREN.

clocsen aradr

1. *eb.* Gwadn yr aradr, darn gwastad gwaelod aradr y cydia'r swch wrth ei flaen, ag sy'n llithro dan y gŵys, cywair aradr, gwadn swch, gwadn penffestr.
Gw. CYWAIR², GWADN, PENFFESTR.

2. *eb.* Math o slêd pren neu gar llusg hirgul i lusgo aradr ar hyd wyneb ffordd arw ac anwastad i ddiogelu'r swch a'r wadn neu waelod yr aradr. Ar lafar yn sir Benfro, Llŷn.
1958 T J Jenkin: YPLL AWC, Y mae'r feidir … yn arw a charegog ac felly rhaid gosod *clocsen* o dan yr aradr i'w chadw o'r llawr. Darn o bren derw hirgul oedd y glocsen … mewn gwirionedd car llusg bychan at yr amcan arbennig hwn.
1987 E W Roberts (Pwllheli): AIHA AWC, 'Roedd darn arall yn hanfodol i'r gwŷdd – y *glocsen* oedd hwnnw. Rhaid oedd ei ddefnyddio pan yn symud y gwŷdd ar hyd y ffordd. Gwaith y gôf lleol oedd, yn ffitio o dan y gwadn ac am flaen y swch.

clocsen injan wair *eb.*
Nod J Williams-Davies: AWC, darn o haearn ar flaen car (bar) y gyllell mewn peiriant lladd gwair (Dyfed). (S. *skid*)

clocsiwr *eg.* ll. *clocswyr.* Gwneuthurwr, trwsiwr, neu werthwr clocsiau. Mewn rhannau o Gymru ar un adeg (hyd chwarter cyntaf yr 20g ac wedyn) byddai'r *clocsiwr* mor angenrheidiol ac mor brysur â'r crydd.
1958 I Gruffydd: HAG 82, Cofiaf amser pan fyddai'r *clocsiwr* yn ddyn defnyddiol a chryn dipyn o ofyn am ei waith. Pan fyddai gwadnau esgidiau wedi treulio allan peth digon cyffredin oedd mynd â hwy i dy'r *clocsiwr* a gofyn iddo roi gwadnau pren … Gwernen oedd y pren … fynychaf. Yr oedd yn weddol ysgafn, yn wydn ac yn llai tueddol i hollti na phrennau cyffredin eraill, a gwnai'r gof bedol hir i'r rhan flaenaf … a phedol fer i'r sawdl.

clochdar *be.* ac *eg.* Caniad ceiliog neu sŵn iâr wedi iddi ddodwy neu pan fo'n galw ar ei chywion, trydar aderyn dof, dresu. Ceir hefyd y ffurfiau 'clochderan' (Môn ac Arfon), 'clochdarddian' (Morgannwg) 'clochdorian' (Penfro), 'clochdran' (cyffredinol).
Diar. (Lydewig) 'Pan fydd yr iâr yn *clochdar* mae ganddi ŵy neu gyw.'
Ffig. Siarad yn uchel neu'n llafar, rhywun uchel ei gloch.
'Roedd o'n *clochdar* ar ucha'i lais am rywbeth.' 'Taw â dy glochdar bendith y Tad iti.'

clochdardd, clochdarddian gw. CLOCHDAR.

clochderan gw. CLOCHDAR.

clochdran gw. CLOCHDAR.

cloch ffrwyn *eb.* ll. *clychau ffrwyn.* Y math o gloch a roir ar ffrwyn ceffyl, fel rhan o'r addurniadau cyffredinol, at achlysuron arbennig, – preimin, ras 'redig, nôl glo o'r stesion neu unrhyw siwrnai arall y tu allan i derfynau'r fferm.
Ffig. Person hunan-bwysig am gael sylw ac 'utganu o'i flaen'.
1948 T Rowland Hughes: Cân neu Ddwy 25, Mi gwrddaf wybodusion llawer byd/Y prysur bwysig, y ceffylau blaen,/A chlychau harnes heb un eiliad fud/Yn gyrru powld fawreddog sŵn ar daen.

cloch ginio *eb.* ll. *clychau cinio.* Yr alwad, mewn rhyw ffurf neu'i gilydd, i'r gweision ffermydd i ginio. Mewn rhai ffermydd ceid cloch mewn math o glochdy ar dalcen y sgubor, weithiau cloch law, weithiau cragen fawr y gwaeddid iddi, ac weithiau chwiban (ffliwt).

cloddio

1. *be.* Tyllu, turio, ceibio, – cloddio ffos, cloddio pydew, cloddio clawdd silwair, ayyb.

1550 DB 112, Pa le bynnag y *kloddir* y ddayar y dwfr a geffir ynddi.
1620 Num 21.18, Ffynnon a *gloddiodd* y tywysogion.
1620 Salm 7.15, Torrodd bwll, *cloddiodd ef*, syrthiodd yn y clawdd a wnaeth.
1696 CDD 9, Nhwy daflwyd o Eden/I *gloddio*'r ddaearen.

2. *be.* Codi clawdd pridd a thywyrch, neu â cherrig a phridd, amgau tir â chlawdd.

1779 J Prys, Alm 3, *Gloddiwyd* clawdd Offa. 1,002
1795 R Crusoe 48, I'w amddiffyn mi a *gloddiais* oi amgylch.

cloddio clawdd *be.* Cau clawdd, cymenu clawdd pridd (clawdd daear, Dyffryn Tanat), sgwrio clawdd, cau adwyon (bylchau) mewn clawdd. Ar lafar yng Ngheredigion.

1975 T J Davies: NBB 102, Nid aredig oedd yr unig gamp mewn preimin. Ceid cystadleuaeth plygu perth a *chloddio*.

cloer

1. *egb.* ll. *cloerau, clorïau.* Cist, coffor, bocs, drôr, cwpwrdd, drôr mewn cist. Ceir hefyd y ffurfiau 'cleior' (Môn), 'cloeor' (Arfon). Gw. CLIOR.

2. *egb.* Twll neu agen hirgul (fel rheol) mewn mur, twll colomen, lansed, lowsed (Ceredigion), agoriad pwrpasol ym mur tŷ gwair cerrig, sgubor, ayyb, i ollwng awyr i mewn. Ceir hefyd y ffurf 'gloer' (Edeirnion).

1992 E Wiliam: HAFF 41, Lledai'r *cloer* drwy'r wal o'r tu allan at i mewn. Tyllau trionglog a geid yng ngogledd Gwent, Blaenau Morgannwg a Brycheiniog. Byddai sgubor lawn yn denu llygod ac i ateb hyn weithiau ceid twll uchel i ddenu tylluanod i glwydo tu mewn i'r adeilad.

3. *eg.* Math o gypyrddau cerrig, o gwmpas drws cefn hen amaethdai, i gadw potiau pridd, y crwc, yr ysten, ayyb, o'r neilltu ac yn ddiogel.

cloerdwll (*cloer* + *twll*)
Gw. CLOER².

cloes *eg.* Darn o dir caeëdig neu wedi ei amgau (S. *close*). Ffurf lafar ar 'clos' yn sicr, sef lle caeëdig. Ar lafar ym Maldwyn.

1981 GEM 119, *Cloes*:- Close (of land).

clofer *ell.* neu *etf.* Meillion, cnwd o lysiau tair-deilen, gwyn neu binc eu blodau, a dyfir yn bennaf yn fwyd i anifeiliaid, ac a ystyrir yn borfa dda, yn enwedig i wartheg llaeth. Yn y De ceir y ffurf 'clofers' a'r ffurf unigol 'clofersen'.

clofer coch Seisnig Clofer coch rhywiog.

clofer coch tref Clofer coch sy'n blodeuo'n ddiweddar.

clofer gwyn Clofer gwyn ei flodau, clofer Holland.

Ffig. (o'r syniad o glofer yn borfa dda), cysurus, cyffyrddus, moethus ei amgylchiadau.

'Mae o a hi mewn swyddi da ac yn byw mewn *clofar*.' 'Mewn *clofar* at 'i glustiau.' (Llŷn). Hefyd yn air am ymgyfnewidfa ffyrdd, yn arbennig lle mae traffyrdd yn ymgyfarfod a chyfle i ymgyfnewid, fel y gellir teithio i unrhyw un o bedwar cyfeiriad, ac wedi eu cynllunio ar lun meillionen pedair deilen. Yn S. gelwir y fath ymgyfnewidfa ffyrdd yn *clover-leaf interchange*.

cloff *a*. Yn gyffredinol, dyn neu anifail yn hercian, neu'n methu cerdded yn normal oherwydd rhyw anaf i'w droed neu ei goes, neu oherwydd gwendid yn y troed neu'r goes. Yn amaethyddol anifail wedi ei anafu neu â rhyw afiechyd traed neu goesau e.e. braenedd traed ar ddefaid, y llaid ar geffyl, neu fuwch, ayyb, dafad *gloff*, buwch *gloff*, ceffyl *cloff*. cmhr. W J Gruffydd, *Sionyn*, Rhaid im dy gario dithau/Fel pob rhyw ddafad *gloff*.

cloffrwym, cloffrwm (*cloff* + *rhwym*) *eg*. ll. *cloffrwymau, cloffrymau*. Llyffethair, hual, gefyn, carchar (ar anifail). Fel rheol, anifail barus ac anodd ei gadw rhag crwydro, a gâi ei *gloffrwymo*. Yn aml, yn enwedig gyda defaid, rhoid cortyn o'r troed blaen i'r troed ôl yr un ochr. Weithiau, fodd bynnag, fe'i ceid o'r naill droed blaen i'r llall. Yn achos buwch giciog wrth ei godro yn y beudy byddid yn rhoi'r 'aerwy corn' sef cloffrwym o'r troed blaen i'r gwar. Ffig. Rhwystr, atalfa.

1963 I Gruffydd: GOB 47, Yr hen israddoldeb hwnnw a fu'n *gloffrwm* arna'i.
'Mae'n trefniadau ni fel enwad wedi mynd yn *gloffrwm* ar ein cenhadaeth ni.

Gw. AERWY CORN, GEFYN, HUAL, LLYFFETHAIR.

cloffrwymo, cloffrymu *be*. Gosod llyffethair ar anifail, hualu anifail, llyffetheirio – rhywbeth sy'n anghyfreithlon ers blynyddoedd bellach.

clog
1. *eb*. ll. *clogau*. Craig, clogwyn, dibyn, ochr, llechwedd. Digwydd mewn enwau lleoedd: 'Y *Glog*', sir Benfro; '*Clog* y Frân', sir Benfro; '*Clog* Fertyn', sir Fflint, '*Clogau*', Meirionnydd.

1760 Ieuan Brydydd Hir. Gwaith 48, Dringaf yn llawn o afiaith/Dros *glogau* mynyddau maith.
1872 Ceiriog *Gweithiau* 27, Yn dilyn yr og ar ochr y *glog*.

2. *ebg*. ll. *clogiau, clogau*. Rhwystr, llyffethair, cloffrwym (yn enwedig ar wartheg), tagfa. Ceir clogiau olwyn, sef clocsen neu strocen olwyn. O'r *clog* hwn y cafwyd y ferf 'clogio' am gau (tagu) pibell ddŵr, pibell olew, ayyb, neu, heddiw, am dagu ffyrdd – y bibell wedi *clogio*, y ffordd wedi *clogio*. Ceir hefyd y ffurf 'cloc'.

1774 H Jones: CYH 43, Hefyd yn malurio *cloggiau*/Sy'n rhwystro i egin yn eu blaenau.
1776 W Davies: RMB 9, Eu hysgwyd yn fynych, i'w cadw rhag *clogio* ynghyd.
1938 T J Jenkin: AIHA AWC, Ar fuwch yn gyffredin y gosodid *cloc*, i'w rhwystro i fynd dros y cloddiau. Crogid y *cloc* am wddf y fuwch gyda rhaff. Fynychaf yr oedd y *cloc* o ddau ddarn o bren. Crogai un pren i lawr. Yr oedd tua 15 modfedd o hyd a thua 4 modfedd o drwch. Elai y pren arall drwy ei ben isaf ar draws i gluniau y fuwch, fel pan fyddai'r fuwch yn symud yn gyflym neu'n neidio byddai'n taro yn erbyn ei choesau.
Gw. CLOIG⁴, CLOCSEN¹.

clogio gw. CLOG².

clogwrn *eg*. ll. *clogyrnau*. Clogwyn, craig, tarren, bryncyn.
1794 P, *Clogwrn* – a crag.

clogwyn *eg.* ll. *clogwyni, clogwynau.* Dibyn, diffwys, craig serth, wyneb y graig (ardal y chwareli) carreg fawr.
1620 Es 2.21, I fyned i agennau y creigiau ac i goppäau y *clogwyni.*

clogwynog *a.* A nodweddir gan glogwyni, llawn clogwyni, o natur glogwynog.

clogyn gw. CAP, COPSI.

clogyrnach (*clogwrn* + *ach*) *eg.* ac *a.* Anwastad, garw, caregog, creigiog, balciog, afrwydd (am dir).
Ffig. Afrwydd, anwastad, bratiog (am farddoniaeth a llenyddiaeth). Yn enwedig ar un o'r pedwar mesur ar hugain.
1866-68 G Mechain. Gwaith Cyfr 2, Pe rhoddid enw un o'r pedwar mesur ar hugain cerdd dafod ar waith William Salsbri, yn llythrennu geiriau Cymraeg, '*Clogyrnach*' a fyddai yr enw cymhwysaf.

cloig

1. **clöig** *egb.* ll. *cloigod, cloigion, clohigod.* bach. *cloigyn.* Dyfais i gau drws neu gaead ac i'w gadw ynghau, yn aml yn y ffurf o wäeg fetel yn mynd am stwffwl, ac yn cael ei sicrhau drwy roi peg neu glo clwt. Fe'i gwelir ar ddrysau, hamperi a basgedi, Beiblau mawr, cistiau, ayyb, hesben, clicied dro.

2. Swp, bwndel neu ysgub o wellt gwenith neu o gawn neu frwyn at bwrpas toi, belysen, töen (sir Benfro). Yn Nyfed fe'i defnyddir hefyd am sgubau ŷd a'r brig wedi ei stripio gan y tywydd, y ffust neu'r dyrnwr. GPC.
Gw. CLOIGIO².

3. *eg.* Teclyn yn y ffurf o beg i ddal y drol ar ei brân, drwy ei wthio drwy un o'r tyllau sydd bob rhyw chwe modfedd yn y frân. Mewn rhai rhannau *cloig* yw'r gliced i gloi'r trwmbel wrth y siafftiau, e.e. Dyffryn Ardudwy.

4. *egb.* Cloigyn olwyn, sef dyfais i arafu olwyn neu beri iddi lusgo ar gerbyd a dynnid gan geffyl, clo olwyn, clocsen, llyffethair olwyn.
Gw. CLOGSEN¹, CLO OLWYN.

cloigio

1. **cloigo** *be.* Hesbennu, bolltio, bario, cliciadu (am ddrws, caead, clawr).
1588 Neh 7.3, Cauant y drysau a *chlohigant.*
16-17g RWM 1 105, Yna y kwnyr y kymru ac y *kloigyr* y saeson.

2. **cloego** *be.* Dyrnu ysgub o ŷd heb ei datod er mwyn cadw'r gwellt yn dwt ac unfon at doi. Ar lafar yn Nyfed a Cheredigion yn yr ystyr hwn. Roedd dau fath o ddyrnu â'r ffust. Un math oedd dyrnu ar ôl agor yr ysgub. Y math arall oedd *cloegio*, sef dyrnu'r ysgub heb dorri'r cortyn. Gelwid ysgub felly heb frig yn *gloig.*
Ffig.15g Ieuan Deulwyn, Gwaith 94, Man y trig brig ar ein bro/Mae'n *gloig* er un Gwyl Iago. (Am Syr Rhisiart Herbert a ddienyddiwyd, sef torri ei ben (ei frig).
Gw. CLOIG².

cloigynnu *be.* Cloi olwyn, rhoi clo neu glocsen ar olwyn i weithredu fel brêc.
Gw. CLOCSEN[1], CLO, CLOIG[4].

clom *eg.* Pridd a gwellt a chlai wedi eu cymysgu i wneud math o gymrwd neu forter at wneud waliau tai neu gau tyllau mewn ffwrn neu bopty. Sonnir am 'dŷ *clom*' – tŷ a'i furiau o gerrig a *chlom*. Ar lafar yn Nyfed a Cheredigion.
1867 Gwynionydd *Caniadau* 89, Clyd yw to gwellt a gwàl *glom*.

clomio *be.* Dwbio drws popty â chlai, ayyb, i gadw'r gwres i mewn. Ar lafar yn y De.
Dywed. '*Clomio* ffwrn â menyn' – gwneud peth difudd ac ofer.

clonc
1. *eg.* Sŵn trol neu gert yn symud, sŵn torredig clonciog, cloncian trol.

2. *a.* Gorllyd, drwg, clwc (am ŵy), ŵy gwag, ŵy *clonc*, ŵy drwg. Ar lafar yn y Gogledd.

cloncwy (*clonc* + *ŵy*) *eg.* ll. *cloncwyau*. Ŵy clonc, ŵy drwg, ŵy gorllyd, ŵy clwc, ŵy mysorig.
Ffig. Rhywbeth diwerth a siomedig.
'Gallech feddwl fod ganddo weledigaeth fawr ac eglur ond *cloncwy* oedd y cyfan.'
Dywed. 'Wedi eistedd ar *gloncwy'n* rhy hir' – yn amlwg, wedi'r holl ymdrech, nad oes modd i'r peth lwyddo.

cloren *eb.* ll. *clorennau, cloreniaid*. Cynffon, cwt, cwtws, llosgwrn, bôn y gynffon, asgwrn y gynffon, asgwrn a chnawd y gynffon, bontin (yn enwedig ceffyl). Ym Môn cnawd y gynffon, ond nid y gynffon i gyd, yw '*cloran* y gynffon'. Sonnir am dorri'r *gloran*, clwy'r *gloran* ac am waedu'r *gloran*. Mae'n ymddangos mai 'Gwŷr y *Gloran*' y gelwid brodorion gwreiddiol Cwm Rhondda, oherwydd eu bod yn gweld Llyn Rhondda fel *cloren* Morgannwg.
1567 Dat 9.10, A chynffoney [:-*clorene*] oedd yddynt mal y scorpionae.
1620 Ecs 29.22, Cymer hefyd o'r hwrdd y gwêr a'r *gloren*.
1981 W H Roberts: AG 42, Yr anhwylderau amlaf ar geffylau fyddai 'Toster' ... a ymddangosai ar yr egwydydd a'r gwddf a'r *gloran*.

clorian *eb.* ll. *cloriannau*. Offeryn pwyso, mantol, tafol. Cyn oes y glorian spring, math o drawst wedi ei fantoli yn ei ganol oedd y *glorian*. Yn un pen ceid dysgl yn dal y pwysau, ac yn y pen arall ddysgl i ddal yr hyn a bwysid. Ar ffermydd yn aml ceid hefyd fantol fawr yn y lloft storws at bwyso'r grawn, tatws, ayyb.
Gw. STILIAN, STILIWNS, TAFOL.

clorin *eg.* Elfen mewn natur sy'n faethyn holl bwysig i dyfiant anifeiliaid a phlanhigion.

clorineiddio *be.* Diheintio drwy ddefnyddio *clorin*, e.e. wrth brosesu bwydydd yn fasnachol.

clorineiddiwr *eg.* Dyfais at roi clorin mewn dŵr. Gwneir hynny i ladd bacteria mewn dŵr yfed, ffermydd carthffosiaeth, ayyb, ac i ddiheintio wrth brosesu bwydydd ar raddfa eang.

clorinedig *a.* Wedi ei drin â chlorin, â chlorin ynddo (am ddŵr, pryfleiddiad, ayyb). Ceir y 'pryfleiddiad hydrocarbon *clorinedig*' sy'n cynnwys DDT, aldrin a linden sydd nid yn unig yn lladd pryfetach ond hefyd yn lladd creaduriaid gwyllt ac adar.

cloroffyl *eg.* Y pigment glas (gwyrdd) mewn planhigion ac yn hanfodol i'r broses ffotosynthesis.
Gw. FFOTOSYNTHESIS.

cloron (*clôr* − *cylor* + *on* − ar ddelw moron) *ell. etf.* Cnau daear, afalau daear (Ffrainc), tatws oddfau.
1800 W Owen Pughe: CP 19, Geilw y Saeson hwy '*potatoes*', ac felly'n gyffredin hyd Gymru hefyd.
1933 H Evans: CE 14 (Dyf. Elis o'r Nant 1894), Angen yw tad dyfais onide? Llwyddwyd i wneud bara o *gloron*; yr adeg honno (cyfnod yn dilyn rhyfel Napoleon) daeth y ddyfais allan, yn gymysgedig ag ychydig o flawd gwenith.

clorosis Cyflwr planhigion lle mae eu dail yn melynu, mewn canlyniad i ataliad ar y ffurfiant cloroffyl, a achosir gan amryw o ffactorau megis diffyg goleuni, diffyg haearn neu fagnesiwm a gormod o galsiwm (*chlorosis* calch).
Gw. CLOROFFYL.

clos *eg.* ll. *closydd.* Lle wedi ei amgau, buarth fferm, ffald, iard. Ar lafar yn gyffredinol yn y De, yn yr ystyr hwn, yn enwedig y buarth o flaen y tŷ fferm. Ym Maldwyn ceir 'cloes'.
1966 D J Williams: ST 19, 'Wir, Rahel, mae hen lo bach net 'da ti leni yto' meddai Teimoth, wedi dod maes i'r *clos*.
1989 P Williams: GYG 19, Roedd pawb yn mynd i'r tŷ i gael cinio a'r llwythi tato'n mynd i'r *clos* i'w gwagio.
1991 G Angharad: CSB 8, A beth am y darn agored rhwng y ffermdy a'r tai mâs? Y *clós* yw hwnnw yn y dwyrain (Sir Benfro) a 'ffald' yn y gorllewin, ac mae trydydd gair sef 'hiol' ar gael yng nghyffiniau Cwm Gwaun.

clos penglin *eg.* Y clos melfared (clos rib) a wisgid yn aml gan y certmyn balch wrth droi allan efo'r wedd i ras 'redig neu breimin, ayyb, ac a wisgid gynt yn bur gyffredin gan lawer, a'r clos gwlanen a wisgid gan y dyn canlyn stalwyn.
1908 Myrddin Fardd: LLGSG 64, Y *clos penglin* oedd y clos mwyaf dewisol gan ddynion gwlad.
Rhigwm. 'Rhaid dechrau byw trwy gymorth gras/Mewn *clos penglin* a ffedog fras' − cydweithio a chyd-dynnu rhwng gŵr a gwraig.

closio *be.* Symud yn nes neu 'mhellach, symud yma neu symud draw. Clywir 'closia yma' a 'closia draw' yn orchymyn i fuwch (wrth ei godro), i geffyl (wrth ei harneisio neu ei fachu wrth yr aradr, ayyb).

clostir (*clos* + *tir*) *eg.* ll.*clostiroedd.* Tir wedi ei amgau neu wedi ei gau i mewn, caeadle, llannerch.

clots *ell.* un. *clotsen.* Tywyrch neu tyweirch at godi clawdd pridd, neu a ddidonnid oddi ar wyneb y tir i'w llosgi. Ar lafar yn y De. Ceir hefyd y ffurf 'clyts' (Ceredigion). Ceir 'Cribyn y *Glotas*' (Y Gribyn, heddiw) ger Llanbedr, Ceredigion, a 'Tŷ *Glotas*' ger Bwlch y Llan, Ceredigion.

1762 W Williams: P 461, A'r rhan fwyaf o'r tai o furiau pridd a *chlotts.*

1975 R Phillips: DAW 57, Roedd y trymwaith o godi cloddiau carreg a *chlots* i amgau tir ... wedi darfod ymhell cyn fy amser i.

clotsen *eb.* ll. *clotsenni.* Mawnen, rhyw 14 modfedd o hyd, 9 modfedd o led a phedair modfedd o drwch, a dorrid â rhaw letach na'r un gyffredin, ac a losgid tu cefn i'r tân gan osod mawn cyffredin o'u blaenau. Ar lafar yng ngogledd Ceredigion.

Gw. CLYTIAU, TALPIAU. Gw. hefyd Trefor M Owen *Torri Mawn* 28 (1990).

clowcian gw. CLOCHDAR, CLWC[3].

cludair, cluder, cludwair (*clud* (cario) + *gwair?*) *eg.* ll. *cludeiriau.*
1. Pentwr, twmpath, tomen, tas (yn enwedig o goed). Digwydd mewn enwau lleoedd megis y '*Gludar* Fawr' a'r '*Gludar* Fach' yn Eryri, a 'Dôl-y-*Gludair*', Dolgellau. Yn Nyffryn Tywi clywir 'cledwer'.

1966 D J Williams: ST 41, Ymhen tipyn, fodd bynnag, wrth i Tomos sôn am y *gludair* fawr o goed bob amser wrth dalcen tŷ Cilwennau Fowr ...

2. Cerbyd at gario coed, moddion cludo coed.

1620 1 Bren 5.9, Mi a'u gyrraf hwynt yn *gludeiriau* ar hyd y môr.

3. Lle i gadw coed, buarth cadw coed.

cludbridd (*clud* + *pridd*) *eg.* ll. *cludbriddoedd.* Pridd wedi ei gario o rywle arall gan wynt, dŵr neu ddisgyrchiant megis llifbridd, dolbridd neu ddisgyrchbridd (*colluvium*).

cludeirio *be.*
1. Pentyrru, tomennu, tasu (yn enwedig goed tân).
2. Cario neu gludo coed i fuarth coed.
Gw. CLUDAIR.

cludfen (*clud* + *men*) *eb.* ll. *cludfenni.* Cert, cart, trol, wagen, carafan.

1794 E Jones: CP 101, chwanegiad y nifer o geffylau i dynnu mewn *clud-fenni.*

clugieir gw. PETRIS.

clun
1. *eg.* Dôl, gwaun, porfa.
2. *eg.* Prysglwyn. O'r ystyr hwn fe'i cawn yn elfen mewn enwau lleoedd. '*Glŷn* Eithinog', '*Glŷn* Coch', '*Clun*derwen', '*Clun*ffwrddin', '*Clun* Walis', '*Clun*-gwyn' (Ceredigion).

Clun Forest *ep.* Yn wreiddiol, brid o ddefaid o ganolbarth Lloegr, ond bellach yn frid caled o ddefaid mynydd. Fe'u nodweddir gan wyneb brown tywyll, clustiau byrion, sythion a gwlân sy'n ymestyn dros eu talcennau.

clust aradr *eb.* ll. *clustiau erydr.* Y ddyfais ar flaen aradr y cysylltir y bompren wrtho trwy gyfrwng y fondid (gw. BONDID), ac wedi ei lunio yn y fath fodd fel y gellir symud y fondid i fyny ac i lawr ac o un ochr i'r llall, er mwyn cadw dyfnder a lled y gŵys yn gyson. Gall clust aradr mewn rhai ardaloedd, fodd bynnag, olygu'r peg, neu'r pin, neu'r loig sy'n cysylltu'r fondid wrth flaen yr aradr.

1958 T J Jenkin: YPLL AWC, At helpu'r arddwr i reoli dyfnder y gwys yr oedd y *clust*, tra yr oedd y teibo i helpu i reoli lled y gwys.

1959 D J Williams: YCHO 50, Ein hysgolfeistr ni, er enghraifft, na wyddai wahaniaeth rhwng cyrn aradr a'i *chlust* hi, am 'wn i, gan nad ar fferm y'i maged.

1975 T J Davies: NBB 101, Crefft arall bwysig oedd gosod yr aradr. Faint o afael i'w roi i'r cwlltwr, faint o aden i'r swch, ble i osod y glust fel y gallai'r ceffyle dynnu'n wastad.

Gw. CEILIOG ARADR, CYMRYD, FFRWYN ARADR, TEIBO.

clustgyfan *a.* Heb nod clust (am ddafad). Ar lafar yng Ngheredigion.

clustiau'r ddaear *ell.* ac *eg.*

1990 FfTh 5, 16, Math o gen yw hwn, yn tyfu mewn hen borfa, neu ar ben clawdd pridd, yn llabedau gwastad llwyd ar eu hochr ucha a gwyn blewog oddi tanynt. Medda' nhw wrtha i, *Peltigera canina* yw eu henw Lladin a 'dog lichen' yn Saesneg. Fe'u berwid mewn llefrith a'u rhoi i gŵn ifanc os byddent yn cael ffitia. Arferai fy nhad y feddyginiaeth hon yn Rhoslan, ger Cricieth yn y 30au.

1990 FfTh 6, 15, Yr wyf yn gyfarwydd iawn â'r tyfiant yma a gwelais fy nhad yn ei ddefnyddio lawer gwaith. Yr oedd ef yn gredwr cryf ynddo fel meddyginiaeth i'w rhoi i warheg a fyddai'n hir yn bwrw eu brych ar ôl dod â llo. Ei ferwi a rhoi'r drwyth i'r anifail oedd y dull, ... yn ystod y 40au ymlaen y defnyddiai fy nhad y feddyginiaeth hon.

clustiau moch bach *ell.* Mae gan foch bach glustiau mawr. Daeth *clustiau moch bach* yn ymadrodd trosiadol am blant yn clywed pob peth, rhaid bod yn ofalus beth a ddywedir yn eu clyw.

'Fachgen, gwylia dy hun, mae'r plant 'ma â *chlusitiau moch bach* cofia.'

clustog *eb.* Darn hirfain o wellt wedi ei blethu a roid ar hyd brig tas cyn dechrau ei thoi, gwrach. Ar lafar yng Ngheredigion a Dyfed. Gw. GWRACH¹.

clwbfrwyn *ell.* un. *clwbfrwynen.* Nifer o rywogaethau o frwyn:

clwbfrwynen fechan – math byr o glwbfrwynen.

clwbfrwynen galafog – math amlgoesog.

clwbfrwynen gochddu – â'i phen yn gochddu.

clwbfrwynen y gors – y math a dyf mewn corstir.

clwbfrwynen leiaf – gw. CLWBFRWYNEN FECHAN.

clwbfrwynen y fawnog – y math cennog.

clwbfrwynen y morfa – y math a dyf mewn tir hallt.

Clwb Ffermwyr Ifainc *eg.* ll. *Clybiau Ffermwyr Ifainc.* Clwb sy'n gangen o Fudiad y Ffermwyr Ifainc a sefydlwyd ar ôl yr Ail Ryfel Byd (1939-45), a chanddo ganghennau dros wledydd Prydain, ond yn lled ffederal ei drefniadaeth a'i weinyddiaeth. Mae gan y Mudiad yng Nghymru ei ysgrifennydd cyffredinol a'i swyddfa ganolog ei hun. Meibion a merched ffermydd yw mwyafrif yr aelodau. Yng Nghymru bu'n fudiad byw a gweithgar yn ddiwylliannol yn ogystal ag amaethyddol, gyda nid yn unig ralïau sirol a chenedlaaethol, ond ag eisteddfodau sirol a chenedlaethol hefyd.

1982 R J Evans: LlFf 10, ... perygl parod y gwladwr yw mynd yn gyfyng ei orwelion ac yn fewnblyg ei ddiddordebau. Er enghraifft, fe all ein Clybiau Ffermwyr Ifainc fynd yn gaeth i bynciau amaethyddol yn unig. (Ond diolch bod yr adrannau Cymraeg yn dal at eisteddfod.)

clwb troi *eg.* ll. *clybiau troi.* Achlysur cystadleuol yn y grefft o aredig, gynt â cheffylau, heddiw â thractorau ac ambell i wedd; ras aredig, ymryson aredig, preimin, arfa. Diflannodd y clybiau troi yn ystod yr Ail Ryfel Byd (1939-45), ac yn araf, wedi i'r rhyfel ddod i ben, cafwyd ail gychwyn. Erbyn hynny, fodd bynnag 'roedd y ceffylau'n prysur ddiflannu yn ffafr y tractorau, ac fe adlewyrchid hynny yn y clybiau troi.

1955 Llwyd o'r Bryn: YP 37, Sylwais ar un aradr a gofyn iddo eiddo pwy ydoedd. "Hon fyddai gan Robert y Gargoed mewn *clybiau troi* ers talwm".

1976 W J Thomas: FFCH 119, Sylwn ar ddarlun mewn papur newydd yn ddiweddar o *Glwb Troi* yn rhywle yn Lloegr, ac nid oedd yr un wedd ar y cyfyl. Yr oedd yr hen oes wedi cilio o'r maes, a'r ornest wedi cymryd ffurf wahanol.

Gw. PREIMIN, RAS AREDIG.

clwc

1. *a.* Clonc, gorllyd, drwg, mysorig, heb gynhyrchu cyw (am ŵy). Ar lafar yn y De.

1762 E Powell: HEI 8, Cymer blisc wyau *clwcod.*

2. *a.* Taer am gael gori neu am gael eistedd ar wyau (am iâr), iâr *glwc,* iâr ori, iâr eistedd. Ar lafar yn y De.

3. *eg.* Sŵn iâr yn galw ar ei chywion neu pan fo wedi dodwy, clochdar, clegar, clwcian neu glowcian iâr.

Gw. CLOCHDAR, DRESU.

clwm (cwlwm) cyrch (*cwlwm + ceirch*) *eg.* Cwlwm o fath arbennig wrth rwymo sgubau ceirch, cwlwm dwbl. Ceir hefyd y ffurf 'cwlm cyrch'. Ar lafar ym Mro Morgannwg.

clwmi Ffurf dafodieithol ar 'clymu'. Ar lafar yn sir Gaerfyrddin.
Gw. CLYMU.

clwt *eg.* ll. *clytiau.* Yn amaethyddol darn o gae, cefn o dir, sonnir am y *clwt* tatws (mewn cae), y *clwt* rwdins. Ar lafar yn y Gogledd. Weithiau yn y gogledd hefyd gelwir lawnt neu ddarn o dir glas o gwmpas y tŷ yn '*glwt* glas.'

Ffig. Yr ymadrodd 'taflu ar y *clwt*' am berson wedi colli ei waith – 'dyn wedi colli popeth a heb le i roi ei ben i lawr ond ar y ddaear noeth' (R E Jones, LLIC, 1975).

1979 W Owen: RRL 75, Yr oedd Jac oddeutu deugain ac ar y *clwt* pan symudodd i fyw yno gyntaf.

clwt rwdins (swêds, erfin) Darn o gae dan rwdins.
Gw. CLWT.

clwt tatws Darn o gae dan datws.
Gw. CLWT.

clwt mawn *eg.* Llecyn arbennig mewn mân drefi – trefi marchnad – i werthu mawn cyn i lo ddod yn danwydd cyffredin. Byddai llawer iawn o farchnata mewn mawn gynt. Roedd dwy fawnog yn sir Frycheiniog yn gwerthu deng mil o lwythi o fawn yn flynyddol. Yng Nghaernarfon ceid y *clwt mawn* (Y Pendis, heddiw) lle gwerthid mawn a grug. Gw. Trefor M Owen: TM 15-16 (1990).

clwyd
1. *eb. ll. clwydi.* bach. *clwyden.* Llidiart, giat, iet, adwy dramwyo. yn sir Gaerfyrddin clywir 'clwyd droi' am gamfa dro (*turnstile*)
1966 D J Williams: ST 14, Wele lais garw a'i dychrynodd yn enbyd am eiliad, yn ei chyfarch dros *glwyd* yr ardd.
'Fe aeth ugain mil drwy'r *clwydi* i'r Brifwyl ddoe.'

2. *eb. ll. clwydi.* Rheilen neu blaid symudol o wiail, dellt, rhwyllwaith, rhesel, cledren, caead symudol.
1696 CDD 317, Fy asenne sydd fel gwiail *clwyd,*/A minne'n llwyd fy lliw.
1938 T J Jenkin: AIHA AWC, Nid oed *clwyd* fyth yn troi ar fâch na cholyn, er y gallai wneud y tro yn lle 'iet' drwy droi ar un o'i stwffwlion.
1981 GEM 22, *Clwyd* – llidiart neu wicied wedi ei phlethu drosti â changau coed.
Gw. CLEDR[3].

3. *eb. ll. clwydi.* Y pren llorweddog, beth uchder o'r llawr y cwsg yr ieir arno yn y cwt ieir, esgynbren, rhwst. Sonnir am yr ieir 'ar y *glwyd*' neu wedi mynd i 'glwydo'. Ar lafar yn y Gogledd. Ceir 'rhwst' ym Maldwyn; 'sgimbren', 'sgimren' (esgynbren) ym Mrycheiniog a Morgannwg, a 'pren ieir', 'taflod' yng Ngheredigion.
Ffig. gwely.
1756 ML 1 442, Dyma hi yn bryd myned i'r *glwyd.*

4. *eg.* Pentwr, yn un pentwr (am unrhyw beth yn enwedig gwair ac ŷd), yn un *glwyd.*
1774 H Jones: CYH 22, Pa resyndod yw gweled maes o lafur ffrwythlawn yn gorwedd yn *glwydi* braenllyd ar y ddaear gan wlybaniaeth.

clwyd droi Giât fochyn, giat pwswl mochyn (Môn), giât na all anifail gael trwyddi.

clwyd facwn Rac i ddal cig moch.

clwyd frag Hyrdlen i sychu brag arni mewn ffermdai.

clwyd fawn Basged o fath i gario mawn.
Gw. CAWELL FAWN.

clwyd pladur Crud, cadair, neu gawell pladur.
Gw. CAWELL PLADUR, CRUD PLADUR.

clwydi bach Math o garfan, sef ochrau rhwyllog i'w rhoi ar ochr trol uwchben yr olwynion i bwrpas cario gwair, ŷd, ayyb.

clwydaid, clwydiad *eg. ll. clwydeidiau.* Llond clwyd, cawellaid, cymaint ag a ddeil clwyd. Arferai *clwydiad* o geirch fod yn bum pegaid neu ddigon i odyn gwlad ei grasu ar y tro, odynaid. Yn sir Frycheiniog

273

clwydiad yw odynaid o rawn i'w grasu; yn sir Feirionnydd *clwydiad* yw baich neu lwyth o geirch.

clwydo

1. *be.* Plethu neu eilio clwyd â gwiail, neu gau â chlwyd.
1774 W, *Clwydo* – to hurdle.

2. *be.* Mynd ar y glwyd neu'r esgynbren (am ieir, ayyb), ar y glwyd, ar yr esgynbren.
Ffig. Mynd i'r gwely, yn y gwely, mynd i fyny'r ffordd bren (Llanuwchllyn).
'Rydw'i am fynd i *glwydo'n* gynnar heno, – noson hwyr neithiwr.'

clwyf, clwy *eg.* ll. *clwyfau, clwyfon, clwyfydd, clwyfi.*Yn amaethyddol afiechyd, clefyd neu haint ar anifeiliaid. Gw. hefyd dan CLEFYD am rai afiechydon.

clwy'r afu *eg.* Afiechyd defaid a gwartheg a achosir gan lyngyr parasitaidd yn iau (afu) a thrwythell bustl yr anifail (*Fasciola hepatica*), ac yn peri colli graen, braenedd yr afu (Ceredigion), ffliwc, clefyd yr ieuad (Arfon) clefyd yr euod.
1975 R Phillips: DAW 64, Doedd colli dafad neu ddwy yn golygu fawr yn ariannol, ond 'roedd y dŵr coch, y chwaren ddu, *clwy'r afu* a damweiniau yn mynd â'u toll weithiau.
1996 E Hughes: *Tair Bro a Rownd y Byd* 75, Mae pawb sydd wedi cadw defaid yn gwybod am *clefyd yr ieuad* – y 'Liver Fluke.

clwy'r boten *eg.* Chwyddiad stumog gyntaf, neu flaengyllau anifail cnoi cil (cilfil) a achosir gan nwy o wair lwsern a meillion a hwnnw'n methu dianc, ac o ddal i bwyso ar y llengig yn gallu mygu'r anifail (S. *bloat*), 'chwydd y boten' (Arfon).

clwyf braenar *eg.* Anhwylder archwaeth ar wartheg ac yn peri iddynt fwyta unrhyw beth, – lledr, dillad ar y lein, cerrig, glo, ayyb.
Gw. BRAENAR[2].

clwy byr gw. CLWY DU, Y FWREN DDU.

clwy'r bywyn gw. LLID Y CARN.

clwy cnapiog gw. LLYNMEIRCH.

clwy coch *eg.* Heintiad bacteraidd yn stumog defaid ac yn peri diffyg archwaeth, pendro, lludded cynyddol a braenedd neu wenwyn marwol (S. *braxy*).

clwy'r cyfrwy *eg.* Chwydd poenus neu ddolur, yn aml ar geffyl fel yr awgryma'r enw, a achosir gan ran o'r harnais, ayyb, yn rhwbio neu'n crafu, e.e. pan na fo'r cyfrwy, neu'r strodur neu'r goler yn gorwedd yn esmwyth ar gorff y ceffyl (S. *saddle galls*).

clwy'r cymalau gw. HAINT YR EBOLION.

clwy du *eg.* Afiechyd bacteraidd defaid a gwartheg yn achosi chwyddiadau llawn nwy ar yr ysgwyddau, y gwddf a'r cluniau, clwy byr, dolur byr, y fwren ddu, blaened, y chwaren ddu, y chwarter du (gwartheg), ac yn gallu lladd o fewn 24 awr i ymddangosiad y symtomau, ac felly'r enw 'clwy byr'. Mae defaid yn dal yr afiechyd drwy i facteria fynd i ddolur adeg wyna, dipio neu gneifio, ac ŵyn adeg sbaddu neu docio'r gynffon. Yn achos gwartheg mae bacteria o'r pridd yn cael i ddolur, dolur bach a disylw iawn weithiau, yn enwedig mewn lloiau a dynewaid ac yn cynhyrchu yr un symtomau ag mewn defaid. Gynt byddai llawer o wartheg yn marw o'r *clwy du*, yn enwedig dynewaid. Bellach rhoir brechiad rhagddo.

1981 W H Roberts: AG 43, Yr oedd yna un haint a drawai loiau a defaid ifainc, a hwnnw oedd y *clwy du* ... haint ar gyhyrau'r crwmp ydyw, a gellir cael chwistrelliad rhagddo y dyddiau hyn.

clwy'r ddwyfron *eg.* Llid yr ysgyfaint, anwydwst (S. *influenza*). Ar lafar yn Nyffryn Tanat.

clwy efeilliaid Clefyd defaid sy'n cario dau oen neu efeilliaid, ac nad oes feddyginiaeth effeithiol iddo wedi iddo daro. Mae atal yr afiechyd yn haws na'i wella, hynny, drwy roi digon o fwyd – gwair, silwair, ayyb, i'r ddafad fel y mae'n trymhau ac yn nesu at fwrw ŵyn, clwy'r eira.

1982 R J Evans: LlFf 24, ... fel yr ydym yn gwella'r tir a'r duedd gynyddol yn y ddafad i gario efeilliaid, mae'n cyfnod yn union cyn bwrw ŵyn yn gosod gormod o straen arni, ac ar yr adeg o gam dywydd yn arbennig, fe'i goddiweddir â'r *clwy efeilliaid*.

clwy'r eira gw. CLWY EFEILLIAID.

clwy erthylu Afiechyd heintus ar anifeiliaid asgwrn cefn yn enwedig gwartheg godro, yn facteraidd ei achos (*Brucella*) ac yn afiechyd y gellir ei drosglwyddo i berson dynol drwy'r llaeth, cig, caws, ayyb. Fe'i nodweddir gan oerfel, twymyn, chwys, curiad calon araf a chwyddiant y splîn.
Gw. BRUCELLOSIS.

clwy'r garan Afiechyd crachlyd, cramenllyd tu ôl i goesau ceffyl, malander.
Gw. hefyd MALANDER.

clwy'r gynffon Afiechyd (honedig) yn effeithio ar grwmp anifail, yn enwedig buchod, ac yn effeithio ar yr anifail yn gyffredinol, pry cynffon, clwy'r gloren, clefyd y gwt (Y De). Tra bod milfeddygon yn taeru nad oes y fath afiechyd yn bod, myn llawer o ffermwyr gredu'n wahanol. Fe'i hadwaenir oddi wrth ddarn meddal yng nghynffon y fuwch, y fuwch yn gwrthod ei bwyd ac yn mynd i fethu codi. Mae'n ymddangos mai'r feddyginiaeth gyffredin yn y De a fu garlleg wedi ei gymysgu â bloneg, torri hollt yn y darn meddal yn y gynffon, a rhoi'r gymysgedd yn yr hollt a chadach amdano. Yn y Gogledd, tyrpentein a fu'r feddyginiaeth, rhoi hwnnw yn yr hollt a chadach amdano. 'Clefyd y Gwt' (Y De), 'Pry cynffon' (Gogledd).

1975 R Phillips: DAW 65, Roedd colledion hefyd am fod gwendid ar y stoc ar ôl porthi am fisoedd y gaeaf ar wair sâl, a hynny'n dilyn cynhaeaf cawodog ... Y gwendid hwnnw oedd yn achosi *clefyd y gwt*.

1988 FfTh 2, 14, Yn ôl Nwncwl Wil, un o arwyddion amlycaf y clefyd yw gweld y creadur yn gloff, ac yna ... ei weld ar lawr yn medru codi ar ei goesau blaen ond yn methu codi ar ei goesau ôl. Mewn rhai achosion bydd y clefyd yn effeithio ar ddannedd yr anifail ... Er cydio mewn cegaid o wair bydd yn sefyll yn y geg yn hytrach na chael ei lyncu gan fod y dannedd yn rhy rydd i'w gnoi. Nid yw hyn yn gwahardd yr anifail rhag llwyddo i bori a bwyta glaswellt ir.
Gw. hefyd FfTh 1, 10-11 (1988)

clwy'r ieir gw. BÂD YR IEIR, CLEFYD NEWCASTLE, HAINT DOFEDNOD.

clwy llaeth Afiechyd a achosir gan ddiffyg calsiwm yn y gwaed amser bwrw epil, mewn gwartheg a defaid. Gwelir gwendid, ac yna diffyg rheolaeth ar y coesau, ac fe â'r anifail yn orweiddiog, a methu codi, ac yn anymwybodol. Trinir y clwy ag iddyriad o galsiwm borogluconate.

clwy llau Haint neu bla llau, *phthiriasis, pediculosis.*

clwy llyffant Afiechyd cronig yn y tafod mewn gwartheg yn arbennig (S. *actinobacillosis, wooden tongue*), llyffanwst, llyffant melyn, tafodwst, llyfandafod, y bothell, gwaith y pryf, salwch y pryf, tafod bren. Mae'n peri chwydd dan y tafod. Fe'i defnyddir yn estynedig am afiechydon eraill hefyd ac am y pryf sy'n achosi'r clefydau.
GPC. Pryf bychan iawn a chochliw a lyncir gan wartheg min nos yn bennaf yw'r pryf hwn yn ôl pobl Abergeirw.

clwy melyn *eg.* Afiechyd sy'n taro planhigion yn enwedig ŷd, a cheirch yn arbennig, a achosir gan ddiffyg elfennau sy'n bwysig at gynhyrchu cloroffil megis haearn neu fagnesiwm.

clwy moch *eg.* Afiechyd heintus a hysbysadwy ar foch a achosir gan firws. Fe'i nodweddir gan wres, colli archwaeth, rhyddni neu sgoth ddrewllyd, y llygaid yn dyfrio, anhawster anadlu a dihoenedd. Gall fod yn afiechyd difrifol yn enwedig ar foch ifainc ac achosi marwolaeth mewn ychydig ddyddiau. Ar foch hŷn gall fod yn afiechyd hir ei barhad, ac eto heb ladd o angenrheidrwydd. Dan bolisi difodiant afiechydon ni fu llawer ohono yng ngwledydd Prydain ers 1971. Fe'i gelwir hefyd yn 'geri moch' neu 'colera moch', ac yn 'teiffoid moch'.

clwy moch Affricanaidd *eg.* Afiechyd moch hynod o heintus a achosir gan firws a'i nodweddu gan wres uchel a marwolaeth. Yr unig le yn Ewrop y'i ceir yw rhannau o Sbaen.

clwy nematodirws *eg.* Afiechyd ŵyn a achosir gan lyngyr parasitaidd (*Nematodirus spp*) Cânt eu cario gan wyau yn y tail ac yn deor ar y borfa ac yna'n effeithio ar yr ŵyn y flwyddyn ddilynol gan achosi rhyddni, diffyg prifiant ac weithiau anemia.

clwy pladur Y poen cefn, ayyb, ar ôl bod yn defnyddio pladur, criciau pladur, gomandin. Ceid hyn yn aml yn dilyn y diwrnod cyntaf o bladuro, ond yn gwella o ddal ati.
Gw. GOMANDIN.

clwy pothellog moch Afiechyd moch hysbysadwy a achosir gan firws ac yn hynod o debyg i'r clwy traed a'r genau, ond yn effeithio ar foch yn unig. Priodolir ei ledaeniad i olchan neu olchion moch (S. *swill*). Mae'n rheidrwydd cyfreithiol yng ngwledydd Prydain i ferwi pob golchan cyn ei roi i'r moch Ymddangosodd yr afiechyd gyntaf yng ngwledydd Prydain yn 1972. Dan y polisi o ddifodiant rhaid difa'r moch sy'n dioddef ohono, a gosodir gwaharddiad llym ar symudiadau moch o fewn ardal benodedig a diffiniedig. Rhaid cael trwydded i symud moch, ag eithrio'r rhai sydd heb eu bwydo â golchion ac yn mynd yn uniongyrchol i laddy, dan Ddeddf Symud a Gwerthu Moch 1975.

clwy pryfed mud Pryfed (o rywogaeth *Gasterophilus*) sydd yn dodwy wyau ar goesau a mannau eraill ar geffyl. Mae'r ceffyl yn llyfu, ac yn cael yr wyau i'w geg, ac yna mae'r larfa yn teithio i'r stumog ac yn glynu wrth leinin y stumog. (S. *Bots*).

1981 W H Roberts: AG 42, Ond y clwy nad oedd wella arno a drawai geffyl neu gaseg weithiau oedd y *pryfed mud* … Mae'n ymddangos fod yna bry a elwir yn 'Bot Fly', ac fe ddodwya hwnnw ei wyau ym macsiau a blew coesau ceffylau yn ystod yr haf. Llyfa'r ceffyl yr wyau wrth gosi a glanhau ei goesau … ac yng ngheg yr anifail y deorant. Llyncir y cynrhon ac ânt i'r stumog gan ymosod ar y leinin a gallant dorri twll drwy'r mur. Y maent yn byw yn y stumog am ddeng mis, ac yna ânt allan yn y baw cyn troi'n gocŵn a datblygu'n bry i ail gychwyn y cylch eto.

clwy rhedyn Afiechyd ar wartheg a cheffylau mewn canlyniad i fwyta rhedyn sy'n cynnwys elfennau carsinogenig. Rhaid iddi fod yn llwm fel oelcloth, ac yn sych, cyn bod hynny'n digwydd, fodd bynnag. Nodweddir yr afiechyd gan dwymyn neu wres uchel a diferlif gwaed aml.

1966 E Hughes: *Tair Bro a Rownd y Byd* 85, Pan lwyddais i glirio'r tir garw a chael gwared â'r rhedyn, diflannodd y ddau glwy – y *clwy rhedyn* a'r clwy dŵr coch.

clwy rhesel Anifail heb fod yn cael digon o fwyd am ryw reswm neu'i gilydd, e.e. y gwartheg eraill yn ei benio a'i rwystro, ayyb. Ond weithiau mae *clwy rhesel* yn enw difriol ar borthi sâl, a'r anifeiliaid yn ddi-raen. Clefyd y Pumbys (ardal Llandysul).

'Ma'r *clwy rhesel* yn y Fedw rwy'n ofni, ma'r stoc yn edrach yn ddrwg.'

clwy rhydd Rhyddni neu'r sgoth ar anifail, mewn canlyniad i bori gormod o borfa ffres ar y tro, yn enwedig pan y'i troir allan am y tro cyntaf ddechrau haf, neu droi i'r adladd meillionog ddiwedd haf.

clwy Talfan (Teschen) moch Clefyd hysbysadwy, a achosir gan firws perfeddol, yn peri gwres uchel neu dwymyn a pharlys, ac, yn aml, marwolaeth. Cafwyd yr achosion cyntaf ohono yn Siecoslofacia, ond nid oes gyfrif am achos ohono yng ngwledydd Prydain hyd yn hyn.

clwy tatws Afiechyd sy'n taro gwlŷdd tatws ambell i dymor, ac yn rhwystro'r cnydio (S. *blight*) Gellir chwistrellu darpariaeth gemegol i'w atal.

clwy'r traed gw. BRAENEDD Y TRAED, LLEITHDER.

clwy'r traed a'r genau Afiechyd croenlidiog, gwlyb, drewllyd, ciaidd ar draed ac yng ngheg anifail, yn enwedig gwartheg, defaid, geifr a moch. Nid yw o angenrheidrwydd yn afiechyd sy'n lladd. Gynt, gadael iddo gymryd ei gwrs a wneid, cwrs o rhyw dair wythnos, a bodloni ar olchi'r doluriau ddwywaith y dydd â phethau fel alwm a finegr, a chornio'r anifail â blawd ceirch a thriagl fel cynhaliaeth. Rhaid, fodd bynnag, fyddai rhoi gwybod am unrhyw achos ohono i'r heddlu a pheidio symud yr anifeiliaid. Yn ddiweddarach dan y Ddeddf Difodiant y daeth yn orfodaeth i ddifa'r anifeiliaid effeithiedig drwy eu llosgi neu eu claddu'n ddwfn fel y ffordd effeithiolaf o reoli'r afiechyd a rhwystro ei ledaeniad. Mae'n un o'r afiechydon cofrestredig a hysbysadwy a rhaid hysbysu'r awdurdodau o unrhyw achos ohono.

clwyfo *be.* Anifail yn agosáu a pharatoi ar gyfer bwrw epil, clafychu, dywyddu, alu, â dolur llo (am fuwch). Gw. CLAFYCHU, DYWYDDU, ALU.

clwys *eg.* Lle wedi ei amgáu, buarth, clos, ffald, cwrt, cowrt. Mae'n ymddangos mai gair gwneud gan Iolo Morganwg yw *clwys* ac yn ffurf mae'n debyg ar 'clos' (S. *close*).

Clydestale *eg.* Brîd o geffyl gwedd, yn wreiddiol o'r Alban fel yr awgryma'r enw, yn debyg iawn i'r ceffyl gwedd, ond ychydig yn llai, er bod iddo goesau hwy a bacsiau (shiwrls) amlwg tu ôl i'w egwydydd.

clyfyri, clyfri gw. CLAFR, CLAFRI, CLEFRI.

clymu
1. **clwmu** *be.* Rhwymo (am gorff neu ymysgaroedd anifail), anifail yn methu cael ei weithio, sonnir am 'anifail yn *clwmu*' (sir Gaerfyrddin).

2. **cylymu** *be.* Rhwymo, cortynnu, rhaffu, llinynnu, aerwyo (gwartheg).
14g YCM 34, A Fflandrin a *glymwys* y kareiau ygkylch y vynwgyl.

clymu bogail
1938 T J Jenkin: AIHA AWC, Yn gymharol ddiweddar (ar ôl gofid blin gyda 'white scour') y daeth yr arferiad o *glymu bogail* llo cyn gynted ag y gellid ar ôl ei eni, ond yr oedd yn draddodiad, os digwyddid bod gerllaw pan enid ebol bach, y dylid torri ei fogail drwy ei guro rhwng dwy garreg wen. Ni chefais esboniad paham y rhaid i'r cerrig fod yn gerrig gwyn (*quartz*), ond tybiaf mai'r rheswm yw bod y rhai hynny yn galed ac y gellid hawdd weld a oeddynt yn lân. Tu ôl i hyn yr oedd y ffaith na thyf dim ar *guartz* pur a glân.

clymu'r da Rhoi'r gwartheg i mewn y naill ai i'w godro nos a bore, neu tros y gaeaf, aerwyo'r buchod, siedio'r gwartheg.
1975 R Phillips: DAW 54, Cyn diwedd mis Hydref, yn fuan ar ôl Ffair Lledrod, Hydref 23, byddai'r buchod godro yn cael eu *clymu* yn y beudai dros nos ...

clymu'r dordres Cau strap y strodur neu'r gefndres sy'n ymestyn o un ochr i'r llall dan fol neu dor ceffyl.

clymu'r llwyth Rhaffu'r llwyth gwair neu'r llwyth ŷd yn y cae rhag iddo ddymchwel ar y ffordd i'r gadlas, sicrhau llwyth drwy glymu rhaffau drosto.

clymu'r mwnci Cau'r strap pwrpasol am ddau gorn y mwnci sydd am goler ceffyl rhag iddo symud yn ei waith, cau caead y mwnci (Môn), cloi'r mwnci.

clymu ysgubau Rhwymo'r llafur wrth ei gynnull, gwneud cortyn cesail o ddyrnaid o'r gwellt i'w roi am seldrem o ŷd, rhwymo ŷd yn ysgubau.
1975 R Phillips: DAW 29, Yn ddiweddarach rhoddodd y clymwr (beinder) ddiwedd i'r alwad am *glymwyr* neu *rwymwyr ysgubau*.

clymwr *eg.* ll. *clymwyr.*
1. Beinder, y peiriant a ddaeth yn gyffredin yn ystod yr Ail Ryfel Byd (1939-45) ac ar ôl hynny, olynydd y ripar a rhagflaenydd y dyrnwr medi, – peiriant yn lladd ac yn rhwymo'r ŷd yr un pryd.
1975 R Phillips: DAW 29, Yn ddiweddarach rhoddodd y *clymwr* ddiwedd i'r alwad am glymwyr neu rwymwyr ysgubau.
Gw. BEINDAR.
2. Y ddyfais ar y beindar a glymai'r ŷd yn ysgubau, ac sydd ar y byrnwr yn rhwymo'r byrnau gwair a gwellt, y clymwr. Ar lafar yn gyffredinol.

clytiau *ell.* Y math o dywyrch wyneb tir yn llawn o wreiddiau wedi marw, a dorrid ar fynydd heb lawer o ddyfnder daear, at wneud tanwydd, haen denau o fawn. Ar lafar yn Uwchaled.
1933 H Evans: CE 105, Torrid llawer o *glytiau* mewn mannau lle nad oedd nemawr o fawndir. Torrid hwy o'r croen ar fynydd tenau i ddyfnder, a chan eu bod yn llawn o wreiddiau wedi marw, ac felly'n haen denau o fawn, llosgent yn dân gwresog. Torrid hwy ar siap teils a roddir ar y lloriau ... Yr oedd 'talpiau' yn cael eu torri yn dewach. Hwy oedd y ddolen gydiol rhwng y *clytiau* a'r mawn.
Gw. CLOTSEN, TALPIAU.

clyts gw.CLOTS.

clywed y gog *Ymad.* Ymadrodd llafar yn mynegi gobaith am gael byw i weld y gwanwyn a haf arall, neu am gael goroesi gaeaf arall. Ar lafar yn gyffredinol.
1928 G Roberts: AA 9, Gwerthid y mamogiaid, nad oeddynt yn debyg o *glywed y gôg*, yn Awst a'r gweddill i fagu un oen arall, yn Ffair Cynwyd.

cnaf *eg.* Y pren cryf, yn ffurf coes brws, ond weithiau â thrithroed, a osodir dan siafftiau'r drol i gymryd pwysau'r llwyth oddi ar gefn y ceffyl yn ystod dadlwytho'r llwyth wrth y das, neu pan yn gadael llwyth ar y drol dros nos, ayyb, 'twm' (Clwyd), 'stand' (Môn), 'standard', 'staff', 'pren cynnal', 'hors' (Maldwyn). Amr. 'cna'.
1981 GEM 22, 'Cna': Darn canghennog o bren, tebyg i stôl drithroed i'w roi dan siafft trol i'w dal i fyny ar y buarth.
Gw. HORS, STANDARD, TWM.

cnafa *be.* Ffurf lafar ar 'cynaeafa', sef y gwair yn marw, crino, sychu, gwair yn dod yn barod i'w hel, cwiro, cywiro (Dyffryn Aeron).
'Ma hi'n *cnafa'n* dda heddiw. Ddaru hi *gnafa* dim ddoe.'
Gw. CYNAEAFU[2].

cnaif

1. *eg.* ll. *cneifion, cneifiadau.* Y weithred o gneifio, cneifiad, gwelleifiad, toriad â gwellaif neu â pheiriant.

1620 Deut. 18.4, Blaenffrwyth dy ŷd, dy win, a'th olew, a blaenffrwyth *cnaif* dy ddefaid.

2. *eg.* Yr hyn a gneifir, y cnu gwlân, ciniechyn.

1718 PGAD 11, Hwy gneifiant y *cnaif*, ni phorthant y praidd.

3. *a.* Fel ansoddair am a gneifiwyd, cneifiedig (am ddafad), dafad *gnaif*, sef dafad wedi ei chneifio.

1632 D, Cudyn o wlân wedi ei gneifio, dylofyn (bwndel, tusw) o wlân *cnaif*, ffloccysyn.

cnap *eg.* ll. *cnapiau.* Lwmpyn neu dalp o unrhyw beth, toes, glo, ayyb. Ym amaethyddol lwmp o glai neu o gleibridd yn enwedig mewn cae âr, neu lwmp o fenyn heb fod yn bwys, neu lwmp o does heb fod yn dorth. Sonnir am 'dwy dorth a *chnap*'. Gw. WVBD.

Ffig. Person byr tew yr un hyd a'r un led. 'Rhyw *gnap* byrdew ydi'r doctor newydd.'

cnap cyfrwy *eg.* Yr estyniad bwaog at i fyny ar flaen cyfrwy.

cnapell

1. *egb.* ll. *cnepyll.* Tywarchen, lwmp, talp, clap (o glai neu o gleibridd) ar yr wyneb mewn cae âr.

2. *eg.* Bryncyn, bryn, codiad tir amlwg. Yr un syniad â CNAPELL[1] ond ar fwy o raddfa.

cnapiau gw. FFARSI.

cnapio, cnapo *be.* Ymffurfio'n gnapiau neu'n glapiau neu'n lympiau, magu calon (am lysiau), datblygu'n ffrwyth (am afalau, ayyb).

1795 J Thomas: AIC 357, Y colliflowers, yn nacau a *chnapio*, ond ymledu eu pennau.

cnapiog

1. *a.* Yn lympiau i gyd, llawn clapiau, talpiog, cnyciog, boglynnog, lympiog (am dir âr neu dir tro).

2. *a.* Ceinciog, clymog (am bren).

cnau *be.* Glanhau, ffurf lafar dafodieithol ar 'glanhau', clywir hefyd y ffurf 'llnau'. Sonnir am *gnau'r* tŷ, *cnau'r* buarth, *cnau'r* carbwretor, ayyb.

1981 GEM 22, Mi *gnês* (glanheais) i'r tŷ reit lân.

cneifiad *eg.* ll. *cneifeidiau.* Gwelleifiad, eilliad (am gneifio dafad). Y weithred o gneifio.

cneifiedig *a.* Wedi ei chneifio, eilliedig, wedi cael gwared â'i chnu gwlân.

cneifio *be.* Torri i ffwrdd wlân y ddafad, gynt â gwallaif, bellach â pheiriant. Ychydig, os rhywun, sy'n cneifio â'r wallaif heddiw. Fe'i disodlwyd yn gynyddol yn y 20au a'r 30au ac ymlaen hyd ganol y 50au, gan y peiriant a droid â llaw. Ond wedi i'r cyflenwad trydan gyrraedd y ffermydd yn fuan ar ôl yr Ail Ryfel Byd (1939-45), disodlwyd y wallaif ar garlam. Erbyn hyn mae'r arfer o osod y *cneifio* ar dasg wedi dod yn beth cyffredin, a dyna'r diwrnod *cneifio* traddodiadol, fel y diwrnod dyrnu, wedi llwyr ddiflannu.

1696 CDD 145, Mynne'r person fwy pes cai/Mor isel mae fe'n *cneifio*.

1966 Llwyd o'r Bryn: D 270, Roedd dyddiau'r wallaif wedi eu rhifo erbyn y chwedegau pan ddaeth y peiriant cneifio yn gweithio efo trydan, a chneifiwr yn gallu gwneud cymaint mwy â hwnnw. Onid oedd Geoffrey Bowen yn Seland Newydd yn gallu *cneifio* pum cant a hanner mewn diwrnod o naw awr. Proffwydodd dewin eleni (1966) mai deng mlynedd fydd oes y gwellaif cyn anfon yr olaf i grogi ar fur Sain Ffagan. Clywir sŵn y peiriant yn agosáu bob blwyddyn.

Ffig. Ysbeilio neu ysglyfio'n faterol.

'Ma'r llywodraeth 'ma am ein *cneifio* ni'n lân.'

1445-75 GGl 147, Pan ddaeth Edwart, llewpart llys,/Frenin, i *gneifio'r* ynys.

Dywed. '*Cneifio* mochyn' – gwneud rhywbeth anfuddiol ac ofer.

Gw. DIWRNOD CNEIFIO.

cneifiog *a.* Gwlanog, â thrwch o wlân (am ddafad), â chnu da o wlân.

cneifion gw. CNAIF, CNU.

cneifiwr *eg.* ll. *cneifwyr.* Un yn cneifio, un yn medru'r grefft o gneifio defaid, heddiw, y sawl sy'n cymryd cneifio defaid ar dasg, a chanddo'r medr a'r offer i wneud hynny – yr hyn sy'n gyffredin iawn erbyn hyn. Dan ddylanwad y cyrsiau mewn colegau amaethyddol a thechnegol a'r Mudiad Ffermwyr Ifainc, ceir nifer cynyddol o ffermwyr ifainc, merched a meibion, yn feistri ar y grefft o gneifio.

Ffig. Crafwr, cribddeiliwr, sbeiliwr.

1606 E James: Hom 2. 1726, Cribddeilio a *chneifio* cymdogion.

cnicho *be.* Caseg yn gofyn stalwyn, caseg yn marchio.

Gw. CENHEDLU.

cnipell *ebg.* Bryncyn, cnwc, twmpath. Ar lafar yn Nyfed.

1867 Gwynionydd *Caniadau* 59, Pan orfydd fynd ymaith, ar *gnipell* gerllaw,/Rhyw gornel o'i fantell adawa.

cnoad, cnwyad *eg.* Nod clust dafad.

cnocio *be.* Yr hen arferiad ymhlith gweision ffermydd o fynd i guro ffenestr llofft y forwyn, drwy daflu cerrig mân at y ffenestr, streicio (Môn).

1981 GEM 23, *Cnocio* – hen arferiad o fynd allan i garu, a churo ffenestr y llofft i alw'r fun i lawr.

Gw. STREICIO.

cnocell *ebg.* ll. *cnocellau.* Ysbaid o dywydd yn enwedig o dywydd gwlyb, oer a chethin, cnocell o dywydd oer. Ar lafar ym Maldwyn, Ceredigion a Dyfed.

'Ma' hi'n gwneud *cnocell* o dywydd gwlyb.'

cnofa (y gnofa) *eb.* ll. *cnofeydd, cnofŷdd, cnofâu.* Gwayw neu boen arteithiol yn yr ymysgaroedd (yn enwedig ceffyl), coluddwst, pryfed neu gynrhon mud yn y cyllau (S. *colic, gripe*). Y *gnofa* a ddywedir yn gyffredin.

'Mae'r gaseg winau acw a'r *gnofa'n* ddrwg arni.'

Ffig. Poen meddwl, pigiadau cydwybod neu artaith euogrwydd.

'Mae'r creadur bach mewn *cnofa* feddyliol ddydd a nos, yn siwr i chi, ar ôl yr hyn y mae o wedi'i wneud.'

cnofil *egb.* ll. *cnofilod.* Un o ddosbarth o famaliaid yn cynnwys cwningod, llygod mawr a llygod bach, sydd â dannedd miniog at gnoi. Dyma'r grwp lluosocaf o anifeiliaid byw gyda 6,500 o rywogaethau.
Gw. LLYGOD MAWR, GWNINGOD.

cnofil-leiddiad *ell.* un. *cnofil-leiddiad.* Y darpariaethau cemegol a dethol at gadw cnofilod dan reolaeth, gwenwyn llygod megis warffarin.

cnoi cil *be.* Yr hyn sy'n nodweddu rhai anifeiliaid fel y fuwch, y ddafad, yr afr, y carw a'r camel, cilfil. Wedi llyncu'r borfa mae'r cilfil yn galw'n ôl o'r blaengyllau yr hyn a lyncwyd, i'w ail gnoi, a'i anfon i adrannau eraill y cyllau (mae pedair adran) i'w dreulio. Gelwir yr hyn sy'n cael ei alw yn ôl i'w ail gnoi yn 'cil', ac felly'r ferf-enw *cnoi cil.*
15g Llawdden, Gwaith 8, *Cnoi cil* megis canu cainc/Wych a wna ychen ieuainc.
1989 P Williams: GYG 23, Safai ar y clos gan *gnoi ei gil* (tarw) tra câi'r gwartheg eu godro yno …
Ffig. Adfyfyrio ar rywbeth a wrandawyd, anerchiad, pregeth, ayyb. Bu'n un o ymadroddion stoc y set fawr yn y Gymru ymneillituol.
1992 DYFED Baeth 53, "Nid drwg Abram, wir", meddai William, Troed-y-Rhiw, "Nid ffŵl i gyd yw e, gewch chi weld cewn ni rwbeth i *gnoi cil* arno gydag e".
'Rwy'n gobeithio y byddwn ni'n *cnoi cil* y rhawg ar yr hyn glywsom ni heno.'

cnoi'r enfa *be.* Yn chware â'r bit neu'r enfa â'i dafod a'i ddannedd ac yn peri sŵn wrth wneud hynny (am geffyl â ffrwyn arno).

cnoswyd gw. CWYNOSFWYD.

cnu, cnuf *eg.* ll. *cnuoedd, cnufau, cnuau, cnufiau, cnufoedd.* Gorchudd gwlanog y ddafad neu swm y gwlân a gneifir oddi ar un ddafad ar y tro, cnu gwlân, cnu o wlân.
1522-1602 Sion Tudur: Gwaith (1566-), Y *cnu* ifanc, o cneifir/O fewn haf ni thyf yn hir.
1620 Salm 72.6, Efe a ddisgyn fel gwlaw ar *gnu* gwlân.
Ffig. Y degwm at gynnal offeiriad.
1672 R Prichard, Gwaith 556, Â pha gonsciens y gall 'ffeiriad/Gippio'r *cnŷf* heb borthi'r ddafad.
Dywed. 'Clydwr dafad, ei chnu.'

cnua *eg.* Ffurf lafar ar 'cynhaea'. Ar lafar yn bur gyffredinol.
'Ma'r trip wedi i ohirio tan ar ôl y *cnua.*'
Gw. CYNHAEAF.

cnud *eb.* ll. *cnudoedd.* Haid o anifeiliaid, – anifeiliaid gwyllt a rheibus fel rheol.

cnuf gw. CNU.

cnufio *be.* Lapio gwlân neu bacio cnufiau adeg cneifio defaid. Ar lafar yn y Gogledd.

cnwuad *eg.* Math o nod dafad, a'r gair, fe ddichon, yn llygriad llafar o 'cnoad'.
Gw. hefyd CNOAD.

cnwc *eg.* ll. *cnyciau.* bach. *cnwcyn, cnycyn.* Bryncyn, twyn, codiad tir, ponc, twmpath. Digwydd mewn enwau lleoedd yn y Gogledd a'r De: 'Y *Cnwcyn'* (Knockin) ger Croesoswallt; 'Y *Cnwclas'*, sir Faesyfed; '*Cnwcybarcut'*, Cwm Ystwyth; '*Cnwcylili'*, Ceinewydd'; '*Cnwc* Melyn', Caergybi.

1959 D J Williams: YCHO 15, Ar y *cnwc* uwchben Abernant a dim ond y cae-dan-tŷ rhyngddynt yr oedd Cwmcoedifor.

1992 DYFED Baeth 53, ... gallesid gweld a chlywed Abraam yn astudio'i bwnc ar y *cnwc* tu ôl i'r tŷ, gan yrru ofn i galon y gwningod a borai yn y cae gerllaw.

cnwd *eg.* ll. *cnydau, cnydoedd.* Cynnyrch neu dyfiant tymor o ŷd, gwair, tatws, erfin, ayyb. Ar lafar yn gyffredinol.

'Fe gefais i *gnwd* ardderchog o haidd yn y Cae Pella 'leni.'

cnwd adferol *eg.* ll. *cnydau adferol.* Cnwd a borir tra bo'n tyfu fel bod y da byw yn gollwng mater organig a maethynau yn y ffurf o dail a biswail – e.e. cnwd o gêl.

cnwd âr *eg.* ll. *cnydau âr.* Y cnydau a dyfir mewn tir âr – tir wedi ei aredig a'i drin – megis ŷd, tatws, erfin neu wraiddlysiau, ac mewn cyferbyniad i'r cnwd tir glas, megis gwair a silwair.

cnwd arloesi *eg.* ll. *cnydau arloesi.* Cnwd a dyfir i'w droi neu ei aredig yn ôl i'r tir i'w faethu ar gyfer cnydau eraill – e.e. tyfu cnwd o fwstard a'i aredig i mewn i'r tir i wella ansawdd y tir ar gyfer ei ailhadu, ayyb, drwy ychwanegu at gynnwys organig y pridd.

cnwd braenar gw. CNWD GLANHAU.

cnwd cymar Dau gnwd yn tyfu ynghyd ac un o'r ddau, ac yn aml y ddau, yn manteisio ar fod yng nghwmni ei gilydd. Defnyddir yr enw *cnwd cymar* yn arbennig am gnydau a dyfir am eu had, eu triniaeth yn debyg, a'r had yn gyfryw y gellir eu gwahanu ar ôl eu cynaeafu – e.e. meillion a rhygwair, y meillion yn hyrwyddo sefydlogiad o nitrogen, sy'n dda i dyfiant rhygwair, a rhygwair yn fantais i gynaeafu meillion.

cnwd cyhudd (gorchudd) Cnwd sy'n cynnig gorchudd neu gysgod i gnwd arall a heuwyd yn ei sgîl neu odditano – e.e. cnwd o feillion neu wair yn cael ei hau gyda chnwd o haidd i bwrpas ail hadu cae. Yn yr achos hwnnw ystyrir y cnwd haidd yn *gnwd cyhudd* neu *gnwd gorchudd*. Un ystyr i'r gair cyhudd yw cysgod. Fe'i gelwir hefyd yn 'gnwd cysgod' ac yn 'gnwd gwarchod'.

cnwd cysgod gw. CNWD CYHUDD.

cnwd deilo gw. CNWD ARLOESI.

cnwd y ddaear Ymadrodd ysgrythurol am ffrwyth neu gynnyrch y tir, cnwd y maes.

1620 Gen 19.25, Felly efe a ddinistriodd y dinasoedd hynny ... a *chnwd y ddaear.*

cnwd o eira Bwriad trwm o eira, trwch o eira.

cnwd glanhau Cnwd o wreiddlysiau megis tatws, erfin, ayyb, a blennir i bwrpas glanhau'r tir yn ogystal ag am eu cnwd. Ystyrir bod y math hwn o gnydau, yn rhinwedd yr hofio, y sgyfflo a'r chwynnu sydd ynglŷn â hwy, yn gyfle da i lanhau tir o chwyn. Arferai'r *cnwd glanhau* fod yn rhan o raglen cylchdro cnydau. Ceir hefyd yr enw 'cnwd braenar'.

1958 T J Jenkin: YPLL AWC ... mewn rhai ardaloedd yr oedd yn anhebgor bod y tir i gyd yn mynd dan *gnwd glanhau* unwaith ym mhob cylchdro.

cnwd glas Cnwd gwyrdd, cnwd o lysiau a gwraiddlysiau megis bresych, swêds, maip, cêl, rêp.

cnwd gorchudd gw. CNWD CYHUDD.

cnwd gwarchod gw. CNWD CYHUDD.

cnwd gwraiddlysiau Cnwd o swêds, maip, erfin, mangls, tatws.

cnwd gwyn Enw rhai ardaloedd ar gnydau ŷd – gwenith, haidd, ceirch a rhyg.

cnwd had olew Cnwd a dyfir am eu had ag sy'n llawn o oel, ac a ddefnyddir ar ôl ei gywasgu i gynhyrchu margarîn, oel coginio ac oel salad. Defnyddir y gweddillion i wneud cêc sy'n llawn o brodin ac yn dda fel bwyd anifail. Y cnydau had olew a dyfir yng ngwledydd Prydain yw had llin, rêp a blodau'r haul.

cnwd hyslau Ymadrodd a ddefnyddir am bla trwm o hyslau ar ddefaid.

cnwd olynnol Cnydau a heuir neu a blennir fesul tipyn fel nad yw'r cyfan yn aeddfedu ar unwaith, ac felly'r cyflenwad yn para am dymor hwy. Hefyd cnydau gwahanol ond yn olynnol ar yr un llain o dir yr un tymor.

cnwd tagu Cnwd sy'n tyfu'n ffrom o gael digon o wrtaith (cnydau glas at wneud silwair) ac yn llenwi'r gofod tyfu a thrwy hynny yn mygu neu'n tagu'r chwyn.

cnwd ymadael Cnwd a heuwyd gan denant sy'n mudo o fferm, ond â hawl i ddychwelyd i'w gynaeafu wedi iddo ddod yn barod, a'i gludo oddi yno, cnwd ymadawol

cnwswd gw. CWYNOSFWYD.

cnycioc *a.* Anwastad, ponciog, twynog, twmpathog (am dir neu ardal). Gw. CNWC.

cnwcyn, cnycyn gw. CNWC.

cnydio, cnydu *be.* Ffrwytho, cynhyrchu, ildio, dwyn ffrwyth (am dir neu am rawn, llysiau, coed ffrwythau, ayyb). Soniwn am dir yn *cnydio'n* dda ac am y tatws a'r gwenith yn *cnydio'n* dda. Ar lafar yn gyffredinol. Yn ôl GPC mae pryfed a llygod mawr yn sir Ddinbych yn *cnydio*, h.y. yn epilio.

1620 Luc 12.16, Tir rhyw ŵr goludog a *gnydiodd* yn dda.

cnydiog, cnydlon (*cnwd* + *llawn*) *a.* Ffrwythlon, toreithiog, cynhyrchiol (am dir, tymor, ŷd, llysiau, coed, ayyb), tir *cnydiog*, tymor *cnydiog*, ceirch *cnydiog*, tatws *cnydiog*, coeden *gnydiog*.

1696 CDD 281, Mae heddyw ddaiar *gnydiog*/Yn ymborth i'r anghennog.
1741 E Davies: ALM 7, Bydd yr haf yn dymherus ac yn *gnydiog* o wellt.

cnyswyd gw. CWYNOSFWYD.

cnyw *eg.* ll. *cnywion.* Anifail ifanc, llwdn, porchell ifanc, ebol ifanc. Daw'r gair o'r un gwraidd â 'cenau'. Ar lafar ym Morgannwg am ebol. Mae'n elfen yn yr enw 'Dôl-cnyw', Penllwyn, Ceredigion.

13g WML 130, Tri llydyn (llwdn) nyt oes werth kyfreith arnunt – *cnyw* hwch a bitheiat a broch (mochyn daear).
Ffig. **14g** IGE 37, *Cnyw* diwael yn cnoi daear (aradr).

cob
1. *eg.* ll. *cobiau, cobs.* bach. *cobyn, coben.* Ceffyl bychan, byrdew, coesfyr, cryf, merlyn, merlen. Ar lafar yn gyffredinol.

1966 D J Williams: ST 28, 'Helo y mae e'n cysgu unwaith eto' ymsoniai Dic, yr hen *gobyn* coch bach hwnnw ... yr arferai Williams, Pantycelyn ei farchogaeth ar ei deithiau pregethu.
1989 P Williams: GYG 22, *Coben* oedd Duchess, un fywiog ond rhwydd i'w thrin.
Gw. COB CYMREIG (Y).

2 *eg.* Y bachyn a'i ddolen gref ar ysgwydd arnodd aradr geffyl y cysylltir wrtho un pen i'r tsiaen sy'n cyrraedd hyd at glust yr aradr.

cob Cymreig (y) *eg.* ll. *cobiau (cobs) Cymreig.* Merlynod mynydd Cymru, sef ceffyl bychan, byrdew, coesfyr, y megir cannoedd ohonyn nhw yng nghanolbarth Cymru. Yn 1901 sefydlwyd Cymdeithas Merlod a Chobiau Cymreig. Lluniwyd gan y Gymdeithas restr o nodweddion y bridiau Cymreig i'w defnyddio fel canllawiau gan fridwyr, prynwyr a dyfarnwyr mewn sioeau.

Llafar Gwlad 29, 18-19, Dylai *cob* fod yn gryf a chaled a bywiog ag iddo gymaint o gymeriad ponïaidd â phosibl, gyda phen pert, siapus, llygaid amlwg wedi eu gosod ar dalcen llydan islaw clustiau twt wedi'u gosod yn iawn.
1969 D Parry-Jones: Nod i AWC, Roedd pen y Cardigan *Cob* i'w ddal yn uchel fel pen ceiliog, – cefais hyn gan ddyn oedd yn aml yn beirniadu y 'class' yma yn y 'shows'.

coben, cobyn gw. COB[1].

coccidiosis *eg.* Afiechyd parasitaidd da byw a dofednod ac yn effeithio ar y coluddion.

cociau gwair *ell.* un. *cocyn gwair.* Twmpathau o wair yn cynnwys dwy neu dair fforchiad. Mewn rhai rhannau o Gymru, megis Penllyn, fe'u gelwid yn *cocia' gwair* bach, hynny mae'n debyg o'u cyferbynnu â mydylau a hulogydd oedd yn bentyrrau gwair llawer mwy. Yn draddodiadol roedd y mwdwl yn cyfateb i ddeg cocyn.
cociau gwair bach gw. COCIAU GWAIR.

cocian *be.* Clochdar, clegar, gregar (am iâr), iâr yn clwcian, sŵn iâr pan fo'n galw ar ei chywion neu pan fo wedi dodwy. Ar lafar ym Maldwyn.
1902 O M Edwards: BB (17g) 88, Yr ieir a'r holl gywennod mân/Sy'n *cocian* tuag acw.

1981 GEM 23, *Cocian* – yr iâr yn canu i hysbysu'r byd ei bod wedi dodwy. Gw. CLEGRU, CLOCHDAR, CLWCIAN.

cocio, coco *be.* Pentyrru gwair yn gociau (mydylau bychain) yn y cae dan yr hen drefn o drin a hel gwair, mydylu gwair i ddisgwyl cyfle a thywydd i'w gario, cymennu gwair, tyrru gwair, cymennu gwair. Weithiau hefyd am dasu ysgubau ŷd yn deisi bychain yn y cae, sopynu, sopyno. Ar lafar yn y Gogledd a Dyfed.

1832 A Roberts: LLM 117, Ni dda gen i mo'r *cocio*/A rhincian brwnt yw rhonco (rhencio).
1989 P Williams: GYG 44, Ar fore cywain gwair a oedd wedi ei *goco* dros nos, torrid y *coce* â phicweirch a'u hysgwyd yn rhesi cyn i'r trowr fynd drwyddynt.
J Williams-Davies Nod i AWC, *Cocio* – gosod ysgubau at ei gilydd mewn teisi bychain ar y cae.

cocos, cocs *ell.* un. *cocsen.* Dannedd olwyn gocos sy'n ei galluogi i droi olwyn gocos arall debyg megis yn achos olwyn ddŵr, pŵer corddi, gyriant cerbyd, ayyb.

cocos amser *ell.* Dyfais i reoli cyflymder y peiriant rhwymo ar y beinder gynt.
Gw. BEINDER.

cocs *eg.* Lluosog tafodieithol 'cocyn gwair' yn sir Frycheiniog; cociau gwair, cocynau gwair.
Gw. COCIO, COCYN.

cocyn *eg.* ll. *cociau, cocynau.* Cyrnen neu fwdwl o wair neu o ŷd ar y cae, twmpath o wair neu o ŷd. Ar lafar mewn rhyw ffurf yn gyffredinol, ac mewn enwau lleoedd. 'Cocyn Perthi' a 'Cocyn Craflwyn' ger Beddgelert, 'Bryn Cocyn', Tregarth; 'Pen y Coc', Bethel. Yn ôl pob tystiolaeth gallai'r *cocyn* amrywio'n fawr o ran maint o un rhan o'r wlad i'r llall, dwy fforchiad neu dair yng *nghocyn* sir Fôn, dau lwyth neu dri yng *nghocyn* gorllewin Dinbych.
1989 P Williams: GYG 43, Pan fyddai'r gwair yn barod i'w gywain yn gynnar yn y dydd, fe'i gwneid yn *goce* â rhaca fawr a châi'r rheini eu cymhwyso â phicweirch cyn eu gadael dros nos.
1993 FfTh 12, 20, O ddau i bedwar llwyth fyddai mewn *cocyn* ... Pan âi'r cynhaeaf yn ddiweddar – ar y ffermydd uchel yn enwedig, – gwneid *cociau* gwynt, rhyw lwyth trol ym mhob un a byddai gwynt y gaeaf yn ei sychu.
Gw. COCIO, CYRNENNU, MWDWL.

cocyn crwn *eg.* amrywiad ar gocyn o wair neu'r stwc ŷd, ychydig yn llai na stwc o ŷd, nifer bach o sgubau wedi eu gosod ynghyd.

cocyn gwynt *eg.* ll. *cociau gwynt.* Y cocyn gwair neu'r stwc ŷd a wnaed ar y cae i ddal dŵr pan fo'n glawio ond hefyd i'w sychu gan y gwynt ar dymor drwg.
1993 FfTh 12, 20, Pan âi'r cynhaeaf yn ddiweddar – ar y ffermydd uchel yn enwedig, gwneid *cociau gwynt*, rhyw lwyth trol ym mhob un a byddai gwynt y gaeaf yn ei sychu.

cocyn troed *eg.* ll. *cociau troed.* Hel gwair yn gocyn bychan â chribyn fach yn erbyn y troed yn y cae gwair neu yn yr ardd wair, – rhywbeth a wneid mewn blynyddoedd pan oedd cael pob blewyn o wair yn bwysig –

pwysig er mwyn cael y mwyafswm o borthiant, ond pwysig hefyd i falchder y ffermwr a'r tyddynwr a gredai fod peidio hel a chribinio cae gwair yn lân yn warth ac yn gywilydd.

cocyn ŷd Tas gron yn y gadlas. Ar lafar ym Mhenllyn.

cochi

1. *be.* Gair llafar am aredig neu droi tir, *cochi* tir
'Mi *gochwch* acer y dydd efo gwedd dda.'
'Mae tractor a gwŷdd teircwys yn medru *cochi* cymaint mwy o dir mewn diwrnod na gwedd o geffylau.'
1959 D J Williams: YCHO 75, Ond fe *gochwyd* y tir yn araf, ddau neu dri chyfer ohono.

2. *be.* Tir yn crasu neu'n llosgi'n yr haul ar haf sych.
'Ma' hi'n *cochi'n* barod, dim ond wedi pythefnos heb law.

cochre (*coch*[gwinau] + *gre* [stabl o geffylau]) *eb.* Stabal, haid neu yr o geffylau gwinau (browngoch)

cod *eb.* ll. *codau.* Adran o gyllau (stumog) cilfil. Mae i stumog anifail cnoi cil bedair adran: sef y *god* fawr neu'r boten fawr (*rumen*); y *god* fach neu'r boten fach (*reticulum*); y *god* rwydol neu'r boten rwydol (*omasum*); y *god* derfyn neu'r boten derfyn (*abomasum*).
Gw. ABOMASWM, OMASWM, RETICWLWM, RWMEN.

cod cefn gwlad *eg.* Nifer o ganllawiau ymarferol gan y Comisiwn Cefn Gwlad ar sut i ymddwyn yn y wlad, ac yn delio â materion megis gofalu am gau llidiardau, cadw cŵn dan reolaeth, ayyb.

coden *eg.* ll. *codau.* Callod, plisgyn ffa, pys, ayyb, mashgal (Dyffryn Tywi, Llwchwr, Tawe a Nedd), plishgyn (De Maldwyn a Cheredigion), callod (Dinbych), code (Maldwyn), coda (Môn ac Arfon).

codennau cnicyn y gar *ell.* Chwydd ar goes ceffyl mewn canlyniad i straen gewyn.

codennau'r meilwng *ell.* Chwydd codennog sy'n datblygu weithiau ar egwydydd ceffylau, yn enwedig ceffyl ifanc newydd ei dorri i mewn, a gormod o yrru arno.

codeuo, codio *be.* Magu codau, tyfu codau (am ffa, pys, ayyb), callodi, tyfu cibyn, tyfu callod.

codi

1. *be.* Y tywydd yn gwella, y glaw yn cilio.
'Ma hi'n *codi*, weldi.' 'Ma hi'n *codi dani* o'r diwedd.' Ar lafar ym Môn.
'Hwyrach y *codith* hi at y pnawn.'

2. *be.* Y gair a ddefnyddir gynt mewn rhai rhannau o Gymru (e.e. Môn) am fforchio'r gwair o'r cocyn neu o'r mwdwl yn y cae i'r llwyth ar y drol. Byddai'n air hanner technegol yn y cyd-destun hwnnw a phawb yn deall ei ystyr ac yn gwybod beth a godid. Perthynai i'r un teulu o eiriau â 'llwytho', 'tasu', 'derbyn' yng nghyd-destun cario neu gywain gwair neu

ŷd. Yn aml ceid y certmon yn llwytho, y cowmon yn *codi*, yr hwsmon yn tasu a'r gwas bach yn derbyn.

codi ar ôl y bladur Symud y wanaf neu'r ystod ŷd drwy ei chynnull yn seldrenni ar ôl y medelwr neu'r pladurwr yn y cae ŷd pan fyddid yn 'torri at i mewn' neu'n 'torri at y byw', h.y. yn lladd yr ŷd at yr ŷd sy'n dal ar ei draed. Roedd hyn yn angenrheidiol i wneud lle i'r pladurwr nesaf. Mewn rhai rhannau o'r wlad gelwid y sawl a fyddai'n symud y wanaf yn 'codwr'.

1993 FfTh 11, 42, Gyda'r ffordd gyntaf, sef torri'r wanaf at yr ŷd byw, rhaid oedd wrth 'godwr' ar ôl pob pladurwr, i *godi'r* wanaf oddi wrth yr ŷd byw a'i gosod yn seldrenni y naill du yn barod i'w rhwymo'n ysgubau.

Gw. CODWR, TORRI AT I MEWN.

codi at y tatws Priddo'r gwlydd tatws yn fuan wedi iddyn nhw egino. Fel rheol tynnir y sgyfflar (hof ar ffurf aradr) rhwng y rhesi gyntaf i lacio'r pridd a diwreiddio'r chwyn. Yna, defnyddir aradr ddwbl (mochyn) i godi'r pridd at y gwlydd tatws.

1992 FfTh 11, 35, Ym Mai a Mehefin hefyd roedd raid *codi pridd at y rhesi tatws* hefo aradr a cheffyl.

codi'n bedair Yr ymadrodd cyffredin gynt i nodi oed ceffyl. Sonnid am 'godi'n dair' ac am 'godi'n bedair', ayyb. Mynd yn bedair y mae plentyn, codi'n bedair y mae ceffyl. Ystyrid bod ceffyl pedair oed ac yn codi'n bump, yn geffyl yn ei breim.

Hiwangerdd. 'Mae gan i ebol melyn/Yn *codi'n bedair oed,*/A phedair pedol arian/O dan ei bedwar troed.'

Gw. CEFFYL YN EI BREIM.

codi bwlch Cau bwlch mewn clawdd pridd neu wal gerrig, ail godi wyneb clawdd pridd neu glawdd pridd-a-cherrig sydd wedi bolio a llithro.

'R wythnos nesa' fe rown ni'r wythnos i gyd i *godi bylcha* os byw ac iach.'

Gw. CODI CLAWDD.

codi canol cefn Torri'r cwysi cyntaf pan yn cychwyn aredig cefn (grwn) mewn cae âr, codi cefen (Ceredigion), agor grwn. Yn gefnau yr erddir cae ac mae i bob cefn ei ganol lle dechreuir ei aredig drwy droi dwy gwys neu ragor at ei gilydd, un wrth fynd o dalar i dalar, a'r llall yn ei herbyn wrth ddod yn ôl. Gelwir hynny yn *godi canol cefn*. Ar lafar yn y Gogledd. Ceir hefyd y ffurf *codi cefn*. Ceir *codi canol cefn* yn deitl llyfr gan William Owen a fagwyd yn y Garreglefn Môn.

Ffig. Cychwyn ar rhyw dasg.

'Rydwi'i wedi *codi canol cefn* cyfrol o atgofion, wedi sgrifennu tair pennod.'

Gw. hefyd AGOR CEFN, COPIO (Mald.).

codi cefn gw. CODI CANOL CEFN.

codi clawdd Ymadrodd rhai ardaloedd am gau bylchau mewn clawdd, trwsio clawdd. Ar lafar yn sir Benfro yn y ffurf 'codi claw'.

1938 T J Jenkin: AIHA AWC, Fe fydd y clawdd pridd neu gerrig ambell dro yn torri – gwartheg yn ei 'dopi' (ei gornio), defaid yn mynd drosto, neu y clawdd yn dadfeilio ac yn

288

'rhedeg' ohono'i hun i wneud 'slip' (llithriad). Atgyweirio yr anffawd hyn i'r clawdd a fyddai *codi claw*.
Gw. hefyd CAU, CODI BWLCH.

codi cloddiau
1. *be*. Tyfu (gwrych) neu adeiladu cloddiau, adeiladu clawdd, gwneud clawdd, tyfu clawdd, codi clawdd. Yn amaethyddol, dechrau'r 18g y gwawriodd oes y cloddiau i bwrpas gwarchod cnydau rhag yr anifeiliaid, ac i gadw'r anifeiliaid o fewn terfynau. Yn ddiweddar, yn enwedig ar ôl yr Ail Ryfel Byd (1939-45), chwalu cloddiau a welwyd ac nid eu codi. Yn ddiweddar bu newid meddwl oherwydd colli'r cloddiau fel cysgod i gnwd ac anifail, fel noddfa llawer o'r bywyd gwyllt yn greaduriaid a phlanhigion, ac fel rhan o'r patrwm amgylcheddol. Erbyn hyn rhydd y llywodraeth ganolog gymorthdaliadau at *godi cloddiau* a chymenu'r hen gloddiau.
1990 LlG 14, 6, Ers mis Hydref llynedd maent yn cynnig grantiau o 60 y cant o'r costau i *godi cloddiau* newydd ...

2. *be*. Gair mewn rhai ardaloedd am chwalu cloddiau, h.y. codi o'r gwraidd neu ddi-wreiddio gwrychoedd, rhywbeth a wnaed ar raddfa eang wedi'r Ail Ryfel Byd (1939-45).
1990 LlG 14, 6, Ond y duedd ers yr Ail Ryfel Byd fu *codi'r cloddiau* hyn.

codi cnwd Tyfu cnwd, cynhyrchu cnwd.

codi crogbris *be*. Hawlio pris afresymol o uchel am nwyddau, anifeiliaid, dofednod, cynnyrch, ayyb. Ar lafar yn gyffredinol.
'Ma' giaffar Tŷ Mawr yn gofyn *crogbris* am ei datws 'leni.'

codi dŵr *be*. Cyn i'r cyflenwad dŵr cyhoeddus gyrraedd yr ardaloedd gwledig (ar ôl yr Ail Ryfel 1939-45 y bu hynny fwyaf) o'r ffynnon, o'r pydew neu o'r pistyll y ceid dŵr i bob diben ar ffermydd. Ar haf tesog a sych pan âi'r pistyll a'r nant yn hysb, rhaid fyddai *codi dŵr* i'r anifeiliaid, ac i bob diben arall, o'r ffynnon neu o'r pydew.
Gw. CHWIMSI, WINS.

codi'r ebol Ymadrodd ffigyrol am fod yn amyneddgar ac yn hirymarhous. Byddai ebol yn dair oed cyn cael ei 'ddal' neu 'dorri i mewn'. Mae tair blynedd yn edrych yn amser hir cyn cael gwaith ohono a'i gael i dalu am ei fwyd. Ond i gael y gorau o'r ebol rhaid disgwyl iddo gryfhau'n iawn. Felly hefyd y mae'n rhaid dal ati'n amyneddgar i wneud rhyw bethau, megis meistroli crefft.
Rhigwm. Codi'r ebol heddiw,/Codi'r ebol 'fory,/Codi'r ebol bob dydd/Onid elo'n llawn ceffyl.

codi ffos *be*. Agor traen (draen) neu ffos i bwrpas sychu tir, torri traen (Môn). Ar lafar yn Nyffryn Tanat.
Dywed. 'Bwyta fel dyn yn *codi ffos clawdd*' – gwaith caled, ac yn rhawio neu sieflio, un yn rhawio bwyd i'w geg.

codi geifr *be*. Codi sgubau ŷd a'u gosod ar eu traed yn erbyn ei gilydd ac yn frig-frig. Amrywiai'r nifer o sgubau, weithiau tair, weithiau chwech,

ayyb. 'Stycio ŷd' (Môn); 'bychu ŷd' (Edeirnion); 'stacanu ŷd' (Ceredigion); 'gafrio ŷd' (Arfon), 'gafra ŷd' (Meirionnydd). Mewn rhai ardaloedd 'gafr' oedd tair ysgub o ŷd ar eu traed ac wedi eu rhwymo ynghyd. Ar lafar yn sir Ddinbych.
Gw. BYCHU, GAFR², GAFRA, GAFRIO, STACANO, STYCIO.

codi gwair *be.* Fforchio'r gwair (neu ŷd) â phicwarch o'r cocyn (mwdwl) i'r llwyth yn y cae. Mewn rhai ardaloedd byddai'r gair 'codi' yng nghyd-destun cynhaeaf gwair, a chynhaeaf ŷd, yn air hanner technegol am y gorchwyl o *godi'r gwair* i'r drol yn y cae, 'pitsho gwair' (Maldwyn, Ceredigion, Dyfed).
'Wil sy'n llwytho a Twm yn *codi.*'
'Ma' Dafydd Huws yn dweud y daw o yma 'fory i roi diwrnod o *godi.*'
Gw. CODI², PITSHO GWAIR.

codi gwrychyn *be.* Anifail yn ffyrnigo, yn enwedig cath neu gi. Gwelir yn llythrennol y blew ar eu gwarrau yn codi. Gwrychyn y gelwir y blew rheini. (Un ystyr i 'gwrych' neu 'gwrychyn' yw blew byr, anystwyth.)
Ffig. Gwylltio neu ffromi person dynol.
'Mi *godais* 'i *wrychyn* o'n enbyd pan dd'wedais wrtho nad oedd hawl tramwyo drwy'r buarth 'ma.'

codi helm (helem) *be.* Gwneud tas ŷd gron yn y cae neu yn yr ydlan, codi rhic ŷd, helmio llafur. Ar lafar yn sir Benfro.
1958 T J Jenkin: YPLL, AWC, Ni fyddem ni fyth yn Budloi yn *codi helem* lafur ar y llawr, ond ar sail wedi ei chodi fwy na throedfedd o'r ddaear.
Gw. HELM, HELMIO.

codi mawn gw. LLADD MAWN, TORRI MAWN.

codi'r mochyn *be.* Codi'r cig mochyn o'r heli ar ôl ei halltu a'i hongian yn y simdde neu dan nenfwd y gegin, y tŷ llaeth, ayyb.

codi i'r mynydd *be.* Paratoi a didoli'r defaid cyn eu gyrru i'r mynydd yn y gwanwyn ar ôl bod yn niddosrwydd y tir isel tros y gaeaf.
1985 W H Jones: HOGM 62, Cefais lawer o hwyl o'i weld yn gweithio (Jaff a ci) yng nghanol y prysurdeb o *godi defaid i'r mynydd.* Rhaid fyddai didoli'r mamogiaid oddi wrth yr ŵyn gwryw er mwyn eu cadw ar y caeau i besgi'r ŵyn.

codi olwyn *be.* Yr ymadrodd cyffredin am y gwaith o saernio olwyn trol, ayyb, sef y foth, yr edyn a'r camogau, eu morteisio i'w gilydd, a'i chylchio yn yr efail. Ystyrid *codi olwyn* yn grefft gywrain ac arbenigol. Byddai'n rhaid cael y gogwydd iawn a gofynnol yn yr edyn fel bod cant yr olwyn (y cylch o gamogau) fwy allan na'r foth (canol neu fogail yr olwyn) i gadw'r drol rhag troi neu ddymchwel ar lethr. Golygai hynny forteisio gofalus a chywrain.
1992 FfTh 9, 18, Y saer yn dwad yma i *godi dwy olwyn* newydd ar drol, camogi a sbocsi.

codi pwysau Ymryson gyfeillgar, ond â llawer o orchest ynglŷn â hi, lle dôi nifer o ddynion at ei gilydd, yn enwedig rhai ifainc, fel ar ddiwrnod dyrnu neu ddiwrnod cneifio. Byddai'n gyfle i ddangos cryfder a nerth bôn braich. Fel rheol, codi'r darn 56 pwys a ddefnyddid ar y fantol fawr

yn y sgubor neu'r llofft storws, fyddai'r gamp – ei godi ar hyd braich, a mwy gorchestol fyth, codi dau, un ym mhob llaw ar hyd braich.
Gw. hefyd CARREG ORCHEST

codi rhastl *be.* Ymadrodd ffigyrol am roi llai o fwyd i anifeiliaid, rhoi dogni o borthiant. Does dim tystiolaeth fod neb yn *codi'r rhestl* yn y beudy neu'r sied yn yr ystyr llythrennol. Ystyr drosiadol sydd iddo'n wreiddiol. Ac fe'i defnyddir, a'i bartner *gostwng y rhesel* yn ddwbl drosiadol gyda phersonau dynol.
1989 D Jones: OHW 165, Byddai dawn gogyddol ambell wraig (a merch) fferm yn gymaint o fodd i ddenu criw anrhydeddus i gae gwair neu ydlan ddyrnu neu gae tato â dim arall. Ac i'r gwrthwyneb hefyd, câi ambell le a gâi'r gair fod y *rhastl yn uchel* yno, beth trafferth i grynhoi cynhulliad teilwng.

codi stêm *be.* Tanio'r injan stêm fyddai'n troi'r dyrnwr mawr. Byddai'r 'dyn canlyn dyrnwr' wrthi ben bore yn cael yr injan yn ddigon poeth a pharod i ganu'r 'corn dyrnu', sef ffliwt yr injan, i gael y 'criw dyrnu' at ei gilydd erbyn tua wyth.
1981 W H Roberts: AG 61, Tua saith y bore fe glywid y ffliwt yn diasbedain drwy'r ardaloedd, ac yr oedd hynny'n golygu bod dyn yr injan yno, ers o leiaf chwech, i *godi stêm* erbyn saith.
Gw. CORN DYRNU, CRIW DYRNU, DIWRNOD DYRNU.

codi swêds *be.* Diwreiddio'r gwraiddlysiau megis swêds, mangls, maip, yn yr Hydref a'u cario i'r gladd wrth y tŷ i'w diogelu rhag y rhew, tynnu rwdins, tynnu mangls (bîtrwd) (Môn), Ar lafar yng Ngheredigion.
1975 R Phillips: DAW 54, ... cyn bo'r llwydrew a'r rhew yn Nhachwedd, roedd y cynhaeaf mangels ac yna'r swêds. Dyn a'i gyllell oedd yn *codi'r* ddau gnwd hyn, a cheffyl a chert yn eu cludo i'w ydlan.

codi tatws *be.* Chwalu'r rhesi tatws â fforch, neu gaib, neu aradr ddwbl neu â pheiriant pwrpasol i hel a phigo'r tatws yn yr Hydref. Am 'fforchio'r rhesi' y sonnid yn y Gogledd, ond am 'geibio'r rhesi' yn y De, yn adlewyrchu dau ddull gwahanol o godi tatws. Yn ddiweddarach y daeth y peiriant codi tatws. 'Tynnu tatws' a wneir yn y De. Yn Nyffryn Clwyd gelwir Haf Bach Mihangel yn 'Haf Bach *Codi Tatws*',. ac yn weddol gyffredinol 'Wythnos *Codi Tatws*' a fu wythnos wyliau hanner tymor yr ysgolion ym mis Hydref.
1958 FfFfPh 56, Y dull cyntaf a gofiaf o 'dynnu tatws' oedd ceibio'r rhychiau ... gwaith caled oedd hwn. Wedi hynny ... agor y rhychiau gyda cheffylau a mowlder ... erbyn hyn mae'r hyn a elwir yn Saesneg yn 'Potato Digger' ... yn beth cyffredin. Mae hwn yn chwalu'r rhych ac yn taflu'r tatws i'r wyneb i gyd.
1985 W H Jones: HOGM 13, Cof gennyf fynd yno i roi help i *godi tatws*.
Gw. CEIBIO RHYCHAU.

codi ŵyn *be.* Ymadrodd ardaloedd defaid am fagu ŵyn, neu gynhyrchu ŵyn. cf. 'codi teulu', 'codi cnydau', ayyb.
1939 D J Williams: HW 70, Yno y mae yn rhifo, a'u rhifo eilwaith, rhag bod un ar goll, y nifer ohonynt a *gododd eu hwyn* eleni.

codi eu hŵyn *be.* Wedi cneifio'r mamogiaid caiff yr ŵyn draferth i adnabod eu mamau gyda brefiadau o'r ddeutu yn gôr. I ffermwyr defaid

codi eu hŵyn y mae'r defaid radeg honno a rhaid yw rhoi amser iddynt wneud hynny.
Dywed. 'Rhoi cyfle i'r ddafad *godi ei hoen'* – gadael i reddf naturiol gael ei chyfle.

codi ŷd *be.* Stycio'r ŷd, bychu'r ŷd, gafra, sef rhoi'r sgubau ŷd ar eu traed yn frig-frig yn erbyn ei gilydd fesul tair, chwech, naw, ayyb, o sgubau, stacanu. Ar lafar yn Uwchaled.
1933 H Evans: CE 110, Dywedai John Jones ... a wyddai'n dda am Ddyffryn Clwyd, mai'r swm a delid yno pan oedd ef yn ifanc am fedi, rhwymo a *chodi'r ŷd* oedd o ddeg i ddeuddeg swllt yr acer.

codi ysgyfarnog, codi sgwarnog *be.* Ymadrodd a ddefnyddir yn gyffredinol wrth hela llwynogod – y cŵn yn codi sgyfarnog oddi ar ei gwâl ac yn mynd ar ôl honno yn hytrach nag ar drywydd y llwynog.
Ffig. Siaradwr neu bregethwr yn mynd ar ôl rhywbeth a ddaw i'w feddwl ar y pryd ar draul prif drywydd ei ddadl neu ei ymresymiad – mae hwnnw'n *'codi sgwarnog'* neu'n 'mynd ar ôl sgwarnog'.

codiad *eg.* Gair rhai ardaloedd am faint yr ongl rhwng coes y bladur a'i llafn.

codwr
1. *eg.* Yr enw mewn rhai ardaloedd ar y sawl a symudai y wanaf ŷd lle lleddid yr ŷd 'at i mewn' neu 'at y byw', yn nyddiau'r bladur, er mwyn cael lle clir i'r pladurwr nesaf.
Gw. CODI AR ÔL Y BLADUR.

2. *eg.* Yr enw gynt, mewn rhai ardaloedd, ar y sawl a fforchiai'r gwair o'r cocyn (mwdwl) neu'r ysgubau o'r stwc ŷd, i'r llwyth ar y drol yn y cae wrth gywain y gwair a'r llafur.
'Mae'r hen Isaac yn *godwr* gwastad, ystyriol o'r llwythwr.
Gw. CODI², CODI GWAIR.

codwr bore *Ymad.* Ymadrodd am ffermwr breciol, styring a pharod am waith yn y bore, ond yn cael ei ddefnyddio'n bennaf yn ffigyrol am berson cyfrwysgall, dyfeisgar ac yn gweld ymhell, mewn ystyr da a drwg.
'Dynion yn *codi'n fore* ydi lladron.' 'Mi gafodd Idris fargen, 'choelia'i byth. Ond dyna fo *codwr bore* fuo fo 'rioed.'

codwr gwair *eg.* Dyfais yn y ffurf o beiriant i godi gwair o'r llwyth i'r das, elifetor. Trwy gyfrwng cadwyn bigog, sy'n mynd yn ddidor, mae'n cludo'r byrnau gwair i ben y das. Fe'i defnyddir hefyd yn y cae i godi byrnau gwair a gwellt i'r llwyth ar y wagen neu'r trelar. Bu'n gaffaeliad mawr yn oes y byrnau.

codwr tatws *eg.* Offeryn neu beiriant codi (tynnu) tatws a dynnir gan dractor. Mae iddo swch sy'n mynd dan y tatws yn y rhes (rhych) ac yn llacio'r pridd, yna ag olwyn droellog ddaneddog ar draws y rhes y mae'n chwalu'r pridd a'i daflu, ynghyd â'r tatws, i'r ochr yn erbyn rhwyd. Â'r rhan fwyaf o'r pridd drwy'r rhwyd gan adael y tatws.

coed *ell* ac *et.* un. *coedyn.* Y pren a geir o goeden at amrywiol ddibenion, –

292

ffensio, gwneud adeiladau, gwneud offer megis car ceffyl, trol a berfa, coesau neu draed i offer megis fforch, rhaw, caib, pladur, i wneud cafnau, rheslau, presebau, ayyb, ac i gael coed tân. Sonnir am 'goed caled' (derw, tîc, ayyb) ac am 'goed meddal' (pinwydd a nifer o gonwydd [coniffer] eraill). Gelwid y coed a ddefnyddid yn 'goed hwsmonaeth'. Gw. COED HWSMONAETH, PWLL LLIFIO.

coedallt (*coed* + *allt*) *eb.* ll. *coedelltydd.* Allt o goed, ochr, bron, neu lechwedd coediog, coedfron, coedfryn.
16-17g T Prys; BARDD 26, Gwneuthum oed yn y *goedallt.*
1774 H Jones: CYH 10, Mor hyfryd y mae'r *goedfron* luosog yn edrych, y *gelltydd* yn disgleirio.

coed cysgod *ell.* Llain o goed wedi eu plannu'n bwrpasol yn gysgod rhag y tywydd yn enwedig rhag y gwyntoedd cyffredin. Canfuwyd bod y math hwn o gysgod yn atal erydiad tir ac yn gwella swm y cnydau.

coedfawn (*coed* + *mawn*) *eg.* Mawn a hengoed yn britho drwyddo. Ar lafar ym Meirionnydd.
1990 Trefor M Owen: TM 8, Yn araf tyfodd y mawn dros olion coed a gweunydd gwastad gan amgylchynu'r boncyffion a adawyd a'u troi'n bren du caled. *Coedfawn* oedd term Meirionnydd am y math hwn o fawn, a oedd yn frith gan goed.

coedfron (*coed* + *bron*) gw. COEDALLT.

coedfryn gw. COEDALLT.

coed hwsmonaeth *ell.* Y coed a dorrir ar fferm i'w defnyddio i ddibenion amaethyddol, polion ffensio, drysau, llidiardau, ayyb.
Gw. PWLL LLIFIO, COED.

coedlan *eb.* ll. *coedlannau, coedlennydd.* Lle yn llawn coed, coedwig fechan, llannerch goediog. Digwydd yn yr enw lle 'Coedlannau' ger y Cwrtnewydd, Ceredigion.

coedlwyn *eg.* ll. *coedlwyni.* Allt o goed, llwyn o goed, prysglwyn.
14g BDG 503, Gwawdlais mwyalch ar *goedlwyn.*

coedwigaeth Tyfu coed, plannu coed. Ar ôl yr Ail Ryfel bu'n rhan o bolisi'r llywodraeth ganolog i dyfu mwy o goed yng ngwledydd Prydain, gyda'r amcan o fod yn fwy hunangynhaliol mewn coed wedi profiad blynyddoedd y rhyfel. Plannwyd miloedd lawer o erwau o goed ar diroedd mynyddig, lle o'r blaen y porai defaid. Bu'r berthynas rhwng amaethyddiaeth a choedwigaeth yn un bur chwerw am flynyddoedd, oherwydd eu bod yn dwyn tir poradwy ac yn cynyddu'r lloches i lwynogod. Erbyn hyn swcro'r ffermwyr eu hunain i dyfu coed a wneir gyda chymorthdal yn abwyd yn enwedig dan y polisi o arallgyfeirio.
Gw. hefyd TYFU COED.

coel, ar goel gw. AR GOEL.

coelan *eb.* Ffurf dafodieithol ar 'ceulan'. Ar lafar yn sir Frycheiniog.
Gw. CEULAN.

coelcerth (*coel* + *certh*) *ebg.* Y tân mawr a gynheuir ar y mynydd wrth losgi eithin (goddeithio) yn y gwanwyn, neu wrth losgi'r brigau drain ar ôl plygu gwrych, ayyb. Ceir hefyd y ffurf 'coelcierth'.
Gw. GODDEITHIO.

coeliad *eg.* Ffurf lafar ar 'cowlaid' – 'coflaid'.
Gw. COFLAID.

coeliwr *eg.* ll. *coelwyr.* Un yn rhoi benthyg arian ar goel neu mewn ymddiriedaeth, neu roi nwyddau ar goel, h.y. eu prynu heddiw ond talu amdanyn nhw ar ddyddiad arbennig yn y dyfodol. Rhoi benthyg arian neu nwyddau neu anifeiliaid heb ddangosiad ysgrifenedig.
Gw. AR GOEL, SEL GOEL.

coen *be.* Ffurf lafar dafodieithol ar 'cywain', sef hel, casglu, cario (am wair, ŷd, ayyb). Ar lafar yn sir Gaerfyrddin.
1969 D Parry-Jones: Nod. AWC, Ni fuasai ffermwyr yn pryderu ar ôl cael y llafur i ddas – gwelais fy hun yn *goen* y rhain ym mis Rhagfyr, a'u cael cystal a phe baent mewn helem.
Gw. CARIO, CYWAIN.

coes *eb.* ll. *coesau.* bach. *coesyn.* Yn amaethyddol, yr hyn y gafaelir ynddo wrth ddefnyddio offeryn, carn, dwrn neu handlen offeryn, – *coes* brws, *coes* bwyell, *coes* y rhaw, *coes* y fforch, *coes* picwarch, *coes* pladur, *coes* caib, *coes* morthwyl, ayyb. Mewn rhai ardaloedd defnyddir 'troed' yn gyfystyr â *choes*, – troed y rhaw, troed y fforch (Môn). O goed bedw, helyg a gwern y gwneid y coesau hyn fel arfer, coed gwydn, ysgafn, esmwyth i law ac heb groesgoed. Fe'u torrid o lwyni, gwrychoedd a choedlannau. Yn ystod rhan gyntaf yr 20g y daeth coesau parod ar y farchnad. Ar lafar yn gyffredinol. Yn Nyfed ceir y ffurf 'cwês'.
1963 I Gruffydd: GOB 109, Te cyn gryfed â *choes* mwrthwl, ys dywedai pobl Sir Fôn.
cf. 'Te cry fel *coes* picwarch', neu 'fel *coes* stôl'.

coes-daro *eg.* a *be.* Coes pladur un dwrn a ddefnyddid mewn rhai ardaloedd lle ceid pladur ag iddi gadair (cawell). 'Taro llafur' oedd ymadrodd rhai ardaloedd am 'ladd llafur' neu 'dorri llafur', ac felly *coes-daro*.

coes gennog *eg.* Afiechyd yn rhannau di-blu coesau dofednod a achosir gan bryfyn (*Cnemidocoptes mutans*) sy'n peri cen caled a chosi difrifol.

coes las *eb.* Crimog eidion neu fustach tew, rhan isaf coes flaen eidion lle mae'r croen â gwawr las (S. *shin bone of beef*). Rhan heb lawer o gig arno. Ar lafar yn y Gogledd a rhannau o'r De.
1967 G W Griffith: CBG 51, Gwael yw byw ar glwb awen – ie'n wir,/Gwael iawn fy machgen,/O *goes las* ti gei sleisen,/A dau droed a fydd dy dren. (Anad.)

coes mochyn *eb.* Yr ham, y rhan orau o'r mochyn ar ôl ei ladd, cig gwerth closio ato.
Ffig. Am baratoi bwyd gyda chryn lawer o ymffrost ceir y dywediad – 'Tipyn o sioe *coes mochyn*'.

coes ôl ci 'Fel coes ôl ci' yw'r dywediad cymariaethol hwn yn llawn, ac

yn cael ei ddefnyddio'n gyffredin i ddisgrifio rhesi (rhychau), cwysi âr, ayyb, cam. cmhr. 'cwysi cyrn buwch'.
'Ma'r cwysi fel *coes ôl ci*'. 'Wel, am *goes ôl ci* o resi tatws.'
Gw. CAM, CYRN BUWCH.

coesau clagwydd *a.* ac *Ymad.* Ymadrodd ffigyrol ym Môn am glos penglin.
'Mi alwodd Ned Bach y porthmon yn 'i *goesau clagwydd*.'

coesarnau gw. LEGINS.

coetgae (*coed* + *cae*) *eg.* ll. *coetgaeau.* Lle wedi ei amgau â gwrych neu berth, yn enwedig cae (maes, parc). Fe'i gwelir mewn enwau lleoedd, yn enwedig tai ffermydd – '*Coetgae*-du', Trawsfynydd; *Coetgae* du a *Coetgae* Bach, Llangybi, Eifionydd; Ty'n y *Coetgae*, Dolwyddelan.
14g GDG 184, Cornel ddiddos yw Rhosyr,/*Coetgae* i warae i wŷr.
15g Pen 108, 87, Ef a bryn tir vo breiniol/Ac ni werth un *coetgae*'n ôl.

coetgae hensol Cynefin defaid eang ac wedi ei amgau â ffens.

coetir (*coed* + *tir*) *eg.* ll. *coetiroedd.* Tir coediog, tir llawn coed, coedwig.
1620 Es 32.15, … a chyfrif y dol-dir yn *goed-tir*.

coetirog *a.* Llawn coed, coediog (am dir).

cofrestr buches *eb.* ll. *cofrestri* a *chofrestrau buchod.* Cofnod o fanylion am fuchod llinachol gan y ffermwr ei hun, neu eu hanfon i gael cofrestru'r fuches mewn cofrestr swyddogol, e.e. cofrestru geni llo o fuwch linachol gan gymdeithas fridio.

Coffi Pot (*Coffee Pot*) *eg.* Enw mewn rhai ardaloedd ar y peiriant ager a arferai droi'r dyrnwr mawr pan ymddangosodd hwnnw gyntaf ar ddiwedd y 19g a dechrau'r 20g. Ar lafar ym Meirionnydd.
1978 *Llên y Llannau* 70, Yn niwedd y bedwaredd ganrif ar bymtheg daeth y peiriant dyrnu mecanyddol (Y Dyrnwr Mawr) yn cael ei yrru gan beiriant ager (Y '*Coffee Pot*') fel y'i gelwir mewn rhai ardaloedd.

coffor *eb.* ll.*coffrau.* Cist bren, cyff (S. *coffer*), y math o gist a geid gan y gweision yn y llofft stabal i gadw'u dillad a'u heiddo personol, cist weini.
Gw. CIST,CIST WEINI.

cofftio *be.* Yfed hyd ormodedd, llenwi'r bol ag unrhyw ddiod, yfed yn awchus, llowcio yfed.
'Paid a *chofftio'r* llaeth enwyn 'na gymaint.'

cog
1. *eg.* ll. *cogiau, cogie.* bach. *cogyn.* Darn neu lwmp cymharol fawr o gaws, neu gig neu fara, *cogyn* o gaws, *cogyn* o gig, *cogyn* o fara. Ar lafar ym Maldwyn.
1981 GEM 24, *Cog:-* darn mawr, neu lwmp praff. *Cog* o fara a chaws.

2. *eg.* Crwt o hogyn lysti yn ei arddegau. Ar lafar ym Maldwyn.
'Mae gan Elfed ddau o *gogia* cryfion, un yn 'r ysgol a'r llall newydd adael.

cogail, cogel *ebg.* ll. *cogeiliau, cogeiliaid, cogelau.* Pren crwn praff oddeutu tair troedfedd o hyd, y dirwynid neu y troellid y gwlân neu'r llin amdano i'w nyddu â llaw, ac yn cael ei ddal (fel rheol) dan y fraich chwith. Yn ddiweddarach offeryn i ddal llin ar y droell i'w nyddu.

1620 Diar 31.19, A hi a rydd ei llaw ar y werthyd, a'i llaw a ddeil y *cogail.*

cogran *eg.* Sŵn gwyddau'n clegar neu'n clegran. Ar lafar ym Maldwyn.

1981 GEM 94, *Cogran* – Gwneuthur sŵn, megis y gwyddau.

'Ma'r gwydde 'na'n *cogran* drw'r bore'.

Ffig. Clebran ffol, paldaruo.

1981 GEM 94, Beth yw'r *cogran* sydd arnoch chi ddyn?

cogwrn *eg.* ll. *cogyrnau, cogyrnod, cegyrn, cogyrn.* bach. *cogyrnen.* Yn amaethyddol, mwdwl (o ŷd neu wair), tas fechan, twmpath, pentwr, cyrnen. Ceid gynt *'cogwrn* dau benglin' – tas fach a wneid gan bwyso â'r pengliniau wrth osod y sgubau, a *'chogwrn* llaw' – tas fach a wneid â'r dwylo oddi ar lawr. Ar lafar yn sir Gaerfyrddin.

1588 Es 17.11, Bydd y cynhaeaf yn *gogwrn* (yn 'bentwr' 1620).

1994 FfTh 13, 28, Pan oeddwn yn byw yn ardal y Mynydd Du yn Sir Gaerfyrddin, defnyddir gair hollol wahanol, (am sopyn, tas fach) sef *cogwrn* (cogyrnau – lluosog). roedd y *cogwrn* dipyn llai na'r sopyn llaw.

cogwrno *be.* Stycio ŷd, stacanu ŷd yn y cae, codi ysgubau ŷd, eu casglu ynghyd a'u gosod ar eu traed yn frig-frig, bob yn chwech, deg, deuddeg, ayyb. Ar lafar yn sir Gaerfyrddin.

coil Ffurf dafodieithol ar 'caul'. Ar lafar yn Nyfed.

Gw. CAUL.

coilan Ffurf dafodieithol ar 'ceulan'.

Gw. CEULAN.

col, coly, cola *eg.* ac *etf.* ll. *colion.* Tyfiant pigog ar ronynnau haidd, ayyb, y farf bigog, finiog ar dywysennau ŷd, *col* haidd, *col* gwenith. *Col* a glywir yn y gogledd, y canolbarth a'r de ddwyrain, a *cola* ar lafar ar arfordir y gorllewin.

15g IGE 206, *Colion* haidd, celyn a hesg.

1677 R Jones: BB 14, Beth sydd awchlymach na *chol* yr ŷd?

colae *eg.* Afiechyd sy'n taro ŵyn, yn enwedig trwy eu bogail pan eu genir i mewn (*B. coli*).

1982 R J Evans: LlFf 77, Mae'r sied yn hwylus iawn, ond bod cymlethdodau megis afiechyd y *Colae* yn taro ŵyn drwy'u bogeiliau a phethau dyrys felly yn codi'u pennau.

Colbred *ep.* Brid croesryw diweddar o ddefaid a groesfridiwyd o East Friesland, Border Leicester, Dorset Horn a Clun Forest. Mae i'r brid wlân hir, coesau hirion a wyneb gwyn, glân, ac yn dda am epilio a llaetha. Defnyddir yr hyrddod cryn lawer i groesfridio â defaid mynydd i gael defaid croesryw.

coler

1. *eb.* ll. *coleri, colerau.* Yn amaethyddol, y dorch o ledr yn ffurf ŵy, wedi ei stwffio â rhawn neu wellt a roir am wddf ceffyl gwedd fel rhan o'r harnais i bwrpas tynnu aradr, og, trol, ayyb. Gan mai â'i gorff y mae

ceffyl yn tynnu pwysau, mae'r goler yn hollbwysig, a'i chael i'w ffitio ac i orffwys yn esmwyth ar ei balfais yn hollbwysig. Cyn dyfeisio'r goler ledr, galed, gwneid coleri o frwyn plethedig neu o wiail ystwyth.

Dan gyfraith Hywel Dda ni chaniateid defnyddio ceffylau na buchod i dynnu aradr, yn enwedig buchod a chesyg rhag iddyn nhw erthylu. Ond nid oedd hawl i ddefnyddio ceffyl chwaith am na ellid ei harneisio'n foddhaol. Peth diweddarach oedd y goler galed a'i gwnaeth yn bosibl i ddefnyddio ceffyl.

Diwedd y 18g a dechrau'r 19g bu ymdrechion mewn rhai rhannau o'r wlad (e.e Morgannwg) i berswadio ffermwyr i harneisio ychen â choler galed fel y ceffyl. Credid y gallai pedwar ych mewn coleri dynnu cymaint â chwech mewn iau. Ond aflwyddiannus fu'r ymdrech. Sadleriaid lleol, crefftwyr medrus, a weithiai'r coleri.

1908 Myrddin Fardd: LLGSG 65, ... nifer mawr ... yn enwog am eu medr i blethu gwiail ac am wneud *coleri* brwyn i geffylau, etc.

1992 T D Roberts: BBD 65, Roedd hefyd ymhlith y sadleriaid rai oedd uwchlaw'r cyffredin ... does dim dwywaith nad oedd llawer march yn falch o gael gwisgo *coler* o waith David Peacock ... (Llangefni)

2. *ebg*. Math o benffrwyn i glymu ceffyl yn y stabal. Ar lafar yn sir Benfro.
1938 T J Jenkin: AIHA AWC, Nid peth o'r un math a ddefnyddid i geffyl. Yr oedd hwnnw'n ddolen hefyd, ond yr oedd un pen wedi ei sicrhau wrth y preseb. Gosodid y *coler* dros ben y ceffyl ac am ei wddf ... Yr oedd y *coler* yn beth hollol wahanol i benwast.

coler hwsin-hwsing *eb*. ll. *coleri hwsin*. Coler ceffyl a *hws* odditani ac ynghlwm wrth war y ceffyl i gadw'i war yn sych a dianaf.
1928 G Roberts: AA 14, *Coler hwsin* y gelwid y goler. Clwt o ledr tew, tua dwy droedfedd o hyd ac o 14 i 18 modfed o led, oedd yr *hwsin*, heb fod wedi ei wnïo wrth y goler, ond gyda strap a bwcl i sicrhau ei waelod wrth dop y goler a dwy garai ledr i'w gydio wrth gyrn y mynci er mwyn ei ddal i fyny'n unionsyth. Cyrhaeddai'r ddwy garai hyd at benglin y ceffyl ...

colera dofednod *gw*. GERI DOFEDNOD.

colera moch *gw*. BRECH Y MOCH.

colfach (*col* + *bach*) *eg*. ll. *colfachau*. Bach drws, colyn drws neu ddôr, neu gaead (clawr), y cetyn y rhoir ei flaen yn y cilbost neu'r postyn i grogi'r drws arno ac i'w gwneud yn bosibl i'w gau a'i agor yn rhwydd. Ar lafar yn Nyfed.
1989 P Williams: GYG 12, Roedd y top yn codi wrth *golfach*, er hwyluso defnyddio'r silff odditano.

colfachu *be*. Rhoi drws ar ei fachau, gosod y drws i hongian ar ei fachau.

colfran *gw*. CEULFRAN.

colfranwr *gw*. CEULFRAENWR.

colic *gw*. CNOFA.

colier
1. coliwr *eg*. Math o offeryn i nithio neu i stampio ar yr haidd ar y llawr dyrnu i dorri ymaith y colion, haearn dyludo. Byddai i'r *colier* ffram

haearn bedaironglog gyda barrau ar ei thraws yn gorwedd yn fflat, a choes bren hir yn codi ohoni. Fe'i defnyddid yn yr un ffordd â gordd y fuddai gnoc, sef drwy bwyo'r haidd ar y llawr dyrnu.

1992 E Wiliam: HAFF 42, Rhaid oedd rhidyllio'r grawn, ar ôl dyrnu â'r ffust, er mwyn cael gwared o unrhyw wellt rhydd neu faw, ac yr oedd gofyn dyludo haidd i gael gwared â'r *colion*.

Gw. I C Peate: DGC 122 (1975)

2. *eb.* Caseg ysgafn, cogyn o geffyl. Ar lafar ym Meirion a Cheredigion.

1989 D Jones: OHW 30, Cadwent hwy bâr o geffylau, un ohonynt yn *golier* fach bert iawn o'r enw Dol.

colio

1. *be.* Torri ar anifail gwrw, cyweirio anifail, sbaddu anifail. Ar lafar yn Llanbrynmair.

Gw. hefyd CYWEIRIO, SBADDU, TORRI AR.

2. *be.* Torri'r col oddi ar haidd, defnyddio offeryn pwrpasol, sef colier, i *golio* haidd, dyludo.

1933 H Evans: CE 115, Rhaid oedd rhoddi'r haidd trwy un gorchwyl arall – ei *golio*, sef torri'r col yn rhydd oddi wrth y grawn. Un math o golier a welais i ...

Gw. hefyd COLIER, DYLUDO.

coliog *a.* Llawn col, yn bigog, yn golynnnog (am haidd, ayyb).

Ffig. Dyn pigog, crafog ei air.

16-17g E Prys: Gwaith 223, 'Celwydd' meddi, fardd *coliawg*.

kohl rabi *eg.* Porthiant o blanhigion o deulu'r bresych gyda choesyn chwyddedig fel meipen neu sweden y tyf dail hirion ohono.

colomen *eb.* ll. *colomenod.* bach. *colomenig.* Aderyn o dylwyth yr ysguthan a'r durtur a nodweddir, yn draddodiadol ac yn Feiblaidd, gan ddiniweidrwydd. Cartrefa llawer o golomenod ar ffermydd er nad oes yn agos gymaint ag a fu. Gwelir tyllau neu gloerau colomenod mewn llawer o'r hen adeiladau ar ffermydd, a cheir hyd yn oed 'golomendy' hwnt ac yma. Awgryma hyn fod y ffermwr wedi cyfri'r golomen yn ffrind.

1620 Math 10.16, Byddwch chwithau gall fel y seirff, a diniwed fel y *colomenod*.

1929 T Williams: LLEM 389, Adenydd *colomen* pe cawn,/Ehedwn a chrwydrwn ymhell.

Ffig. a Chymhar.

1620 Marc 1.10, Ysbryd Duw yn disgyn fel *colomen*.

D Gwenallt Jones; *Cymru*, A bu'r Ysbryd Glân yn nythu/Fel *colomen* yn dy goed.

Dywed. 'Hen *g'lomen* yn ei thŷ' – gwraig yn gwisgo'n grand ond ei thŷ'n flêr ac aflawen.

colomendy *eg.* ll. *colomendai.* Adeilad pwrpasol efo'i furiau'n frith o gloerau neu dyllau i letya colomenod.
Gw. COLOMEN.

colrac

1. colrac (*col* + *rhac*) *eb.* ll. *colracau, colragau.* Offeryn yn y ffurf o grafwr (rhac) i grafu *cols* a lludw o le tân ffwrn (popty).

1760 ML 2, 217, berfau olwynog a rhawiau a bwcerau a *cholragau*.

2. *ebg.* Offeryn i grafu tail yn y beudy, a llaid a thail ar y buarth, ayyb,

crafwr, rhiglwr.
Gw. CARLAC.

3. *eb*. Math ar raw neu hof ysgafn finiog a ddefnyddid gynt i dorri chwyn megis ysgall yn y cnydau ŷd. Cerddid y cae yn fanwl gyda fforch bren ysgafn yn un llaw a *chorlac* yn y llaw arall. Plygid yr asgellyn â'r fforch bren a'i dorri yng nghroen y baw â'r corlac. Hefyd y ffurf 'corlac'.
Dywed. 'Yn feddw *gorlac*' – anodd cael *corlac* i sefyll heb ei roi i bwyso ar rywbeth, ac felly person meddw.

colsaid, colsant, colsiant, colsyn *eg*. Math o fachyn ym môn llafn y bladur sy'n cysylltu'r llafn wrth y coes. Ceir twll a elwir 'cist' ym môn y goes ar gyfer blaen neu fach y *colsant* ac amgarn am y ddau ynghyd a chyn neu gaing wedi ei guro rhwng y ddau i'w sicrhau. Ar lafar yn Nyfed yn y ffurfiau *colsant* a 'constant'; ym Meirionydd *colsant*; yn sir Ddinbych *colsiant*. Ceir hefyd y ffurfiau 'colsad' (Ceredigion) a *colsyn* a 'cotsyn'. Wrth osod llafn y bladur arferai'r gof ffurfio'r *colsant* a'i osod ar gyfer gofynion y pladurwr.
1958 T J Jenkin: YPLL AWC, Yr oedd gwely ar sawdl y goes i dderbyn bachyn y pladur gyda thwll i dderbyn y *colsant*.
Gw. hefyd MABSANT, RHOI COLSANT.

colsyn
1. *gw*. COLSANT.

2. *eg*.. Marworyn, sinderyn, yr hyn a geir yn y grât pan yn llosgi glo, golosg. Fe'i defnyddid lawer iawn gynt mewn dŵr i helpu anifeiliaid a babanod i dorri gwynt.

coluddwst *gw*. CNOFA.

colyn *eg*. ll. *colynau*. Bach giât, cetyn at hongian giât neu ddôr, colfach dôr neu lidiart. Sonnir am dynnu'r giât oddi ar ei cholyn, – oddi ar ei bachau. Hefyd colyn bôn y giât sydd yn mynd i dwll yn y garreg golyn wrth sawdl y cilbost.
Gw. CARREG GOLYN , CETYN².

collbwys (*colli* + *pwys*) Gair diweddar am golli pwysau (anifail neu nwydd). TAM 1994.

collddail (*colli* + *dail*) *a*. Disgrifiad o blanhigion, yn enwedig coed, sy'n colli eu dail yn flynyddol yn yr hydref ac yn magu dail newydd y gwanwyn dilynnol.

colli *be*. Yn amaethyddol, methu cadw lled, hyd neu ffurf ddisgwyledig tas neu lwyth o wair, ŷd, ayyb, wrth dasu neu lwytho. *Colli* a wna'r das wair o fod ei hochr neu ei thalcen ormod i mewn. Felly hefyd y llwyth ar y drol. Ar lafar ym Môn.
'Ma'r gornel 'na'n dechra' *colli* gen ti.'

colli cadit *be*. Colli pen llinyn, colli pen neu flaen yr edau. Ceir hefyd 'colli cyrdit' am yr un peth. Defnyddir yr ymadrodd yng nghyd-destun cyfri pethau, megis cyfri defaid, ac yn mynd i ddryswch wrth wneud hynny, drysu cyfri. Ar lafar yn sir Fflint.

GPC, 'Colli cy(r)dit (cadit) – to loose the thread.

1991 Dewi Roberts, *Cyfeiriadur Eisteddfod Bro Delyn* 65, Byddai un sy'n drysu neu'n ffwndro wrth gyfrif defaid, er enghraifft, yn *colli cadit*.

colli cil *Ymad.* Anifail cnoi cil (cilfil) wedi colli archwaeth at fwyd, a hynny'n arwydd o ryw anhwylder neu'i gilydd. Yn hytrach na chnoi ei gil y mae'n ei fwrw o'i safn ac yn bwrw glafoerion, chwydu ei gil.

combein *eg.* Talfyriad o'r S. *Combine Harvester*, sef peiriant sy'n lladd ac yn dyrnu'r ŷd yr un pryd, olynydd y beinder a'r dyrnwr mawr. Daeth i'r maes gyntaf yn ystod yr Ail Ryfel (1939-45) a buan iawn ar ôl hynny daeth yn gyffredin gan ddisodli'r beinder a phob moddion lladd ŷd arall yn ogystal â'r dyrnwr mawr. Gwnaeth y cynhaeaf ŷd yn llawer llai llafurus drwy arbed y gwaith o stycio'r sgubau (stacanu), cario'r cnwd yn das yn yr ydlan, a'i ddyrnu'n ddiweddarach. Ceir y fantais hefyd o fedru byrnu'r gwellt yn y cae. Yn briodol ddigon, 'dyrnwr medi' yw'r enw Cymraeg cydnabyddedig.

1975 R Phillips: DAW 54, ... daeth y 'dyrnwr medi' neu'r *Combine Harvester* eto o'r America i gychwyn, mae hwn yn torri'r ŷd a'i ddyrnu a'i nithio yr un pryd, a'i roi mewn sachau neu ar lori ... diflannodd holl waith trafferthus yr ysgub.

com-hier *eg.* Y gorchymyn i geffyl i ddal i'r chwith neu droi i'r chwith pan yn tynnu aradr, og, ayyb, modder (Môn). Ar lafar yng Ngheredigion.

1989 D Jones; OHW 155, I'w troi i'r dde yn ein hardal ni beth bynnag, y gorchymyn fyddai 'Shi', ac i'r chwith, *com-hier*.

comin *eg.* ll. *comins, cominoedd, comisoedd.* Tir heb ei amgau yn cael ei ddal a'i bori gynt gan nifer o drigolion cymdogaeth, cytir, cimle, tir comin, tir cyffredin. Yn ddiweddarach daeth yn air am dir agored diffaith. Ceir hefyd a ffurfiau 'cwmin' a 'comis'.

Ffig. Yr ymadrodd 'ar y *comin*' neu 'ei daflu ar y *comin*' am gyflwr o wrthodiad neu o alltudiaeth, e.e. mewn gwleidyddiaeth neu mewn crefydd lle sonnir am fod 'yn y byd' mewn cyferbyniad i fod yn aelod eglwysig. Yng Nghwm Tawe clywir 'ishte ar y *comin*' am rhywun yn eistedd ar y sêt hir gydag ochr y capel. (gw. GPC) Ym Môn, ceir *comins* am feinciau neu seddau cefn y capel.

1964 Huw Llewelyn Wiliams: *T C Williams* 54, Byddai'r meinciau cefn neu'r *comins* chwedl pobl y Borth, yn llawn o fechgyn y coleg o Fangor a segurwyr y conglau ...

cominwr (*comin* + *gŵr*) *eg.* ll. *cominwyr.* Person a chanddo hawl pori ar dir comin neu'r cytir, un o nifer â hawl pori ar gomin.

comio *be.* Cau i mewn, amgae, gwarchae, carcharu. Yn amaethyddol carcharu defaid o fewn terfynau arbennig. Yn Arfon sonnir am ddiwrnod *comio*, sef y diwrnod y troid y defaid i'r mynydd ar ôl bod yn berdio neu'n *comio*.

1908 Myrddin Fardd: LLGSG 58, Gogyfer â'r cyfryw ddiwrnod – diwrnod *comio* – fel y'i galwent, byddent wedi berdio neu frigo y cloddiau – wedi gwneud carcharau neu lyffetheiriau, er paratoi at anfon y defaid i'r mynyddau.

1947 R Alun Roberts: HB 31, Cydiai'r un anesmwythyd yn y gwyddau hwythau ... Rhaid eu *comio* hwythau bellach ... a thorri eu hesgyll ...

Comisiwn Cefn Gwlad Corff statudol sy'n gyfrifol am fwynderau cefn gwlad a chadwraeth. Arwahan i ariannu gwaith a wneir gan gyrff cyhoeddus a phreifat, prif faes ei ofal yw'r 'Parciau Cenedlaethol' a'r 'Ardaloedd o Harddwch Naturiol Arbennig'.

Comisiwn Cig a Da Byw *eg.* Corff a sefydlwyd dan Ddeddf Amaeth 1967, gyda'r amcan o wella cynnyrch cig a'r farchnad gig yng ngwledydd Prydain. Rhydd wybodaeth berthnasol am y farchnad gig i ffermwyr, y lladd-dai, y cigyddion a'r cyfanwerthwyr; mae'n cynnig gwasanaeth recordio da byw ac yn asesu posibiliadau bridio; mae'n graddio a phasio anifeiliaid yn y marchnadoedd, ac anifeiliaid ar y cambren yn y lladd-dai. Rhaid i'r Comisiwn hefyd roi sylw i anghenion y defnyddwyr neu'r cwsmeriaid. Ariennir gwaith y Comisiwn gan dreth o hyn a hyn y pen ar dda byw yn y lladd-dy a chan dâl a godir am beth o'i wasanaeth. Mae hefyd yn trefnu nifer o brosiectau ymchwiliadol.

Comisiwn Coedwigo (Y) Sefydlwyd yn 1919. Yn Neddf Goedwigaeth 1967 fe'i gwnaed yn gyfrifol am bob agwedd i goedwigaeth: datblygu'r busnes tyfu coed a gwneud gwledydd Prydain yn fwy hunangynhaliol mewn coed, datblygu addysg a hyfforddiant, hyrwyddo gwaith ymchwil a darparu gwasanaeth cynghori a chymorth ariannol ar gyfer coedwigo preifat. Mae hefyd yn gyfrifol am reoli torri coed ac am gadw plâu ac afiechydon coed dan reolaeth. Yn wreiddiol un o amcanion sefydlu'r Comisiwn oedd darparu gwaith yn y cefn gwlad, yn ogystal â darparu mwynderau.

Comisiwn y Cymunedau Ewropeaidd Sefydliad holl bwysig y Comisiwn Ewropeaidd sy'n gyfrifol am ddeddfwriaeth ac argymhellion polisi i'w trafod gan 'Gyngor y Gweinidogion' cyn penderfynu arnynt. Rhanwyd y Comisiwn hwn yn ugain adran a'r rheini'n gyfrifol am bolisi ar gyfer y gwahanol feysydd megis amaethyddiaeth, yr amgylchedd, polisi rhanbarthol, cyllideb a rheolaeth ariannol.

combac *eb.* Gair sy'n dynwared swn yr aderyn, sef Iâr Gini neu Iâr India – aderyn dof aflafar ei gri a chanddo blu llwydlas ysmotiog. Ar lafar yn y De.

conasgwrn *eg.* Yr asgwrn yng nghoes ceffyl rhwng y penglin a'r egwyd yn y coesau blaen (*Metacarpal*) a rhwng yr egwyd a'r gar yn y coesau ôl (*Metatarsal*).

concrit atgyfnerthog *eg.* Trwch neu haen o goncrit a atgyfnerthwyd trwy gorffori rodiau neu fariau haearn ynddo. Fe'i defnyddir yn helaeth ar ffermydd gyda'r gwaith o wneud adeiladau newydd, rhwyll wartheg (alch wartheg), ayyb.

conell *eb.* Cynffon, bôn, rwmp (am anifail).

contractwyr amaethyddol Ymgymerwyr sy'n ymgymryd â gwaith ar y tir wedi i amaethyddiaeth gael ei mecaneiddio ar ôl yr Ail Ryfel Byd

(1939-45). Mae'n bosibl mai'r hyn a wnai'r *'War Ag'* yn ystod y rhyfel yn y cyfeiriad hwn a ddangosodd y ffordd. Cafwyd y peiriannau mawr a drudfawr, fel y tractor, y byrnwr a'r dyrnwr medi, ar y ffermydd mawr. Ond ni allai'r ffermydd llai fforddio'r peiriannau hyn. I gyfarfod angen y ffermwyr llai cafwyd y contractwyr amaethyddol, rhai yn feibion y ffermydd mwy, eraill yn annibynnol, yn cymryd belio, dyrnu, ayyb, ar dasg neu ar gontract.

1989 D Jones: OHW 197, Cyfrannodd amodau daearyddol yr ardaloedd hyn hefyd at dwf *contractowyr amaethyddol*. Y ffermydd yn gymharol fychan, ac felly'n ei chael yn anodd i brynu'r gêr drudfawr newydd iddynt eu hunain.

conwydd *etf.* un. *conwydden*. Grŵp o goed meddal â dail nodwyddog, megis coed pîn, ffynidwydd a phyrwydden. Maent yn goed sy'n tyfu'n gymharol gyflym a'u plannu'n fasnachol, oherwydd hynny'n gallu bod yn fusnes hyfyw. Maent yn arbennig o addas ar gyfer ucheldir noeth a thir sur (S. *conifers*).

conyn gw. CAWN.

cop *eg.* Canol cefn mewn cae âr, y cwysi cyntaf a dorrir ac a droïr at ei gilydd wrth gychwyn aredig cefn (grwn) mewn cae âr. Ar lafar ym Maldwyn.

cop, cop, cop Y sŵn a wneir wrth alw ceffyl mewn rhai ardaloedd. Weithiau mae'n swnio fel 'cyp, cyp, cyp'.

1966 *Cofio Leslie Richards* 17, Pan fydde'n nhad yn galw ar geffyl fe fydde'n mynd i'r bwlch ... a gwaeddi *'cop, cop, cop'* neu *'cyp, cyp, cyp'*.

copa
1. *eg.* Y tusw o blu sy'n tyfu ar ben iâr, copa iâr.
'Mi 'faelais yn 'i *chopa* hi.'

2. *eg.* ll. *copaon*. Trum,. brig, pen (am fynydd neu fryn) – *copa*'r bryn, *copa*'r mynydd. Sonnir am *gopa*'r Wyddfa.
'Mae'r *copa* o'r golwg heddiw (niwl).'
1761-1844 T Williams: LLEM 389 (1929), I *gopa* Bryn Nebo mi awn,/I weled ardaloedd sydd well.

C.O.P.A. *ep.* Talfyriad o *Comite des Organisations Professionelles Agricoles des Pays de la Communante Economique Européenne*, sef y corff sy'n cynrychioli Undebau Amaethyddol gwledydd y Gymuned Ewropeaidd, â'i bencadlys ym Mrwsel. Fe'i cydnabyddir yn swyddogol i bwrpas trafod materion amaethyddol â swyddogion y Gymuned.

copi *ebg.* Llwyn o goed, nyrs goed, coedwig fechan (S. *coppice*).
1690 Brog. 8223 5, Yn kau Rwng y *copi* ar worglodd ...
1981 GEM 24, Copi – llwyn o goed.
'Oedd na barsel o wningod yn y *copi*.'

copin *eg.* Cerrig wedi eu gosod ar eu cyllyll (ar eu cil) ar ben wal gerrig, yn addurn ac yn peri i'r wal edrych yn fwy gorffenedig.

copio *be.* Codi canol cefn mewn cae âr, agor cefn, agor grwn (o cop –

canol cefn, gw. COP). Ar lafar ym Maldwyn.
1981 GEM 24, *Copio* – agor y gwys gyntaf wrth aredig.

copsi *eg.* ll. *copsiau.* bach. *copsien.* Y cwlwm uchaf sy'n ffurfio brig to tas wair a thas ŷd crynion. Ar lafar yn y De.
1989 P Williams: GYG 47, *Copsi* a roddid ar ben helmi llafur. I ddechrau clymid saith dyrnaid o frwyn arwahan i'w gilydd, yna clymu dau ben gyda'i gilydd, a chlymu dau ben arall odditanynt a rhyngddynt. Erbyn i'r seithfed tusw gael ei glymu, a thusw bach i selio'r cydiad rhwng pob un ohonynt, byddai'r pen wedi mynd yn fralog (bratiog). Torrid ef wedyn o'r tu mewn â chyllell a'i glymu'n dynn tua dwy fodfedd rhwng pob cwlwm i ddechrau. Parheid i dorri a chlymu nes bod y pen yn bigfain tua naw modfedd o hyd, a'r gwaelod yn hongian yn rhydd. Edrychai'r *copsi* erbyn hyn fel ambarel wyneb i waered. Câi ei gario wedyn i frigyn yr helmi, a'i osod i eistedd arno, y pigyn yn sefyll i fyny'n syth, a rhoddid prica cryf drwyddo. Yna taenid y gwaelod rhydd dros yr helmi, y wanaf uchaf o'r to yn cael ei rhoi oddi tano i'w chyfuno a'i sicrhau â twein toi a phricie.

copsol, copstol ('t' ymwthiol) *eg.* Y ddyfais ym mlaen yr aradr geffyl lle bachid bondid y bonbren (tinbren) fawr, ceiliog, ffrwyn, teibo. Byddai'r *copsol* yn ei gwneud yn bosibl i symud y fondid o un ochr i'r llall yn ôl yr angen at ledu neu gulhau'r gwys, neu rhag i'r aradr lithro a cholli ei chwys ar lechwedd, ayyb.

Un o ddifyrion y llofft stabal oedd 'tynnu *copstol*', sef tynnu torch (Môn), pan eisteddai dau ar lawr â gwadnau traed y naill yn erbyn gwadnau traed y llall. Yna rhwng y ddau byddai ffon neu bastwm cryf y gafaelai'r ddau ynddo â'u dwy law a thynnu â'u holl nerth nes bod un yn codi'r llall, ac felly'n profi pwy yw'r cryfaf.
Gw. CLUST ARADR, TEIBO.

côr
1. *egb.* ll. *corau, corydd.* Yn amaethyddol, ac mewn rhai ardaloedd, gorweddle buwch yn y beudy, stâl y beudy, lle'r aerwyir neu y rhwymir y fuwch wrth gledren neu fuddel.
1989 D Jones: OHW 262, Cedwid gwartheg mewn beudai y pryd hwnnw gydag aerwy i bob un yn ei *chôr*.

2. *eg.* ll. *corau, corydd.* Y beudy yn ei gyfanrwydd, y beudy fel y cyfryw. Ar lafar ym Meirion a Chlwyd.
'Gollwng y buchod o'r *côr.*'

3. *eg.* ll. *corau.* Y bing (ffodrwm, alai, ransh) o flaen y gwartheg yn y beudy, lle cedwir porthiant yn hwylus i'w roi yn eu presebau.
1996 FfTh 17, 39, Fy ngwaith i oedd torri a chario gwair o'r tŷ gwair i fewn i *gorau* y ddau feudy.

4. *eg.* Y cefngor neu'r palis o flaen y buchod yn y beudy, y pared isel rhwng pennau'r gwartheg a'r bing ac yn ffurfo cefn i'r presebau. Ar lafar ym Môn a Maldwyn.
1981 GEM 24, *Côr* – y rhan o'r beudy sydd rhwng y fuwch a'r bing.

côr pesgi *eg.* ll. *corau pesgi.* Yr adeilad neu'r beudy lle porthir ac y pesgir gwartheg stôr a gwartheg tewion. Gynt gallai fod yn adeilad i aerwyo (clymu) gwartheg neu'n lwsbocs lle symudai'r gwartheg o gwmpas. Ar lafar yn Nyffryn Tanat.

corbedwyn

1. corbedw *eg.* Y mochyn neu'r porchell lleiaf a gwanaf mewn torllwyth o foch, bach y nyth, cwlin, crinc.
Ffig. Rhywun bychan, eiddil mewn teulu, edlych.
Gw. CARDYDWYN, CRINC, CWLIN.

2. *eg.* Rhywbeth wedi sychu a chrebachu'n ysglodyn, megis rhisgl, ŷd, ayyb. Yn sir Frycheiniog mae'n air am ŷd gwan neu ysgafn yn enwedig gwenith; yn y De Ddwyrain gair am 'risgl tenau'r dderwen'. Yn y Gogledd arferir y gair yn yr ystyr 'corrach',.'swbach' (dyn wedi crebachu). Sonnir am yr 'hen gorbed'.

corboi *eg.* Gair Llŷn am lefnyn o hogyn tua phymtheg oed.
'Mi f'asa' cael rhyw *gorboi* i nôl y gwartheg a ballu reit hwylus.'

corbwll

1. *eg.* ll. *corbyllau.* Pwll o ddŵr lleidiog, mwdlyd, budr, megis aml i bwll chwiaid.
Ffig. Cyflwr moesol ac ysbrydol enbydus.
1658 R Vaughan: PS 197, *Corbyllau* eich bodlonrwydd cnawdol.

2. *eg.* ll. *corbyllau.* Trobwll, pwll tro. Ar lafar yn yr ystyr hwn ym Môn.

corbys *ell.* un. *corbysen.* Rhywogaeth o bys mân, ffacbys, pys y llygod, gwygbys.
1620 Esec 4.9, Cymer i ti hefyd wenith, haidd, a ffa a ffacbys, a milet a *chorbys.*

corclawdd *eg.* ll. *corcloddiau.* Clawdd isel, ac yn aml clawdd isel y tyfir gwrych ar ei ben neu clawdd y gosodir ffens ar ei ben. Amr. 'corclaw' (Dyfed), 'orclawdd' (Ceredigion) ac yn golygu clawdd pridd sy'n gaead ar gae.
1760 E Williams: UYB 151, ... tybied y gallant gyrchlammu drosti fel dros ryw *orclawdd* isel.

cord *eg.* ll. *cordau, cyrd.* bach. *corden, cordyn.* Yn amaethyddol, math o anaf neu anhwylder ar goesau ôl ceffyl, clunheciant. (S. *cords, spring-halt*) Ar lafar yn y De.
'Ma tipyn o'r *gorden* yng nghoes y gaseg.' (GPC)

corden *eb.* Ffurf lafar yn y De ar 'cord', sef llinyn, cortyn (Gogledd).
1992 FfTh 9, 10, Trowser rip a legins lleder,/Ie, a bwndel o *gorden* beinder.
Gw. CORTYN.

corden beinder gw. CORTYN BEINDER.

corden coch gw. CORTYN TOI (COCH).

corden croesion gw. RHAFFAU TRAWS.

cordedwyn gw. CARDYDWYN, CORDYDWYN.

cordeddu *be.* Troi, nyddu, plethu, eilio, cyfrodeddu. Yn amaethyddol *cordeddu* rhaffau gwellt neu raffau toi â'r cordeddwr (Llŷn) neu'r pren rhaffau, gwneud neu nyddu rhaffau.
Gw. EILIO, GWNEUD RHAFF, PLETHU².

cordeddwr *eg.* Enw yn Llŷn ar bren rhaffau.

1993 FfTh 12, 5, Roedd pawb yn gytûn mai 'pren rhaffau' oedd y gwrthrych, sydd hefyd yn dwyn yr enw *cordeddwr* yn Llŷn.

Gw. CORDEDDU, PREN RHAFFAU.

cordyn gw. CORTYN, CORDEN.

cordyrói, cordrói *eg.* Math o ddefnydd rhesog y gwneid trowsus gwaith ohono gynt, trowsus melfared (Môn, Arfon), trowsus rhesog (Meirionnydd), trowser rip (Ceredigion). Dyma'r math o drowsus a wisgai gweision ffermydd bron yn ddieithriad am ei fod yn ddeunydd yn gwisgo'n dda. Mynd at y teiliwr lleol, rhyw unwaith y flwyddyn i gael eu mesur am drowsus *cordrói* a wnai'r llanciau. Yn ddiweddarach y daeth yn rhywbeth y gellid ei brynu'n syth o'r siop. Gwasanaethodd weision ffermydd yn ardderchog. Cymerai ei olchi drosodd a throsodd. Yn raddol, wrth ei olchi, collai ei liw melyngoch gwreiddiol nes mynd yn wyn gwelw.

cordd *ebg.* Gordd neu ffon buddai gnoc, ac hefyd, yn aml, y fuddai ei hun, y fuddai fel y cyfryw.

1841 AL (A Owen) 2, 262, Un aradyr, un odyn, ac un *gordd*.

Gw. BUDDAI GNOC.

corddi *be.* Ysgwyd, curo neu gyffroi llaeth neu hufen mewn buddai (corddwr) i'w droi'n fenyn. Â llaw y corddid gynt: curo'r llaeth â'r ordd yn y fuddai gnoc, (gw. BUDDAI GNOC); yn ddiweddarach drwy gyfrwng handlen troi asgell tu mewn i'r fuddai (buddai ystyllod, corddwr mawr); yna yn nauddegau a thridegau'r 20g daeth y fuddai gasgen (buddai ben-dros-ben) pan gorddid yr hufen yn unig ar ôl i'r separetor ddod yn gyffredin. Hyd ganol y 19g peth digon cyffredin oedd gweld ci yn corddi (gw. CI CORDDI), a chyffredin hyd ddau ddegau'r 20g oedd gweld ceffyl yn corddi (gw. PŴER). Ystyrid corddi yn orchwyl arbennig o ddiflas boed â llaw, â chi neu â cheffyl.

1620 Diar 30.33, Diau *corddi* llaeth a ddwg allan ymenyn.

1928 G Roberts: AA 15, Y merched, fel rheol, fyddai'n gwneud y gwaith caled o *gorddi*.

1928 G Roberts: AA 15, Ynglŷn â'r fuddai droi ceid trefniant i roi tri neu bedwar o gorgwn trymion i wneud y gwaith. Math o 'treadmill' ydoedd hwn o'r cynllun ag a fu mewn bri i gosbi troseddwyr yn yr hen garcharau, cyn i John Howard argyhoeddi amryw lywodraethau yn Iwrop ei fod nid yn unig yn annynol, ond yn anfuddiol hefyd.

1955 Llwyd o'r Bryn: YP 111, Cwestiwn y diamynedd bob hyn a hyn oedd "Be mae o'n i wneud?" a deuai'r ateb drwy dwll y werthyd. Yn gyntaf "Mae o'n torri", yn ail "Mae o'n britho", ac yn drydydd "Mae o'n fenyn mân", yn bedwerydd "Cer dro neu ddau".

1980 J Davies: PM 51, Corddi byr fyddai *corddi*'r gaeaf fel rheol a llwyddo i 'hitio'r llaeth ar ei dalcen' yn weddol ddidrafferth, ond unwaith y dôi tywydd poeth yr haf gallai olygu oriau o droi a throi di-dor, a'r hufen yn gyndyn ryfeddol o droi'n fenyn ...

Ffig. Troi pethau yn y meddwl, neu mewn tymer ddrwg.

'Roeddwn i'n meddwl fod popeth wedi ei setlo, ond dal i *gorddi* am y peth ma' Ifan.'

'Ma'r cythra'l yn *corddi*'n go arw heddiw.'

'Ma'i gydwybod yn 'i *gorddi*' – ymddwyn fel un euog.

Dywed. '*Corddi* llaeth enwyn' – gwneud rhywbeth hollol ddifudd.

Gw. CORDDWR.

corddaid, corddiad

1. *eg.* ll. *corddeidiau.* Hynny o laeth neu o hufen a gorddir ar y tro.

1928 G Roberts: AA 15, Llaeth cadw fel y gelwid ef – i suro ac hyd nes y ceid digon o *gorddiad* yn ôl maint y fuddai.
'*Corddiad* bach sydd yma heddiw.'

2. Swm y menyn a geir ar y tro o gorddiad o laeth.
'Mi gefais *gorddiad* da heddiw – deunaw pwys.'

corddlan Ffurf ar 'corlan'.
Gw. CORLAN.

corddlanu Ffurf ar 'corlannu'.
Gw. CORLANNU.

corddwr

1. *eg.* Y llestr neu'r fuddai y corddir llaeth yn fenyn ynddi. Dyma air rhai ardaloedd am fuddai, e.e. sir Fôn. Troi'r *corddwr* a wneir yno, ac nid troi'r 'fuddai'.

E Grace Roberts (Llangefni): Nod. i AWC, Cofiaf y *corddwr* mawr sgwâr wedi ei wneud o bren trwchus, aden o bren tu fewn iddo ac echel yn mynd trwyddi ...
Gw. BUDDAI, CORDDI.

2. *eg.* Y sawl sy'n troi'r corddwr neu'r fuddai.
'Fachgen, rhaid dy fod yn *gorddwr* gwastad, mae'r llaeth yn troi'n fenyn yn barod.'

corddyn *eg.* ll. *corddynau.* Cetyn neu golyn giât neu ddôr, bach giat.
Gw. BACH GIAT, COLYN.

cored *eb.* ll. *coredau, coredi, coredydd.* Argae ar afon neu le wedi ei godi i reoli ei llif dŵr y naill ai drwy ei ddal neu drwy ei droi a'i sianelu, e.e. y lle y sianelir afon i bynfarch, sef ffrwd neu gafn dŵr melin. Yn aml clywir y gair â'r 'c' wedi ei threiglo'n 'g' – y 'gored'.

1966 D J Williams: ST 30, ... ar yn ail a baldordd uchel y dŵr wrth ddisgyn dros *ored* y felin gerllaw.
Gw. GORED.

corewin *eg.* ll. *corewinedd.* Math o fys troed heb ddatblygu a welir ar sawdl gwartheg, moch a chŵn.

corfannu *be.* Yn amaethyddol, hollti dwy gwys olaf cefn o âr (corfan) yn eu canol.

1963 LlLIM 93, *Corfannu* – hollti dwy gwys olaf cefn o âr, (sef corfan) yn eu canol ac yna codi ychydig o bridd atynt. Dyma'r rhych ar ôl gorffen aredig.

corfarch *eg.* ll. *corfeirch.* Ceffyl bychan, byrdew, cryf, merlyn neu gobyn cryf, ebolfarch.
Gw. COB.

corfrwyn *et.* un. *corfrwynen.* Brwyn mân, brwyn cwta, brwynach (*Jungus uligonus*).

corfryn *eg.* ll. *corfryniau, corfrynnau.* Bryn bychan, bryncyn, twyn, twmpath, cnwc, ponc.

corffi

1. *be.* Bwyta, ymborthi, cymryd bwyd. Ar lafar yn De.
GPC, Ni allai *gorffi* tamaid (Morgannwg).
1618 J Salisbury: EH 247, Er hanner nos heb *gorffi* dim, ie heb gymryd llymeityn o ddŵr.

2. *be.* Sythu, rhynnu, fferru, trigo, mynd yn gelain neu'n gorff.
'Agor y giat 'na i'r buchod gael dod i mewn, ma'n nhw bron *corffi*.'

Corfforaeth Da Tewion *eb.* Cwmni cig cyfanwerthol, y mwyaf o'i fath yn Ewrop, (FMC), yn prynu anifeiliaid tewion, eu lladd a dosbarthu'r cig a chynhyrchion cig. Fe'i sefydlwyd yn gwmni cyfyngedig yn 1954 gan Undeb Cenedlaethol yr Amaethwyr. Daeth yn gwmni cyhoeddus yn 1962. Mae i'r Gorfforaeth rwydwaith o ladd-dai, ffatrioedd prosesu cig, lleoedd i halltu cig moch a lleoedd i ganio a rhewi cynnyrch cig.

corgi *eg.* ll. *corgwn.* Ci bychan Cymreig o ddau fath, Corgi Ceredigion a Chorgi Penfro, – Corgi Ceredigion ychydig yn fwy a'i gynffon ychydig yn hwy. Yn wreiddiol 'ci sawdl' oedd y corgi. Yn ddiweddarach y daeth yn gi anwes. Gynt, fe'i defnyddid yn 'gi corddi' hefyd.
1928 G Roberts: AA 15, Ynglŷn â'r fuddai droi ceid trefniant i roi 3 neu 4 o *gorgwn* trymion i wneud y gwaith.
Ffig. Plentyn neu berson afrywiog ac anodd ei drin.
'Cer i dy wely 'rhen *gorgi* bach.'
1703 E Wynne: BC 93, *Corgi* o ddieflyn bach.

corieir gw. PETRIS.

corio, corri (o *cor* = bychan) *be.* Dirywio, wastio, teneuo, crebachu (am anifail), mynd yn ei ôl yn lle dod yn ei flaen o ran ei gyflwr, yn gwaelu ei olwg yn lle gwella'i olwg. Ar lafar ym Môn. Ym Mhowys ceir y ffurf *corri.*
GPC 'Ma'r defed wedi *corri*.

corisa gw. YSNODI.

corlac gw. COLRAC[1],[2],[3].

corlaco (*cor* + *llocio?*) *be.* Corlannu, hel at ei gilydd, casglu ynghyd (am anifeiliaid, yn enwedig defaid). Ar lafar yn Ne Ceredigion.

corlan

1. **corddlan** (*cordd* [mintai] + *llan* [lle wedi ei gau]) *eb.* ll. *corlannau, corlennydd.* Lle wedi ei amgau i gorlannu defaid (fel rheol), i bwrpas eu cneifio, eu didol, trin eu traed, eu nodi, ayyb, lloc, ffald, cail, caeor, defeity. Ar y cyfan *corlan* a glywir yng Ngwynedd, 'lloc' (De Ceredigion a sir Gaerfyrddin), 'toc', 'catsh', *corlan* (sir Benfro), 'ffald' (Morgannwg a Mynwy),' buarth' (Dyffryn Conwy).
1620 Num 32.16, *Corlannau* defaid a adeiladwn ni yma i'n hanifeiliaid.
1620 Barn 5.16, Paham yr arhosaist rhwng y *corlannau* i wrando brefiadau y defaid.
Dywed. 'Ofer cau'r *gorlan* wedi i'r ddafad fynd allan.'
Gw. CAEOR, CAIL, FFALD, LLOC.

2. Y praidd, y ddiadell, y defaid yn y gorlan.
Ffig. (Beiblaidd)

1620 Ioan 10.16, Yna y bydd un *gorlan* ac un bugail.
1620 Ioan 10.16, Defaid eraill sydd gennyf y rhai nid ynt o'r *gorlan* hon.
1672 J Langford: HDdD 118, O fewn *corlan* yr eglwys.

corlan fabwysiadu *eb.* Lle cyfyng pwrpasol at roi oen a gollodd ei fam a dafad a gollodd ei hoen, er mwyn i'r oen sugno'r ddafad ac i'r ddafad dderbyn yr oen.
Gw. hefyd MABWYSIADU.

corlannu *be.* Hel defaid i gorlan, cau defaid mewn corlan, llocio defaid. Weithiau am anifeiliaid eraill hefyd.
1620 Jer 33.12, Bydd eto yn y lle yma ... drigfa bugeiliaid yn *corlannu* y praidd.
Ffig. Cynnull pobl a phethau.
'Wyt ti'n llwyddo i'w *corlannu* nhw'n golew yn Salem acw?'
'Ma'r bardd wedi *corlannu* meddylia' pert iawn yn y gerdd yma.'

corlannaid *eb.* ll. *corlaneidiau.* Llond corlan, diadell niferus, dda.
1777 W Williams: TEA 9, Cant i un fod Satan yn llonydd i'r fath *gorlannaid* o ddefaid.

corlog Ffurf dafodieithol ar 'colrac' (sir Benfro).
Gw. COLRAC.

corn
1. *eg.* ll. *cyrn.* ll. dwbl. *cyrnau, cyrnod.* Yn amaethyddol un o'r ddau dyfiant caled sy'n ymestyn allan yn flaenfain o bennau rhai anifeiliaid carnol megis gwartheg, defaid, geifr, ceirw; *corn* buwch, *corn* tarw, *corn* hwrdd, ayyb.
Dych. Y math o dyfiant a briodolir i'r diafol, y cythreuliaid a'r duwiau chwedlonol.
Dywed. 'Â'i *gorn* dano' – â'i gyllell yn rhywun.
'Â'i *gorn* dano' – isel ysbryd, pen isel mewn gofid o ryw fath, fel buwch yn gwrthod codi ei phen pan yn anhwylus.

2. *eg.* Rholyn o unrhyw beth yn enwedig brethyn neu wlanen ar ôl eu pannu mewn pandy.
1933 H Evans: CE 91, ... tynnid y brethyn neu y wlanen allan, ... a'i rhoddi ar y dentur i sychu ... ac wedi iddi sychu gwneid hi yn *gorn*, sef yn rholyn.

corn aradr *eg.* ll. *cyrn aradr.* Y rhan o aradr geffyl y gafaelir ynddi i ddal yr aradr wrth aredig, braich aradr, a chan fod dau *gorn*, un ar gyfer bob llaw, yn y lluosog y clywir y gair amlaf – *cyrn yr aradr*, cyrn y gwŷdd (Môn). O bren y byddai'r rhannau o'r cyrn y gafaelid ynddyn nhw – pren onnen fel rheol – am fod pren yn gynhesach, yn llyfnach ac yn esmwythach i afael ynddo na haearn. Gyda rhai erydr ceid y cyrn neu'r dyrnau pren wedi eu naddu i fynd i soced bwrpasol ym mlaen y breichiau (heglau, haeddelau), ond gyda rhai eraill byddai blaen main ar y breichiau i fynd i dyllau pwrpasol yn y pren, ac amgarn amdano rhag iddo hollti yn ei waith.
Gynt rhan o uchelgais hogyn gweini oedd cael ei hun 'rhwng *cyrn yr aradr*', h.y. yn 'gertmon' neu'n 'hogyn yn gyrru'r wedd', sef y safle uchaf fel gwas fferm. Ar lafar yn gyffredinol.
'Waeth imi heb na thrio ca'l yr hogyn 'ma i aros yn 'r ysgol, 'rhwng *cyrn yr arad*' mae o am fod a dyna fo.'
1774 H Jones: CYH 40, Cyn dechrau ar eu gwaith (paganiaid) eu harfer ydoedd gosod eu

llaw ar *gorn yr aradr,* a chodi'r llaw arall i fyny at Ceres, sef duw yr ŷd, fel y galwent hwy ef. **1966** D J Williams, ST 56, Rhoddai ambell binsied gas ar ochr y gaseg â'r lein hir honno a gyrhaeddai o'r ffrwyn yn ei phen hyd at ei ddwrn caeëdig ef am *gorn yr aradr.*

corn bloneg *eg.* ll. *cyrn bloneg.* Corn anifail wedi ei sychu at ddal irad neu saim i'w daenu ar y stric hogi pladur. Yn gymar i'r *corn bloneg* ceid hefyd y 'corn grud', sef y corn buwch a ddenfyddid i ddal y grud (grut, tywod bras) a roid ar y saim ar y stric i bwrpas hogi pladur.
Gw. CORN GRUD, GRUD, STRIC.

corn cinio *eg.* ll. *cyrn cinio.* Yr alwad ar ffermydd i'r gweision ddod am eu cinio, weithiau drwy gyfrwng cloch – cloch law neu gloch ar dalcen adeilad ar ffurf cloch eglwys, weithiau defnyddid chwisl ac weithiau gragen y chwythid iddi i wneud sŵn. Defnyddid yr ymadrodd 'cloch cinio' a *corn cinio* am yr alwad yn fwy nag yn llythrennol am gloch neu gorn neu chwistl. Yng Ngheredigion ceir 'corn powt' ac yn Edeirnion 'corn hir'.
1955 Llwyd o'r Bryn: YP 90, Synnaf weithiau, pa sut y clywai gwerin gwlad fod yr atafaelwyr wedi cyrraedd, cyn bod sôn am giosg na theliffon. Eithr y *corn cinio* a wnaeth y gwaith.

corn cornio gw. CORN DRENSIO.

corn cynhaeaf gw. CORN Y FEDEL.

corn dolly eb. Caseg Fedi a wneid mewn rhai ardaloedd ar gyfer yr Ŵyl Ddiolchgarwch.
Gw. CASEG FEDI.

corn dosio gw. CORN DRENSIO.

corn drensio *eg.* ll. *cyrn drensio.* Y corn a ddefnyddir i orfodi meddyginiaeth i lawr corn gwddf anifail clwyfus, 'corn dosio' (Dinbych), 'corn cornio' (Môn). Ar lafar yn Nyfed.
E Grace Roberts: Nod. i AWC, Bydde corn buwch i'w weld yn hongian yn y beudy. Diben hwn oedd os bydde anifail yn wael, byddem yn tywallt ffisig y ffarier i'r corn, un dyn yn cydied yn gyrn yr anifail ac un arall yn tywallt y ffisg yn araf i'w safn.

corn dyrnu *eg.* ll. *cyrn dyrnu.* Chwiban neu chwistl yr injan stêm a atseiniai dros y wlad bore diwrnod dyrnu i alw'r criw dyrnu at ei gilydd o'r ffermydd cyfagos.
1981 W H Roberts: AG 61, Tua saith y bore fe glywid y ffliwt yn diasbedain drwy'r ardaloedd ...
Gw. FFLIWT.

corn egwyd *eg.* Y corn bychan a guddir gan dusw o flew bacsiau tu ôl i egwyd ceffyl.

corn y fedel *eg.* ll. *cyrn y fedel.* Y sŵn a wneid gynt i alw'r medelwyr at eu gwaith ben bore. Byddai rhai pobl yn ddyledus i ffermwr am ryw resymau neu'i gilydd, wedi cael benthyg offer neu geffyl, ayyb, ynghyd â'r drefn o ffeirio neu gyfnewid llafur. O safbwynt y ffermwr gelwid hyn yn 'ddyled cynhaeaf' mewn rhai rhannau o'r wlad, a phan ddoi adeg y cynhaeaf chwythid y 'corn cynhaeaf' neu *gorn y fedel* i alw'r dyledwyr cynhaeaf i'r fedel.

1958 I Jones: HAG 66, Toddi eu dyled y byddai'r mwyafrif wrth ymateb i *gorn y fedel*: talu am swrnai cert i ymofyn glo neu goed, neu dalu am le heuad winsin o datws, neu am wasanaeth pâr o geffylau a gweithiwr i 'osod y lle bach' neu efallai am ŷd neu flawd neu gosyn a brynasant am hyn a hyn o ddiwrnodau o gynhaeaf.

corn grud, corn grut, corn grit *eg.* Corn i ddal y grut (tywod bras) a roid ar y stric i hogi pladur. Corn buwch a chorcyn arno fyddai'r *corn grut* a'i bartner y corn bloneg (gw. CORN BLONEG), sef y bloneg a daenid ar bedair ochr y stric neu'r grudbren i ddal y grud.

Mae'n amlwg bod y *corn grud* a'r 'corn bloneg' yn prysur ddiflannu yn nauddegau a thridegau cynnar y ganrif hon (20g) yn ffafr y galen hogi, lle parheid i ddefnyddio pladur neu'n fwy fyth yn ffafr y peiriant lladd gwair a'r ripar i ladd ŷd.

1933 H Evans: CE 141, A ydyw y stric, y *corn grut hir*, – corn buwch a gwaelod pren a hic yn agos i'r top lle y gwthid darn bach o bren yn gaead, – a'r 'corn bloneg', pwt, byr, tew, wedi ei wneud yr un modd, wedi diflannu, a dim ond y gresten yn aros?

1981 W H Roberts: AG 59, Cael gafael ar garreg rud i ddechrau a chrafu honno efo hen lafn injan ladd gwair nes cael pentwr o'r grud mân. Cymryd potel dri hanner peint wedyn a'i rowlio nes y byddai mor fân â phosibl, a'i gadw mewn 'corn cornio'.

Gw. GRUDBREN, GRUT, GRUTIO, STRIC.

corn hir gw. CORN CINIO.

corn melys *eg.* Amrywiol fathau o Indrawn gyda thywysennau melys a dyfir gryn lawer heddiw i'w fwyta gan bobl. Yn ddiweddar, cynyddodd y galw amdano'n ddirfawr, ac fe'i gwelir ar werth yn ei dymor wrth fynedfeydd ffermydd sy'n ei dyfu. Yn Ne Lloegr y tyfir y rhan fwyaf hyd yn hyn.

corn mwnci *eg.* Un o ddau bigyn y mwnci am goler ceffyl. mae'r ddau bigyn â chamedd at allan ac felly, o ran ffurf yn debyg i gyrn anifail. Ar lafar ym Môn.

'Mi hongiais y rêns am *gorn y mwnci* a th'wsu'r ceffyl hyd nes iddo setlo'i lawr yn 'i waith.'

Gw. COLER, MWNCI, YSGARAN.

corn pabwyr *eg.* Brwyn neu babwyr wedi eu rhwymo'n fwndel neu'n dusw i'w gwerthu.

1928 G Roberts: AA 50, Wedi cael nifer digonol (o babwyr) rhwymid hwynt yn y ddau ben gyda dwy bilionen a dynnid i ffwrdd. Dyna *gorn o babwyr*, 12 modfedd o hyd ac wyth o gylch-fesur.

1981 GEM 25, Hen wragiedd yn cierred hyd y byd a'r wlad i werthu *cyrn pabwyr*.

Gw. CORN².

corn pori *Ymad.* Ymadrodd yn Llŷn am gorn gwddw anifail. Ar lafar yn Nefyn. Ym Môn ceir 'sefnig' am *corn pori* (o safn = ceg).

corn powt (Ceredigion) gw. CORN CINIO.

corn pren Y darn pren crwn ar freichiau'r aradr geffyl y gafaelir ynddo wrth aredig, dwrn aradr, carn aradr. Fel rheol gwneid y corn o bren

onnen am ei fod yn llyfnach i law afael ynddo.
Gw. CORN ARADR, DWRN.

cornant *ebg.* ll. *cornentydd, cornaint.* Afonig neu nant fechan, ffrwd wyllt ac weithiau ceunant.
1958 I Jones: HAG 2, Rhedai nant fechan (*cornant*) o fewn rhyw drugain llath i'r tŷ.

cornbriddo (*corn* + *priddo*) *be.* Tolcio neu dwrio'r ddaear neu glawdd pridd â'u cyrn (am fuwch neu darw), pendurio, corndwrio.

cornchwiglen gw. CORNICYLL.

cornicyll *eb.* ll. *cornicyllod.* Cornchwiglen (Môn), cornycyll (Dyfed), chwilgorn y waun, chwilgorn llwyd, cornor y gwaenydd (S. *lapwing, peewit*).

cornio
1. *be.* Hyrddio, gwanu â'r cyrn, ymosod â'r cyrn, pendaro (am darw, hwrdd, ayyb).
1620 Ecs 21.28, Pan yw ych yn cornio gŵr neu wraig i farwolaeth, llabyddier yr ych.
Ffig. Ymosod yn eiriol ffyrnig ar rywun.
1587 E Prys: Gwaith 73, Tydi trwy sgorn a *chornio*,/A fyn bai i'r fan ni bo.
'Roedd y cadeirydd yn *cornio*'n go arw yn ei anerchiad.'

2. *be.* Gorfodi ffisyg i lawr corn gwddf anifail â 'chorn cornio' neu 'gorn drensio'.
Ffig. Ymateb (yn negyddol) i gymhelliad i gymryd rhagor o fwyd.
'Chymera'i ddim rhagor 'tasa chi'n 'i *gornio* fo i mi.'

corniog, cornog *a.* Â chyrn ganddo (am anifail), yn tyfu cyrn, anifail corniog, anifail bannog. Yn aml cyfeirir at y gwartheg fel y 'da corniog' mewn cyferbyniad i'r 'da gwlanog' (defaid) a'r 'da pluog' (dofednod).
1620 Salm 69.31, A hyn fydd well gan yr Arglwydd nag ych neu fustach *corniog*, carnol.
Hwiangerdd. 'Mae gen i ddafad *gorniog*/Ag arni bwys o wlân.'

cornogyn *eg.* ll. *cornogion.* Cunnog laeth, piser llaeth, math o lestr llaeth wedi ei wneud o gorn.
1562 B 1, 326, *Kornogyn* – kunoc neu pickin.

cornwyn *a.* Â chorn gwyn neu â chyrn gwynion (am anifail).
1716-18 Llsg R Morris 116, Bu feirw ngwartheg *curnwynion* teg.

corryn *eg.* Pryf cop, copyn. Ar lafar yn sir Benfro.

coryn ystwc *ebg.* Handlen pwced, clust stên, *Ystwc (stwc)* – gair Dyfed am bwced neu gunnog.

cors *eb.* ll. *corsydd, cyrs.* Arwynebedd o dir, neu weithiau ddarn o wlad gwlyb, meddal, siglennog, gwaun isel wleb, siglen, mignen, gwern, sugndir. Arwahan i'r mân gorsydd ar ffermydd ceir hefyd yng Nghymru rai corsydd eang megis 'Cors Trygarn' (Môn), 'Cors Fochno' a 'Chors Caron' (Ceredigion). Gwelir y gair yn elfen mewn enwau lleoedd dros y wlad megis 'Y Gors', 'Cors yr Eira', 'Glangors', ayyb.
1620 Esec 47.11, Ei lleoedd lleidiog a'i *chorsydd* ni iacheir.

1938 T J Jenkin: AIHA AWC, *Cors* – yn wlypach na'r waun – a pherygl suddo ynddi – ond ambell dro gelwid rhos oedd yn wlyb iawn mewn mannau ond na fyddai ond gwaun mewn mannau eraill yn *gors* …

Ffig. Sefyllfa anodd, methu cael glan mewn anerchiad, ayyb, a chyflwr ysbrydol diffaith.

'Yr hen druan, fe aeth i'r *gors* yn lân wrth drio ateb.'

1672 R Prichard: Gwaith 187, Tynn ar frys o'r *gors* o feddwdod.

Am rhywun â'i frest yn ddrwg, dywedir ei fod 'yn *gors* i gyd', neu 'ei frest yn *gors*' neu ei fod 'yn *gors* o annwyd'.

Gw. hefyd GWER, MIGN, SIGLEN.

corsen *eb.* ll. *cyrs.* Cawnen, brwynen, cecysen, calaf.

1620 Math 12.20, *Corsen* ysig nis tyr, a llin yn mygu nis diffydd.

cors fawn *eb.* ll. *corsydd mawn.* Mawnog, tir corslyd, mawnoglyd lle ceir mawn, daear fawnoglyd, traeth fawn (Brycheiniog), mign mawn.

corsfrwyn *ell.* un. *corsfrwynen.* Llafrwyn, brwynwellt, brwyn a dyf mewn corstir.

Dywed. 'Gweld cwlwm mewn *corsfrwynen*' – gweld bai lle nad oes fai.

corsiog, corslyd, corsog *a.* Gwlyb, siglennog, gwernog.

1604-7 TW: Pen 228, Gwernog *corsog* o'r morfa.

Ffig. Brest yn llawn annwyd a fflem – 'brest *gorsiog*'. Ar lafar yng Ngheredigion.

corsle, corstir *eg.* ll. *corsleoedd, corstiroedd.* Tir corsiog, lle siglennog, gwlyb. Hefyd lle y tyf cyrs neu frwyn.

Gw. CORS.

corstir gw. CORSLE.

corswellt *ell. et.* Cawnwellt, brwynwellt, unrhyw un o'r nifer o'r gwellt neu wair tal, main, a dyf mewn tir gwlyb, corsiog, coes neu galaf unrhyw un o'r rhain.

1770 W, Math ar *gorswellt*, ar ba un yr ymbesga colomenod ar ryw amser o'r flwyddyn.

cort, cortyn, cordyn *eg.* ll. *cyrt, cortynau, cyrts.* bach. *cortyn, corden.* Tennyn, llinyn neu ddarn o raff wedi ei blethu neu ei gyfrodeddu o ddwy neu dair cainc. Ar lafar, fel rheol, yn y ffurf *cortyn* neu *gordyn* neu *gorden* (y De).

'Mi ges afael ar ddarn o *gortyn* a'i rwymo.'

1966 D J Williams: ST 156, Ac efe a gymerth yn ei law ddwy sgilbren hir a phisyn o *gorden*.

cortyn beindar *eg.* Llinyn neu gortyn o gywarch a ddefnyddir i fyrnu (belio) gwair a gwellt, llinyn beindar (Môn), twein.

1979 W Owen: RRL 28, Mymryn o ras a *chortyn beindar* wedi breuo a gadwai'r giât haearn ar gau …

cortyn cario gwellt *eg.* Y cortyn gwellt, a oedd yn eiliad neu'n gyfrodeddiad o ddwy raff fain (rhaff sengl) ac a wneid yn bwrpasol at gario'r gwellt, diwrnod dyrnu, o safn y dyrnwr i'r das wellt. Fel arfer, dynion y ceffylau, neu'r certmyn, a gyflawnai'r gorchwyl o gario'r gwellt a nhw hefyd oedd yn gyfrifol am eu *cortyn gwellt* eu hunain. Ar lafar ym Môn.

cortyn cynnull *eg.* ll. *cortynnau cynnull.* Y cortyn neu'r rhwymyn a wneid gynt wrth gynnull gwaneifiau ŷd yn ysgubau, cortyn ysgub. Cymerid cudyn neu dusw o'r gwellt a'i rannu'n ddau, yna asio neu gordeddu'r ddau yn un drwy roi tro mewn ffordd arbennig i'r ddau gudyn. Yn Nyfed sonnir am 'byddag ysgub'.

1981 W H Roberts: AG 60, Mae yna ffordd arbennig o weithio tennyn ysgub. Nid tennyn pen bawd mo hwn. Cudyn o ŷd wedi ei rannu'n ddau a'u hieuo trwy angori un pen dan eich cesail, tro ar y tennyn, cyn rhoi'r pen arall dan eich cesail a thro.

Gw. BYDDAG, RHEFFYN CESAIL, RHWYMYNOD.

cortyn pen bawd *eg.* Cortyn a wneir o wair neu o wellt drwy ei droi â'r fawd chwith ac am y fawd chwith, cortyn a wneir yn ddiymdrech a didrafferth ac yn gyflym at angen. 'Tennyn pen bawd' a glywir ym Môn.

1981 W H Roberts: AG 60, Mae yna ffordd arbennig o weithio tennyn ysgub. Nid *tennyn pen bawd* mo hwn.

cortyn toi, cortyn coch *eg.* Llinyn o liw coch ac o lin a ddisodlodd y rhaffau main (Môn) neu'r rhaffau cerdded (o wellt) i bwrpas toi tas, 'cortyn Welshen' (sir Fflint).

1993 FfTh 11, 37, Fe geid gwahanol fathau o raffau – rhaffau traws dros gefn y das, a rhaffau cerdded yn sownd wrth y rhaffau traws ar hyd ei hochrau. Ond daeth *cortyn coch* i wneud yn lle rhaffau cerdded ...
1993 FfTh 12, 6, Disodlwyd y rhaff wellt pan ddaeth y *cortyn coch*.

Gw. GWNEUD RHAFFAU, TOI.

cortynnu *be.* Clymu neu rwymo â chortyn neu gortynnau; *cortynnu'r* swpyn gwair, *cortynnu'r* cowlaid, *cortynnu'r* parsel.

corun cyfrwy gw. CNAP CYFRWY.

corwellt (*cor* + *gwellt*) *ell.* a *tf.* un. *corwelltyn.* Math o wair cwrs, bras a dinodd, gwair neu laswellt caled, sych, bras, cymharol fyr.

corwern *ell.* a *tf.* un. *cornwernen.* Math o goed gwern mân a chrablyd.
1761 M: 2, 314, ... bod *corwern* yn tyfu tua Bedd Manach.

corwg *eg.* ll.*corygau.* Celain anifail, corff marw, burgyn, ysgerbwd. Ar lafar yng Ngheredigion. clywir yno 'yr hen *gorwg*' fel term difrïol.
1777 W Williams: DN 9, Rhyw *gorwg* oer, digariad.
1794 P, *Corwg* ... *corwg* mollt, a carcase of mutton.

Gw. BURGYN, CARCAS, SGERBWD.

corwrysg, corwydd (*cor* + *gwrysg*) *etf.* Mân brysgwydd, manwydd.

costen
1. *eb.* ll. *costenni, costennau.* Math o lestr crwn ag iddo geg gul a wneid gynt o wellt neu frwyn.

2. *eb.* Cwch gwenyn. Ar lafar yn yr ystyr hwn yn y De.
GPC, Yn Nyfed clywir *costen wenyn* ar lafar am fath o gwch gwenyn a wneid yn wreiddiol o wellt.

costlys *eg.* Llestr i ddal caws, llestr caws, cawslestr. Ar lafar ym Môn. Gw. LlILlM 94, 1963.

costrel *eg.* ll. *costrelau, costreli.* Baril neu gasgen fechan i gario cwrw cartre i'r cae gwair, ayyb, a chadwyn wrthi i'w chrogi wrth goler y ceffyl, potel fawr a chlustiau iddi, baril fechan o bren yn dal rhyw ddau chwart. Byddai'n arfer gynt, ar adeg y cyhaeaf gwair ac ŷd, i dorri syched y gweithwyr â math o gwrw cartref. Ar lafar ym Maldwyn.

13g WM: 120, 30, ...dwy *gostrel* yn llawn o win.

1620 Math 9.17, Ac ni ddodant win newydd mewn *costrelau* hen.

costrelu *be.* Rhoi mewn costrel, arllwys i gostrel, cadw mewn costrel (am win, medd ayyb).

1770 TG 2, 46, Ar ôl iddo (medd) aros mis y maent yn ei *gostrelu*.

costwm gwlad *Ymad.* Arfer neu arferion gwlad. Yn y bywyd gwledig ac amaethyddol gynt ceid nifer o bethau a elwid yn 'arfer gwlad' (Gogledd), *costwm gwlad* (y De): ffeirio neu gyfnewid llafur diwrnod dyrnu a diwrnod cneifio; cynorthwyo'i gilydd adeg y cynhaeaf gwair ac ŷd, 'talu dyled', neu 'doddi dyled' am gael benthyg ceffyl a throl, ayyb. Y mawr yn helpu'r bach a'r bach yn helpu'r mawr. Byddai'r fferm yr âi'r dyrnwr mawr iddi yn gyfrifol am ddigon o geffylau i'w gyrchu o'r fferm cynt, a'r fferm honno'n gyfrifol am symud yr injan stêm i'r fferm nesaf. Y certmyn a gariai'r gwellt o'r dyrnwr i'r das diwrnod dyrnu, y cowmyn a gariai'r grawn i'r llofft storws, y gwas bach a gariai'r dŵr i'r injan, cario'r us a thorri'r sgubau ayyb. Gelwid y pethau hyn yn *gostwm* neu'n arferion gwlad.

1908 Myrddin Fardd: Llgsg 67, Fel rheol byddai gan bob ffermwr ei gae gwenith, ac ni byddai ei fedi'n orchest galed, gan y ceid y gof a'r crydd, y saer, y teiliwr a'r melinydd yn helpu fel *costwm gwlad*.

Gw. hefyd ARFER GWLAD.

cotel *eb.* ll. *cotelau*. Darn o dir ag un pen yn gulach na'r llall, llain o dir yn culhau at un pen, cae bach, llain fain, slangen. Ar lafar ym Meirion a sir Ddinbych. fe'i ceir mewn enwau lleoedd fel 'Y Gotal', Llanegryn; 'Tynygotal' ayyb.

Gw. SLANG.

coten

1. **cotan** *eb.* ll.*cotenod, cotesod* (Môn). Hwch ifanc wedi ei disbaddu, neu heffer (anner) wedi ei disbaddu.

1789 Twm o'r Nant: TChB 16, Mi werthais yn Ninbych o gwmpas trigien/O burion cattel a phedair coten.

2. *eb.* Curfa, crasfa, cosfa (i anifail a dyn). Ar lafar yng Ngwent ac yn Llŷn. Sonnir am roi *coten* sef crasfa.

cotio (S. *cut*) *be.* Torri ar anifail benyw, disbaddu hwch ifanc neu fuwch ifanc. Ar lafar yn y Gogledd.

1700 E Lhuyd: Par 1, 81, 'Q' am *gottio* hwch, Davad, gavar.

cotiwr *eg.* ll. *cotwyr*. Cyweiriwr, disbaddwr, un yn torri ar anifeiliaid. Ar lafar yn y Gogledd.

Gw. CYWEIRIWR, DISBADDWR.

cotl *eg.* Bwyd wedi ei wneud o rynion neu bilcorn ceirch. Ar lafar yn sir

Benfro.
1938 T J Jenkin: AIHA AWC, Y pryd hwnnw hefyd y caem *gotl* o'r rhynion a ddeuai o'r felin
... Berwid hwy fel berwi uwd, ond fynychaf yr oedd ychydig 'currants' yn cael eu
hychwanegu, ac yn lle llaeth, gellid, os yn gyfleus, ddefnyddio tablen (cwrw cartref ysgafn).
(Bwyd i fam ar enedigaeth plenyn gyfrifid *cotl* mewn gwirionedd.)

Cotswold *ep.* Brid o ddefaid hir eu gwlân, yn wreiddiol o'r Cotswold
Hills, ond sydd erbyn hyn yn frid prin.

cowcan *be.* Troi dau ben pedol ceffyl at i lawr fel bod gan draed y ceffyl
fwy o afael ar rew ac ar oriwaered. Weithiau defnyddid hoelion â
phennau mawr at sicrhau'r bedol i'r un pwrpas. Gelwid y rhain yn
hoelion rhew. Ceir hefyd y ffurf 'cowcin' (S. *calkin*).
Gw. LlLlM 94 (1963) Gw. hefyd CALCYN, CAWC, CEWCAN.

cowen gw. CYWAIN.

cowcyn, cowcin *eg.* ll. *cawcynau.* Y pigyn ar y ddau ben i bedol ceffyl, sef
y ddau ben wedi eu troi at i lawr, i roi gafael i draed y ceffyl, yn enwedig
ar rew ac ar riw. Ar lafar ym Maldwyn.
Gw. hefyd CALCYN, CEWCAN, COWCAN.

cowlaid gw. COFLAID.

cowlans gw. COWLAS.

cowlas
1. *egb.* ll. *cowlasau.* Un o adrannau sgubor neu dŷ gwair, sef y gofod
rhwng dau gwpwl, golau, wisgen. *Cowlas* o wair, *cowlas* o ŷd, sef llond un
golau yn y tŷ gwair, neu adran yn y sgubor. Ym Môn ceir 'gola'; yn
Nyfed 'gole'; ym Maldwyn 'cwpwl', yng Ngheredigion a Brycheiniog
'wisgen', ym Meirion, 'duad'. Ceir hefyd y ffurf 'cywlas' a 'cowlans'.
'Mae yma lond dau *gowlas* o wair yn barod.'
Gw. CWPL, DUAD, GOLAU.

2. Y porthiant, gwair ac ŷd, sydd mewn cowlas neu mewn golau.
'Mae'r *gowlas* yma yn well gwair na'r llall.'

cowlasu *be.* Tasu gwair, ŷd, ayyb, mewn cowlas, sef un adran o'r sgubor
neu'r tŷ gwair. Ar lafar ym Meirion.
Gw. COWLAS.

cowmon, cowman, cwman *eg.* ll. *cowmyn.* Y dyn neu'r sawl sy'n gyfrifol
am y gwartheg, bugail gwartheg, heusor gwartheg, porthwr (Môn). Ar y
cyfan *cowmon* a glywir yn y Gogledd a *cowman* yn y De. Yn dafodieithol
hefyd ym Môn clywir 'dyn y gynffon' neu'r 'dyn sy'n edrych ar ôl y
gynffon'. Doedd mo'r un statws i'r *cowmon* ag oedd i'r certmon, a'r
argraff gyffredinol oedd mai dyn anfedrus yn gyffredin oedd y porthwr.
1928 G Roberts: AA 19, Yn y rhan amlaf o achosion byddai'r *cowmon* yn aros yn yr un lle yn
hir iawn, ac yn fynych ar hyd ei oes. Fel dosbarth, rhai wedi bod yn fethiant fel wagneriaid
neu 'weithiwyr' fyddai'r *cowmyn*, a chan nad oedd eu rhagolygon o gwbl yn ddisglair
bodlonent i lynu gyda gwaith oedd yn cael ei gyfrif y pryd hwnnw yn fwy neu lai israddol.
1975 R Phillips: DAW 60, Awyddfryd pennaf pob *cowmon* oedd dod yn was ceffylau ... os

am gael ei edmygu am ei grefft, fel pawb arall, fel gwas ceffylau yn hytrach nag fel *cowmon* y medrai ddangos hynny.

cowmona *be.* ac *eg.* Gwaith y cowmon, sef y dyn sy'n gyfrifol am y gwartheg, porthi'r da. Ar lafar ym Mhenllyn a Cheredigion. Yn sir Ddinbych ceir y ffurf 'cwmona'.
1975 T J Davies: NBB 104, Jobyn gaeth iawn oedd *cowmona*: golygai weithio ar y Sul yn y Gaeaf, rhaid oedd porthi a godro bob dydd yn wir.

cownen gw. CAWN.

cowpin *egb.* Y cerrig a osodir ar eu cyllill ar ben wal gerrig i'w gwneud yn fwy gorffenedig, copin (S. *coping –stones*).

cownt, cadw cownt gw. CADW RECORD.

cowper gw. CWPER.

cowpog gw. BRECH Y FUWCH.

cowrt, cwrt, cowt *eg.* ll. *cowrtiau.* Cwrt, buarth, iard, rhaglan, yn aml buarth fferm gaeëdig, gyda'r beudai dair ochr iddi a'r tŷ fferm ar yr ochr arall, rhaglan. Ym Môn ac Arfon clywir y 'y *cowrt* (*cowt*) mawr' a'r '*cowt* bach', y naill am fuarth fferm a'r llall am y darn bach, amgaeëdig o flaen y drws, lle cedwid y llestri godro a'u pennau i lawr ar ôl eu golchi, a'r bwcedi bwyd moch, ayyb, ar fainc garreg. *Cowt* a glywir yn arferol mewn rhannau o'r Gogledd. Clywir hefyd *cowt* y capel – tu mewn i giât y capel.
'Roedd o ar ganol y *cowt* pan gyrhaeddais i.'
1992 T D Roberts: BBD 27, Llamai Twm am y bwlch yn y clawdd drain i gael croesi'r Cae Ffrynt ac yna i'r *cowt*.

cowrt cwt mochyn *eg.* ll. *cowrtiau cytiau moch.* Mewn rhai ardaloedd, e.e. Maldwyn, gelwir y lle agored di-do o flaen twlc y mochyn, yn *cowrt y cwt moch.*
1981 GEM 25, Mae cafan y mochyn yn y *cowrt*.
1993 FfTh 11, 33,. Roedd dau gwt mochyn yn cefnu ar y berllan, a'u *cowrtiau* yn y buarth.

cowrw Ffurf dafodieithol ar 'cyfrwy'. Ar lafar yn sir Benfro.
Gw. CYFRWY.

cows and calves **ell.** Enw yn Saesneg sir Faesyfed am lif wedi ei chamhogi nes bod rhai dannedd yn fawr bob yn ail a rhai llai.
1969 D Parry-Jones: Nod. i Sain Ffagan, Soniai seiri Sir Faesyfed am wneud *cows and calves* yn nannau'r llif ... hynny yw ... un dant mawr ac yn ei ymyl ddant bach.
cf. ag enw pobl Penygroes, Arfon ar Gapel Bethel a'r Festri dros y ffordd i'w gilydd, sef 'caseg a chyw'.

cowsellt Ffurf lafar ar 'cawsellt'.
Gw. CAWSELLT.

cowt Ffurf lafar ar 'cowrt'.
Gw. COWRT.

crab *eb.* Yr ystyllen ar draws pen blaen trol, yr eistedd y certmon arni i lywio'r ceffyl, pan nad oes llwyth ar y drol, styllen flaen. Enw rhai ardaloedd arni yw 'styllen rech' (e.e. Môn) er y myn rhai mai llygriad o 'styllen wich' yw hwnnw! Ar lafar yn sir Ddinbych.

crabs *ell.* Afalau surion, afalau gwyllt. Ceid llawer o goed afalau surion ar gloddiau ffermydd gynt, ac fe'i cesglid i wneud gwin, jam, ayyb.

crachau'r traed a'r genau *eg.* Afiechyd defaid a geifr a achosir gan firws sy'n peri llinorod a chrachennod ar y gwefusau a'r geg, y wyneb, y coesau, ayyb, orff, dermatitis llinorog. Gall pobl hefyd gael yr afiechyd oddi wrth anifeiliaid.

crachen *eb.* Yn amaethyddol tir sal, tlawd, ac yn aml tir caregog a'r graig yn agos i'r wyneb, tir gwael, tir heb ddyfnder o bridd da, tir gwael. Sonnir am 'hen *grachen* o le', ac am ambell un yn 'crafu bywoliaeth o hen *grachen* o dyddyn'. Fe'i ceir yn enw'r fferm 'Foel*grachen*' ger Corwen.
'Ma' hi'n reit anodd byw ar y *crachen* lle acw.'

crachdir *gw.* CRACHEN.

cracheithin (*crach + eithin*) *ell* Chwyn neu wreiddiau eithin yn y cae âr ac yn tagu'r aradr wrth aredig, tagaradr.
Gw. TAGARADR.

crachgoed (*crach + coed*) *ell.* Brigau newydd yn tyfu o foncyff coeden a dorrwyd. Ar lafar yn y Gogledd.
Gw WVBD 291, 1913.

craen
1. **crân, crain** *eg.* ll. *creiniau.* Yn amaethyddol braich haearn estynedig, yn troi o un ochr i'r llall, ac yn codi a gostwng, fel bo'r angen, uwchben y lle tân yn y gegin gynt i hongian tecell haearn neu grochan wrthi er mwyn cadw eu cynnwys yn boeth neu ar y berw.
'Gostwng y *craen* 'na 'chydig i'r cawl 'na ail ferwi.'

2. **crân** *eg.* Dyfais o bwli a chadwyn ar fraich estynedig, uwchben drws y llofft storws neu'r granar, i halio sachau llawn ŷd i drol neu i wagen.

crafell *eb.* ll. *crefyll, crafellau.*
1. Math o raw neu gribin ag iddi goes hir i dynnu'r bara poeth o bendraw'r popty. Ceid hefyd yn y felin y '*grafell* a'r rhawlech', y naill i grynhoi'r blawd a'r llall i'w godi i sachau. Ar lafar ym Meirionnydd.
Gw. hefyd RHAWLECH.

2. Offeryn yn y ffurf o grib bras at gribo a glanhau coesau, corff a mwng ceffyl, ysgrafell, craflech, rhistyll, crib ceffyl. Gw. dan yr enwau.
Gw. SGRAFELL.

crafellu *be.*
Gw. SGRAFELLU.

crafion, creifion *ell.* Cribinion, olion, tinion, yr hyn sydd ar ôl yn y cae wedi hel y cnwd a'i gywain, yr hyn a geir o gribinio cae ar ôl cario'r

gwair neu'r ŷd, lloffion, casglon.
Gw. CRAFU[1], CRIBINION.

crafu

1. *be.* Cribinio, rhacanu (cae gwair, ŷd). Ar lafar yn Nyfed.
1958 T J Jenkin: YPLL AWC, Ar ôl gorffen rhwymo cae ... byddem yn *crafu'r* sofol, er mai ychydig oedd ar ôl, ond rhaid oedd y pryd hwnnw gael gafael ar bob gwelltyn a phob gronyn o ŷd.
1969 D Parry-Jones: Nod. i AWC, Anfonid rhyw ddau ddyn i dowli'r gwair mas oddi wrth y cloddie, ... a menyw neu ddwy i *grafu'r* lled ar eu hôl.
Ffig. Cribddeilio, crafu cyfoeth.
1793 I Thomas: Alm 5, Mi chwarddaf inneu f'eithaf, wrth weld cribddeiliwr cas/Yn *crafu* aur ac arian, heb feddwl dim am ras.
Gw. CRAFION, CRIBINIO.

2. *be.* Rhwbio neu gosi yn erbyn postyn neu garreg wedi ei gosod yn bwrpasol i hynny yn y cae (am anifail).
Gw. CARREG GRAFU, CARREG RWBIO, RHITBOST.

3. gw. SGRAFELLU.

crafu (y) Afiechyd croen heintus a achosir gan euddod parasitaidd (*sarcoptes scabei*) ac yn effeithio ar dda byw a bodau dynol, ac yn arwain i gosi dirdynol. (S. *scabies, itch*).

crafu byw *be.* Cael trafferth i gael y ddau ben llinyn ynghyd, cael a chael i dalu'r ffordd, prin ymdopi, dim wrth gefn. Un o ymadroddion stoc pob ffermwr.
'Rwy'n *crafu byw* gora' galla'i yn y lle acw.'

crafu mochyn *be.* Sgaldian mochyn ar ôl ei ladd a defnyddio crafwr pwrpasol i dynnu'r blew oddi ar y croen.

crafwr

1. *eg.* Yr erfyn a ddefnyddir i grafu neu riglo cwter y beudy wrth garthu, neu i riglo'r buarth lle bo llaid a thail ayyb. Ar lafar ym Môn.
Gw. hefyd CARTHBREN[2], RHAC.

2. *eg.* Yr enw Cymraeg a fathwyd am y 'Crawler Tractor' yn Saesneg, sef y 'caterpiler'.
1992 FfTh 9, 33, Fe wnaeth y *Crafwr* waith enfawr ar y tir yn ystod yr Ail Ryfel Byd ac i fyny i'r chwedegau pan ddaeth y tractorau a gyriant pedair olwyn yn fwy poblogaidd ... roedd rhaid cael y *crafwr* i fynd i'r llechweddau mwyaf serth.

craff

1. *eg.* Ychydig o rywbeth – 'dim *craff* o fwyd' = mymryn, ychydig iawn. Ar lafar yng ngodre Ceredigion.

2. *eg.* ac *a.* Gafael, crap, meddiant.
'Mi gefais *graff* arno fel roedd o'n mynd dros y dibyn.'
1987 B Lewis Jones: BILLE 29, Y das yn mud-losgi yn ei chanol ac yna'r gwynt yn cael *craff* arni.

craffter *eg.* Ongl llafn pladur yn ei berthynas â'r llawr neu wyneb y tir. Pan yn goleddu at y llawr dywedid ei fod yn 'graff', pan yn goleddu at i fyny dywedid ei fod yn 'anghraff'. Felly byddai *craffter* i'r llafn pan oleddai at i lawr.

cragen *eb.* ll. *cregyn.* Yr hyn a ddefnyddir, ym mhlith pethau eraill, megis cloch a chwisl, gynt i alw'r gweision at eu bwyd. Gw. CLOCH GINIO, CORN CINIO.

cragen gar ceffyl *ebg.* Darn caled ar yr ochr i mewn i goes ceffyl, tyfiant abnormal a hagr ar ochr fewnol coes ceffyl.

crai gw. CRAU.

craig *eb.* ll. *creigiau.* Y mater soled sy'n ffurfio cyfansoddiad crystyn neu grawnen y ddaear, neu unrhyw ddarn o hwnnw, neu unrhyw ddarn creigiog, caregog o hwnnw, yn enwedig craig yn y golwg, poncen, bryn, carreg fawr. Yn amaethyddol, fel rheol, golyga'r tir lle mae'r graig ar y wyneb neu'n agos i'r wyneb gyda haenen denau o bridd.
'Paid a rhoi'r swch yn ddyfn, ma'r *graig* yn agos i'r wyneb.'
1620 Math 7. 24, Yr hwn a adeiladodd ei dŷ ar y *graig.*
Ffig. **1994** H Jones: GYB 142, *Craig* rwystr – maen tramgwydd, yn y ffordd ac ar y ffordd, am bethau a phersonau.
1975 R E Jones: LLIC 119, Yn *graig* o arian – rhywun cefnog, ariannog a'i sefyllfa ariannol mor soled a'r graig.

crais *a.* Yn arferol am ddillad wedi aerio, dillad crais. Ym Morgannwg defnyddir 'crasu' am sychu dillad. Diau mai ansoddair o 'crasu' yw *crais*, dillad cras.

cramen *ebg.* Darn o gaws nad yw'n gosyn cyfan yr ychwanegid ato'n fuan wedyn. Ar lafar ym Maldwyn.
1981 GEM 26, *Cramen* – *cramen* o gaws – pan fydd y ffarmreg heb ddigon o ddefnydd i wneud cosyn cyfan mewn diwrnod, bydd yn gwneud *cramen* ohono, ac yn ei chadw i roddi mwy ati drannoeth.

cramp *ebg.* Enw yng Ngheredigion ar fforch bwrpasol i dynnu tail (dom) o'r drol (cert) wrth gario tail yn yr hen ddull o deilo cae drwy ei dynnu'n bentyrrau ar y cae ac wedyn ei chwalu â fforch, 'caff' (Môn), 'fforch dail' (Meirionnydd), 'crwc' (Dyfed), 'gwarloc' (Dyfed).
1996 T J Davies: YOW 75, Wedi cyrraedd y cae codid corff y cert fel y byddai'n goleddu, cyn symud y tincart a gafael mewn *cramp* (rhyw fath o raca oedd hwn gyda phigau fel cranc).
Gw. CAFF, CRWC, FFORCH DAIL, GWARLOC.

cranc *eg.* Haearn yn ffurf hanner cylch a bach ym mhob pen iddo, a roid gynt, yn lle'r garwden, dros y strodur ar gefn ceffyl i lusgo coed, cerrig, ayyb. Ar lafar yn Edeirnion.

crancod *ell.* Afalau surion, bach, afalau gwyllt, afalau bach. Ar lafar ym Maldwyn.
1981 GEM 26, *Crancod* – rhyw afalau mân na thyfant byth i'w llawn faintioli. (Ymgais efallai i gyfieithu'r gair 'crabs' – *crabapples*.)

crancyn, crencyn, crincyn *eg.* Gair yn nwyrain Clwyd am 'gwlin', 'cwling', sef y gwanaf a'r lleiaf mewn praidd o ŵyn neu dorllwyth o

foch, ayyb.
Gw. CWLING.

crasiad

1. *eg.* Y weithred o grasu bara, o sychu grawn yn y felin (Odyn); o gynaeafu gwair; ac o sychu dillad. Sonnir am fara a chrasiad da arno, gwair a chrasiad arno, ayyb.
'Mae 'na *grasiad* da ar y gwair 'ma.'
Ffig. Curfa, cweir.
'Mi rois i *grasiad* iawn i'r cena bach.'

2. *eg.* Y cyfanrif o fara a bobir ar y tro, pobiad (pobaid).
'Rydw i'n gorfod gwneud *crasiad* mawr i bara dros y Sul.'

crastir *eg.* ll. *crastiroedd.* Tir cras, crinsych, tir wedi crasu neu gochi yn yr haul, crindir.
1620 Es 41.18, Gwnaf y difaethwch yn llyn dwfr, a'r *crasdir* yn ffrydiau dyfroedd.
'Mewn mater o fis fe aeth yr ochrau sy'n llygaid haul yn *grastir* glân.'
Dywed. 'Brithdir i fuwch, *crastir* i ddafad.'

crasu

1. *be.* Cynaeafu, cynaeafa, c'na'fa, gwneud gwair, crino neu sychu gwair.
'Ma hi'n *crasu* heddiw.'
'Ma hwn yn wair a chrasiad da arno fo.'

2. *be.* Sychu grawn mewn odyn cyn ei falu yn y felin, *crasu ŷd, crasu llafur.*
1933 H Evans: CE 118, Byddid yn *crasu* ceirch cyn ei falu ... Mae dau reswm am *grasu* ceirch; yn gyntaf, heb ei *grasu* nid yw'n ddigon sych i wneud bara, ac yn ail – neu o'r hyn lleiaf ni ellid â pheiriannau'r hen felinau – wahanu'r rhynion (grawn) oddi wrth yr eisin.

3. *be.* Pobi bara mewn popty (neu, gynt, ar radell allan lawer iawn), '*crasu* bara' yw'r ymadrodd cyffredin am bobi. Ar lafar yn gyffredinol.
1430 Haf 16, 35, Dot wynt mywn padell ar y tan y *grassu.*
Gw. POBI.

4. *be.* Sychu dillad. Ymadrodd Morgannwg am hyn yw '*crasu* dillad', ac yn golygu sychu ac aerio dillad.
Ffig. Yn y dywediad 'wedi hanner 'i *grasu*' neu 'heb hanner 'i *grasu*' am rywun yn dweud a gwneud pethau rhyfedd. Hefyd am roi curfa i rywun gyda'r ffurf *crasiad.*
'Os na wnei di wrando, mi ro'i *grasiad* iawn iti.'

crasu llafur gw. CRASU².

craswellt *ell.* un. *craswelltyn.* Gwair neu laswellt crinsych, cras.
17g Huw Morus: EC 1, 146, Serch a ennynodd yn fy nwyfron,/Fel y tân mewn *craswellt* crinion.

crasyd *eg.* ll. *crasydau.* Ŷd wedi ei grasu mewn padell neu ŷd wedi ei sychu mewn odyn.
1620 1 Sam 25.18, Yna Abigail a frysiodd ac a gymmerth ddau cant o fara ... a phum hobaid o *gras-yd.*

crât mocha *eg.* ll. *cratiau mocha.* Darpariaeth pwrpasol i hwch ddod â moch.
Gw. CWT MOCHA.

crats, cratsh, craets, cretsh *eg.* ll. *cratsys, cratiau.* Rhesel neu breseb bwyd anifail, y rhac rhwyllog i ddal porthiant anifail (yn y beudy ac allan), rhesel, 'rhesal' (Gogledd); 'rhastal' (Ceredigion, Penfro, Caerfyrddin); 'rac' (Dyffryn Nedd a Chwm Tawe). Mantais y rhesel neu *crats* yw bod yr anifail wrth orfod tynnu'r gwair rhwng ffyn y rhesel yn sboriannu llai. Ar lafar ym Maldwyn.

1672 R Prichard: Gwaith 37, A'r Mab a rwyga deyrnas Satan/Yn y *craits* [:- preseb] heb ally crippian.

Ffig. Cyllau, bol, stumog. 'Mi gafodd lond i *grats* o bwdin reis.'

'Mae'n un garw am hel yn 'i *grats* – hel yn ei fol.'

Mae'n werth sylwi bod y Saesneg tafodieithol yn defnyddio *cratch* am stumog hefyd.

crats cypladu *eg.* ll. *cratsys cypladu.* Crats bridio, crats beichiogi, aparatws sy'n cymryd pwysau tarw pan fo'n rhy drwm i heffer neu fuwch wrth gypladu.

cratsh defaid *eg.* Y rhesel isel yn y cae i ddal gwair i'r defaid yn enwedig fel mae'r defaid yn trymhau ac yn agoshau at amser bwrw ŵyn.

cratsh trol

1. *eg.* ll. *cratys.* Y fframwaith o goed neu'r ochrau a'r pennau rhwyllog, uchel a osodid gynt ar drol neu gert i fynd a moch bach, defaid ac ŵyn i'r farchnad. Bellach rhoir yr un math o beth ar y 'pick-up' i ateb yr un diben.

2. **(cart)** *eg.* Caead y drol (Môn), tinbren y drol, tincart (*cretsh* y cart). Ar lafar yng Ngheredigion a Maldwyn a Dyfed yn yr ystyr hwn.

1981 GEM 26, Cratsh trol, y darn fydd yn agor tu ôl (i'r drol).

1989 P Williams: GYG 42, Tynnid y *cretsh*, a thynnu'r dom o'r cart yn grugiau.

crats lloiau Cwt neu gut lloiau. Ar lafar ym Mhenllyn.

crawcian *be.* Clwcian, clegar, crecian (am iâr wedi iddi ddodwy neu iâr yn galw'i chywion, neu o bosibl yn hwylio i ori). Gw. hefyd CLEGAR[1], CLWCIAN.

crawcwellt (S. *croke* + *gwellt*) *eg.* neu *etf.* Math o wellt neu wair hir, garw sy'n tyfu'n sypiau neu'n duswau ar dir uchel, gwellt y bwla (*Molina caerulea*). Amr. 'Crywcwellt', 'Crowcwellt', 'Croncwellt'.

crawen

1. *eb.* ll. *crawennau, crawenni.* Yn amaethyddol pedol ceffyl wedi bod dan geffyl o'r blaen ond wedi ei rhoi o'r neilltu ac wedi bod yn diogi ers tro. Weithiau fe'i hadferir a'i rhoi eilwaith dan geffyl yn lle pedol newydd pe digwyddai ceffyl golli pedol ym mhysurdeb cynhaeaf, ayyb. Ar lafar yn yr ystyr hwn ym Môn. Mae'n werth sylwi bod y chwarelwyr llechi yn defnyddio *crawen* hefyd am ddarn o lechen sal a daflwyd o'r neilltu.

'Mi darwn ni'r hen *grawen* 'ma dan droed Darbi, mi wna'r tro nes cawn ni'r gwair.'

2. Y blisgen o gnawd sy'n tyfu dros ddolur wrth iddo wella, craman.

'Ma'r dolur 'ma'n magu *crawan* yn gyflym.'

3. Sleisen denau o gig, yn enwedig cig moch.

'Rhyw *grawan* dena o gig moch oedd y cwbl a gefais i ginio yno.'

4. Tir â phridd sal, diddwfn. Sonnir am 'hen *grawen* o le', – am dir ponciog lle mae'r graig yn agos i'r wyneb. cf. 'hen grachen o le'. Gw. CRACHEN.

5. *eg.* Y caws a adewir wedi codi'r 'maidd sumel' o'r llaeth ar ôl iddo geulo.

crawler *eg.* Yr enw cyffredin, ar y pryd, ar fath o gaterpiler o America a ddaeth yn gyffredin yn ystod yr Ail Ryfel Byd (1939-45) ac a ddefnyddid i droi a thrin tiroedd a ffriddoedd llechweddog a gwydn pan ddaeth yr alwad am gynhyrchu mwy o fwyd, 'crawler tractor'. Glynodd yr enw 'Crafwr' wrtho yn Gymraeg tra bu mewn gwaith.
1992 FfTh 10-11, Nid oedd yn werth croesi'r Atlantic i gario peiriannau gwael. Yr oedd amryw o *Crawlers* yn eu mysg a gwir angen y math yma o beiriant yn Sir Feirionnydd i aredig a thrin tiroedd garw a chaeau llechweddog ...
Gw. CRAFWR.

creadur
1. *eg.* ll. *creaduriaid*. Anifeiliaid, yn enwedig mewn cyferbyniad i fodau dynol, – 'pob dyn a *chreadur*' yw'r ymadrodd a glywir yn gyffredin.
2. **creaduriaid** *ell.* Yn ei ffurf luosog, ac yn y cyd-destun amaethyddol, saif am 'y pennau' neu 'y stoc'.
'Ydi'r *creaduriaid* i mewn gynnoch chi?'
1966 D J Williams: ST 42, Yn un peth 'doedd gan yr un ohonyn nhw fowr o amgyffred am werth *creadur*, ag eithrio rhyw dipyn gan y bachgen ienga.

crebi *eb.* Dafad wedi colli ei gwlân drwy ymwthio drwy wrych a drysi, dafad limrig. Ar lafar yn sir Gaerfyrddin.
Diar. 'Hawdd eillio pen moel a chneifio *crebi*.
Gw. LIMRIG (o Llymrig).

crefft *eb.* ll *crefftau.* Medr, ymarferiad o'r medr a'r gwaith, gan amlaf am waith llaw sy'n hawlio medr a hyfforddiant, – y crydd, y gof, y saer coed, y saer maen, arddwr, töwr, ayyb: heddiw mewn amaethyddiaeth a garddwriaeth, cydnabyddir y gwaith o edrych ar ôl buches a godro yn grefft. Felly hefyd gweithio gyda pheiriannau ac offer fferm. Yn ôl diffiniad y Gorchymyn Cyflogau Amaethyddol mae unrhyw un a fu'n brentis amaethyddol dan y Cyngor Prentisiaeth Amaethyddol, ac wedi ymgymhwyso mewn un neu fwy o'r crefftau amaethyddol (cowmona, trafod peiriannau, ayyb) yn grefftwr amaethyddol.
1872 Ceiriog: *Oriau'r Bore* 28, Mi ddysgais gan fy nhad/*Grefft* gyntaf dynolryw.

crefftwyr gwlad *ell.* un. *crefftwr gwlad.*
1962 Pict Davies: ADPN 37-39, Gwaith *crefftwyr gwlad* oedd llawer o'r llestri ac offer a pheiriannau ffarm. Mewn gweithdy ar lan Cuch y gwneid lletwad a'r llwyau pren a phob ffiol gawl a thrensiwn. Gwaith saer a hwper oedd y llestri maesu, y stwc (cyn i'r bwced ei ddisodili), y fasîn olchi dillad, yr amrywiol lestri caws a menyn a'r cistiau blawd, y seld a'r ford hir yn y rŵm-ford, a'r cypyrddau lle y cedwid bwyd a dillad. Sam a gof a Jâms y saer a wnai'r erydr, yr ogedi a'r ceirt, a chrefftwyr yn perthyn i'r genhedlaeth hŷn a wnaeth y fasîn nithio, y fasîn ddyrnu a'r rhodd ddŵr.
William Banc ... oedd gwneuthurwr pob lip newydd a ddeuai i'n cartre (math o fasged

wellt oedd y lip). Defnyddid y lip i gario bwyd megis siaff mân yn gymysg â blawd, i breseb y ceffylau ...

creffyn *eg.* ll. *creffynau.* Clamp (gan amlaf o haearn), gafaelfach, clasp, yr hyn a ddefnyddir gan of, saer, ayyb, i ddal a chadw pethau yn eu lle tra'n gweithio arnyn nhw.
17g Huw Morus: EC 1, 277, Wrth wneuthur creffynau am olwynion melinau.

cregian *be.* Clwcian, clegar, crowcian, crecian (am iâr pan fo'n galw'i chywion neu ar ôl dodwy).
Gw. CLEGAR, CLWCIAN.

crehyren, cryheryn *ebg.* ll. *crehyrennau.* Gwenynen feirch, cacynen feirch, Robin y Gyrrwr, pry gyrru, pry llwyd, y pryf sy'n pigo a sugno gwaed anifeiliaid ac yn peri iddyn nhw bystodi ar dywydd tesog.

creictir, creigdir *eg.* ll. *creictiroedd.* Tir creigiog, caregog, tir â'r graig yn agos i'r wyneb, tir heb ddyfnder o bridd.
1620 Math 13.5, Peth arall a syrthiodd ar *greigleoedd*, lle ni chawsant fawr ddaear.

creidio Talfyriad o careidio.
Gw. CAREIDIO.

creifion gw. CRAFION.

creigiog, creiglyd *a.* Llawn creigiau neu gerrig (am dir neu dirlun), clogwynog, ponciog, creiglyd, clegyrnog, clegyrog.
1630 R Vaughan, YDd 391, Yn debyg i'r tir *creigiog* [neu caregog].

creision India *ell.* Bwyd anifeiliaid wedi ei wneud o Indrawn wedi ei ageru, ei gywasgu a'i sychu, creision Indrawn (S. *flaked maize*).

crepach, crapach *eg.* Y dwylo'n colli eu gallu i afael gan oerni, dwylo'n fferu neu'n merwino gan oerni ac felly'n methu gafael neu ddal gafael mewn erfyn, ayyb.
cmhr. Rhywun di-lun, lletchwith, trwsgl, llac i afael.
'Gafael yn iawn yn y bicwarch na, 'rwyt ti fel 'tasa'r *grepach* arnat ti.'

cretsh
1. gw CRATS.
2. *eg.* 'Caead y drol' (Môn), 'tincart' (Ceredigion), y caead tu ôl i drwmbel neu gist y drol (cart) y gellir ei dynnu a'i roi yn ôl y gofyn i bwrpas tipio neu ddadlwytho'r llwyth. Ar lafar yn sir Benfro.
Gw. CAEAD, TINCART.

creulys Iago gw. LLYSIAU'R GINGRON.

creu moch gw. CWT MOCHYN, TWLC.

crewciad, crewcian gw. CLEGAR, CLWBIAN.

crewyn
1. *eg.* ll. *crewynnau.* Yn gyffredinol, pentwr, twmpath, crugyn o unrhyw beth. Yn amaethyddol, pentwr o rawn ŷd neu o datws, y crewyn ŷd, y

crewyn tatws.
'Rho wellt dros y *crewyn* tatws yn y sgubor rhag ofn iddi rewi heno.'

2. *eg.* Mewn rhai ardaloedd defnyddir crewyn am drwmbel y drol (cist y drol), e.e. ym Mro Morgannwg – datblygiad o *crewyn* yn yr ystyr o lwyth mae'n debyg. Yn Arfon, clywir y gair am y gornel gaeëdig yn y sgubor at gadw tatws. Fe'i defnyddir hefyd am y llwyth olaf o ŷd i'r ydlan a sonnir am 'criaw'r *crewyn*', sef y llawenydd o gael y cynhaeaf i ddiddosrwydd. Gw. CRIAW'R CREWYN.

crêyr glas *eg.* Aderyn coeshir, â gwddf hir o'r teulu *Ardea*, yn enwedig *Ardea cinerea*, y garan, cregyr glas, clegar glas (Maldwyn), y crychydd.

cri anifail (ac adar) *eb.* Gwaedd neu ddolef anifail, sŵn nodweddiadol anifail ac aderyn: mae'r tarw'n rhuo, beichio neu fugunad; y ceffyl yn gweryru neu'n pystylad; y fuwch a'r llo yn brefu; y ddafad yn brefu; y mochyn yn rhochian neu'n rhochain; y ci yn cyfarth, yn llyfadu, yn dyheu neu'n dyhyfod; yr iâr yn clwcian neu'n crowcian; y ceiliog yn canu neu'n clochdar; yr hwyaid a'r gwyddau yn clegar. Gw. dan y geiriau.

criafolen (S. *Mountain Ash*) *Pyrus aucuparia.*

criaw'r crewyn, crio'r crewyn *Ymad.* Math o ddathlu cael y cynhaeaf ŷd i ddiddosrwydd yn cyfateb i'r 'Harvest Home'. Rhywbeth i edrych ymlaen ato ar ôl cael y llwyth olaf o ŷd i'r ydlan oedd *criaw'r crewyn*. Gall yr ymadrodd *criaw'r crewyn* olygu hefyd gân neu ganu'r gweision wrth ddod â'r llwyth olaf i'r ydlan.

crib
1. *eg.* ll. *cribau.* bach. *criban, cribyn.* Trum, esgair, copa mynydd, pen y bryn, talgrib. Fe'i ceir mewn enwau lleoedd a mynyddoedd: 'Crib y Ddysgl' a'r 'Grib Goch' yn Eryri; 'Cribyn' yng Ngheredigion. Yn yr un ystyr sonnir am '*grib* y das' a '*chrib* y to'.
Gw. COPA, RHAFF FRIG, TYWARCHEN TRUM.

2. Copa neu grest a welir ar ben rhai adar dof yn enwedig ceiliog y rhywogaeth, ac yn gwneud iddynt edrych yn falch a rhodresgar, *crib* y ceiliog iâr, cribell y ceiliog, *crib* y ceiliog twrci. Hefyd gwar ceffyl.
Ffig. Balchder a rhodres. Ymadrodd fel: 'torri ei *grib*' – cf. 'cael pin yn ei swigen', ei ddiraddio.
'Mae'n hen bryd i rywun dorri *crib* y tipyn Aelod Seneddol 'ma.'
Gw. CRIBELL.

crib ceffyl *eg.* Y crib bras o gorn neu haearn i gribo mwng a bacsiau ceffyl, sgrafell o fath.

crib y cwysi *eg.* ll. *cribau'r cwysi.* Ymyl y gwys sydd at i fyny ar ôl ei throi wrth aredig. Oddi wrth gribau'r cwysi y gwelir ai union ai cam y cwysi mewn cefn, gyda'r naill yn ennyn ei edmygedd a'r llall ei gywilydd.

cribell
1. *eb.* ll. *cribellau, cribelli.* Esgair fechan, trum neu gopa bryn bychan, crib

324

bryncyn creigiog. Ar lafar yng Ngheredigion a Chaerfyrddin.

1959 D J Williams: YCHO 14, Y tŷ fry yn y coed a'r hewl syth ar hyd y *gribell* megis asgwrn cefn yn arwain ato, a'r caeau hirion main, fel asennau o bobtu, – dyna Esger Ceir …

2. *eb.* Crib aderyn, crest neu gopa ceiliog, *cribell* y ceiliog o unrhyw rywogaeth. Ar lafar yn y De.
Gw. CRIB².

cribgochi *be.* Yr hyn sy'n digwydd i'r iâr pan fo'n hwylio i ddodwy ar ôl cyfnod o beidio, mae'r crib yn cochi.

cribin *eb.* ll. *cribinau.* Offeryn o bren neu o fetel gyda choes hir a thrawsbren llawn dannedd ar un pen iddo i drin a thrafod gwair, gwellt, pridd, ayyb, 'rhaca' (Ceredigion a'r De). Ar lafar yn y Gogledd. Yn eu tro caed sawl math o *gribin*, rhai yn y ffurf o beiriant i'w tynnu gan geffyl a thractor. Gw. y cyfuniadau a ganlyn.
Ffig. *Hen gribin* – un garw amdani, crafwr cyfoeth, hen gribiniwr, cribddeiliwr.
1985 W H Jones: HOGM 23, *Hen gribin*, – ni adawai honno mo'r baw dan ei gwinedd i neb ar ei hôl.
Dywed. 'Llidiart hwylus ydi *cribin* 'lwynion' – gwneud camddefnydd o rywbeth.
'Yn denau fel *cribin*' – ar lafar yn Llŷn. cf. 'Ma fe fel·rhaca' – y De.

cribin delyn Offeryn o ran ei ffurf sy'n debyg i delyn a'i dannedd yn atgoffa am dannau telyn. Cribin i ddyn ei llusgo ar ei ôl oedd hon i gribinio'r caeau gwair a'r caeau ŷd ar ôl cywain y cnwd. Cribiniai rhyw bedair troedfedd ar y tro. Byddai iddi fframwaith o bren a'i dannedd o haearn a chyda chamedd pwrpasol. Amrywiai'r enw arni o un rhan o'r wlad i'r llall: *cribin delyn* (Môn); 'cribin lusgo' (Dinbych); 'cribin sofl' (Meirionnydd); 'cribin lusgan' (Gorllewin Meirionnydd); 'cribin fawr' (Edeirnion); 'cribin grafion', 'llusgan', 'y delyn' (Môn); 'cribin dannedd', 'cribin gefn' (Edeirnion); 'rhaca sofl' (Ceredigion), 'dragon' (Ceredigion), 'cribin sofl'.
1928 G Roberts: AA 12, Un neu ddwy o *gribinau mawr* (*heel rakes*) a 4 i 6 o gribiniau bach.
E Grace Roberts (Llangefni): Nod. i AWC, *Cribin delyn* hefyd a'i dannedd fel tannau telyn, roedd ar ffurf telyn hefyd.
1981 W H Roberts: AG 53, Ni fyddai'r un blewyn hyd y cae, y cwbl wedi ei gribinio'n lân â *chribin delyn.*
1985 W H Jones: HOGM 48, Y gwaith y byddwn yn ei gael ar gynhaeaf ŷd na fyddwn mor hoff ohono oedd llusgo cribin gefn, neu'r *gribin delyn.*

cribin dilufro Cribin a ddefnyddid i hel yr ŷd yn seldremi oddi ar y gadair (bwrdd) wrth ladd ŷd â pheiriant lladd gwair, cyn dyddiau'r ripar a'r beinder. Cribin o bren ar ffurf y gribin fach fyddai'r *gribin dilufro.* mewn rhai ardaloedd (e.e. Dyffryn Ceiriog) gelwid y ripar yn *dilufar*, – hithau hefyd â'i hesgyll yn hel yr ŷd yn seldremi oddi ar ei bwrdd.
Gw. CADAIR⁶, RIPAR.

cribin fach Offeryn o bren a chanddo goes hir a thrawsbren llawn dannedd ar un pen at drin a thrafod gwair, – troi gwair, symud gwaneifiau gwair, tynnu'r das wair, ayyb. Cafodd yr enw *cribin fach* mewn cyferbyniad i'r 'gribin fawr', sef y gribin delyn. Mewn rhai ardaloedd fe'i gelwid yn 'gribin law'.

Dywed. 'Cyn ddyfned â choes cribin' – dywediad a'i gynefin yn y fawnog lle mesurid dwfn o fawn â choes cribin.

cribin fawr gw. CRIBIN DELYN.

cribin gaib Hof neu chwynog(l).

cribin gardd Offeryn a chanddo goes o bren a phen danheddog o haearn at drin a thrafod pridd.

cribin gasglu gw. CRIBIN GEFFYL.

cribin gefn gw. CRIBIN DELYN.

cribin geffyl Cribin haearn ag iddi ddwy olwyn fawr a dannedd hirion ar gamedd pwrpasol, i'w thynnu gan geffyl. Eisteddai'r gyrrwr ar ei phen i yrru'r ceffyl, gan ddefnyddio lifar llaw (yn ddiweddarach, pedal troed) i beri i'r dannedd godi bob hyn a hyn i ollwng y gwair yn rhenciau. Gellid cribinio rhyw deirllath ar y tro â'r *gribin geffyl*. Pan ddaeth y tractor yn gyffredin addaswyd llawer o'r *cribiniau ceffyl* ar gyfer eu tynnu gan y tractor. Ceid mwy nag un enw arni: 'American rake', 'cribin 'lwynion', 'cribin gasglu'.

1981 W H Roberts; AG 53, Daeth y *gribin geffyl* â bywyd llawer ysgafnach, oherwydd câi'r gyrrwr ei gario ar sedd bwrpasol, a chudyn o wair neu sach rêl-wê yn glustog. Roedd ganddo bedal dan ei droed i ollwng yr heliad i'r rhenc.
1985 W H Jones HOGM 50, Ar ddyddiau cynhaeaf gwair y byddai Dic (ceffyl) yn cael bod o help yn y *gribin gasglu*.

cribin grafion gw. CRIBIN DELYN.

cribin law gw. CRIBIN FACH.

cribin lusgan gw. CRIBIN DELYN.

cribin lusgo Peiriant hel gwair a dynnid gan geffyl; 'heliwr' neu 'heliwr gwair' (Môn), 'llusgan' (Llŷn), 'twmbler' (Ceredigion). Byddai dau ddyn ar waith gyda'r *gribin lusgo*, un yn trafod y gribin a'r llall i dywysu'r ceffyl. Gafaelai'r gyrrwr mewn dwy fraich tu ôl i'r gribin a phan lenwai ei dannedd â gwair, symudai'r breichiau i'r naill ochr gan beri i'r gribin ddymchwel a gollwng y gwair. O America y daeth ac 'American Tumbler' y'i gelwid mewn rhai ardaloedd. Yng Ngheredigion fe'i gelwid hefyd yn 'rhaca twmbler', ac yn y Gogledd yn 'gythraul gwair'.

1944 T Gwynn Jones, *Brithgofion* 39-40, Daeth y gribin geffyl cyn hir, cribin â lled da ynddi, a dannedd hirion ar bob tu i'r echel, cribin i'w llusgo ar ei gwastad, a darn o goedyn fel hanner cylch ar ddeupen yr echel, i'r gribin lithro arnynt. Dwy hegl o'r tu ôl fel y gellid gostwng blaen y dannedd ar y ddaear i redeg dan y gwair a dymchwel y gribin gan adael baich y dannedd blaen yn rhenc a bwrw'r dannedd ôl ymlaen i gasglu baich arall.
Gw. HELIWR, TWMBLER.

cribin (o)lwynion gw. CRIBIN GEFFYL.

cribin ochr Cribin oes y tractor. Fe'i cysylltir wrth yriant y tractor a'i defnyddio i godi, ysgwyd ac i daflu'r gwaneifiau gwair yn rhenciau. Fe'i gelwir hefyd yn 'gribin ystodiau' ac yn TAM (1994) yn 'ystodreg'.

cribin sofl gw. CRIBIN DELYN.

cribin ystodiau gw. CRIBIN OCHR.

cribingaib *eg.* ll. *cribingeibiau.* Hof, chwynnogl, offeryn i hofio, chwynnu, ayyb.

cribingeibio *be.* Defnyddio cribingaib.
Gw. CRIBINGAIB, HOF.

cribiniad
1. *eg.* Llond cribin, hynny y mae cribin yn ei hel ar y tro.
2. *eg.* Cyfanswm cribinion (crafion) cae neu gaeau gwair neu ŷd.

cribinio *be.* Hel olion (crafion, cribinion) gwair neu ŷd ar ôl cywain y cnwd. Defnyddio cribin i gasglu neu gribinio (crafu).
Ffig. Cribddeilio, crafangu cyfoeth, hel arian.
'Dyma ti, yn ddeg a phedwar ugain, ac yn dal ati i *gribinio'n* ddiddiwadd.'
Hefyd, manwl chwilio am rywbeth neu rywun.
1979 W Owen: RRL 23, ... yr oedd yn giambler am gyflath ... Fe fyddai'n rhaid *cribinio'r* ynys drwyddi draw i gael ei gwell.

cribinion *ell.* Olion gwair neu ŷd, crafion, yr hyn sydd ar ôl yn y cae ar ôl hel a chywain y gwair neu'r ŷd. Yr hyn a geir o gribinio cae. 'Olion' yw gair Maldwyn; 'crafion' yn y De, a *chribinion* yn y Gogledd.
Ffig. Gweddillion neu loffion unrhyw beth.
1971 I Gruffydd: C 86, Mae'n siwr mai hwn fydd y llwyth mwyaf o'r *cribinion* (atgofion) i gyd, gwair ysgafn ydi o, dipyn o flas hir-hel efallai.
1992 FfTh 10, 46, Roedd dywediad fod *cribinion* cae cymedrol ei faint yn ddigon i gadw llo dros y gaeaf.
Gw. hefyd CRAFION, OLION, TINION[2].

cribiniwr *eg.* ll. *cribinwyr.* Un yn cribinio, un yn defnyddio cribin o ryw fath (Gw. CRIBIN) i hel y gwair neu'r gwellt sy'n weddillion yn y cae ar ôl cario'r gwair a'r ŷd.
Ffig. Cribddeiliwr, crafangwr cyfoeth, crafwr arian, un garw amdani.
'Tipyn o *gribiniwr* ydi Madog.'

cribo *be.* Glanhau a chymenu blew anifeiliaid â chrib bras neu â sgrafell yn enwedig ceffyl, cribo mwng a bacsiau ceffyl. Gwneid hyn gynt bob nos wedi diwrnod o aredig, llyfnu, ayyb, â'r wedd. Byddai'n un o'r goruchwylion a wnai'r certmon yn y stabl fin nos ac a'i cadwai yno hyd oddeutu wyth o'r gloch.

cribol *eg.* Yn gyffredinol, cors neu siglen. Ym Môn ac Arfon, tail rhy wlyb i'w godi â fforch, tail y mae'n rhaid ei godi â siefl neu ei riglo â chrafwr. Hefyd y baw a'r llaid gwlyb mewn pyrth neu adwyon, pwdel. Mewn rhai ardaloedd mae'n air hefyd am fortar rhy feddal i'w drafod â'r druwel. Ar lafar ym Môn ac Arfon.
'Gwylia dy hun neu mi fyddi dros dy sgidia' yn y *cribol* 'na.'
Ffig. Bwyd gwlyb yn cael ei godi â ladl ac yn rhy wlyb neu yn rhy feddal i'w fwyta â chyllell a fforc. Ar lafar ym Môn.
'Mi gawson' ni y *cribol* rhyfedda yn refi ar y tatws i ginio.'

cribyn gw. CRIBIN.

327

criciau lladd ŷd *ell.* un. *cric lladd ŷd.* Ymadrodd ym Môn am gefn drwg ar ôl y diwrnod cyntaf o ladd ŷd â phladur. Ceir hefyd 'clwy torri ŷd' a 'clwy pladur' am yr un peth, ac yn aml yn ddifrïol fel y sonnir am 'glefyd y Sul'.

'Ddaeth Robin ddim at i waith heddiw – *criciau lladd ŷd* mae'n siwr.'
Gw. CLWY PLADUR.

criglod *ell.* Tatws mân, afalau mân, tatws neu afalau rhy fân i ddim (gynt) ond i'w rhoi i'r moch; 'tatws moch', 'briblins' (Môn), 'bribys', 'rhithod'.
Gw. hefyd BRIBYS, RHITHOD, TATW MÂN.

criman Y ffurf yn y De ar 'cryman'.
Gw. CRYMAN.

crimell *eb.* ll. *crimellau.* Trum fechan, esgair fechan. Ar lafar yn y ffurf *crimallt* ym Meirionnydd. Ffurf arall neu amrywiad ar 'cribell'.
Ffig. Person main, tena, sgyrniog, sgilffyn – 'Hen *grimall* o ddyn tena'.
Gw. CRIBELL, CRIMP[2].

crimog
1. *eb.* ll. *crimogau.* Trum, esgair, cefnen (yn drosiadol).
2. *eb.* Ymyl flaen asgwrn y goes yr ochr isaf i'r penglin, 'hegl', 'gomach' (S. *shin*).

crimp
1. *a.* Crinsych, crin, brau, sych, caled.
'Ma'r gwair 'ma'n *grimp*, mi cariwn ni o i grogi.'
Sonnir am 'losgi'n *grimp*' (am fwyd) – 'Rydw i'n lecio cig wedi'i wneud yn *grimp*.
2. *eg.* Ymyl galed unrhyw beth – to tŷ neu grib tŷ, asgwrn cefn ceffyl ayyb.
'Charwn i ddim mynd ymhell ar gefn yr hen Bess, efo'r *crimpyn* cefn sy ganddi.'

crimpiwr, crimpwr *eb.* Gefel fechan, pinsiwrn, pinsiwn, erfyn i afael mewn rhywbeth.

crin *a.* Yn amaethyddol, wedi gwywo, wedi crasu (am wair), gwair *crin* = gwair parod i'w hel. Cyn dyddiau'r silwair, pan helir y gwair mor ir ac mor llawn sudd ag y mae'n bosibl, gwair gwyw, *crin* a sych y byddid yn ei hel a'i gywain yn rhydd.
17g Huw Morus: EC 1, 146, Serch enynnodd yn fy nwyfron,/Fal y tân mewn craswellt *crinion*.

crinc *eg.* ll. *crincod.* Y mochyn lleiaf mewn torllwyth; 'cwlin', 'bach y nyth', 'cordbedwyn', 'cardedwyn'.
Gw. CARDYDWYN, CORBEDWYN[1], CWLIN.

crinder *eg.* Sychder, crasder, gwywder (am dir a thywydd).
1567 Salm 32.4 LLGG, Fy irder a ymchwelwyt yn sychder [:-*grinder*] haf.

crindir (*crin + tir*) *eg.ll. crindiroedd.* Tir sych, cras, tir wedi crasu yng ngwres yr haul, crasdir.

1756 W Williams, GDC 159, Afonydd ac Anialwch, a *chrindir* cras yn un.

crinell *eb.* ll. *crinellau, crinellydd.* Brigau coed wedi crino, coed tân crin, briwydd, tanwydd.
1450-80 DE 20, Ydrychen y fedwen fau/Wengron oll yn *grinellau.*
1771 W, *brush or brush-wood, stick (for kindling fire with).*

cringae (*crin* + *cae* [clawdd, gwrych]) *eg.* ll. *cringaeau.* Gwrych neu glawdd drain wedi crino, clawdd eithin wedi gwywo. Bu 'clawdd' neu 'wrych' yn un ystyr i'r gair 'cae'.
1952 GDG (14g) 176, Cebystr ar *gringae* cybydd (y fiaren).
Gw. CAE.

cringoed gw. CRINELL.

crino *be.* Marw, sychu, gwywo, crasu (am blanhigion, coed, llysiau, ayyb).
1450-80 DN 114 (1923) Diffaith iw pren gwyrennig/Yn ei fôn pan *grino* ei frig.

crinsychu *be.* Gwywo, sychu, crasu, crino, crasboethi (am dir, gwair a phorfa).

crinwellt *eg.* Glaswellt crin, porfa wyw, gwair wedi crasu yn yr haul.
1763 DT 142, I'r maes dur, ac i'r mis du/Byr *grinwellt* a bair grynu.

crinwydd gw. CRINELL.

crip *eb.* Allt fechan, rhiw gymharol fer, tynnu i fyny heb fod yn rhy hir ond braidd yn serth, clip. Ar lafar yng Ngogledd Ceredigion ac mewn enwau lleoedd fel y '*Grip*', Llanrhystyd. Yn gyfystyr â 'clip' ac yn amrywiad ar y gair 'clip'.
Gw. CLIP.

cripell Amr. ar 'cribell'.
Gw. CRIBELL, CRIMELL.

cripil, cripl gw. CRUPL.

crit *eb.* ll. *critiau.* Gair sir Benfro am das neu bentwr o 'fate' neu dyweirch wyneb tir mynydd a dorrid gynt fel tanwydd. Ar lafar yn ardaloedd y Preselau.
1991 G Angharad: CSB 9, Mewn rhannau eraill o Gymru y gair 'tywarch' fyddai'n cyfateb i *mate* Sir Benfro. Yma y mae'r gair tŵarch ar gael ond yn yr ystyr mawn.
Gw. MATEN.

crito *be.* Tasu neu bentyrru matenau.
Gw. CRIT.

criw *eg.* ll. *criwiau.* Yn amaethyddol, y dynion a ddôi at ei gilydd i ddyrnu neu gneifio, y criw dyrnu, y criw cneifio.
Gw. CRIW DYRNU, DIWRNOD CNEIFIO, DIWRNOD DYRNU.

criw dyrnu *eg.* ll. *criwiau dyrnu.* Y bobl a ddôi ynghyd gynt o ffermydd cymdogaeth i ddyrnu yn y ffermydd yn eu tro, oddeutu deuddeg i bymtheg o weision ffermydd yn bennaf, dan yr arfer o 'ffeirio' neu gyfnewid llafur.

1991 FfTh 8, 23, Fe welwch yn y llun y *criw dyrnu* ... Roedd deuddeg o griw, a phawb efo'i waith arbennig, sef dau i godi ysgubau i ben y bocs dyrnu, dau ar y top, sef un i dorri'r llinyn a'r llall i ffidio; dau i gario'r brig (neu'r grawn); dau i gario gwellt; dau yn y gowlas wellt neu'n gwneud y das; un i gario manus a chario dŵr i'r tracsion, ac un enjiniar i ofalu am y peiriannau.

Gw. DIWRNOD DYRNU, FFEIRIO.

criw cneifio *eg.* ll. *criwiau cneifio.* Y ffermwyr a'r gweision a ddôi ynghyd gynt o ffermydd cymdogaeth i gneifio defaid pob fferm yn ei thro, dan y drefn o 'ffeirio' neu gyfnewid llafur.

Gw. DIWRNOD CNEIFIO.

criwtio *be.* Gwella neu ymadfer o haint neu afiechyd (am anifail a dyn) (S. *recrute*).

'Ma'r hen fuwch wedi *criwtio'n* arw erbyn heddiw.'

croc *eg.* Anifail hen (dafad neu geffyl, ayyb) ac wedi gweld ei ddyddiau gwell. Fe'i defnyddir hefyd gyda'r un grym am hen beiriant (S. *crock*). Fel rheol clywir, hen *groc* o geffyl, hen *groc* o gar, ayyb.

crochan, crochon

1. *eg.* ll. *crochanau.* bach. *crochenyn.* Llestr pridd dwfn yn culhau at ei waelod i ddal llaeth, menyn, ayyb, pot pridd. Sonnir am y *crochan* (*crochon*) llaeth, *crochan* (*crochon*) hufen, *crochan* (*crochon*) menyn.

Hwiangerdd. 'Beti Bwt a aeth i gorddi,/Eisiau menyn ffres oedd arni,/Tra bu Bet yn mofyn halen/Aeth yr hwch i'r *crochan* hufen.'

2. *eg.* Llestr haearn crwn neu hirgrwn at ferwi neu goginio cig, broth, lobscows, uwd, ayyb, 'callor', 'berwedydd', 'sospan fawr'. Byddai'r math hwn o *grochan*, a rhyw fwyd neu'i gilydd ynddo, yn crogi uwchben y tân mewn cartrefi (yn enwedig ffermydd) gynt, a'i gynnwys yn boeth neu'n mud ferwi'n gyson, 'ffwrn' (Dyffryn Aeron).

1620 Preg 7.6, Canys chwerthiniad dyn ynfyd sydd fel clindarddach drain dan *grochan*.

Ffig. 'Berwi'i *grochan*' – rhywun yn gwylltio.

1988 Esec 11.3, Y ddinas yw'r *crochan*, ninnau yw'r cig (anghydfod a therfysg).

Daw *crochan* i nifer o gyfuniadau:

crochan berwedig Crochan a'i gynnwys yn berwi.

1620 Job 41.31, Gwna i'r dyfnder ferwi fel *crochan*.

crochan cawl Crochan broth, lobscows.

crochan cig Crochan y berwir cig ynddo.

1620 Ecs 16.3, O na buasem feirw ... pan oeddym yn eistedd wrth y *crochanau cig*.

crochan Grawys Plisgyn ŵy wedi ei lenwi â chig, tatws, ayyb, a anfonid y naill ai mewn dirmyg neu mewn direidi, i gymydog mewn plwyf arall yn ystod tymor y Grawys.

crochan haearn Crochan â thri throed a dwy glust neu handlen (mewn cyferbyniad hefyd i grochan pridd).

crochan hufen Llestr pridd, potyn pridd, fel arfer â'i waelod llawer yn gulach na'i dop, i ddal hufen i ddisgwyl ei gorddi. Ar lafar yng Ngheredigion a Dyfed.

Hwiangerdd. 'Tra bu Bet yn mofyn halen,/Aeth yr hwch i'r *crochan hufen*.'
1938 T J Jenkin: AIHA AWC, Yr oedd y *crochan hufen* yn un mawr – daliai rhyw ddeg galwyn neu ragor; yr oedd y tu mewn a rhan uchaf y tu allan wedi ei wydro; priddyn coch oedd defnydd y crochan.

crochan lliwio
1958 FfFfPh 60, Roedd rhod nyddu at drin y gwlân yn rhan o ddodrefn pob tŷ, a hefyd roedd *crochan lliw* at liwio'r edau bron ar bob aelwyd.

crochan medi Crochan y berwid broth ynddo amser y cynhaeaf ŷd.

crochan y felltith Enw a roed ar y tebot te gan y rhai a wrthwynebai yfed te, ac a ystyriai ei yfed yn bechod, cyn i de ddod yn ddiod cyffredin.

crochan pridd Pot pridd, llestr pridd, crochenwaith i ddal llaeth, ayyb.

crochan tatws Crochan yn y 'briws' neu'r cwt golchi at ferwi tatws i'r moch.

crochan troediog Crochan haearn (fel rheol) a thri throed iddo.

crochan menyn Pot pridd i ddal menyn, y pot pridd y cedwid y 'menyn pot' neu'r 'menyn *crochan*' ynddo, llestr y 'menyn cadw'.

crochan uwd Y crochan y berwid yr uwd ynddo a'i gadw i ffrwtian uwchben y tân.
1975 W J Thomas: CM 36, Hongid y *crochan* (uwd) uwch ei ben (tân mawn) i ffrwtian am oriau, a byddai'r blas yn hyfryd.

crochan pyg Y crochan y berwid pyg ynddo i farcio defaid.
1966 Llwyd o'r Bryn: D 270, Mae'r *crochan 'pitch'* wedi dod i ben ei rawd, ac fe ddylai defaid gynnal gŵyl o ddiolch am gael gwared ag o … Y peth gorau o'i gwmpas ydoedd ei arogl hyfryd, yn enwedig os mai tân mawn oedd tano.
Ffig. 'Crac yn ei *grochan*' – un yn dweud neu wneud pethau ffol ac anghyfrifol.
'Pen *crochan*' – un dwl, ffol.

croen
1. *eg.* ll. *crwyn*. Yn amaethyddol, am ryw reswm (yn anelwig) dyma'r enw a roid gynt ar y certmon a ddôi â'r llwyth olaf i'r ydlan adeg y cynhaeaf ŷd, anrhydedd na chwenychai neb ei chael.
1954 J H Roberts: *Môn*, Adeg cynhaeaf bydd pob gwas ar ei orau rhag bod yn *groen* – rhag dyfod a'r llwyth olaf i'r ardd.

2. *eg.* Llipryn neu sgilffyn o ddyn main tena, 'yr hen *groen*'.

3. Y borfa o wair, meillion, ayyb, a dyf ar wyneb y tir. Sonnir am gae â *chroen* da arno, hefyd cae â hen *groen*, sef tyndir neu gae heb ei aredig ers blynyddoedd ac am groen ifanc ar gae hadyd. Gwaith y cwlltwr ar yr aradr yw rhwygo'r *croen* wrth aredig.
1958 T J Jenkin: YPLL AWC, Ma' *croen* Parc-y-Post wedi mynd yn sâl iawn er i fod e'n dechra gwella nawr, a'r meillion wedi dod nôl iddo yn dda iawn eleni …

croen oen marw *eg.* Croen oen marw un ddafad a roir am oen dafad arall

(un o efeilliaid fel arfer) i geisio perswadio'r ddafad a gollodd ei hoen i'w dderbyn a'i fagu. Yn ôl adroddiad a gyhoeddwyd gyntaf yn y *Drych*, papur newydd Cymry America, 19 Mehefin 1873, Stephen Stephens o Lan Ffestiniog, nai i Edward Stephens (Tanymarian) y pregethwr a'r emynydd, oedd y cyntaf i roi croen oen marw am un byw er mwyn i'r ddafad ei dderbyn a'i fawysiadu.
Gw. GEFEILLIO, MABWYSIADU EPIL.

croen y baw gw. TORRI YNG NGHROEN Y BAW.

croen caul *eg.* Croen o gylla llo a ddefnyddid gynt i geulo caws, cyn i 'rennet' ei ddisodil.
Gw. CAUL, CEULO.

croen gŵydd *eg.* Enw ffigyrol ar groen person dynol yn codi'n lympiau mân mewn oerni, neu gan oerni, ac yn tebygu i groen gŵydd yn enwedig ar ôl ei phluo.
1995 J Davies: CB 17, Mae meddwl amdanyn nhw (llygod) ... yn rhoi *croen gŵydd* i mi.

croenlyn (*croen* + *glŷn*) *eb.* Afiechyd ar anifeiliaid sy'n peri bod y croen yn glynu'n dynn wrth y cnawd, y groenlyn, *'scleroderma'*.

croenrhwym gw. CROENLYN.

croesaredig *be.* Aredig cae ar ei draws ac ar ei hyd.

croesddrilio *be.* Hau had ar draws ac ar hyd cae.

croesfridio *be.* Cymaru dau anifail o ddau frid gwahanol, neu ddau aderyn o ddau frid gwahanol, e.e. cymaru defaid mynydd â hwrdd Suffolk, neu darw du Cymreig â buwch Hereford.

croesffrwythloni *be.* Y broses o ffrwythloni un planhigyn drwy drosglwyddo paill o blanhigyn arall o'r un rhywogaeth.

croesgoed *ell* Rhiddyn neu raen croes mewn pren neu goedyn, yr hyn y ceisid ei osgoi wrth chwilio am goesau offer amaethyddol gynt, megis y bladur, ayyb. Dyna pam y dewisid bedw, gwern neu helyg i'r dibenion hynny.
Gw. COES.

croesgyflogi *be.* Cyflogi yn y Llan neu yn y ffair a gynhelir yn y Llan. Yr un *croes* ag yn *croes*ffordd, felly croes y Llan, sgwâr y Llan.
Gw. CYFLOGI, CYFLOG Y GROES.

croeshofio *be.* Defnyddio hof law neu hof-beiriant i deneuo gwraiddlysiau (swêds, maip, ayyb) drwy ei thynnu ar draws y rhesi gan adael dim ond tuswau bach o'r planhigion i'w teneuo â llaw yn ddiweddarach.

croesi
1. *be.* Yn amaethyddol, trawsfridio neu groesfridio anifeiliaid, yn

enwedig defaid a gwartheg, cymaru anifail o un brid ag anifail o frid arall. Sonnir am ŵyn croes a defaid croes, sef ŵyn neu ddefaid sy'n groesiad o ddau frid. Defnyddir y gair *croesi* hefyd wrth groesffrwythloni neu groesbeillio planhigion.

1975 R Phillips: DAW 59-60 … fe aeth yn gredo ei bod yn rhaid *croesi* popeth Cymreig, yn gesig, buchod, hychod a defaid, â bridiau o Loegr, er mwyn cael gwelliant cyflym mewn maint a gwedd, pwrpas a phris. Erbyn hyn mae'r gred honno wedi diflannu, drwy lwc, a cheisir yn awr wella oddi mewn i'r bridiau a'r mathau Cymreig cynhenid.

Gw. CROESFRIDIO.

2. *be.* Torri ar draws (tir fel rheol), cymryd y ffordd fyrraf, ymwrthod (yn aml) â'r ffordd arferol o fynd o un pwynt i'r llall, *croesi* caeau, *croesi'r* ddôl, *croesi'r* mynydd.

'Mae 'na lwybr yn *croesi'*n syth o'r fan hyn i'r pentre.'

croesanfarch (*croesan* + *march*) *eb.* ll. *croesanfeirch.* Ceffyl gwael, math salw o geffyl, ceffyl yn destun sport, ceffyl wedi ei fridio'n wael. (Ystyr *croesan* yw ffwl llys neu ddigrifwr llys.)

croes odro *be.* Y dull normal arferol o odro oedd i'r godrwr, a eisteddai, fel rheol, yr ochr dde i'r fuwch, odro y ddwy deth agosaf ato gyntaf, ac wedyn y ddwy deth bellaf oddi wrtho. Ond weithiau ceid rhai yn godro'r tethi'n groes gongl, pe digwyddai bod mwy o laeth yn y rheini. Nid pawb a fedrai wneud hynny'n llwyddiannus fodd bynnag.

1908 Myrddin Fardd: LLGSG 70, Pan fyddid yn cyflogi morwyn gofalid am ofyn iddi – a fedri di *groes odro,* dwbl gorddi, dechrau golchi a diwedd nithio.

croesryw *a.* ac *eg.* Croesfridiad, croesffrwythloniad, cymysgryw, o ddau *ryw*ogaeth gwahanol.

crofen gw. CRWST[1].

crofft *eg.* ll. *crofftydd, crofftau.* bach. *crofften..* Y gair am fferm fach neu dyddyn yn ucheldiroedd ac ynysoedd yr Alban, ac a ddefnyddir yng Nghymru weithiau yn yr un ystyr, sef tyddyn neu fân ddaliad. Hefyd am gae bychan, yn enwedig un yn ymyl y tŷ yn y ffurf *grofft* neu *grofften.*

14-15g IGE 265, Os o'i grefft is ei *grofftydd/*Rhyw fawr fost, rhy ofer fydd.

Gw. LLAIN, TYDDYN.

crofftwr *eg.* ll. *crofftwyr.* Un yn ffermio fferm fach neu dyddyn. Dyma'r gair yn yr Alban sy'n cyfateb i'r gair 'tyddynwr' yng Nghymru.

Gw. hefyd CROFFT, TYDDYNWR.

crogell (*crog* + *cell*) *eb.* ll. *crogellau, crogelloedd.* Cwpwrdd cadw bwyd, cawell neu gell i'w chrogi wrth y nenfwd i gadw bwydydd o afael llygod, ayyb, sêff fwyd grogedig.

crogen ginio *eb.* Y gragen y chwythid iddi i alw'r gweision at eu bwyd.

1976 W J Thomas: FFCH 66, Un peth a gofiaf … mai yno (Braich-y-bib, Cwmstradllyn) yn unig y clywais chwythu y *grogen ginio* i alw'r gweithwyr at eu bwyd.

Gw hefyd CLOCH GINIO, CORN CINIO.

crogfach (*crog* + *bach*) *eg.* ll. *crogfachau.* Y math o fachau a geid gynt dan nenfwd y gegin, y pantri a'r llaethdy, i hongian cig wedi ei halltu, ayyb.

croglath *eg.* ll. *croglathau.* Magl, hoenyn, tagell, neu hang i ddal cwningod, sgyfarnog, llwynogod, ayyb, a ddefnyddid lawer iawn gynt ond sydd, ers blynyddoedd bellach, yn anghyfreithlon.

1620 Amos 3.5, A syrth yr aderyn yn y fagl ar y ddaear, heb fod *croglath* iddo?

1979 W Owen: RRL 43, Yr oedd Harri'n gwningwr abal, yn drapiwr ac yn osodwr *croglath* medrus.

Gw. BYDDAGL, HOENYN, MAGL, TAGELL[2], TELM.

croglofft *eb.* ll. *croglofftydd.* Fel rheol, ystafell lled fechan ac isel ei tho yn nen y tŷ neu dros ddarn o'r tŷ. Weithiau clywir *croglofft* am yr atig neu'r garret, ond fynychaf am y math o lofft a wneid mewn tŷ unllawr ag ysgol o'r llawr i fynd iddi. Yn aml gwneid y math yma o lofft dros ddarn o'r tŷ i gyfarfod â gofynion cysgu teuluoedd lle roedd plant. *Croglofft* fyddai'r enw ar lofft uwchben darn o'r sgubor neu unrhyw un o'r beudái hefyd.

1763 DT 146, Nid llawer iawn o ddodrefn sydd yn fy *nghroglofft.*

1933 H Evans: CE 68, Yr oedd y tad wedi rhoi *croglofft* isel wrth ben y siamber i rai o'r plant gysgu ynddi.

croglwyd *eb.* ll. *croglwydi.* Math o gar neu glwyd o wiail y cedwid arno fara a chig sych, ayyb. Ar lafar yn Arfon gynt.

Gw. GPC.

crogrwymyn yr egwyd *eg.* Un o'r gewynnau sy'n rhedeg o ran ucha'r metacarpws i lawr i'r egwyd (S. *suspensary* ligament).

crombil (*crom* + *pil*[croen]) *egb.* ll. *crombiliau, crombiloedd.* Y cwdyn lled grwn sydd tu mewn i aderyn ag sy'n dal y bwyd a fwyty, cropa aderyn, glasog, cyllau.

1620 Lef 1.16, A thynned ymaith ei *grombil* ef a'i blu.

Ffig. Perfeddion, canol unrhyw beth.

'Mae 'na wres eirias yng *nghrombil* y ddaear.'

'Bywyd 'rhen Jac ydi cerdded tai i hel yn 'i *grombil.'*

Gw. GLASOG.

cromell

1. *ebg.* Afiechyd ceffylau sy'n effeithio ar gyswllt neu gymalau'r goes ôl, llyncoes, ysbaden, sbafen, cromell y gar. Ceir dau fath, cromell gwaed a chromell asgwrn, y naill yn lwmp neu chwydd meddal yr ochr i mewn i'r goes ôl, a'r llall yn dyfiant esgyrnaidd ar ran isaf yr ochr i mewn.

Gw. SBAFEN, LLYNCOES.

2. *eb.* ll. *cromellau.* Bwa, darn o gylch. Weithiau clywir y gair am gameg olwyn bren, e.e. cameg olwyn trol.

cromio *be.* Crafu, sgrafellu, cribo (anifail) yn enwedig ceffyl.

1788 Cain Jones: Alm 8, ac wedi *cromio* â'ch Bys i'w hanner, ar i fynu i'r Briw rhwng Cig a Chroen.

Gw. CRIBO, SGRAFELLU.

cronadur *eg.* ll. *cronaduriau*. Dyfais i gronni egni hidrolig ar beiriannau (S. *accumulator*).

cronbwll *eg.* ll. *cronbyllau*. Cronfa ddŵr, pantle, llyn y llifa dyfroedd drwyddo. Dalgylch dyfroedd bychan. Byddai'r cronbyllau hyn yn hynod o bwysig ar ffermydd gynt fel cronfeydd dŵr i'r anifeiliaid, ayyb.

croncwellt (ffurf ac amrywiad ar crawcwellt) *ell.* Rhonwellt, crawcwellt, gwellt y bwla (*Molinia caerulea*). Ar lafar ym Maldwyn. Gw. CRAWCWELLT.

cronfa
1. *eb.* ll. *cronfeydd*. Math o glawdd ar draws afon neu nant i gronni dŵr, argae, cored. Gwneid y math hwn o gronfa neu o argae gynt i olchi defaid, i sianelu dŵr i droi rhod y felin ac i'w bibellu at ddefnydd y tŷ a'r beudái.
1654 Ll Cy 3, 100, Y pwll oedd Rhy ychel y *gronfa*.
1784 M Williams: S I, 216, Hwy wnant *gronfa* mewn rhyw afon.

2. *eb.* ll. *cronfeydd*. Y dŵr a gronnir gan gronfa neu argae, y llyn dŵr tu ôl i'r gronfa neu'r cored, y casgliad o ddŵr.
1774 D Risiart: HFP 75, A gollwng y *gronfa* yn sydyn ar eich traws.

Cronfa Gwariant Amaethyddol Ewrop Cronfeydd ariannol cyllideb y Comisiwn Ewropeaidd sy'n ariannu'r Polisi Amaethyddol Cyffredin. Mae dwy ran i'r Gronfa, y naill yn rhoi cymorth ariannol at adeiladau, traeniau ac offer, a'r llall i ategu prisiau'r farchnad anifeiliaid.

cronlyn gw. CRONFA[2].

crop
1. *eg.* ll. *cropiau, cropys.* bach. *cropyn.* Gair Anglo-Sacsonaidd a ddefnyddir yn gyffredin gan Gymry Cymraeg am gnwd, cynnyrch cae, cynnyrch un tymor neu gynnyrch un cynhaeaf.
'Mi gefais anferth o *grop* o silwair 'leni.'
Gw. CNWD.

2. *eg.* Brig neu flaen planhigyn, blodyn, perth, ayyb.
16g WLB 32, Kymer dri *chropp* o'r danadl cochion.
'Gwell torri *crop* y ffa cyn i'r pryf du ymddangos.'

cropa gw. CROMBIL, GLASOG.

cropiau gwraidd gw. GWRAIDDGNYDAU, GWRAIDDLYSIAU.

cropio
1. *be.* Cnydio, dwyn ffrwyth, dwyn cnawd. Yn y De ceir y ffurf 'cropo'.
'Ma'r gwenith newydd 'ma'n *cropio*'n dda.'

2. *be.* Blaendorri neu docio gwrych, ayyb, cneifio, clipio.
15g Huw Cae Llwyd: Gwaith 45, O *gropio*'r llwynau y ceir perllanydd,/A'u *cropio*'n ieuainc yw'r hap o newydd.
1550 B 6, 49, Helic a ddlir y *kropo* o haner Chwefrawr i haner Ebrill.
'Mae'n hen bryd iti *gropio* dipyn ar dy wallt.'

GPC, yn y De clywir 'Ma fe wedi *nghropo* i'r wythnos hon' (gŵr yn rhoi llai nag arfer o arian i'r wraig).

cropso'r bargod *be.* Torri neu docio bargod tas ar ôl gorffen ei thoi. Fel arfer gwneid hynny â gwiaill gneifio.

cropyn *eg.* ll. *cropynau.* Llwyn, twmpath, perth; *cropyn* eithin = twmpath eithin, llwyn eithin. Ar lafar yn y De yn y ffurf hon ac yn yr ystyr hwn.
1989 D Jones: OHW 36, Ond cyn ei chyrraedd (clos yr Esgair) 'roedd yn rhaid iddo gael troi o'r ffordd i neidio *cropyn* eithin neu ddau.
1966 D J Williams: ST 81, Byddai cael pisyn chwech am wningen y buasai ef a Siarli'r ci ddiwrnod cyfan yn ei chwrsio o glawdd i *gropyn* eithin yn fwy o elw yn ei olwg na phe cai bymtheg swllt ar dor ei law fechan.

crowc *eg.* Tir gwyllt neu hanner gwyllt. Ar lafar yn sir Ddinbych.

crowcwellt *gw.* CRAWCWELLT, hefyd CRYWCWELLT.

crowyn, crywyn, crewyn *eg.* Adeilad bychan i gadw anifeiliaid, twlc (mochyn), cut - cwt (ieir), cwb (gwyddau), cenel (ci). Yn Arfon defnyddir *crywyn* hefyd am feudy neu gwt gwartheg neu gynnyrch fferm. Ceir '*crywyn* tatws'.
1300 LLB 93, Parchell yn y *growyn*, keiniawc kyfreith a tal.
Gw. CREWYN[1].

crud pladur *gw.* CAWELL PLADUR.

crug
1. *eg.* ll. *crugiau, crigoedd.* bach. *crigyn, crigen.* Bryncyn, ponc, codiad tir, carnedd, pentwr, twmpath, twlc, twr. Mewn rhai ardaloedd defnyddir *crugyn* (ll. *crugiau*) am y twlc tail a dynnid â'r caff o'r drol bob rhyw ddegllath wrth deilo cae dan yr hen drefn o deilo. Ar lafar yn yr ystyr hwn yn sir Benfro.
1300 WM 156 22-24, Ac yna ... yn eistedd ar ben *crug* y wreic teccaf or a welsei eiroet.
1740 Th Evans: DPO 285, Taflodd hwy yn *grugiau* i'r tân. (llyfrau)
1958 T J Jenkin: YPLL, AWC, Tynnid y pridd-a-dom yn *grugiau* a phob cyfle a gai y trydydd ohonom byddai yn dechrau ei sgwaru (gwasgaru mae'n debyg yn wreiddiol) a gellid ei wasgar yn gyson iawn.
2. *egb.* ll. *crugiau.* Tas, mwdwl, pentwr o wair neu o ŷd neu o fawn. Ar lafar yn y De am bentwr o bobl ac o bethau, yn y ffurfiau 'cricin' a 'crigin', – 'cricin o bobl'.
1958 FfFfPh 31, Ar ôl gadael y mawn ar y ddaear am tua tair wythnos, byddem yn mynd lan wedyn i'w godi'n *grugiau* bychain i sychu, ac eto ymhen tair wythnos arall yn codi'r cyfan eto'n *grugiau* mawrion.
Ffig. Pentwr o ofid neu flinder.
1778 W, *Crug* o ofidiau.

crugfryn *gw.* CRUG[1].

crugio *be.* Pentyrru, twmpathu, carneddu, crynhoi.
1688 T J, *Crugo* – pentyrru, to heap up.

cruglwyth (*crug + llwyth*) *eg.* ll. *cruglwythi.* Pentwr, cludair, crynswth, twmpath.

1445-75 GGI 160, Mae cwarel aur, mae caer lân,/*Gruglwyth* i'r gŵr o Raglan.
'Mae gen i *gruglwyth* o bapurau i fynd i'r archifdy.'

crugog *a.* Ponciog, brynciog, carneddog.

crugyn gw. CRUG.

crupl *a.* Wedi ei glwyfo a'i gloffi neu ei anafu (am anifail) dihoenedd ar anifail.
GPC, *Crupl, cripl* – yn ardal y Ceinewydd, y *crupl* – math o gloffni ar wartheg a achosir gan ewinedd yn tyfu ar draws ei gilydd.

crut, crit *eg.* ll. *crutiau.* Lle wedi ei amgau i bwrpas arbennig, corlan, ffald, lloc, sied. Ar lafar yng Ngheredigion mewn ymadroddion fel *crit lloi*.

crutio *be.* Rhoi mewn crut neu gwt, corlannu, hel i ffald. Ar lafar yng Ngheredigion.
Gw. CUTIO.

crwc
1. *eg.* ll. *cryciau.* Twb, twba, twbyn, celwrn, piser, ysten, bwced, ystwc. Llestr i ddal hylif o unrhyw fath. Ar lafar yn y 'Gogledd. Sonnir am '*grwc* golchi' a '*crwc* celwrn', sef casgen wedi ei llifio'n ei hanner. Ceir hefyd y dywediad cymhariaethol – 'mae hi'n bwrw (glawio) fel o *grwc*' – yn tywallt y glaw, yn arllwys y glaw fel pe'i tywelltid o *grwc*. Ym Môn ychwanegir at y dywediad gan y sawl sy'n ddiddos dan do pan fo'n arllwys y glaw – 'Mae hi'n bwrw fel o *grwc*, ond mae Huw dan do wrth lwc'. Hefyd 'y mae o'n dwad fel o *grwc*' am huodledd geiriol siaradwr llithrig.
1707 AB 215, *Crwc* – a bucket or milking pail.
1769 Twm o'r Nant, TChB 38, Doedd yma un *Crwcc* Emenyn, mi wela'n fanwl.

2. *eg.* Fforch bwrpasol i dynnu tail o drol yn bentyrrau ar gae wrth ei deilo cyn dyddiau'r chwalwr tail. Roedd i'r fforch hon goes hir a phigau wedi eu plygu'n bwrpasol ar gyfer y gwaith oedd iddi. Ar lafar yn Nyfed. Ym Meirion fe'i gelwir yn 'fforch dail', 'caff' (Môn), 'gwarloc', 'cramp'.
1989 P Williams: GYG 42, Tynnid y cretsh, a thynnu'r dom o'r cart â *chrwc* yn grugiau.
Gw. CAFF, CRAMP, FFORCH DAIL.

crwcyn *ebg.* Dolen bachyn, bach. Yn arferol efeillir *crwcyn* â meilin, sef llygad (mewn rhaff, cadwyn, ayyb). Sonnir am *crwcyn* a 'meilin', sef 'bach a llygad'.
Gw. MEILYN.

crwmp *eg.* Rhannau ôl anifail, yn enwedig ceffyl, pedrain, crwp, crwper, bontin.
1955 Llwyd o'r Bryn: YP 119, … ac adre nerth – bu agos imi ddweud *nerth crwmp*, ond nerth petrol a fai'n gywirach.
1981 W H Roberts: AG 43, Byddai fy nhad yn ofalus iawn o loiau wedi eu troi allan i'r borfa am y tro cyntaf, gan ein siarsio i beidio â'u taro ar eu *crwmp* a'u cleisio. Haint ar gyhyrau'r *crwmp* ydyw … (clwy du).
Ffig. Cario baich yn isel ar y cefn (am ddyn).

1913 WVBD 302, Mae o'n cario'i faich ar 'i *grwmp* neu ar *grwmp* 'i din.
Gw. CRWPER², PEDRAIN.

crwn, grwn (y), gron (y) *egb.* Gair ym Môn am y drywinen neu'r derweinen (ar warcheg fel ar bobl) a chan amlaf gyda'r fannod o'i flaen yn y ffurf *y grwn*. Ffurf crwn y cylchoedd crachlyd tua modfedd ar eu traws ar groen anifail (a dyn) yw'r rheswm am yr enw. Ceir yr un awgrym yn yr enw Saesneg *'ring-*worm'.

crwp

1. gw. CRWMP, PEDRAIN.

2. gw. CRYGWST.

crwper

1. *eg.* ll. *cwperi, cwperau.* Y strap lledr a rêd ar hyd cefn ceffyl gyda dolen ar ei flaen i fynd am gynffon y ceffyl, gyda'r amcan o gadw'r strodur neu'r gefndres yn eu lle.
14g GDG 179, A fu sadler *crwper* crach/Neu deiler anwadalach?

2. *eg.* ll. *crwperau.* Rhannau ôl anifail yn enwedig ceffyl; 'pedrain', 'crwmp', 'bontin'.
14g HMSS 1 411, ... a'r llew a gyrhaeddawd y varch ynteu ac ewinedd yn y *grwper*.

crwper hir *eg.* Hyd o ledr tua 9 modfedd o led a rêd ar hyd cefn ceffyl blaen mewn gwedd fain. Ceir un pen ynghlwm wrth y goler a'r pen arall â dolen ar ei flaen i fynd am gynffon y ceffyl. Ei waith yw dal y tresi'n ddigon uchel.

crwst

1. *eg.* ll. *crystiau, crystau.* bach. *crystyn.* Rhan allanol torth o fara, caws, cig, carn troed anifail, arwyneb y ddaear, – y rhan galed sydd am ran feddalach mewn torth, caws, carn troed, ayyb. Y ffurf fachigol *crystyn* a ddefnyddir amlaf yn y Gogledd a *crwstyn* yng Ngheredigion a Dyfed. Clywir 'donnen' a 'tonnen' hefyd yng Ngheredigion a cheir 'crofen', 'grofen', 'crofan' ym Mrycheiniog, Caerfyrddin a Morgannwg. Gw. dan y geiriau.
14-15g IGE 297, Llwm ei *grwst*, fab llym ei graidd.
1630 R Llwyd: LlH 219, Y mae yn gorfod iddynt gnoi *crystau*, a bod ar brinder bwyd.
1790 Twm o'r Nant: CG 176, I'r moch a'r cŵn mudion mae'r creifion a'r *crwst*.
Ffig. cweir, curfa, cosfa.
'Mi rois i *grwst* iawn iddo.'
Bywoliaeth – sonnir am un yn 'ennill ei *grystyn*'.
Person crintach – 'hen *grystyn* o ddyn'.

2. *eg.* ll. *crystiau.* Y planc garw a lifir oddi ar goeden cyn ei llifio'n ystyllenod.
1722 Llst 190, *Crwst* – a slab or outward board or plank of a tree.
1806 Twm o'r Nant: H 42, Ni a aethom ... lle yr oedd *crystiau* coed (yslabs) ac a gawsom eu benthyg.

crwt godro *eg.* Gwas bach, hogyn newydd adael yr ysgol (yn aml) a throi allan i 'weini ffarmwrs'. Ar lafar yn sir Benfro.

1938 T J Jenkin:AIHA AWC, *Crwt godro* – bachgen ifanc i helpu o amgylch y tŷ a chyda'r anifeiliaid.
Gw. GWAS BACH.

crwth *eg.* Rhywbeth crothog ei ffurf yn enwedig llestr boliog neu fasged grothog, – llestr a'i ganol yn fwy na'i wyneb ac na'i waelod, crwth halen, ayyb.
1902 O M Edwards: B.B. 76, Noe i gweirio yr ymenyn,/A photie pridd i ddal yr enwyn,/Desgil, sowser a chanhwyllbren,/Ledel, ffiol a *chrwth* halen.

crwydr
1. *eg.* ll. *crwydrau.* Treigl diamcan o le i le, hynt heb ffordd benodol na chyrchfan, disberod, taith ar wasgar; llithriad neu wyriad o'r cynefin neu'r lle priodol, cyfeiliorn.
14g GDG 162, Aruthr ei *grwydr* rhwng dwydref (cyffylog).
1588 2 Pedr 2.18, Y maent yn abwydo y rhai a ymdroesant mewn *cyrwydr*.
Gw. GPC

2. *eg.* ll. *crwydrau.* Gwyntyll, rhaw nithio, gogr, rhidyll, hidlen.
'Hwn oedd ystyr wreiddiol y gair *crwydr*'. Gw. GPC. Gw. dan y geiriau.
1959 I Williams: IDdA 25-6, Felly ystyr *crwydr* iddo ef yn y nawfed ganrif oedd rhywbeth fel gwyntyll ... Term dyrnu wedi mynd yn air cyffredinol yw.

3. *a.* ac *eg.* Yn amaethyddol ansoddair am anifeiliaid barus, – anifeiliaid *crwydr*, yn enwedig defaid. Sonnir am 'ddefaid *crwydr*'. Sonnir hefyd am offeryn neu beiriant *crwydr*, sef un a fenthyciwyd gan gymydog ac heb ei ddychwelyd.

crwydro *be.* Mynd ar ddisberod neu fynd ar gyfeiliorn (am anifeiliaid), yn enwedig am ddefaid, mynd o'u lle priodol neu o'u cynefin. Fel rheol ceir y gair mewn ymadroddion fel 'wedi *crwydro*' neu 'wedi mynd i *grwydro*'.
'Mae'r hen ddafad benddu 'na wedi mynd i *grwydro* eto.'

crybelu *be.* Cau 'bachywalbad', sef y lle gwag, yn ffurf bach, rhwng pen y wal a'r to mewn adeilad to brig (S. *corbel*).
Gw. CYRBELU, WALBANT.

cryber *eb.* ll. *cryberi, cryberau.* Math o og y gellid newid dyfnder ei dannedd yn ôl y galw ag a ddaeth yn gyffredin ar ddechrau'r 20g. Fe'i ceid yn offeryn hwylus i hel marchwellt yn ogystal â malu'r cwysi. Ceir hefyd y ffurf 'cyrbar' (Môn).
1981 W H Roberts: AG 58, Pan ddaeth og a alwem ni yn *gryber*, sef og y gellid newid dyfnder ei dannedd, yr oedd y gwaith beth yn haws.
1971 I Gruffydd: C 130, A'r hen genau gwyllt hwnnw, sef crafanc y frân, sy'n mynnu ei ffordd o bentir i bentir ar waethaf og a *chrybar*, ond yn ddi-fai i gau pen y das.

crybinion Ffurf llafar ar cribinion.
Gw. CRIBINION, CRAFION.

crych
1. *eg.* Clwy yng ngheg ceffyl (S. *camery*).

2. *eg.* Clwy ar datws a llysiau eraill yn peri i'w dail grychu a chrebachu (S. *curl*).

crychlamu *be.* Prancio, neidio o gwmpas, llamsachu (am anifeiliaid, yn enwedig ceffylau), llamneidio, crychneidio.
Gw. LLAMSACHU, LLAMSACHUS.

crychneidio gw. CRYCHLAMU, LLAMSACHU.

crydwellt (*cryd* [siglo] + *gwellt*) *eg.* un. *crydwelltyn..* Math o laswellt â'i dywysennau porfforaidd yn siglo yn yr awel, a hynny wedi rhoi iddo'i enw *crydwellt*, 'gwenith yr ysgyfarnog' (*Briza*).

crygwst *eg.* Afiechyd anadlu, hirhoedlog, ar ddofednod sy'n peri i'r iâr golli ei graean a dodwy llai, 'y big', 'y crŵp', 'y wech'.

cryman *eg.* ll. *crymanau.* Gynt, offeryn at ladd ŷd (gw. CRYMAN MEDI). Pery yn offeryn at docio gwrych ayyb. Camedd pwrpasol y llafn a roes iddo'r enw *cryman* (*crwm* [cam] + *an*). cf. dynan (*dyn* + *an*) a gwreigan (*gwraig* + *an*). Fel rheol mae iddo garn pren. Ffurf ar *gryman* hefyd yw'r bilwg a'r gwddif (gw. dan y geiriau). Ceir hefyd y ffurf llafar, tafodieithol 'criman' (Dyfed).
1992 DYFED Baeth 47, … mi safe weithie enghonal er eithin a'i freichie mhleth a'r *criman* en hongian yn segur.

cryman brwsio Cryman at frigdorri gwrych neu drasio perth.

cryman cau Bilwg, gwddif, cryman â llafn byr a chymharol syth.
Gw. BILWG, GWDDIF.

cryman cam Cryman medi, whiwgi (Dyffryn Aeron)
Gw. CRYMAN MEDI.

cryman cynnull Offeryn ar ffurf cryman main a ddefnyddid gynt i gynnull y gwaneifiau ŷd yn seldremi i'w rhwymo'n sgubau.
Gw. PREN CYNNULL, PRIC CYNNULL.

cryman garw Cryman â dannedd fel llif, sicl.
Gw. SICL.

cryman hir Cryman â choes hir at dorri gwrychoedd.

cryman Henffordd Cryman medi (cryman lladd ŷd) ychydig yn fwy na'r crymanau cyffredin. Gwyddai'r rhai a âi i Swydd Henffordd 'i'r cynhaeaf' yn dda am y cryman hwn, ac yn y ffordd honno daeth yn offeryn digon cyffredin yn siroedd Maesyfed a Brycheiniog.
Gw. MYND I'R CNEUA.

cryman llyfn Cryman heb ddannedd ar ei lafn, mewn cyferbyniad i'r sicl neu'r cryman tynnu oedd a llafn daneddog.
Gw. CRYMAN MEDI, SICL.

cryman medi Cryman llyfn (heb ddannedd) at ladd ŷd, cryman cam, whiwgi (Dyffryn Aeron).
1933 H Evans: CE 109, Â'r sicl y medid ar y cyntaf, ond bu llawer o fedi â'r *cryman* hefyd. Yr oedd y ddau yr un ffurf … ond bod y sicl yn llai bwaog ac yn hwy. Yr oedd min da ar y *cryman*, ond dannedd mân, mân oedd ar y sicl, hi oedd yr hynaf. Defnyddid y ddau bron yr

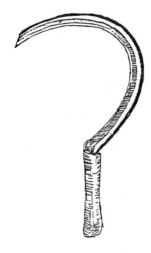

Cryman Medi   **Sicl**

un modd, ond mai taro'r ŷd a wneid â'r *cryman*, ond tynnu'r sicl drwyddo i'w lifio – cymeryd swp â'r llaw chwith yn agos i'r pen a'i dorri â'r dde.

1958 FfFfPh 53-4, Roeddym yn torri'r llafur i gyd ... â phladuriau ond byddai'n rhaid torri'r gwenith â *chryman*, am y credid ei fod yn fwy cryno.

1992 E Wiliam, HAFF 39, Y *cryman medi* oedd yr erfyn arferol a ddefnyddid hyd at ddechrau'r 19g, pan ddaeth y bladur yn gyffredin.

Ffig. Offeryn heddwch mewn cyferbyniad i arfau rhyfel.

1988 Meica 4.3 (BCN), Byddant yn curo'u cleddyfau'n geibiau, a'u gwaywffyn yn *grymanau*.

Dywed. 'Yn gam fel *cryman*' – person oedranus wedi gwargrymu.

Diar. 'Gwell gwaith *cryman* na bwa.'

Ymad. 'Hongian 'i *gryman*' – rhoi'r gorau i weithio, ymddeol, mynd ar 'i bensiwn.

'Hogi'i *gryman*' – ymbaratoi at ymgyrch neu ymdrech arbennig.

'Dydi'r etholiad lleol ddim tan fis Mai, ond mae Now yn *hogi'i gryman* yn barod.'

cryman pen ffon Cryman â choes hir ond â llafn byr at dorri drain, bilwg, gwddif.
Gw. dan y geiriau.

cryman perthi Bilwg, gwddif, cryman hir. Ar lafar yn y De.

cryman sbaeno Cryman medi pan gymerai'r crymanwr gefn o ŷd i'w dorri a'i gynnull â blaen ei gryman yr un pryd.
Gw. SBAENA.

cryman stricio Cryman torri neu docio gwrych neu glawdd drain, cryman barbro gwrych.

cryman taro Cryman medi, cryman llyfn. Ar lafar yn y Gogledd.
Gw. CRYMAN LLYFN, CRYMAN MEDI.

cryman tynnu Cryman â dannedd, sicl.
1933 H Evans: CE 109, ... taro yr ŷd a wneid â'r cryman, a *thynnu'r sicl* drwyddo i'w lifio.
Gw. SICL.

cryman ysgythru Cryman i docio coed ffrwythau, cyllell brwnio.
1620 Es 18.5, Efe a dyrr y brig â *chrymanau* (â chyllell finiog, 1988).

cryman hydrolig Y ddyfais a gydir wrth dractor i dorri gwrychoedd.

crymanu *be.* Defnyddio cryman, cymenu clawdd â chryman.
1989 D Jones: OHW 253, Buasai gyda ni am ddarn diwrnod neu ddau yn *crymanu'r* lôn.

crymanwr *eg.* ll. *crymanwyr.* Un yn defnyddio cryman, yn enwedig y cryman medi gynt, medelwr, un a âi o dir uchel, diweddar ei dymor, i lawr gwlad am gyfnod o tua thair wythnos i dorri ŷd â'r cryman medi cyn i'r bladur ennill ei phlwy.
1963 LlLlM 94, *Crymanwr* – Dyn o Fôn a âi i Sir Gaernarfon i dorri gwair â *chryman*, cyn i'r bladur a'r peiriant lladd gwair ddod yn gyffredin.

crymffast *eg.* ll. *crymffastiau.* Hogyn cryf, llefnyn soled, llabwst o fachgen cryf.
14g HMSS 1, 362, Ac a'u carasant yn fawr hyd onid oedd yn *grymffast* mawr.
1967 G W Griffith: CBG 29, Cofiaf pan oeddwn yn *grymffast* y fath fwynhad a gawn ar ddyddiau mawr y Cyfarfod Misol yn cyrchu rhai o'r aelodau yn ein car ni.

crynan Ffurf dafodieithol ar 'cyrnen'.
Gw. CYRNEN.

cryndod, y gryndod gw. YSGRYD.

crynhoi *be.* Casglu, hel, cynnull (am gnwd, cerrig, defaid, llafur, ayyb). Hefyd am ddolur yn 'casglu' (Gogledd) – dolur yn *crynhoi.* Ar lafar yn y De.

crynhoi cerrig *be.* Hel cerrig, casglu cerrig – yn y tir gwair. Sonnid gynt yng Ngheredigion a Chaerfyrddin am *grynhoi* cerrig y gwair neu'r hade.
Gw. CAREGA, HEL CERRIG.

crynhoi sofl *be.* Crafu neu gribinio gweddillion cae llafur ar ôl cario'r cnwd.
Gw. CRIBINIO, SOFL.

crynhoi tato *be.* Pigo tatws yn y cae wrth eu codi, casglu'r tatws wrth eu tynnu. Ar lafar yn Nyfed.

crynhoi'r ŷd *be.* Cynnull y llafur dan yr hen drefn, cynnull y gwaneifiau ŷd yn sypiau neu'n seldremi i'w rhwymo'n ysgubau.
Gw. CYNNULL², RHWYMO.

crynnog *eb.* ll. *crynogau.* Math o fesur sych a arferid gynt i fesur ŷd, ayyb, gan amrywio'n fawr yn ei faint o le i le ac yn ôl yr hyn a fesurid. Weithiau byddai'n cyfateb i bedwar bwsiel, weithiau wyth, weithiau ddeg ac weithiau hyd yn oed ddeuddeg, pegaid. Yn sir Ddinbych ceid y ffurf 'y grwnog'. Sonnid hefyd am y '*Grynnog* Ymherodrol', sef yr un safonol.
1753 TR, *Crynog* – a kind of measure containing ten English bushels.

crynog gw. CRYNNOG.

crysbais, crysbas (*crys* + *pais*) *ebg.* ll. *crysbeisiau.* Yr enw cyffredin gynt ar siaced liain neu siaced wlân ysgafn lac a wisgid yn gyffredinol gan ffermwyr a'u gweision, siercyn, cansi. Clywid hefyd '*crysbais* wlanen' am grys gwlanen (Môn ac Arfon) a '*chrysbas* lian' am y siaced liain.
1963 I Gruffydd: GOB 20, Neu *grysbais* liain pan fyddai'r un oedd gennyf yn dechrau lyfrïo.

crysiar *eg.* Peiriant neu fath o felin fach yn y sgubor i falu ŷd i anifeiliaid. Fe'i troid gynt yn aml gan olwyn ddŵr neu gan y pwer ceffyl, ond yn ddiweddarach, yn eu tro, gan injian oel, tractor a thrydan (S. *crusher*).
1976 W J Thomas: FFCH 120-21, Erbyn i mi dyfu'n llanc, yr oedd gan nifer o ffermydd eu peiriannau (*crushers*) eu hunain i falu blawd drwyddo i'r anifeiliaid.
1981 W H Roberts: AG 57, ... a phan ddaeth dydd y tractor byddai'r *crysiar* yn beiriant cyffredin iawn.

crysio *be.* Malu ŷd â chrysiar.
'Rhaid inni *grysio* tipyn heno neu mi fyddwn yn brin o flawd i'r ceffyla' yn y bora.'

crystyn *gw.* CRWST.

cryt lloi *eg.* ll. *crytiau lloi.* Cwt lloiau, cut lloi, tŷ lloi. Ar lafar yng Ngheredigion.

cryto *gw.* CRITIO.

cryw *eg.* ll. *crywiau.* Lle pwrpasol i groesi afon, rhyd, sarn, llaered cerrig camu. Fe'i gwelir mewn enwau lleoedd fel 'Pont y *Crywia*', 'Y *Crywia*', 'Sarn *Crywia*', '*Cryw*' (ym Môn ac Arfon).

crywcwellt *etf.* Math o borfa neu wellt garw sy'n tyfu ar leoedd uchel a chreigiog, crugwellt.
1908 Myrddin Fardd: GESG 16, 'Math o wellt garw fyddo'n tyfu rhwng dannedd clogwyni ... Nid oes gennyf ond dyfalu mai y gair *crugwellt* (heath-grass) wedi ei lygru ... olygir.

cudyll *gw.* GWALCH, HEBOG.

cudyn *eg.* ll. *cydynau.* Tusw, sypyn (o wair, o wellt, o wallt, o fwng, o wlân, ayyb).
'Estyn *gudyn* o'r gwellt 'na, imi gael plethu cynffon yr hen Ddarbi.'
'Wnei di daro *cudyn* o wair i'r wedd yn fy lle'i heno?'
1777 W Williams: DN 8, Hi a ddiflannodd fel *cudyn* o niwl o flaen y gwynt.
Diar. Cwyd y *cudyn* gwlân, ac fe gyfyd y *cudyn* gwlân dithau.

cudd *gw.* CYHUDD, CYHUDD.

cŷn, cun *eg.* ll. *cynion.* Y lletem (S. *wedge*) a ddefnyddir i gadw cwlltwr aradr geffyl yn ei le ar arnodd yr aradr. Yn aml ceid *cŷn* bob ochr i fraich y cwlltwr yn y soced bwrpasol ar yr arnodd, (gw. llun dan 'aradr'), 'gaing y cwlltwr'. Ar lafar yng Ngheredigion.
Gw. LLETEM, GAING.

cunllaith, cunllaidd *etf.* Glaswellt ffres, porfa ir, tyfiant iraidd a llawn nodd.

cunnog odro *eb.* ll. *cunogau.* bach. *cunogyn.* Llestr pren i odro neu i ddal llaeth, ystên, ystwc, bwced, piser, picyn, yn fwy na godart ac yn llai na stên. Ceir y cyfuniadau *cunnog odro* a 'cunnog laeth' a'r ddau ar lafar yn gyffredinol yn y Gogledd. Yn ddiweddarach caed *cunogyn* o dun. Delid y *gunnog odro* rhwng dau benglin y godrwr.

1620 Barn 4.19, Yna hi a agorodd *gunnog* o laeth ac a'i diododd ef.

1786 Twm o'r Nant: PCG 11, Ffalster ac anlladrwydd llidiog,/Ydyw godro heibio i'r *gunnog*.

1928 G Roberts: AA 15, Dyma restr o'r llestri angenrheidiol at drin llaeth, – *cunnog odro*, gogr rawn i hidlo'r llaeth, buddai, … dysglau a photiau clai.

1933 H Evans: CE 100, Gwneuthurwr tybiau menyn, y *gunog odro,* y cawsellt, etc. oedd y cwper.

cunogaid *eg.* ll. *cunogeidiau.* Llond cunnog, cunnog yn llawn at yr ymyl, ystenaid.

cunos *eg.* Y gwaith neu'r gorchwyl o fynd â'r ŷd i'r felin i'w falu. Ar lafar yn y De.

1957 M Rees: DAW 53, Byddai pob fferm yn trefnu *cunos* – dyma'r gair ar lafar gwlad am y gorchwyl o fynd â'r llafur i'r felin i'w falu.

1958 I Jones: HAG 49, Yn yr Hydref byddai'r ffermwyr yn dwyn eu *cunosau* i'r felin, er mwyn cael blawd ceirch a blawd barlys. Yn fynych ceid *cunos* o drigain neu bedwar ugain mesur ar y tro.

Gw. hefyd CWYNOS[3].

curiadur *eg.* Dyfais fecanyddol mewn peiriant godro sy'n peri sugnedd ysbeidiol ac yn hyrwyddo'r godro.

curiedig *a.* Wedi teneuo'n ddifrifol ac wedi mynd i edrych yn ddrwg a diraen ei gyflwr (am anifail, e.e. dafad â'r clafr arni.), anifail wedi curio.

curiedd *eg.* Y cyflwr o fod yn guriedig.
Gw. CURIEDIG.

curio *be.* Llesgau, nychu, dihoeni, edwino (anifail [a dyn] pan fo'n dioddef o anhwylderau), mynd yn llesg a diraen ei gyflwr, llipáu, diffygio.

1947 R Alun Roberts: HB 32, Onid hynny *curia* gan gyni'r gaeaf …

curn, cyrn *eb.* ll. *curni, curnau.* bach. *curnen, cyrnen, curnyn.* Pentwr, twmpath, mwdwl, tas: *cyrnen* o ŷd, *cyrnen* o wair, *curnen* o datws neu'r *gurnen* datws. Fe'i ceir mewn enwau trindod o fynyddoedd yn sir Gaernarfon, y 'Gurn Goch', y 'Gurn Ddu' a'r 'Gurn Las', hynny'n briodol iawn am fod y tri mynydd ar ffurf mwdwl. Hefyd yn yr enwau 'Y Gurnos', 'Gyrnos', 'Geirnos'.

Ffig. 'Cau ei *gyrnen* yn dda', sef un wedi mynd i fyny llawes un arall er maintais iddo'i hun, un wedi pluo'i nyth.

curnennu, cyrnennu *be.* Pentyrru, tomenu, twmpathu, mydylu, tasu, yn enwedig am wair ac ŷd.

'Mi fydd gwair y Cae Mawr yn ddigon parod i'w *gyrnennu* at y pnawn.'

curnen gw. CURN.

curo menyn gw. CLAPER, TRIN MENYN.

curt *eb.* ll. *curtiau.* Pentwr, cludair, carnedd, mwdwl, tas (o unrhyw beth). Ffurfia enwau lleoedd fel y 'Cwirt' a 'Cwirtai' ym Môn.

1700 E Lhuyd, Par 1, 51, *Kyrtie* ydiw twyne o dyvod wedy ir gwynt i gasglu ynghyd val tommenydd ym Morfa Harlech.

curtio *be.* Pentyrru, mydylu, cludeirio, tasu.

cut *eg.* ll. *cutiau, cytiau.* Cwt, sied, lloc, ffald, pres, yr adeilad ar fferm lle cedwir anifeiliaid neu offer, twlc (Dyffryn Aeron). Clywir *'cut ieir', 'cut lloiau', 'cut moch', 'cut ci', 'cut y drol', 'cut malu'.*

1620 Amos: 6.4, a bwytta yr ŵyn o'r praidd, a'r lloi o ganol y *cut.*

Gw. hefyd CWT, HOEWAL, PRES⁴, TWLC.

cutio *be.* Rhoi mewn cut, cau mewn cwt, cau i mewn (am anifeiliaid), cutio'r lloi, ayyb.

Gw. hefyd CRUTIO.

Cuthbert *ep.* Enw cwmni hen ac enwog yn cynhyrchu a gwerthu hadau gwair amrywiol, hadyd ŷd, ayyb, yn ogystal â pheiriannau amaethyddol o bob math, a'i bencadlys yn Lerpwl. Cafodd ei enw oddi wrth Hames Cuthbert, sylfaenydd y Cwmni.

Gw. enghraifft o gatalog y Cwmni am 1840 yn FfTh, 4, 12-13 (1989).

cutter *eg.* Yr enw Saesneg a ddefnyddid (gan y Cymry) gynt am yr olwyn gyllell (disc) a osodid ar aradr geffyl i dorri croen y tir o flaen y cwlltwr a'r swch.

1990 FfTh 6, 23, Roedd un broblem sef bod angen *cutter,* olwyn â min arni i dorri croen gwydn y dywarchen o flaen y cwlltwr. Mi gefais afael ar un ar ôl tipyn o chwilio.

cutter bar *eg.* Bar neu fwrdd injan ladd gwair neu feinder lle mae'r ffingars a lle rhed y gyllell gyda chyflymder mawr, bar y gyllell, bar torri.

1990 FfTh 6, 28, ... aradr ac hefyd 'Albion Binder' gyda'r *cutter bar* a'r platfform ar yr ochr dde iddo ychydig o flynyddoedd cyn y rhyfel. (1939-45)

cutter blower gw. CHWYTH-DORRWR.

cwac-cwac *eg.* Y sŵn (aflafar) a wneir gan hwyaid, gair yn ei ffurf dwbl sy'n dynwared y sŵn hwnnw.

1948 Meredydd Evans: *Caneuon Noson Lawen,* Mw-mw, me-me, *cwac-cwac,*/Nyni ydyw triawd y buarth.

cwacian *be.* Hwyaden yn gwneud ei sŵn nodweddiadol, gwneud sŵn fel hwyaden, cwacio.

cwâl *eg.* Clefyd ar ddefaid sy'n peri nychdod, llesgedd a dihoenedd (S. *quail, languish*).

1672 R Prichard: Gwaith 556, Nad i'r *cwâl* a'r pwd eu mallu,/Eisiau trin, eu troi a'u maethu.

cwannod Ffurf dafodieithol ar 'cywennod'.

Gw. CYWEN.

cwarant *eg.* Cyfnod cadw anifail o wledydd tramor a ddygir i wledydd Prydain dan arolygiaeth rhag ofn ei fod yn cario afiechyd heintus megis y gynddaredd. Cedwir yr anifeiliaid mewn *cwarant* am chwe mis. Yn yr un modd gellir cadw personau a amheuir o fod yn cario afiechyd heintus mewn *cwarant* am gyfnod o amser yn ôl natur yr afiechyd. Weithiau cedwir llongau hefyd mewn *cwarant*.

cwat *eg*. Gwâl neu orweddle anifeiliaid (yn enwedig rhai gwyllt), lloches, gwely. Ar lafar yn sir Gaerfyrddin.
1939 D J Williams: HW 63, Nid cynddrwg man ydyw am lwdn dafad ac ysgub o lafur'; ond gwell na dim fel *cwat* cwningen.

cwb
1. *eg*. ll. *cybiau, cwbau*. Cwt neu loches fechan, twlc, cenel, cwt ci, cwt gwyddau.

2. *eg*. ll. *cybiau, cybiaid*. bach. *cwbyn*. Ci bach, llwynog bach, cenau ci, cenau llwynog.
'Mi fu bron iawn imi ddal *cwbyn* llwynog ddoe.'
'Mae gan yr hen ast bedwar o *gybia'* bach dela fuo 'rioed.'
Ffig. Hogyn ar ei brifiant, *cwbyn* neu *gybyn* o fachgen. 'Rydw'i wedi cael gafael ar *gybyn* o hogyn pedair ar ddeg yn was bach.'

cwcri *eg*. Stwns neu stwmp tatws a maip, tatws a moron, neu datws a swêds, stwns rwdan, stwmp maip.
Gw. STWMP, STWNS.

cwcw *eb*. Y gog, cog, y gwcw. Bu clywed deunod y gwcw o bwysigrwydd blynyddol erioed i'r gymdeithas wledig.
Dywed. 'Chlywan 'nhw mo'r *gwcw*' – am anifeiliaid (yn enwedig ceffylau) tenau, diraen, h.y. welan nhw mo'r gwanwyn.

cwcwy
1. **cocwy, cucwy** *eg*. ll. *cwcwyau*. Ŵy wedi ei ffrwythlonni gan geiliog, ŵy â gobaith cyw ohono, ŵy cyflawn.

2. *eg*. Plisgyn ŵy, masgl ŵy, plisgyn unrhyw beth.
1801 LlrC 24, 108, Cymer *goccwyon* cnau, a phylora'r fâl (malu'n bowdr).

cwcwyo *be*. Ceiliog yn sathru iâr, ceiliogi.
13g WML 78, Teithi keiliawg yw canu a *chwcwyaw*.

cwch gwenyn *eg*. ll. *cychod gwenyn*. Adeiladwaith pwrpasol o goed (fel rheol) i gadw gwenyn, cyff gwenyn. Yno y maent yn hilio ac yn gwneud y mêl. Ar lafar yn gyffredinol ag eithrio gorllewin Penfro lle ceir *costen wenyn*.

cwd blawd *eg*. Sach blawd, bag blawd neu beilliad. Gynt gwneid defnydd o'r bagiau blawd, wedi eu hagor a'u golchi i wneud ffedogau neu farclodau. Ar lafar yn y Gogledd.
Gw. BARCLOD, FFEDOG.

cwd y lasog *eg*. Croth anifail benyw, bru'r fenyw, llestr buwch, caseg, ayyb, llawes. Ar lafar yng Ngheredigion.
1975 R Phillips: DAW 65, Ac roedd 'gwylad' y rheini yn dasg reolaidd yn y nos er mwyn osgoi unrhyw golled yn y bychain neu ddamwain i'r fuwch neu'r gaseg drwy fwrw '*cwd y lasog*' wrth ddod â'r brych, a gwaith anodd oedd gosod hwnnw yn ôl.
Gw. BWRW LLESTR, LLESTR.

cweinyn *egb.* Wal frics neu gerrig dan bared neu bartisiwn o bren. Gwelir hyn yn nodwedd mewn llawer o'r beudai, a'r tai gwair, mewn rhannau o Gymru megis Powys. Ar lafar ym Maldwyn.
Gw. GEM 28 (1981).

cweirio gw. CYWEIRIO.

cweiriwr gw. CYWEIRIWR.

cŵen, cwên Ffurfiau tafodieithol ar cywain yng Ngheredigion, sir Benfro a sir Gaerfyrddin.

cwîl
1. *egb.* ll. *cwilau, cwiliau.* Rhaff wellt fain ar hyd to tas wedi ei thoi, rhaff gerdded, rhaff fain (Môn). I doi tas ceid y rhaffau traws bob rhyw ddwy droedfedd dros ben y das, a'u deupen wedi eu rhwymo yn ochr y das ychydig is na'r bargod. Rhaffau dwbl oedd y rhain, sef dwy raff fain neu sengl wedi eu heilio'n un. Yna ceid rhaffau cerdded ar hyd y pen neu'r to o un talcen i'r llall bob rhyw droedfedd a hanner ac wedi eu chwipio am bob un o'r rhaffau traws yn eu tro. Rhaffau main neu sengl oedd y rheini. Ar lafar yng Ngheredigion.
Gw. RHAFF FAIN.

2. *ebg.* ll. *cwils, cwile.* bach. *cwilsyn, cwilsen.* Un o blu mawr adain aderyn, yn enwedig gwyddau, y plu a gedwid diwrnod pluo i wneud cwils ysgrifennu.
1688 T Jones, Calaf pob peth a fo'n holw o'i fewn megis *cwil.*
1703 E Wynne: BC 21, Y cyfreithwyr a ddwg oddiarnat dy holl stât â *chwil* gŵydd.
1989 P Williams: GYG 34, Gosodid padell fawr ar ganol yr aelwyd yn y gegin i dderbyn y pluf, a bwrid y *cwils* i'r llawr.

cwilet *ell.* Enw ar y lleiniau tir perthynol i wahanol ffermydd mewn dôl neu faes agored yn ôl trefn maenol y canol oesoedd. Ceir y gair yn rhai o gyfreithiau tir y Tuduriaid. Y mae amryw feysydd yn Edeirnion wedi eu rhannu yn ôl y drefn honno (S. *quillet*).
Gw. B Cyfr 1, 291 (1921-23)

cwilio *be.* Dirwyn rhaff, ceirsio rhaff. Ar lafar yn Nyfed.
Gw. CEIRSIO.

cwiro Ffurf dafodiethiol ar cyweirio. Ar lafar yn Nyfed.
Gw. CYWEIRIO[1].

cwirsen
1. *eb.* ll. *cwirs.* Peg a roir yn nhrwyn hwch rhag iddi durio neu dyrchu tir, modrwy, trwyll, ring.
18g Traeth 5, 380, Mi fynnaf ioc o dderi,/A gwirs o Aberhonddu (Dafydd Jones o Gaeo)
Ffig. Cadw rheolaeth ar blentyn. Sonnir yn y De am 'roi *cwirsen'* i blentyn.

2. *eb.* ll. *cwirs.* Gwifren, weiren, unrhyw weiren, weiren ffensio, ayyb. Ar lafar yn sir Benfro. Sonnir yno am 'tento cwirs' (tynhau weiars).
1937 T J Jenkin, AIHA AWC, Ni ddefnyddid y gair 'gwifr' o gwbl – *cwirsen* a fyddai y gair neu ynteu y Saesneg.

cwirso *be.* Pegio mochyn, rhoi modrwy neu drwyll yn nhrwyn mochyn i'w rwystro i dyrchu tir. Ar lafar yn y De. Clywir hefyd y ffurf 'gwirso' yng Ngheredigion a sir Gaerfyrddin.
Gw. hefyd MODRWYO, PEGIO.

cŵl gw. CWLIN.

cwlas gw. COWLAS[1] a [2].

cwler *eg.* Dyfais i redeg dŵr oer drwyddo a llaeth newydd odro drosto i oeri'r llaeth a'i gael i gadw'n hwy. Daeth yn gyffredin ac yn anghenraid pan ddaeth gwerthu'r llaeth i'r Bwrdd Llaeth yn beth cyffredin wedi sefydlu'r Bwrdd yn 1933. Yn ddiweddarach daeth y tanciau oer yn oeri'r llaeth a'i gadw'n oer, ar yr un egwyddor ag oergell.

cwlfer *eg.* ll. *cwlferi.* Sianel i ddŵr lifo drwy glawdd neu dan ffordd, neu dramwyfa pwrpasol i ddefaid drwy glawdd. Ar lafar yn y De. Ceir hefyd y ffurf 'cilfert', 'cylfat' a 'y gylfet' (Penllyn).
Gw. CWTER DDEFAID.

cwlin, cwling *eg.* ll. *cwlins, cwlinod.* Yn gyffredinol rhywbeth gwael, salw, israddol wedi ei daflu i'r naill ochr. Yn amaethyddol, yr anifail lleiaf, eiddilaf, mewn torllwyth o foch, neu'r oen salaf mewn praidd. Hefyd weithiau y cae neu'r cnwd salaf. Yng Nghwm Tawe ceir *cwlins* yn air am weddillion bwyd. 'Dim ond y *cwlins* sydd ar ôl' (GPC). Ym Mhenllyn 'tatws mân' yw cwlins ac ym Môn yn gyson, y lleiaf mewn torllwyth o foch. Gw. hefyd 'Bach y nyth' (Dinbych a Maldwyn), 'tin y nyth', 'ratlin', 'gwaddodwyn' (Ceredigion), 'cardodwyn', 'cardotwyn', 'credydwyn' a 'crebitwyn' (ar draws y De), 'crancyn', 'crencyn', 'crincyn' (Clwyd), 'crinc', 'sterach', 'ceglyn' (Dyffryn Aeron).
Ffig. Y lleiaf neu'r gwanaf mewn teulu.

cwlino, cwlingo, cwlio *be.* Dethol yr ŵyn gorau mewn praidd, tynnu'r cwlinod allan, gwahanu'r gwych a'r gwachul mewn praidd. Ar lafar yng Ngheredigion. Sonnir yno am '*gwlingo* defed'.
Gw. CWLIO.

cwlio *be.* Didoli'r gwych a'r gwachul, yn enwedig defaid a thatws, gwahanu'r rhai salw oddi wrth y rhai da, *cwlio* defaid, sef pigo'r rhai salaf a'u gwahanu, *cwlio ŵyn*, *cwlio* tatws, ayyb, cwlino, cwlingo.
1985 W H Jones: HOGM 2, … tipyn yn geidwadol oedd fy nhaid fel ffarmwr a'm tad eisiau newid a *chwlio'r* defaid, gan y credai fy nhad y byddai hyn o help i wella'r fuches ac i leihau colledion pan ddeuai gaeaf caled.
Ffig. Didol y da oddi wrth y drwg.
1659 GIA 138, Pe buasai Duw yn eich *cwlio* chwi allan o'r addewid.
Gw. hefyd CWLINO.

cwlwm
1. *eg.* ll. *clymau, cylymau.* bach. *clymyn.* Yn gyffredinol rhwymiad dau linyn, dwy raff, ayyb, yn ei gilydd, neu wrth rywbeth arall. Sonnir am 'wneud *cwlwm*' ac am 'roi *cwlwm*'. Yn amaethyddol fe'i ceir mewn nifer o gyfuniadau:

cwlwm ceirch
J Williams-Davies: Nod. AWC, Rhwymyn dwbl a ddefnyddid wrth rwymo ysgubau o geirch (Bro Morgannwg).

cwlwm clacwy Cwlwm brysiog, cwlwm ffwrdd-â-hi.
1969 D Parry-Jones: Nod. AWC, Credaf fy mod yn sôn yno am *gwlwm clacwy* wrth glymu sgubau (rhwymo) – rhywbeth wedi ei wneud yn rŵff i ddal yr esgub gyda'i gilydd, pan oedd hast mawr a hithau'n debyg i'r glaw.

cwlwm clwm
J Williams-Davies: Nod. AWC, Cydblethiad o wellt a dynnid yn dyn ar gyfer rhwymo (Cyffredinol).

cwlwm crog gw. GWLWM DOLEN.

cwlwm cynffon Y cwlwm a roir ar gynffon ceffyl â llinyn, cudyn o wellt, ayyb.

cwlwm Cymro Dull o glymu (rhwymo) ysgubau ŷd yng Ngheredigion.

cwlwm dolen Cwlwm rhedeg, cwlwm tagu, cwlwm crog – dolen ar un pen i linyn neu raff a hwnnw'n rhedeg ar hyd y rhaff i gau a gwasgu wrth dynnu'n y rhaff. Ceir yr un math o gwlwm ar fagl (hoenyn).

cwlwm gwenith Math o gwlwm neu o rwymiad a roid wrth rwymo sgubau gwenith yn ddigon pell oddi wrth y brig rhag ei niweidio.

cwlwm llongwr Cwlwm morwr, cwlwm ar raff neu gortyn ar ffurf cwlwm tei. Ar lafar yn y Gogledd.

cwlwm nain Cwlwm hen ffasiwn, cwlwm caled a thynn, cwlwm diogel. Ar lafar yn Arfon.

cwlwm penglwm Cwlwm dwbl, cwlwm-gwlwm. Ar lafar yn Nyfed.

cwlwm rhedeg gw. CWLWM DOLEN.

cwlwm Sais gw. CWLWM GWENITH.

cwlwm tagu gw. CWLWM DOLEN.

cwlwm Yankee Math o gwlwm wrth rwymo sgubau ŷd, yn gyflymach i'w wneud na'r cwlwm ysgub cyffredin ond yn fwy tueddol i lacio a datod.

cwlwm gwlwm Cwlwm dwbl, cwlwm wedi ei glymu ddwywaith. Ar lafar ym Môn.
Ffig. Cortyn neu raff wedi mynd yn ddryswch.
'Aros am funud mae'r rhaff 'ma'n gwlwm glân.'
Cwlwm priodas, uniad dau mewn priodas.
18g CLLC 5-6, 57, Rwy'n ei charu er ystalwm,/Etto er hyn ni ddaeth i'r *cwlwm.*
Undeb ysbryd (Ysgrythurol)
1620 Effes 4.3, Gan fod yn ddyfal i gadw undeb yr ysbryd yng nghwlwm tangnefedd.
Gafael y drwg (Ysgrythurol)
1588 Es. 58.6, Datod *cylymmau* anwiredd.
Dywed. 'Mynd yn *gwlwm'* – mynd i helbul neu drafferthion.
'*Cwlwm* dyrus' – anhawster anodd ei ddatrys.

2. *eg.* Math o danwydd wedi ei wneud o lo mân a chlai wedi eu cymysgu. Gwneid llawer ohono gynt at bwrpas odynau calch, ayyb, cylm. Defnyddir y gair hefyd am lwch glo.
1989 P Williams: GYG 35, Cyn y gaeaf 'roedd yn arferiad i gartio llwythi o *gwlwm* (glo mân) o orsaf Cas-Mâl gyda chert a cheffyl ... Rhoid y *cwlwm* yn y tŷ mas ar y clos. Ceid llwyth o glai o bwll yn y waun a'i roi yno hefyd. 'Roedd yn arferiad maeddu lloried o *gwlwm* ar y tro, yn ddigon dros y Sul neu dros ddau neu dri diwrnod yn yr wythnos. Rhoid tua chwe phwcedaid o *gwlwm* yn sych ar y llawr a bwcedaid o glai yn y canol, arllwys bwcedaid o

ddŵr dros y clai a'i falu yn y dŵr. Tynnid y *cwlwm* sych iddo'n raddol a'i gymysgu'n dda â rhaw. Tynnid y clocs ymaith wedyn, ... a gwisgo pâr o hen esgidiau dyn ... Cerddid i mewn i'r lloried *cwlwm* a'i ddamsgel hyd nes iddo ddechrau glynu. Yna ei rofio'n ddestlus i'r gornel i'w gario i'r tŷ mewn bwcedi.

1985 LLG 8, Deuai llong fechan â llwyth o *gylm* (llwch glo) rhyw 30 tunnell ar y tro i lan môr Llanidan.

cwlyn *eg.* Ffurf lafar ar cwlin (cwling). Ar lafar ym Maldwyn. Gw. CWLIN.

cwlltwr *eg.* ll. *cylltyrau*. Math o gyllell neu o lafn dur a osodid uwchben blaen y swch ar aradr geffyl, i rwygo croen y tir glas wrth aredig neu gwyso, ffod. Yn ddiweddarach cafwyd disg, sef plât crwn, miniog i helpu'r *cwlltwr*, ac yn wir, i'w ddisodli. Yn oes y tractor gelwir hwn yn 'gwlltwr disg'. Try wrth i'r aradr symud gan hollti croen y tir.

1620 1 Sam 13.20, Holl Israel a aent at y Philistiaid i flaenllymu bob un ei swch a'i *gwlltwr*.

1987 E W Roberts (Pwllheli): AIHA AWC, Y modd y byddwn i'n gosod y gwŷdd (aradr), dechrau gyda'r *cwlltwr*, ei ollwng i lawr yn ei soced fel na fyddai ond prin fodfedd rhwng blaen y *cwlltwr* a blaen y swch.

Dywed. 'Pa ben sy *gwlltwr*?' – ar lafar yn y De wrth ddyfalu pa ben sydd isaf a pha ben sydd uchaf i unrhyw beth. Byddai pen a gwaelod (coes a chyllell) *cwlltwr* yn hynod o debyg.

1984 Nora Isaac: LLG 5, 7, Yn aml iawn clywn holi "*Pwy ben sy gwlltwr* dywedwch?", wrth ddal côt i'w gwisgo neu gydio mewn gwrthrych heb fod yn siwr pa un oedd y pen a pha un oedd y gwaelod.

cwlltwr disg Cwlltwr aradr yn y ffurf o ddisg neu blât miniog sy'n gweithredu fel cwlltwr yn troi wrth i'r aradr symud yn hollti croen y tir gan hwyluso gwaith y swch a'r styllen bridd i droi'r gwys yn lân a chymen. Gw. DISG.

cwlltwr sgimio Cwlltwr pwrpasol ar aradr lle'r erddir tir glas neu sofl ag sy'n sgimio (naddu) i ffwrdd ymyl uchaf y gwys, ac yn helpu i'w gladdu dan y gwys wrth ei throi.

cwm *eg.* ll. *cymoedd, cymau, cymydd*. Dyffryn cul a dwfn (fel rheol) ac ochrau serth iddo, glyn.

1740 Th Evans: DPO 162, Y mae'n amhosibl i wybod iawn ystyr enwau Afonydd a Brynniau a Gelltydd a *Chwmmydd*, etc., heb wybod Gwyddelaeg.

1866 Telynog: Gwaith, *Cwm* culach na cam ceiliog (Rhondda).

1936 J J Williams: *Y Lloer*, Mae'n hanner dydd pan dyrr y wawr/I lawr yng *Nghwm* Eleri.

cwman *eg.* ll. *cwmanau, cwmanod*. Buddai, corddwr, llestr i gorddi llaeth.

1620 Mos 204.25, Ceulo mewn cwppa (llesr pren), corddi mewn *cwman*.

1772 W, *Cwman* – a churn.

cwm cil haul *eg.* Glyn neu ddyffryn (gweddol gul yn aml) nad yw lawer yn llygaid haul, cwm cysgodol na chaiff ormodedd o haul, ac mewn canlyniad yn dal tes a sychder haf yn well na chwm llygaid haul. Ar lafar yn Nyffryn Tanat.

cwmon gw. COWMON.

cwmpo gw. CWYMPO.

cwmwd *eg.* ll. *cymydau, cymydoedd.* Uned weinyddol neu ran o diriogaeth yng Nghymru gynt lle cynhelid llys barn i weinyddu cyfraith, a dau neu fwy ohonyn nhw'n ffurfio cantref. Erys yn air am ardal neu gymdogaeth.

13g WM 86, 12-14, A'r nos honno yd aethant hyd *ynghwmwt* ym powys a elwir o'r ystyr hwnnw ... mochnant.

1952 R W Parry: CG 2, O! mwyn yw cyrraedd canol/Y tawel *gwmwd* hwn.

cwmwr *gw.* CAMWR, GWYDDAR, POMBREN.

cŵn Dinbych Enw cellweirus ar bobl Dinbych.
Gw. MOCH MÔN.

cŵn Edeirnion Enw cellweirus ar bobl Edeirnion.
Gw. MOCH MÔN.

cwna *be.* Cyneica, ast yn gofyn ci.

cwndid *egb.* ll. *cwndidau.* Sianel, cafn neu ffos i redeg dŵr o afon neu lyn i droi olwyn ddŵr, pwant, ysgwd melin, pynfarch. Ceir hefyd y ffurfiau 'cwndit' a 'cyndid'.

14g RC 33, 190, Y *Kwndit* a oedd yn gwasanaethu dwvyr yr llyneu.

1595 Morus Kyffin: DFF 141, Felly'r gwŷr hyn a dorrasant yn gandryll yr holl bibellau a'r *cwndidau* dŵr.

Gw. PYNFARCH².

cwndit gw. CWNDID.

cwnffon gw. CYNFFON.

cwningen *eb.* ll. *cwningod* (*cwning, cwnig*). Cnofilod bychain epilgar yn byw mewn daearau yn y ddaear, cloddiau a phonciau, llwyd eu lliw (yn arferol) ac o dylwyth yr ysgyfarnog, ond bod eu coesau'n fyrrach a'u clustiau'n llai. Roedd cwningod hanner can mlynedd yn ôl yn bla ar ffermydd. Gwelid llathenni o'r cnwd ŷd gyda'r cloddiau o gwmpas cae llafur wedi ei ysu a'i ddifa'n llwyr gan wningod. Enillai llawer o ddynion eu bywoliaeth drwy ddal cwningod â thrapiau, maglau a ffereti. (gw. DAL CWNINGOD) a'u hanfon yn hampereidiau i'r farchnad mewn lleoedd fel Manceinion.

O rywle, yn y pumdegau cynnar (20g), daeth y mycsamatosis, y clefyd firol heintus a marwol a'u lladd wrth y miloedd. Byth oddi ar hynny bu natur ei hun yn cadw llawer mwy o gydbwysedd.

1975 T J Davies: NBB 45, Rai blynyddoedd yn ôl symudent yn gatrodau pwerus, difaol ar hyd y caeau a gwnaent golled a difrod gyda'u dannedd mân.

1976 G Griffiths: BHH 113, 'Roedd *cwningod* yn bla yn Llŷn gynt i bawb ond i'r daliwr cwningod. Roedd degau o ddynion yn ennill eu bywoliaeth wrth eu dal. Mae llawer ohonom yn cofio lorïau o'r Sarn yn mynd â llwythi ohonynt dair gwaith yr wythnos, am fisoedd y gaeaf, a pharhaodd hynny hyd nes y daeth y mycsamatosis yn 1954.

1989 D Jones: OHW 209, Clywsom ei glasur am y clawdd a'r *cwningod* lawer gwaith. Y clawdd hwnnw oedd mor llawn ohonynt fel y bu'n rhaid tynnu tair neu bedair allan ohono i gael lle i'r fferet fynd i mewn ... a chyda'i athrylith ef ychwanegodd atoliad: "A wyddech chi, pan ddalion nhw'r *gwningod* i gyd, fe golapsiodd y clawdd".

cwningwr *eg.* ll. *cwningwyr.* Un yn byw ar ddal cwningod i'w gwerthu.
Gw. CWNINGEN, DAL CWNINGOD.

cwnnu *be.* Codi, cychwyn, ei symud hi, cyffroi at waith, ayyb.

1. Fe'i defnyddir yn y De yn yr un modd a 'cymhortha' yn y Gogledd – mynd ati mewn cymdogaeth i gynorthwyo cymydog i gael ei gynhaeaf, ayyb.

2. Anifail yn codi ar ôl bod yn sâl – 'ma' fe wedi *cwnni* o'r diwedd'.

3. Codi gormod o bris am rywbeth – 'ma' hi'n *cwnnu* gormod am y menyn yr wthnos hon'. (GPC)

4. Tir yn llechweddu – 'mae hwnnw'n *cwnnu*'.

cwningwr *eg.* ll. *cwningwyr.* Un yn byw ar ddal cwningod i'w gwerthu. Gw. CWNINGEN, DAL CWNINGOD.

cwota *eg.* ll. *cwotâu.* Y cyfyngiad ar swm cynnyrch a gwerthiant nwydd a orfodir ar gynhyrchwyr gan awdurdod canolog. Yn amaethyddol y cyfyngiad ar y swm o laeth y gellir ei werthu; y cyfyngiad ar y nifer o ddefaid neu o wartheg y gellir eu rhestru i bwrpas premiwm mamogiaid a phremiwm gwartheg stôr, ayyb; y cyfyngiad ar y grawn y gellir ei dyfu i bwrpas y farchnad rawn; y cyfyngiad ar y tatws a'r siwgwr y gellir ei gynhyrchu (i'w werthu) – y cyfan dan nawdd polisi amaethyddol cyffredin y Comisiwn Ewropeaidd. Daeth y drefn hon i fod yn 1987 mewn canlyniad i orgynhyrchu yng ngwledydd y Gymuned Ewropeaidd.

cwpan *ebg.* ll. *cwpanau.* Amr. *cwpana, cwpane.* Daw i nifer o gyfuniadau amaethyddol eu cyd-destun.

cwpan olwyn Pant neu soser olwyn trol neu gert. Mae'r olwyn wedi ei gweithio fel bod cant yr olwyn fwy allan na'i chanol ac o'i rhoi ar ei gorwedd mae'n edrych fel soser neu gwpan.

cwpan olwyn ddŵr Y cwpanau oddi amgylch i olwyn ddŵr y disgyn y dŵr iddynt nhw o gafn yn uwch i fyny a phwysau'r dŵr yn ddigon i droi'r olwyn, llwy rhod melin.

1981 GEM 29, Y rhannau o olwyn melin y disgyn y dŵr iddynt i wneud i'r olwyn droi.

cwpan carn Rhan fewnol carn ceffyl lle mae'r byw neu'r bywyn.

cwpan hau Y llestr ar ddril hau y disgyn yr had trwyddo ac yna drwy diwb i'r pridd.

cwpan doll Y cwpan a ddefnyddid yn y felin ŷd i fesur y 'grawndoll' neu'r 'doll melin' (tâl) am falu, sgwp melin. Daliai'r cwpan alwyn. Roedd 32 o gwpaneidiau mewn pwn ac yn pwyso 256 pwys. Câi'r melinydd ddau gwpanaid o bob pwn o wenith, sef $1/16$ o bob pwn, ond un cwpanaid ym mhob pwn o haidd a cheirch.

cwpan teth Y rhan o'r peiriant godro sy'n mynd am deth y fuwch ac yn gwasgu'r deth yn union fel y gwna'r llaw ac fel y gwna'r llo wrth sugno, i gael y llaeth o bwrs (cadair, piw) y fuwch. Gw. PWMP GODRO.

cwpan ymenyn Offeryn pren tenau, sy'n fwy o soser nag o gwpan, at drin menyn, claper.
Gw. TRIN MENYN, CLAPER.

cwper *eg.* ll. *cwperiaid.* Crefftwr yn gwneud llestri pren o dri math: y rhai sych (basgedi, cewyll ayyb, a llestri mesur sych); y rhai gwlyb (at gario a dal, gwlybwr neu hylif megis dŵr); y rhai gwyn (llestri'r llaethdy, y gunnog odro, prennau trin menyn, ayyb.). Yn rhinwedd ei grefft âi'r *cwper* o gwmpas y ffermydd, yn ôl y galw, i drwsio a gwneud llestri pren. Ceir hefyd y ffurf lafar 'hwper' yn y De.
1984 LlG Mai-Gorff 6, Mari Rhydgarden i sgwrio'r casgis yn ogystal â'r *hwper* i godi casgenni.

cwpl
1. *eg.* ll. *cyplau.* Dau ych dan yr un iau, sef y feriau (iau fer) rhyw bedair troedfedd o hyd. Hefyd, yn anaml, dau geffyl wedi eu cyplysu'n wedd.
15g Pen 67, 90, Tri *chwpl* ynt or tir uwchel/Tairiau yn ddarnau pan ddel.
1688 S Hughes: TSB 193, Cerbyd a *chwpwl* o geffylau.

2. *eg.* ll. *cyplau.* Dafad ac oen. I ffermwyr mae'n hollol ddealledig mai 'dafad ac oen' a olygir wrth y term *cwpl,* heb angen egluro ymhellach.
'Roedd y mart yn llawn o *gyplau* heddiw.'
1928 G Roberts: AA 9, Dechreuodd eraill brynu mamogiaid Cymreig, gan roi hwrdd mawr gyda hwynt a'u gwerthu'n *gyplau* yn Ebrill ...
1966 FfTh 17, 30, Mae'n symud *cyplau* yn Ebrill a Mai i Groesoswallt (yn y 50au) ...

3. *eg.* ll. *cyplau.* Adran o adeilad rhwng dau *gwpl* to, cowlas, duad, golau, yn enwedig mewn sgubor, taflod neu dŷ gwair. Ar lafar yn gyffredin am y gofod sgwâr neu hirsgwar rhwng pedwar piler yn y tŷ gwair.
'Rydan ni wedi cael pedwar *cwpl* o wair yn barod.'
1558 Edwinsford (LLGC) 868, One half of a barn namely tri *chwpple* o ysgybor a Ragor.
Gw. COWLAS, DUAD, GOLAU.

cwplin, cwplyn *eg.* ll. *cwplinau.* Y darn rheffyn neu'r garai o ledr sy'n cyplysu pen dau geffyl mewn gwedd ddwbl. Fel rheol ceir cwplin o enfa'r naill i enfa'r llall, ac weithiau yn ychwanegol o enfa'r naill i fwnci'r llall, craffrwym, cwplyn (Dyfed). Ar lafar yn sir Ddinbych.
1958 T J Jenkin: YPLL AWC, Wedi cael y ddau geffyl i'w lle y peth nesaf oedd eu cydio wrth ei gilydd gyda *chwplyn* (coupling) o dorch y naill ffrwyn i dorch y ffrwyn arall, er mwyn i'r ddau geffyl gydgerdded a chyd-dynnu.
Gw. CWPLWS[1].

cwplin (cwplyn) tynnu *eg.* Y cwplws neu'r cwplin a roid o enfa'r naill geffyl i fwnci'r ceffyl arall mewn gwedd ddwbl. Mewn rhai achosion, ond nid yn gyson, e.e. lle bo un ceffyl newydd ei ddal (ei dorri i mewn). Ar lafar yn Nyfed.
1958 T J Jenkin: YPLL AWC, Os byddai un o'r ddau yn tueddu i fod yn ddiamynedd ychwanegid *cwplin tynnu* yn rhedeg o dorch ffrwyn y ceffyl hwnnw i fwnci haearn y ceffyl arall.

cwplin clust *eg.* ll. *cwplinau clust.* Y ddolen (lincen) gref sy'n cyplysu un pen i'r tsiaen sy'n cyrraedd o ysgwydd yr arnodd ar aradr geffyl hyd glust yr aradr. Weithiau gelwir y tsiaen hon yn 'três yr aradr' (Edeirnion), weithiau'n 'bendori' (Caerfyrddin) ac weithiau'n 'tsiaen y bendro', ac yn 'tyniad' yr aradr.

cwplws

1. *eg.* ll. *cyplysau.* Yr hyn sy'n cysylltu neu'n cyplu dau beth wrth ei gilydd, yn enwedig dau geffyl gwedd, yr awen neu'r strap lledr sy'n *cyplysu* genfâu dau geffyl pan font yn gweithio'n wedd ddwbl (ochr yn ochr) i aredig, ayyb, 'craffrwym'. 'Cwplin' yw'r gair mewn rhai ardaloedd, e.e. sir Ddinbych, sir Benfro.
Gw. CWPLIN, CYPLYSU.

cwplws ceg gw. CWPLIN.

cwplws croes gw. CWPLIN TYNNU.

2. *eg.* Cynllafan (S. *leash*) i ddal dau gi ynghyd neu'r strap â dwy goler ledr arno i gyplysu a thywys dwy ddafad.
1933 H Evans: CE 142, Pan âi dafad ar gyfeiliorn, âi'r bugail i chwilio amdani, a'i gi gydag ef, a *chwplws* yn ei boced. Adwaenai'r ci y nod gwlân cystal a'i feistr, ac nid oedd ond eisiau gorchymyn "dal hi" na byddai'n gafael yn ei gwar, a'r bugail yn rhoddi *cwplws* am ei gwddf.

3. *ebg.* Carrai'r ffust sy'n cyplysu'r troedffust (y goes) a'r lemffust (gwialen y ffust).
1943 I C Peate: DGC 119, Y drydedd elfen yw'r cyswllt rhwng y goes a'r lemffust, sef y *cwplws.*

cwplyn gw. CWPLIN.

cwplysu gw. CYPLYSU.

cwpwrdd bwyd *eg.* ll. *cypyrddau bwyd.* Y dodrefnyn gynt a silffoedd ynddo i gadw bwyd (bara, caws, siwgwr, ayyb) ac fel arfer darn o'i ddrws neu o'i ochrau â rhwyllwaith netin mân i'w awyru a chadw pryfed allan yr un pryd.

cwpwrdd hirlwm *eg.* Lle i gadw cyflenwad ychwanegol o fwydydd rhag ofn tywydd mawr neu heth o rew ac eira, cwpwrdd celc, y cwpwrdd a ddisodlwyd gan yr oergell a'r rhewgell.

cwrb

1. **cwrp, crwb** *eg.* ll. *cyrbau, cwrpau.* Cylch allanol olwyn, cant olwyn, camog olwyn, ymyl allanol olwyn. Yng Ngheredigion ceir 'cwrbyn camog ar lafar.

2. *eg.* Y cylch o bren o gwmpas maen melin.
1722 Llst 189, *Cwrb melin* – the large timber-hoop about the millstones.

3. *eg.* Ymyl palmant neu gwter beudy.
'Mi faglais ar *gwrb* y gwter a throi fy nhroed.'

cwrb y ffrwyn *eg.* Y strap neu'r gadwyn dan ên ceffyl yn ei waith ag sydd ynghlwm wrth yr enfa neu'r bit, at gadw rheolaeth ar y ceffyl yn ôl yr angen, yr enddal.
Gw. GENFA², GENFFRWYN.

cwrbo, cyrbo *be.* Yn amaethyddol, ail gamogi olwyn trol (olwyn goed), rhoi camogau newydd ar olwyn, adnewyddu cemyg. Ar lafar yng Ngheredigion – '*cwrbo* whils'.

cwrbyn gw. CWRB[1].

cwrclawdd gw. GORCLAWDD, GORCHLAWDD.

cwrd *eg.* ll. *cwrde.* Sylwedd caws ar ôl ei wahanu oddi wrth y maidd yn y broses o wneud caws. Ar lafar yn Nyfed.
1989 P Williams: GYG 25-6, A phan geid maidd yn yr ôl a adawai'r gyllell, 'roedd yn barod ar gyfer y broses nesaf, sef gwahanu'r maidd a'r *cwrde* ... Drannoedd rhoid lliain lliain glân yn y gawsled oedd a thyllau yn ei waelod, yna rhoi'r *cwrde* i mewn a thaenu lliain yn drefnus drosto.
Gw. GWNEUD CAWS.

cwrdeb Ffurf dafodieithol yn Nyfed ar cyweirdeb.
Gw. CYWEIRDEB.

cwrier, cwriar *eg.* Un yn trin crwyn anifeiliaid, cwrteithiwr crwyn, cyweiriwr crwyn,barcer, lledrwr, crwynwr.
1604-7 TW: PEN 228, rhyw brenn arveredic gan y *Corier* ar *crwynwyr* ne'r *gwrteithwyr* crwyn.
17g Huw Morys: EC1 362, Y Barcer a'r Glwfer, a'r *Cwrier* a'r Crydd.
1780 Twm o'r Nant: CTR 48, Er cariad ar Huw'r *Curiwr.*

cwrlid *ell.* ac *eg.* Gair ym Meirion am Helyg Mair, sef y planhigyn aroglus a roid mewn gwely peiswyn gynt i gadw chwain a llau draw.

cwrs *eg.* ll. *cyrsiau.* Yn amaethyddol plyg neu haen o lwyth gwair neu ŷd neu o das wair neu ŷd. Mesul *cwrs* y gwneid tas, sef codi plyg o wair o amgylch ei hymyl ac yna gofalu bod i bob *cwrs* ddigon o lanw. Ar lafar ym Môn yn yr ystyr hwn. Sonnid am lwyth wyth *cwrs*, naw *cwrs*, ayyb. Ceir hefyd *cwrs* o gerrig neu o frics mewn wal.
'Rwy'n meddwl y medrem ni fforddio i roi rhyw ddau *gwrs* arall cyn dechra' troi pen.'
Gw. HAEN, PLYG.

cwrser, cowrser *eg.* ll. *cwrseriaid.* March neu geffyl cyflym, carlamog, ceffyl hela, ceffyl rhyfel. Hefyd, marchogwr.
14g IGE 33, Teg o *gwrser* tew garsyth.

cwrsio, cwrso *be.* Ymlid, hela â chŵn, erlid, gyrru ar ffo. Yn y De ceir y gair am gi yn ymlid defaid, - '*cwrso* defed'.
1975 R Phillips: DAW 27, Roedd i bob tyddynwr yr hawl i bori ei ychydig ddefaid ar y Comin, ... y duedd i bob dyn oedd cadw'i ddefaid ei hun ar y darnau gorau a *chwrsio* eiddo eraill ar y darnau salaf.
Gw. CI CWRSO.

cwrt, cowrt *egb.* ll. *cwrtiau, cowrtiau.* Sgwâr caeëdig a muriau neu adeiladau o'i gwmpas, buarth, iard gaeëdig, ffald. Ar lafar yn sir Gaerfyrddin. Ym Môn ac Arfon fe'i defnyddir am fuarth fferm, sef y *cowrt* (cowt) mawr, mewn cyferbyniad i'r *cowrt* bach, sef y sgwâr caeëdig o flaen drws y tŷ lle cedwid y pwcedi bwydo moch, ayyb.
'Paid a gadael y tractor ar ganol y *cowt*.'

13g YBH 25a, A cherddet gwalop y danaw ar hyt y *kwrt* a wnaeth.
1759 BC 412, Mynai *gowrt* a gardd o'i gwmpas.
Gw. hefyd COWRT, FFALD.

cwrteithio gw. GWRTEITHIO.

cwrw, cwrwf, cwrf *eg*. ll. *cyrfau, cwrŵau*. Diod a wneir o rawn ŷd neu a ddarllewir o frag haidd, hopys ayyb. Gwneid llawer o hwn ar y ffermydd gynt fel y tystia nifer o gyfuniadau:

cwrw Adda Yn ffigurol am ddŵr.

cwrw bach Yr enw ar achlysur a drefnid gynt i gasglu cymorth ariannol i rywun mewn argyfwng, pryd y gwahoddid cymdogion i noson o adloniant ac o yfed cwrw cartref.
1958 I Jones: HAG 84, Pan fyddai rhywun tlawd wedi cael colled fawr drwy golli buwch neu fochyn, neu trwy afiechyd ei wraig neu ei afiechyd ei hun, yr oedd cymdogion caredig, ond heb lawer o arian i sbario, yn barod i'w helpu drwy gynnal *'Cwrw Bach'*. Ceid casgen o gwrw i'r tŷ, a gwneid tipyn o elw wrth ei gwerthu. Gwahoddid cwmni i *Gwrw Bach* ar ddiwrnod neillltuol ...
Gw. CEINIOCA.

cwrw canu Math o gwrw cartre a ddarperid gynt yn yr eglwys i bobl a âi yno i ganu ar Alban Hefin.

cwrw cartre Cwrw wedi ei fragu gartre.

cwrw cyfeddach Diod gloddest yn adeg y cynhaeaf yn enwedig i foddi'r cynhaeaf ar ôl cael y llwyth olaf o'r llafur i'r ydlan.
Gw. BODDI'R CYNHAEAF.

cwrw eglwys gw. CWRW CANU.

cwrw gwâdd gw. CWRW BACH.

cwrw haidd Cwrw wedi ei fragu o farlys neu haidd.

cwrw melyn, cwrw melyn bach Diod melyngoch ei liw a geid ar achlysuron fel 'cwrw bach' neu 'cwrw gwâdd'.
Gw. CWRW BACH.

cwrw oen Math o gwrw cartref a yfid ar achlysuron cneifio ŵyn. Ar lafar gynt.

cwrw Talfan 'Ginger Beer'. Y traddodiad sy'n egluro'r enw yw i'r Parch Talfan Davies fynd i gae gwair a chael y gweision yn hanner meddw wrth yfed cwrw cartref i dorri eu syched. Rhoes y gweinidog druth mor effeithiol ar feddwdod nes peri i'r ffermwyr benderfynu gwneud 'ginger beer' ar gyfer y cynhaeaf ar ôl hynny. Cafodd hwnnw yr enw *cwrw Talfan*.

cwsberis *ell*. un. *cwsberan*. Eirin Mair, ffebrins (Maldwyn). Prin y ceid yr un fferm gynt heb lwyni neu goed cwsberis yn ei gardd. Ceir hefyd y ffurfiau 'gwsberis' a 'gwsberins'.

cwt

1. *eg.* ll. *cytiau.* Adeilad o unrhyw ddeunydd (cerrig, coed, sinc) ac o unrhyw faint ar fferm ag sy'n gysgod i anifeiliaid, porthiant ac offer fferm, ayyb, cut, twlc, crau, cwb, sied hoewal, penty, pres. Sonnir am gwt ieir, cwt mochyn, cwt lloi, ayyb. Ar lafar yn y Gogledd.

2. *eb.* ll. *cytiau, cwtiau.* bach. *cwtyn.* Cynffon, cloren, pen ôl, tu ôl.
16g G Hiraethog: Gwaith 280, Torred 'i *gwt* yn gwta (am farch).
1989 P Williams: GYG 29, Gorchwyl arall yr oedd yn rhaid ei goddef oedd torri *cwte'r* ŵyn, yr oen yn cael ei ddal ar ei draed yn nrws y glowty a nhad yn cydio yn ei gynffon a'i thorri bant mewn eiliad.

3. *eg.* Yn gyffredinol anaf ar gnawd a wnaed gan unrhyw beth miniog, archoll, briw. Yn amaethyddol nod clust dafad yn enwedig yn yr ymadrodd 'cwt cyllath' yn Nhir Iarll. Ym Meirionnydd gelwir yr un nod clust yn 'dyrnod cyllell'.

cwt mocha *eg.* Cwt moch wedi ei lunio fel ag i rwystro'r hwch orwedd ar ei moch bach a'u lladd. Ceir yno grât dur i gynnal yr hwch ond y moch bach yn gallu cilio o'r neilltu a dod am y tethau fel bo'r gofyn. Mae'r crât weithiau'n bedaironglog a hirsgwar, dro arall yn grwn (y crât Ruakura). Yn aml hefyd gwelir rheilen focha wedi ei gosod ychydig oddi wrth y wal, yn ateb yr un diben.

cwt mochyn *eg.* ll. *cytiau mochyn.* Adeilad i gadw a magu moch, ac fel arfer, ac yn draddodiadol, yn rhannol dan do, ac yn rhannol yn yr awyr agored, twlc mochyn, gwâl mochyn, creu moch.
Gw. TWLC[1].

cwt o wair *egb.* Y sgwâr o wair a dorrid o'r das wrth gario ohoni yn y gaeaf, y sgwâr a adewir wrth dorri tringlenni, gorfainc, magwyr tas, cilfainc tas, mainc tas.
1937 T J Jenkin: AIHA AWC, *Cwt* – wrth dorri'r gwair o'r das i'w gario i'r anifeiliaid, torrid ef gyda chyllell wair tua 2½ troedfedd bob ffordd, … Y toriad hwn o ben y das i'w gwaelod oedd y *cwt* …
Gw. CILFAINC, MAGWYR.

cwter *eb.* ll. *cwterydd, cwteri.* Yn amaethyddol rhigol, sianel neu gafn i redeg dŵr a charthion gwlyb o'r beudái, cwter beudy, cwter stabal, ayyb.
Ffig. Y cyflwr isaf neu'r gwaethaf y gall dyn ddisgyn iddo mewn ystyr foesol.
1672 R Prichard: Gwaith 186, Brwnt gweld Barnwr mewn anhemper,/Neu Bendefig draw'n y *gwter*.

cwter afon *eb.* ll. *cwterydd afon.* Lle pwrpasol i ffos ddŵr, nant neu afonig lifo dan glawdd neu dan ffordd.

cwter beudy Y cafn neu'r sianel tua llathen o led a chwe modfedd o ddwfn tu ôl i'r gwartheg yn y beudy, i gymryd y tail a'r biswail, llawr carthu, pislath, cwter garthu. Ar lafar yn y Gogledd.
Gw. CARTHBWLL, LLAWR CARTHU.

cwter ddefaid Yr agoriad pwrpasol mewn clawdd gydag ochrau a tho a llawr o gerrig iddo, i ddefaid fedru tramwyo o un cae i'r llall neu o'r

mynydd i'r ffridd.
Gw. CWLFER.

cwter goffor *ebg.* Twll neu wagle eang a wneid mewn tas wair rhag iddi ordwymo, simdde tas.
Gw. SIMDDE.

cwter gwsg *eb.* Rhigol neu draen cerrig rhyw droedfedd a hanner o ddyfnder dan wyneb tir i gymryd dŵr yr wyneb ac i sychu'r tir. Ar lafar ym Morgannwg.

cwter to *eb.* ll. *cwterydd to.* Y cafn dŵr dan fondo adeilad sy'n derbyn y dŵr glaw oddi ar y to ac yn ei sianelu a'i gyfeirio i ddyfrffos bwrpasol, lander to. Ar lafar yn weddol gyffredinol.

cwtero *be.* Ffosio, rhigoli, draenio, rhychu â chwter neu gwterydd (am dir, buarth ayyb) cwteru. Ar lafar yng Ngheredigion.
1975 R Phillips: DAW 20, Felly treuliwyd y ddeunawfed ganrif i gloddio ac i amgau'r caeau, a'r ganrif a'i dilynodd i arloesi'r tir a'i wella drwy ei *gwtero*, ei galchu a'i aredig.
1992 FfTh: 9, 38, Mae llawer o'r tir diffaith wedi ei drin ... Meinen yw yr isbridd ond heddiw mae llawer ohono wedi ei *gwtero* a'i sychu a'i ail hadu ...

cwteru gw. CWTERO.

cwts
1. *eg.* Cwpwrdd, twll, lle gwag, cwb. Ar lafar yn Nyfed yn yr ystyr hwn.
1989 P Williams: GYG 18, Byddai'r stond facsu wedi dod o'r *cwts* y tu ôl i'r simne, a'i rhoi i dyneru dan y pistyll ucha.

2. *eg.* Y twll pwrpasol i gladdu a chadw tatws rhag y rhew dros y gaeaf, cwtsh, claddfa datws, cladd tatws, y gyrnen datws, hog datws. Hefyd claddfa mangls, moron, erfin. Ar lafar yn Edeirnion.
1985 W H Jones: HOGM 48, Cofiaf unwaith weld criw o garcharorion y Rhyfel Cyntaf yn codi tatws o'r *cwts* yn y Cae Crwn, Tŷ-dan-dderwen.
Gw. CLADD TATWS, HOG².

cwtsio
1. *be.* Mynd yn llai, crebachu, lleihau, prinhau. Sonnir am y bustych yn *cwtsio* pan fo'r porthiant yn brin ar adeg o hirlwm ddiwedd gaeaf. Ym Meirionnydd *cwtsio* o laeth y mae'r buchod pan yn rhoi llai o laeth.

2. *be.* Rhoi cnwd neu gynnyrch yn ddiddos rhag rhew mewn claddfa, storio tatws, mangls, moron mewn cladd, sef twll yn y ddaear (yn aml) a thaenu gwellt a phridd drostynt.
1993 FfTh: 11, 34, Yn ystod glangaeaf fe fyddem yn *cwtshio* tatws, rwdins a mangls.

3. *be.* Hel marchwellt, ayyb, mewn cae âr. Ar lafar yn sir Benfro.
1938 T J Jenkin: AIHA AWC, *Cwtsho* – to collect couch and other weeds, etc.

cwtws *eb.* Cynffon, cwt, cloren.
1594 B 3, 276, Gwedy craffu ... gynnifer cymal a vydd yn ei *chwttws* ac yn asgwrn ei chefn (ysgyfarnog).
1763 DT 163, Un ohonynt oedd a mynn,/A chettyn wrth ei *chwttws*.

cwtys gw CWTWS.

cwthr *egb.* ll. *cythrau.* Bru, croth, maneg caseg, gwain buwch.

1794 P, *Cwthyr* – word used in some places for the Gwain, or vagina, ... cwthyr caseg, cwthyr buwch.

cwthwal (*cwth* [gogwydd] + *gwâl*) *eg.* Adeilad sal, cwt neu hofel o fwthyn neu dŷ diraen. Ar lafar yn Arfon.

1908 Myrddin Fardd: GESG 17, Hen *gwthwal* tlawd sy ddywediad cyffredin am fwth o dŷ llwydaidd yr olwg arno. Cwth yw gogwyddiad neu dafliad ymaith. Gan hynny *cwthwal* yw gwâl-ogwyddiad neu adfail o dŷ.

GPC. Mewn rhyw hen *gwthwal* tlawd mae o wedi'i fagu.

1979 W Owen: RRL 76, ... buasai'n gywilydd arno fod heb y peils ac ynta' wedi treulio cymaint o'i oes yn ei *gwthwal* yn gorweddian mewn cadeiria' ...

cwympo *be.* Y cnwd ŷd wedi ei ysigo ac wedi gorwedd gan y gwynt a'r glaw, y cnwd wedi ei fflatio, cnwd ŷd fel talcen tarw.

Gw. TALCEN TARW.

cwympo anifail *be.* Peri cwymp i anifail, codymu anifail i bwrpas arbennig megis ei sbaddu, neu, gynt, yn achos gwartheg a gerddid bellteroedd mawr, i'w pedoli.

1958 FfFfPh 68, Byddent yn cael eu *cwympo* gyntaf, ac yna eu pedoli.

Gw. CWYMPWR, PEDOLI GWARTHEG.

cwympo coed *be.* Torri coed i lawr, codymu coed, cwympo coed.

cwympwr *eg.* ll. *cwympwyr.* Dyn yn arbenigo ac yn rhagori mewn cwympo gwartheg i bwrpas eu sbaddu neu eu pedoli.

1933 H Evans: CE 126, Gafaelai'r *cwympwr* yn ei ddau gorn. Gafaelai'r cynorthwywr yn un troed blaen, a chodai ef i fyny gan ei blygu yn y glin. Yna rhoddai'r *cwympwr* dro yn ei gyrn, ac i lawr ag ef.

Gw. CWYMPO, PEDOLI GWARTHEG.

cwynos

1. **cwyn** *eg.* Cinio, swper, gwledd, bwyd, lluniaeth, pryd o fwyd. Daw 'cwyn' yn wreiddiol o'r Lladin 'coena' yn golygu swper. Cyfeiria W Salesbury (1567) at 'cwynos neu Swper yr Arglwydd'. Ym Maldwyn mae'n air am bryd o fwyd ac yn y ffurf 'cwnos'. Perthyn, mwy na thebyg, i 'cwynoswyd' sir Fôn.

13g B 4, 7, Dewis paub oe *gwyn.*

1567 W Salesbury: Luc 14.12, Pan wnelych giniaw nei *gwynos* [:- swper].

1755 ML 1, 333, Succan gwyn ... sydd well na physgod chwilod yn *gwynos.*

Gw. CWYNOSFWYD.

2. *eg.* Yn amaethyddol ac yn gyfreithiol, y pryd o fwyd a hawlid gan arglwydd neu dirfeddiannwr a'i osgordd pan ddôi o gwmpas ei stâd, hefyd y tâl amdano neu'r rhent ychwanegol.

3. **cynos, cunos** *eg.* Y swm o ŷd a ddygid i'r felin i'w falu'n flawd. Fel arfer byddai'n ddigon ar gyfer teulu am y rhan orau o flwyddyn, maliad o wenith. Ar lafar yng Ngheredigion a sir Gaerfyrddin.

18g D Jones (Caeo): Traeth 5, 378, Fe gaiff weled ar ôl hyn/Bydd gwanyd yn y *gynos.*

1992 E Wiliam: HAFF 45, Yn ddiweddarach daeth yn arfer i yrru'r grawn – a elwid yn *gynnos* yn sir Aberteifi – i'r felin i'w sychu ynghyd â'r tanwydd angenrheidiol a chasgen o gwrw cartre i ddiwallu syched y gweithwyr.

Ffig. Swm da o rywbeth.
1959 D J Williams: YCHO 250, Rhwng y ddau arholiad, Mehefin a Medi … llwyddodd deg ohonom ni fyfyrwyr Ysgol yr Hen Goleg i basio 'matriculation' Prifysgol Cymru … A dyna *gynos* go dda mewn un flwyddyn o ysgol fechan ei rhif.
Gw. CUNOS.

cwynosa *be.* Swpera, gwledda.
1707 AB 252b, *Kuynossa* [-swppera] evon ni a chroeso a vydd itti.
1796-9 RWM 2, 297, I'r Gwyneddigion yn *cwynosa* yn y Canterbury Arms.

cwynosfwyd (*cwynos* + *bwyd*) *eg.* Gair a ddefnyddid gynt am unrhyw bryd o fwyd heblaw brecwast, ond a ddefnyddid yn bennaf o lawer am fwyd yn y cae amser y cynhaeaf. Pery, fodd bynnag, dipyn o anghydweld ynglŷn â pha bryd o fwyd yn hollol oedd *cwynosfwyd*.
Clywir y gair mewn amrywiaeth o ffurfiau: cnysfwyd, cnyswd, cynhwysfwyd, cynosfwyd, cynoswyd, cynyswyd, cynywswyd, cynhesfwyd, cyfnosfwyd.
1963 LlLlM 93, *Cnwswd* – y trydydd pryd, rhwng 3.30 a 4 a fwyteid allan.
GPC, Pryd ysgafn o frechdan, llaeth enwyn, etc. a gymerid ar y maes yn y prynhawn adeg cynhaeaf, bwyd ambor.
1963 T M Owen: LlLlM 18, Dywedid … mai 'te' fyddai'r enw mewn rhai mannau ym Môn ar y pryd rhwng tri a phedwar … os bwyteid ef yn y tŷ, ond os bwyteid ef allan yn yr awyr agored, fel y gwnai'r gweision yn yr haf, yna *cnyswyd* fyddai'r enw arno.
1983 B Lewis Jones: ISF 27, Pryd ysgafn o fwyteid amser te yn y caeau adeg cynhaeaf, defnyddid y gair hefyd am frechdanau wedi eu pacio a gludem i'r ysgol i'w bwyta ganol dydd cyn dyddiau'r cinio ysgol.
1985-6 Grace Roberts LLG (Gaeaf), Ym Môn wedyn mi fyddai nhad yn mynd â'i *gnwswd* hefo fo i'r gwaith, – hynny fyddai ei ginio.
1963 I Gruffydd: GOB 99, Nid oedd tamaid i'w gael ar ôl brecwast chwech tan ginio hanner dydd … a'r un modd yn y prynhawn tan amser *cnwsfwyd* chwech o'r gloch.

cwyro *be.* Ffurf dafodieithol ar 'cyweirio'. Ar lafar yn sir Gaerfyrddin.
Gw. CYWEIRIO, CYWEIRIO GWAIR, CYWEIRIO MENYN.

cwys
1. *eb.* ll. *cwysi, cwysau.* Y rhimyn tir a droir drosodd gan aradr rhwng dwy dalar neu rhwng deupen cae, ffunegl, rhych, tywarchen. Weithiau saif *cwys* am y rhych a adewir ar ôl troi'r gwys. Sonnid am y ceffyl yn y gwys, sef y ceffyl yn y rhych.
Hen Bennill. Dyn sy'n hau a dyn sy'n medi,/Duw sy'n peri i'r gwenith dyfu,/Oni bae fod Duw'n rhoi'r fendith/ Dan y *gwys* fe bydrai'r gwenith.
Ffig. Y bedd, yn enwedig yn yr ymadrodd 'dan y *gwys*'.
'Mae mam *dan y gwys* ers chwarter canrif fachgen.'
1696 T Jones: CDD, Nid wy'n ofni mynd i'r *gwys*/Tan ddaearen lawen lwys.
Rhawd bywyd, gyrfa bywyd.
'Torri'i *gwys* 'i hun' – dynwared neb arall.
'Torri *cwys* union' – cymeriad da, uniondeb bywyd.
Byddai rhinwedd arbennig o gwmpas y *gwys* union, a gwarth arbennig o gwmpas y *gwys* gam.
W J Richards, *Y Dderwen Las*, A heddiw wedi ugain canrif/O lewyrch golau claer,/Does neb wedi mentro torri/*Cwys* debyg i Fab y Saer.
1959 D J Williams: YCHO 29, … a'i *gwys* fel edefyn o dalar i dalar.
Dywed. '*Cwys* yn nes i'r clawdd' – byw'n ddarbodus o reidrwydd ar adeg o wasgfa.
1966 I Gruffydd: TYS 71, Cyrhaeddodd chwech ohonynt (plant) o fewn ychydig o

flynyddoedd, a rhaid oedd *torri cwys yn nes i'r clawdd* yn rhywle o hyd.
1991 FfTh 7, 36, Pan fyddai rhywun yn disgwyl mwy o deulu, byddai'n dweud "fe fydd yn rhaid imi *dorri cwys yn nes i'r clawdd* rwan".
Diar. 'Amlaf ei *gwys*, amlaf ei ysgub.' 'Fel y bo dy dir y bydd dy *gwys*.' 'Mor wastad â'r ych yn ei *gwys*.' 'Hir pob *cwys*' nes cyrraedd talar.

2. ebg. Y rhych a adewir wrth droi *cwys* mewn cae âr, lle cerddai un ych mewn gwedd o ychain gynt ac un o'r ceffylau mewn gwedd yn ddiweddarach. Sonnir am geffyl 'yn cerdded y *gwys*', yn aml mewn cyferbyniad i geffyl 'yn cerdded y cefn'.
1996 FfTh 17, 21, Y diwrnod wedyn ei roi yn y tresi (ceffyl a dorrir i mewn) hefo ceffyl arall i lyfnu'r tir ... Yna i dynnu'r aradr, yn y *gwys* neu ar y cefn ...
Gw. GWELLTOR, RHYCHOR.

cwys bridd *eb.* Wedi gorffen aredig dau gefn (grwn) y mae rhych rhwng y ddau ar ôl troi'r cwysi i'r naill ochr a'r llall. Yna eir â'r aradr yn ôl a blaen ar hyd y rhych i'w ddyfnhau ychydig trwy godi'r pridd i'r naill ochr a'r llall. Gelwir y gwys honno y *gwys bridd*. Ar lafar yn sir Benfro.
1958 T J Jenkin: YPLL AWC, Ac wedi troi y ddwy hynny, yr oedd *cwys bridd* i'r troi.

cwys ddraenio *eb.* ll. *cwysi draenio.* Torri cwys ddofn ag aradr (fel ffos) i gael dŵr oddi ar wyneb y tir.

cwys gymar *eb.* ll. *cwysi cymar.* Cwys a dorrid at y 'sgrib' (Môn) neu'r 'mwydyn' (Dyfed) sef y gwys fas gyntaf a dorrir wrth godi canol cefn. Ar lafar yn Nyfed.
1958 T J Jenkin: YPLL AWC, ... yr oedd yn bwysig bod y ddwy gwys gefn yn ffitio'n gywir at ei gilydd dros y mwydyn a'i *gwys gymar* ...

cwys gribog *eb.* ll. *cwysi cribog.* Cwys a'i chornel neu ei hymyl at i fyny, cwys wedi ei throi dri chwarter ffordd, ac heb ei throi yn hollol a'i wyneb i waered Ar lafar yn Nyfed.
1958 T J Jenkin: YPLL AWC, Ar un ohonynt yr oedd swch a dorrai *gwys gribog* am fod ei gwefl yn gam gyda phlygiad graddol at i fyny. Ar y llall yr oedd gwefl wastad a'r swch ei hun dipyn yn lletach. Torrai hon gwys nad oedd yn cribo a gellid gosod yr aradr i godi cwys lydan a droid bron yn hollol ar ei chefn.

cwysiad *eg.* ll. *cwysiadau.* Y weithred o gwyso neu o dorri cwys; mesur o dir a arddwyd neu a gwyswyd.
1773 W, *Cwysiad* – a furrowing.

cwysig *eb.* ll. *cwysigau.* Cwys fechan neu draen neu ffos ddŵr.
1773 W, *Cwysig* – a small furrow; a drain.

cwysio *gw.* CWYSO.

cwyso
1. be. Aredig, troi tir ag aradr, torri'n gwysi.
1753 TR, *Cwyso* – to turn up clods with the plough, to furrow, to cast in furrows.
Ffig. **17g** Huw Morus: EC 1, 54, Gŵr doeth i agoryd âr,/Gwr Duw i *gwyso* daear.
1759 DG 9, *Cwysa* eigion cais agor/Heolydd ym moelydd môr.

2. be. Agor neu godi canol cefn mewn cae âr, agor grwn, troi'r cwysi cyntaf at ei gilydd mewn cefn o âr. Ar lafar ym Môn yn yr ystyr hwn.
Ffig. Rhoi yn y bedd, daearu corff person dynol, claddu. Cmhr. 'dan y gwys', dan CWYS (Ffig).

361

15g Pen 109, 66, Yn eglwys vair i *kwyssiwyt*/Yngwart Mair vy llewpart llwyt. (Lewis Glyn Cothi).
Gw. AGOR CEFN, CODI CANOL CEFN, COPIO.

cwysog *a*. Llawn cwysi, yn gwysi drosto (am gae, neu gefn).

cwyswr
1. *eg.* ll. *cwyswyr*. Un yn troi cwysi ag aradr, aradrwr, arddwr.
Ffig. Torrwr beddau.
2. *eg.* Ceffyl gwedd sy'n cerdded yn y gwys (y rhych) wrth aredig mewn cyferbyniad i'r ceffyl sy'n cerdded ar y cefn. Yn oes yr ychain gwaith gelwid y naill yn rhychor a'r llall yn gwelltor.
Gw. CEFFYL CEFN, CEFFYL RHYCH, GWELLTOR, RHYCHOR.

cychwyn *be*. Tanio peiriant, cael peiriant i droi ac i fynd, cychwyn y tractor, cychwyn y peiriant godro, ayyb.

cydbori *be*. Anifeiliaid dau neu fwy o ffermwyr yn pori'r un tir, cydbori'r cytir (*cyd + tir*) neu'r mynydd, cydfuchesa.

cydbreiniog (*cyd + pren + iog*) *a*. Wedi eu ieuo ochr yn ochr, cydieuog, gweddog, gwedd ddwbl (am ychen).
15g H 79b, 18, deu carn a gertynt [gerddynt] yn *gyd preinyawc*.

cyd-dda *eg*. Meddu eiddo ar y cyd, eiddo'n gyffredin i ddau neu fwy o berchnogion, eiddo'n perthyn i fwy nag un perchennog.
1380 AL 2, 68, Fel na bo ar helw y dyn namyn *kyt da* ac arall.

cydfuchesa gw. CYDBORI.

cydfwrw *be*. Cyd-ladd gwair neu ŷd â chrymanau neu'n ddiweddarach â phladuriau, nifer o ddynion (y fedel) yn pladuro gwair neu ŷd yn waneifiau, cydfwrw gwair, cydfwrw ŷd. Ar lafar yn Edeirnion.
1985 W H Jones: HOGM 38, Roedd nifer o'r cymdogion wedi dod yno i roi help i'w dorri â phladuriau … 'Roedd yn werth eu gweld yn *cydfwrw*.

cydgnydio *be*. Plannu dau neu fwy o gnydau gwahanol ochr yn ochr er mwyn cael y mwyaf posibl o'r tir a'r amgylchedd, e.e. plannu coed mewn tir pori i gael cysgod ac i gael coed at ddibenion amaethyddol yr un pryd, a hynny heb amharu nemor ddim ar swm y borfa.

cydiad y wialen *eg*. Y lle ar lafn pladur y cysylltir y wialen (ffrwyn, weiren, haffied, carchar), sef y roden fain o'r coes i'r llafn i gadw'r llafn yn ei le mewn gwaith.
Gw. CARCHAR[3], FFRWYN PLADUR.

cydio maes wrth faes *Ymad*. Uno dwy neu ragor o ffermydd yn un. Digwyddodd hyn ar raddfa fawr ar ôl yr Ail Ryfel Byd (1939-45) gan wanychu'n enbyd fywyd cymdeithasol ardaloedd, drwy fod cymaint llai o ddeuluoedd yn cael eu bywoliaeth o'r tir. Mae'n hen, hen broblem Roedd yn bod saith can mlynedd CC, yn oes Eseia, a chanddo ef y cawsom yr ymadrodd: *cydio maes wrth faes*.
1620 Es 5.8, Gwae y rhai sy yn … *cydio maes wrth faes* (cae wrth gae, BCN).

cydio wrth *be.* Terfynu ar, neu gyffwrdd â (am ffermydd), ar y terfyn â fferm neu ffermydd eraill.

'Mae Glan Alaw yn *cydio wrth* chwech o ffermydd.'

cydit gw. COLLI CYDIT.

cydmaru gw. CYMHARU.

cydwedd (*cyd* + *gwedd*) *eb.* ll. *cydweddion, cydweddau, cydweddiaid.* Yn amaethyddol anifail gwedd (ych neu geffyl) wedi ei ieuo neu ei gyplysu wrth un arall. O'r enw 'cydwedd' y cafwyd y ferf 'cydweddu' (cytuno) a'r ansoddair 'cydweddog' (cytûn).

cydyn gw. CUDYN.

cyfair, cyfer *ebg.* ll. *cyfeiriau, cyfeiri.* Mesur o dir, erw, acer. Gynt cymaint o dir ag y gellid ei aredig mewn diwrnod. Amrywiai hwnnw o 3,240 o lathenni sgwâr ym Môn ac Arfon i 2,430 ym Meirion a Maldwyn. Ar un amser ym Mrycheiniog roedd pedwar cyfair yn cyfateb i'r acer Saesnig. Bellach cyfetyb cyfair neu acer i'r *'acre'* Seisnig, sef 4,840 o lathenni sgwâr. Ar lafar yn bennaf ym Maldwyn, Ceredigion a Brycheiniog.

1620 Es 5.10, Canys deg *cyfair* o winllan a ddygant.

Gw. ACER, ACR, ERW.

cyfair asglod Mesur o dir a neilltuid i dyfu coed i wneud erydr ac i'w trwsio yn ogystal ac offer amaethyddol eraill, cyfair asnad. Coed gwern a fyddai'r rhain amlaf.

cyfair y brenin Yr acer safonol, yr acer Saesnig, sef 4,840 llathen sgwâr.

cyfair asnad gw. CYFAIR ASGLOD.

cyfalaf (*cyf* + *alaf* [cyfoeth]) *eg.* ll. *cyfalafau, cyfalafoedd.* Yn amaethyddol yr adnoddau ariannol sy'n angenrheidiol i gychwyn ffermio, i stocio fferm ag anifeiliaid ac â pheiriannau ac offer, yr arian sy'n angenrheidiol i redeg fferm, prynu anifeiliaid, bwydydd anifeiliaid, gwrteithiau, cyflogau, ayyb.

Gw. hefyd ALAF.

cyfanbris *eg.* ll. *cyfanbrisiau.* Pris nwyddau a werthir ac a brynir yn eu crynswth.

cyfannedd *eg.* ll. *cyfaneddau.* Lle neu dir i fyw arno neu oddi arno.

1300 LLB 70, adeil ac aradwy yw *cyfannedd.*

1620 Hab 1.6, I feddiannu *cyfaneddoedd* nid yw eiddynt.

1620 Hos 9.13, Ephraim ... a blannwyd mewn hyfryd *gyfannedd.*

cyfanheddu *be.* Meddu tir, ei drin a byw arno.

13g WM 61, 1-2, a gwledychu y wlat ay *chyvanheddu.*

1620 Gen 20.1, Ac Abraham a aeth ... ac a *gyfaneddodd* rhwng Cades a Sur.

cyfansoddyn *eg.* ll. *cyfansoddion.* Rhywbeth a gyfansoddwyd o wahanol elfennau neu sylweddau ac eto'n wahanol i bob un o'i wahanol elfennau, e.e. mae dŵr yn gyfansoddyn o hydrogen ac ocsigen, ac eto'n wahanol i'r ddau. Defnyddir y gair gyda bwydydd cymysg neu fwydydd cyfansawdd, e.e. teisfwyd a roir i wartheg.

cyfansoddyn organoffosfforws *ell.* Nifer o gemegau byr effaith, synthetig a ddefnyddir yn bennaf fel pryfleiddiaid, e.e. Malathion. Fe'u defnyddir erbyn hyn yn hytrach na'r math mwy hir effaith megis Hydrocarbonau Clorinedig. Maent yn effeithio ar y system nerfol.

cyfar
1. *egb.* Coedwig fach, coedlan, cyfar o goed.
'Rwy'n ofni bod y *cyfar* acw yn lloches i lwynogod.'

2. *(cyf + âr) eg.* Tir yn cael ei aredig ar y cyd gan nifer o ddeiliaid tir drwy gytundeb. Nifer yn cytuno i gydaredig tir. Weithiau gynt ceid dwy neu dair gwedd a dau neu dri arddwr yn aredig yr un arwynebedd o dir. Gall y gair olygu hefyd y trefniant a'r cytundeb i gydaredig yn ogystal â'r tir a erddir.
1688 T Jones, *Cyfar* – cydlafurio tir, ploughing or tilling together.
Ffig. Ymdrech neu ymgyrch ar y cyd.
1587 E Prys: Gwaith 22, Cwysau undeb cysondeg,/*Cyfar* dysg, cae Ifor deg.

3. *eg.* Darn pren a arferai fod yn rhan o swch aradr, cyfar aradr, y rhan o'r aradr bren a ddaliai flaen neu swch yr aradr yn ei le.

cyfarchwel, cyfarchwyl, cyfarchwal *eg.* Diddosrwydd, cysgod, diogelwch, lloches (yn enwedig y cynhaeaf), cael y cynhaeaf i *gyfarchwyl*, sef cael y cynhaeaf i mewn neu i'r ydlan. Ar lafar ym Môn ac Arfon.
Yn Llŷn sonnir am y plant yn 'mynd i *gyfarchwyl* – i ddiddosrwydd y gwely. Yn chwareli Arfon '*cyfarchwyl*' yw'r cwt lle cysgodir adeg tanio.
1981 W H Roberts: AG 52, Byddai'n rhaid wrth fis o leiaf i gael y gwair i *gyfarchwyl*.

cyfarchwyl gw. CYFARCHWEL.

cyfardir *(cyfar + tir) eg.* ll. *cyfardiroedd.* Tir wedi ei gydaredig gan nifer o berchenogion tir drwy gytundeb, tir cyfar.
18g Al 2, 490, Tri pheth nid gwlad lle nas byddant; cyfiaith, cyfraith a *chyfardir.*
Gw. CYFAR².

cyfariaeth *eg.* Cydaredig, cyfariad, llafur cydweithredol ar y tir, cydfasnach.
Gw. CYFAR², CYFARDIR.

cyfarpar godro *eg.* Gynt, y bwcedi, y cunogau neu'r piseri godro, y llestri godro. Bellach, y peiriant godro a'i holl deulu, y pwmp, yr unedau, y pibellau, y tanc oer, ac wrth gwrs, yn lled gyffredinol erbyn hyn, y parlwr godro.
Gw. PARLWR GODRO, PEIRIANT GODRO, TANC OER, UNED ODRO.

cyfarth *be.* ac *eg.* Y sŵn cras, ffrwydrol a wneir gan gi, ielpan, udo, coethi, swn nodweddiadol ci.
Ffig. Dwrdio, ceryddu, hewian.
'Ma'r feistres 'ma'n *cyfarth* arna'i am rywbeth yn barhaus.'
Yr hen wrth ochr y newydd, y budr (brwnt) wrth ochr y glân, un lliw wrth ochr y llall, ayyb.

'Ma'r ffenestri 'ma i gyd yn *cyfarth* wedi imi baentio hon.'
'Mae'r tei 'na'n *cyfarth* yn y crys yna.'
Gw. SŴN ANIFEILIAID AC ADAR DOF.

cyfaru *be.* Cydaredig.
Gw. CYFAR (*cyf* + *âr*).

cyfatal *a.* Ansefydlog, anniben, anwadal, trafferthus (yn enwedig am dywydd a thymor). Ar lafar yn y De.
1959 D J Williams: YCHO 34, Un tro a'r tywydd yn go *gyfatal* roedd Mari wedi bod yn lled ffyslyd ynghylch cael ei chae gwair bach hi i ddiddosrwydd ...
1975 T J Davies: NBB 70, Efallai y byddai'r tywydd yn troi'n *gyfatal* a'r mydyle'n gorfod bod mas am wythnosau.

cyfeb (*cyf* + *eb* [fel yn *ebol*]) *a.* ac *eb.* ll. *cyfebrion.* Llawn, boliog, amdrom, beichiog, llydnog, yn enwedig caseg ond hefyd am ddafad, buwch, ayyb; caseg *gyfeb* = caseg a chyw ynddi; buwch *gyfeb* – buwch gyflo; dafad *gyfeb* – dafad gyfoen (cymwyn). Ceir hefyd y ffurfiau 'cyfob', 'cyfop'.
13g AL 2, 196, Ti a werthaist ymi cassec *cyveb.*
1620 Salm 78.71, Oddi ar ôl y defaid *cyfebrion.*
1959 D J Williams: YCHO 76, Yn naturiol mi gefais fraw, ac yn bennaf oll oherwydd fod Dol yn *gyfeb* drom a'i thymp i fwrw ebol yn ymyl.

cyfebol *a.* Yn drom o gyw neu o ebol (am gaseg).
1771 PDPh 70, Na roddwch y pethau hyn i gasseg *gyfebol.*
Gw. CYFEB.

cyfebr gw. CYFEB, CYFEBOL.

cyfebriad *eg.* Y weithred o feichiogi'r fenyw (am anifail), meithriniad epil yn y groth hyd amser bwrw'r epil, beichiogiad.

cyfebru, cyfebu *be.* Beichiogi ar epil (am fenyw anifail), ffrwythlonni'r fenyw gan y gwryw.
1620 Gen. 30.38, Gan eu bod yn cyfebru pan fyddent yn dod i yfed.
1975 R Phillips: DAW 34, *Cyfebru*'r fuwch, y ddafad, y gaseg a'r hwch yw dechrau'r broses, ac wrth ddewis y fenyw a'r gwryw at genhedlu, y mae lle i newid ac i wella'r math yn ôl gofynion y farchnad.

cyfebrwydd *eg.* Y cyflwr o fod yn gyfeb (am anifail).
Gw. CYFEB.

cyfebu gw. CYFEBRU.

cyfegydd
1. *egb.* ll. *cyfegau, cyfegion.* Caib big, pig-gaib, bwyellgaib (S. *pick-axe*).
2. *eg.* ll. *cyfegyddion.* Math o forthwyl neu fwyell flaenllym at drin a phigo meini melin i'w gwneud yn wrymiog.

cyfeiliorn gw. AR GRWYDR, DIGRAIN.

cyfeirio ceffylau *be.* Y sŵn a wneid gynt wrth gyfeirio ceffylau mewn gwaith. I'w cael i sefyll gwaeddid 'we-wo'; i'w cael i ddal neu droi i'r dde, gwaeddid 'gee' neu 'ji'; i ddal neu droi i'r chwith gwaeddid 'môdder'; ac i symud at yn ôl, 'bacia'.

cyfer gw. CYFAIR.

cyferbyn *eg.* ac *a.* Llechwedd, rhiw, codiad tir cymharol serth, llethr. Ar lafar yng Ngheredigion a Dyfed yn y ffurf *gwerbyn*.
GPC, Hen *werbyn* bach cas yw hwn.

cyferedri (*cyf* + *aradru* [aredig]) *ebg.* Y weithred o gydaredig neu aredig ar y cyd.
Gw. CYFAR².

cyfiau (*cyf* + *iau*) *eg.* Tir, cae neu faes a ddelir gan ddau neu ragor o bersonau, cae wedi ei rannu yn ddwy neu ragor o leiniau neu gefnau.
1515 A N Palmer: *History of the Old Parish of Wrexham* 185 (1903), *kyvie* yr hendy ... kyvie y porth.
1617 Plas Tregaean (LLGC) 43, Y *Kyvie* nessa yr Coed.

cyfino *be.* Ffurf lafar ar 'cynefino', sef plwyfo neu ymhinsoddi (am ddefaid), adnabod eu cynefin, arosfeio.
Gw. AROSFEIO, CYNEFIN, CYNEFINO.

cyflaith *eg.* Cyffaith, taffi o driag a siwgwr a wneir gan amlaf yng nghysgod Gŵyl y Nadolig. Gynt byddai'r mwyafrif mawr o gartrefi'n gwneud cyflaith. Bu'n gyffredin iawn o fewn cof y rhai sy'n fyw a deil yr arfer o hyd mewn rhai ardaloedd megis Penllyn ym Meirion.
1979 W Owen: RRL 23, Yr oedd hi'n giamblar am *gyflath* ... Fe fyddai raid cribinio'r ynys drwyddi draw i gael ei gwell.

cyflawn *a.* Ansoddair a ddefnyddir am unrhyw beth na thynnwyd oddi wrtho nac ychwanegu ato, e.e. llaeth heb ei separetio, grawn ŷd heb ei falu, anifail heb ei sbaddu.
Gw. BLAWD CYFLAWN, CYFLAWN GEG, CYFLAWN MARCH, LLAETH CYFLAWN.

cyflawn geg *a.* ac *eb.* Â'i dannedd ganddi i gyd (am ddafad), neu unrhyw anifail arall, dafad *gyflawn geg* – dafad tair i bedair oed, ar ei hanterth ac heb ddechrau colli ei dannedd. Ar lafar yng Ngheredigion.
1981 Ll Phillips: HAD 26, Dyma adeg tynnu'r defaid *gyflawn geg* – y rhai pedair oed – i'w gwerthu, canys nid doeth cadw dafad yn hŷn na phedair oed ar fynydd uchel rhag ofn iddi golli ei dannedd a methu byw, a hefyd golli gwerth ar ben y farchnad.

cylfawn march *eg.* Ceffyl heb ei sbaddu, ceffyl annisbaidd, march dyre, amws.
Gw. CYFLAWN.

cyflawr (*cyf* + *llawr*) *eg.* ll. *cyfloriau*. Math o ffordd wedi ei gwneud o gerrig a thywyrch, yn dringo'n raddol at agoriad i lofft neu daflod, er mwyn medru â cheffyl a throl, gario'r gwair ar hyd-ddi i'w roi yn y llofft neu'r daflod. Weithiau ceid rhai byrrach, serthach yn gweithredu fel rampiau. Ar lafar gynt ym Morgannwg.

cyflith (*cyf* + *blith*) *a.* Blith, llaethog, â llaeth ganddi (am fuwch) yn godro.
Gw. BUWCH FLITH, BUWCH ODRO.

cyflo (*cyf* + *llo*) *a*. ll. *cyfloeon*. Yn drom o lo (am fuwch), â llo ynddi, buwch gyfeb, buwch gyflo. Ar lafar yn bur gyffredinol.

15-16g Gwyn 3, 197, bwch gaiaf – loer,, buwch *gyflo*.

1750 LLM 34, Ond os *cyfloeon* a fyddant ni wasanaetha roi mo'r garlleg yn eu clustiau.

cyfload *eg*. Meithriniad llo yn y fuwch, beichiogiad, cyfebiad. Gw. CYFEBRIAD.

cyflog

1. *egb*. ll. *cyflogau*. Fel rheol, ac yn amaethyddol, yn enwedig gynt, yr hyn a delid i was a morwyn am dymor o wasanaeth ar fferm, neu a delid i ŵr priod wrth yr wythnos, er y byddai yntau'n cyflogi am dymor.

'Tair punt ar ddeg oedd fy *nghyflog* y tymor olaf imi weithio ar fferm yn 1938.'

1959 D J Williams: YCHO 51, Tra derbyniai gwas ffarm rhyw ddeg punt ar hugain y flwyddyn a'i gadwraeth, fel *cyflog*, a morwyn ryw dipyn dros yr ugain, câi'r ysgolfeistr rywbeth tebyg i gant (dechrau'r 20g).

2. *egb*. Y cytundeb cyflogi, amodau neu'r telerau cyflogi. Ar lafar yn yr ystyr hwn yng Ngheredigion a'r De.

GPC, Yn sir Gaerfyrddin a Cheredigion clywir yr ymadrodd – 'gwas yn torri ar ei *gyflog*' am was yn torri ar ei gytundeb â'i feistr.

1975 T J Davies: NBB 104, Wedi setlo'r *gyflog*, ... rhaid oedd trefnu diwrnod i fynd at eich *cyflog*.

cyflog cynhaea' *eg*. ll. *cyflogau cynhaea'*. Yr hyn a enillid yn gyflog mewn cyfnod o ryw dair wythnos gan y rhai a âi gyda'u pladuriau i'r cynhaeaf ŷd dros y ffin yn Lloegr neu yn rhai o dyffrynnoedd Cymru megis Dyffryn Clwyd, Dyffryn Tywi, ayyb.

1928 G Roberts: AA 38, Byddai rhai o gyrion uchaf a diweddaraf y wlad yn ôl adref gyda bod ŷd y cyrion hynny'n barod i'w dorri, ac wedi ennill *cyflog cynhaea* ynghyd â bwyd a digon o gwrw yn y cyfamser.

Gw. MEDEL I FFWRDD, MYND I'R CNEUA.

cyflog y groes *eg*. Cyfeiriad at yr arfer o gyflogi gweithwyr ychwanegol at y cynhaeaf ŷd ar sgwâr y mân drefi yn siroedd Dinbych a Fflint, yn enwedig yn Nyffryn Clwyd, cyn i beiriannau medi ddod yn gyffredin. Gwelid niferoedd o ddynion yn ymgasglu 'ar y groes' bob dydd o bedwar o'r gloch y bore ymlaen i geisio bachiad yn y cynhaeaf. I'r 'groes' hefyd yr âi'r ffermwyr i chwilio am weithwyr i'r cynhaeaf. Yn aml, wedi llawer o ddadlau, y cytunid ar y cyflog am y dydd, gyda'r rhai a ddôi i gytundeb gyntaf yn gosod y safon am y diwrnod. Digwyddai hyn yn ddyddiol, mae'n ymddangos, ym mhobman, ond yn Rhuddlan lle y cytunid ar gyflog wythnos ar y tro a hynny ar y Sul. Daeth yr arfer hwn i ben tua diwedd y 19g pan ddaeth peiriannau lladd ŷd yn gyffredin ar y ffermydd mawr.

Gw. ysgrif Trefor M Owen yn Medel 1 (1985) (Cyfnodolyn AWC).

cyflogi *be*. Yn amaethyddol, ymrwymo yng ngwasanaeth ffermwr am dâl neu am gyflog (am was a morwyn), 'cytuno' (Môn), 'gwneud cyflog' (Ceredigion). Gw. CYFLOG.

'Rydw'i wedi 'cytuno' at y tymor gaea.' (Môn)

'Rw'i wedi 'gwneud cyflog' at y tymor gaea.' (Ceredigion)

Gynt, fel rheol, wrth y tymor (chwe mis neu flwyddyn) y cyflogai'r gweision a'r morynion amaethyddol, yn enwedig y rhai dibriod a gysgai ar y lle. Ym Môn, Arfon a Brycheiniog e.e. am chwe mis y cyflogid, ond yng Ngheredigion a Dyfed am flwyddyn. Byddai gwŷr priod yn cael eu cyflogau'n wythnosol, er yn cyflogi am dymor. Fel y nesâi pentymor byddai'r meistr, fel rheol, yn cynnig i'r gwas aros yn ei le at y tymor dilynol, ac felly'r feistres gyda'r forwyn, ac addewid am rhyw gymaint yn rhagor o gyflog. (Yng nghanol y tridegau y daeth graddfeydd cyflog stadudol i weision a morynion amaethyddol.) Ceid hefyd y ffeiriau cyflogi, Calan Mai a Chalangaeaf ('ffeiriau pentymor' – Môn ac Arfon). Difrïol a diraddiol braidd oedd gorfod cyflogi neu gytuno mewn ffair fodd bynnag. Cytuno ('gwneud cyflog') ymlaen llaw, cyn pentymor, oedd nôd ac uchelgais gwas a morwyn. Wedi i'r graddfeydd cyflog o hyn a hyn yr wythnos ddod, parheid i gytuno am dymor am flynyddoedd wedyn.

Amr. 'C'logi' (ar lafar).

1975 W J Thomas: CM 60, *Cyflogi* am hanner blwyddyn, a derbyn swllt neu lai o ernes, heb dderbyn ceiniog (o'u cyflog) hyd fore'r Ffair Bentymor.

1975 T J Davies: NBB 103, Un o'r hen arferion oedd *cyflogi*. Unwaith y flwyddyn y byddai *cyflogi* a hynny Calan-gaeaf, sef y trydydd ar ddeg o Dachwedd (Ceredigion).

1989 FfTh 3, 18, Am flwyddyn y *cyflogid* fel rheol (Llanuwchllyn). Byddai'n hwyr glas gan rai o'r gwasanaethyddion weld pentymor wedi bod mor gaeth eu gwaith am flwyddyn gron. Byddai eu teimlad i'w glywed mewn hen rigwm fel hyn: "Daw clame, daw clame, daw'r defaid ag ŵyn,/Daw mistar a mistres i siarad yn fwyn". A chlywid rhigwm arall yn dangos yr un hiraeth am ddiwrnod o ryddid: "Dim ond heddiw tan yfory,/Dim ond 'fory tan y ffair".

1994 LLG 14, …byddai bron bob ffarm dros 80 acer yn *cyflogi* morwyn, dau was, ciartar a chowmon, ac, ambell waith, gweithiwr cyffredinol.

Gw. CYTUNO, ERNES, FFAIR GYFLOGI.

cyflogwr *eg.* ll. *cyflogwyr*. Un yn cyflogi gweision neu weithwyr (S. *employer*). Mae'n air cymharol newydd yn y cyd-destun amaethyddol. Diau iddo ddod yn sgîl sefydlu'r Bwrdd Cyflogau Amaethyddol, ac yn ddiweddarach yr Yswiriant Cenedlaethol. Yr enwau gynt yn Gymraeg oedd 'meistr' a 'giaffer' – enwau llawer cynhesach eu conodiad.

cyfloi *be.* Beichiogi (am fuwch), gwneud buwch yn gyflo.

cyflychu *be.* Ffurf lafar ar clafychu, sef â dolur llo arni (am fuwch), buwch yn d'wddu, yn dangos arwyddion dod â llo.
'Ma' cochan yn siwr o fod yn cyflychu.'
Gw. CLAFYCHU.

cyfnas gw. CYNFAS.

cyfnewid llafur gw. DIWRNOD DYRNU, FFEIRIO, NEWID DWYLO.

cyfnod beichiogrwydd *eg.* Y cyfnod o amser rhwng y cyfebu a geni'r epil, cyfnod cario'r epil yn ei llestr gan y fam. Amrywia'r cyfnod hwn o un rhywogaeth i'r llall: buwch – 283 diwrnod; dafad – 144-150 diwrnod; hwch – 114-120 diwrnod; caseg – 340 diwrnod, gafr – 151 diwrnod.

1988 FfTh 1, 17, *Amser hwch* – 'Ymhen pedwar mis, pedwar diwrnod a phedair awr, gwyliwch yr hwch' (ar ôl cael baedd) – hen fformiwla Gymreig.

cyfnod deori *eg.* Y cyfnod a gymer i ddeor cywion o'r wyau o pan fo'r iâr yn dechrau eistedd. Cymer ŵy iâr 21 diwrnod, ŵy hwyaden 28 diwrnod, ŵy gŵydd 29-31 diwrnod a ŵy tyrcen 28 diwrnod.

cyfnod dodwy Sesn neu gyfnod dodwy dofednod.

cyfnod gwlyb *eg.* Yng ngwledydd Prydain (yn swyddogol), cyfnod o 15 niwrnod yn olynnol pan gafwyd o leiaf 0.04m o law bob dydd. I ffermwr, fodd bynnag, pan sonia am *gyfnod gwlyb*, mae'n golygu cyfnod tipyn mwy na 15 niwrnod fel rheol.
Gw. CYFNOD SYCH.

cyfnod llaetha *eg.* Hyd y cyfnod y mae benyw anifail yn rhoi llaeth, yn enwedig gwartheg godro. Gall godro cyson estyn y cyfnod llaetha cryn dipyn, yn union fel mae peidio godro'n gyson yn peri i fuwch hysbio ynghynt. Fel rheol deng mis yw cyfnod llaetha buwch odro. Caiff ddeufis o lonydd cyn dod â llo arall. Cyrraedd y cyfnod ei anterth rywle ar draws 10 i 12 wythnos ar ôl dod â llo.

cyfnod sych *eg.* ll. *cyfnodau sychion.* Yng ngwledydd Prydain, cyfnod o 15 niwrnod yn olynnol pan gafwyd llai na 0.04m o law ar unrhyw ddiwrnod.
Gw. CYFNOD GWLYB.

cyfnosfwyd gw. CWYNOSFWYD.

cyfob Ffurf lafar ar 'cyfeb'. Ar lafar yn sir Ddinbych a Môn.
Gw. CYFEB., CYFEBRU.

cyfoen *a.* Yn drom o oen (am ddafad), ag oen ynddi, cymwyn.
Gw. CYFEB, CYMWYN.

cyfor
1. (*cyf* + *or* [ymyl, glan, fel yn goror, dygyfor]) *eg.* Mesur o ŷd at ymyl y llestr mesur, yn gydwastad ag ymyl y llestr mesur.
Gw. CYFORIOG.

2. *a.* Llawn hyd yr ymyl am lestr, ayyb, yn llawn o unrhyw nwydd sych a gwlyb.
1722 Llst 189, *Cyfor* – full to the brim.
Gw. CYFORIOG.

cyforbren (*cyfor* + *pren*) *eg.* Gwialen neu bren i wneud ŷd, ayyb, mewn llestr mesur, yn gydwastad ag ymyl y llestr er mwyn sicrhau mesur cywir. Tynnid y *cyforbren* dros wyneb y llestr llawn (cyforiog), nes bod ei gynnwys yn gydwastad â'i ymyl.

cyforio *be.* Defnyddio 'cyforbren' i gael cynnwys llestr mesur sy'n *gyforiog* lawn yn gydwastad ag ymyl y llestr.

cyforiog *a.* Llawn hyd yr ymyl (llestr mesur grawn), *cyforiog* lawn, gorlawn, yn colli drosodd.

1567 Ioan 2.7, A hwy a'u llanwasant hyd yr ymyl [:-yn *gyforiog*].
Ffig. Yn orlawn o unrhyw beth.
1738 G Jones: HOG 85, Gwneuthur dynion yn *gyforog* o olud yn y byd hwn.
'Mae o'n llyfr sy'n *gyforiog* o berlau llenyddol.'

cyfradd stocio *eb.* Cyfrif neu asesu faint o dda byw (gwartheg a defaid) y gall arwynebedd o dir eu cynnal a'u cadw ar unrhyw un adeg yn ôl hyn a hyn yr erw neu'r hectar.

cyfrif, cyfri *be.* ac *eg.* Rhifo, niferu, nodi nifer, rhoi'r cyfanrif neu'r cyfanswm, cyfri'r defaid, cyfri'r gwartheg i unrhyw bwrpas.

13g WML 42, Holl aelodau dyn pan *gyfriffer* ygyt.
1620 Salm 90.12, Dysg i ni felly *gyfrif* ein dyddiau.
'Mae acw *gyfri* mawr o ddefaid.'
Dywed. '*Cyfri*'r cywion cyn eu deor.'

cyfrifiad amaethyddol *eg.* Datganiad statudol blynyddol i'r Weinyddiaeth Amaeth yn rhoi gwybodaeth am stoc, cnydau, ayyb. Digwydd ddwywaith y flwyddyn ar y 4 o Fehefin a'r 4 o Ragfyr. Y cyfrifiad hwn yw sail cyfrif y Weinyddiaeth Amaeth o swm cynnyrch ac incwm y diwydiant amaethyddol.

cyfrifydd parod *eg.* ll. *cyfrifyddion parod.* Llyfr o dablau parod at wneud cyfrifon (S. *ready-reckoner*).

cyfrwy *eg.* ll. *cyfrwyau, cyfrwyon.* Math o sedd ledr wedi ei phadio a roir ar gefn ceffyl i bwrpas ei farchogaeth, gyda thordres neu gengl i'w ddal yn ei le, gobell, ystarn, dibr. Ar lafar yn gyffredinol. Ceir hefyd y ffurfiau 'cyfrwydd', 'cowrw' (Dyfed), 'cyfrwyf' (Ceredigion).

13g WM 65, 27-8, A chymryt arnunt gwneuthur *kyfrwyeu.*

cyfrwy untu, cyfrwy untuog *eg.* ll. *cyfrwyau untu.* Cyfrwy at farchogaeth ceffyl lle mae'r ddwy goes gyda'i gilydd un ochr i'r ceffyl yn hytrach nag un o boptu iddo, cyfrwy ar gyfer merch fel rheol, 'cyfrwy ystlys', 'cyfrwy ochr', 'cyfrwy merch'.

cyfrwyo *be.* Gosod cyfrwy ar gefn ceffyl at ei farchogaeth, gwisgo ceffyl â chyfrwy.

13g WM 16, 36, *Cyfrwya* vy march yn dda.
1620 Gen 22.3, Ac Abraham a fore-gododd ac a *gyfrwyodd* ei asyn.
Ffig. Un yn gwneud defnydd o rywun arall i'w bwrpas ei hun.
'Wyt ti'n siwr mai nid y diafol sy'n dy *gyfrwyo* di?'

cyfrwyog *a.* Wedi ei gyfrwyo, â chyfrwy arno (am geffyl), wedi ei wisgo â chyfrwy.

1594-6 B 3, 272, Yn helaf gwylltion vwystviledd â'i veirch *cyfrwyog*.

cyfrwywr *eg.* ll. *cyfrwywyr.* Gwneuthurwr a gwerthwr cyfrwyau, sadler, gwneuthurwr harneisi o bob math, sadellwr, ystarnwr. Fel y gof 'roedd y *cyfrwywr* yntau, yn grefftwr holl bwysig yn nyddiau'r ceffyl gwedd gyda'i weithdy a'i siop ym mhob ardal. Fe'i gwelid hefyd yn mynd o fferm i fferm yn ôl y galw i drwsio harneisi ceffylau.

1547 WS, *Kyfrwywr* – a sadler.

1958 I Jones: HAG 80, Pan oedd hanner dwsin o geffylau, mwy neu lai, ym mhob fferm, yr oedd gwaith mawr i *gyfrwywr* yn yr ardal.

cyfwng *eg.*

1. Y gwagle y mae pont yn rhychwantu drosto, y gofod dan bont, y lle gwag dan bont; y lle gwag rhwng dau bentan adwy, adwy, bwlch (mewn lle ac amser), agendor.

Ffig. Agendor rhwng pethau haniaethol.

1672 J Langford: HDdD (482), Cymmaint *cyfwng* rhwng ein proffes a'n hymarweddiad.

2. Cyfarfyddiad dau neu ragor o bethau, y man lle cyferfydd dau neu ragor o bethau. cf. 'argyfwng' (*ar + cyfwng*), cyfyngder.

cyff *eg.* Cist neu focs neu'r cafn mewn pandy i bannu brethyn, cyff y pandy, cyff pannu.

1933 H Evans: CE 91, … mynd ag ef (brethyn neu wlanen) i'r pandy i'w bannu. Rhoddid ef yn y *cyff*, lle y pennid ef â'r gyrdd mawr. Os byddai wedi ei bannu'n iawn, byddai wedi mynd i fewn tuag un rhan o bedair, hynny yw, brethyn dwylath o led yn mynd i'r *cyff*, yn dyfod allan tua llathen a hanner o led.

cyff eingion *eg.* Y blocyn mawr o bren dan yr engan neu'r eingion yng ngefail y gof, *cyff yr eingion*. Fel arfer, darn o gyff neu fonyn coeden fyddai cyff yr engan, sydd felly'n rheswm am yr enw *cyff eingion*.

cyff gwenyn Cwch gwenyn.

cyff llygod Trap neu fagl llygod.

cyff trychu Blocyn i hollti coed arno.

cyffeithio

1. *be.* Halltu cig, darparu cig, ffrwythau, ayyb, ar gyfer eu cadw rhag mynd yn ddrwg, drwy ei halltu (cig), eu piclo (ffrwythau) neu eu berwi mewn siwgwr, ayyb. Hefyd cyflasu a phereiddio bwydydd.

2. *be.* Trin, gwrteithio neu ddiwyllio tir, *cyffeithio* tir.

1760 ML 2, 200, Yn hau cywarch yn fy ngardd newydd i'w *chyffeithiau*.

3. *be.* Trin neu gyweirio crwyn anifeiliaid at wneud lledr, sonnir am *gyffeithio* crwyn ac am *gyffeithio* lledr.

1722 Llst 189, *Cyffeithio* – to bark skins.

16g LBS 4, 422, Tynnu rhisc y prenn i *gyffeithiaw* y cyranay [crwynau].

cyffin *eg.* ll. *cyffiniau, cyffinydd*. Ardal, cwmwd, cwmpasoedd, cymdogaeth, goror. Fe'i ceir amlaf yn ei ffurf luosog, 'cyffiniau'. Ar lafar yn gyffredinol. Digwydd yn yr enw lle 'Y Gyffin', Conwy.

13g HGC 116, hyd at *gyfinydd* e wlat ehun.

1620 Math 8.34, a phan ei gwelsant, attolygasant iddo ymadael o'u *cyffiniau* hwy.

'Mae o'n byw yn y *cyffiniau* 'ma yn rhywle.'

cyffrwyth

1. *eg.* bach. *cyffrwythyn*. Cnwd, cynnyrch, crop. Ar lafar yn Nyfed.

GDD 141 (GPC), Stim ar giffrwyth yn tiddu ar y tewi wêr 'ma.

2. *eg.* Mymryn, y gronyn lleiaf, y dim lleiaf. Ar lafar yn Nyfed. Ceir hefyd y ffurf 'cyffrwydd' yng ngogledd Ceredigion.
GPC. Nath e ddim *cyfrwythyn* o waith heddi.

cyffur *eg.* ll. *cyffuriau.* Y ddarpariaeth filfeddygol wrthfiotig a ddefnyddir i drin a gwrthweithio bacteria mewn anifeiliaid, ac yn dwyn yr un enwau a'r cyffuriau ar gyfer pobl, e.e. *peniciliin, cloxacillin, streptomycin, tetracycline, erythromycine,* ayyb. Defnyddir y cyffuriau hyn mewn bwydydd hefyd i hyrwyddo twf anifeiliaid.

cyffur llyngyr *eg.* Sylwedd a ddefnyddir i gael gwared â llyngyr parasitaidd yng ngholuddion da byw.

cyffylog, ceffylog *egb.* ll. *cyffylogod, cyffologiaid, cyfflogiaid.* bach. *cyffylogyn.* (Enw yn gysylltiedig â'r gair 'ceffyl' am fod sŵn yr aderyn yn debyg i weryrad ceffyl.) Yn amaethyddol offeryn gan saer troliau i farcio olwynion trol ac olwynion cocos, i'w llifio a'u plaenio, ffon dro (Llŷn), cwmpas (cwmpawd) saer troliau.

Cyngor Gwarchod y Cefn Gwlad (CGCG) Mudiad pwysau yn ymddiddori yng ngwahanol agweddau i'r cefn gwlad, ac yn cynrychioli diddordebau ystod eang o bobl sy'n awyddus i ddiogelu harddwch cefn gwlad, bywyd gwyllt, ayyb. Mae'r Cyngor yn cadw gwyliadwriaeth gyson ar faterion fel cadw'r llain werdd mewn ardaloedd trefol a diogelu'r Parciau Cenedlaethol. Cymer hefyd ran ym mhob trafodaeth sy'n ymwneud â mwynderau yn y cefn gwlad.

Cyngor Gwarchod Natur (CGN) *eg* Corff swyddogol a sefydlwyd dan Ddeddf Bywyd Gwyllt a'r Cefn Gwlad 1981, a'i ddiwygio yn 1985, i gymodi diddordebau cadwriaethol ac amaethyddol, drwy reoli datblygiadau amaethyddol. Gweithia'r Cyngor drwy gydweithrediad gwirfoddol amaethwyr, er bod pwysau arnynt i dderbyn yr amodau a osodir. Lle mae unrhyw fwriad i ddatblygu tir sydd o ddiddordeb gwarchodaethol arbennig, gall y CGN gynnig prynu'r tir neu roi iawn ariannol i'r perchennog am beidio'i ddatblygu,. Mewn achosion o'r fath gwneir cytundeb â'r CGN neu â'r Awdurdod Cynllunio.

Cyngor Ymchwil Amaeth a Bwyd (CYAB) *eg.* Corff a sefydlwyd yn 1931 i ofalu am ddatblygu ymchwil amaethyddol a bwyd, ac i roi cymorthdaliadau at y gwaith. Mae'r Cyngor yn goruchwylio sefydliadau ymchwil y wladwriaeth, yn gweinyddu ei unedau a'i sefydliadau ymchwil ei hun, ac yn cynorthwyo yr un math o ymchwil mewn prifysgolion.

Cyngor y Gweinidogion (CG) Prif gorff deddfwriaethu y Gymuned Ewropeaidd. Mae'n cynnwys y gweinidogion perthnasol o wledydd y Gymuned, e.e. cynnwys y Cyngor Amaethyddol weinidogion amaethyddol y gwledydd. Mae holl gynigion Comisiwn y Cymunedau Ewropeaidd yn agored i'w derbyn neu i'w gwrthod gan y corff hwn.

Cyngor Lles Anifeiliaid (CLlA) Cyngor ymgynghorol a sefydlwyd yn 1979 i warchod lles anifeiliaid nid yn unig o fewn terfynau'r fferm ond hefyd pan gludir hwy i farchnad, lladd-dy, ayyb.

cyhudd, cyhûdd, cudd *eg.* Cysgod, gwerfa, lle cysgodol, yn enwedig rhag gwres yr haul. Ar lafar yng Ngheredigion.
1797 B Evans: CG 7, rhodfeydd dymunol yn yr ehangder ac yn y *cudd* ymhlith coedwydd isel a ffrwythlawn.
Gw. hefyd CNWD, CYHUDD (GORCHUDD), GWERFA.

cyhŵ (gair yn dynwared sŵn) *eg.* Y sŵn a wna colomenod ac ysguthanod.

cylch
1. *eg.* Nifer o sgubau ŷd wedi eu rhoi ynghyd, drefa. Gall y nifer o sgubau amrywio. Ar lafar yn sir Benfro.
Gw. hefyd DREFA.

2. *eg.* ll. *cylchau.* bach. *cylchyn.* Y cylch haearn a roir am ymyl allanol cant olwyn trol, ayyb. Hefyd y cylchau a roir am gasgen i ddal yr ystyllenod yn dynn efo'i gilydd, cylch olwyn, cylch casgen.
Gw. CYLCHIO, CYLCHU.

cylch gwrteithio, cylchdro cnydau *eg.* Trefn amaethwyr o amrywio'r cnydau mewn cae yn flynyddol rhag tynnu gormod o'r un elfennau cemegol o'r tir drwy roi'r un cnwd ddwywaith yn olynol ynddo. Fel rheol, cymer y cylch cnydau hwn bedair blynedd. Y flwyddyn gyntaf aredig y tir a'i drin a hau gwenith neu geirch ynddo. Yr ail flwyddyn erddir y sofl, ei deilo a rhoi cnydau gwyrdd ynddo – swêds, maip, mangls, tatws. Yna y drydedd flwyddyn ei droi a'i drin a hau haidd (barlys) ynddo gan hau hadau gwair yr un pryd i'w ail hadu. Y bedwaredd flwyddyn ei gadw'n wair neu ei bori. Gelwir trefn fel hyn yn *gylch gwrteithio,* neu *gylchdro cnydau* neu'n 'gylch llafurwaith'.
1952 D Thomas: CTC 16, Dilynwyd ei esiampl gan yr Arglwydd Townshend ... Tyfodd ei gnydau yn *gylchdro* pedair blynedd, sef ŷd bob yn ail blwyddyn â maip neu glofer – gelwir ef yn awr yn *Gylchdro* Norfolk.
1994 FfTh 13, 10, Cymeradwyai *gylchdro* chwe blynedd (Thomas Johnes, Hafod Uchtryd) yn hytrch na phedair Norfolk, yn cynnwys maip, meillion a phys am yn ail ag ydau.

cylchdaith ddyrnu *eb.* Y drefn y cedwid ati o flwyddyn i flwyddyn gan berchenogion dyrnwr neu'r injan ddyrnu. Cychwynid yn yr un fferm a gorffen yn yr un fferm yn flynyddol. Weithiau, fodd bynnag, trefnid y gylchdaith o chwith fel bod y rhai olaf y llynedd yn gyntaf eleni.
1991 FfTh 8, 23, Byddai'r *gylchdaith* yn cychwyn yn Llwyn Richard, ac yna âi i'r Fedw, Bryn Syllty, Llwyn Goronwy, Tyddyn Ucha, Ty'n Twll a gorffen ym Mryn Dyffryn.

cylchdaith stalwyn *eb.* Rownd y stalwyn, y cylch o ffermydd a'r darn gwlad yr ymwelai'r stalwyn â nhw ar ei rownd bob blwyddyn.
Gw. CANLYN STALWYN, SESN STALWYN.

cylchdro calsiwm *eg.* Proses neu gylchdro lle mae planhigion yn cymryd mewnlifiad o galsiwm o'r pridd, hwnnw wedyn yn mynd i'r anifeiliaid sy'n bwyta'r planhigion, ac yna'n dychwelyd i'r pridd fel bo'r anifeiliaid yn marw ac yn madru.

cylchdro cnydau gw.CYLCH GWRTEITHIO.

cylchdro chwe chnwd *eg.* Trefn chwe chnwd o gylchdro cnydau yn cynnwys gwraiddlysiau, haidd, hadau, ceirch, tatws, gwenith. Fe'i gelwir hefyd yn 'Gylchdro East Lothian'. Mae'n drefn sy'n gweddu i gnydau cymysg fel ag a geir yno.

cylchdro pedwar cnwd (Norfolk) *eg.* Cylchdro cnydau pedwar cwrs a ddaeth yn enwog drwy waith arloesol amaethwyr Norfolk, yn y ddeunawfed ganrif. Canfuwyd bod y pedwar cwrs o erfin (swêds), haidd, meillion a gwenith, yn y drefn yna, yn ategu gwerth ei gilydd i'r tir, ac yn cynyddu ei ffrwythlonder.

cylchdro tri chnwd *eg.* Cwrs tri chnwd o gylchdro cnydau, sef tatws, betys siwgwr a gwenith yn y drefn yna. Fe'i gelwir hefyd yn 'Gylchdro Fenland'. Gwelwyd fod y system yn gweddu i'r dim yng ngwaddod diroedd East Anglia. Mae'r cylchdro byr hwn fodd bynnag yn peri bod y cnydau'n fwy agored i ymosodiadau gan bla ac afiechyd. Felly, fe gynhwysir yn aml gnydau eraill megis gwraiddlysiau, cnydau gleision, bwlbiau, pys a seleri.

cylchdro pori *eg.* Trefn o bori cae mesul darn neu mesul llain, yn hytrach na bod yr anfeiliaid yn sathu'r cyfan ar unwaith.
1995 FfTh 15, 40, ... cae o 24 erw wedi ei galchio a'i wrteithio a'i rannu'n saith ar gyfer *cylchdro pori* ...
Gw. GLASBORI, LLAIN-BORI, PADOG-BORI, PORI CYLCHDRO.

cylchgoed olwyn gw. CAMEG, CANT 1.

cylch porthi *eg.* Crats porthi, math o grats haearn crwn y rhoir gwair, silwair neu wellt ynddo i'r da byw bori ohono, yn y caeau neu yn y siediau.

cylchio, cylchu *be.* Y grefft o osod cylch haearn am ymyl allanol cant olwyn trol neu gert, rhwymo olwyn (Ceredigion a sir Gaerfyrddin), gwregysu olwyn â chylch haearn, gwaith a wneid gan y gof a'r saer gyda'i gilydd gyda chymorth tri neu bedwar o ddynion. 'Bando whîls', 'canto whîls' (Ceredigion).
Rhoid yr olwyn i orwedd ar gerrig er mwyn ei chodi oddi ar y ddaear a'i gwneud yn hwylusach i'w thrafod. Mae haearn yn ymestyn mewn gwres, felly er mwyn cael y cylch haearn fymryn yn fwy na chylchedd yr olwyn, rhaid oedd ei boethi'n eiriasboeth. Yna gafaelid ynddo â phinsiyrnau mawr gan bedwar neu fwy o ddynion, a'i roi am yr olwyn tra byddai'n boeth. Wedi ei gael i'w le teflid dŵr oer drosto i'w oeri, ac fel y byddai'n oeri âi yn llai ac yn llai ac yn dynnach, dynnach am yr olwyn.
1982 E Richards: YAW 28, Yna eid i'r efail i roi'r *cylch*. Byddai'r cylch yn wynias a rhaid

fyddai cael digon o griw i'w osod am y camogau newydd. Wrth oeri byddai'r cylch haearn yn cutio ac o ganlyniad yn tynhau am y camogau. Fe ddaliai'r cylch ar yr olwyn heb symud – dyna beth oedd crefft.

1988 FfTh 2, 7-8, Byddai diwrnod arbennig yn yr efail ar gyfer gwneud *cylchau* troliau. Deuai'r ffermwyr o bob cwr i'r efail gyda'r troliau, ac, fel arfer, deuai'r saer coed yno i wneud yr olwynion yn barod i'r gof roi'r cylch amdanynt. Byddai hyd yn oed plant y pentre yn edrych ar y diwrnod yma fel rhyw ddiwrnod mawr.

cylchrwy (*cylch* + *rhwy*) *eg*. ll. *cylchrwyau*. Cylch pren neu haearn a roir am gasgen neu dwb o bren, y cylch sy'n dal ystyllenod casgen wrth ei gilydd. Fel arfer ceir tri chylch am gasgen, un o gwmpas ei gwaelod, un am ei chanol, ac un am ei hymyl uchaf. Yr un 'rhwy' sydd yn *cylchrwy* ag sydd yn y gair 'mod*rwy*' a'r gair 'aer*wy*'.

cylchwr, cylchydd *eg*. ll. *cylchwyr, cylchyddion*. Un sy'n gwneud bariliau, casgenni a thybiau, cowper, hwper, cylchwr llestri pren.
Gw. COWPER.

cylchyn gw. CYLCH².

cylfat
1. *egb*. Sianel i ddŵr redeg dan glawdd neu dan ffordd, cwlfer.
Gw. CWLFER.

2. *eg*. Tramwyfa bwrpasol i ddefaid fedru mynd a dod drwy glawdd. Ym Mhenllyn, Meirionnydd, ceir y ffurf 'y gylfet'. Clywir hefyd y ffurfiau 'cilfert' a 'cwlfer'. Ar lafar yn y De a'r Gogledd.
Gw. CWLFER, CWTER DDEFAID.

cylm, cwlm gw. CWLWM²

cylyn *eg*. ll. *cylynau, cylynod*. Odyn (S. *kiln*).

cylyn calch Odyn i slacio calch. Ar lafar yn y Gogledd.

cylyn hai wchw Ffurf ar 'cylyn halibalŵ' a elwid felly am y byddai'r odyn yn mynd ar dân yn aml, ac yn achosi cyffro a helynt – halibalŵ.

cylyn ŷd Odyn i sychu neu grasu ŷd.
Gw. CYLYN HAI WCHW.

cylion glas *ell*. un. *cylionen las*. Y pryfed sy'n dodwy wyau ar gorff anifail (byw a marw) ag sy'n datblygu'n gynrhon. Digwydd hyn, fel rheol, ar dywydd teg a mwll a phan fo rhan o gorff anifail (byw), megis y pen ôl, yn wlyb a bawaidd, yn enwedig defaid. Ceir rhai ffermwyr yn dipio'r defaid yn wirfoddol i gadw'r *cylion glas* draw, 'pryf chwythu'. Ar lafar yn Nyfed.

1989 P Williams: GYG 29, Yn ôl y gyfraith roedd yn rhaid dipio'r defaid i'w rhwystro rhag cael clefyd a elwid yn 'scab'. Roedd y broses yn help i gadw'r *cylion glas* bant hefyd.
1989 P Williams: GYG 31, Cadwai mam lygad barcud arnynt (hamiau) yn ystod yr haf, rhag ofn i'r *gylionen las* eu ffansio.
Gw. PRYF CHWYTHU, PRYFEDU.

cyllau terfyn *eb*. Pedwaredd stumog anifail cnoi cil, abomaswm.
Gw. ABOMASWM a TAM 1993.

cyllell *eb*. ll. *cyllyll, cyllaill, cylleill, cyllellawr* (hen luosog). Offeryn i dorri pethau, offeryn i naddu pren. Ceir nifer o gyfuniadau amaethyddol. Ceir hefyd y ffurfiau 'cylleth', 'cyllyth'.

cyllell aradr Cwlltwr aradr, cwlltwr-ddisg aradr.
Gw. CWLLTWR.

cyllell cwlltwr Y rhan isaf o gwlltwr aradr geffyl sy'n rhwygo croen y tir wrth aredig ac yn hwyluso gwaith yr ystyllen bridd i droi'r gwys drosodd. Weithiau ceir *cyllell y cwlltwr* mewn cyferbyniad i goes y cwlltwr (rhan ucha'r cwlltwr) sy'n ei sicrhau wrth arnodd yr aradr, llafn y cwlltwr, blêd y cwlltwr.
Gw. CWLLTWR.

cyllell eithin gw. GORDD EITHIN.

cyllell farcio Offeryn i farcio mawnog i bwrpas lladd (torri) mawn, haearn marcio, marciwr, ha'rn sialco. Ar lafar yn Arfon.

cyllell fawn Offeryn ar ffurf rhaw finiog at dorri mawn, y coes rhyw bedair troedfedd o hyd a'r pen rhyw bedair modfedd ac wedi ei lunio'n sgwaronglog fel ei fod yn torri dwy ochr i'r fawnen ar yr un pryd. Ar lafar yn Ardudwy, 'ha'rn tywarch' (Cynwyl Elfed), 'rhwbal' a 'haearn main' (Maldwyn a Brycheiniog), 'ha'rn lladd' (Tregaron). Fel rheol, gwaith y gof lleol fyddai'r gyllell fawn.

cyllell fwtsha Cyllell at waedu a lladd mochyn dan yr hen drefn o ladd mochyn drwy ei drywannu yn ei wddf â chyllell fel ei fod yn gwaedu i farwolaeth, – dull sydd bellach yn anghyfreithlon. Diau mai ffurf lafar neu dafodieithol ar 'bwtsiar' a 'bwtsiera' yw 'bwtsha'. Ar lafar yn sir Benfro.

cyllell garnau Cyllell â chamedd pwrpasol yn ei llafn at naddu carnau anifeiliaid megis ceffylau, gwartheg a defaid, ac yn rhan anorfod o offer y gof i bwrpas siapio carn ceffyl wrth ei bedoli.

cyllell ladd gwair Y gyllell oddeutu pedair troedfedd o hyd â llafnau daufiniog o un pen i'r llall ar far y peiriant lladd gwair. Fe'i ceid hefyd ar beiriannau lladd ŷd megis y ripar, y beinder a bellach y dyrnwr medi.

cyllell wair Cyllell â llafn cryf, miniog, cymharol flaenfain, oddeutu dwy droedfedd o hyd, a charn pren sgwaronglog ar gyfer gafael ynddi â dwy law, at dorri trenglenni o wair neu o wellt ym magwyr (gorfainc, cilfainc) tas.
1981 W H Roberts: AG 63, Fe ddangosai'r das wrth ei thorri â'r *gyllell wair* a symud y dringlen o'r afael, os y byddai hi wedi ei gweithio'n dda ai peidio.

cyllell ysbaddu Cyllell y sbaddwr (cyweiriwr) at gyweirio (sbaddu) anifail.

Dywed. 'Bwrw cyllyll a ffyrc' – glawio'n drwm ac yn fras. Ar lafar yn y De. cmhr. 'bwrw hen wragedd â ffyn'.
'Byw wrth fin y gyllell' – byw o'r llaw i'r genau.
'Cadw wrth fin y gyllell' – byw ar ychydig.

cyllellnod, cyllellod (*cyllell* + *nod*) *eg.* ll. *cyllellnodau.* Nod clust (dafad) sy'n doriad â chyllell. Yn Eryri clywir y ffurf 'llellod'.

cylleth, cyllyth gw. CYLLELL.

Cyllideb y Comisiwn Ewropeaidd Cyfanswm y gronfa a ddaw o wledydd y Gymuned Ewropeaidd a'r ffordd y mae'n cael ei gwario ar amrywiol weithgareddau'r Comisiwn. Mae dwy ran o dair y gyllideb yn cael ei wario ar y Polisi Amaethyddol Cyffredin.

cylltrog, cylltyrog *a.* Â chwlltwr arni (am aradr), aradr *gylltrog,* aradr *gylltyrog.*

cymâd gw. CAMÂD, CYMÊD.

cymal *eg.* ll. *cymalau.* Cydiad neu gysylltiad dau asgwrn (dyn ac anifail).

cymal isa'r forddwyd Y cymal lle mae coes ôl ceffyl (ac unrhyw anifail pedwarcarnol arall) yn cydio wrth ei gorff rhwng y ffemur a'r tibia, ac yn cyfateb i glun person dynol.

cymal gar Y rhan isaf o goes flaen anifail yn enwedig ceffyl, – y rhan sydd rhwng y penglin a'r egwyd ag sy'n cyfateb i'r metacarpus.

cymal cyswllt *eg.* ll. *cymalau cyswllt.* Cydiad dwy ran o beiriant, yn enwedig y prif gymal sy'n trosglwyddo pŵer o'r peiriant i olwyn cerbyd, y siafft gyriant. Dyfais i gysylltu dau siafft gyriant cerbyd lle bo un ar ongl wahanol i'r llall, dau golyn wedi eu cysylltu'n sgwaronglog, sef y siafft gyriant a'r siafft a yrrir.

cymdeithas amaethyddol *eb.* ll. *cymdeithasau amaethyddol.* Y math o gymdeithas sirol a sefydlwyd o ganol y 18g ymlaen gyda'r amcan o wella a hyrwyddo buddiannau amaethyddiaeth. Sefydlwyd y gyntaf un drwy wledydd Prydain o'r cymdeithasau hyn yn sir Frycheiniog. Drwy osod cystadlaethau yn bennaf y gwnai'r cymdeithasau hyn eu gwaith a gellir eu cyfrif yn rhagflaenwyr y sioeau amaethyddol sirol.

Cymdeithas Amaethyddol Brycheiniog *eb.* Cymdeithas amaethyddol hynaf gwledydd Prydain. Mae'n bosibl bod Howell Harris, Trefeca â rhan yn ei sefydlu. 'Roedd ei frawd Joseph, y seryddwr, yn un o'i haelodau cyntaf. Ei phennaf amcan oedd hyrwyddo a gwella amaethyddiaeth yn sir Frycheiniog drwy osod cystadlaethau ayyb.
Gw. hefyd CYMDEITHAS AMAETHYDDOL.

Cymdeithas Genedlaethol Bridwyr Moch *eb.* Cymdeithas a sefydlwyd yn 1884 i warchod buddiannau y bridiau pwysicaf o foch llinachol yng ngwledydd Prydain. Erbyn hyn y mae'n gyfrifol hefyd am waith y

Cwmniau Bridio sydd a'u pwysigrwydd ar gynnydd. Cedwir record manwl o'r holl fridiau sy'n perthyn i'r Gymdeithas. Rhan o'i gwaith yw hyrwyddo buddiannau'r bridwyr moch gan drefnu seli a chystadlaethau moch ar y cambren lle gall y bridwyr arddangos eu cynnyrch.

Cymdeithas y Cerddwyr *ep*. Cymdeithas sy'n gwarchod hawliau'r rhai sy'n dymuno cerdded yn y cefn gwlad, trwy ofalu nad oes llwybrau cyhoeddus yn cael eu cau, a bod hawl tramwyo'n cael ei ddiogelu. Gwneir hynny drwy gerdded y llwybrau'n gyson a rheolaidd. Mae'n ymddiddori ym mhopeth sydd a fynno â mwyniant yn y cefn gwlad.

Cymdeithas Hanes Amaethyddiaeth *ep*. Cymdeithas a sefydlwyd yn 1987 i groniclo hanes amaethyddiaeth yng Nghymru yn ei gwahanol agweddau. Gweithia'r Gymdeithas drwy ganghennau sirol a'r rheini'n seiliedig ar y 13 sir cyn 1974.

Cymdeithas Hen Beiriannau Amaethyddol *ep*. Y math o gymdeithasau gwirfoddol a sefydlwyd yn 80au yr 20g i bwrpas diogelu hen beiriannau ac offer fferm o bob math, drwy eu hatgyweirio fel bo'r angen, a llwyfanu arddangosfeydd ohonynt mewn sioeau amaethyddol ac ar achlysuron eraill. Ceir nifer o'r cymdeithasau hyn dros Gymru.

Cymdeithas Peirianyddion Amaethyddol *ep*. Cymdeithas yn cynrychioli prif gynhyrchwyr peiriannau ac offer amaethyddol a garddwriaethol.

Cymdeithas Tenantiaid (ffermwyr ddeiliaid) Cymdeithas arbenigol yn ei maes a sefydlwyd yn 1981 i warchod buddiannau a diddordebau tenantiaid. Bu'n amlwg yn y drafodaeth ar Ddeddf Daliadau Amaethyddol 1984. Y mae at wasanaeth yr aelodau yn eu hymwneud â thirfeddiannwyr neu feistri tir.

Cymdeithas y Tirfeddianwyr *ep*. Corff a sefydlwyd yn 1908 i warchod buddiannau perchenogion tir. Mewn materion perthnasol mae'n ymgynghori â'r Undebau Amaethyddol.

cymdogaeth
1. **cymydogaeth** *eb*. ll. *cymdogaethau*. Darn o wlad lle mae pobl yn byw a chydfyw, bro, ardal, cylch o gymdogion, cyffiniau.
'Mae acw nifer o ddieithriaid di-Gymraeg wedi dod i'r *gymdogaeth*.'
'Fe aeth y newydd fel tân gwyllt drwy'r *gymdogaeth*.'

2. *eg*. Math o ddirwy a delid gynt yn sir Faesyfed am dresbasu ar dir y fforest neu am ei bori.
1769 Harpton Deeds (LLGC), Priveledge called or known by the name … of *Cwm-doggeth*.

cymdogaeth dda *eb*. Cymdeithasgarwch, ardalwyr yn teimlo ac ymddwyn yn gyfeillgar a chymwynasgar tuag at ei gilydd, rhywbeth y mae'r gymdeithas wledig ac amaethyddol yng Nghymru yn enwog amdano.
1975 R Phillips: DAW 67, Roedd y wlad wedi hen arfer cydymdeimlo â chymydog o dan ei golled a'i bwn, ac yn barod i'w helpu drwy roi llo bach iddo i ail ddechrau byw, neu anfon llwyth o wair ar ôl tân, neu pan fyddai'r ogor wedi prinhau.

cymêd, cymâd *eb.* ll. *cymadau.* Camfa, sticil, llamfforch, llamfa, camadwy. Grisiau o gerig neu o bren wedi eu gosod ar y ddwy ochr i glawdd neu ffens er mwyn hwyluso camu drostynt. Yng Ngwent ceir y ffurf 'cammad'.

GPC, Ma' drain yn cuddio'r *gammad.*

Gw. hefyd CAMÂD, CAMFA, STICIL.

cymeriad
1. *eg.* Y weithred o feddiannu'n gyfreithlon neu o ddal gafael (ar eiddo, fferm, ayyb), perchenogaeth, tenantiaeth, meddiant.

1794 E Jones: CP 6, Lle byddo tir mewn *cymmeriad,* y cymmerwr sydd i fod yn drethedig.
'Rydw'i wedi cael *cymeriad* y lle acw o'r diwedd.'

2. *eg.* Tuedd mewn aradr wrth aredig i dynnu tuag allan neu tuag i mewn, a thorri cwys rhy lydan neu rhy gul. Ar lafar yn y Gogledd.

'Rhaid imi ledu *cymeriad* y gwŷdd neu 'ddôi byth i ben ag aredig y cae 'ma.'

Gw. CYMRYD ARADR. Gw. hefyd WVBD 317.

cymeriad bwyd *eg.* Y swm o borthiant neu o ogor, ayyb, a gymerir neu a fwyteïr gan anifail lle bo cadw cyfrif o hynny'n digwydd.

cymerwr *eg.* ll. *cymerwyr.* Un sy'n cymryd tir ar rent gan ei berchennog, un yn dal a phori tir sy'n perthyn i rywun arall.

1794 E Jones: CP 6, Lle byddo tir mewn cymmeriad, y *cymerwr* sydd i fod yn drethedig.

cymhareb faethol *eb.* Y berthynas mewn dogn bwyd rhwng protin amrwd treuliadwy a'r cyfansoddion braster-gynhyrchiol (carbohydradau, gydag olew a ffibr yn bresennol). Fe'i gelwir hefyd yn 'Gymhareb Albuminoid'. Mae'r gymhareb yn bwysig er mwyn cael cydbwysedd mewn bwyd anifeiliaid rhwng protin treuliadwy a'r pethau di-brotin eraill. Gall gormod o starts achosi trafferthion treulio bwyd a gormod o brotin yn rhoi straen ar yr elwlod. Fel rheol, mae bwyd cydbwys yn cynnwys cymhareb o 6:1.

cymharu, cydmaru *be.* Gwryw a benyw anifeiliaid ac adar yn cypladu.
Gw. CYPLADU.

cymhlanfa *(cym + planfa) eb.* ll. *cymhlanfaoedd.* Planhigfa, nyrs goed, coedwig fechan.

1794 P, *Cymhlanfa* – a nursery for plants or trees, a plantation.

cymhenu tas gw. TRIN TAS, TYNNU TAS.

cymhodder Gair a ddefnyddid gan gertmon wrth aredig neu lyfnu, ayyb, â cheffyl neu â cheffylau i gael y ceffyl i ddal i'r chwith, mewn cyferbyniad i 'Ji' fyddai'n golygu i'r dde, com-hier. Ar lafar ym Môn.
Amr. 'modder' (Môn).
Gw. COM-HIER, JI.

cymhortha
1. **cymhorthi** *be.* Cynorthwyo cymydog o ffermwr ar adegau arbennig o'r flwyddyn, amser aredig, amser cynhaeaf, amser cneifio, ayyb, yn enwedig mewn argyfwng.

1898 DGW LLGSG EG, Trefnai nifer o amaethwyr yn yr un ardal i beidio a thorri eu gwenith yr un dydd fel y gallant gynorthwyo ei gilydd. Felly deuai nifer fechan o bob fferm yn yr ardal yn gystal ag eraill ... ynghyd at ei gilydd ar ddydd penodol, fel ag i orffen torri a rhwymo gwenith un fferm mewn un dydd... Felly y gwneir gyd-gneifio defaid yn yr ardaloedd mynyddig. Dwy ffurf yw y rhai hyn ar *gymhortha* y dyddiau presenol.

1982 R J Evans: Llff 11, ... mor fanwl mae'r Daniaid yn trefnu eu marchnata yn gydweithredol ... 'Rwyf yn synnu na fyddem ni yng Nghymru yn debycach iddynt yn hyn o beth a ninnau'n ymffrostio yn ein cymdogaeth dda – *cymhortha* a 'ffeirio' yn eiriau amlwg iawn yn ein iaith.

2. *be.* Ceisio cymorth, mynd o gwmpas i gardota, begera, casglu ŷd (yta), casglu gwlân (gwlana), casglu blawd (blawta, blota).

15g B 4, 320, O thof i *gymhortha* rhawg,/Dafydd Llwyd a fydd llidiawg.

Gw. BLOTA[1], GWLANA, LLOFFA, YTA.

3. *be.* Cynorthwyo cymdogion â nwyddau, rhoddion, tanwydd, gwasanaeth, ayyb, ar adeg o brofedigaeth, anffawd neilltuol neu dreuliau eithriadol. Byddai'r *cymhortha* hwn yn gyffredin iawn gynt (e.e. adeg angladd, priodas merch).

1693 TYGD 13, Yn sicr y mae'n ddyledus rhoddi elusen yn gyhoeddus, pan fo'r achos yn gofyn, ac y gwnaer *cymhortha* cyffredinol.

1620 Dan 11.34, A phan syrthiant, â chymorth bychan y *cymhorthir* hwy.

4. *be.* Pobl yn dod ynghyd neu'n ymgynnull i gynorthwyo cymydog mewn anghaffael. Gwaharddwyd y *cymhortha* hwn drwy ddeddf yn 1534 oherwydd y camddefnydd a wneid o'r arfer i gynnal cynulliadau anghyfreithlon, neu i hawlio arian gan y werin bobl at dalu dirwyon y gwŷr mawr.

5. *be.* Talu rhydd rent, sef treth a godid ar diroedd, ac a delid i'r arglwydd.

cymhorthdal (*cymorth* + *tâl*) *eg.* ll. *cymorthdaliadau*. Arian cymorth, swm o arian a gyfrennir o gyllid gwlad gan lywodraeth ganolog neu lywodraeth leol i gynorthwyo diwydiannau a sefydliadau, ayyb, grant, sybsidi. Ar ôl yr Ail Ryfel Byd pan geisiwyd gwneud gwledydd Prydain yn llawer mwy hunangynhaliol mewn bwyd, coed, ayyb, wedi profiad blynyddoedd y rhyfel, cynigiwyd i amaethyddiaeth nifer o gymorthdaliadau gwahanol.

1982 R J Evans: Llff 46, Mae rhai'n honni mai gyda'r lori laeth y daeth materoliaeth yr ugeinfed ganrif i gefn gwlad, ond mae'n hawdd gennyf gredu i gynllun y grantiau a'r *cymorthdaliadau* feddalu mwy ar asgwrn cefn y ffermwr na gwerthu llaeth.

cymhorthdal   gwelliant   gw.   CYNLLUN   GWELLIANT AMAETHYDDOL.

cymhwyso *be.* Dod yn alluog neu'n tebol drwy hyfforddiant i ymgymryd ag un neu fwy o oruchwylion fferm, derbyn profiad a hyfforddiant gydag anifeiliaid, peiriannau, offer, godro, ayyb, gyda'r amcan o ddod yn ymgymwysedig wedi arholiad a phrawf, a derbyn Tystysgrif Crefftwr yn brawf o hynny (am brentis neu weithiwr amaethyddol).

Gw. YMGYMWYSEDIG.

cymoni *be.* Tacluso, twtio, cymhennu (am dir, tas wair, gwrych, clawdd, ayyb). Ar lafar yn gyffredinol yn y De ac mewn rhai rhannau o'r Gogledd.

BM 38, Trin, rhannu a *chymoni* eu tiroedd.

'Cymer y cryman a dos i *gymoni* tipyn ar y gwrych 'na.'

cymorth *eg.* ll. *cymorthau, cymorthion.* Dull pobl cymdogaeth o gynorthwyo'i gilydd mewn gwahanol ffyrdd ac mewn gwahanol amgylchiadau.

Gw. CYMHORTHA² a ³.

cymorth yr afael Cymorth i aredig tir yn Llanfabon, Llanwyno, ayyb, ym Morgannwg ar Ddydd Gŵyl Ddewi.

cymorth calch a thail Y cymorth a roid gan ffermwyr i gymydog newydd i gario calch a thail a'u gwasgaru, yn enwedig ar y ffriddoedd.

cymorth y fedel Cymorth nifer o ddynion i grymanu neu bladuro ŷd cymydog.

cymorth Glanmai Treth a delid gynt mewn rhannau o'r De i'r Arglwydd, neu'r meistr tir, bob yn ail blwyddyn ar y dydd cyntaf o Fai.

cymorth glo Rhoi diwrnod, drwy gytundeb, neu fel rhan o delerau'r denantiaeth, i gario digon o lo at wasanaeth y meistr tir am flwyddyn. Câi y gof lleol ei lo yntau dan y drefn hon. Yna byddai'n rhoi diwrnod neu ddau yn y cynhaeaf fel ad-daliad neu i 'ddoddi dyled'.

1928 G Roberts: AA 35, Yn ôl hen arferiad nas gŵyr neb ei hoed, ond a ddaeth yn adran ysgrifenedig yng nghytundebau y gwahanol ystadau, cludid y swm angenrheidiol o lo am flwyddyn at wasanaeth y Plas gan y tenantiaid yn ystod yr haf, naill ai o Frymbo neu Riwabon.

cymorth gweu Nifer o ferched yn ymgasglu yng nghartrefi ei gilydd i weu ac i fwynhau adloniant.

cymorth mawn Y mawn a roid gynt fel math o ddegwm i'r person plwy mewn rhai ardaloedd (e.e. Dyffryn Ceiriog) yn ogystal ag i dlodion.

cymorth troi Cymorth aredig tir i denant newydd yn ystod y gwanwyn cyntaf wedi iddo gyrraedd. Yn aml, trefnid bod nifer o gymdogion yn rhoi'r cymorth troi yr un diwrnod gan roi daliad o chwe awr yr un.

cymortha gw. BWRW DYLED, DYLED, DYLED CYNHAEAF, TODDI.

cymowta (*cwmwd* + *ha*) *be.* (o 'cwmwd') Arferai tenantiaid neu ddeiliaid tir gynt gyrchu tŷ eu meistr tir neu arglwydd eu cwmwd, neu fynd i ryw ysgubor ddegwm yn rhywle neu'i gilydd, i dalu'r rhent. Golygai hyn gryn dipyn o siwrnai i rai, a gelwid y siwrnai yn *gwmwta.* Aeth *cwmwta* yn *cymowta.* O'r arfer hwnnw o fynd ar daith i dalu rhent y daeth *cymowta* yn drosiadol am fynd ar 'dramp', ar 'gymowt', neu am 'fynd i galifantio'. Ar lafar yn y Gogledd.

'Dydi'r wraig ddim gartre, mae hi wedi mynd i *gymowta.*'

'Mae'r gŵr 'ma'n *cymowta* mewn rhyw sêl anifeiliaid neu'i gilydd bob dydd.'

cymref (*cym* + *bref*) *eg.* ll. *cymrefiadau.* Bref neu frefiadau gwartheg, bugunod.

cwmrefan *be.* ac *eg.* Brefu, bugunad (am wartheg) neu frefiad gwartheg.

cymryd aradr *eg.* Clust yr aradr sydd a darpariaeth at symud y fondid fel ag i fedru torri cwys letach neu gulach, a chwys ddyfnach neu fasach. Ar lafar yn sir Ddinbych.
Gw. hefyd CEILIOG, LLEDWR, TEIBO.

cymryd y byt *Ymad.* Ymadrodd cyffredin mewn rhai ardaloedd, e.e. Môn, wrth dorri ceffyl i mewn. Rhan o'r broses o ddal ceffyl ifanc oedd ei gael i arfer â'r byt yn ei geg. Os yn gyndyn byddai'n 'gwrthod y byt', ond os yn hawdd ei drin byddai'n *cymryd y byt.*
Ffig. Person ifanc yn gwrthryfela ac yn gwrthod disgyblaeth ('gwrthod y byt').
Gw. CEGU, HYFFRWYN.

cymryd cwys *be.* Symud y fondid ar glust yr aradr geffyl fel bod y gwys a dorrir yn lletach neu'n gulach, yn ôl y gofyn. Sonnid gynt am roi 'mwy o gymryd' neu am roi 'llai o gymryd' i'r aradr.
Gw. CYMERIAD[2], CYMRYD ARADR.

cymryd cwningod Cytuno â ffermwr, am bris arbennig i ddal y cwningod, cymryd y dasg o ddifa'r cwningod, cymryd fferm a thalu hyn a hyn i'r ffermwr am gael dal y cwningod, yn bennaf gyda thrapiau a maglau ond hefyd gyda fferet a milgwn. Gynt, byddai llawer o ddynion yn ennill eu bywoliaeth yn ystod misoedd y gaeaf drwy *gymryd cwningod.*
Gw. CWNINGEN, DAL CWNINGOD.

cymryd dŵr *be.* Tas wair neu das ŷd wedi gwlychu mewn canlyniad i ddiffyg llanw neu drwy fod yn hir heb ei thoi.
Gw. LLANW.

cymryd ar dasg Cymryd swm o waith i'w wneud dros ei ben, cymryd ar gontract mewn cyferbyniad i weithio wrth yr wythnos neu wrth y dydd, ayyb. Byddai hyn yn digwydd i raddau bob amser, e.e. rhai'n cymryd chwynnu neu deneuo rwdins, ayyb, ar dasg; rhai'n cymryd caeau ŷd i'w lladd â'r bladur a'u rhwymo, ar dasg. Wedi'r Ail Ryfel Byd (1939-45) gyda chost peiriannau, megis y dyrnwr medi, y tu hwnt i laweroedd o ffermwyr, cynyddodd ac ehangodd yr arfer o osod gwaith ar dasg – byrnu'r gwair a'r gwellt, lladd a dyrnu'r llafur, cneifio ayyb. Cafwyd mwy a mwy, yn enwedig ffermwyr ifainc, yn cymryd gwaith fferm ar dasg.
1993 FfTh 11, 43, Os byddai'r tywydd yn dda gorau i gyd, ond os ceid tywydd gwlyb nid oedd cyflog i'w gael gyda'r dull *cymryd.*

Cymuned Ewropeaidd Enw arall ar yr hyn a elwir yn gyffredin 'Y Farchnad Gyffredin' a sefydlwyd yn 1957 gyda chwe gwlad yn aelodau – Gorllewin yr Almaen, Ffrainc, yr Eidal, yr Iseldiroedd, Gwlad Belg a Lwcsenburg. Yn 1973 ymunodd Denmarc, Iwerddon a Phrydain â'r Gymuned, yna Groeg yn 1981 a Sbaen a Phortiwgal yn 1986. Y Gymuned sy'n gyfrifol am bolisi amaethyddol y gwledydd sy'n aelodau. Gw. COMISIWN Y GYMUNED EWROPEAIDD, POLISI AMAETHYDDOL CYFFREDIN

cymwd gw. CWMWD.

cymwyn *a.* Torrog, cyfoen, yn drom o oen (am ddafad).
1632 D, Dafad *gymmwyn*, hwch dorrog, caseg gyfebr, etc.

cymydog *eg.* ll. *cymdogion*. Yn amaethyddol ffermwr yn byw am y terfyn a ffermwr arall, un yn byw yn agos, un yn byw yn yr un fro neu yn yr un cylch.
1620 Diar 27.10, Gwell yw *cymmydog* yn agos na brawd ym mhell.

cymydog da *eg.* ll. *cymdogion da*. Un parod ei gymorth a'i gymwynas fel bo'r angen, ac fel arfer yn byw am y terfyn.

cymynen *eb.* ll. *cymynenni, cymynennau*. Y fwyell fawr a ddefnyddir i dorri neu godymu coed. 'Cymynnu coed' oedd yr hen ymadrodd am dorri coed, sef defnyddio'r *gymynen*_i gwympo coed.
1620 Deut 19.5, Megis pan elo un gyda'i gymydog i'r coed i *gymynu* pren ac a estyn ei law â'r fwyell i dorri y pren.
1798 W Jones: LLG 82, *Cymmynen* a chrymmane.

cymynwr, cymynydd *eg.* ll. *cymynwyr*. Un yn torri neu gwympo coed â chymynen, sef bwyell i'r pwrpas, cyn dyddiau'r llif a'r llif gadwyn.
1620 Deut 29.11, O *gymynydd* dy goed hyd wehynnydd dy ddwfr.
1993 FfTh 11, 28, Trafod torri coed yr oedden yn amser y *cymynwyr* â'r fwyell, cyn dydd y llif gadwyn.
Ymad. 'Cymynwr coed a gwehynwr dwfr' – ymadrodd Beiblaidd a ddefnyddir am weithwyr o radd isel a dibwys.

cymysgedd Bordeaux *eg.* Copor swlffad (carreg las), calch a dŵr wedi eu cymysgu a'i ddefnyddio i'w chwistrellu fel ffwngleiddiad ar gnydau. Gw. CYMYSGEDD BURGUNDY.

cymysgedd Burgundy *eg.* Ffwngleiddiad sy'n gymysgedd o soda golch (yn lle calch) a chopor swlffad (carreg las). Gw. CYMYSGEDD BORDEAUX.

cymysgedd had *egb.* Cymysgedd o had gwair a had meillion a heuir i gael porfa tymor byr neu dymor hir. Yn aml, gellir eu prynu'n gymysgedd parod, neu gall yr amaethwr eu prynu'n unigol a'u cymysgu ei hun yn ôl gofyn ei dir, ayyb.

cymysgryw (*cymysg + rhyw*) *a.* O frid cymysg, lledryw, mwngleraidd (am anifail).
1794 P, *Cymysgryw* ... mongrel, of mixed breed.

cymysgyd (cymysg + ŷd) *eg.* Dau fath o rawn ŷd yn gymysg, sef gwenith a rhyg fel rheol wedi eu cymysgu a'u hau gyda'i gilydd (S. *moncorn, maslin*).

cŷn *eg.* ll. *cynion*. Erfyn hirsgwar blaenllym at hollti coed, cerrig, ayyb.

cŷn aradr Lletem at ddal y cwlltwr yn ei le ar arnodd aradr, y gaing a gurir i'r fortais rhwng coes y cwlltwr a'r arnodd i sicrhau'r cwlltwr, cŷn y cwlltwr. Ar lafar yn sir Ddinbych.

cŷn caled Cŷn wedi ei galedu a'i dymheru ar gyfer torri haearn ac unrhyw beth caled, cŷn oer (Dyffryn Clwyd).

cŷn cerrig Cŷn caled at hollti neu naddu cerrig.

cŷn coed Cŷn â charn o bren at hollti a naddu pren.

cynaeafu, cynaeafa
1. *be.* Lladd gwair, ei drin, a'i gywain i'r ardd wair neu i'r tŷ gwair; medi'r cnwd ŷd a'i gywain i'r ydlan (pan oedd y drefn honno).
'Fum i 'rioed cyn hired yn *cynaeafu*'r gwair a 'leni.'

2. *be.* Sychu yn yr haul a'r gwynt (am wair cyn dyddiau'r silwair). 'Cnafa' yw'r ffurf yn y Gogledd a 'cynhafa' yn y De. Ceir hefyd 'cynhaefu' yn ffurf ar *cynaeafu*, a 'cynhaef' yn ffurf ar 'cynhaeaf'.
'Ma hi'n *cna'fa*'n dda heddiw.'

cynaeafdy, cynhaefdy *eg.* ll. *cynaeafdai.* Tŷ i fyw ynddo dros yr hydref. Mae'n gyfystyr a *chynhaefdref.*
13g AL 1, 292, Ay hafty au *kynaeafty.*

cynaeafiad *eg.* Y weithred o gynaeafu neu o gasglu'r cnydau neu gyflwr y gwair ar ôl ei sychu yn yr haul.
'Mae hwn yn wair a *chnafiad* da arno fo.'

cynaeafus, cynhaefus *a.* Wedi ei sychu a'i gynaeafu'n dda, yn barod i'w hel a'i fydylu.
18g LlrC 40, 473, Mae'r ŷd wedi ei gael yn *gynhaufus* iawn. (diw.)
Ffig. Yn y De – dillad wedi eu sychu a'u haerio yn y ffurf *cynhifys.*
'Ma'r crys yn eitha *cynhifys* yn yr haul 'na.'

cynaeafwr *eg.* ll. *cynaeafwyr.* Un yn cynaeafu, yn enwedig ŷd, un yn pladuro, medelwr, un yn gweithio yn y cynhaeaf.
1620 Es 17.5, Ac efe a fydd fel pan gasglo y *cynhauafwr* ŷd.

cynaeafydd *eg.* Yr enw a gynigwyd yn gynnar yn ei oes am 'Combine Harvester', ond a ddisodlwyd yn ddiweddarach gan yr enw hapusach 'Dyrnwr Medi'.
Gw. DYRNWR MEDI.

cynaeafydd helfwyd *eg.* Y peiriant sy'n lladd, malu a llwytho glasgnydau i drelar at wneud silwair.

cynaig *a.* Ast mewn gwres, ast yn cwna, ast gynaig. Ar lafar ym Maldwyn.

cynar, cunar *eb.* Hwch, hwch wedi dod â moch fwy nag unwaith, gwŷs (Maldwyn), hob.
16g WLL: Geir 272, *Cynar* = hwch.
Gw. GWŶS, HOB, HWCH.

cynasedd, cynhasedd (*cyn* + elf. anhysbys '*asedd*') *eg.* Taliad i arglwydd wrth gael yr hawl i feddiannu tir, a'r taliad hwnnw'n rhyddhau etifedd y perchennog o orfod talu 'ebediw' (y bustach gorau, ayyb) ar farwolaeth ei dad.
1300 LLB 76, Y neb a talho *kynnassedd* o tir, ny thal hwnnw ebediw pan fo marw.
Gw. EBEDIW.

cyndy, cwndy *eg.* ll. *cyndai, cwndai.* Cwt ci, cenel ci, cwt i gadw cŵn.

cynddor, cynddrws *eg.* ll. *cynddorau.* Rhagddor, rhagddrws, y drws nesaf allan o ddau ddrws, y drws yn y tywydd, y drws sy'n diddosi rhag y tywydd. Roedd y *cynddor* yn nodwedd gyffredin mewn hen dai ffermydd.
Ffig. 1701 E Wynne: RBS 241, Y *cynddrws* i edifeirwch.
Gw. CYNNOR, RHAGDDOR.

cynefin *eg.* ll *cynefinoedd.* Darn o fynydd-dir agored a borir gan ddiadell ddefaid fferm arbennig, y tir agored, di-glawdd ar fynydd-dir y cedwir ato yn reddfol a rhyfeddol gan ddiadell ddefaid un fferm, rhosfa ddefaid. Ar lafar yn y Gogledd. Gw. FfTh 17, 34-36 (1996).
17g Pen 99, 111, Ni ddoi fyth ei dda efo/O'u *cynefin* i'w cneifio.(diw.)
Gw. hefyd AROSFEIO, GWERTH CYNEFINO, RHOSFA, YMHINSODDI.

cynefin bywyd gwyllt *eg.* Diwedd yr 20g daeth gwarchod y byd naturiol yn fater o bwys, a sonnir llawer am 'gynefin' y gwahanol rywogaethau o blanhigion, adar, a chreaduriaid gwyllt, a'r bygythiad sydd i'r cynefin hwnnw oddi wrth chwalu cloddiau, gwneud ffyrdd a'r defnydd a wneir o blaleiddiaid, chwynleiddiaid, ayyb.
1906 Eifion Wyn: TMM *Cwm Pennant, Cynefin* y carlwm a'r cadno,/A hendref yr hebog a'i ryw.

cynefin dyn *eg.* Cylch byw arferol dyn, ei drigfan arferol, cyrchfan gyffredin person dynol, milltir sgwâr, cymdogaeth, ei hoff gylch, gyffin.
'Chartrefodd Idwal ddim yn y dre, 'roedd o allan o'i *gynefin* yn lân.'

cynefino *be.* Ymgyfarwyddo neu ymhinsoddi o fewn darn o fynydd agored, diglawdd (am ddefaid) a'u gallu greddfol i bori o fewn y cynefin hwnnw heb grwydro, defaid yn plwyfo ar y mynydd-dir.
1981 Ll Phillips: HAD 16-17, Y mae'r *ymhinsoddi* hwn yn rhywbeth greddfol mewn dafad fynydd, ac wedi'i dymheru gan genedlaethau o fugeilio. Mae'n gryfach na'r un ffens, ac yn hafodol ac yn hendrefol yn ôl y tymor. Hynny yw, mudai amryw o'r defaid ohonynt eu huanin o Nantrhys i Bwllpeiran tua diwedd y flwyddyn a dechrau tywydd garw, ac yn eu holau drachefn i Nantrhys diwedd Ebrill. Nid oedd na ffens na bugail na chi a'u daliai. Cymerai oen fenyw le'i mam ar y mynydd ac ar y darn arbennig hwnnw lle magwyd hi.
Gw. AROSFEIO, GWERTH CYNEFINO, RHOSFA, YMHINSODDI.

cynel *eg.* ll. *cynelau.* Cwt ci, tŷ cŵn, lle i gadw ci neu gŵn, cenal ci, cenel.

cynfaint gw. CENFAINT.

cynfas
1. **canfas** *ebg.* ll. *cynfasau.* bach. *cynfasen.* Yn amaethyddol y nithlen neu'r

hwyl a daenid dros y das wair i ddisgwyl iddi gael ei thoi neu dros y das ŷd i ddisgwyl iddi gael ei dyrnu; carthen, llywionen. Gynt gwneid y math hwn o gynfas o sachau wedi eu hagor a'u gwnïo i'w gilydd – gwaith diwrnod glawog.

'Well inni daro *cynfas* dros y das wair 'na rhag ofn glaw yn y nos.'

Gw. LLYWIONEN, NITHLEN.

2. Sach neu ddwy wedi eu hagor, a'u gwnïo i'w gilydd i gario gwair a gwellt i'r siediau neu i gario'r us diwrnod dyrnu, ayyb.

Gw. NITHLEN.

3. Cynfas wely'n aml a ddefnyddid i hau ŷd, had gwair neu wrtaith artiffisial â llaw, lliain hau. Rhwymid y gynfas am yr heuwr, cwr ohoni dros ei ysgwydd a'r cwr arall dan ei gesail gyferbyn. Yna âi'r heuwr ar ei liniau, taenu'r gynfas ar y llawr a thywallt swm o ŷd iddi cyn rhwymo ei chonglau rhydd dros yr ysgwydd arall. Roedd dwylo'r heuwr a'i freichiau'n rhydd wedyn i hau â'r ddwy law drwy gymryd dyrnaid yn y ddwy bob yn ail a'i wasgaru.

Gw. HAU, LLIAIN HAU.

4. Y llywionen i nithio, sef i greu gwynt, o'i hysgwyd, i wahanu'r us oddi wrth y grawn ar y llawr dyrnu wrth ddyrnu â'r ffust; nithlen.

Gw. LLAWR DYRNU, NITHIO.

5. Carthen bwrpasol o liain cryf a geid ar lawr torri y beindar yn dal yr ŷd wrth ei ladd, ond bob hyn a hyn yn symud fel bod yr ŷd yn disgyn ar y ddaear yn seldren unfon. Ym Môn, yn aml iawn, mae'r 'n' ar' 'f' yn newid lle yn y gair ac yn rhoi'r ffurf 'cyfnas'.

1994 FfTh 13, 20, Dyma lun o Jenkin Morgan … yn gofalu fod y *cynfasau* yn ddigon tyn cyn dechrau torri llafur.

Ffig. Haenen o eira.

'Mae 'na *gynfas* o eira dros bobman bore ma.'

cynflith *eg*. ll. *cynflithedd*. Buwch ifanc, heffer, anner llo cyntaf, un flith neu laethog am y tro cyntaf, treisiad (Dyfed).

Gw. ANNER, HEFFER, TREISIAD.

cynffon *eb*. ll. *cynffonau*. Cwt, cwtws, cloren, llosgwrn (anifail). Ar lafar yn y Gogledd. Ar y cyfan 'cwt' a glywir yn y De.

Ymad. Ym Môn clywir 'y gynffon' am y gwartheg godro. 'Cer i nôl *y gynffon*, ma' hi'n amser godro.'

Cyfeirir at y porthwr (cowmon) fel un sy'n edrych ar ôl *y gynffon*.

Dywed. 'Fel *cynffon* buwch' – yn sownd un pen ond yn rhydd y pen arall.

'Cyn brysured â *chynffon* oen' – cynffon oen yn brysur pan fo'n sugno'i fam. 'Ma'r hen grwt bach 'ma cyn brysured â *chynffon* oen.'

'Mae *cynffon* gan y dydd' – y dydd yn ymestyn.

'Iro *cynffon*' – rhoi i rywun rywbeth y mae ganddo ddigon ohono'n barod.

'Yn y *gynffon*' – tu ôl i bawb arall mewn arholiad neu gystadleuaeth.

'Wrth y *gynffon*' – 'ma'r hen lodes fach 'ma *wrth fy nghynffon* i drwy'r dydd.'

'Pen punt a *chynffon* ddime' – edrych yn daclus yn y rhan sydd fwyaf yn y golwg.

Gw. hefyd HENFON.

cynffona *be.* Ymddwyn yn wasaidd a gwenieithus, gwenieithio, ffalsio, ysgwyd cynffon rhywun o ddylanwad, yn aml, er mwyn mantais bersonol, ymgreinio, cyrcydu'n wasaidd..

1670 R Prichard: Gwaith 553, Mwynder a wna'r ddafad bori,/Llefain a wna'r blaidd *gynffoni.*

cynffonwellt y maes *eg.* Gweiryn lluosflwydd sydd â phen fel cynffon cadno, ac felly ei enw *cynffonwellt.* Perthyn i deulu'r *Gramineae.* Ei enw llysieuol *Alopecurus pratensis.*

cynhaeaf
1. *eg.* ll. *cynaeafau.* Y gwaith o ladd a chywain neu gasglu'r cnydau, yn enwedig gwair ac ŷd, i ddiddosrwydd, 'cynia' (Dyfed) – yno clywir 'cynia gwair' a 'cynia medi'.

'Mae hi'n *gynhaeaf* prysur acw.'

2. Amser neu adeg y cynhaeaf.

1988 Barn 16.1, Ym mhen amser, ar adeg y *cynhaeaf* gwenith.

3. Y cnydau a gesglir.

'Ryden ni wedi cael *cynhaeaf* helaeth eleni.'

cynhaeaf brith Cynhaeaf cymysg a chyfatal ei dywydd, tywydd anwadal i gywain y llafur, cynhaeaf trafferthus.

cynhaeaf cyfatal Cynhaeaf brith, cynhaeaf drwg. Ar lafar yn Nyfed a'r De.

cynhaeaf drwg Cynhaeaf anffafriol ac anwadal ei dywydd, cynhaeaf brith, cyfatal.

1928 G Roberts: AA 17, Plygai y cyntaf ei ben (Gwenith Coch y Maes) wrth aeddfedu, ac oherwydd hynny yr oedd yn boblogaidd iawn ar *gynhaeaf drwg* gan nad oedd berygl iddo egino.

cynhaeaf gwair Gynt, lladd, sychu a chario'r gwair. Heddiw. silweirio'r glaswellt mewn pwll neu silo silwair neu ei fyrnu a'i roi mewn bagiau plastig.

1944 T Gwynn Jones: *Brithgofion* 39, Byddai hwnnw (*cynhaeaf gwair*) yn fy nghof i yn waith llawer mwy trafferthus nag yw bellach. Lladd gwair â phladuriau, y peth nesaf fyddai troi'r gwaneifiau â chribin law ar ôl iddynt gynaeafu ar un tu, yna ei chwalu â'r bicfforch. Wedi hynny rhencio'r gwair a'i gribinio'n lân â'r gribin law, a phicfforch pan âi'n rhy drwm i'r gribin, a'i fydylu yn barod i'w gario.

cynhaeaf gwenith Cynhaeaf ŷd.
Gw. CYNHAEAF ŶD.

cynhaeaf Henffordd gw. MYND I'R CNEUA.

cynhaeaf llafur Cynhaeaf ŷd. Ar lafar yn lled gyffredinol.

1989 P Williams: GYG 48, Byddai'r *cynhaeaf llafur* yn parhau'n fwy na'r cynhaeaf gwair.

cynhaeaf mall Cynhaeaf drwg, cyfatal, gwlyb. Ar lafar yn sir Ddinbych.

1933 H Evans: CE 8, Yn ychwanegol at ddinistr y rhyfel (Rhyfel Napoleon) caed nifer o *gynaeafau mall*, hynny yw, tymhorau mor wlyb fel y methwyd â chael yr ŷd yn sych.

cynhaeaf medi Y cynhaeaf llafur neu ŷd. Ar lafar yng Ngheredigion.

1958 FfFfPh 32, Rhwng y cynhaeaf gwair a'r *cynhaeaf medi* y byddem yn mynd i lan y môr.

cynhaeaf rhisgl gw. RHISGLO.

cynhaeaf tatws gw. CODI TATWS, TYNNU TATWS.

cynhaeaf ŷd Amr. 'cynhaef', 'cinheua' (Dyfed).
1992 DYFED BAETH 61, Ni chuddia i'r un isgib rhag y person mwi' penderfine Edward, Mascanol, odd yn arfer darnguddio pŵer o gnwd ei dir bob *cinheua*.
Ffig. Canlyniadau llwyddiannus unrhyw ymgyrch neu genhadaeth. Hefyd am ffwdan neu helynt.
1865 R Jones, GD, Gellir casglu *cynhaeaf* toreithiog drwy ddarllen, ond myfyrdod yw'r wyntyll sy'n nithio.
1988 Ioan 4.38, Anfonais chwi i fedi *cynhaeaf* nad ydych wedi llafurio amdano.
GPC 'Mae fe'n gwneud rhyw *gynhaea* o bopeth.
Dywed. 'Yn gynhaeaf rhedyn' – sef diweddar. Y cynhaeaf rhedyn oedd y cynhaeaf olaf. Lle mae dau mewn oed wedi priodi, mae hi'n *gynhaeaf rhedyn* ar y rheini.
Gw. BODDI'R CYNHAEAF, CYNHAEAF LLAFUR.

cynhaig *a.* Yn gofyn ci (am ast), cwna, cynheica, poeth.
16g W Midleton, B 59, gwengi foel *gynhaig* filiast.
1703 E Wynne: BC 100, Ymadael â ffiaidd ganel y geist *cynhaig*.

cynaig gw. CYNHAIG.

cynharlaw, cynnar-law *eg.* Glaw cynnar, glaw cynta'r tymor, glaw tyfu, glaw bendithiol, glaw amheuthun, glaw yn ei bryd. Ymadrodd Beiblaidd yw cynhar-wlaw, ac anaml y'i defnyddir.
1620 Deut 11.14, Yna rhoddaf wlaw i'ch tir yn ei amser, sef y *cynhar-wlaw* a'r diweddar-wlaw.

cynheica, cynheicio *be.* (o cynhaig). Gofyn ci, cwna (am ast).
Gw. CYNHAIG.

cynhesfwyd gw. CWYNOSFWYD.

cynhingi *eg.* ll. *cynhingwn.* Ci yn cythru, ci yn cipio, ci yn sodlu.

cynhwynol *a.* Ar enedigaeth neu wedi genedigaeth. Sonnir am 'anhwylder *cynhwynol*', sef anhwylder ar enedigaeth. Gall anifail fod yn annormal ar ei enedigaeth, megis y dindro ar ŵyn sy'n cael ei achosi gan ddiffyg yn y fam – e.e. diffyg coper.

cynhyrchion llaeth *ell.* un. *cynnyrch llaeth.* Bwydydd a geir o laeth – menyn, hufen, caws, iogwrt, ayyb .

cynhyrchu, cynhyrchio *be.* Yn amaethyddol codi cnydau (gwair, ŷd, ayyb) o dir, peri i dir roi cnwd drwy ei ddiwyllio a'i wrteithio, tyfu cnwd (am y tir neu'r sawl sy'n ei amaethu).
'Mae'r lle acw wedi *cynhyrchu'n* ardderchog y pum mlynedd dwaetha' 'ma.'

cynhyrchu llaeth *be.* Ymadrodd a ddaeth yn gyffredin wedi i ffermwyr ganolbwyntio ar werthu llaeth ar ôl sefydlu'r Bwrdd Marchnata Llaeth yn 1933, ac i *gynhyrchu llaeth* ddod yn un o gonglfeini amaethyddiaeth, ac, ar y pryd, yn fanna o'r nef i laweroedd o amaethwyr.

1989 D Jones: OHW 245, Bron oddi ar sefydlu'r Bwrdd Marchnata Llaeth ..., prif gynhaliaeth ffermydd y bröydd hyn fu godro – *cynhyrchu llaeth.*

cynhyrchiol, cynhyrchiog *a.* Yn amaethyddol ffrwythlon, cnydiog, cnydfawr, toreithiog, yn rhoi cnwd da, cnydio'n dda (am dir, had, ayyb).
1620 Marc 4.8, A pheth a syrthiodd mewn tir da, ac a roddes ffrwyth tyfadwy a *chynhyrchiol.*

cynhyrchwr, cynhyrchydd *eg.* ll. *cynhyrchwyr.* Y sawl sy'n cynhyrchu nwyddau mewn cyferbyniad i brynwr nwyddau. Yn amaethyddol y ffermwr sy'n cynhyrchu
'Mae'r prynwr yn talu hyd at 38c y peint am laeth er nad ydi'r *cynhyrchwr* yn cael dim ond canran gymharol fach o hwnnw.'

cynllaeth *(cyn + llaeth) eg.* Y llaeth cyntaf gan fuwch ar ôl iddi ddod â llo, llaeth llo bach, llaeth tor, llaeth toro (Ceredigion), llaeth melyn.

cynllafan gw. CYNLLYFAN.

Cynllun Achredu Llaeth Cynllun i warantu purdeb llaeth o'r clwy erthylu (Brucellosis). Mae llaeth achrededig yn llaeth buchod a archwiliwyd bob tri mis gan filfeddyg. Wedi i'r llaeth fodloni'r profion, ceir trwydded i'w werthu ag sy'n gwarantu ei burdeb.

Cynllun Ansawdd Cyfansoddiad Llaeth *eg.* Trefn, gynt, gan y Bwrdd Marchnata Llaeth o dalu i ffermwyr llaeth yn ôl ansawdd y llaeth a gynhyrchent. Gwneid hyn mewn cydweithrediad â'r dosbarthwyr llaeth. Cymerid sampl yn fisol i'w ddadansoddi am soledau braster menyn a soledau heb fraster a chesglid y data a'i astudio gan y Bwrdd.

Cynllun Ardystio Cnydau Amrywiol gynlluniau gan y Weinyddiaeth Amaeth ynglŷn â llysiau, grawngnydau, tatws, hopys a rhai cnydau garddwriaethol, i annog cynhyrchu had i'w hardystio am eu purdeb.

Cynllun Brwselosis (Gwartheg Achrededig) Cynllun gwirfoddol a gyflwynwyd yn 1947 fel y cam cyntaf tuag at gael gwared â'r clefyd Brwselosis. Un amcan oedd cofrestru buchesi oedd yn glir ohono, er mwyn cael stoc o wartheg yn lle'r rhai y byddai'n rhaid eu difa, pan ddôi'r amser i hynny. Disodlwyd y Cynllun hwn yn 1970 gan gynllun arall gyda chymhellion tuag at gael Ardal Waredu. Caiff ffermwyr gymhellion ariannol i geisio cael buchesi glân ac achrededig cyn bod difa gorfodol mewn ardal gan dderbyn iawndal am y rhai a leddir.

Cynllun Cymorth Cyfalaf Garddwriaeth *eg.* Yn ôl Deddf Amaethyddiaeth 1947 y mae amaethyddiaeth yn cynnwys 'garddwriaeth' *(horticulture).* Yn 1974 sefydlwyd cynllun dan y Weinyddiaeth Amaeth i ddarparu cymorthdal i fusnesau garddwriaethol tuag at wella tir (gwastadhau tir, gwneud ffyrdd, gwella perllannau, ayyb) ac at gael adeiladau pwrpasol, ond nid tai byw.

Cynllun Calchio Amaethyddol *eg.* Cynllun a fu mewn gweithrediad rhwng 1966 a 1976 i galchio tir amaethyddol gyda chymorthdaliadau gan y Llywodraeth at wneud hynny.

Cynllun Ehangiad Amaethyddol Cynllun i gymell ffermwyr i gynhyrchu llai o rawn ac o gig eidion a ddaeth i fod yn 1987 ac yn ffurf arall ar y Cynllun Neilltir, ond ar gyfer nifer cyfyngedig o gynhyrchion. I gael yr iawndal sydd ynghlwm wrth y cynllun rhaid cael lleihad o 20% mewn tir ŷd ac mewn magu gwartheg tewion.

Cynllun Gwartheg Ardystiedig *eg.* Cynllun a gyflwynwyd yn 1935 yn lle'r Gorchymyn Ticâu, fel ymdrech i reoli ticâu gwartheg (*Bovine Tuberculosis*). Sefydlwyd cofrestr o'r 'buchesi ardystiedig', sef y rhai wedi cael profion ac wedi eu hardystio eu bod yn glir o'r afiechyd. Rhaid oedd cael tystysgrif ardystiad cyn cael ar y rhestr. Yn 1950, cychwynwyd yr 'ardaloedd gwaredu' ac estyn y cynllun ar sail gwirfoddol, ac yna'n ddiweddarach lladd drwy orfodaeth y rhai oedd yn ymateb yn gadarnhaol i'r prawf. Erbyn 1960, i bob pwrpas, roedd buchesi gwledydd Prydain yn glir o'r afiechyd a chyhoeddwyd Prydain fel Ardal Ardystiedig. Sir Feirionnydd oedd y gyntaf i'w chyhoeddi'n Sir Ardystiedig yng nghanol y pumdegau.

Cynllun Gwelliant Amaeth Cynllun cymorthdal cyfalaf a sefydlwyd yn 1985, i gynnig i ffermwyr nifer o gymorthdaliadau at dreuliau amrywiol sy'n hawlio cryn lawer o gyfalaf. Fel rheol, mae graddfa'r cyfalaf yn uwch mewn ardaloedd llai ffafredig. Manteisiwyd yn helaeth ar y cynllun hwn i bwrpas gwelliannau amgylcheddol, yn cynnwys plannu coed, gwrychoedd, rheolaeth rhedyn, carthffosiaeth amaethyddol a ffyrdd o arbed ynni. Amrywia'r cymorthdal o 5% i 50% o'r buddsoddiad mewn rhai cynlluniau.

Cynllun Gwella Moch Cynllun a gychwynwyd yn 1971 gan y Comisiwn Cig a Da Byw gyda'r amcan o wella moch yn genetig.

Cynllun Trosiad Buches Odro Cynllun a luniwyd gan y Comisiwn Ewropeaidd yn 1977 i gyfyngu ar gynhyrchion llaeth drwy roi cymorthdal i ffermwyr llaeth a addunedai i beidio cynhyrchu llaeth am bum mlynedd, a newid o gynhyrchu llaeth i gynhyrchu cig eidion. Yn 1984 disodlwyd y cynllun gan y system cwotâu.

Cynllun Uno Ffermydd *eg.* Cynllun i uno ffermydd bach â'i gilydd yn unedau mwy, neu i'w huno â ffermydd mwy; a gafwyd ar ôl yr Ail Ryfel Byd. Cynigiai'r llywodraeth ganolog gymorthdaliadau hael at uno ffermydd ac am uno ffermydd. Wedi i'r system o gymorthdaliadau ddod i rym doedd fferm fach dan ugain acer ddim i gael unrhyw gymhorthdal. Caed wedyn yr un math o wasgu ar ffermydd bach dan Gynllun Datblygu Fferm a Gardd y Comisiwn Ewropeaidd. Rhaid i fferm fod yn 'uned hyfyw' i dderbyn unrhyw gymhorthdal.
Gw. UNED HYFYW.

cynnar *a.* Yn amaethyddol cnwd neu dymor sy'n gynt na'r arferol neu ar y blaen i'r hyn sy'n arferol, tymor *cynnar*, gwanwyn *cynnar*, cynhaeaf *cynnar*, tatws *cynnar*, lle *cynnar*, yn aml mewn cyferbyniad i'r diweddar, tymor diweddar, ayyb.

1620 Deut 11.14, Yna rhoddaf wlaw i'ch tir yn ei amser, sef y *cynnar*–wlaw a'r diweddar–wlaw.

Diar. 'Gwaethaf *cynnar, cynnar* gog. Gorau *cynnar, cynnar* og.'

Gw. GWANWYN CYNNAR, LLE CYNNAR, TATWS CYNNAR, TYMOR CYNNAR.

cynnog *eg.* ll. *cynogydd.* Llestr at ddal llaeth, mwy na 'godart' a llai na 'stên'. Ar lafar ym Môn.

1620 Barn 4.19, Yna hi a agordd *gynnog* o laeth, ac a'i diododd ef.

cynnor *(cyn-ddor) egb.* ll. *cynhorau, cynhorion, cynhoriaid.* Rhagddrws, rhagddor, y drws nesaf allan o ddau, y drws allanol, y drws yn y tywydd ac yn diddosi. Yn y De sonnir am 'gyngor drws' (ystlysbostiau drws).
Gw hefyd CYNDDOR, RHAGDDOR, RHAGDDRWS.

cynnos Gw. CWYNOS, CUNNOS.

cynnud *eg.* Tanwydd, deunydd tân, – coed, mawn, glaead, ayyb. Yr hyn a ddefnyddir i gynnau tân ac i'w gadw i losgi. Byddai'n arfer gynt, cyn i lo ddod yn gyffredin, i hel *cynnud* yn yr haf at y gaeaf, fel mae rhai cyfuniadau'n dangos:
cludair coed – pentwr o goed tân, coed crin.
cludair cynnud – pentwr o goed a mawn yn barod at y gaeaf.
Ffig. Cadw ffrae neu gynnen i fynd.
'Roeddwn i'n gobeithio fod y gynnen wedi hen farw. Ond mae'r Aelod Seneddol 'na wedi rhoi *cynnud* ar y tân eto.'
1620 Jer 5.14, Wele fi yn rhoddi fy ngeiriau yn dy enau di yn dân, a'r bobl hyn yn *gynnud*, a'r tân a'u difa hwynt.
Gw. GWYNNON[2].

cynnull

1. *eg.* ll. *cynullau, cynullion.* Casgliad neu gynhulliad neu grynhoad o'r cnwd adeg y cynhaeaf, crynhoad o'r llafur.
1620 Es 32.10, Canys darfu y cynhaeaf gwin, ni ddaw *cynnull* mwyach.
1620 Ecs 34.22, Cadw i ti hefyd wyl yr wythnosau ... a gwyl y *cynnull* ar ddiwedd y flwyddyn.

2. *be.* Yn amaethyddol, mynd ar hyd y gwaneifiau ŷd a'u casaglu yn sypiau (seldremi) mor gymen ac mor unfon ag y gellid, a'u rhwymo'n ysgubau. Yn ddiweddarach, mynd ar ôl y seldremi a adewid dros wyneb y cae gan y ripar, peiriant lladd ŷd, (gw. RIPAR) a'u rhwymo. Gwneid hyn ag offeryn pwrpasol, sef roden bigfain o haearn wedi ei chamu'n bwrpasol gyda charn o bren i afael ynddi, pric *cynnull* (Môn), bach *cynnull*, pren *cynnull*, cledrog. Ar lafar ym Môn ac Arfon.
1959 I Williams: IDdA 18, Y ddwy hyn oedd yn *cynnull* neu glymu'r ŷd yn ysgubau.
Gw. PRIC CYNNULL, RHWYMO.

3. *be.* Troi at ei gilydd y cwysi ar ôl yr agoriad (codi canol cefn) mewn cefn (grwn) o dir âr, tyrru'r cwysi o gwmpas yr agoriad. Ar lafar ym Meirion.
Gw. hefyd CASGLU.

cynnullwr *eg.* ll. *cynullwyr.* Un yn cynnull ŷd, sef ei gasglu'n ysgubau o'r ystodiau.

1993 FfTh 12, 31, ... byddai'r *cynnullwr* yn cerdded wysg ei gefn wrth fôn yr ystod a chodai yr ŷd ar ei lin dde gyda'r gledrog neu'r pric cynnull.

cynnwydd (*cynt* + *gŵydd* [gwyllt]) *eg.* Tir sy'n cael ei aredig am y tro cyntaf, braenar, tyndir.

1632 D, *Cynnwydd:–* arvum primum ... tir gŵydd pan ardder gyntaf.

cynnwys *be.* Hudo, denu, swcro, annos. Yn amaethyddol cynnwys neu annos llo i yfed o bwced neu oen i yfed o botel, neu famog i dderbyn oen dafad arall ar ôl colli ei hoen ei hun.

'Rhaid iti'i *gynnwys* i yfed drwy roi'i ben yn y bwced a dy fys yn 'i geg.'

cynnyrch *eg.* ll. *cynhyrchion.* Yn amaethyddol cyfanswm cnydau fferm, yr hyn oll a gynhyrchir ar fferm mewn cnydau, anifeiliaid, llaeth ayyb, *cynnyrch* fferm.

cynosfwyd gw. GWYNOSFWYD.

cynrhon, cynthron *ell.* un. *cynrhonyn.* Pryfed wedi deor o'r wyau a ddodwyir ar gnawd anifail gan bryf chwythu, ond yn eu ffurf gynnar ac heb fagu aelodau, maceiod. O'r anifeiliaid dof, defaid a boenir fwyaf gan *gynrhon* yn enwedig pan fo'u cynffonau a'u penolau yn wlyb a bawaidd.

'Ma'i chynffon hi'n berwi o *gynrhon*.'

1715 J Owen: TB 45, Ar ôl hynny daeth *cynrhawn* allan o'i gnawd braenllyd.

Amr. cynron, cyndron, cynthron (Mald), cnonod (Arfon), cnornod (Gogledd), cyndron, cindron (De), magots (Brycheiniog a Morgannwg), pryfed (Morgannwg a Gwent).

Ffig. Plentyn gwinglyd, aflonydd

'Ma'r crwt 'ma fel *cynrhonyn* drwy'r dydd.'

Gw. PRYF CHWYTHU.

cynrhon gwyrdd *ell.* un. *cynrhonyn gwyrdd.* Math o gynrhon a geir yn y pridd ag sy'n gallu effeithio'n drwm ar rai cnydau megis cnydau ŷd – cynrhon y mae brain, ayyb, yn sgud amdanynt, cynrhon lledr (TA 1991) *Tipuda paludosa.* S. *leather jacket.*

1958 T J Jenkin: YPLL AWC, Cofiaf imi unwaith hau Maphthedin cyn agor y rhychiau er mwyn ceisio lladd hoelion daear (wire worms) a'r *cynrhon gwyrdd* (leather jackets) a allai fod yn y tir.

cynrhon lledr gw. CYNRHON GWYRDD a TA 1991.

cynrhoni *bf.* Magu cynrhon, pryfedu (yn enwedig defaid). Ar lafar yn y Gogledd yn y ffurf 'cyrnoni' a 'cynthroni', ac yn y De ceir 'cyndroni' a 'cindroni'.

1793 Cylchg. 90, Rhag yn y tymor gwresog iddyn lygru a *chynrhoni.*

cynrhonllyd *a.* Llawn cynrhon, yn magu cynrhon, yn cynrhoni.

cynrhonog gw. CYNRHONLLYD.

cynrhon-erlidiwr *eg.* Darpariaeth gemegol, filfeddygol i lanhau cyllau ac ymysgaroedd anifail o gynrhon.

cynrhon-leiddiad *eg.* Darpariaeth filfeddygol i ladd cynrhon yn ymysgaroedd anifail, ac ar groen anifail pan fo'n cynrhoni.

cynthron, cynthroni gw. CYNRHON, CYNRHONI.

cynudwr (*cynnud + gŵr*) *eg.* ll. *cynudwyr*. Un yn hel coed tân, un yn casglu tanwydd – lladd mawn, hel glaead ayyb. Dan yr hen gyfreithiau, 'swyddog cynnud', yn y llys oedd yr un fyddai'n casglu tanwydd, cynnau tân ayyb. Amr. 'cynutwr'.
1620 Num 15.32, Fel yr ydoedd meibion Israel yn y diffaethwch, cawsant ŵr yn *cynnutta* ar y Sabboth (casglu coed – BCN).

cynuta *be.* Casglu tanwydd, hel coed tân ayyb.
1620 Num 15.32, Fel yr oedd meibion Israel yn y diffaethwch, cawsant ŵr yn *cynnutta* (casglu coed – BCN) ar y Saboth.
Gw. CYNNUD, CYNUDWR.

cynutai *eg.* ll. *cynuteion, cynuteiod*. Swyddog llys dan yr hen gyfreithiau yn casglu tanwydd, cynudwr.
1300 LLB 8, Y porthawr a'r *kynuttei*, nyt ynt o rif y petwar swyddawc ar hugeint.

cynutwr gw. CYNUDWR.

cynwydd *ell.* Mangoed, prysgwydd, tanwydd, cynnud.
1769 W Williams: FFW (Rhan 3) 13, Gwneud priddfeini heb ddim *cynwydd*.

cynyddbwys *eg.* Gair diweddar am ennill pwysau (anifeiliaid, nwyddau) (S. *weight gain*). TAM 1994.
Gw. hefyd COLLBWYS.

cyp, cyp, cyp gw. COP, COP, COP.

cypladiad *eg.* Y weithred o gypladu'r fenyw gan y gwryw (am anifeiliaid), serfiad.
Gw. CYPLADU, SERFIO.

cypladu *be.* Gwryw anifail yn beichiogi'r fenyw, y tarw yn tarwa, y baedd yn baedda, y maharen yn maharena, y march yn marchio.
Gw. SERFIO.

cypladu gw. CWPL.

cyplu, cwplu, cwplo *be.* Cysylltu, cyplysu, ieuo, rhwymo neu gysylltu ynghyd, am ddau ychen (gynt), am ddau geffyl (gynt), am dractor wrth aradr, trelar, ayyb.
'Wnei di *gyplu'r* tractor glas wrth y peiriant lladd silwair imi.'
1770 P Williams: BS 2 Cor 6.14, Yr oedd y Gyfraith yn gwahardd *cwplu* ych ag asyn dan yr iau.
Yng Ngheredigion sonnir am *gyplu'r* gaseg wrth y gert – bachu'r gaseg wrth y drol (Gogledd).
Ym Môn a Llŷn cyplid y gwningod (rhoi dwy ynghlwm yn ei gilydd) i'w hanfon i ffwrdd.

cyplwr, cyplydd *eg.* ll. *cyplyddion*. Dyfais i gysylltu cerbydau neu offer a pheiriannau wrth ei gilydd (S. *coupling*).

cyplyn, cwplin *eg.* Dyfais neu declyn i gysylltu cerbydau a pheiriannau. Gw. hefyd CYPLWR.

cyplyn arwain Y cwplin a ddefnyddir wrth aredig â gwedd i gadw'r ceffyl rhych rhag troi ar draws.

cyplyn gwialen Cyplyn o wialen neu roden a roi'r ynghlwm wrth enfâu dau geffyl gwedd wrth aredig i gadw'r pellter rhyngddyn nhw. Ar lafar yn y De.

cyplysu *be.* Cysylltu dau beth neu ddau anifail, yn enwedig dau geffyl gwedd, clymu ynghyd, cysylltu'r cwplws wrth enfâu ffrwyni dau geffyl mewn gwedd ddwbl (ochr yn ochr). Defnyddir y gair am gysylltu unrhyw ddau wrthrych yn gyfystyr â chyplu a bachu a chysylltu.

1567 2 Cor 6.14, Nac iauer [:- *chwplyser]* chwi yn ancymparus.
1588 Es 5.8, Yn *cwplyssu* maes wrth faes.
1973 B T Hopkins, Nod i Awc, Y clust oedd yr enw ar y pen blaen lle yr oedd bachyn cryf a chadwyn i *gyplysu* yr aradr wrth y cambrenni.

Gw. CWPLWS, CYPLU.

cyrbau olwynion *ell.* un. *cyrbyn olwyn.* Cant neu gantell olwyn, yn enwedig olwyn trol (cart), olwyn car ceffyl, ayyb, y cylch o gamegau y morteisir edyn yr olwyn iddyn nhw, ac y rhoir cylch haearn amdanyn nhw. Ar lafar yng Ngheredigion.

1958 I Jones: HAG 72, Peth diddorol ... fyddai gweld y gof yn ffitio cylch haearn am *gyrbau olwynion* certi neu ar lafar gwlad yn 'bando whîls'.

Gw. CAMOGAU, CODI OLWYN, CWRB[1], CYLCHIO.

cyrbelu *be.* Y grefft o godi adeiladau crynion â cherrig sychion (yn enwedig twlciau moch). Gosodid cwrs o gerrig yn gylch ac yna cyrsiau eraill hyd at rhyw bum troedfedd o uchder. Yna dechreuid tynnu'r cerrig fwy i mewn gyda phob cwrs nes bod y cylch yn mynd yn llai a llai hyd at y cylch lleiaf posibl. I gau coryn yr adeilad rhoid carreg fflat. Bu llawer o adeiladu cytiau moch o'r math yma yn arbennig yn Ne Cymru. Gelwir y grefft yn *cyrbelu.*

cyrch *etf.* Ffurf lafar ar y gair 'ceirch' Ar lafar ym Maldwyn a Dyfed. Gw. CEIRCH.

cyrn aradr gw. CORN ARADR.

cyrn buwch *Ymad.* Ymadrodd ffigurol, cymhariaethol a difrïol i ddisgrifio cwysi cam, neu resi tatws cam, ayyb, 'cwysi *cyrn buwch*', 'rhesi *cyrn buwch*'. Ar lafar ym Môn.
Cmhr. 'cwysi coes ôl ci'.
Gw. hefyd CAM, COES ÔL CI.

cyrneitio *be.* Symud fel gwnhingen o naid i naid, neidio rhedeg, neidio cerdded.
'Mae'r hen ferlen fach 'ma wedi mynd i *gyrneitio* rhedeg.'
1981 GEM 30, *Cyrneitio* y bydd gwningen nid rhedeg.

cyrnen, curnen bachigyn o *curn*. ll. *cyrnenni*. Pentwr, twmpath, tomen, tas, mwdwl. Mae'n air am bentwr o datws, maip, rwdins, ayyb, ond yn llawer amlach am fwdwl o wair neu o ŷd, tas fechan gron, y *gyrnen* wair, y *gyrnen* ŷd.

1993 FfTh 12, 20, Ar y ffermydd mwyaf gwneud teisi ŷd fyddai'r drefn, a *chyrnen* neu gocyn ar ffermydd llai... Siap tebyg i ŵy oedd i *gyrnen*, yn cychwyn ar sylfaen gweddol fechan, lledu allan yn raddol i rhyw bump i saith troedfedd o uchder, troi pen yn araf ar y cyntaf gan ofalu am ddigon o lanw efo'r ysgubau – dim gormod – nes cyrraedd y pen. Rhyw chwech i wyth llwyth trol fyddai mewn *cyrnen* yn gyffredin. ... Toïd y *gyrnen* yr un ffunud ag y gwneid efo'r das.

Ffig. Yn y dywediad ffigurol 'wedi toi'i *gyrnen* yn dda' – un wedi mynd i fyny llawes rhywun er maintais iddo'i hun.

Gw. CURN.

cyrnennu gw. CURNENNU.

cyrnie'r aradr Ffurf dafodieithol ar 'cyrn yr aradr'. Ar lafar ym Maldwyn. Gw. CORN ARADR.

cyrnig *a*. A chanddo gyrn, yn meddu cyrn, corniog (am anifail), bannog.

1908 Myrddin Fardd: LLGSG 58, Byddai llawer ymgom ddifyr rhyngddynt wrth fugeilio anifeiliaid *cyrnig* a defaid.

Ffig. Person gwgus, bygythiol.

15g Huw Cae Llwyd: Gwaith 98, Yn tirio Cornwal yn darw *cyrnig*.

1762 D Rowland: PA 103, Yn brefu ymysg ei gyfeillion *cyrnig*.

cyrnol *ep*. Enw cyffredin gynt ar geffyl gwedd. cmhr. hefyd 'Major'. Gw. ENWAU ANIFEILIAID.

cyrs Ffurf luosog (anaml) ar 'cors'. Gw. CORS.

cyrsen *eb*. bach. o *cwrs*. Y cowlaid o wair rhydd a rowlid gan y llwythwr gynt i'w osod yn gadernid yng nghonglau'r llwyth gwair. *Cwrs* oedd y gair am blyg neu haen o wair dros wyneb y llwyth. Sonnid am lwyth wyth cwrs, ayyb, sef wyth plyg. O *cwrs* y cafwyd *cyrsen* yn sicr.

cyrydu *be*. Ei fwyta neu ei ddifa'n araf (am bibellau dŵr, dur, batri, ayyb), cael ei araf ddifa neu ei araf fwyta gan rŵd neu gan gyrydiad (S. *to corrode*).

cysb, (y) gysb *ebp*. Math o anhwylder ym mhen ceffyl sy'n peri'r bendro neu fadrondod (S. *staggers*).

1688 T Jones, *Gysb* – cynddaredd ym mhen ceffyl.

cysgod *eg*. ll. *cysgodau, cysgodion*. Rhoed pwyslais mawr ar *gysgod* mewn amaethyddiaeth. Ceir llawer o'r hen ffermdai wedi eu codi mewn pantleoedd cysgodol neu yng nghesail bryn neu allt. Erbyn hyn, ar ôl chwalu llawer o gloddiau wedi'r Ail Ryfel Byd, gwêl y ffermwr ei gamgymeriad ac ailddarganfu werth y clawdd fel *cysgod* i anifail a chnwd a phorfa. Tyfir mwy a mwy o goedlannau yn gysgodlwyni hefyd.

cysgodlain, cysgodlwyn *eb*. ll. *cysgodleiniau*. Llain o dir y tyfwyd coed ynddi i ffurfio cysgod i anifeiliaid a chnydau, coedlan, coedwig fechan.

Mae'r cysgodleiniau yn arafu'r gwyntoedd dros y tir cysylltiol ac felly'n atal colli gwres o'r ddaear, planhigion ac anifeiliaid.

Ffig. 1766 FfA 15, Gwneuthur crefydd yn lloches, a Christ yn *gysgodlwyn*.

cysgu allan *Ymad*. Yr arfer o roi'r gweision i gysgu mewn llofft allan, h.y. y tu allan i'r tŷ fferm. Gallai'r llofft fod uwchben y stabal (yn aml), uwchben y sgubor, uwchben yr huwal, ayyb. Bu tipyn o feirniadu ar ffermwyr am yr arferiad hwn. Ond teg yw dweud mai dyma oedd dewis y gweision eu hunain, oherwydd golygai cysgu yn y tŷ gyfyngu ar eu hwyl a'u rhialtwch – rhywbeth oedd yn bosibl yn y llofft allan heb aflonyddu ar neb arall. Câi ffermwyr drafferth i gael gweision pan fyddai eu llofft gysgu yn y tŷ. Prisiai'r llanciau ryddid ac annibyniaeth y llofft allan.

Teg yw dweud hefyd bod y llofftydd hyn ar y cyfan yn lleoedd digon glân a chymwys. Eithiradau mawr oedd y rhai anghymwys.

1933 H Evans: CE 64, Sut y cychwynodd yr arfer o roi'r gweision i *gysgu allan*? Anodd dweud. Mae'n debyg fod â wnelo tai ffermydd bychain a theuluoedd mawr mewn cyfnod o dwf mewn amaethyddiaeth â'r peth. Bychain a gwael iawn oedd llawer o amaethdai Cwm Eithin ... Pan aeth yr amaethwr i drin rhagor ar ei dir ac i gadw rhagor o weision a morynion nid oedd lle i'r llanciau gysgu yn y tai. ... Diau mai dyna a fu achos yr arferiad i'r llanciau *gysgu allan*, fel y gelwid ef, ac sydd wedi peri i rai na wyddant fawr am anhawster y cyfnod gredu mai creulondeb yr amaethwr tuag at ei weision oedd yr achos.

Gw. LLOFFT STABAL.

cysylltwr dwbl (dau bwynt) Dwy fraich tu ôl i dractor at gyplu offer gwaith (S. *duplex linkage*).

cysylltwr tri phwynt *eg*. Tair braich y tu ôl i dractor at gyplysu offer gwaith wrtho. Fe'i hystyrir yn ddull cyflym a diogel o fachu offer.

cyt *eb*. ll. *cytiau* (S. *cut*). Ffos wedi ei thorri a'i llunio i sianelu dŵr o afon i droi olwyn ddŵr neu rod melin, ffrwd melin. Ar lafar ym Maldwyn.

1981 GEM 30, *Cyt* – Ffos wedi ei thorri i gario dŵr o afon; sianel neu ffrwd melin.

cytar *ebg*. Yr olwyn finiog a osodir o flaen y cwlltwr ar aradr i dorri croen y cae wrth aredig, disg yr aradr.

Gw. DISG.

cytew *a*. Tew, stiff, trwchus (am hylif megis llaeth, ayyb, ac enllyn megis uwd, ayyb).

1604-7 TW Pen 228, Gwneuthur yn gaeat ne'n *gyttew*. id. *Constipo* – tewychu, mynet yn *gyttew*.
'Rho flawd yn y ffid nes bydd o'n *gytew*.'

cytgae (*cyd* + *cae* = *clawdd*) *eg*. Clawdd terfyn rhwng dwy fferm a chytundeb rhwng cymdogion o ffermwyr i gadw'r clawdd terfyn, neu rannau arbennig ohono, mewn cywair iawn. Ar lafar ym Mhenllyn.
'*Cytgae* yw'r darn yma o'r terfyn.' (GPC)

cytgwys (*cyd* + *cwys*) *a*. Ansoddair trosiadol am ddau berson yn cyddynnu'n dda, yn tynnu yn yr un gwys, yn tynnu'r un aradr, fel gwedd o geffylau yn aredig.

1756 Gron 14, Dau *gytgwys* gymmwys gymmar./Un wedd ag ychen yn âr.

cytio *be.* Cau mewn cwt neu gut, cau mewn twlc, corlannu, llocio, cutio. Ar lafar yn y Gogledd.

cytio ŷd Ffurf ar y gair 'citio'. Gw. CITIO.

cytir (*cyd* + *tir*) *eg.* ll. *cytiroedd.* Tir cyffredin, tir comin, tir sy'n eiddo cyffredin gyda hawliau pori cyffredin, tir cyd.
13g Pen 30, 150, Ny renhyr (rennir) ohynny allan namyn *kyttyr.*
16g LLEG Mos 158, Na chaffai neb ... gau dim or kyvriw diroedd ac aviassai (a fuasai) ynn arferol o vod yn *gyttir.*

cytirio *be.* Bod ar yr un tir, bod yn gydwastad, bod ar yr un lefel.

cytiriog
1. *a.* ac *eg.* ll *cytirogion.* Yn ffinio ar ei gilydd, am y terfyn a'i gilydd, cyfagos (am gymdogion), un a'i dir yn ffinio ar dir un arall, cymydog.
1401 AL 2, 344, Pan atalo *kyt tiriawc* dwfyr y velin y llall.
14g RB: 2, 283 (1890) ef ach mawrha yn bennach no neb och *kyttirogion.*
2. Un sy'n byw o fewn yr un ffiniau ag un arall, cydwladwr.
3. Cyd-berchennog tir.

cytiriwr *eg.* ll. *cytirwyr.* Person sy'n gyd-ddeiliad tir, un yn cyd-ddal tir, cyd-berchennog tir.

Cytundeb Rhufain Y cytundeb a arwyddwyd yn 1958 gan chwe gwlad, yr Almaen, Ffrainc, Yr Eidal, Yr Iseldiroedd, Gwlad Belg a Lwcsenbwrg, wrth ffurfio'r Gymuned Ewropeaidd neu'r hyn a elwid ar y pryd yn Farchnad Gyffredin.
Gw. Y GYMUNED EWROPEAIDD, POLISI AMAETHYDDOL CYFFREDIN.

cytuno *be.* Yn amaethyddol gwas neu forwyn yn cyflogi am dymor o wasanaeth i amaethwr, ymrwymo i fod yn was neu'n forwyn am dymor. Ar lafar ym Môn a sir Gaernarfon. Ceir ymadroddion fel 'wedi *cytuno*' (wedi cyflogi) neu 'wedi ail-*gytuno*' (cytuno i aros yn ei le). Yng Ngheredigion 'gwneud cyflog' yw'r ymadrodd cyfatebol ac yn Nyfed 'cytuno ar amod'.
1989 P Williams: GYG 15, Pan oedd eisiau newid, âi ef i'r ffair i edrych am weision eraill. Pe bai wedi cael hyd i rywun lleol fe âi i'w cartrefi i *'gytuno ar amod'* a rhoddid ernes o swllt neu hanner coron yn arwydd o'r cytundeb.
1994 FfTh 14, 19, Ar lafar ac mewn ymddiriedaeth y *cytunid* neu y gwneud cytundeb gan amlaf, er bod enghreifftiau o gytundebau ar bapur.
Gw. CYFLOGI.

cythraul gwair *eg.* Peiriant hel gwair Americanaidd, heliwr gwair, twmbler gwair, peiriant o bren a lusgid gan geffyl cyn i'r gribin geffyl ddod yn gyffredin. Ar lafar yn y Gogledd.
Gw. HELIWR GWAIR, TWMBLER, WVBD 323.

cythraul melin – **cythraul gwlân** *eg.* Dyfais mewn melin wlân i gribo neu gardio'r gwlân. Peiriant i chwalu a glanhau gwlân. Yn ei waith byddai'r *cythraul* yn gwneud sŵn clepian ac o'r fan honno y cafwyd yr ymadrodd cymhariaethol 'fel clep melin' am wraig barablus, 'clep *melin gythraul*' (Môn) hefyd 'clep *cythraul melin*'.

cyw *eg.* ll. *cywion, cywon, cywiaid, cywain*. Epil ifanc anifail neu aderyn; anifail ifanc yn enwedig ebol – *cyw* caseg, *cyw* ceffyl. Fe'i clywir yn aml yn yr ymadrodd 'caseg a *chyw*'. Aderyn ifanc neu newydd ddeor, yn enwedig un o adar dof y buarth, *cyw* iâr, *cyw* gŵydd, *cyw* chwaden, *cyw* twrci. Ceir 'iâr a *chywion*' yn ymadrodd cyffredin.

1620 Math 23.37, Megis y casgl yr iâr ei *chywion* dan ei hadenydd.
Hwiangerdd. 'Mi hedodd ac mi hedodd/A'i *chywion* gyda hi,/I ganol tir Iwerddon,/Good morning, John, howdy.'
Cfn.

cywion bach Cywion ieir newydd ddeor.

cyw blwydd Cyw neu geiliog iâr blwydd.
Ffig. Gwas fferm yn aros dim ond tymor (blwyddyn) yn yr un lle. Ar lafar yn gyffredinol.

cyw caseg, cyw ceffyl Ebol hyd at ei ddiddyfnu, swclyn (Ceredigion).
Dywed. 'Gwell llo heffer a *chyw hen gaseg*.

cyw ceiliog Cyw neu geiliog iâr ifanc.

cyw gŵydd Epil gŵydd.

cyw iâr Ffowlyn, un yn barod i'w ladd.

cyw sugno Ebol heb ei ddiddyfnu.

cywion undydd Cywion diwrnod oed (S. *day old chicks*).
Ffig. 'cyw arglwydd' – am lordyn ifanc anaeddfed.
'cyw bardd' – bardd ifanc, egin-fardd.
'cyw Brenin' – tywysog.
'cyw cynnar' – llanc ifanc bostfawr, ymhongar.
'cyw drycin' – darn o enfys.
'cyw gwaelod y nyth' – y plentyn olaf, cyw maldod.
'cywion y Fall' – plant ifanc drygionus.
'cyw melyn olaf' – y plentyn olaf.
'cyw pregethwr' – myfyriwr am y weinidogaeth, egin-bregethwr.
1973 Alun R Williams, *Epigramau*, Lle bo *cyw*, lle bo cawell, nid yw mam yn mynd ymhell.
1966 D Jones, *Y Cynhaeaf*, Cyfans. Prifwyl 1966, Tra bo dynoliaeth fe fydd amaethu,/A *chyw* hen linach yn ei holynu.
Dywed. 'Cyfri'r *cywion* cyn eu deor' – codi cestyll yn yr awyr.
'*Cyw* drwg ddaw o ŵy drwg' – cmhr. pren drwg yn dwyn ffrwyth drwg.
'Mendio fel *cyw* gŵydd' – tyfu, altro, dod yn ei flaen yn dda.
'*Cyw* a fegir yn uffern, yn uffern y myn fod' – cyw wedi hanner i fagu wrth y tân, ac am ddod i'r tŷ o hyd.
'Mae natur y *cyw* yn y cawl.'
'Mae natur y ceiliog yn y *cyw*' – fel eu rhieni y bydd eu plant.
'Lle crafa'r iâr y piga'r *cyw*.'

cywain
1. Hen ffurf luosog cyw.
Gw. CYW.

2. *be.* Yn amaethyddol, casglu ynghyd, hel, cario i ddiddosrwydd, cludo i'r ydlan, dwyn i gyfarchwel, cywain i ysguboriau (gynt). Yng Ngheredigion, Dyfed a sir Gaerfyrddin, ceir hefyd y ffurfiau 'cŵen', cwên' a 'coen', 'cywen'. Sonnir am 'gŵen gwair', 'coen gwair', 'cywain tail'.

1620 Math 6.26, Nid ydynt yn hau, nac yn medi, nac yn *cywain* i ysguboriau.
1939 D J Williams: HW 25, a *chywain* tail ar fron serth heb "mhoilyd y cart".
1969 D Parry-Jones, Nod i AWC, Y trydydd dydd oedd y dydd y byddid yn ei *goen* i'r ydlan (gwair).
1962 T J Davies: G 8, Roedd gwydde a hwyaid yn fwy caled a gellid troi'r gwydde i hela'r soflydd ar ôl *cywen* y llafur.
Ffig. Casglu pethau haniaethol, ayyb.
1776 Dewi Nantbran: AN 277, I *gywain* ein Eneidiau i'th Deyrnas di.
'Mae 'na feddyliau mawr wedi ei *cywain* i'r gyfrol hon.'

cywair

1. *egb.* ll. *cyweiriau, cyweirion.* Ceuled neu fol *gywair* a geid gynt o gylla llo, oen, ayyb, heb eu diddyfnu, ac a ddefnyddid i geulo llaeth ar gyfer gwneud caws, cyweirdeb. (S. *rennet – cheese rennet*).
1763 W Salisbury: LLM 205, Sug y phicus gwyllt ... a bair megis y *cowair* i'r Llaeth geulo.

2. *egb.* Gwadn aradr, yn enwedig y darn pren fyddai gynt yn dal y swch wrth yr aradr, penffestr, *cywair* aradr.
Amr. 'cẅer' yn y De a 'cŵar' am ffram neu arnodd aradr ym Morgannwg.

3. Cyflwr da, graen da, nic da, *cywair* da (am anifail, gwair, ayyb).
'Ma' Cyrnol mewn *cywair* da a meddwl ei fod yn codi'n bymtheg.'
'Fe gawsom y gwair mewn *cywair* da 'leni.'

cyweiniwr, cyweinydd *eg.* ll. *cyweinwyr, cyweinyddion.* Cariwr, cludwr, heliwr, cynullwr (cnydau), un yn cywain gwair, ŷd, ayyb.

cyweirdeb *egb.* ll. *cyweirdebau.* Ceuled, bol gywair (S. *rennet*).
Amr. 'cwyrdeb', 'cwrdeb' (Dyfed), 'cywirdeb', 'cwirdebyn'.
1938 T J Jenkin: AIHA AWC, *Curdeb* – rennet. Yn perthyn efallai i 'cure'.
1982 Pict Davies: ADPN 25, Un Sadwrn fe'm hanfonwyd i Dre-lech am botelaid o *gurdeb.*
Gw. CYWAIR[1].

cyweirio

1. *be.* Ceulo, peri i geulo (am laeth i wneud caws), 'cwiro' (Dyfed). Gw. CYWAIR.

2. *be.* Disbaddu neu ysbaddu anifail, torri ar anifail gwryw, colio (Maldwyn), geldingo (ceffyl), cotio (Gogledd). Ar lafar ym Môn.
1680-1711 T Jones: Alm 6, Gorau amser i dorri ar, neu *gweirio* anifail neu oen.
Gw. COTIO, DISBADDU, GELDINGO, SBADDU.

3. *be.* Trin, rhoi mewn trefn, cymenu, cymoni.
Cfn.
cyweirio bwrdd Gosod y bwrdd bwyd, hulio bwrdd.
cyweirio ceirch Tynnu plisg ceirch, cibynnu.
cyweirio croen Trin croen anifail ar ôl ei flingo, pannu croen.
cyweirio dillad Trwsio dillad, clytio dillad. Ar lafar yn y De.
cyweirio diod Darllaw haidd, ayyb, i wneud cwrw cartre.
cyweirio esgidiau Trwsio sgidiau, eu hail wadnu neu eu hail sodlu, ayyb.
cyweirio ffordd Trwsio ffordd, cau tyllau mewn ffordd.

cyweirio gwair Trin gwair, cynaeafu gwair, cwiro (Ceredigion a'r De).
Hen Bennill: 'Anodd *c'weirio* gwair y rhos,/A leddir nos Glangaea;/Odid fyth nad dyna'r fan/Yr erys tan yr eira.
'*Cyweiria* dy wair tra bo'r haul yn t'wynnu.
cf. 'Cynnull dy wair tra pery'r tes', a'r S. *make hay while the sun shine.*

cyweirio gwallt Trin gwallt.

cyweirio gwely Gwneud y gwely, taenu'r gwely.

cyweirio lledr Pannu croen anifail, cyweirio croen.

cyweirio llin Cribo neu gardio llin.

cyweirio march Harneisio ceffyl, cyfrwyo ceffyl, gwisgo ceffyl â harnais ac ag addurniadau.

cyweirio sanau Trwsio neu frodio sannau.

cyweirio tŷ (adeilad) Trwsio adeilad, cyweirio adeilad, *atgyweirio* adeilad.
1620 2 Cron 24.5, … a chesglwch gan holl Israel arian i *gyweirio* tŷ eich Duw.

cyweirio ystafell Rhoi stafell mewn trefn, tacluso stafell.
Dywed. 'Cyweirio'r cywair', sef cywiro Cân Mair (Y Magnifficat, Luc 1.46-55), h.y. cywiro'r cywir, gwella'r hyn nad oes wella arno, gweld bai lle nad oes fai.

cyweiriwr, cyweirwr *eg.* ll. *cweirwyr.* Disbaddwr, ysbaddwr, torrwr ar anifail gwryw, un yn anffrwythlonni anifail, cotiwr, geldingwr (ceffyl). Ar lafar yn y Gogledd. Gynt byddai *cyweiriwr* ym mhob ardal, yn mynd o gwmpas y ffermydd, yn ôl y gofyn, i gyweirio neu sbaddu anifeiliaid. Ym Môn clywir y ffurf 'cweiriwr'.
1981 W H Roberts: AG 75, soniai fy nhad yn aml am Thomas Rowland, y *Cweiriwr*, Gwalchmai, fel un o'r siaradwyr huotlaf.
Gw. DISBADDU, SBADDU.

cywen *eb.* ll. *cywennod.* Bach. *cywennen.* Iâr ifanc, cyw iâr benyw ac mewn oed dodwy.
Amr. 'cŵan' (Môn), 'cwannod' (Dyfed).
Ffig. Llances ifanc braidd yn hoff o ddynion.
1896 W J Davies: HPLL 195, Y *g'wennen* gynar cefnog.
Diar. Hir y bydd *cywen* yn gwneud ei nyth.

cywsio *be.* Sŵn wrth yrru defaid, cywsio defaid wrth eu gyrru drwy eu swio. Ar lafar yn Llanbrynmair.
Gw. GEM 120 (1981).

Llyfryddiaeth

A   *Llyfr Aneirin*, Gol., J Gwenogvryn Evans, 1908.
AAST   *Anglesey Antiquarian Society and Field Club Transaction*, 1913 -
AB   *Archæologia Britannica*, Edward Lhuyd, 1707.
ACL   *Archiv für celtische Lexikographie*, 1898-1907.
Angharad, G.: CSB   Gwenllian Angharad: *Cymraeg Sir Benfro*, 1991.
AIHA: AWC   *Atebion i Holiadur Amaethyddol*, Amgueddfa Werin Cymru (1937-8).
Anthropos: OGE   Anthropos (Robert David Rowland): *Oriau gyda'r Enwogion*, 1909.
Anwyl, L.: CA   Lewis Anwyl (Ysbyty Ifan): *Cyngor yr Athraw i Rieni*, [1740].
Ap Hevin: DWOW   Ap Hevin: *Dwy Wraig o'r Wlad*.
AP   *Yr Areithiau Pros*, Gol., D Gwenallt Jones, 1934.
Ashton, C.: HLLC   Charles Ashton: *Hanes Llenyddiaeth Cymru*, 1893.
Ashton, C.: YDdDG   Charles Ashton: *Y Ddirprwyaeth Dir Gymreig*, 1895.
AUC   *Amaethyddiaeth Ucheldir Cymru*, 1852.
Awen Mona: HCH   Awen Mona: *Helyntion Cwm Hir*.
AWC   *Amgueddfa Werin Cymru*.
AYCC   *Ar Ymyl Cors Caron*, Ifan Jones, 1967.

B   *Bwletin y Bwrdd Gwybodau Celtaidd*, 1921 - .
Baddy, T.: CS   Thomas Baddy: *Caniad Solomon*, 1725.
Baddy, T.: DDG   Thomas Baddy: *Dwy Daith i Gaersalem*, 1728.
Baddy, T.: PCh   Thomas Baddy: *Pasg y Christion*, 1703.
Bangor   Llawysgrif yng nghasgliad Coleg Prifysgol Cymru, Bangor
Barn   Y cylchgrawn *Barn*, 1962 - .
B.B.   *Beirdd y Berwyn*, Gol., O M Edwards, 1903.
B.B.   *Beirdd y Bala*, Gol., O M Edwards, 1911.
BB   *Brut y Brenhinedd*, Gol., J J Parry, 1937.
BC   *Blodeu-gerdd Cymry, sef Casgliad o Ganiadau Cymreig ... o Gynnulliad David Jones*, 1759.
BCN   *Y Beibl Cymraeg Newydd*, 1988.
BD   *Brut Dingestow*, Gol., Henry Lewis, 1902.
BDG   *Barddoniaeth Dafydd ap Gwilym*, o Grynhoad Owen Jones a William Owen, 1789.
Bebb, A.: YBB   Ambrose Bebb: *Y Baradwys Bell*, 1941.
Bebb, A.: CC   Ambrose Bebb: *Crwydro'r Cyfandir*, 1936.
Bebb, A.: CT   Ambrose Bebb: *Cyfnod y Tuduriaid*, 1939.
Bebb, A.: Ll   Ambrose Bebb: *Llydaw*, 1929.
Bedo Aeddrem   *The Poetical Works of Bedo Aerddrem ...* , Traethawd MA, Robert Stephen, 1907.
BLJ: BILLE   Bedwyr Lewis Jones: *Blas ar Iaith Llŷn ac Eifionydd*, 1987.
BLJ: ISF   Bedwyr Lewis Jones: *Iaith Sir Fôn*, 1983.
Beynon, T.: GAO   Tom Beynon: *Gwrid ar Orwel*, 1938.
BM   Llawysgrif yng nghasgliad yr Amgueddfa Brydeinig.
Bren. Saes.   *Brenhinedd y Saeson*, Gol., T Jones, 1971.
Brog   Llawysgrif yng nghasgliad Brogyntyn (1700) yn Llyfrgell Genedlaethol Cymru
Brutus: WBC   David Owen (Brutus): *Wil Brydydd y Coed*, 1876.
Brython   *(Y) Brython*, 1861 - .
BSS   *An Elisabethan broadside in the Welsh language 1591 ...* , Adarg., 1904.
BT   *Brut y Tywysogyon*, Peniarth MS 20, Gol., Thomas Jones, 1941.
BY   *Y Bibyl ynghymraec*, Gol., Thomas Jones, 1940.

C	*Llyfr Du Caerfyrddin*, Gol., J Gwenogvryn Evans, 1906.
Camden, W.: B	William Camden: *Britannia*, Gol., Edmund Gibson, 1695.
Card	Llawysgrif yn Llyfrgell Rydd Caerdydd.
CAWA	*Cynnhwysiad neu Abstract o'r Weithred am Adgyweiriad ... Prif Ffyrdd yn y fl. 1773*, [d.dd].
CBYB	*Cyfrinach Beirdd Ynys Prydein*, Gol., Iolo Morganwg, 1785-90.
CC	*Llawysgrif Cefn Coch*, Gol., J Fisher, 1899.
CCC	*Cân ... Ynghylch Cydwybod a Chynheddfau*, 1718.
CCGR	*Cit-Cat a Gwin Riwbob*, Harri Parri, 1995.
CD	*Cydymaith Diddan*, Dafydd Jones, 1766.
CDD	*Carolau a Dyriau Duwiol*, Thomas Jones, 1696.
Ceiriog	*Gweithiau Ceiriog* (Cyfr. 1, 2 a 3), 1832-87.
Cer R C	*Cerddi Rhydd Cynnar*, Gol., D Lloyd Jenkins, 1931.
CETGF	*Cylchgrawn er Taenu Gwybodaeth Fuddiol*, 1834.
Charles, T.: Geir	Thomas Charles: *Geiriadur Charles*, arg. 1877.
CHDd	*Cyfraith Hywel Dda o Lawysgrif Coleg Iesu*, Gol., Melville Richards, 1957.
CHW	*Cyfaill o'r Hen Wlad*, 1864.
CI	*Castell yr Iechyd*, Elis Gruffydd, Gol., Minuel Tibbott, 1969.
CIF	*Cyfarwyddiad i Fesurwyr*, 1720.
CLlC	*Cymdeithas Llên Cymru*, 1900-10.
CM	*Llawysgrif yng Nghasgliad y Cwrt Mawr* (1545), LLGC.
CRC	*Canu Rhydd Cynnar*, Gol., T H Parry-Williams, 1932.
CRIM	*Cerddi Rhydd Iolo Morganwg*, Gol., P J Donovan, 1980.
Crusoe, R.	*Bywyd Hynod ... Robinson Crusoe*, 1795.
CDC	*Crwth Dyffryn Clettwr*, 1823, 1848.
Crwys: CC	Crwys: *Cerddi Crwys*, 1920.
Crwys: CN	Crwys: *Cerddi Newydd Crwys*, 1924.
CTC	*Cerddi'r Tai Crefydd (1500-7)*, Traethawd MA, Catrin Beynon Davies, 1973.
Cy	*Y Cymrodor*, 1877 – .
Cyf Eist Genedl	*Cyfansoddiadau yr Eisteddfod Genedlaethol.*
Cyfnod (Y)	Papur Lleol Wythnosol y Bala a Phenllyn.
Cylchg.	*Cylch-grawn Cynmraeg; neu Drysorfa Gwybodaeth*, 1793-4.
CYLL	*Cerddi Ysgol Llanycrwys a Hanes Plwyf Llanycrwys*, Gol., Dan Jenkins, 1934.
Cynan: CC	Albert Evans-Jones (Cynan), *Cerddi Cynan*, 1959.
Cynddelw: MH	Cynddelw: *Manion Hynafiaethol*, 1873.
Cynfaen: CG	Cynfaen: *Cyfrol Goffawdwriaethol Cynfaen*, 1888.
Cynwal, W.	*Gwaith William Cynwal*, 16g.
ChO	*Chwedlau Odo*, Gol., Ifor Williams, 1926.
D	*Dictionarium Duplex*, John Davies, 1632.
Dafydd Benwyn, Gwaith	*The Life and Work of Dafydd Benwyn*, Traethawd D. Phil., Dafydd Huw Evans, 1981.
Dafydd Ddu: A	Dafydd Ddu Eryri (David Thomas): *Awdlau ar Destynau, Cymdeithas y Gwyneddigion*, 1791.
Dafydd Ionawr: CD	Dafydd Ionawr: *Cywydd y Drindod*, 1793.
Dafydd Ionawr: MB	Dafydd Ionawr: *Y Mil-Blynyddau*, 1799.
Dafydd Llwyd: YDD	Dafydd Llwyd: *Ymadrodd Ynghylch Dychmygion Dynion yn Addoliad Duw*, 1740.
Dafydd Llwyd: Gwaith	Dafydd Llwyd: *Gwaith Dafydd Llwyd o Fathafarn*, Gol. Leslie Richards, 1964.
Davies, A. Talfan.: CrSirGâr	Aneurin Talfan Davies: *Crwydro Sir Gâr*, 1955.
Davies, D.T.: EH	D. T. Davies: *Effraim Harris*, 1914.
Davies, D Tegfan.: OGSG	D. Tegfan Davies: *O Ganol Sir Gâr*, 1940.

Eben Fardd: GB Eben Fardd, *Gweithiau Barddonol*, 1873.
Ecclus. *Llyfr Ecclestiasticus (Apocryffa)*, Arg. 1959 (SPCK).
Edwards, C.: FfDd Charles Edwards, *Y Ffydd Ddiffuant*, 1667.
Edwards, D. Miall: CD D Miall Edwards, *Crefydd a Diwylliant*, 1934.
Edwards, D. Miall: CG D Miall Edwards, *Crist a Gwareiddiad*, 1921.
Edwards, Huw Lloyd: PK Huw Lloyd Edwards, *Pros Kairon*, 1967.
Edwards, John: YMA John Edwards (Caerwys), *Y Meddyg Anifeiliaid*, 1816.
Edwards, O. M.: CC O M Edwards, *Cartrefi Cymru*, 1896.
Edwards, O. M.: TTG O M Edwards, *Tro Trwy'r Gogledd*, 1910.
Edwards, W. J.: ALFhRh W J Edwards, *Ar Lethrau Ffair Rhos*, 1963.
EDPP *Esponiad ar Ddameg y Pharisead a'r Publican*, 1775.
Egl. Ph. *Egluryn Phraethineb*, Henri Perri 1595, Adarg. 1930.
E. Iâl: BI Ehedydd Iâl, *Blodau Iâl*, 1898.
Eilionydd: TSC Eilionydd, *Twm Sion Cati*, 1872.
Elis o'r Nant: RSOG Elis Pierce, *Robert Sion o'r Gilfach*, 1894.
Elfed: YC *Y Caniedydd*, 1960.
Ellis, T. I.: CrC T I Ellis, *Crwydro Ceredigion*, 1953.
Etudes Celtiques *Etudes Celtiques*, 1936 – .
EW *Yr Eurgrawn Wesleaidd*.
Evans, A. W. Wade: WML A W Wade Evans, *Welsh Medieval Laws*, 1909.
Evans, B.: CG Benjamin Evans, *Crefydd Gymdeithasol*, 1797.
Evans, D. J.: HCS D J Evans, *Hanes Capel Seion*, 1935.
Evans, D. Silvan: TD D Silvan Evans, *Telyn Dyfi*, 1898.
Evans, E.: B Einion Evans, *Barddas*, 1977.
Evans, H.: CE Hugh Evans, *Cwm Eithin*, 1933.
Evans, H.: CTF H Evans, *Cynghorion Tad i'w Fab*, 1683.
Evans, J.: BHNO J Evans, *Byrr Hanes am Fywyd a Marwolaeth Nathanael Othen*, 1761.

Evans, J.: Cof. *Cofiant John Evans, Eglwysbach*, 1903.
Evans, J.: CPE J Evans, *Cysondeb y Pedair Efengyl*, 1765.
Evans, J.: PF J Evans, *Y Prif Feddyginiaeth*, 1759.
Evans, R. J.: LlFf R J Evans, *Llythyrau Ffermwr*, 1982.
Evans, T.: BT T Evans (Telynog), *Barddoniaeth Telynog*, 1866.
Evans, T. M.: HG T M Evans, *Hirnos Gaeaf*, 1899.
Evans, Th.: DDM Theophilus Evans, *Drych y Dyn Maleisus*, 1747.
Evans, Th.: DPO Theophilus Evans, *Drych y Prif Oesoedd*, 1740.
Evans, Th.: C Theophilus Evans, *Cydwybod*, 1715.
Evans, W Eilir: YRhNA W Eilir Evans, *Y Rhyfel yn Ne Affrica*, 1902.
EWGP *Early Welsh Gnomic Poetry*, Gol., Kenneth Jackson, 1935.

FN *Y Flodeugerdd Newydd*, Gol., W J Gruffydd, 1909.
FfA *Y Ffigys-bren Anffrwythlon*, 1766.
FfBO *Ffordd y Brawd Odrig*, Gol., Stephen J Williams, 1929.
FfFfPh *Fferm a Ffair a Phentre*, John Williams ac Eben Davies, 1958.
FfTh *Fferm a Thyddyn* (Cylchg.), Gol., Twm Elias, 1988 – .

GABC *Gemwaith Awen Beirdd Collen*, o *Gasgliad Jonathan Hughes*, 1806.
GB *Y Geiriadur Beiblaidd*, 1926.
GCH *Glamorgan County History 1936 – .*
GDD *Glossary of the Demetian Dialect*, W Meredith Morris, 1910.
GDG¹ *Gwaith Dafydd ap Gwilym*, Gol., Thomas Parry, 1952.
GDG² *Gwaith Dafydd ap Gwilym*, Gol., Thomas Parry, 1963.
GDLl *Gwaith Dafydd Llwyd* (15g), Gol., Leslie Richards, 1924.
GEM *Gwerin-Eiriau Maldwyn*, Gol., Bruce Griffith, 1981.
Gesta Rom. *Gesta Romanorum*, Llyfrgell Genedlaethol Cymru (13076).
GG *Gwyddor Gwlad* (Cylchg.), Gol., John Owen Hughes.

GGH	*Gwaith Gruffydd Hiraethog*, Gol., D J Bowen, 1990.
GGI[1]	*Gwaith Guto'r Glyn* (15g), Gol., J Llewelyn Hughes ac Ifor Williams, 1939.
GGI[2]	*Gwaith Guto'r Glyn*, Gol., J Llewelyn Hughes ac Ifor Williams, 1961.
GGJ	*Y Gywrain Gelfyddyd o Japannio, neu Rodd Meistr i'w Brentis*, 1761.
GIA	*Galwad i'r Anychweledig*, 1659 (1751).
GIG	*Gwaith Iolo Goch* (14g), Gol., D R Johnson, 1988.
Glam. Bards	*Glamorgan Bards* (15g), Traethawd MA, J Morgan Williams, 1923.
Glanffrwd: PLl	Glanffrwd, *Plwyf Llanwyno*, 1888.
GLM	*Gwaith Lewys Môn* (18g), Gol., Eurys Rowlands, 1975.
GO	*L'œúvre poétique de Gutun Owain*, Gol., E Bachellery, 1950-1.
GPC	*Geiriadur Prifysgol Cymru*, 1950 – .
GRCG	*Gwaith Robin Cildro a'i Ganlynwyr*, Gol., Cennard Davies, 1964.
Gron.	*Gronoviana, Gwaith Goronwy Owen* (18g), Gol., E Jones ac O Williams, 1860.
GST	*Gwaith Sion Tudur*, Gol., Enid Roberts, 1980.
GT	*Geiriadur Termau*, Gol., Jac L Williams, 1973.
Griffith, G.: GA	George Griffith, *Gweddi'r Arglwydd wedi ei Hegluro*, 1685.
Griffith, T. Jones: MA	T Jones Griffith, *Magu Anifeiliaid*, 1932.
Griffith, G. Wynne: CBG	G Wynne Griffith, *Cofio'r Blynyddoedd Gynt*, 1967.
Griffith, G. Wynne: HYG	G Wynne Griffith, *Helynt yr Ynys Gain*, 1939.
Griffiths, E.: GF	E Griffiths, *Golwg Fer ar yr Hanes Ysgrythurol Oll*, 1775.
Griffiths, G.: BHH	G Griffiths, *Blas Hir Hel*, 1976.
Griffiths, J.: TYD OJIG	J Griffiths, *Tro yn y Dwyrain, O Jerico i Gymru*, 1912.
Griffiths, Pennar: Cof.WW	Pennar Griffiths, *Cofiant Watkyn Wyn*, 1915.
Gruffydd, I.: GOB	Ifan Gruffydd, *Gŵr o Baradwys*, 1963.
Gruffydd, I.: TYS	Ifan Gruffydd, *Tân yn y Siambar*, 1966.
Gruffydd, I.: C	Ifan Gruffydd, *Cribinion*, 1971.
Gruffydd, W. J.: YYH	W J Gruffydd, *Ynys yr Hud*, 1923.
Gruffydd, W. J.: TM	W J Gruffydd, *Tomos a Marged*, 1965.
Gruffydd, W. J.: SYHF	W J Gruffydd, *Straeon yr Henllys Fawr*, 1938.
Gr. Hiraethog: GGH	*Gwaith Gruffydd Hiraethog*, Gol., D J Bowen, 1990.
Gwalchmai: CG	Gwalchmai, *Cofiant a Gweithiau*, Gol., R Peris Williams, 1899.
Gw. Mechain: GGM	*Gwaith Gwallter Mechain*, Gol., D Silvan Evans, 1866-8.
Gwenallt: MS	D Gwenallt Jones, *Y Mynach a'r Sant*, 1928.
Gwilym ab Iorwerth: SB	Gwilym ab Iorwerth, *Saith o Bregethau*, 1710.
Gwilym Hiraethog: AFR	Gwilym Hiraethog, *Aelwyd F'ewyrth Robert*, 1858.
Gwilym Hiraethog: LlHFf	Gwilym Hiraethog, *Llythyrau Hen Ffermwr*, 1878.
Gwylfa: GLlG	Gwylfa, *Gerllaw Llyn Genefa*, 1911.
Gwyn. 3	*Gwyneddon 3*, Gol., Ifor Williams, 1931.
H	*Llawysgrif Hendregadredd* (15g), Gol., Ifor Williams, 1931.
Haf. LlRC	*Llawysgrif yng Nghasgliad yr Hafod*, Llyfrgell Rydd, Caerdydd.
Harries, H.:	*Hanes Fer o Fywyd Howell Harries Ysgweier*, 1792.
Harris, J.: Alm.	John Harris, *Almanaciau*, 1790-1804.
HBIA	*Hyfforddwr Byr i'r Amgueddfa*, 1936.
HC (weithiau HCIN)	*Hyfforddwr Cyfarwydd i'r Nefoedd*, 1693.
HCLl	*Gwaith Huw Cae Llwyd ac Eraill*, Gol., Leslie Richards, 1953.
Hen Benillion	*Hen Benillion*, Gol., T H Parry-Williams, 1940.
HFC	*Yr Hen Feibl Cymraeg* (1620).

HG	*Hen Gwndidau a Charolau a Chywyddau*, Gol., L T Hopkin James a T C Evans, 1910.
HGC	*History of Gruffydd ap Cynan* (13g), Arg. 1910.
HGK	*Historia Gruffydd ap Kenan*. Gol., D Simon Evans, 1977.
HMDdG	*Hanes Môn yn y Ddeunawfed Ganrif*, 1927.
HMSS	*Hengwrt Manuscripts* (14g), Gol., R Williams, 1876 a 1892.
Holland, R.: AB	Robert Holland (Llanddowror), *Agoriad Byr ar Weddi'r Arglwydd*, 1677.
Hooson, I.D.: CB	I D Hooson, *Cerddi a Baledi*, 1936.
Hopkin, L.: FG	Lewis Hopkin, *Y Fêl Gafod*, 1813.
Hopkins, B. T.: BEC	B T Hopkins, *Beirdd Ein Canrif*, 1934.
Hopkins, B. T.: Nod. i AWC	B T Hopkins, *Nodiadau i Amgueddfa Werin Cymru*, 1973.
Hop. M.	*Hopkiniaid Morgannwg* (16g), Gol., Hopkin James, 1909.
Howell, G.: Alm	Gwilym Howell, *Almanaciau*, 1767-75.
Howells, Erwyd: DOPG	Erwyd Howells, *Dim ond Pen Gair*, 1990.
Hughes, D.: ED	D Hughes, *Elfennau Daearyddiaeth*, 1853.
Hughes, E. D.: TBRD	E D Hughes, *Tair Bro a Rownd y Byd*, 1996.
Hughes, J.: AP	John Hughes, *Allwydd neu Agoriad Paradwys i'r Cymry*, 1670, Adarg. 1929.
Hughes, J.: BB	Jonathan Hughes, *Bardd y Byrddau*, 1778.
Hughes, J.: Cof. AG	John Hughes, *Cofiant Ann Griffiths*, 1854.
Hughes, J R.: FfC	J R Hughes, *Ffraethineb Cysygredig*, 1902.
Hughes, R.	Hunangofiant Robert Hughes, *Uwchlaw'r Ffynnon*, 1893.
Hughes, R.: EM	Robert Hughes, *Enwogion Môn*, 1913.
Hughes, R.: CO	Roger Hughes, *Cerddi'r Offeiriad*, 1932.
Hughes, R. R.: Cof. JW	R R Hughes, *Cofiant John Williams, Brynsiencyn*, 1929.
Hughes, S.: AC	Stephen Hughes, *Adroddiad Cywir o'r Pethau Pennaf … yn Burgundy*, 1681.
Hughes, S.: TSP	Stephen Hughes, *Taith neu Swrnai y Pererin*, 1688.
Hughes, T. Rowland: OLIL	T Rowland Hughes, *O Law i Law*, 1944.
Hughes, W.: CC	W Hughes, *Cyfarwydd y Cywrain*, 1840.
Huw Arwystl: Gwaith	*Gweithiau Barddonol Huw Arwystl* (16g), Traethawd MA, J Afan Jones, 1926.
Huw Cae Llwyd: Gwaith	*Barddoniaeth Huw Cae Llwyd ac Eraill*, Traethawd MA, Leslie Richards, 1933.
Huw Derfel: BG	Huw Derfel, *Blodau'r Gân*, 1844.
Huw Tegai: BB	Huw Tegai, *Bwrdd y Bardd*, 1839.
HVN	*History of the Vale of Neath*, D Rhys Philips, 1925.
Hen Was: RC	Hen Was, *Rwy'n Cofio*, 1963.
Hywel Cilan	Hywel Cilan, *Gwaith*, 1835-70.
Hywel Rheinallt:	*Gwaith* (15-16g), Traethawd MA, Wendy Davies, 1967.
Iago ap Dewi: TG	Iago ap Dewi, *Tyred a Groesaw at Jessu Grist* 1719.
Iago ap Dewi: YL	Iago ap Dewi, *Yr Ymarfer o Lonyddwch*, 1730.
Iâl, E.: BI	Ehedydd Iâl, *Blodau Iâl*, 1898.
Ieuan Brydydd Hir: P	Ieuan Brydydd Hir, *Casgliad o Bregethau*, 1776.
Ieuan Brydydd Hir:	*Gwaith*, Gol., D Silvan Evans, 1876.
Ieuan Brydydd Hir: LlIH	Ieuan Brydydd Hir, *Llys Ifor Hael (Englynion)*, 1779.
ID	*Casgliad o Waith Ieuan Deulwyn* (15), Gol., Ifor Williams, 1909.
Ieuan Glan Aled: GYO	Ieuan Glan Aled, *Golud yr Oes*, 1863.
IGE[1]	*Cywyddau Iolo Goch ac Eraill* (14g), Gol., Henry Lewis, Thomas Roberts ac Ifor Williams, 1925.
IGE[2]	*Cywyddau Iolo Goch ac Eraill* (14g), Gol., Henry Lewis, Thomas Roberts ac Ifor Williams, 1937.
IICRC	*Iaith ac Ieitheg y Cerddi Rhydd Cynnar*, Traethawd MA, Meurig Evans, 1937.

IMCY	*Iolo Morgannwg a Chywyddau'r Ychwanegiad*, Gol., G J Williams, 1926.
Ioan Emlyn: CGYG	Ioan Emlyn, *Cerddi Gwlad y Gân*, 1868.
Ioan Siencyn	*Gwaith* (18g), *Marwnad yr Anrhydeddus Thomas Lloyd Yscwier*, 1788.
Iolo MSS.	*Iolo Manuscripts*, Gol., Taliesyn Williams, 1848.
J	*Llawysgrif* yng Nghasgliad Coleg Iesu, Rhydychen.
Jac Glangors: Gwaith	*Gwaith*, Gol., O M Edwards, 1905.
Jac Glangors: STG	Jac Glangors, *Seren Tan Gwmwl*, 1795.
James, E.: Hom	Edward James, *Pregethau a Osodwyd Allan drwy Awdurdod*, 1606.
James, T.	T James, *Gemau Ceredigion*.
Jenkin, T. J.: AIHA AWC	T J Jenkin, *Atebion i Holiadur Amaethyddol* yn Amgueddfa Werin Cymru (1937-8).
Jenkin, T. J.: YPLl	T J Jenkin, *Y Parc Llafur (Geirfa a Nodiadau)* yn Amgueddfa Werin Cymru.
Jenkins, D.: AWYS	Dafydd Jenkins, *Ar Wib yn Sweden*, 1959.
Jenkins, R. T.: AAH	R T Jenkins, *Yr Apêl at Hanes*, 1930.
Jenkins, R. T.: FfYNg	R T Jenkins, *Y Ffordd yng Nghymru*, 1933.
Jenkins, R. T.: EYO	R T Jenkins, *Edrych yn Ôl*, 1961.
Jones, B. L.: ISF	Bedwyr Lewis Jones, *Iaith Sir Fôn*, 1983.
Jones, B. L.: BILlE	Bedwyr Lewis Jones, *Blas ar Iaith Llŷn ac Eifionydd*, 1987.
Jones, Cain: Alm	J Cain Jones, *Almanaciau*, 1776-95.
Jones, Carey: WGCC	Carey Jones, *Yr Wyddfed Ganrif Cyn Crist*.
Jones, D.: CD	*Cydymaith Diddan*, Gol., Dafydd Jones, 1766.
Jones, D.: CDB	Dafydd Jones (Caeo), *Caniadau Dwyfol i Blant*, 1771.
Jones, D.: HCY	Dafydd Jones (Caeo), *Hymnau a Chaniadau Ysbrydol*, 1775.
Jones, D.: OHW	Dic Jones, *Os Hoffech Wybod*, 1989.
Jones, D.: SA	Dic Jones, *Storom Awst*, 1978.
Jones, D.: SS	Dic Jones, *Sgubo'r Storws*, 1986.
Jones, D. E.: HPLlPh	D E Jones, *Hanes Plwyf Llangeler a Phenboir*, 1899.
Jones, D. Gwenallt: PB	D Gwenallt Jones, *Plasau'r Brenin*, 1934.
Jones, D. Gwenallt: MS	D Gwenallt Jones, *Y Mynach a'r Sant*, 1928.
Jones, D. Gwenallt: YA	D Gwenallt Jones, *Ysgubau'r Awen*, 1938.
Jones, D. T.: LlB	D T Jones, *Llysieulyfr Brytanaidd*, 1823.
Jones, E.: CP	Edward Jones, *Cyfreithiau Plwyf*, 1794.
Jones, E. Pan: OAG	E Pan Jones, *Oes a Gwaith*, 1903.
Jones, Evan: AYCC	Evan Jones, *Ar Ymyl Cors Caron*, 1967.
Jones, E. I.:	E I Jones (Llanllyfni), Llythyr i AWC 1945 (Llsg 670).
Jones, Ffransis Wyn: GB	Ffransis Wyn Jones, *Godre'r Berwyn*, 1953.
Jones, G.: CFf	G Jones, *Cyfaill Ffyddlon*, 1762.
Jones, G.: HOG	Griffith Jones (Llanddowror), *Galwad at Orseddfainc y Gras*, 1738.
Jones, G.: HWI	Griffith Jones (Llanddowror), *Hyfforddiad i Wybodaeth Iachusol*, 1741-48.
Jones, H.: BB	Handel Jones, *Briwsion o'r Buarth*, 1989.
Jones, H.: CYH	Hugh Jones, *Cydymmaith i'r Hwsmon*, 1774, Adarg. 1949, Gol., Henry Lewis.
Jones, H.: DG	H Jones, *Dewisol Ganiadau yr Oes Hon*, 1759.
Jones, H.: DT	H Jones, *Diddanwch Teuluaidd*, 1763.
Jones, H.: T	Hugh Jones (Maesglasau), *Traethiadau o waith ... John Bunyan*, 1790-1.
Jones, H.: YGYB	Huw Jones, *Y Gair yn ei Bryd*, 1994.
Jones, I.: HAG	Islan Jones, *Hen Amser Gynt*, 1958.
Jones, J.: DFF	Jenkin Jones (Llwynrhydowen), *Dydd y Farn Fawr*, 1727.
Jones, J.: LlP	Jenkin Jones (Llwynrhydowen), *Llawlyfr Plant*, 1732.

407

Jones, J.: LlA   Jenkin Jones (Llwynrhydowen), *Llun Agrippa*, 1723.
Jones, J. E.: TlS   J E Jones, *Tro i'r Swisdir*, 1968.
Jones, J. H.: OMlM   J H Jones, *O'r Mwg i'r Mynydd*, 1913.
Jones, J. H.: SOR   J H Jones, *Swp o Ryg*, 1920.
Jones, J. H.: DE   J H Jones, *Drysau Eraill*, 1923.
Jones, J. H.: M   J H Jones, *Moelystota*, 1932.
Jones, J Morgan: EA   J Morgan Jones, *Economeg Amaethyddiaeth*, 1930.
Jones, J. P.: DEG   John Penri Jones, *Deg o Epigramau Gwreiddiol*, Cyfns. Eisteddfod Maldwyn, 1981.

Jones, J. R.   J R Jones, *Cerddi JR*, 1970.
JRWAS   *Journal of the Royal Welsh Agricultural Society.*
Jones, J. T.: HNDd   Josiah Thomas Jones, *Hanes y Nef a'r Ddaear*, 1848 (1959).
Jones, O.: DCG   Owen Jones, *Dywediadau Cefn Gwlad*, 1977.
Jones, O.: HBRT   O Jones, *Hanes Bywyd Robert Thomas*, 1869.
Jones, R.: BB   Richard Jones (Dinbych), *Bellach neu Byth*, 1677.
Jones, R.: HCh   Richard Jones (Dinbych), *Hyfforddiadau Christianogol*, 1675.
Jones, R.: DYA   Robert Jones, *Drych yr Amserau*, 1820.
Jones, R.: GD   Robert Jones (Llanllyfni), *Gemau Diwinyddol*, 1865.
Jones, R.: GP   Rhys Jones (Y Blaenau), *Gwaith Prydyddawl*, Gol., R Jones Owen, 1818.

Jones, R. E.: LlIC   R E Jones, *Llyfr o Idiomau Cymraeg*, 1975.
Jones, R. E.: ALlC   R E Jones, *Ail Lyfr o Idiomau Cymraeg*, 1987.
Jones, R. H.: YDA   R H Jones, *Y Drws Agored*, 1909.
Jones, R. H.: DE   R H Jones, *Drysau Eraill*, 1923.
Jones, R. W.: PLl   R W Jones, *Plwyf Llansannan*, 1911.
Jones, Simon: SCC   Simon Jones, *Straeon Cwm Cynllwyd*, 1989.
Jones, T.: BU   T Jones, *Beirdd Uwchaled*, 1930.
Jones, T.: ALM   Thomas Jones (Amwythig), *Almanaciau*, 1683 – .
Jones, T.: TP   Thomas Jones (Amwythig), *Taith y Pererin*, 1699.
Jones, T.: YGD   Thomas Jones (Amwythig), *Y Gymraeg yn ei Disgleirdeb*, 1688.
Jones, T.: YC   T Jones, *Ymddiddanion Crefyddol*, 1807.
Jones, T.: CCA   Thomas Jones (Dinbych), *Y Cristion mewn Cyflawn Arfogaeth*, 1796.
Jones, T.: TOE   T Jones, *Tomos o Enlli*, 1964.
Jones, T.: TOS   Thomas Jones (Creaton), *Tragwyddol Orffwysfa'r Saint*, 1790.
Jones, T. G.: YMC   T G Jones, *Y Môr Canoldir*, 1912.
Jones, T. Gwynn: C   T Gwynn Jones, *Caniadau*, 1934.
Jones, T. Gwynn: AG   T Gwynn Jones, *Awen y Gwyddyl*, 1922.
Jones, T. Gwynn: B   T Gwynn Jones, *Brithgofion*, 1944.
Jones, V.: AA   Vernon Jones, *Awen Aberteifi*, 1961.
Jones, W.: LlG   William Jones (Betws Gwerful Goch), *Llu o Ganiadau*, 1798.
Jones, W.: GB   William Jones (Dinbych), *Gair i Bechaduriaid a Gair i'r Sainct*, 1676.
Jones, W.: RP   William Jones (Nebo), *Rhigymau'r Pridd*, 1947.
Jones, W.: TC   William Jones (Nebo), *Tannau'r Cawn*, Gol., D Tecwyn Lloyd, 1965.
Jones, W.: YLlF   William Rhagfyr Jones, *Y Llofft Fach*, 1908.
Jones, W. H.: HOGM   W. H. Jones, *Hogyn o Gwm Main*, 1985.
Jones-Griffith, J.: MA   J Jones-Griffith, *Magu a … Anifeiliaid*, 1932.

Kilvert, F.: KD   Francis Kilvert, *Kilvert's Diary*, Gol., W Plomer, 1977.
Kyffin, M.: DFf   Morus Kyffin, *Diffiniad Ffydd Eglwys Loegr*, 1595.

Langford, J.: HDdD   J Langford, *Holl Ddyletswydd Dyn*, 1672.
LBS   *The Life of British Saints*, Bairing Gould a John Fisher, 1907-13.

Leg. Wall.	*Leges Wallicae. Cyfreithiau Hywel Dda* (13g), Gol., W Wotton a M Williams, 1730.
Lewis, D.: GB	David Lewis (Llangatwg), *Golwg ar y Byd*, 1725.
Lewis, E.: DREX	Elis Lewis, *Ystyriaethau Drexelius ar Dragwyddoldeb*, 1661.
Lewis, J.: CE	John Lewis, *Catechism yr Eglwys ... trwy holion ac attebion*, 1713, 1739.
Lewis, S.: BG	Saunders Lewis, *Buchedd Garmon*, 1937.
Lewis, T.: CD	Thomas Lewis, *Caniadau Duwiol*, 1795.
Lewys, D.: CN	Dafydd Lewys, *Caniadau Nefol*, 1714.
Lewys, E.: HYG	Edgar Lewys, *Hiwmor y Glowr*, 1977.
Lewys, H.: PA	Huw Lewys, *Perl mewn Adfyd*, 1595, Adarg. 1929.
Lewys, T.: BMA	Thomas Lewys, *Bywyd a Marwolaeth yr Annuwiol*, 1731.
LGC	Lewis Glyn Cothi, *Gwaith* (1455-85), Gol., Tegid a Gwallter Mechain, 1837-9.
LHDd	*The Laws of Hywel Dda*, Gol., Timothy Lewis, 1912.
Lhuyd, E.: Par.	Edward Lhuyd, *Parochialia, Atodiad i Archaelogia Cambrensis*, 1909-11.
Lhuyd, E.: AB	Edwards Lhuyd, *Archaeologia Cambrensis*, 1707.
LM	*Llythyrau Lewis Morris*, 1760.
LTWL	*The Latin Tescts of the Welsh Laws* (1300), Gol., H D Samuel, 1967.
LL	*Llyfr Llandaf*, Gol. J Gwenogfryn Evans a John Rhys, 1893.
Ll	*Y Llenor*, Gol., O M Edwards 1895-8 a W J Gruffydd 1922-55.
LlA	*Llyvyr Ankyr Llanddewi Brefi* (1346), Gol., J Morris Jones a John Rhys, 1894.
LlAB	*Llythyrau Ann Bowen*, 1870-72.
Llawdden, Gwaith	*Barddoniaeth Llawdden a Rhys Nanmor*, Traethawd MA, M Headley, 1938.
LLB	*Llyfr Blegwyryd, Cyfreithiau Hywel Dda yn ôl Llyfr Blegwyryd*, Gol., Stephen J Williams a J E Powell, 1942.
LlB: D	Llwyd o'r Bryn, *Diddordebau*, 1966.
LlB: YP	Llwyd o'r Bryn, *Y Pethe*, 1955.
LLC	*Llyfr Colan*, Gol., Dafydd Jenkins, 1963.
LLCH	*Llyfr Coch Hergest.*
LLCy	*Llên Cymru 3* (1654), Gol., G J Williams, 1950-1.
LLDW	*Llyvyr Du o'r Waun (Y Cyfreithiau)*, Gol., J Gwenogfryn Evans, 1909.
LLEG	*Llawysgrif Ellis Gruffyth* yn LlGC (5276).
LLEG Mos. 158	*Llawysgrif Ellis Gruffyth yng Nghasgliad Mostyn* yn LlGC.
LLEM	*Llyfr Emynau'r Methodistiaid*, 1929.
Llew Llwyfo: GLl	Llew Llwyfo, *Gemau Llwyfo*, 1868.
Llewelyn Sion	*Bywyd a Gwaith Meurig Dafydd (Llanisien) a Llewelyn Sion (Llangewydd)*, Traethawd MA, T O Phillips, 1937.
Llew Tegid	*Gwaith*, Gol., W Penllyn Jones, 1931.
LlG	*Llafar Gwlad* (Cylchgrawn), Gol. John Owen Hughes, 1982 –
LlGC	Llyfrgell Genedlaethol Cymru.
LlGD	*Llythyr o Gyngor Difrifol ... at ŵr mewn cyflwr Afiachus*, 1784.
LlGG	*Llyfr Gweddi Gyffredin*, 1567 – .
LlI	*Llyfr Iorwerth*(13g), Gol., Aled Rhys Wiliam, 1960.
LlLlM	*Llên a Llafar Môn*, Gol., J E Caerwyn Williams, 1963.
LlM	*Llyfr Meddyginiaeth a Physigwriaeth i'r Anafus a'r Clwyfus*, 1750.
LlW	*Y Llofruddiaeth Waedlyd*, 1765.
Lloyd, H.: H	Henry Lloyd, *Hymnau ac Amryw Ystyriaethau*, 1752.
Lloyd, H.: PTNU	Henry Lloyd, *Profiad Tufewnol o Nefoedd ac Uffern*, 1750.
Lloyd, T.: D	Thomas Lloyd, *Ei gopi o Eiriadur y Dr John Davies*, 1730.
Lloyd, W.: CC	W Lloyd, *Cerddi Cerngoch*, 1904.

LlrC	*Llawysgrif o Gasgliad Llanover yn llaw Iolo Morganwg*, 18-19g.
Llsg. R Morris	*Llawysgrif Richard Morris o Gerddi* (17g), Gol., T H Parry-Williams, 1931.
Llst.	*Llawysgrif yn Nghasgliad Llansteffan yn LlGC* (1915).
LlWS	*Llythyr oddi wrth y Parch George Whitfield at Societies neu Gymdeithasau Crefyddol*, 1740.
Llwyd, R.: LlH	Robert Llwyd (Y Waun), *Llwybr Hyffordd yn cyfarwyddo yr Anghyfarwydd i'r Nefoedd*, 1630, 1682.
MA^1	*The Myvyrian Archaiology of Wales*, 1801, 1807.
MA^2	*The Myvyrian Archaiology of Wales*, 1870.
Mathews, E.: YP	*Ysgrif Pregeth gan Edward Mathews*.
Med. H.	*Medieval Heraldry* (yn cynnwys) *Llyfr Arfau* (16g), Gol., E J Jones, 1943.
Meuryn: ALA	Meuryn, *Ar Lwybrau Antur*, 1926.
M Fardd: AVA	Myrddin Fardd, *Atgof Uwch Angof*, 1883.
M Fardd: GESG	Myrddin Fardd, *Gwerin-Eiriau Sir Gaernarfon*, 1907.
M Fardd: LlGSG	Myrddin Fardd, *Llên Gwerin Sir Gaernarfon*, 1908.
Middleton, W.: B	W Middleton, *Barddoniaeth neu Brydyddiaeth*, 1593, Adarg. 1930.
Mills, J.: HYE	J Mills, *Hyfforddi yr Efrydydd*, 1839.
Minsheu	John Minsheu, *The Guide Into Tongues*, 1617.
ML	*The Letters of Lewis, Richard, William, John Morris 1728-65*, Gol., J H Davies, 1907-9.
ML (Add.)	*Additional Letters of the Morrises of Anglesey*, Gol., H Owen, *Y Cymrodor*, Cyfr. 49, 1947-9.
MLl	*Gweithiau Morgan Llwyd* (16g), Gol., T E Ellis a J H Davies, 1899. 1908.
MM	*Meddygon Myddveu* (14g), Gol P Diverres, 1913.
MMF	*The Physicians of Myddvai* (14g), Gol., Ap Ithel, 1861.
Môn	*Cylchgrawn Cyngor Gwlad Môn*, 1950 – .
Morgan, E.: DA	Eluned Morgan, *Dringo'r Andes*, 1904.
Morgan, E.: GYM	Eluned Morgan, *Gwymon y Môr*, 1909.
Morgan, J. J.: AWAG	J J Morgan, *A Welais ac a Glywais*, 1948.
Morgan, J. J.: HDMAD	J J Morgan, *Hanes Dafydd Morgan a Diwygiad '59*, 1906.
Morgan, J. J.: Cof EM	J J Morgan, *Cofiant Edward Mathews*, 1922.
Morgan, R.: TTW	R Morgan, *Tro Trwy'r Wig*, 1906.
Morgan, R. W.: AIG	R W Morgan, *Amddiffyniad yr Iaith Gymraeg*, 1858.
Morgan, W.: VH	W Morgan, *The Vaynor Handbook*, 1893.
Morris, E.: B	*Barddoniaeth Edward Morris, Perthi Llwydion*, Gol., H Hughes, 1902.
Morris, E.: Gwaith	*Bywyd a Gwaith Edward Morris, Perthi Llwydion*, Traethawd MA, Gwenllian Jones, 1941.
Morris, J. R.: ALl	J R Morris, *Atgofion Llyfrwerthwr*, 1963.
Morris, L.: LW	*The Life and Work of Lewis Morris* (1701-65), Gol., H Owen, 1951.
Morris, L.: T	Lewis Morris, *Tlysau yr Hen Oesoedd*, 1735.
Morris, R.: Llsg.	*Llawysgrif Richard Morris o Gerddi* (17g), Gol., T H Parry-Williams, 1931.
Morris, W. M.: GDD	William Meredith Morris, *Glossary of the Demetian Dialect*, 1910.
Morris-Jones, J.: CD	J Morris-Jones, *Cerdd Dafod*, 1925.
Morus, Huw: EC (1 a 2)	Huw Morus, *Eos Ceiriog* (17g), Gol., Gwallter Mechain, 1823.
Morys Clynnog: AG	Morys Clynnog, *Athrawiaeth Gristnogawl 1568*, Adarg. 1880.
Mos.	*Llawysgrif yng Nghasgliad Mostyn* (1678) yn LlGC.

Mostyn, R.: CP	R Mostyn, *Cyfrifydd Parod*, 1870.
NBSFf	*Noddwyr y Beirdd yn Sir y Fflint* (18-19g), Traethawd MA, Alun Charles, 1967.
Nicholas, W. R.: BDC	W Rhys Nicholas, *Blodeugerdd o Ddyfyniadau Cymraeg*, Gol., Alan Llwyd, 1988.
NLW	The National Library of Wales.
Nod. i AWC	Nodiadau i Amgueddfa Werin Cymru.
Owen, A.: AL	Aneurin Owen, *Ancient Laws of Wales*, 1841.
Owen, D.: D	Daniel Owen, *Y Dreflan*, 1881.
Owen, D.: RL	Daniel Owen, *Rhys Lewis*, 1885.
Owen, D.: S	Daniel Owen, *Y Siswrn*, 1888.
Owen, D.: GT	Daniel Owen, *Gwen Tomos*, 1894.
Owen, D.: SP	Daniel Owen, *Straeon y Pentan*, 1895.
Owen, D.: WBC	David Owen (Brutus), *Wil Brydydd y Coed*, 1863-5, Adarg. 1949.
Owen, E.: FHFH	E Owen, *Fy Hanes fy Hun*.
Owen, G.: LL	*Llythyrau Goronwy Owen* (1723-69), Gol., J H Davies, 1924.
Owen, G. D.: HP	G D Owen, *Helynt y Pibydd*, 1933.
Owen, J.: BP	James Owen, *Bedydd Plant o'r Nefoedd*, 1693.
Owen, J.: TB	James Owen, *Trugaredd a Barn*, 1715.
Owen, J.: GB	Jeremi Owen (Henllan Amgoed), *Golwg ar y Beiau*, 1782-3.
Owen, J.: TBG	Jeremi Owen, *Traethawd i brofi ac i gymell yr Holl Eglwysi*, 1733.
Owen, L.: ADdE	L Owen, *Yr Angenrheidrwydd o Ddyfod i'r Eglwys*, 1753.
Owen, T. M.: LlLlM	Trefor M Owen yn *Llên a Llafar Môn*, Gol., J E Caerwyn Williams, 1963.
Owen, T.M.: TM	Trefor M Owen, *Torri Mawn*, 1990.
Owen, W.: PD	William Owen, *Pen y Dalar*, 1960.
Owen, W.: RRL	William Owen, *Robin Rengan Las*, 1979.
P.	*A Welsh and English Dictionary*, Gol., W Owen Pughe, 1793-1803.
Pant.	*Llawysgrif yng Nghasgliad Panton* yn LlGC.
Parri, H.: CCGR	Harri Parri, *Cit-Cat a Gwin Riwbob*, 1995.
Parry, G.: CrLlE	Gruffydd Parry, *Crwydro Llŷn ac Eifionydd*, 1960.
Parry, G.: WDOH	Gruffydd Parry, *Wedi Diwrnod o Hela*, 1960.
Parry, R. W.: CG	R Williams Parry, *Cerddi'r Gaeaf*, 1952
Parry, R. W.: YHChE	R Williams Parry, *Yr Haf a Cherddi Eraill*, 1924.
Parry, T.: SG	Thomas Parry, *Saint Greal*, 1937.
Parry-Jones, D.: Nod i AWC	D Parry-Jones, Nodiadau i Amgueddfa Werin Cymru.
Parry-Jones, D.: WChGAP	D Parry-Jones, *Welsh Children's Games and Pastimes*, 1964.
Parry-Williams, T. H.: Y	T H Parry-Williams, *Ysgrifau*, 1928 a 1984.
Parry-Williams, T. H.: Ll	T H Parry-Williams, *Lloffion*, 1942.
Parry-Williams, T. H.: UOG	T H Parry-Williams, *Ugain o Gerddi*, 1949.
Payne, Ff.: YAG	Ffransis Payne, *Yr Aradr Gymreig*, 1975.
Payne, Ff.: C	Ffransis Payne, *Cwysau*, 1980.
Payne, Ff.: CrSF	Ffransis Payne, *Crwydro Sir Faesyfed*, 1964.
PBG PC	Panel Bathu Geiriau, Prifysgol Cymru.
PCWG	*Pregethau Cymraeg William Griffith (1566-1612) ac Evan Morgan (1574-1643)*, Traethawd MA, Glyn Morgan, 1949.
PDPhH	*Pob Dyn ei Physygwr ei Hun*, 1771.
Peate, I. C.: CAPh	Iorwerth C Peate, *Cymru a'i Phobl*, 1931.
Peate, I. C.: PG	Iorwerth C Peate, *Plu'r Gweunydd*, 1933.
Peate, I. C.: YCNG	Iorwerth C Peate, *Y Crefftwr yng Nghymru*, 1933.

Peate, I. C.: DGC	Iorwerth C Peate, *Diwylliant Gwerin Cymru*, 1943, Adarg. 1975.
Peate, I. C.: RhDF	Iorwerth C Peate, *Rhwng Dau Fyd*, 1976.
Pedrog: SM	Pedrog, *Stori Mywyd*, 1873.
Pen.	*Llawysgrif yng Nghasgliad Peniarth* (1566) yn LlGC.
Perri, Henri, Egl.Ph.	Henri Perri, *Egluryn Phraethineb*, 1595.
PGAD	*Pedwar o Ganneu ar Amryw Destunion*, 1718.
Phillips, Ll.: HAD	Llewelyn Phillips, *Hel a Didol*, 1981.
Phillips, R.: DAW	Richard Phillips, *Dyn a'i Wreiddiau*, 1975.
PhA	*Philipiaid Ardudwy*, Traethawd MA, William Davies, 1912.
Pierce, J.: DLN	John Pierce, *Dan Lenni'r Nos*, 1938.
Powell, E.: HEI	Evan Powell, *Hir Einioes ac Iechyd*, 1762.
Powell, H.: G	Howel Powell, *Y Gwrandawr*, 1709.
Powell, R.: ADV	Richard Powell, *Awdyl ar Dymhorau y Vlwyddyn*, 1793.
PRB	*Pum Rhyfeddod y Byd*, 1715-28.
Prichard, R.: CC	Rhys Prichard, *Cannwyll y Cymry*, 1681.
Prichard, R.: CE	Rhys Prichard, *Cyngor Episgob i bob Enaid*, 1617.
Prichard, R.: Gwaith	*Gwaith Rhys Prichard*, 1672.
Prydderch, W.: Cof.	*Cofiant William Prydderch*, 1894.
Prys, E.: Gwaith	*Edmund Prys (16-17g). Ei Fywyd a Chasgliad o'i weithiau*, Traethawd MA, J W Roberts, 1938.
Prys, J.: Alm.	John Prys, Philomath, *Almanaciau*, 1739-89.
Prys, J. P.: DC	John Prichard Prys (Llangadwaladr), *Difyrrwch Crefyddol*, 1721.
Prys, T.: Bardd	*Barddoniaeth Thomas Prys, Plas Iolyn*, Traethawd MA, W Rowlands, 1912.
Prys, T.: NBSF	*Noddwyr y Beirdd yn Sir Feirionnydd*, Traethawd MA, Arwyn Lloyd Hughes, 1969.
PT	*Penillion Telyn*, Gol., W Jenkin Thomas, 1894.
PTY	*Pelydr a Thywyniad yr Ysbryd neu Bwysi o Fyrr*, 1740.
Pughe, W. O.: CP	W Owen Pughe, *Cynghorion Priodor o Garedigion*, 1800.
R	*The Poetry in the Red Book of Hergest* (14g), Gol., J Gwenogvryn Evans, 1911.
RAGR	*Rhai Aweddau ar Ganu Rhydd Cynnar*, Traethawd MA, Brinley Rees, 1940.
RB	*The Tescts of the Bruts from the Red Book of Hergest*, Gol., John Rhys a J Gwenogvryn Evans, 1890.
RB WM	*Testun Llyfr Coch Hergest* yn *White Book of Mabinogion*.
RC	*Review Celtique*, 1870-1934.
RE	*Rhesymau Eglyr Pa Ham nad Taenelliad Babanod*, 1732.
RE CDd	R E, *Y Cywyr Ddychwelwr*, 1657, 1727.
Rec. C.	*The Record of Caernarvon*, Gol., H Ellis, 1838.
Rees, J.: HYFf	J Rees, *Hyfforddwr y Ffarmwr*, 1878.
Rees, J. M.: DCH	John Morgan Rees, *Diwydiant Cymru Heddiw*, 1931.
Rees, M.: DAW	Mati Rees, *Dyn a'i Waith*, 1957.
Rees, W.: AFR	W Rees, *Aelwyd F'ewyrth Robert*, 1853.
Rees, W.: LlHFf	W Rees, *Llythyrau Hen Ffarmwr*, 1878.
Hywel Rheinallt, Gwaith	Hywel Rheinallt, *Gwaith*, 15-16g.
Rhydderch, S.: Alm.	John Rhydderch, *Almanaciau*, 1722-36.
Rhydderch, S.	S Rhydderch, *English and Welsh Dictionary*, 1725.
Rhyddiaeth Gymraeg	*Rhyddiaeth Gymraeg*, 1 (1954), 2 (1956).
Rhys, E. T.: DA	E T Rhys, *Diliau'r Awen*, 1842.
Rhys, M. J.: D	M J Rhys, *Dioddefiadau Miloedd Lawer o Ddynion Duon*, 1789.
Rhys, M.: LLEM	Morgan Rhys, *Llyfr Emynau'r Methodistiaid*, 1929.
Rhys, S. D.: Inst.	Sion Dafydd Rhys, *Institutiones etRudimenta*, 1592.
Richard, E.	Edward Richard, Ystradmeurig, *Yr Eos*, 18g.
Richards, E.: YAW	Emlyn Richards, *Yr Ardal Wyllt*, 1983.

Richards, E.: PM	Emlyn Richards, *Porthmyn Môn*, 1998.
Richards, N.: CN	Nansi Richards, *Cwpwrdd Nansi*, 1972.
Richards, R.: COC	Robert Richards, *Cymru'r Oesoedd Canol*, 1933.
Richards, T.: CDEE	*Tom Richards ac Englynion Eraill*, Gol., Marian Elias, 1964.
Richards, Thos.: PPh	Thomas Richards, *Piwritaniaeth a Pholitics*, 1927.
Richards, W.: CC	William Richards (Lynn) *Cwyn y Cystuddiedig*, 1798.
Richards, W.: PA	William Richards (Lynn), *Papuryn Achlysurol*, 1800.
Risiart ap Robert: CB	Risiart ap Robert, *Y Credadyn Bucheddol*, 1768.
Risiart, D.: HFP	David Risiart, *Hanes Bywyd a Gwaith Fafasor Powell*, 1774.
RM	*The Tescts of the Mabinogion from the Red Book of Hergest*, Gol., John Rhys a J Gwenogvryn Evans, 1887.
Robert, Gr.: DC	Gruffydd Robert, *Drych Cristianogawl*, 1585.
Robert, Gr.: GC	Gruffydd Robert, *Gramadeg Cymraeg*, Gol., G J Williams, 1939.
Roberts, A.: LlM	Absalom Roberts, *Lloches Mwyneidd-dra*, 1832.
Roberts, E.: GN	Ellis Roberts (Elis y Cowper), *Gras a Natur*, 1769.
Roberts, E.: PCF	Ellis Roberts (Elis y Cowper), *Pedwar Chwarter y Flwyddyn*, 1787.
Roberts, E.: BFNh	Ernest Roberts, *Bargen fy Nhad*, 1963.
Roberts, E. G.: Nod.i AWC	E Grace Roberts, Nodiadau i Amgueddfa Werin Cymru, 1987.
Roberts, E. O.: Nod.i AWC	E O Roberts, Nodiadau i Amgueddfa Werin Cymru, 1987.
Roberts, E. W.: AIHA AWC	Ateb i Holiadur Amaethyddol yn Amgueddfa Werin Cymru (1937-8).
Roberts, G.: AA	Gomer Roberts, *Atgofion Amaethwr*, 1928.
Roberts, G. M.: CrBM	Gomer M Roberts, *Crwydro Blaenau Morgannwg*, 1963.
Roberts, J.: RA	John Roberts (Sion Robert Lewis), *Rhyfyddeg neu Arithmetic*, 1768.
Roberts, J.: GY	John Roberts (Sion Robert Lewis), *Geirlyfr Ysgrythurol*, 1773.
Roberts, J.: CU	John Roberts (Sion Robert Lewis), *Cyfaill Ufudd*, 1771-79.
Roberts, J.: AR	John Roberts (Sion Robert Lewis), *Yr Athrofa Rad*, 1788.
Roberts, J. H.: Môn	J H Roberts, Casgliad o eiriau amaethyddol ym Môn – *Cylchgrawn Cyngor Gwlad Môn*, 1950 –
Roberts, K.: RhB	Kate Roberts, *Rhigolau Bywyd*, 1929.
Roberts, K.: TMC	Kate Roberts, *Traed mewn Cyffion*, 1936.
Roberts, K.: YBSC	Kate Roberts, *Y Byw sy'n Cysgu*, 1956.
Roberts, K.: YLW	Kate Roberts, *Y Lôn Wen*, 1960.
Roberts, O. E.: YGOY	O E Roberts, *Y Gŵr o Ystradgynlais*, 1960.
Roberts, R. A.: HB	R Alun Roberts, *Hafodydd Brithion*, 1947.
Roberts, R. A.: YTG	R Alun Roberts, *Y Tir a'i Gynnyrch*, 1931.
Roberts, S.: TAA	Samuel Roberts, *Traethawd ar Amaethyddiaeth*, 1832.
Roberts, S.: Preg.	*Pregethau Samuel Roberts*, 1865.
Roberts, T.: CG	Thomas Roberts (Llwynhudol), *Cwyn yn erbyn Gorthrymder*, 1798, Adarg. 1928.
Roberts, T. D.: BLlIF	T Dryhurst Roberts, *Bara Llaeth i Frecwast*, 1983.
Roberts, T. D.: BBD	T Dryhurst Roberts, *Bara Brith i De*, 1992.
Roberts, W.: FfM	William Roberts, *Ffrewyll y Methodistiaid*, 1745.
Roberts, W. H.: AG	W H Roberts, *Aroglau Gwair*, 1981.
Roose, J. C.: LlC	J C Roose, *Llyfr y Cyfarwyddwr*, 1873.
Rowland, D.: PAAD	Daniel Rowland, *Pymtheng Araith ar Amryw Destynau*, 1762.
Rowland, D.: PP	Daniel Rowland, *Pum Pregeth*, 1772.
Rowlands, D.: DM	D Rowlands, *Disce Mori* (1633), LlGC.
Rowlands, J.: PGW	*John Rowlands … Pregeth George Whitfield*, 1771.
Rowlands, M. P.: HBA	M P Rowlands, *Hen Bethau Anghofiedig*, 1963.
RWM	*Report on Manuscripts in the Welsh Language*, Gol., J Gwenogvryn Evans, 1898-1910.
RY	*Rheswmmau Yscrythurawl*, 1693.

Salesbury, W.: DEW   William Salesbury, *Dictionary in Englyshe and Welshe*, 1547.

Salesbury, W.: DEW	William Salesbury, *Dictionary in Englyshe and Welshe*, 1547.
Salesbury, W.: OSP	William Salesbury, *Oll Synnwyr Pen*, 1547.
Salesbury, W.: LLM	William Salesbury, *Llysieulyfr Meddyginiaethol* (16g), Gol., E S Roberts, 1916.
Salesbury, W.: CLL	William Salesbury, *Kynnifer Llith a ban*, 1551, Adarg. 1931.
Salisbury, J.: EH	John Salisbury, *Eglurhad Helaethlawn o'r Athrawiaeth Gristnogawl*, 1618.
Samuel, E.: BA	Edward Samuel, *Bucheddau'r Apostolion a'r Efengylwyr*, 1704.
Samuel, E.: HDdD	Edward Samuel, *Holl Ddyletswydd Dyn*, 1718.
SC	*Studia Celtica*, 1966 –
Scourfield, E.	Elfyn Scourfield, *Medel* 2 (Cyfnodolyn AWC), 1985.
SCPA	*Social Condition of the People of Anglesey*, 1860.
SDR	*Chwedlau Seith Doethion Rufein* (14-15g), Gol., Henry Lewis, 1925.
SE	Silvan Evans, *A Dictionary of the Welsh Language*, 1887-1906.
SE MS	*Geiriadur Silvan Evans* ar sail copi o P. yn LlGC.
Sion yr Arddwr: LlA	*Llawlyfr yr Arddwr*, 1890.
Sion Brwynog: C	*Cywyddau Sion Brwynog*, Traethawd MA, Rosmarie Kerr, 1960.
Sion Llywelyn: DD	Sion Llywelyn, *Difyrrwch Diniwaid*, 1791.
Sion Teredyn: MDD	Sion Teredyn, *Madruddyn y Difinyddiaeth Diweddaraf*, 1651.
Smyth, R.: GB	Rhosier Smyth, *Theater du Mond, sef yw Gorsedd y Byd*, 1615, Adarg. 1930.
T	*Llyfr Taliesyn* (13g), Gol., J Gwenogvryn Evans, 1910.
TA	*Termau Amaethyddol*, R J Edwards, 1991.
TA	*Gwaith Tudur Aled*, Gol., T Gwynn Jones, 1926.
TA CMG	Tudur Aled, *Cywydd y March Glas*.
Taith C	*Siwrneu neu Daith Cristiana a'i phlant o Ddinas Destryw*, 1730.
TAM	*Termau Amaethyddol a Milfeddygol*, 1994.
TCh	*Troelus a Chresyd*, Gol., W Beynon Davies, 1976.
TDP	*Testament y Dauddeg Padriarch, sef Meibion Jacob*, 1700.
Telynog	*Gwaith Thomas Evans* (Telynog).
TG	*Trysorfa Gwybodaeth neu Eurgrawn Cymraeg*, 1770.
TGG	*Transactions of the Guild of Graduates*, Prifysgol Cymru, 1908-22.
THSC	*Transactions of the Honourable Society of the Cymrodorion*.
TJ	Gw. dan T Jones (Amwythig).
TLlL	*Termau Llywodraeth Leol*, 1971.
TLlM	*Traddodiad Llenyddol Morgannwg*, G John Williams, 1948.
TN	*Y Testament Newydd*.
Thomas, A.: DR	Alban Thomas (Blaen-porth), *Dwysfawr Rym Buchedd Grefyddol*, 1722.
Thomas, B. B.: BOH	Ben Bowen Thomas, *Braslun o Hanes*, 1941.
Thomas, D.: YWTh	David Thomas, *Y Werin a'i Theyrnas*, 1909.
Thomas, D.: CTC	David Thomas, *Cau'r Tiroedd Comin*, 1952.
Thomas, D.: HTS	David Thomas, *Hanes Tair Sir ar Ddeg Cymru*, 1720.
Thomas, E.: Alm.	Evan Thomas, *Almanaciau*, 1782-5.
Thomas, J.: AIC	John Thomas, *Annerch Ieuengctyd Cymru*, 1795.
Thomas, J.: CIC	John Thomas (Rhaeadr), *Crist yn Iachawdwr Cyflawn*, 1798.
Thomas, J.: EG	John Thomas (Pentrefoelas), *Eos Gwynedd*, 1845.
Thomas, O.: Cof.JJ	Owen Thomas, *Cofiant John Jones, Talysarn*, 1874.
Thomas, O.: CC	Oliver Thomas, *Car-wr y Cymry*, 1630, Adarg. 1930.
Thomas, S.: HB	Simon Thomas, *Hanes y Byd a'r Amseroedd*, 1718, 1721.
Thomas, S.: HP	Simon Thomas, *Histori yr Heretic Pelagius*, 1735.
Thomas, T.: WWDd	Timothy Thomas, *Y Wisg Wen Ddisglair*, 1759.
Thomas, W.: CC	William Thomas (Bala), *Cyfaill i'r Cystuddiedig*, 1797.

Thomas, W. J.: CM — W J Thomas, *Cryman Medi*, 1975.

Thomas, W. J.: FfCH — W J Thomas, *Ffiol Cwm Haf*, 1976.

Thomas, W. J.: FfC — W J Thomas, *Ffa'r Corsydd*, 1979.

Thomas, W. J.: PT — William Jenkin Thomas, *Penillion Telyn*, 1894.

TP — *Gwaith Tudur Penllyn ac Ieuan ap Tudur Penllyn* (15g), Gol., Thomas Roberts, 1958.

TP CG — TP, *Casgan Gythraul*, 1711.

TR — *Geiriadur Thomas Richards*, 1753.

Traeth — *Y Traethodydd*, 1845 –

Tredegar — *Llawysgrif Tredegar*, 1789, LlGC.

Tudor, S. O.: CYA — Stephen O Tudor, *Cyfrinach yr Afon*, 1934.

TW — Thomas Wiliems, *Dictionarum Latino – Cambricum*, 1604-7.

Twm o'r Nant: BB — Twm o'r Nant, *Bannau'r Byd*, 1808.

Twm o'r Nant: CO — Twm o'r Nant, *Cybydd-dod ac Oferedd*, Gol., I Ffoulkes, 1870.

Twm o'r Nant: CTh — Twm o'r Nant, *Cyfoeth a Thlodi*, 1768, 1841.

Twm o'r Nant: GG — Twm o'r Nant, *Gardd o Gerddi*, 1790, 1826.

Twm o'r Nant: FF — Twm o'r Nant, *Y Farddoneg Fabilonaidd neu Weledigaeth Cwrs y Byd*, 1813.

Twm o'r Nant: PCG — Twm o'r Nant, *Pedair Colofn Gwladwriaeth*, 1786.

Twm o'r Nant: PG — Twm o'r Nant, *Pleser a Gofid*, 1787.

Twm o'r Nant: TChB — Twm o'r Nant, *Tri Chryfion Byd*, 1789.

Twm o'r Nant: H — *Hunangofiant a Llythyrau Twm o'r Nant*, Gol., G M Ashton, 1948.

TY — *Trysorfa Ysprydol*, 1799-1801.

TYGD — *Traethawd Ynghylch Gweithredoedd Da ac Elusenau*, 1693.

TYP — *Trioedd Ynys Prydein*, Gol., Rachel Bromwich, 1961.

Vaughan, G.: PYG — Gwyneth Vaughan, *Plant y Gorthrwm*, 1908.

Vaughan, R.: Ydd — Rowland Vaughan, *Yr Ymarfer o Dduwioldeb*, 1629, Adarg. 1930.

Vaughan, R.: PS — Rowland Vaughan, *Prifannau Sanctaidd*, 1658.

W — *English-Welsh Dictionary*, Gol., John Walters, 1770-94.

WA — *Welsh Aedoeology*, Egerton Phillimore, 1884.

W Ballads — *A Bibliography of Welsh Ballads*, Gol., J H Davies, 1911.

WB — *Welsh Botanology*, Hugh Davies, 1813.

White, R.: C — *Carolau Richard White* (16g), Gol., T H Parry-Williams, 1931.

Wiliam Cynwal, Gwaith — *Astudiaeth Destunol o Ganu Wiliam Cynwal*, Traethawd MA, G P Jones, 1969.

Wiliam Cynwal, Gwaith — *Astudiaeth Destunol o awdlau, cywyddau ac Englynion gan W Cynwal*, Traethawd MA, R L Jones, 1969.

WLl — *Barddoniaeth Wiliam Llŷn*, Gol., J C Morrice, 1908.

WLl (Geir.) — Wiliam Llŷn, *Geirfa yn W Llŷn*.

Wiliam, D.: LLEM — Dafydd Wiliam (Llandeilo Fach), *Llyfr Emynau'r Methodistiaid*, 1929.

Wiliam, E.: HAFf — Eurwyn Wiliam, *Hen Adeiladau Fferm*, 1992.

Wiliam, L.: ShB — Lodwick Wiliam, *Sherlyn Benchwiban*, 1802.

Wiliam, M.: DY — Mari Wiliam, *Dawn Ymadrodd*, 1978.

Wiliam, T.: OL — Thomas Wiliam (Llandeilo Fawr), *Oes Lyfr yn Dair Rhan*, 1724.

Williams, A. Ll.: Cerddi — Alun Llewelyn Williams, *Cerddi*, 1944

Williams, A. Ll.: CrA — Alun Llewelyn Williams, *Crwydro Arfon*, 1959.

Williams, A. R.: E — Alun R Williams, *Epigramau*, Cyfansoddiadau'r Eisteddfod Genedlaethol, 1973.

Williams, D.: — D. Williams, *Cofiant J R Jones, Ramoth*, 1913.

Williams-Davies, J.: Nod.i AWC — Nodiadau yn Amgueddfa Werin Cymru.

415

Williams, D. J.: HW	D J Williams, *Hen Wynebau*, 1934.
Williams, D. J.: STC	D J Williams, *Straeon Tir Coch*, 1941.
Williams, D. J.: ST	D J Williams, *Storiau'r Tir*, 1966.
Williams, D. J.: STG	D J Williams, *Straeon Tir Glas*, 1936.
Williams, D. J.: YChO	D J Williams, *Yn Chwech ar Hugain Oed*, 1959.
Williams, E.: UYB	Evan Williams, *Un Ymadrodd ar Bymtheg ynghylch Iesu Grist*, 1760.
Williams, E.: GB	Edward Williams yn *Y Geiriadur Beiblaidd*, 1926.
Williams, E.: BOLL	Emlyn Williams, *Blagur o'r Llwch*, 1976.
Williams, E. Ll.: HDd	E Llwyd Williams, *Hen Ddwylo*, 1941.
Williams, E. Ll.: CrSB	E Llwyd Williams, *Crwydro Sir Benfro 1 a 2*, 1960.
Williams, G. J.: IMCY	G J Williams, *Iolo Morganwg a Chywyddau'r Ychwanegiad*, 1926.
Williams, G. J.: TLlM	Gruffydd John Williams, *Traddodiad Llenyddol Morgannwg*, 1948.
Williams, H.: CB	Huw Williams, *Canu'r Bobl*, 1978.
Williams, H. Ll.: Cof.TC	Huw Llewelyn Williams, *Cofiant Thomas Charles Williams*, 1964.
Williams, I.: ELl	Ifor Williams, *Enwau Lleoedd*, 1945.
Williams, I.: MI	Ifor Williams, *Meddwn i*, 1946.
Williams, I.: IDdA	Ifor Williams, *I Ddifyrru'r Amser*, 1959.
Williams, I.: MSI	*Meddai Syr Ifor*, Gol., Melville Richards, 1968.
Williams, J.: ACA	John Williams, *Awstralia a'r Cloddfeydd Aur*, 1852.
Williams, G. J.: MM	John Griffith Williams, *Maes Mihangel*, 1974.
Williams, M.: BM	Mathew Williams (Llandeilo Fawr), *Britannus Merlinus Liberatus*, 1777-1814.
Williams, M.: S	Mathew Williams, (Llandeilo Fawr), *Speculum Terrarum a Coelorum*, 1784.
Williams, M.: LlLl	Moses Williams, *Llawlyfr y Llafurwr*, 1711.
Williams, M.: CE	Myfi Williams, *Cartrefi Enwogion*, 1960.
Williams, M. R.: DA	M R Williams, *Doctor Alun*, 1977.
Williams, N.: HM	Nathanael Williams, *Hyfforddiadau Meddygawl*, 1793, 1796.
Williams, O. R.: WOS	O R Williams, *Wagenaid o Straeon*.
Williams, P.: GYG	Peggy Williams, *Gwawr yn y Gwaun*, 1989.
Williams, P.: BS	Peter Williams, *Y Beibl Sanctaidd*, 1770.
Williams, R.: TB	Robin Williams, *Y Tri Bob*, 1970.
Williams, R. Bryn: CP	R Bryn Williams, *Cymry Patagonia*, 1942.
Williams, R. Bryn: CP	R Bryn Williams, *Crwydro Patagonia*, 1960.
Williams, R. Bryn: YNE	R Bryn Williams, *Yn Nwylo Eirth*, 1967.
Williams, R. E.: HDd	R E Williams, *Hanes y Ddaear*, 1866.
Williams, S.: ADA	Samuel Williams (Llandyfriog), *Amser a Diwedd Amser*, 1707.
Williams, T.: HHO	Thomas Williams (Talybont, Bangor), *Hanesion o'r Hen Oesau*, 1762.
Williams, T.: CDG	Thomas Williams (Dinbych), *Cydymaith y Dyddiau Gwylion*, 1712.
Williams, T.: TB	Thomas Williams (Dinbych), *Ymadroddion Bucheddol Ynghylch Marwolaeth*, 1691.
Williams, T. H.: YGG	T Hudson Williams, *Y Groegiaid Gynt*, 1932.
Williams, W.: CAA	William Williams (Pantycelyn), *Crocodil Afon yr Aifft*, 1767.
Williams, W.: DN	William Williams (Pantycelyn), *Ductor Nuptiarium neu Gyfarwyddwr Priodas*, 1777.
Williams, W.: GDC	William Williams (Pantycelyn), *Golwg ar Deyrnas Crist*, 1756, 1766.
Williams, W.: GIE	William Williams (Pantycelyn), *Gloria in Exelsis*, 1771.
Williams, W.: HTS	William Williams (Pantycelyn), *Hanes Tri Wŷr o Sodom*, 1768.

Williams, W.: C   William Williams, (Pantycelyn), *Caniadau y rhai sydd ar y môr o wydr*, 1762-95.
Williams, W.: GP   William Williams (Pantycelyn), *Gwaith Prydyddawl*, 1791.
Williams, W.: P   William Williams (Pantycelyn), *Pantheologia*, 1762-79.
Williams, W.: Th   William Williams (Pantycelyn), *Bywyd a Marwolaeth Theomemphus*, 1764.
Williams, W.: TEA   William Williams (Pantycelyn), *Templum Experientiae Apertum neu Drws y Society Profiad*, 1777.
Williams, W.: FfW   William Williams (Pantycelyn), *Ffarwel Weledig, Croesaw Anweledig Bethau*, 1763, 1766, 1769.
WL DP   WL, *Defosiwneu Priod*, 1655.
WLB   *A Welsh Leech Book*, Gol., Timothy Lewis, 1914.
WM   *The White Book Mabinogion*, Gol., J Gwenogvryn Evans, 1907.
WM PGG   WM, *Patrwm y Gwir Gristion*, 1723, Adarg. 1908.
WML   *Welsh Medieval Law*, Gol., A W Wade Evans, 1909.
Wyn, E.: CA   Eifion Wyn, *Caniadau'r Allt*, 1927.
Wyn, E.: TMM   Eifion Wyn, *Telynegion Maes a Môr*, 1908.
Wynn, G.: YGD   Griffith Wynn, *Ystyriaethau o Gyflwr Dyn*, 1724.
Wynne, E.: PAC   Edward Wynne, *Prif Addysg y Cristion*, 1755.
Wynne, E.: BC   Ellis Wynne, *Gweledigaethau y Bardd Cwsg*, 1703.
Wynne, E.: RBS   Ellis Wynne, *Rheol Buchedd Sanctaidd*, 1701.

Y   *Ymryson Edmund Prys a Wiliam Cynwal*, Gol., Aled Williams, 1986.
YBH   *Ystorya Bown de Hamtwn* (13g), Gol., Morgan Watkin, 1958.
YC   *Y Caniedydd* (yr Annibynwyr), 1960.
YCM   *Ystorya de Carlo Magno* (14g), Gol., Stephen J Williams, 1930.
YCTM   *Ymddiddan Cariadus rhwng Tad a Mab*, 1734.
YEPWC   *Astudiaeth destunol a beirniadol o ymryson barddol Edmund Prys a Wiliam Cynwal*, Traethawd MA, Gruffydd Aled Williams, 1978.
YFODdC   *Y Flodeugerdd o Ddyfyniadau Cymraeg*, Gol., Alan Llwyd, 1988.
YGDB   *Ymadrodd Gweddaidd Ynghylch Diwedd y Byd*, 1703.
YHD   *Ymadroddion Hen Mr Dod*, 1688.
YLlH   *Yny Llyvyr hwnn*, 1546, Adarg. 1902.
Ymofynion   *Ymofynion i'w Hatteb gan Brocatorion, Wardeiniaid a Swyddogion eraill*, 1690.
YRW   *Ystori Richard Whittington*, 1812.
YSG   *Ystoreau Seint Greal*, Gol., Thomas Jones.
Yst Kym   *Astudiaeth destunol … o Ystorie Kymru neu Cronigl Kymraeg (Ifan Llwyd ap Dafydd)*, 16g, Traethawd MA, Nia Lewis, 1967.